Baedekers
Allianz-Reiseführer
Deutschland · Ost

W9-DHV-845

Baedekers
Allianz 🏛 Reiseführer

Städte in aller Welt

Amsterdam	Hamburg	München
Athen	Hongkong	New York
Bangkok	Istanbul	Paris
Berlin	Jerusalem	Prag
Brüssel	Köln	Rom
Budapest	Kopenhagen	San Francisco
Dresden	Leningrad	Singapur
Düsseldorf	Lissabon	Stuttgart
Florenz	London	Tokio
Frankfurt	Madrid	Venedig
am Main	Moskau	Wien

Reiseländer · Großräume

Ägypten	Großbritannien	Mexiko
Asien	Irland	Mittelmeer
Belgien	Israel	Niederlande
Dänemark	Italien	Österreich
Deutschland	Japan	Portugal
(Ost und West)	Jugoslawien	Schweiz
Deutschland · Ost	Kanada	Skandinavien
Deutschland · West	Karibik	Spanien
Frankreich	Luxemburg	Tunesien
Griechenland	Marokko	USA

Regionen · Inseln · Flüsse

Bodensee	Mallorca	Sizilien
Costa Brava	Provence/	Südtirol
Gran Canaria	Côte d'Azur	Teneriffa
Griechische Inseln	Rhein	Tessin
Ibiza	Ruhrgebiet	Toskana
Kalifornien	Schwäbische	Türkische
Loire	Alb	Küsten

Städte in Deutschland und der Schweiz

Augsburg	Freiburg	Mainz
Bamberg	Hannover	Mannheim
Basel	Heidelberg	Nürnberg
Berlin (gr. + kl.)	Kiel	Passau
Bonn	Konstanz	Regensburg
Bremen	Leipzig	Trier
Darmstadt	Lübeck	Wiesbaden

Baedekers

Allianz Reiseführer

Deutschland · Ost

VERLAG KARL BAEDEKER

Hinweise zur Benutzung dieses Reiseführers

Sternchen (Asterisken) als typographisches Mittel zur Hervorhebung bedeutender Bau- und Kunstwerke, Naturschönheiten und Aussichten, aber auch guter Unterkunfts- und Gaststätten hat Karl Baedeker im Jahre 1844 eingeführt; sie werden auch in diesem Reiseführer verwendet: Besonders Beachtenswertes ist durch *einen vorangestellten 'Baedeker-Stern', einzigartige Sehenswürdigkeiten sind durch **zwei Sternchen gekennzeichnet.

Zur raschen Lokalisierung der Reiseziele von A bis Z auf der beigegebenen Reisekarte sind die entsprechenden Koordinaten der Kartennetzmaschen jeweils neben der Überschrift in Rotdruck hervorgehoben: Dresden **D 6**.

Wenn aus der Fülle von Unterkunfts-, Gast- und Einkaufsstätten nur eine wohlüberlegte Auswahl getroffen ist, so sei damit gegen andere Häuser kein Vorurteil erweckt.

Da die Angaben eines solchen Reiseführers in der heute so schnellebigen Zeit fast ständig Veränderungen unterworfen sind, kann für Richtigkeit keine absolute Gewähr übernommen werden. Auch lehrt die Erfahrung, daß sich Irrtümer nie gänzlich vermeiden lassen. Für Berichtigungen und Verbesserungsvorschläge ist die Redaktion (Zeppelinstr. 44/1, W-7302 Ostfildern 4) stets dankbar.

Impressum

Ausstattung:
334 Abbildungen (Bildnachweis am Ende des Buches)
31 Stadtpläne, 21 Grundrisse, 16 Sonderpläne, 9 Sonderkarten, 8 Übersichtskarten, 6 graphische Darstellungen, 2 Tabellen, 1 große Reisekarte (Kartenverzeichnis am Ende des Buches)

Texte:
Herausgeber: Prof. Dr. Bruno Benthien, Greifswald (Autorenverzeichnis am Ende des Buches)
Nachführung: Tourist Verlag, Berlin · Leipzig
Ergänzung, Bearbeitung und Endfassung: Baedeker-Redaktion

Kartographie:
Tourist Verlag, Berlin · Leipzig; Gert Oberländer, München; Franz Kaiser, Sindelfingen
Mairs Geographischer Verlag, Ostfildern-Kemnat (Reisekarte)

Gesamtleitung: Dr. Peter H. Baumgarten, Baedeker Stuttgart

6. Auflage 1991
Gänzlich revidierte Nachfolgeausgabe des bisherigen Titels "DDR"

© für deutschen Urtext sowie Fotos, Detailkarten und Pläne (anteilig):
Tourist Verlag GmbH, Berlin · Leipzig
Lizenznahme: Verlag Karl Baedeker GmbH, Ostfildern-Kemnat bei Stuttgart
Nutzungsrecht: Mairs Geographischer Verlag GmbH & Co., Ostfildern-Kemnat bei Stuttgart

Satz (Typotext): Baedeker-Redaktion
Textfilme: Fotosatz Joachim Kranzbühler, Waldenbuch-Bonholz
Reproduktionen: Gölz Repro-Service GmbH & Co. KG, Ludwigsburg
Druck: Körner Rotationsdruck, Maichingen
Buchbinderische Verarbeitung: Gassenmeyer Bindetechnik GmbH + Co. KG, Nürnberg

Inhalt

Liebe Leserin, lieber Leser,

Baedeker ist ständig bemüht, die Qualität seiner Reiseführer noch zu steigern und ihren Inhalt weiter zu vervollkommnen. Hierbei können ganz besonders die Erfahrungen und Urteile aus dem Benutzerkreis als wertvolle Hilfe gar nicht hoch genug eingeschätzt werden. Vor allem **Ihre Kritik, Berichtigungen und Verbesserungsvorschläge sind uns stets willkommen.** Sie helfen damit, die nächste Auflage noch aktueller zu gestalten. Bitte schreiben Sie in jedem Falle an die

Baedeker-Redaktion
Karl Baedeker GmbH
Marco-Polo-Zentrum
Zeppelinstraße 44/1
Postfach 31 62
W-7302 Ostfildern 4 (Kemnat).

Der Verlag dankt Ihnen im voraus bestens für Ihre Mitteilungen. Jede Einsenderin und jeder Einsender nimmt an einer jeweils zum Jahresende unter Ausschluß des Rechtsweges stattfindenden Verlosung von drei JRO-LEUCHTGLOBEN teil. Falls Sie gewonnen haben, werden Sie benachrichtigt. Ihre Zuschrift sollte also neben der Angabe des Buchtitels und der Auflage, auf welche Sie sich beziehen, auch Ihren Namen und Ihre Anschrift enthalten. Die Informationen werden selbstredend vertraulich behandelt und die persönlichen Daten nicht gespeichert.

Vorwort

Dieser Reiseführer gehört zur neuen Baedeker-Generation.

In Zusammenarbeit mit der Allianz Versicherungs-AG erscheinen bei Baedeker durchgehend farbig illustrierte Reiseführer in handlichem Format. Die Gestaltung entspricht den Gewohnheiten modernen Reisens: Nützliche Hinweise werden in der Randspalte neben den Beschreibungen herausgestellt. Diese Anordnung gestattet eine einfache und rasche Handhabung.

Der vorliegende Band hat den östlichen Teil Deutschlands, d.h. das Gebiet der einstigen Deutschen Demokratischen Republik, zum Thema und schließt die nun nicht mehr geteilte deutsche Hauptstadt Berlin zur Gänze ein.

Der Reiseführer gliedert sich in drei Hauptteile: Im ersten Teil wird über das Land im allgemeinen, naturräumliche Gliederung, Klima, Wirtschaft, Geschichte, berühmte Persönlichkeiten, Kunst und Kultur sowie die ethnische Minderheit der Sorben berichtet. Eine Sammlung von Literaturzitaten und einige Routenvorschlägen leiten über zum zweiten Teil, in dem die touristisch interessanten Reiseziele – Städte, Orte und Landschaften – mit ihren Sehenswürdigkeiten beschrieben werden. Daran schließt ein dritter Teil mit reichhaltigen praktischen Informationen. Sowohl die Reiseziele als auch die Informationen sind in sich alphabetisch geordnet.

Baedekers Allianz-Reiseführer zeichnen sich durch Konzentration auf das Wesentliche sowie Benutzerfreundlichkeit aus. Sie enthalten eine Vielzahl eigens entwickelter Pläne und zahlreiche farbige Abbildungen. Zu diesem Reiseführer gehört als integrierender Bestandteil eine ausführliche Reisekarte, auf der die im Text behandelten Reiseziele anhand der jeweils angegebenen Kartenkoordinaten zu lokalisieren sind.

Wir wünschen Ihnen mit Baedekers Allianz-Reiseführer viel Freude und einen lohnenden Aufenthalt in Deutschland · Ost!

Verlag Karl Baedeker

Zahlen und Fakten

Nach dem Zusammenbruch am Ende des verheerenden Zweiten Welt-krieges zerfiel das einstige Deutsche Reich zunächst in die von US-Ameri-kanern, Briten und Franzosen besetzten Westzonen, in die sowjetisch besetzte Ostzone und in die unter polnische bzw. sowjetische Verwaltung gestellten Ostgebiete jenseits der Oder-Neiße-Linie; die ehemalige Reichshauptstadt Berlin teilten die Alliierten analog in vier Sektoren auf.

Vorbemerkung

Aus der Sowjetischen Besatzungszone Deutschlands (SBZ; vulgo 'Ost-zone') entstand 1949 die sozialistische Deutsche Demokratische Republik (DDR), die sich nach der friedlichen Revolution im Herbst des Jahres 1989 und erstmals freien Wahlen am 15. Mai 1990 der ebenfalls seit 1949 be-stehenden freiheitlich-demokratischen Bundesrepublik Deutschland am 3. Oktober 1990, dem Tag der deutschen Einheit, angeschlossen hat und seit den Landtagswahlen am 14. Oktober 1990 wieder in Länder gegliedert ist, die annähernd jenen entsprechen, die bereits von 1945 bis zur sozia-listischen Neugliederung in Bezirke des Jahres 1952 bestanden haben.

In diesem Reiseführer werden die kulturhistorischen und andere touri-stischen Sehenswürdigkeiten in den neu eingerichteten östlichen deut-schen Bundesländern auf dem Gebiet der ehemaligen DDR – einschließ-lich der nun nicht mehr geteilten deutschen Hauptstadt Berlin – beschrie-ben, wobei die Baedeker-Redaktion bemüht war, den jüngsten Entwick-lungen nach Kräften Rechnung zu tragen. In einer Zeit so tiefgreifender Veränderungen ist jedoch damit zu rechnen, daß sich viele derzeit noch zutreffende Zustände alsbald wandeln werden.

Hinweis

Allgemeines

Bei dem im Titel dieses Reiseführers schlagwortartig als 'Deutschland · Ost' bezeichneten östlichen Teil Deutschlands handelt es sich um das Gebiet der ehemaligen Deutschen Demokratischen Republik (DDR), die von ihrer Gründung am 7. Oktober 1949 bis zu ihrer Integration in die Bundesrepublik Deutschland am 3. Oktober 1990 bestanden hat.

Gebietsdefinition

Am 14. Oktober 1990 wurden hier die neuen Bundesländer Mecklenburg-Vorpommern, Brandenburg, Sachsen-Anhalt, Sachsen und Thüringen ein-geführt – ergänzt um ein weiteres, nämlich die alte und neue deutsche Hauptstadt Berlin, deren 'Berlin (Ost)' genannter östlicher Teil einst als 'Haupt-stadt der DDR' fungierte und deren 'Berlin (West)' genannter westlicher Teil eine politische Sonderrolle spielte.

Alte und neue Verwaltungs-gliederung s. S. 10 und S. 11

Deutschland · Ost

© Baedeker

Deutschland · Ost liegt im mittleren Norden Mitteleuropas und grenzt mit 340 km Länge seiner Außenküste an die Ostsee, das 'Baltische Meer', wie es auch von seinen östlichen Anrainern genannt wird. Nachbar im Osten an Oder und Lausitzer Neiße ist Polen (456 km Grenzlinie). Nach Südosten grenzt es im Elbsandsteingebirge und

Lage und Nachbarn

Fortsetzung s. S. 12

◀ Kreidesteilküste der Ostseeinsel Rügen

Verwaltungsgliederung in Bezirke (1952–1990) der ehemaligen Deutschen Demokratischen Republik

Saßnitz
Stralsund
ROSTOCK
Rostock
Greifswald
Wismar
Güstrow
Schwerin
SCHWERIN
NEUBRANDENBURG
Waren
Neubrandenburg
Ludwigslust
Prenzlau
Eberswalde-Finow
Salzwedel
POTSDAM
FRANKFURT
Stendal
BERLIN (WEST)
BERLIN (OST)
MAGDEBURG
Brandenburg
Potsdam
Frankfurt
Magdeburg
Halberstadt
Lutherstadt Wittenberg
Cottbus
Quedlinburg
Dessau
COTTBUS
Nordhausen
HALLE
Halle
LEIPZIG
Hoyerswerda
Thomas-Müntzer-Stadt Mühlhausen
Leipzig
DRESDEN
ERFURT
Naumburg
Meißen
Bautzen
Görlitz
Erfurt
Weimar
Dresden
Eisenach
Jena
Gera
Freiberg
Karl-Marx-Stadt
GERA
Saalfeld
Zwickau
Suhl
KARL-MARX-STADT
SUHL
Plauen

——————	Bezirksgrenzen
SUHL	Name des Bezirkes
Suhl	Name der Bezirksstadt

Anmerkung

Die obenstehende Übersichtskarte zeigt das Territorium der 1949 gegründeten DDR mit den im Rahmen der sozialistischen Gebietsreform des Jahres 1952 eingeführten Bezirken.
Der sowjetische Sektor von Berlin wurde ungeachtet des für ganz Berlin geltenden Viermächtestatus zur 'Hauptstadt der DDR' erklärt.

**Verwaltungsgliederung
in Länder (1990)
des Gebietes der
einstigen Deutschen
Demokratischen
Republik**

N.B.: Bei den
Landeswappen
von Mecklenburg-
Vorpommern und
Sachsen-Anhalt
handelt es sich
um provisorische
Darstellungen.

Saßnitz

Stralsund

Rostock · Greifswald

Wismar · Güstrow

MECKLENBURG-VORPOMMERN

Schwerin · Neubrandenburg

Waren

Ludwigslust

Prenzlau

© Baedeker

BRANDENBURG Eberswalde-Finow

Salzwedel

Stendal

BERLIN

Brandenburg

Potsdam

Frankfurt (Oder)

Magdeburg

Halberstadt

Dessau

Wittenberg

Quedlinburg

Cottbus

SACHSEN-ANHALT

Nordhausen

Halle (Saale)

Mühlhausen

Leipzig

FREISTAAT SACHSEN Bautzen

Naumburg

Meißen · Görlitz

Erfurt Weimar

Dresden

Eisenach

Freiberg

Jena Gera

Chemnitz

THÜRINGEN

Zwickau

Suhl · Saalfeld

Plauen

——— Ländergrenzen

THÜRINGEN Name des Landes

Erfurt Name der
Landeshauptstadt

Die obenstehende Übersichtskarte zeigt die mit den Landtagswahlen vom
14. Oktober 1990 auf dem Gebiet der ehemaligen DDR wiedereingeführten
deutschen Länder, wie sie in etwa bereits von 1945 bis 1952 bestanden
haben. Das zunächst als Mecklenburg-Vorpommern bezeichnete Land
im Norden hieß seit dem 28. Februar 1947 nur noch Mecklenburg.

Anmerkung

Allgemeines

**Lage
und Nachbarn
(Fortsetzung)**

auf dem Kamm des Erzgebirges an die Tschechoslowakei (430 km Grenzlinie).
Seine mit 1 381 km längste Grenzlinie verläuft im Westen und Südwesten; sie war bis zur Öffnung der DDR-Grenzen in Deutschland am 9. November 1989 die hermetisch gesicherte Staatsgrenze zur Bundesrepublik Deutschland und markiert nunmehr lediglich die innerdeutschen Ländergrenzen zwischen Mecklenburg-Vorpommern und Schleswig-Holstein bzw. Niedersachsen, zwischen Sachsen-Anhalt und Niedersachsen, zwischen Thüringen und Niedersachsen bzw. Hessen bzw. Bayern sowie zwischen Sachsen und Bayern.

**Fläche
und Ausdehnung**

Bei einer Gesamtfläche von 108 813 km^2 (einschließlich 883 km^2 für ganz Berlin) beträgt die größte Ausdehnung des östlichen Teils Deutschlands von Norden nach Süden rund 500 km, von Osten nach Westen etwa 350 km.

**Bevölkerungs-
zahlen**

Im östlichen Teil Deutschlands leben derzeit schätzungsweise ingesamt rund 18,56 Mio. Menschen; sie verteilen sich wie folgt auf die neuen deutschen Bundesländer:

Mecklenburg-Vorpommern	1 964 000
Brandenburg	2 641 000
Berlin	3 410 000
Sachsen-Anhalt	2 965 000
Freistaat Sachsen	4 901 000
Thüringen	2 684 000

**Reiseland
Deutschland·Ost**

Trotz der nach der friedlichen Revolution im Herbst 1989 auch im Westen deutlich gewordenen landesweit mißlichen Zustände und Mängelerscheinungen besitzt der östliche Teil Deutschlands doch eine gewisse Attraktivität, die über das reine Interesse am Kennenlernen des jahrzehntelang weitgehend verschlossenen Landes hinausgeht:

Städte

Zum einen bewahrt er in seinen heute zwar meist heruntergekommenen Städten dennoch kulturhistorische Sehenswürdigkeiten ersten Ranges – etwa im alten Kern von Berlin, im kunstbeflissenen 'Elbflorenz' Dresden, in der traditionsreichen Messestadt Leipzig, in Potsdam mit dem berühmten Park und Schloß Sanssouci, in Weimar, der Stadt der klassischen deutschen Dichterfürsten oder in den alten Hansestädten Greifswald, Stralsund, Rostock und Wismar.
Darüber hinaus waren die historischen Kerne etlicher anderer Städte zu DDR-Zeiten immerhin unter Denkmalschutz gestellt worden, so jene von Bautzen, Freiberg, Görlitz, Güstrow, Ludwigslust, Meißen, Mühlhausen, Naumburg, Neuruppin, Osterwieck, Quedlinburg, Salzwedel, Schmalkalden, Stolberg, Tangermünde, Torgau, Wasungen und Wernigerode. Man erwarte von den dort erfolgten denkmalpflegerischen Maßnahmen jedoch keinesfalls solche Ergebnisse, wie sie aus der bisherigen Bundesrepublik Deutschland oder anderen Ländern der westlichen Welt bekannt sind.

Landschaften

Zum anderen verfügen die neuen östlichen deutschen Bundesländer über weite, dank verhältnismäßig geringer Zersiedelung noch weithin unberührte Landschaften, die einen unerwarteten Reiz ausstrahlen und nicht selten recht nostalgisch anmuten. Als wichtigste Beispiele seien genannt die langgestreckte Ostseeküste mit der Halbinselkette Fischland – Darß – Zingst und den Inseln Hiddensee, Rügen und Usedom, die Mecklenburgische Seenplatte, die Märkische Schweiz oder der von unzähligen Kanälen durchzogene Spreewald.
In diese Reihe gehören zwar auch die Mittelgebirgslandschaften im Harz, in der Rhön, im Thüringer Wald, im Vogtland, im Erzgebirge, in der romantischen Sächsischen Schweiz und im Lausitzer Bergland, doch zeigen sich hier die Umweltschäden deutlicher als im norddeutschen Tiefland.

Naturräumliche Gliederung

Übersichtskarte s. S. 18

Der östliche Teil Deutschlands gliedert sich in physisch-geographischer Hinsicht in das nördliche Tiefland, etwa zwei Drittel des Gebietes umfassend, und das südliche Mittelgebirgsland, etwa ein Drittel der Gesamtfläche.

Zwei Großräume

Die Oberflächengestaltung des Tieflandes erfolgte im wesentlichen während der jüngsten geologischen Vergangenheit, im Eiszeitalter (Pleistozän). Damals drangen mehrmals von Skandinavien her infolge einer allgemeinen Klimaveränderung gewaltige Gletschermassen nach Süden vor, zweimal bis nahe an die Mittelgebirge, das dritte Mal bis in den Norden Deutschlands. Während der Inlandvergletscherung und bei ihrem Abtauen wurde das mittransportierte Gesteinsmaterial in Form von Moränen abgesetzt. Durch die Schmelzwässer entstanden sowohl Sandaufschüttungen als auch Rinnen. In den Hohlformen bildeten sich Seen. Der Wind verwehte Staub und setzte ihn als Löß wieder ab. In solchen, vielfältig miteinander verknüpften Vorgängen hat das Tiefland mit seinen Ebenen und Hügelländern, seinen Flüssen und Seen seinen Ursprung.

Tiefland im Norden

Die Mittelgebirge bestehen dagegen in erster Linie aus geologisch sehr alten Gesteinen. Im Tertiär wurden einzelne Schollen durch die Gewalt der gebirgsbildenden Kräfte des Erdinneren herausgehoben. Sie bilden heute Hochschollen wie den Harz, den Thüringer Wald oder das als Pultscholle schräggestellte Erzgebirge. Andere Schollen behielten ihre Höhenlage oder veränderten sie nur wenig. Sie wurden wie das Thüringer Becken in die bei unterschiedlichen Klimaverhältnissen auch jeweils unterschiedlich verlaufenen Abtragungsvorgänge einbezogen. So wechseln im Mittelgebirgsland flächenhafte Abtragung (Einrumpfung) und Zerschneidung der Gebirge durch die Flüsse miteinander ab.

Mittelgebirgsland im Süden

Tiefland

Ostseeküste

Die nördlichste der großen naturräumlichen Einheiten ist die Küstenlandschaft längs der Ostseeküste zwischen der Lübecker Bucht und der Pommerschen Bucht. Auf über 130 km Küstenlänge sind es beackerte oder bewaldete Moränen der letzten Kaltzeit, die mit steilem Kliff zum Meer hin abfallen. Von der insgesamt 340 km langen Außenküste schwingen auf rund 200 km Flachufer mit Dünen besetzte Strandwälle und Nehrungen zwischen den Steilufern von einem Landvorsprung zum anderen. Der Wechsel zwischen Steilufer und Flachufer erfolgt sehr schnell; dadurch entstehen abwechslungsreiche Landschaftsbilder mit immer neuen Reizen. Überall an den Flachuferabschnitten, aber auch vor den meisten Steilufern erstrecken sich breite Sandstrände.

Uferformen

Durch den Verlauf der Küstenlinie unterscheidet sich die Ostseeküste Mecklenburgs und Vorpommerns von derjenigen der Nachbarländer. Es fehlen ihr die offenen, tief in das Land eindringenden Meeresbuchten der schleswig-holsteinischen Förden. Andererseits ist der ständig wirkende Küstenausgleich noch nicht so weit vorangeschritten wie in Polen, wo die Küstenlinie weithin gleichförmig gestreckt verläuft.
Was die Ostseeküste jedoch in besonderem Maße auszeichnet, sind die Bodden, flache wassergefüllte Hohlformen des pleistozänen Reliefs hinter der Außenküste mit stark zerlappten Uferrändern.

Küstenlinie

Die Boddenküste ist in ihrer landschaftlichen Eigenart in Europa einmalig. Die Formung der Erdoberfläche durch die Gletscher der letzten Inlandvereisung und deren Schmelzwässer, die teils über urstromtalähnliche

Bodden- und Haffküste

Naturräumliche Gliederung

Tiefland, Ostseeküste, Bodden- und Haffküste (Fortsetzung)

Abflußbahnen abfließen konnten, teils zeitweilig in Stauseen zurückgehalten wurden, der etappenweise Anstieg des Ostseespiegels nach der letzten Kaltzeit und die damit verbundenen Transgressionsphasen, geringe Verschiebungen in der oberen Erdkruste und eine leichte Regression vor etwa 3 000 Jahren, der Aufstau der aus dem Binnenland zur Küste gerichteten Flüsse und die ständig vor sich gehende Verlandung der flachen Gewässer haben diese Bodden in der Form entstehen lassen, wie sie uns heute entgegentreten. Die Bodden- und Haffküsten sind über 1 000 km lang und auch vielerorts zum Baden geeignet.

Salzhaff

Breitling

Bereits am Ostrand der Wismarer Bucht macht sich in Gestalt des Salzhaffs, das durch die Halbinsel Wustrow von der offenen See abgetrennt wird, eine Boddenbildung bemerkbar. Der Breitling, die seenartige Verbreiterung der unteren Warnow, an dessen Südende die Hansestadt Rostock liegt, wird bei Warnemünde durch eine Nehrung vom Meer abgeschnürt.

Fischland, Darß und Zingst Hiddensee Rügen

Eine großartige Ausprägung erfahren die Bodden zwischen der Halbinsel Fischland – Darß – Zingst und dem Festland sowie zwischen den Inseln Hiddensee und Rügen sowie innerhalb der zuletzt genannten aufgrund ihrer verschiedenen pleistozänen Kerne.

Greifswalder Bodden Achterwasser Oderhaff

Schließlich bilden im östlichen Küstenabschnitt der Greifswalder Bodden, das Achterwasser als Verbreiterung des Peenestromes und das Oderhaff, die beiden letztgenannten zwischen der Insel Usedom und dem Festland gelegen, die flächenmäßig größten Bodden.

Moränen

Die Küstenlandschaft ist in ihrer Gesamtheit keineswegs flach und eben und nur wenig über dem Meeresspiegel gelegen, wie es ein flüchtiger Blick auf die Landkarte annehmen läßt. Geringe Höhe über dem Meeresspiegel trifft nur für die nehrungsähnlichen Seesandebenen oder Strandwallsysteme zwischen den Moränenzügen zu. Die Moränen jedoch erreichen besonders dort, wo sie stark gestaucht worden sind, beachtliche Höhen: mehr als 100 m ü. d. M. in der Umrandung der Wismarer Bucht, 128 m in der Kühlung westlich von Bad Doberan, 161 m auf der von Kreide unterlagerten nordrügenschen Halbinsel Jasmund, wo der Kreidefelsen des Königsstuhles 117 m über dem Meer aufragt, 60 m im Streckelsberg auf der Insel Usedom, unmittelbar am Ufer der Ostsee.

Flüsse

Nur kleinere Flüsse fließen der Ostsee zu, bei Rostock die Warnow, bei Ribnitz-Damgarten die Recknitz, bei Greifswald der Ryck und bei Anklam die Peene. Keiner dieser Flüsse geht unmittelbar in das offene Meer, alle münden zunächst in einen der Bodden. Auch der westliche Mündungsarm der Oder, der Peenestrom, durchquert Oderhaff und Achterwasser, bevor er nördlich von Wolgast den Greifswalder Bodden und erst dann die Ostsee erreicht.

Das Fehlen weit ins Land hineinreichender Wasserwege hat in der Vergangenheit die Entwicklung der Häfen in diesem Bereich der Ostseeküste erheblich beeinträchtigt.

Nordostmecklenburgisches Flachland

Grundmoränen

An die Küstenlandschaft schließt landeinwärts bis an eine gedachte Linie Rostock – Demmin – Pasewalk zunächst das Nordostmecklenburgische Flachland an, ein seenarmes, überwiegend von Grundmoränen eingenommenes Gebiet, dem, markiert durch die Städte Güstrow, Malchin, Neubrandenburg und Prenzlau, das Rückland der Mecklenburgischen Seenplatte mit seinen im Spätglazial durch kräftige Gletschervorstöße ausgeschürften Zungenbecken und Stauchendmoränen folgt.

Seenbecken

In dieser Beckenzone liegen einige der größeren Seen des norddeutschen Tieflandes: Kummerower See, Malchiner See, Tollensesee, Uckersen.

Ostseeküste: Kap Arkona auf Rügen und ... *... Seebad Ahlbeck auf Usedom*

Hier befinden sich auch Gebiete mit sehr großen Höhenunterschieden, wie z. B. in der Mecklenburger Schweiz zwischen Teterow und Malchin. Während die steilhängigen Moränen ihre Waldbedeckung behalten haben, ist im übrigen nordöstlichen Flachland und in der Beckenzone der Ackerbau vorherrschend; diese Gebiete bilden nach dem Lößland des Mittelgebirgsrandes das zweitwichtigste Agrargebiet in östlichen Teil Deutschlands.

Tiefland, Nordostmecklenburgisches Flachland, Seenbecken (Fortsetzung)

Nördlicher Landrücken · Mecklenburgische Seenplatte

Beherrschendes geomorphologisches Element ist jedoch der Nördliche Landrücken. Er zieht als 25 bis 30 km breiter, im Norden und Süden durch zwei parallel zueinander verlaufende Endmoränenzüge begrenzter Landrücken vom Klützer Winkel westlich Wismar und dem Hügelland westlich vom Schweriner See bis an das Odertal zwischen Schwedt und Oderberg. Seine Höhenzone wird im wesentlichen durch die Stauchendmoränen der Pommerschen Eisrandlage (Nördliche Hauptendmoräne) gebildet.

Endmoränenzüge

Die höchsten Erhebungen liegen in den weit nach Norden zurückspringenden Hochgebieten der Hohen Burg (144 m ü. d. M.) bei Bützow, der Helpter Berge (179 m ü. d. M.) bei Woldegk, höchste Erhebung im Jungmoränenland, und der Brohmer Berge (149 m ü. d. M.) zwischen Friedland und Pasewalk. Etwas niedriger (100–120 m ü. d. M.) sind die höchsten Punkte der Frankfurter Eisrandlage (Südliche Hauptendmoräne).

Erhebungen

Eingebettet in den Nördlichen Landrücken sind die Mecklenburger Seen. Einige von ihnen, so die beiden größten, die Müritz und der Schweriner See, reichen mit ihren Wasserflächen von der Nördlichen bis zur Südlichen Hauptendmoräne.
Andere werden durch Zwischenstaffeln beeinflußt, welche das Gebiet zwischen den beiden Haupteisrandlagen durchziehen.

Mecklenburger Seen:
Müritz
Schweriner See

Naturräumliche Gliederung

Tiefland, Mecklenburger Seen (Forts.), Großseen

Westlich vom Schweriner See herrschen kuppige Grundmoränen vor, zwischen Schweriner See und den Großseen – Plauer See, Fleesensee, Kölpinsee und Müritz – flachwellige Grundmoränen.

Kleinseen

Östlich der Großseen nimmt die Ausdehnung der Sanderflächen erheblich zu, welche hier, beispielsweise im Gebiet der Kleinseen um Neustrelitz–Wesenberg–Mirow und Lychen/Templin, landschaftsbestimmend werden. Auf den Sanderflächen dehnen sich geschlossene Heide- und Waldgebiete (Kiefern, Buchen und Eichen) aus. Durch den Wasser- und Waldreichtum und das lebhafte Relief zieht der Nördliche Landrücken viele Erholungssuchende an.

Vorlandzone des Nördlichen Landrückens

Dem Nördlichen Landrücken ist nach Süden eine Vorlandzone vorgelagert, deren Hauptmerkmal in unterschiedlich breiten, von Norden nach Süden verlaufenden Schmelzwasserbahnen oder -abflußrinnen besteht, die zum Elbe- bzw. Berliner oder Eberswalder Urstromtal gerichtet sind. Eine dieser Abflußbahnen zieht vom Schweriner See über das Störtal und die Lewitzniederung zum unteren Eldetal und weiter zur Elbniederung.
In diesem Vorland erheben sich die Ruhner Berge bei Parchim auf 178 m Meereshöhe.

Urstromtäler und Platten

Gebiet

Auf den Nördlichen Landrücken und sein Vorland folgt nach Süden als südlichste Zone des Jungmoränenlandes das Gebiet der Platten und großen Urstromtalungen (eiszeitliche Schmelzwasserrinnen).

Havelland Großraum Berlin Spreewald Oderbruch

Es erstreckt sich von der Elbe zwischen Burg bei Magdeburg und Wittenberge im Westen durch das von Havel und Spree durchflossene bruch- und seenreiche Elbe-Oder-Tiefland mit dem Havelland, dem Ballungsraum in und um Berlin, dem Spreewald und dem Oderbruch bis an die Neiße und Oder zwischen Forst und Oderberg im Osten.

Eberswalder und Baruther Urstromtäler

Das Eberswalder Urstromtal begrenzt dieses Gebiet im Norden, das Baruther Urstromtal im Süden. Dazwischen verläuft in der gleichen, annähernd

▼ *Berliner Havellandschaft*

von Ostsüdosten nach Westnordwesten orientierten Richtung das Berliner Urstromtal.

Diese drei Urstromtäler, von Süden nach Norden aufeinanderfolgend durch die Schmelzwässer der letzten Inlandvergletscherung angelegt, sind durch verschiedene von Süden nach Norden verlaufende Durchbrüche miteinander verbunden.

Tiefland, Urstromtäler und Platten (Fortsetzung), Berliner Urstromtal

Das Eberswalder Urstromtal vereinigt sich zudem mit dem Berliner Tal, und alle drei laufen schließlich im Elbe-Urstromtal zusammen. Dadurch ergibt sich in dieser Zone ein Nebeneinander von beackerten Moränenplatten, als Weideland genutzten Talsandniederungen, mit Binnendünen und Kiefernforsten bedeckten Sanderflächen und größtenteils kanalisierten Flußläufen, häufig Seenketten bildend.

Elbe-Urstromtal

Nordöstlich von Berlin schneidet das Eberswalder Urstromtal die größte der brandenburgischen Moränenplatten, den bis 150 m ü. d. M. hohen Barnim, von den nördlich anschließenden Endmoränenbögen ab.

Barnim

Im Osten grenzen der Barnim und die ihm östlich benachbarte Lebuser Platte an das 1746 bis 1753 kultivierte Oderbruch, im Süden an das Berliner Urstromtal mit dem Unterlauf der Spree.

Lebuser Platte

Zwischen diesem und dem Baruther Urstromtal mit dem Spreewald liegen die Beeskower Platte, der Teltow, die Nauener Platte, die Zauche und einige weitere kleinere Platten. Im Havelland und Rhinluch, wo die drei Urstromtäler miteinander verschmelzen, haben die Platten (wie u. a. das Rhinower Ländchen) nur noch eine sehr geringe Ausdehnung.

Beeskower Platte
Teltow
Nauener Platte
Zauche

Südlicher Landrücken

Südlich des Gebietes der Platten und Urstromtalungen zieht von der Altmark über den Fläming bis zu den Lausitzer Höhen der Südliche Landrücken von Nordwesten nach Südosten quer durch das Land.

Drei Flüsse durchbrechen ihn von Süden nach Norden: die Elbe nördlich von Magdeburg zwischen Letzlinger Heide und Hohem Fläming, die Spree und die Neiße in den Lausitzer Höhen.

Verlauf

Elbe
Spree
Neiße

Berliner Havellandschaft ▼

Naturräumliche Gliederung

Bodengestalt
und
Landschaften

Hidden-see · Saßnitz
Darß
Stralsund · Rügen
Usedom
Rostock · Greifswald
Wismar · Güstrow
Mecklen-burgische Schweiz
Schwerin · Neubrandenburg
Waren · Uckermark
Mecklenburger
Müritz
Seenplatte
Ludwigslust · Prenzlau
Ruppiner Schweiz
Elbe
Eberswalde-Finow ·
Salzwedel
Altmark
Stendal ·
Havelland · BERLIN
Brandenburg · Märkische Schweiz
Potsdam · Frankfurt (Oder)
Magdeburg · Fläming
Spree-wald
Halberstadt
Wittenberg
Quedlinburg · Dessau
Harz · Cottbus ·
Nordhausen
Eichsfeld · Kyff-häuser
Halle (Saale)
Hoyerswerda
Mühlhausen · Leipzig
Lausitz
Erfurt · Weimar
Naumburg · Meißen · Bautzen · Görlitz
Eisenach
Jena · Gera
Freiberg · Dresden · Lausitzer Bergland
Thüringer Wald
Sächsische Schweiz
Rhön · Suhl · Saalfeld
Chemnitz · Zittauer Gebirge
Zwickau · Erzgebirge
Plauen
Vogtland

☐ Flachland

☐ Leichte Erhebungen, Mittelgebirgsvorland

☐ Mittelgebirgshöhen

Hinweis
Die im September 1990 unter strengen Naturschutz gestellten Landschaftsräume zeigt die Übersichtskarte im letzten Hauptteil dieses Reiseführers
→ Praktische Informationen: Naturschutz.

Der Südliche Landrücken gehört zum Altmoränenland. Seine Entstehung fällt in die vorletzte, die Saalekaltzeit. Allerdings wurde er unter den klimatischen Gegebenheiten während der letzten Kaltzeit (Weichselvereisung) durch periglaziale Vorgänge (Bodenfließen, Verwehung und Zertalung) verändert. Die Oberflächenformen sind dadurch freilich wesentlich ausgeglichener als im Jungmoränengebiet.
Dem Südlichen Landrücken fehlt die Lößbedeckung, die weiter südlich für die Randzone der Mittelgebirgsschwelle zum einheitlichen Wesenszug wird.

Tiefland, Südlicher Landrücken (Fortsetzung), Altmoränenland

Als zugehöriges Urstromtal ist das Magdeburger Urstromtal anzusehen, das sich von Bad Muskau über Hoyerswerda, Senftenberg, das Flußgebiet der Schwarzen Elster und das mittlere Elbtal bis Magdeburg erstreckt und sich im Ohretal nordwestwärts fortsetzt.

Magdeburger Urstromtal

Im Bereich des Südlichen Landrückens nimmt der im Hagelberg bis 201 m ü. d. M. aufsteigende Fläming eine Sonderstellung ein, zumal er eigentlich noch zum Berliner Vorland gehört. In seinem Aufbau überwiegend pleistozäne Ablagerungen (Ton, Kies, Sand) v. a. der Saale-Eiszeit. Verbreitet sind Kiefernforste, auf Ackerflächen werden vorwiegend Kartoffeln und Roggen angebaut.

Fläming

Die ganz überwiegend agrarisch genutzte Altmark einschließlich des ausgedehnten Waldgebietes der Letzlinger Heide nördlich des Ohretales mit dem Mittellandkanal, gehört noch zum lößfreien Tiefland. Das Relief der Altmark als eines Teiles des Hinterlandes des Südlichen Landrückens spiegelt deutlich den Altmoränencharakter wider, wenn die Altmark auch ähnlich wie das östlich anschließende Jungmoränengebiet in Platten und Niederungen gegliedert ist.

Altmark

Lößland

Zum Lößland zählen die Magdeburger Börde, das östliche und südöstliche Harzvorland, das zentrale Thüringer Becken, der Südteil der Leipziger Tieflandsbucht, das nord- und mittelsächsische Lößgebiet zwischen Mulde und Elbe sowie Teile der Oberlausitz.
In diesem Streifen nördlich der Mittelgebirgsschwelle überzieht der Löß teils pleistozäne Sedimente, teils ältere Gesteine. Das Lößland ist überwiegend Ackerland; angebaut werden Zuckerrüben, Weizen und andere anspruchsvolle Kulturen. An Wald gibt es nur Reste in Form von Feldgehölzen und Auenwäldern.

**Magdeburger Börde
Harzvorland
Thüringer Becken
Leipziger
Tieflandsbucht
Lausitz**

Mittelgebirgsland

Harz

Der am weitesten nach Norden vorgeschobene Hochschollenkomplex des Mittelgebirgslandes ist der sich von Thüringen bis nach Niedersachsen erstreckende Harz, dessen höchste Erhebung im Oberharz, die Granitkuppe des Brocken (1142 m ü. d. M.), über die Waldgrenze hinausreicht. Sonst sind die höheren Teile des Harzes auch heute noch relativ dicht bewaldet, wenngleich das Waldsterben böse Lücken geschlagen hat.
Die hohen Niederschläge (Brocken 1483 mm / Jahr) werden in zahlreichen Staubecken, besonders im Rappbodesystem, zurückgehalten und einer Nutzung als Trink- oder Brauchwasser in den niederschlagsarmen Vorlandgebieten zugeführt.
Gerade im Harz bietet die landschaftsbelebende Verknüpfung von Bergland, Wald, Wasserflächen und Rodungsinseln einen starken Anreiz und günstige Voraussetzungen für einen Erholungsurlaub zu allen Jahreszeiten.

Brocken

Mittelgebirgsland (Fortsetzung): Kyffhäuser

Goldene Aue

Als kleines Ebenbild des Harzes erhebt sich südlich vom Unterharz und von ihm durch die Auslagungssenke der Goldenen Aue getrennt, das bis 477 m ü. d. M. ansteigende Kyffhäusergebirge mit dem Kyffhäuserdenkmal und den Ruinen der Burg Kyffhausen.

Besonderheiten

Auffällig an der Südseite des Kyffhäusers sind die Formen des verdeckten Karstes in den Ablagerungen des Zechsteins, Trockentäler, Erdfälle, Gipsquellkuppen, Höhlen, Bachschwinden und Karstquellen; solche Formen treten auch am Südrand des Harzes auf.

An den sehr warmen und trockenen Gipshängen des südlichen Kyffhäusers findet sich in Gestalt wärmeliebender Eichenmischwälder, von Waldsteppen und waldfreier Steppenheide das bedeutendste Vorkommen pontisch-submediterraner Flora im östlichen Teil Deutschlands.

Thüringer Becken

Teil der Mittelgebirgsschwelle

Die ebenfalls herzynisch (d. h. von Nordwesten nach Südosten) streichende, sich südostwärts verbreiternde Scholle des Thüringer Waldes wird durch das Thüringer Becken vom Harz getrennt. Das Thüringer Becken gehört wie das südliche Vorland des Thüringer Waldes, das Elbsandsteingebirge und das Zittauer Gebirge zu den abgesenkten Schollen der Mittelgebirgsschwelle. Es bildet eine weiträumige flache Mulde und liegt in seinen zentralen Teilen nördlich von Erfurt auf nur auf 150–200 m, an seinen Rändern hingegen auf 400 bis 500 m Meereshöhe.

Merkmale

Im Inneren des Thüringer Beckens finden sich lößbedeckte Keupersedimente mit überschwemmungsgefährdeten Niederungen, z. B. dem Unstruttal. Nach außen treten ältere Gesteine zutage, so der Muschelkalk mit Schichtstufen (Hainleite und Dün) und vorgelagerten Zeugenbergen (Bleicheröder Berge und Ohmgebirge), der Buntsandstein (Windleite) und schließlich der Zechstein mit Riffbildungen.

Das Thüringer Becken ist wärmemäßig begünstigt und empfängt nur geringe Niederschläge. Die Keupergebiete sind waldfrei und werden landwirtschaftlich genutzt, während auf den Buntsandsteinhöhen Nadelwald stockt.

Thüringer Wald

Kammgebirge

Der Thüringer Wald als Hochscholle weist in seinem geologischen Bau in Gestalt erzgebirgisch (d. h. von Südwesten nach Nordosten) verlaufender Schwellen und Mulden eindeutig die Merkmale des alten variskischen Gebirges auf. Erst in Zusammenhang mit der jüngeren alpidischen Gebirgsbildung ist an herzynisch streichenden Verbiegungen und Brüchen der heutige Umriß des 60 km langen und 7–14 km breiten Gebirgskörpers entstanden. Durch die starke Zertalung des relativ schmalen Gebirges macht der Thüringer Wald den Eindruck eines Kammgebirges. Der alte geologische Bau ist nur noch in untergeordneter Weise formbestimmend.

Gipfel

Die höchsten Erhebungen übersteigen 900 m Meereshöhe: Großer Beerberg (982 m ü. d. M.), Schneekopf (978 m ü. d. M.) und Großer Inselsberg (916 m ü. d. M.).

Südthüringen

Rhön

In Südthüringen, dem südlichen Vorland des Thüringer Waldes, sind an der Gestaltung der Landschaft insbesondere Formationen des Zechsteins, des Buntsandsteins, des Muschelkalks und des Keupers sowie in der nach Hessen und Bayern übergreifenden Rhön auch solche des tertiären Vulkanismus (nämlich Basalte) beteiligt. Die Reliefunterschiede zwischen dem Thüringer Wald und seinem südlichen Vorland sind oft nicht sehr erheblich.

Teichel im Thüringer Wald

Schrammsteine im Elbsandsteingebirge

Durch ganz Südthüringen zieht sich von Südosten nach Nordwesten das Tal der Werra, weithin als breites Sohlental ausgebildet.
Die niedrigen Temperaturen und die relativ hohen Niederschläge machen die Höhenlagen über 500 m ü. d. M. zu weitgehend schneesicheren Wintersportgebieten, so daß der Thüringer Wald zwischen Eisenach und Oberhof ganzjährig für Erholungszwecke genutzt wird und zu den wichtigsten Urlaubszielen im östlichen Teil Deutschlands zählt.

Auf der Kammlinie des Thüringer Waldes verläuft der altbekannte Rennsteig, ein reizvoller Fernwanderweg der nach der Öffnung der innerdeutschen Grenzen wieder in seiner ganzen Länge ungehindert begehbar ist.

Mittelgebirgsland, Thüringer Wald (Fortsetzung), Werratal

Wintersportgebiet

Rennsteig

Erzgebirge

Das rund 130 km lange und 30–35 km breite Erzgebirge (tschechisch Krušné hory) erstreckt sich zu beiden Seiten der deutsch-tschechoslowakischen Grenze, also in Sachsen und in Böhmen. Das anders als in der herzynischen Richtung von Harz, Thüringer Wald und Thüringer Schiefergebirge von Südwesten nach Nordosten streichende Mittelgebirge verläuft im Zuge des eingeebneten Variskischen Gebirges am Nordwestrand des Böhmischen Massivs zwischen Elstergebirge (im Westen) und Elbsandsteingebirge (im Osten). Seine im Tertiär schräg gehobene Pultscholle steigt nach Südosten auf durchschnittlich 800–900 m ü. d. M. an und fällt auf böhmischer Seite in Bruchstufen schroff zu Randsenken an den Flüssen Eger (Ohře) und Biela ab.

Ausdehnung und Streichrichtung

Die höchsten Erhebungen liegen im westlichen Erzgebirge: Keilberg (Klínovec, 1244 m ü. d. M.) in der Tschechoslowakei, Fichtelberg (1214 m ü. d. M.) und Auersberg (1019 m ü. d. M.) in Deutschland.

Gipfel

Im Westen setzt sich das Erzgebirge mit einer bis zu 200 m hohen Stufe gegen das thüringische Vogtland ab, und auch im Nordwesten – zwischen Zwickauer Mulde und dem Zschopautal – ist der Gebirgsrand deutlich ausgeprägt. Im Norden und Nordosten hingegen geht das Erzgebirge mit Rumpfflächentreppen allmählich in das Mittelgebirgsvorland über.

Vogtland

Sächsische Schweiz: Elbbogen am Basteifelsen

Mittelgebirgsland,
Erzgebirge
(Fortsetzung),
Bergbau und
Siedlungen

Der Name 'Erzgebirge' erinnert an jene Zeit vor gut acht Jahrhunderten, als die Entdeckung der reichen Silbererzvorkommen bei Freiberg den Bergbau in diesem bis dahin noch unerschlossenen Waldgebirge schnell zu einer hohen Blüte führte und gleichzeitig die großflächige Rodung des Waldes aus den Tälern hangaufwärts bis in die höheren Lagen hinein auslöste. Damit wurde der Grundstein für einen Wesenszug der Siedlungsstruktur dieses Gebietes gelegt: Die ursprünglich als Waldhufendörfer der bäuerlichen Kolonisten planmäßig mit breitstreifig gegliederten Fluren angelegten Siedlungen ziehen sich kilometerlang die Täler aufwärts, während die Bergstädte in unmittelbarer Nähe der Schürfgebiete auch auf der Hochfläche angelegt wurden.

Elbsandsteingebirge · Lausitzer Bergland · Zittauer Gebirge

Mittelgebirgsland

Die Gebirge im äußersten Südosten dieses Teiles Deutschlands – Elbsandsteingebirge, Lausitzer Bergland und Zittauer Gebirge – wiederholen noch einmal das Grundprinzip des Baues des Mittelgebirgslandes.

**Elbsandstein-
gebirge**
(Sächsische
Schweiz)

Das Elbsandsteingebirge (Sächsische Schweiz) wird zu Recht als das eigenwilligste unter den deutschen Mittelgebirgen bezeichnet; denn es ist als ein Erosionsgebirge erst durch die abtragende Wirkung der Elbe zu einem Gebirge geworden und liegt tiefer als das im Norden benachbarte Lausitzer Bergland und das nach Südwesten anschließende Erzgebirge.

Elbtal

Das tiefe, cañonartige Durchbruchstal der Elbe in 120–130 m Meereshöhe, die abgetragenen 'Ebenheiten' in etwa 200 m ü.d.M. und die als 'Steine' bezeichneten, vielfach über 400 m ü.d.M. aufragenden Tafelberge sind die charakteristischen Formen des Elbsandsteingebirges mit seinem regelmäßig gebankten und dementsprechend verwitternden Quadersandstein.

Seit der Zeit der Romantik wird der deutsche Anteil des Elbsandsteingebirges Sächsische Schweiz genannt. Sie bildet das attraktivste Erholungsgebiet und einen touristischen Zielpunkt allerersten Ranges im Raum um die neue sächsische Landeshauptstadt Dresden.

Mittelgebirgsland (Fortsetzung), Sächsische Schweiz

Das Lausitzer Bergland hingegen gehört zu den herausgehobenen Horstgebirgen und besteht aus verschiedenen, unterschiedlich alten Graniten. Die Oberflächenformen sind in Abhängigkeit vom Tiefengestein weit geschwungen, die Täler nicht sonderlich tief eingeschnitten.
In seinem östlichen Teil wird das Relief des Lausitzer Berglandes durch Reste vulkanischer Durchbrüche und Decken belebt, von denen die bekannte Landeskrone bei Görlitz (420 m ü. d. M.) am weitesten nach Norden vorgeschoben ist.

Lausitzer Bergland

Entwicklung und Aufbau des im südöstlichsten Zipfel des östlichen Teils Teils von Deutschland zwischen der oberen Neiße und dem Lausitzer Bergland aufsteigenden Zittauer Gebirges ähneln denen des zuvor umrissenen Elbsandsteingebirges.

Zittauer Gebirge

Klima

Klimatabelle s. S. 24

Der östliche Teil Deutschlands liegt in der gemäßigten Klimazone. Während der Nordwesten des Landes stärker maritime Züge trägt, ist der Südosten eher kontinental beeinflußt. Diese Unterschiede sind jedoch insgesamt verhältnismäßig gering.

Gemäßigtes Klima

Der Witterungscharakter ist geprägt durch das Vorherrschen von Winden aus westlichen Richtungen und dem häufigen Durchzug von Tiefdruckgebieten. Eine meist rasche Folge von regnerischem Wetter und Aufheiterungen ist dafür typisch. Als Charakteristikum des Klimas ergibt sich, daß die Winter vorwiegend mild und die Sommer nicht zu warm sind.
Längere Witterungsabschnitte mit sonnigem Wetter treten bevorzugt Ende Mai / Anfang Juni und in den Herbstmonaten September und Oktober auf.

Wettercharakter

Die tiefsten Monatsmittel der Lufttemperatur liegen im Januar/Februar bei 0 °C, im Bergland je nach Höhenlage zwischen −1 °C und −4 °C. In diesen Monaten treten durchschnittlich jeweils 20 Frosttage auf, und nur an rund acht Tagen davon kommt es im vieljährigen Durchschnitt vor, daß die Lufttemperatur im Hochwinter ganztägig unter dem Gefrierpunkt bleibt.
Die höchsten Monatsmittel der Lufttemperatur erreichen im Tiefland im Juli/August Werte von 18 °C. Die Zahl der Sommertage – das sind Tage, an denen das Maximum der Lufttemperatur mindestens 25 °C erreicht – liegt bei zehn Tagen. Dabei treten etwa zwei Drittel aller Sommertage im Juli/ August innerhalb von Schönwetterperioden auf, die durchschnittlich drei oder vier Tage anhalten.

Temperaturen

Im Herbst setzen im Durchschnitt Ende September / Anfang Oktober die ersten Fröste ein, und die letzten treten im Frühjahr Mitte Mai auf. Sowohl im September/Oktober als auch im Mai sind die niedrigsten Lufttemperaturen hauptsächlich in der zweiten Nachthälfte zu verzeichnen. Während der Tagesstunden herrscht an vielen Frosttagen sonniges Wetter.

Frost

Die größten Niederschlagsmengen treten im Normalfall im Sommer auf. Etwa ein Drittel der jährlichen Niederschlagsmenge entfallen auf die Monate Juni bis August. Merkliche Niederschläge (mindestens 1,0 mm pro Tag) treten im allgemeinen an 110 Tagen im Jahr auf. An weiteren 60 Tagen pro Jahr fallen nur unbedeutende Niederschläge.
Die Zahl der Niederschlagsereignisse, insbesondere während der Sommermonate, darf nicht gleichgesetzt werden mit den verregneten Tagen, da insbesondere an Gewittertagen kurzzeitig intensive Regen nieder-

Niederschläge

Klima

gehen, wobei jedoch das Wetter vorwiegend freundlichen Charakter trägt. So scheint an etwa der Hälfte der Tage mit merklichem Niederschlag die Sonne noch etwa zwei bis sechs Stunden. Diese Tage sind außer im Monat Juni in den meisten Fällen keine trüben Tage im klimatischen Sinne, d.h. der Bedeckungsgrad des Himmels mit Wolken beträgt weniger als vier Fünftel.

Schnee

Im Winter tragen die Kamm- und Gipfellagen der Mittelgebirge über mehrere Wochen hinweg eine geschlossene Schneedecke. Sie ragen in dieser Zeit häufiger über die Wolkendecke hinaus und weisen deshalb eine relativ hohe Zahl von Sonnenscheinstunden auf. Im Tiefland kann sich nur in Einzeljahren eine geschlossene Schneedecke, die über längere Zeit von Bestand ist, ausbilden.

Sonnenschein

Im Sommer werden im Durchschnitt rund 45% der astronomisch möglichen Sonnenscheindauer erreicht. Im Mittel bleiben nur ein bis zwei Tage in jedem Sommermonat ohne Sonnenschein. Im Winter verteilt sich die Sonnenscheindauer auf durchschnittlich sechs bis acht Tage mit geringer Bewölkung.

Gunstlagen

Gegenüber den dargelegten klimatischen Bedingungen sind die Leegebiete von Harz und Thüringer Wald bezüglich Lufttemperatur und Sonnenschein bevorzugt. Begünstigt gegenüber ihrer Umgebung sind auch einige Flußtäler wie das Elbtal zwischen Dresden und Meißen und die Oberläufe von Saale und Unstrut, an deren Hängen als Ausdruck der Klimagunst sogar Wein gedeiht.

Klimaregionen

Folgende Regionen mit nahezu einheitlichen klimatischen Verhältnissen können unterschieden werden:
Die Ostseeküste
(repräsentiert durch die Werte der Station Warnemünde, 4 m ü.d.M.),
das Binnentiefland
(Potsdam, 81 m ü.d.M.) und

Vier regionaltypische Klimastationen

die Mittelgebirge mit ihren Vorländern
(Chemnitz, 418 m ü.d.M., und
der Fichtelberg, 1214 m ü.d.M., höchste Erhebung in Deutschland·Ost)

Mittlere Tagesmaxima der Lufttemperatur in °C												
	Jan.	Feb.	März	April	Mai	Juni	Juli	Aug.	Sept.	Okt.	Nov.	Dez.	Jahres-∅
Warnemünde	2,2	2,5	6,0	10,3	15,7	19,0	21,4	20,9	18,1	12,5	6,6	3,5	11,6
Potsdam	1,6	3,1	7,8	13,3	18,6	22,6	23,4	23,2	19,2	13,5	6,9	3,1	13,0
Chemnitz	1,9	3,2	7,6	12,6	18,5	21,2	23,0	22,2	19,1	13,1	6,6	2,8	12,6
Fichtelberg	−2,7	−2,4	0,8	5,2	10,9	13,5	15,3	14,6	11,6	6,1	1,0	−1,7	6,0

Mittlere Tagesminima der Lufttemperatur in °C												
	Jan.	Feb.	März	April	Mai	Juni	Juli	Aug.	Sept.	Okt.	Nov.	Dez.	Jahres-∅
Warnemünde	−1,6	−1,5	0,5	3,4	7,6	10,9	13,5	13,2	10,6	6,6	2,8	−0,2	5,5
Potsdam	−3,6	−3,2	−0,3	3,1	7,5	11,4	12,8	12,6	9,4	5,7	1,6	−1,6	4,6
Chemnitz	−4,0	−3,6	−0,7	2,9	7,1	10,0	12,1	11,8	8,9	4,6	0,5	−2,5	3,9
Fichtelberg	−8,4	−8,1	−5,4	−1,9	2,3	5,2	7,4	7,1	4,3	0,2	−3,6	−6,8	−0,6

Mittlere Tagessumme der Sonnenscheindauer in Stunden												
	Jan.	Feb.	März	April	Mai	Juni	Juli	Aug.	Sept.	Okt.	Nov.	Dez.	Jahres-∅
Warnemünde	1,3	2,3	3,9	6,0	8,0	8,8	7,6	7,1	5,7	3,5	1,6	1,1	4,7
Potsdam	1,6	2,5	4,4	5,7	7,2	8,1	7,4	6,9	5,8	3,6	1,6	1,2	4,7
Chemnitz	1,8	2,5	3,7	4,9	6,2	6,7	6,3	6,2	5,2	4,1	1,9	1,6	4,3
Fichtelberg	2,0	2,6	3,6	4,7	5,8	6,3	6,0	5,9	5,0	4,2	1,9	1,8	4,2

Viele Reisepläne werden in Abhängigkeit von den Jahreszeiten entworfen. Zur zeitlichen Orientierung sind die Datumsangaben der astronomischen oder der meteorologischen Jahreszeiten, die sich nach festen Kalendertagen richten, ungeeignet. Dagegen geben die mittleren Eintrittsdaten der sog. phänologischen Phasen – Beginn der Fliederblüte (Vollfrühling), Beginn der Sommerlindenblüte (Hochsommer), erste reife Früchte der Roßkastanien (Vollherbst) und der Beginn der Laubverfärbung bei Stieleichen (Spätherbst) – gute Anhaltspunkte über die witterungsbedingte zeitliche Staffelung dieser phänologischen Jahreszeiten.

Am ehesten beginnen der Vollfrühling (um den 12. Mai), der Hochsommer (um den 22. Juni) und der Vollherbst (um den 20. September) im Thüringer Becken, der Leipziger Tieflandsbucht, den klimatisch begünstigten Flußtälern sowie in Teilen der Niederlausitz. An der Küste treten diese Jahreszeiten gegenüber den Frühgebieten fünf bis acht Tage später ein.

In den Mittelgebirgen kann man oberhalb von 300 m Seehöhe bei einem Anstieg um jeweils 100 m mit Verspätungen der Jahreszeiten von etwa vier Tagen rechnen. Selbst im Fläming, dem kleinen Gebirge des Binnentieflandes, betragen die höhenbedingten klimatischen Verspätungen des Vollfrühlings und des Hochsommers maximal eine Woche.

Der Spätherbst beginnt zuerst in den Hochlagen der Mittelgebirge, in der Mehrzahl der Jahre Anfang Oktober. An der Küste zieht er demgegenüber vierzehn Tage bis drei Wochen später ein. Im gesamten Binnentiefland sind die Unterschiede gering.

Wenn auch entsprechend den verschiedenen Witterungsbedingungen in den Einzeljahren Abweichungen von etwa zehn Tagen von den Durchschnittswerten auftreten können, so bleiben doch die mitgeteilten Unterschiede zwischen den einzelnen Gebieten ungefähr gleich.

Wirtschaft

Wenngleich die umwälzenden Ereignisse der jüngsten Zeit nicht zuletzt den desolaten Zustand der Wirtschaft im Bereich der ehemaligen Deutschen Demokratischen Republik alsbald offenbart haben, dürfte es dennoch von Interesse sein, einiges über Entwicklung und Schwerpunkte der bisherigen ökonomischen Verhältnisse im östlichen Teil Deutschlands zu erfahren, die bekanntermaßen jahrzehntelang von den planwirtschaftlichen Maßgaben der alles beherrschenden Staats- und Parteidoktrin bestimmt waren.

Da es sich bei dem nachfolgenden Ausführungen lediglich um einen nunmehr als historisch anzusehenden Abriß handelt, kann man nicht umhin, gewisse Einschätzungen – sozusagen wider besseres Wissen – auszusprechen, um die derzeitigen Zustände verständlicher zu machen. So wird auch noch auf die im Jahre 1952 dem Lande aufoktroyierten 'Bezirke' Bezug genommen, welche die verwaltungstechnische Basis des einst sozialistisch regierten Staates bildeten; ihre Lage und Gestalt zeigt die Übersichtskarte auf Seite 10 dieses Reiseführers.

Ostseeküstenraum

Die Wirtschaft an der Küste von Mecklenburg und Vorpommern wurde seit eh und je vom Meer bestimmt. Neben der Fischerei auf den Bodden, in Küstennähe und auf der offenen Ostsee war es vor allem die Schiffahrt, die besonders in der Blütezeit der Hanse (14. Jh.) und dann erneut in der Schlußphase der Segelschiffahrt (19. Jh.) das wirtschaftliche Leben in den Küstenstädten und in zahlreichen Dörfern bestimmte. Ohne den Seehandel wäre die wirtschaftliche Machtstellung Stralsunds im Mittelalter nicht zu erklären, ohne ihn hätte Rostock im 18./19. Jahrhundert nicht zu dem Hafen Deutschlands mit der zahlenmäßig größten Segelschiffsflotte aufsteigen können. Später ließen jedoch die Hafenstädte an den Mündungen

Wirtschaft

von Elbe und Oder, Hamburg und Stettin (heute polnisch Szczecin), die mecklenburgisch-vorpommerschen Häfen in ihrer Bedeutung zurückfallen, da sie über größeren Tiefgang, bessere Hinterlandverbindungen und eine günstigere Lage innerhalb der sich verändernden Welthandelsströme verfügten.

See- und Hafen-Wirtschaft

Nach dem Ende des Zweiten Weltkrieges nahm man sich unter den neuen gesellschaftlichen Bedingungen, d.h. der Entwicklung einer planmäßig gelenkten Volkswirtschaft, den Ausbau der See- und Hafenwirtschaft vor. Der einstige Bezirk Rostock, der das gesamte Küstengebiet des Landes umfaßte, sollte im Zuge einer sozialistischen Industrialisierung aus einem vermeintlich zurückgebliebenen peripheren Gebiet des einstigen Deutschen Reiches zu einem leistungsstarken Industrie-Agrarbezirk aufgewertet werden.

Am Anfang standen die Errichtung von Fischkombinaten in Saßnitz und Rostock-Marienehe, der Neubau der Großwerften in Wismar, Rostock-Warnemünde, Stralsund und Wolgast sowie die Entwicklung einer leistungsfähigen Handelsflotte. Es folgten der Ausbau der bestehenden Häfen in Wismar, Rostock und Stralsund und vor allem der Neubau des 1960 eröffneten Überseehafens in Rostock. Neuere Industrieentwick-

Neue Industrien

lungen waren der Bau des inzwischen gänzlich stillgelegten Kernkraftwerkes 'Bruno Leuschner' bei Greifswald, die Schiffs- und Nachrichtenelektronik in Rostock und Greifswald sowie ein Düngemittelwerk bei Rostock.

Landwirtschaft

Doch sollte auch die Landwirtschaft hinter der industriellen Entwicklung nicht zurückbleiben.

Verkehrswesen

Für das Verkehrswesen hatten und haben die beiden Eisenbahnfährverbindungen zwischen der Insel Rügen und Skandinavien (Saßnitz – Trelleborg und Warnemünde – Gedser) große Bedeutung; 1986 wurde eine dritte Eisenbahnfährverbindung – zwischen dem neu gebauten großen Fährhafen Mukran und Klaipeda (früher Memel) in Litauen – für den Gütertransport aus der und in die Sowjetunion eröffnet.

Tourismus

Nicht zuletzt stellte die Ostseeküste mit jährlich annähernd vier Millionen Urlaubern das am stärksten besuchte Erholungsgebiet des Landes dar.

Mecklenburgisches Binnenland

Gebietsdefinition

Der Nördliche Landrücken mit seinem Vor- und Rückland und das Nordostmecklenburgische Flachland machten verwaltungsmäßig im wesentlichen die Bezirke Schwerin und Neubrandenburg aus, die mit dem Bezirk Rostock auch als 'Nordbezirke' den Kernraum von Mecklenburg und Teile von Pommern und Brandenburg umfaßten. Ihre wirtschaftliche Entwicklung stand einst überwiegend unter dem Einfluß des Großgrundbesitzes; das Gebiet gehörte zu den ehedem wirtschaftlich weniger entwickelten Regionen mit geringer Bevölkerungsdichte, niedrigem Industrialisierungsgrad und extensiver Landwirtschaft.

Sozialistische Bodenreform

Die sogenannte Bodenreform (Enteignung von privatem Grund und Boden), verstanden als die Umgestaltung der Landwirtschaft nach sozialistischen Maximen und der parallele Aufbau einer leistungsfähigen volkseigenen Industrie, sollte das ökonomische Profil und die soziale Situation grundlegend verändern.

Zwar bestand eine wesentliche Funktion des Bezirkes Schwerin nach wie vor in der landwirtschaftlichen Produktion; doch wurde die Industrie überdurchschnittlich rasch entwickelt. Die Lebensmittelindustrie verarbeitete die im Umland produzierten landwirtschaftlichen Erzeugnisse, der Maschinenbau und andere Zweige kooperierten mit dem Schiffbaukombinaten in den Städten des Küstenbezirkes. Daneben wurden Betriebe des Kunststoffmaschinenbaus und der Kunststoffverarbeitung, der Leder- und Lederwarenherstellung, der Kabelindustrie und der Hydraulikfertigung errichtet.

Der Bezirk Schwerin verlor alsbald seinen traditionellen Charakter als reines Agrargebiet und entwickelte sich immer mehr zu einem sogenannten Industrie-Agrarbezirk. Ein gesellschaftliches Bedürfnis lag auch in der Erschließung der zahlreichen Erholungsmöglichkeiten, welche die Seen und Wälder des Bezirkes bieten, z. B. die Schweriner Seenlandschaft.

Mecklenburgisches Binnenland (Fortsetzung)

Der Bezirk Neubrandenburg mit noch vorwiegend agrarischer Struktur verzeichnete den höchsten Anteil der in der Land- und Forstwirtschaft Beschäftigten. Er lieferte fast zehn Prozent der landwirtschaftlichen Marktproduktion. Die Lebensmittelindustrie erzeugte etwa die Hälfte der industriellen Bruttoproduktion des Bezirkes, war also auf die Verarbeitung der landwirtschaftlichen Erzeugnisse ausgerichtet.

Land- und Forstwirtschaft

Die metallverarbeitende Industrie war mit dem Schiffbau verbunden. Neu entwickelt wurden am Standort Neubrandenburg, der sich nach schweren Kriegszerstörungen vergleichsweise dynamisch entfaltete, die Herstellung von Maschinen für die Nahrungsmittelindustrie und die Reifenproduktion.

Neue Industrien

Mit seinem Anteil an der Mecklenburger Seenplatte bot und bietet die Region vielfältige Erholungsmöglichkeiten. Wasser, Wald und bewegtes Relief, reine Luft, Lärmfreiheit und Verkehrsferne vieler Gebiete galten und gelten als besonders attraktiv für die Urlauber. Die Erholungskapazitäten konzentrierten sich auf den dünnbesiedelten Süden und Südwesten des Bezirkes Neubrandenburg. Hier hat sich eine Region mit dem Erholungswesen als profilbestimmendem Wirtschaftszweig herausgebildet. Sie unterscheidet sich deutlich vom agrarwirtschaftlich betonten Zentralgebiet, das sich vom Kreis Teterow im Nordwesten bis zum Kreis Prenzlau im Südosten erstreckt, und dem industriell betonten Nordosten um Pasewalk und Ueckermünde.

Urlaubsregion

Mark Brandenburg

Die Urstromtalniederungen zwischen den verschiedenen Platten Brandenburgs boten günstige Voraussetzungen für den Bau von Kanälen. Primär wurde ein solcher schon zur Entwässerung notwendig. Für Transportzwecke erfuhr das Kanalsystem zwischen Elbe und Oder dann einen fort-

Kanalnetz zwischen Elbe und Oder

Elbniederung bei Arneburg　　　*Oder-Havel-Kanal*

Wirtschaft

Mark Branden-
burg, Kanalnetz
zwischen Elbe und
Oder (Fortsetzung)

währenden Ausbau. Einbezogen wurden die Flußläufe der Havel und der Spree. Mit dem Oder-Havel-Kanal, dem Oder-Spree-Kanal und dem Elbe-Havel-Kanal besteht so ein engmaschiges Wasserstraßennetz, das den Transport von Massengütern erleichtert und das Aufkommen vielseitiger Industrien in den Städten und Gemeinden dieses Gebietes förderte.

Berlin

Im Mittelpunkt der Niederungen und Platten zwischen Elbe und Oder entwickelte sich Berlin zur weitaus größten Stadt dieses Raumes. Die Metropole wird von der Spree in mehreren Armen durchflossen und von der Havel berührt. Aus dem Zentrum steigt die Stadt in deutlich wahrnehmbarer Stufung auf die Platten des Barnim und Teltow hinauf.

Berlin (Ost)
einst
'Hauptstadt
der DDR'

Nach der Gründung der Deutschen Demokratischen Republik (1949) wurde der sowjetische Stadtsektor ungeachtet des für ganz Berlin gültigen Viermächtestatus zur 'Hauptstadt der DDR' erklärt – Berlin (West) grenzte man zwangsweise aus und isolierte es nach dem Mauerbau (1961) hermetisch – und als besondere Verwaltungseinheit (403 km^2) den Bezirken gleichgestellt. Damit war Berlin (Ost) mit immerhin rund 1,25 Mio. Einwohnern die größte Stadtregion in der DDR. Hier konzentrierten sich die zentralen politischen, staats- und wirtschaftsleitenden sowie die kulturellen Einrichtungen, aber auch wissenschaftliche Lehr- und Forschungsstätten und nicht zuletzt eine beträchtliche Anzahl von Industriebetrieben (Maschinenbau, Elektrotechnik, Elektronik, Mikroelektronik, Textilkonfektion, Nahrungs- und Genußmittel u. v. a.). Zudem war Berlin (Ost) mit dem einzigen internationalen Flughafen der DDR (Berlin-Schönefeld), dem die Stadt umziehenden Autobahnring und zentraler Eisenbahn- und Kanalanbindung der wichtigste Verkehrsknotenpunkt des zweiten deutschen Staates.

**Westliches
Brandenburg**
Vielseitige
Industrie

Der Berlin im Westen weiträumig umschließende, ehemals flächengrößte Bezirk Potsdam wurde zu einem Industrie-Agrarbezirk entwickelt. Das Produktionsprofil seiner Industrie war bestimmt durch die Metallurgie (Stahlproduktion in Brandenburg und Hennigsdorf), die chemische Industrie (Polyesterfasern für die Textilindustrie in Premnitz), den Maschinen- und Fahrzeugbau (u. a. Lastkraftwagen in Ludwigsfelde, künftig mit Hilfe von Mercedes-Benz), die elektrotechnische Industrie sowie den Bau von Meß-, Steuer- und Regelungsanlagen (im Raum Potsdam), die optische Industrie (in Rathenow) und diverse Leichtindustrien.
Räumlich konzentrierten sich die wichtigsten Industriestandorte als Teil des historisch gewachsenen Ballungsrandgebietes von Berlin halbkreisförmig von Oranienburg über Hennigsdorf, Falkensee, Potsdam, Teltow und Ludwigsfelde bis Wildau bei Königs Wusterhausen und wurden zunehmend mit anderen Industrieschwerpunkten, wie Neuruppin, Wittstock und Pritzwalk, Werder, Brandenburg, Premnitz und Rathenow, Luckenwalde und Jüterbog, verknüpft.

Landwirtschaft

Die Landwirtschaft befaßte sich neben der Getreideproduktion und dem Anbau von Hackfrüchten besonders mit der Milchproduktion und dem Obstanbau, letzterer vor allem im Havelland.

Tourismus

Große Flächen der Mark Brandenburg sind bewaldet, und es gibt rund 320 Seen. Diese Landschaft bot und bietet vielfältige Möglichkeiten für die Erholung, die auch von Urlaubern aus Berlin (Ost) genutzt wurden. Die alte preußische Residenzstadt Potsdam zog auch zu DDR-Zeiten mit ihren Schlössern und Gärten von Sanssouci sowie dem Schloß Cecilienhof, der historischen Stätte des Potsdamer Abkommens, Besucher aus dem In- und Ausland an.

Reiseziel
Potsdam

**Östliches
Brandenburg**
Neue Industrien

In der Wirtschaft im östlichen Teil Brandenburgs, seinerzeit der Bezirk Frankfurt, wurden grundlegende Veränderungen vollzogen. Die Errichtung des Eisenhüttenkombinates in Eisenhüttenstadt und seine Erweiterung durch ein Kaltwalz- und Stahlwerk, der Aufbau der Papierfabrik und des Petrolchemischen Kombinates in Schwedt, die Erweiterung des Reifenkombinates in Fürstenwalde, die Errichtung des Halbleiterkombinates in Frankfurt an der Oder und des Zementwerkes IV in Rüdersdorf sind hierfür einige Beispiele.

Auch diese Region wurde zu einem Industrie-Agrarbezirk ausgebaut, dessen Landwirtschaft sich auf den ostbrandenburgischen Platten und im Oderbruch (mit Spezialisierung auf den Gemüseanbau) günstig entwickeln konnte. Unter den Zentren der Nahrungsgüterindustrie ragte Eberswalde-Finow mit seinen fleischverarbeitenden Betrieben heraus.

Von den rund 500 Seen im östlichen Brandenburg sind etwa die Hälfte für Badezwecke geeignet. Insbesondere die Seen im Westteil gehören zu den landschaftlich reizvollsten des Naherholungsgebietes für Berlin.

Die Entwicklung des einstigen Bezirkes Cottbus zum Kohle- und Energiezentrum gründet sich auf den großen Anteil an den Braunkohlenlagerstätten. Rund ein Viertel der Fläche sind von ihnen unterlagert; diese Vorräte entsprachen rund 60% der industriell verwertbaren Kohlevorräte der ehemaligen DDR. Ihr Abbau geschah in Großtagebauen, ihre Verarbeitung erfolgte zu Elektroenergie, zu Stadtgas und Briketts. Die hohen Schornsteine der Großkraftwerke von Boxberg, Jänschwalde, Vetschau und Lübbenau, die Kühltürme der Großkokereien von Schwarze Pumpe und Lauchhammer sowie die Hochspannungsverbundleitungen bestimmen nach wie vor das Landschaftsbild.

Andere Industrien befaßten sich mit der Erzeugung von Leichtmetallen, chemischen Chemikalien, Maschinen, Glas und Textilien. Namentlich die Textilindustrie, welche zu den herkömmlichen Produktionseinrichtungen der Niederlausitz gehört, erfuhr in Cottbus, aber auch in den Städten Guben und Forst verstärkten Ausbau.

Die landwirtschaftlich genutzten Gebiete konzentrieren sich im Westen und Nordwesten des früheren Bezirkes Cottbus. Der Grünlandanteil ist besonders hoch im Spreewald, wo der Gemüseanbau (u.a. Gurken) eine bedeutsame Rolle spielt.

Die industrielle Entwicklung hat nachhaltig in den Wasserhaushalt dieser Region eingegriffen. Zur Versorgung der Industrie und der Landwirtschaft mit Brauchwasser sind Talsperren und Speicherbecken errichtet worden (z.B. Talsperre Spremberg, 41 Mio. m³). Andererseits waren großflächige Grundwasserabsenkungen für den Aufschluß der Braunkohlentagebaue unumgänglich. Die Tagebaurestlöcher boten jedoch eine Möglichkeit, sie nach ihrer Wiederauffüllung durch Grundwasser für Erholungs- und Badezwecke zu nutzen. Eine solche Nutzung wurde am Knappensee südlich von Hoyerswerda und am Senftenberger See praktiziert. Sie war für weitere Restlöcher vorgesehen und sollte in Verbindung mit der Wiederaufforstung der übrigen ausgekohlten Flächen dazu beitragen, eine für Freizeitaktivitäten nutzbare Bergbaufolgelandschaft schaffen.

Raum Magdeburg – Halle (Saale) – Leipzig

Der im wesentlichen den nördlichen Teil des neuen Bundeslandes Sachsen-Anhalt einnehmende ehemalige Bezirk Magdeburg ist in seiner Wirtschaftsstruktur vor allem industriell geprägt. Traditionell bedeutendster Industriezweig ist der Schwermaschinen- und Anlagenbau (z.B. die Produktion von Walzwerk- und Chemieanlagen sowie von Dieselmotoren). Daneben hat die Lebensmittelindustrie Bedeutung: Ein Viertel der gesamten DDR-Produktion an Weißzucker, Obst- und Gemüsekonserven kam aus diesem Bezirk.
Weitere wichtige Industriezweige waren die chemische Industrie (Herbizide und Insektizide; Waschmittel und Superphosphate), der Fahrzeugbau

Raum
Magdeburg –
Halle (Saale) –
Leipzig
(Fortsetzung)

(Radtraktoren) und die Fernsehgeräteproduktion. Einen merklichen Produktionszuwachs erfuhr die Kaliindustrie durch die Errichtung des Kaliwerkes Zielitz.

Die einstigen Bezirke Halle und Leipzig hatten wesentlichen Anteil am Lößland, wenn sie auch nicht ausschließlich auf diese naturräumliche Einheit begrenzt waren. Die nördlichen Bereiche gehörten noch zum lößfreien Altmoränengebiet, der Bezirk Halle schloß auch den Unterharz ein.

Landwirtschaft
in der fruchtbaren
Magdeburger
Börde

In dem gänzlich waldfreien Löß-Schwarzerde-Gebiet der Magdeburger Börde boten und bieten die äußerst fruchtbaren Böden (höchste Bodenqualität in ganz Deutschland) sehr günstige Voraussetzungen für den Ackerbau (bes. Anbau von Zuckerrüben, Weizen und Gerste).

Braunkohle

In keinem anderen Ballungsgebiet des östlichen Teils Deutschlands ist der Eingriff des Menschen in die Landschaft so stark und augenscheinlich wie hier. Das hat seine Ursache vor allem in der großflächigen Nutzung der ausgedehnten Braunkohlenlager, die jahrzehntelang zur Gewinnung von Energie und Brennstoffen für die Industrie und die Bevölkerung sowie als Rohstoff für die chemische Industrie abgebaut wurden.

Weithin sich erstreckende Tagebaue mit riesigen Förderbrücken und Baggeranlagen, dicht gedrängte Komplexe vielfältig miteinander verflochtener Produktionsstätten sowohl in den großstädtischen Ballungskernen Halle (Saale) und Leipzig als auch im Ballungsfeld – hier besonders die

Großchemie-
anlagen

Großchemieanlagen von Leuna und Buna, Böhlen und Espenhain, Bitterfeld und Wolfen – sowie zahlreiche mittlere und kleine Industriestädte in der ausgedehnten Randzone, ein dichtes, aber zugleich außerordentlich stark belastetes Verkehrsnetz und zahlreiche weitere Trassen der Infrastruktur beherrschen das Landschaftsbild und haben Umweltschäden größten Ausmaßes verursacht.

Diverse Industrien

Um das Bild der Industrie abzurunden, sei noch hinzugefügt, daß im früheren Bezirk Halle die Buntmetallurgie auf der Grundlage der Kupferschiefervorkommen bei Mansfeld und Sangerhausen, die Eisenmetallurgie in Thale, der Maschinen- und Fahrzeugbau in Halle (Saale), Dessau und Bitterfeld sowie die Kaliindustrie bei Bernburg und im Unstrutgebiet eine wichtige Rolle spielten.

Im einstigen Bezirk Leipzig war es der auf die vielfältigen Bedürfnisse der Chemie und Polygraphie eingestellte Maschinenbau, die elektrotechnische und elektronische Industrie, aber auch die Konsumgüterbranche, die nicht nur in der traditionsreichen Messestadt Leipzig, sondern vor allem auch in den zahlreichen kleineren Industriestädten anzutreffen war.

Urlaubsziele

Dennoch sind für den Touristen etliche historische Sehenswürdigkeiten, etwa in den Großstädten Halle (Saale) und Leipzig, attraktiv. Erholungsgebiete befinden sich im Unterharz, in der Dübener Heide und im Muldetal. Es bestand die Absicht, die verursachten Eingriffe in die Naturlandschaft dadurch auszugleichen, daß die Tagebaurestlöcher mit ihrer Umgebung zu Wald-Seen-Landschaften umgestaltet und rekultiviert werden sollten, was in Ansätzen beispielsweise mit dem früheren Tagebau Muldenstein geschehen ist.

Thüringen

Kernland

Das thüringische Kernland, der ehemalige Bezirk Erfurt, ist in wirtschaftlicher Hinsicht durch eine auf den Gemüseanbau und die Samenzucht spezialisierte Landwirtschaft, eine besonders auf die elektrotechnische und elektronische Industrie und den Gerätebau, den Maschinen- und Fahrzeugbau, die Leicht- und die Lebensmittelindustrie ausgerichtete industrielle Produktion und die Nutzung des Thüringer Waldes für Erholungszwecke charakterisiert.

Die besten natürlichen Voraussetzungen für eine ertragreiche Landwirtschaft sind auf den Löß- und Lehmböden des zentralen Thüringer Beckens gegeben, wo Winterweizen, Sommergerste, Zuckerrüben und Futterkulturen gedeihen.

Thüringen, Kernland (Fortsetzung), Landwirtschaft

Die Industrie konzentriert sich außer in Erfurt in den anderen Standorten der 'Thüringischen Städtereihe' Eisenach – Gotha – Weimar – Apolda sowie im Gebiet von Mühlhausen und im Eichsfeld. Um Nordhausen und Sondershausen liegt das Südharz-Kalirevier.

Industrie

Die niedrigen Temperaturen und die relativ hohen Niederschläge machen die Höhenlagen über 500 m ü. d. M. zu relativ schneesicheren Wintersportgebieten, so daß der Thüringer Wald zwischen Eisenach und Oberhof ganzjährig für Erholungszwecke genutzt wird.

Wintersport

Der einst das südliche Thüringen einnehmende Bezirk Suhl (ehemals der kleinste der DDR-Bezirke) besaß ein eigenständiges wirtschaftliches Profil durch die Kaliindustrie im Werrarevier zwischen Bad Salzungen und Vacha, die Gewinnung von Fluß- und Schwerspat, den Maschinen- und Fahrzeugbau, die elektrotechnische und elektronische Industrie, den Werkzeugmaschinenbau und die metallverarbeitende Industrie (u. a. Waffen) in den Städten am Rande des Thüringer Waldes (Schmalkalden, Zella-Mehlis, Suhl und Ilmenau) sowie die Spielwaren- und die Glasindustrie (Sonneberg, Lauscha u. a.).
Auch die intensive Forstwirtschaft war von Bedeutung.

Südliches Thüringen
Industrie

Forstwirtschaft

Das Erholungswesen hat viele Orte im Thüringer Wald, im Thüringischen Schiefergebirge, im Werratal und auch in den Randgebieten der Rhön geprägt. Oberhof wurde zum bekanntesten Wintersportzentrum in Thüringen. Vielbesuchte Heilbäder, wie Bad Liebenstein oder Bad Salzungen, sind an Mineralquellen entstanden.

Urlaubsregion

Der östliche Teil des Thüringischen Schiefergebirges und die östlichen Randplatten des Thüringer Beckens oder, anders ausgedrückt, die Flußgebiete der oberen Saale und der Weißen Elster bilden die physisch-geographischen Bedingungen des einstigen Bezirkes Gera. Hier beschäftigte man sich mit dem Bau von wissenschaftlichen und elektronischen Geräten, mit dem Wismutbergbau, der Herstellung von technischen und optischen Gläsern sowie von Gußerzeugnissen, Textilien, Porzellan und Möbeln.
Die Großstädte Jena und Gera galten als bedeutende Industriestandorte, ferner auch der Raum Saalfeld – Rudolstadt sowie jener um Greiz und Zeulenroda.

Östliches Thüringen

In der Landwirtschaft des östlichen Thüringen spielte neben dem Ackerbau die Grünlandwirtschaft eine wichtige Rolle. Sie lieferte die notwendige Futterbasis für die Milch- und Fleischproduktion.

Landwirtschaft

Mit den Talsperren an der oberen Saale kam und kommt der Region auch eine große wasser- und energiewirtschaftliche Bedeutung für die Industrie und die Städte eines großen Teiles im Süden des Landes zu.

Talsperren

Sächsisches Erzgebirgsvorland

Die Anbindung der im 19. Jahrhundert im Zuge der Industrialisierung entstandenen vielen kleinen und mittleren Betriebe an die bestehenden Siedlungen mit dem dort nach dem Erlöschen des Erzbergbaus vorhandenen Arbeitskräftepotential unter vorrangiger Nutzung der noch in den Tälern zur Verfügung stehenden und durch Staue gewinnbaren Wasserkraft führte zu der bis heute bestehenden starken Zersplitterung der Standorte, besonders der Textilindustrie.

Entwicklung

Wirtschaft

Sächsisches Erzgebirgsvorland (Fortsetzung) Industriezone Zwickau–Chemnitz

Das Erzgebirgische Becken hat sich zu einem stark industrialisierten Ballungsgebiet mit dem Kern um Zwickau und Chemnitz entwickelt. Von besonderer Bedeutung waren hier der Maschinen- und Fahrzeugbau (künftig von westdeutschen Unternehmen fortgeführt), die elektrotechnische und elektronische Industrie, der Bau von wissenschaftlichen Geräten, die Textilindustrie und zahlreiche Zweige der Leichtindustrie. Auch der Bergbau spielte eine gewisse Rolle.

Vogtland

Eine räumlich selbständige Stellung hat das vogtländische Industriegebiet um Plauen (Textilien) und Klingenthal (Musikinstrumente).

Westliches Erzgebirge

Urlaubsregion

Bis in die höheren Lagen bewaldete Hochflächen und tief eingeschnittene Täler geben dem westlichen Erzgebirge das Gepräge. Es ist ein ganzjährig genutztes Erholungsgebiet, durch eine sich lange haltende Schneedecke besonders für den Wintersport geeignet. Von den Kurorten Bad Elster und Bad Brambach im Vogtland über das Aschberggebiet bei Klingenthal, das Auersberggebiet mit Johanngeorgenstadt, das Fichtelberggebiet mit Oberwiesenthal bis zum Schwarzenberggebiet um das Spielzeugdorf Seiffen hat sich eine zusammenhängende Urlaubslandschaft herausgebildet, die sich im Osterzgebirge und im Elbsandsteingebirge fortsetzt.

Großraum Dresden

Industrielles Ballungsgebiet

Osterzgebirge, Elbsandsteingebirge, Lausitzer Bergland, Oberlausitz und das Elbtal bis Riesa gehörten zum Bezirk Dresden. Eine überdurchschnittliche Konzentration von Produktion und Bevölkerung im Oberen Elbtal zwischen Pirna und Meißen mit dem großstädtischen Kern um Dresden haben hier ein industrielles Ballungsgebiet entstehen lassen.
In der vielseitigen Industriestruktur überwogen arbeitsintensive Fertigungen für die elektrotechnische, die elektronische Industrie und den Gerätebau. Der Maschinen- und Fahrzeugbau, die Leichtindustrie, die chemische Industrie, die Metallurgie sowie auch die Nahrungs- und Genußmittelindustrie spielten eine bedeutende Rolle.
Außer im Verdichtungsraum Oberes Elbtal mit Dresden, Pirna, Heidenau, Radebeul, Coswig, Meißen, Dohna, Freital und Radeberg konzentrierte sich die Industrie in und um die Elbstadt Riesa (Metallurgie, Chemie), ferner in der Oberlausitz mit Textil- und Bekleidungsindustrie, aber auch Energiegewinnung, Maschinen- und Fahrzeugbau sowie Glasfabrikation.

Landwirtschaft

Der einstige Bezirk Dresden hatte auch Anteil am Lößland, so daß in der Lommatzscher Pflege westlich von Meißen und im Lausitzer Gefilde westlich und östlich von Bautzen besonders günstige Bodenbedingungen für eine intensive Landwirtschaft bestehen. Auch die lehmige Großenhainer Pflege ist ein wichtiges Ackerbaugebiet.

Garten-, Obst- und Weinbau

Klimatisch in besonderem Maße begünstigt ist das Tal der Elbe zwischen Pirna und Meißen, wo sich ein Gebiet des Garten- und Obstbaues, örtlich auch des Weinbaues herausgebildet hat.

Touristische Höhepunkte

Trotz der verheerenden Zerstörungen, die Dresden noch kurz vor dem Ende des Zweiten Weltkrieges erdulden mußte, konnte sich das kunstsinnige 'Elbflorenz' nach teilweisem Wiederaufbau und mit den sehenswerten Schlössern und Parks in seiner Umgebung zu DDR-Zeiten eines großen Besucherstroms aus dem In- und Ausland erfreuen.
Unweit elbaufwärts von Dresden liegt als Glanzstück des Elbsandsteingebirges die Sächsische Schweiz, eine der meistbesuchten deutschen Ferienlandschaften. Auch das östliche Erzgebirge, das Lausitzer Bergland und das kleine Zittauer Gebirge ziehen Urlauber und Naturfreunde an.

Geschichte

Von der Frühzeit über die Völkerwanderung zur Staatsgründung
(ca. 600000 v. Chr. – 1050 n. Chr.)

Die Menschen, zuerst Wandervölker, werden seßhaft und gründen Siedlungen. Sie haben Werkzeuge aus Stein, Bronze und Eisen. Die Franken
gewinnen in Mitteleuropa die Vorherrschaft über die übrigen germanischen
Stämme und begründen ein Reich.

Überblick

In der Altsteinzeit lebt der Mensch in umherschweifenden Horden als
Jäger, Sammler und Fischer; er wohnt in Zelten, Hütten oder Höhlen; die
Werkzeuge und Waffen sind aus Stein, Holz und Knochen. Archäologische
Funde wie das Hinterhauptbein des Urmenschen von Bilzingsleben an der
Wipper (Kreis Artern) und Skelettreste von Taubach und Ehringsdorf bei
Weimar belegen die Anwesenheit des Urmenschen.

*ca. 600000 bis
10000 v. Chr.*

In der Jüngeren Altsteinzeit bilden sich die Sippen der Jäger und Sammler;
Werkzeugherstellung; Matriarchat; Arbeitsteilung (Geschlecht, Alter).

40000 – 10000

Während der Mittleren Steinzeit kommt der Fischfang als neuer Wirtschaftszweig hinzu. Der Hund wird das erste Haustier des Menschen.

10000 – 5000

In der Jungsteinzeit Übergang zu Ackerbau und Viehzucht mit seßhafter
Lebensweise in Siedlungen, Blockhütten. Die Menschen leben und arbeiten in Sippen, die sich in Einzelfamilien gliedern. Tauschhandel. Schnur-
keramik in Sachsen und Thüringen; Großsteingräber in Mecklenburg.

5000 – Ende 3000

Bronzezeit in Mitteleuropa; es besteht patriarchalische Sippen- und Stam-
mesordnung. Bevorzugte Werkstoffe sind Bronze, Bernstein, Gold; erste
Formen der Warenproduktion und des Geldes. Beginnende Auflösung der
Urgesellschaft. Hügelgräberkultur, Urnenfeldkultur (Lausitzer Kultur). Neben Siedlungen mit Rechteckhäusern entstehen stark befestigte Burg-
wälle als politische Stammeszentren und Verteidigungsanlagen.

2000 – 800

Beginn der Eisenzeit in Europa. Weitere Spezialisierung handwerklicher
Techniken.

Um 800

Siedlung keltischer Stämme am Rhein sowie zwischen den Alpen und den
Mittelgebirgen. Hallstatt-Kultur. Burgenbau (Steinsburg bei Römhild).

Seit 700

Träger der Jastorfkultur im nördlichen Mitteleuropa sind die Germanen; im
südlichen Mitteleuropa sind die Kelten Träger der La-Tène-Kultur. Vordrin-
gen germanischer Stämme von Schleswig-Holstein nach Süden; Ausdehnung bis zur Oder, zum Rhein und nach Süddeutschland. Gewinnung und
Verarbeitung von Eisen und individuelle Bodenbewirtschaftung.

600 – 100

Germanische Teutonen und Kimbern dringen bis Südgallien bzw. bis
Oberitalien vor, werden aber vernichtet.

102 – 101

Die Römer führen Kriege gegen die Germanen.

12 – 7 v. Chr.

Germanenfeldzüge der Römer bis zur Elbe; Cheruskerfürst Arminius
schlägt die Römer im Teutoburger Wald (9 n. Chr.).

4 – 16 n. Chr.

Germanen durchbrechen Limes und Donaugrenze.

Um 260

Mit dem Einfall der Hunnen in Europa (um 375) Beginn der Völkerwanderung. Ganze Völker verlassen teilweise ihre alten Stammesgebiete, er-

Um 375

Geschichte

Um 375 (Fortsetzung)

obern neue Regionen und bilden Staaten. Zerstörung des Weströmischen Reiches durch Ostgermanen (476); Eindringen westgermanischer Völker. Entwicklung der Stammesstaaten der Thüringer, Alamannen, Bayern, Sachsen, Friesen und Franken. Als Ergebnis kriegerischer Auseinandersetzungen zwischen den Stämmen erringen die Franken bis zum 6. Jh. die Vormachtstellung.

482–507

Es entwickelt sich eine Gesellschaft aus Großgrundbesitzern, Geistlichen und Bauern; an der Spitze steht ein Herrscher. Merowingerkönig Chlodwig vereinigt durch erfolgreiche Eroberungszüge alle fränkischen Teilstämme. Gründung des Frankenreiches.

507–511

Aufzeichnung der 'Lex Salica', des bedeutendsten Werkes der Rechtsprechung im fränkischen Reich.

531

Eroberung des Thüringerreichs durch Franken und Sachsen (Schlacht an der Unstrut). In der zweiten Hälfte des 6. Jh.s Einwanderung sorbischer Stämme in das Gebiet zwischen der unteren Saale und der Elbe. Im 7. Jh. besiedeln slawische Stämme die Lausitz, Mecklenburg und Teile Brandenburgs (Milzener, Lusizer, Obotriten).

Seit 600

Christianisierung der Germanen; Klostergründungen.

623–656

Bildung eines großen Slawenreiches unter Samo.

640

Thüringer unter Herzog Radulf machen sich von der fränkischen Oberhoheit unabhängig.

7. Jahrhundert

Bildung einer neuen Zentralgewalt im fränkischen Reich durch den Aufstieg der Karolinger. Stärkung der Zentralgewalt durch das Lehnswesen.

704

Arnstadt, ältester Ort im östlichen Teil Deutschlands, erstmals urkundlich erwähnt; 1266 Verleihung des Stadtrechtes.

Seit 720

Planvolle Missionspolitik im Merowingerreich durch den Angelsachsen Bonifatius; Klostergründungen in Fritzlar, Fulda u. a.; Errichtung von Bistümern in päpstlichem Auftrag.

751

Pippin erhält den Königstitel, Salbung durch den Papst; Übernahme des Schutzes der Päpste durch Frankenkönige. Anfang der Italienpolitik.

768–814

Karl der Große. Größte Ausdehnung des Frankenreiches: bis Oberitalien und über die Gebiete aller westgermanischen Stämme (Unterwerfung der Sachsen 772–804).

789

'Admonitio Generalis' Karls des Großen; alle Kathedralkirchen und Klöster werden verpflichtet, regelmäßig Unterricht durchzuführen (Schulen). Kriege Karls des Großen gegen slawische Stämme.

800

Kaiserkrönung Karls des Großen in Rom. Gliederung des Frankenreiches in Grafschaften. Sicherung nach außen durch die Gründung von Grenzmarken; Kaiserpfalzen (Aachen, Ingelheim, Worms u. a.) werden zu wirtschaftlichen und kulturellen Zentren; Übergang zur Dreifelderwirtschaft. Karolingische Renaissance: Wiederbelebung der griechischen und der römischen Kultur. Einhard schreibt die "Vita Caroli Magni", Abfassung des Helilands in altsächsischer Sprache (nach 830).

806

Unterwerfung der Sorben durch die Franken. Im Grenzgebiet von Magdeburg bis Regensburg werden Burgen errichtet ('Limes Sorabicus').

843

Vertrag von Verdun: Zerfall des Karolingischen Reiches in drei Teilreiche. Im Laufe weiterer Teilungen entsteht aus dem westlichen Teil das spätere

Frankreich, aus dem östlichen Teil wird der frühmittelalterliche deutsche Staat. 843 (Fortsetzung)

Der sächsische Herzog Heinrich wird erster deutscher König (bis 936) und legt den Grundstein für eine starke Zentralgewalt. Erstmalige Verwendung der Bezeichnung 'Reich der Deutschen' für das ostfränkische Königreich. 919

Unterwerfung der slawischen Heveller und Daleminzer (Eroberung von Brandenburg). Anlage der Burg Meißen. 928/929

Unterwerfung der Redarier und Obotriten nach der Schlacht bei Lenzen (Elbe) und 932 der Wilzen und Lutizen. 929

Otto I. festigt die Königsmacht durch Einsetzung von Bischöfen und Äbten zu Reichsfürsten, die mit Grundbesitz ausgestattet sind. Gründung der Reichskirche. Im Zuge der Ostexpansion entsteht das Erzbistum Magdeburg (968); ihm werden die Bistümer Merseburg, Meißen, Zeitz, Brandenburg und Havelberg unterstellt. 936 – 973

Einsetzung von Markgrafen an der unteren Elbe (gegen Wagrier, Obotriten und Redarier) und mittleren Elbe sowie Saale (gegen Lutizen und Sorben). 936/937

Gründung des Klosters St. Moritz in Magdeburg. 937

Unterwerfung der Elbslawen bis zur Oder. 940

Gründung der Bistümer Brandenburg und Havelberg. 948

Schlacht auf dem Lechfeld bei Augsburg, Sieg über die Ungarn; Unterwerfung aufständischer Slawen in der Schlacht an der Recknitz (16. Oktober). 955

Kaiserkrönung Ottos I. in Rom. Beginn einer ständigen Kaiser- und Italienpolitik, welche die Ausbildung einer starken Zentralgewalt in Deutschland hemmt. – Kulturaufschwung der sog. Ottonische Renaissance: Hrotsvitha von Gandersheim, Merseburger Zaubersprüche; Blüte romanischer Baukunst (Sakralbauten; Baubeginn der Stiftskirche in Gernrode 961). 962

Kriege Heinrichs II. gegen den polnischen Herzog Boleslaw Chrobry. Im Frieden zu Bautzen (1018) erhält Boleslaw die Lausitz und das Milzenerland zu Lehen. 1004 – 1018

König Mieszko II. von Polen dringt bis an die Saale vor. Im Frieden zu Merseburg (1033) Anerkennung der deutschen Oberhoheit. 1030 – 1033

Verlegung des Bistums Zeitz nach Naumburg. 1032

Hohes Mittelalter (1050 – 1300)

Seit der Mitte des 11. Jahrhunderts beginnen weltliche und geistliche Landesherren ihre Herrschaftsbereiche auszubauen; sie errichten Burgen und Schlösser. Daneben wird die Entwicklung der Städte gefördert. Überblick

Unter Heinrich III. Unterstützung der cluniazensischen Kirchenreform: Gottesfrieden, Verbot der Simonie (Kauf von geistlichen Ämtern) und Priesterehe; Höhepunkt der kaiserlichen über die päpstliche Gewalt. 1039 – 1056

Es entstehen Städte bei Königspfalzen, Bischofssitzen und Klöstern. Der Kampf der Bürger gegen die Stadtherren (1074 in Köln) führt zur Erringung der Selbstverwaltung. Schwurgemeinschaften der Bürger sind in Halberstadt (um 1130) und Magdeburg (um 1175) nachgewiesen. Herausbildung 11. und 12. Jahrhundert

Geschichte

<table>
<tr><td>11. und 12.
Jahrhundert
(Fortsetzung)</td><td>bürgerlicher Freiheiten in der Stadt im Gegensatz zur Hörigkeit der Landbevölkerung. Entstehung der Ratsverfassung: Beherrschung der Städte durch Patrizier (Fernhändler). Zusammenschluß der Handwerker in Zünften, der Kaufleute in Gilden. Kämpfe der Zünfte um Beteiligung an der Stadtverwaltung. Zusammenschluß der Handelsstädte zur Hanse (13. Jh.) unter dem Vorsitz Lübecks.</td></tr>

<tr><td>1056–1106</td><td>Heinrich IV. sucht, gestützt auf seine Ministerialen, durch Burgenbau zwischen Harz und Thüringer Wald (Quedlinburg, Nordhausen, Eckartsberga, Mühlhausen, Harzburg, Heimburg, Sachsenstein) ein geschlossenes Gebiet königlicher Macht aufzubauen.</td></tr>

<tr><td>Um 1070</td><td>Vordringen der Kirchenreform über den Schwarzwald bis nach Thüringen (Paulinzella, Saalfeld, Pegau) und an die Elbe (Stade, Lüneburg, Berge).</td></tr>

<tr><td>1073–1075</td><td>Großer Sachsenaufstand gegen Heinrich IV. Niederlage der Sachsen bei Homburg an der Unstrut (9. Juni).</td></tr>

<tr><td>Seit 1075</td><td>Investiturstreit zwischen Heinrich IV. und Papst Gregor VII. um Besetzung der Kirchenämter.</td></tr>

<tr><td>1077</td><td>Gang Heinrichs IV. nach Canossa.</td></tr>

<tr><td>1082</td><td>Bruno, ein Kleriker aus der Diözese Merseburg, schreibt sein Buch vom Sachsenkrieg.</td></tr>

<tr><td>1096–1291</td><td>Zeit der Kreuzzüge. Gründung geistlicher Ritterorden: Tempelherren, Johanniter, Deutscher Orden. Herausbildung eines an gemeinsamen Idealen und Zielen orientierten europäischen Adelsstandes (bes. des Rittertums); Kultur- und Handelsaustausch mit dem Orient.</td></tr>

<tr><td>Seit 1100</td><td>Ostkolonisation deutscher Siedler (Bauern, Bürger, Ordensleute) in die dünn von Slawen besiedelten Gebiete östlich der Oder (Böhmen, Schlesien, Pommern, Polen); es entstehen Städte und Dörfer nach deutschem Recht.</td></tr>

<tr><td>1122</td><td>Vorläufige Einigung zwischen Heinrich V. und dem Papst im Wormser Konkordat. Die deutschen Fürsten sind die eigentlichen Sieger; Ausbau ihrer Territorialherrschaft.</td></tr>

<tr><td>Nach 1122</td><td>Ausbreitung des Zisterzienserordens: Dobriluge (1165), Zinna (1171), Doberan (1171), Leubus (1175), Lehnin (1183).</td></tr>

<tr><td>1123</td><td>Die Wettiner werden mit der Mark Meißen, 1136 auch mit der Lausitz belehnt.</td></tr>

<tr><td>1134</td><td>Die Askanier werden mit der Altmark belehnt.</td></tr>

<tr><td>12. Jahrhundert</td><td>Im 12. Jh. dichteres Netz städtischer Siedlungen. Einfache Erdbefestigungen werden durch Mauern aus Stein ersetzt (Erfurt, Halle, Leipzig, Zeitz).</td></tr>

<tr><td>1147</td><td>'Wendenkreuzzug' der sächsischen Landesherren im Gebiet der Obotriten und Lutizen; Beginn einer neuen Etappe der deutschen Ostexpansion. Eroberung slawischer Gebiete (Mecklenburg, Brandenburg, Pommern).</td></tr>

<tr><td>1150</td><td>Die Askanier beerben den Hevellerfürsten Pribislaw von Brandenburg.</td></tr>

<tr><td>Nach 1158–1160</td><td>Heinrich der Löwe unterwirft die Obotriten in Mecklenburg; im Jahre 1164 Obotritenaufstand.</td></tr>

<tr><td>1152–1190</td><td>Unter Friedrich I. Barbarossa relative Stabilität der Zentralgewalt durch Anerkennung der von den Fürsten errungenen Machtpositionen. Aus-</td></tr>
</table>

gleich zwischen Staufern und Welfen durch Verleihung des Herzogtums Bayern an Heinrich den Löwen, Abtretung Österreichs als selbständiges Herzogtum. Überwindung des Feudalismus durch Einsetzung von Ministerialen (Unfreie) in die Verwaltung.

Erste Beseitigung der Leibeigenschaft.

Höhepunkt und Blütezeit höfischer Epik und Minnesang (Nibelungenlied, Hartmann von Aue, Wolfram von Eschenbach, Gottfried von Straßburg, Walther von der Vogelweide); nach 1200 sogenannter Sängerkrieg auf der Wartburg. Allmählicher Übergang von der Hochromanik zur Frühgotik. Dome in Naumburg (13. Jh.), Magdeburg (seit 1209) und Halberstadt (seit 1230) werden gebaut; seit 1220 rasche Ausbreitung der Bettelorden, 1224 Franziskaner in Thüringen und Dominikaner in Magdeburg.

Friedrich II. baut in Sizilien einen modernen Beamtenstaat auf. Endgültige Überlassung wichtiger Landesherrenrechte an geistliche und weltliche Fürsten; daher Entstehung selbständiger Territorialstaaten. Kräfteverschleiß im Kampf mit dem Papsttum.

Eike von Repgow zeichnet als erster das geltende Land- und Lehnsrecht in einem umfassenden Werk auf: Der berühmte Sachsenspiegel bildet die Voraussetzung für alle späteren Bücher über Land- und Lehnsrecht – den Deutschenspiegel (1274/1275), den Schwabenspiegel (1274/5) und den Frankenspiegel (1328 – 1338).

Es setzt sich der gotische Baustil durch (Meißen). Blütezeit frühgotischer Bildhauerei: Reiterstandbild Ottos I. in Magdeburg; Baubeginn Kloster Chorin (1273).

Unterwerfung der Pruzzen (Preußen) durch den Deutschen Ritterorden.

Interregnum in Deutschland: keine handlungsfähige Zentralgewalt, die Landeshoheit der Territorialfürsten wird gefestigt.

Die Leipziger Messe wird erstmals erwähnt.

Niederdeutsche Städte unter Lübecks Führung schließen den Rostocker Landfriedensbund (13. Juni).

Aufstandsversuche der Pruzzen gegen die Ordensherrschaft.

Spätes Mittelalter (1300 – 1500)

Überblick

Die neuzeitliche Produktionsweise bildet sich heraus. Technische Neuerungen (Spinnrad, Papiermühlen, Erfindung des Buchdrucks) fördern die gewerbliche Produktion. Die Steigerung der Herstellung landwirtschaftlicher und gewerblicher Erzeugnisse für den Markt bewirkt Ausdehnung des Handels.

Die politische Zersplitterung Deutschlands verstärkt sich. Hausmachtpolitik der Könige über die Reichsgrenzen hinaus. Die Zentralgewalt wird durch Verzicht auf ein dauerhaftes Bündnis mit den Städten geschwächt.

Seit 1330

Bürgeraufstände in Magdeburg, Stendal (1345) und Nordhausen (1375).

1346

Entstehung des Oberlausitzer Sechsstädtebundes (bis 1547).

1346 – 1378

Karl IV. (von Luxemburg) schafft durch zielstrebige Hausmachtpolitik ein zusammenhängendes Territorium. Verlagerung des Schwerpunktes des Reiches nach Böhmen. Konsolidierung der Zentralgewalt.

Um 1350

Pestseuchen in Europa. Judenverfolgungen aus religiösen und wirtschaftlichen Motiven.

1356

'Goldene Bulle': Übertragung der Königswahl an sieben Kurfürsten, wodurch ihre Macht rechtlich gestärkt wird.

1350 – 1500

Wüstungen (Aufgabe von Kulturland), besonders in Mitteldeutschland, verursacht durch eine Agrarkrise und übergroße Belastung der Bauern mit Abgaben.

Seit dem 14. Jahrhundert

Niedergang des Rittertums durch den Einsatz von Söldnerheeren und Fußtruppen sowie die Verwendung von Feuerwaffen. Raubritter treten auf.

1370

Friede von Stralsund zwischen der Hanse und dem König von Dänemark. Höhepunkt der wirtschaftlichen Macht der Hanse (Niedergang im 15. Jh.).

1398

Eröffnung des Stecknitzkanals zwischen Trave und Elbe (erste künstliche Wasserstraße in Deutschland).

Seit dem 14./15. Jahrhundert

Kämpfe der Bürger (Kaufleute, Handwerker) um Beteiligung am Stadtregiment: in Magdeburg, Stendal, Nordhausen, Bautzen, Görlitz und Zittau.

1411

Friedrich von Hohenzollern wird von Kaiser Sigismund in die Regierung der Mark Brandenburg eingesetzt und 1415 zum Kurfürsten ernannt.

1415

Der Reformator Jan Hus wird in Konstanz als Ketzer verbrannt.

1419 – 1434

Einfluß der z. T. von politischen Motiven (u. a. Kampf gegen Besitz von Gütern) geprägten Hussitenbewegung auf Deutschland.

1447/1448

Die Beseitigung der kommunalen Rechte von Berlin/Kölln führt zum Aufstand der Berliner Bürger ('Berliner Unwillen').

Um 1450

Gutenberg erfindet in Mainz den Druck mit beweglichen Lettern.

Beginn des Humanismus in Deutschland: Wiederentdeckung der antiken Literatur; Hinwendung zur Welt und zur Natur (deutsche Humanisten: U. von Hutten, J. Reuchlin, J. Wimpheling, Ph. Melanchthon).

Renaissance: Wiedergeburt der antiken Kunst; die Schönheit in der Natur wie auch das Individuelle in der menschlichen Persönlichkeit werden entdeckt (deutsche Maler: A. Dürer, H. Holbein d. J.).

Wachsender Partikularismus der Fürsten gegen das Übergewicht der Habsburger; soziale Unzufriedenheit der Ritter und Bauern infolge der Geldwirtschaft; wirtschaftliche Macht der Städte.

Beginn des Frühkapitalismus: Aufstieg der Fugger durch Handel und Geld-geschäfte; Financiers geistlicher und weltlicher Fürsten.

Bürgerlicher Charakter der spätmittelalterlichen Kultur: Bürgerbauten (Rathäuser, Rolandsäulen); städtisches Schulwesen, Entwicklung der deutschen Sprache zur Verkehrs- und Geschäftssprache. Entstehen einer bürgerlichen Literatur: Meistergesang, Fastnachtsspiele, Schwänke, oft mit sozialkritischen Zügen.

15. Jahrhundert

Universitätsgründungen in Erfurt (1392), Leipzig (1409), Rostock (1419), Greifswald (1459), Wittenberg (1505), Frankfurt an der Oder (1511).

Vom ausgehenden Mittelalter bis zum Ende des Dreißigjährigen Krieges (1500 – 1648)

Um 1500 erfolgt ein Aufschwung fast aller Wirtschaftszweige: Blüte des erzgebirgischen Silberbergbaues. Leipzig ist einer der bedeutendsten Handelsplätze Deutschlands. Später Veränderungen durch Reformation und Gegenreformation sowie den Dreißigjährigen Krieg.

Überblick

Bauernaufstände unter dem Zeichen des Bundschuh.
Reichsreform unter Maximilian I.: Reichskammergericht, Reichssteuer, wachsender Einfluß des Reichstages; Reformen scheitern aber an der ter-ritorialen Aufsplitterung des Reiches.

Nach 1493

Das Werk "Abriß der deutschen Geschichte" von Jacob Wimpheling erscheint.

1505

'Tolles Jahr' in Erfurt; Aufstände mittlerer und unterer Schichten der Städte gegen die Herrschaft der Patrizier.

1510

Beginn der Reformation mit Luthers Thesenanschlag in Wittenberg. Die Kritik am Ablaßhandel und an anderen Mißständen in der römisch-katholi-schen Kirche führt zur Vereinigung aller oppositionellen Kräfte gegen die Vorherrschaft der Kurie in Deutschland.

1517

Ächtung Luthers auf dem Reichstag zu Worms, da er den Widerruf seiner Lehre verweigert. Ausbreitung der Reformation. Beginn der Klosterflucht und Säkularisierung der Klöster.
Die Reformation vernichtet die Einheit der römischen Kirche, so wie der um die selbe Zeit erstarkende Fürstenstaat die Freiheit des Adels und des Bür-gertums beseitigt. Allmählich bildet sich der fürstliche Absolutismus her-aus, so daß die Macht des Kaisers auf seine Hausmacht beschränkt wird und das Deutsche Reich in eine Vielzahl von Territorialstaaten zerfällt.

1521

Luthers Übersetzung des Neuen Testaments erscheint (Septemberbibel); sie wird Grundlage einer einheitlichen deutschen Schriftsprache.

1522

Thomas Müntzer tritt in Predigten und Schriften für die Weiterführung der Reformation im Interesse des Volkes ein. Spaltung der Anhänger in eine gemäßigte und eine radikale Richtung.

1523

Beginn und Ausbreitung des Bauernkrieges von Südwestdeutschland nach Thüringen. Teilnahme von Bauern und Bürgern (Mühlhausen).

1524/1525

Niederlage Thüringer Bauern in der Schlacht bei Frankenhausen (14.–15. Mai). Gefangennahme und Hinrichtung von Thomas Müntzer. Nach 1525 Übergang zur Fürstenreformation, Entwicklung der Landeskirche.

Mai 1525

Torgauer Bündnis zwischen Sachsen und Hessen zur Verteidigung der Fürstenreformation gegen die katholischen Kräfte; 1551 gegen Karl V. gerichteter Fürstenbund zu Torgau.

1526

1546/1547	Schmalkaldischer Krieg: Kampf Kaiser Karls V. gegen die protestantischen Fürsten. Schlacht bei Mühlberg.
1555	Augsburger Religionsfrieden: Anerkennung des lutherischen Glaubensbekenntnisses; Bestimmung der Konfession durch den Landesherren nach dem Motto "cuius regio, eius religio".
Seit 1545	Beginn der Gegenreformation in Deutschland: Süd- und Westdeutschland werden katholisch, Mittel- und Norddeutschland meist protestantisch. Philosophische Schriften des Görlitzer Schuhmachers Jakob Böhme; Volksbuch "Historia von D. Johann Fausten". Anfänge der modernen Naturwissenschaft. Die Astronomen und Mathematiker Kopernikus und Kepler begründen das heliozentrische Planetensystem.
1572	Erfurter Abschied: Aufteilung Sachsens in Sachsen-Weimar, Sachsen-Eisenach und Sachsen-Coburg.
1608/1609	Bildung der protestantischen Union und der katholischen Liga.
1618–1648	Dreißigjähriger Krieg. Ursachen sind der Gegensatz zwischen Katholiken und Protestanten, die Kämpfe der Reichsstände um größere Macht und das Streben des habsburgischen Kaisers nach religiöser und politischer Einheit des Reiches. Auslösung des Krieges durch die Erhebung des protestantischen Adels in Böhmen gegen den Kaiser ('Prager Fenstersturz'). Ausweitung der Auseinandersetzungen durch das Eingreifen des dänischen Königs Christian IV., der Spanier, des schwedischen Königs Gustav II. Adolf und der Franzosen unter Kardinal Richelieu zu einem europäischen Krieg. Deutschland ist Hauptkriegsschauplatz und Schlachtfeld für den Endkampf zwischen Frankreich und Habsburg um die Vormacht in Europa. Zerstörung und Verwüstung weiter Gebiete; Plünderungen, gegen die sich die Bevölkerung in örtlichen Aktionen wehrt (Harzschützen).
1648	Westfälischer Frieden: Entschädigungen an Frankreich und Schweden, Ausscheiden der Niederlande aus dem Reichsverband; Verankerung der politischen Zersplitterung Deutschlands, volle Selbständigkeit der Fürsten in ihrem Territorium; Landgewinn Brandenburgs und Sachsens. Starke Schwächung Deutschlands. Rückgang der Bevölkerung in Nord- und in Mitteldeutschland um die Hälfte. Entwicklung der zweiten Leibeigenschaft im ostelbischen Bereich, Anfänge der Gutsherrschaft.

Vom Dreißigjährigen Krieg bis zur Französischen Revolution
(1648 – 1789)

Überblick	Einführung neuer Produktionsverfahren (Manufakturen). Zersplitterung Deutschlands in über 350 Fürstentümer. Kleinstaatlicher Absolutismus (Österreich, Brandenburg-Preußen, Bayern, Sachsen).
1640–1648	Unter Kurfürst Friedrich Wilhelm von Brandenburg Schaffung eines stehenden Heeres, weitere Zentralisierung der Verwaltung; Absolutismus in Brandenburg-Preußen.
1662–1668	Anlage des Oder-Spree-Kanals.
1683	Sieg deutscher und polnischer Truppen über die Türken bei Wien unter Prinz Eugen. Aufstieg Österreichs zur Großmacht; beginnender Dualismus zwischen Österreich und dem aufstrebenden Brandenburg-Preußen.
1685	Etwa 20000 Hugenotten folgen der durch das Potsdamer Edikt erteilten Einwanderungserlaubnis für Brandenburg-Preußen. Sie siedeln u.a. in Berlin, Magdeburg, Halle und in der Uckermark. Neue Gewerbe und moderne Herstellungsverfahren fördern die wirtschaftliche Entwicklung.

Unter August II., genannt der Starke, Absolutismus in Sachsen. Vorübergehende Personalunion mit Polen. Nach dem Siebenjährigen Krieg ist Sachsen dem vordringenden Preußen unterlegen.	1694–1733

Beginn der Aufklärung: bedeutende Leistungen der Philosophen, Dichter und Musiker. Enge Verbindung von Philosophie und Naturwissenschaft (Tschirnhaus, Leibniz, Kant, Euler).
Dichter der Aufklärung und später der Sturm-und-Drang-Periode setzen sich in ihren Werken mit der Obrigkeit auseinander (Lessing, Herder, Bürger, Goethe, Schiller). Von Bedeutung ist auch die Musikpflege (Bach, Händel, Telemann, Haydn, Mozart).
Bildende Kunst: Die Werke des Barock und Rokoko dienen der Repräsentation von Fürsten und Kirche (Stadtschloß in Berlin, Schloß Sanssouci in Potsdam, Zwinger und Frauenkirche in Dresden); Planung der Barockstadt Ludwigslust; Beginn des Frühklassizismus (Schloß Wörlitz bei Dessau).

Seit Ende des 17. Jahrhunderts

Kurfürst Friedrich III. als König Friedrich I. in Preußen gekrönt; Preußen wird Königreich.

1701

Gründung der Porzellanmanufaktur in Meißen und der Charité in Berlin.

1710

Schaffung eines straff zentralisierten Beamtenstaates unter Friedrich Wilhelm I., dem 'Soldatenkönig'. Ausbau des stehenden Heeres in Preußen.

1713–1740

Friedrich II. (der Große) setzt preußisches Machtstreben gegenüber Österreich in den Schlesischen Kriegen und im Siebenjährigen Krieg (1756–1763) sowie gegenüber Polen (1772 erste Teilung Polens) durch. Aufstieg Preußens zur europäischen Großmacht.
Unter Friedrich II. Reformen der Verwaltung, Volksbildung und Justiz (Abschaffung der Folter); Toleranz in religiösen Fragen. Förderung der Manufakturen und Modernisierung der Landwirtschaft.

1740–1786

Bau des Storkower Kanals; 1742 Finowkanal; 1746–1753 Trockenlegung des Oderbruchs.

1746

Durchsetzung des 'aufgeklärten Absolutismus' in Preußen und Österreich gegen den Widerstand der Stände (Fürst 'erster Diener des Staates'); Wirtschaftsförderung; Ausbau des Rechtes; Förderung des Schulwesens.

Nach 1763

Stiftung der Bergakademie Freiberg, der ältesten bergbautechnischen Hochschule überhaupt.

1765

Getreidemißernte in Deutschland; Hungersnot. Die Kartoffel beginnt sich als Massennahrungsmittel durchzusetzen.

1771/1772

Letzte Hexenverbrennung in Deutschland.

1775

Franz Carl Achard stellt in Berlin Zucker aus Rüben her.

1780

Erste englische Spinnmaschine in Berlin aufgestellt.

1781

Die erste in Preußen gebaute Wattsche Dampfmaschine wird bei Hettstedt in Betrieb genommen (arbeitete bis 1848).

1785

Von der Französischen Revolution bis zum Wiener Kongreß
(1789 – 1815)

Die Französische Revolution wirkt sich mit ihrer Maxime "Freiheit, Gleichheit, Brüderlichkeit" auch in Deutschland aus. Der Adel wird zu Reformen zugunsten der Bürger gezwungen, seine ökonomische und politische Macht ist jedoch nicht gebrochen.

1790	Bauernaufstand in Sachsen – im Gebiet um Dresden bis Torgau und in der Oberlausitz.
1793	Weberunruhen in Schlesien.
1795	Frieden von Basel: Ausscheiden Preußens aus der Koalition und Abtretung des linken Rheinufers an Frankreich; Neutralität. Ausdehnung Preußens im Osten: dritte Teilung Polens (Auflösung des polnischen Staates).
Nach 1799	Napoleon I. dehnt seinen Machtbereich über weite Teile Europas aus.
Um 1800	Herausbildung einer bürgerlichen deutschen Kultur: Philosophie (Hegel, Fichte); Weimar als Zentrum der Klassik (Goethe, Schiller, Herder); Literatur der Romantik (Schlegel, Tieck, Brentano, Eichendorff); Weber, Schubert, Schumann und Beethoven in der Musik; Klassizismus in der bildenden Kunst (Brandenburger Tor, Schauspielhaus, Neue Wache in Berlin).
1803	Reichsdeputationshauptschluß: Unter Druck Napoleons I. Beseitigung von 112 deutschen Fürstentümern; Ausdehnung Preußens. Säkularisierung von Kirchenbesitz.
1806	Rheinbund, gebildet von 16 deutschen Fürsten unter dem Protektorat Napoleons; Auflösung des Heiligen Römischen Reiches Deutscher Nation. Vernichtende Niederlage Preußens in der Schlacht bei Jena und Auerstedt gegen Napoleon I. (14. Oktober).
1807	Friede zu Tilsit: Preußen verliert polnische Eroberungen und linkselbisches Gebiet. Beginn der preußischen Reformen mit dem 'Oktoberedikt' (9.10.).
1807/1808	In Berlin entwickelt Fichte in seinen "Reden an die deutsche Nation" den Plan einer staatlich organisierten Erziehung ohne Standesprivilegien.
1808–1812	Reformen des Reichsfreiherrn vom und zum Stein, von Hardenberg, Scharnhorst und Gneisenau leiten Veränderungen ein: Bauernbefreiung, Heeresreform, Städteordnung, Gewerbefreiheit, Judenemanzipation.
1809	Die Berliner Universität wird auf Initiative W. von Humboldts gegründet.
1813	Befreiungskriege durch den Untergang von Napoleons 'Grande Armée' in Rußland (1812) ausgelöst. Völkerschlacht bei Leipzig; Napoleon I. wird besiegt und zieht sich über den Rhein zurück. Verstärkte Bestrebungen nach einer Einigung des deutschen Volkes.
1814/1815	Wiener Kongreß zur Neuordnung Europas unter Leitung des Fürsten Metternich (Österreich); politische Prinzipien sind Restauration, Legitimität und Solidarität der Fürsten zur Abwehr revolutionärer und nationaler Ideen. Vergebliche Versuche v. Steins, ein geeintes Reich zu schaffen. Vertrag über die Vierte Teilung Polens und die Verkleinerung Sachsens (es verliert das nördliche Gebiet mit den Städten Cottbus, Torgau, Wittenberg, Merseburg, Naumburg, Weißenfels an Preußen). Gründung des Deutschen Bundes.

Von der Restaurationszeit bis zum Ende des Ersten Weltkrieges
(1815 – 1918)

Überblick	Die Geschichte des 19. Jahrhunderts wird vor allem bestimmt durch die Auswirkungen der Französischen Revolution und der Industriellen Revolution. Träger des Liberalismus und Nationalismus ist das Bürgertum.
Nach 1816	Aufbegehren des Bürgertums gegen die politische Restauration; an den Universitäten bilden sich Burschenschaften.

Wartburgfest deutscher Studenten, Verbrennung reaktionärer Schriften. 1817
Martin-Luther-Denkmal in Wittenberg von Gottfried Schadow (erstes deutsches Denkmal für einen Menschen bürgerlicher Herkunft; 31. Oktober).

Karlsbader Beschlüsse: Verbot der Burschenschaften, Überwachung der 1819
Universitäten und Pressezensur. Beginn der sogenannten Demagogenverfolgung (Jahn, Arndt, Görres).

Gasbeleuchtung der Straße Unter den Linden in Berlin. 1826

Unruhen in Leipzig, Dresden, Braunschweig im Gefolge der Julirevolution 1830
in Frankreich. Annahme einer Verfassung in Sachsen.

Hambacher Fest: Rund 30 000 Menschen fordern die Einheit Deutschlands 1832
und bürgerliche Freiheiten.

Gründung des Deutschen Zollvereins zwischen Preußen und den meisten 1834
deutschen Staaten (ohne Österreich).

Erste deutsche Eisenbahn zwischen Nürnberg und Fürth. 1835

Eisenbahn zwischen Berlin und Potsdam; 1839 erste deutsche Fern- 1838
strecke zwischen Leipzig und Dresden.

Weberaufstand in Schlesien. 1844

Carl Zeiss gründet in Jena eine mechanisch-optische Werkstatt. 1846

Revolutionäre Krisensituation: 'Hungerunruhen' in Berlin; der Preußische 1847
Landtag lehnt neue Steuern ab.
Anfänge politischer Parteien durch Ausarbeitung des Programms der
gemäßigten Liberalen in Heppenheim, der kleinbürgerlichen Demokraten
in Offenburg; erster Kongreß der Kommunisten (Juni).

Märzrevolution in den deutschen Ländern; Volkserhebungen in Sachsen 1848
und Preußen sowie in Frankfurt am Main, Baden, Köln und Wien. Im Mai
tritt die Deutsche Nationalversammlung in der Frankfurter Paulskirche zur
Ausarbeitung einer deutschen Reichsverfassung zusammen. Im Dezember Auflösung der preußischen Nationalversammlung.

Annahme der Reichsverfassung durch die Frankfurter Nationalversamm- März 1849
lung. Ablehnung durch die Fürsten.

Reichsverfassungskampagne: Volksaufstände unter Führung des Klein- Anfang Mai bis
bürgertums und starker Beteiligung der Arbeiter. Dresdener Maiaufstand Ende Juni 1849
(3. – 9. Mai) durch preußische Truppen blutig niedergeschlagen.
Wiederherstellung des Deutschen Bundes unter österreichischer Führung.

Entwicklung der Industrie auf Grundlage neuer technischer Produktions- Nach 1850
verfahren und moderner Finanzierungsformen (Aktiengesellschaften); die
industrielle Fertigung in Fabriken kommt auf. Das Bürgertum ist die wirtschaftlich stärkste Schicht; Herausbildung eines besitzlosen Proletariats.
Reformen in der Landwirtschaft. Eine Periode der Restauration setzt ein.

Wirtschaftskreise verlangen politische Mitbestimmung; Historiker (Droy- 1859
sen, v. Sybel, Mommsen u. a.), Sänger-, Turn- und Schützenvereine fordern und fördern den Wunsch nach nationaler Einheit. Gründung des
Deutschen Nationalvereins in Frankfurt am Main.

Es entstehen Arbeiterbildungsvereine und Handwerkervereine. Nach 1860

Linksliberale Kreise gründen die Deutsche Fortschrittspartei (Waldeck). 1861

1862	Fürst Otto von Bismarck wird preußischer Ministerpräsident. Bereitschaft zu sozialen Reformen.
1863	Gründung des Allgemeinen Deutschen Arbeitervereins in Leipzig.
1864	Krieg Preußens und Österreichs gegen Dänemark um Schleswig.
1866	Preußisch-Österreichischer Krieg; Sieg der Preußen bei Königgräz. Österreich scheidet aus dem Deutschen Bund aus. Unter Führung Preußens wird der Norddeutsche Bund gegründet (1867).
1869	Gründung der Sozialdemokratischen Arbeiterpartei (SDAP) in Eisenach; an ihrer Spitze stehen August Bebel und Karl Liebknecht.
1870/1871	Deutsch-Französischer Krieg. Frankreich fürchtet die Vorherrschaft Preußens in Europa. Nach der französischen Niederlage bei Sedan und dem Sturz Napoleons III. verhindert die Abtretung Elsaß-Lothringens an Deutschland die deutsch-französische Verständigung.
1871	Gründung des Deutschen Reiches im Schloß von Versailles ('kleindeutsche Lösung') und Proklamation des preußischen Königs Wilhelm I. zum deutschen Kaiser. In dieser Periode bedeutender Aufschwung der Naturwissenschaften (Helmholtz, Kirchhoff, Bunsen, Virchow, Haeckel, Mayer). In der Literatur Tendenzen zum Provinzialismus und zur Flucht aus der Wirklichkeit, aber auch zum kritischen Realismus (Storm, Raabe, Reuter, Keller). Fortentwicklung der Oper (Richard Wagner).
1871–1896	Rasche Entwicklung industrieller Produktionsmethoden (Gründerjahre), Anwendung neuer wissenschaftlicher Erkenntnisse und technischer Verfahren; Vorstoß deutscher Firmen auf den Weltmarkt. Die Vorherrschaft Preußens prägt den Charakter des Deutschen Reiches.
1872–1878	'Kulturkampf' zwischen dem preußischen Staat und der katholischen Kirche.
1873	Dreikaiserabkommen zwischen Deutschland, Rußland und Österreich-Ungarn; es soll den Bestand der Monarchien sichern und richtet sich gegen republikanische Tendenzen des Bürgertums.
1875	Vereinigungskongreß der Sozialdemokratischen Arbeiterpartei (SDAP) und des Allgemeinen Deutschen Arbeitervereins (ADAV) in Gotha; Gründung der Sozialistischen Arbeiterpartei Deutschlands (Formulierung der Ziele im 'Gothaer Programm').
1878	Berliner Kongreß zur Erhaltung des Friedens in Europa unter Bismarck als 'ehrlichem Makler'. Das Sozialistengesetz (Verbot sozialistischer und kommunistischer Gruppierungen) tritt in Kraft.
1879	Schutzzollgesetze. – Zweibund Deutschland–Österreich-Ungarn.
1881	Erste elektrische Straßenbahn von Siemens & Halske gebaut. Robert Koch entdeckt den Tuberkelbazillus.
1883–1889	Einführung der Sozialversicherungen (Kranken-, Unfall-, Invaliden- und Altersversicherung).
1884/1885	Streben Kaiser Wilhelms II. nach Weltgeltung ('ein Platz an der Sonne'); Beginn der deutschen Kolonialpolitik in überseeischen Ländern.
1887	Deutschland und Rußland schließen den Rückversicherungsvertrag.

Kaiser Wilhelm II. entläßt Bismarck wegen sachlicher und persönlicher Differenzen.   1890

Otto Lilienthal führt mit einem Schwebegleiter Gleitflüge durch.   1891–1896

Eröffnung des Kaiser-Wilhelm-Kanals zwischen Nord- und Ostsee.   1895

Höhepunkt naturwissenschaftlicher Forschung, bewirkt durch Forscher wie Hertz, Röntgen, Planck, Einstein und Koch.   Nach 1870
Die Kunst des Realismus greift u. a. soziale Themen kritisch auf. Der Impressionismus wird prägend in der bildenden Kunst (Liebermann, Corinth).

Am Flottenbauprogramm des Admirals Tirpitz scheitern die deutsch-britischen Bündnisverhandlungen. Wachsende Isolierung Deutschlands.   Seit 1898

Wahlrechtskämpfe gegen das Dreiklassenwahlrecht in Preußen. Straßenkämpfe in Berlin.   1910

Erster Weltkrieg.   1914–1918
Anlaß ist die Ermordung des österreichischen Thronfolgerpaares in Sarajevo (28. Juni). Ursachen sind machtpolitische Gegensätze im europäischen Staatensystem, Rüstungswettlauf, deutsch-britische Rivalität, Schwierigkeiten des österreichisch-ungarischen Vielvölkerstaates, Rußlands Balkanpolitik sowie überstürzte Mobilmachungen und Ultimaten.
Am 1. August 1914 erfolgt die Kriegserklärung des Deutschen Reiches an Rußland, am 3. August an Frankreich. Kämpfe in West-, Süd- und Osteuropa, in Vorderasien und in den deutschen Kolonien; Stellungskrieg mit blutigen Materialschlachten im Westen; keine entscheidenden Siege im Osten; Auswirkungen der britischen Blockade auf die deutsche Rohstoff- und Lebensmittelversorgung.

Wendepunkt des Krieges durch das Eingreifen der Vereinigten Staaten von Amerika (ab April).   November 1917
Unter dem Einfluß der russischen Oktoberrevolution kommt es in Berlin und Leipzig zu Friedensdemonstrationen, an der Ostfront zu Meutereien und Verbrüderungen.

Massenstreik in Berlin; Wahl von Arbeiterräten (Januar). Frieden von Brest-Litowsk (März); endgültige militärische Niederlage Deutschlands.   1918

Vom Ende des Ersten Weltkrieges bis zum Ende des Zweiten Weltkrieges (1918 – 1945)

Der Erste Weltkrieg und seine Nachwirkungen werden zur Keimzelle erneuter politischer Spannungen zwischen den europäischen Staaten. Unter dem Druck wirtschaftlicher Not wachsen neue Konflikte; die rücksichtslose Politik der Großmächte führt zum Zweiten Weltkrieg, den das nationalsozialistische Dritte Reich vom Zaune bricht.   Überblick

Beginn der Novemberrevolution. Bewaffneter Aufstand von Matrosen und Arbeitern in Kiel; Bildung von Arbeiter- und Soldatenräten. Ausbreitung über ganz Deutschland.   3. November 1918

Abdankung von Kaiser Wilhelm II.; Ausrufung der Republik durch den Sozialdemokraten Philipp Scheidemann. Waffenstillstand in Compiègne.   9. November 1918

Die Nationalversammlung tagt in Weimar und beschließt eine republikanische Verfassung; wegen des Tagungsortes hat der neue Staat den Namen 'Weimarer Republik'. Erster Reichspräsident (bis 1925) wird der Sozialdemokrat Friedrich Ebert.   Februar 1919

Geschichte

Februar bis April 1919	Generalstreik im Ruhrgebiet, in Berlin und Mitteldeutschland. Münchener Räterepublik.
28. Juni 1919	Versailler Friedensvertrag: Verlust von Elsaß-Lothringen und von Eupen-Malmédy, von Nordschleswig, Posen, Westpreußen, des Memelgebietes und von Oberschlesien sowie des Kolonialbesitzes; Besetzung der Rheinlande und des Saargebietes; Beschränkung des Landheeres (100000 Soldaten) und der Marine; Verbot der Luftwaffe; Anerkennung der alleinigen deutschen Kriegsschuld; Reparationen in unbestimmter Höhe und anderes mehr.
1. März 1920	Kapp-Putsch zur Errichtung einer Militärdiktatur. Generalstreik. In Sachsen und Thüringen kommt es zu bewaffneten Kämpfen.
1922	Rapallo-Vertrag zwischen Deutschland und der Sowjetunion; Herstellung enger Handels- und Wirtschaftsbeziehungen.
11. Januar 1923	Besetzung des Ruhrgebietes durch französische und belgische Truppen. Wenig wirksamer, von der Regierung verkündeter 'passiver Widerstand'. Verschärfung der Wirtschaftskrise, Höhepunkt der Inflation, Verelendung der Bevölkerung.
Herbst 1923	'Arbeiterregierungen' in Sachsen und Thüringen werden mit Entschlossenheit niedergeschlagen.
1925	Hindenburg wird Reichspräsident. Im Vertrag von Locarno wird die deutsche Westgrenze, nicht aber die Ostgrenze garantiert.
1926	Deutschland wird in den Völkerbund aufgenommen.
1928	Volksbegehren gegen Panzerkreuzerbau und verstärkte Aufrüstung.
1929	Deutschland stärkste Industriemacht in Europa.
25. Oktober 1929	'Schwarzer Freitag' an der New Yorker Börse. Schwere Auswirkungen der Weltwirtschaftskrise in Deutschland: Rückgang der Industrieproduktion und hohe Arbeitslosigkeit.
1930	Regierung Brüning, erstes Präsidialkabinett. Abbau der Demokratie; Notverordnungen. Sprunghafter Stimmengewinn der Nationalsozialistischen Deutschen Arbeiterpartei (NSDAP) bei den Reichstagswahlen (6,4 Mio. Wähler).
1932	Vortrag Hitlers vor Düsseldorfer Industriellenklub, Weg zur Errichtung der nationalsozialistischen Diktatur. – Bildung der Antifaschistischen Aktion (Frühjahr); zunehmende Streikbewegung.
30. Januar 1933	Hindenburg ernennt Adolf Hitler zum Reichskanzler. Untergang der Weimarer Republik durch die 'Machtergreifung' der Nationalsozialisten; Beginn der Diktatur. Antifaschistischer Widerstand durch linke Parteien und verschiedene andere Gruppierungen.
1933	Reichstagsbrand (Februar); Außerkraftsetzung der Grundrechte durch die 'Notverordnung zum Schutz von Volk und Staat'; Ermächtigungsgesetz, Einrichtung erster Konzentrationslager und Bildung der Geheimen Staatspolizei (Gestapo); Auflösung der Länder, der Gewerkschaften; Verbot der SPD, Selbstauflösung bürgerlicher Parteien; erste Judenverfolgungen; Bücherverbrennung. Deutschland tritt aus dem Völkerbund aus (Oktober).
1934	Errichtung des 'Volksgerichtshofes'. Blutbad unter SA-Führern (Röhm) und politischen Gegnern (Juni).

Einführung der allgemeinen Wehrpflicht, Aufbau der Luftwaffe, Aufrüstung und Militarisierung des gesamten öffentlichen Lebens. – Staatlich organisierte Judenverfolgung aufgrund der 'Nürnberger Rassengesetze'. 1935

Einmarsch deutscher Truppen in die entmilitarisierte Zone im Rhein (März). Deutsche Intervention in Spanien, Einsatz der Legion Condor (ab November).
Deutsch-italienischer Vertrag ('Achse Berlin – Rom', Oktober); Antikominternpakt zwischen Deutschland und Japan (November).
Olympische Spiele in Berlin und Garmisch-Partenkirchen. 1936

'Anschluß' Österreichs (März). Münchener Abkommen zwischen Deutschland, Großbritannien, Frankreich und Italien (September). Pogrome gegen die jüdische Bevölkerung ('Reichskristallnacht' im November). 1938

Zerschlagung der Tschechoslowakischen Republik (März; 'Reichsprotektorat Böhmen und Mähren'). Deutsch-sowjetischer Nichtangriffsvertrag (August). 1939

Zweiter Weltkrieg. 1939 – 1945
Am 1. September 1939 fällt die Deutsche Wehrmacht in Polen ein.

Militärische Erfolge durch rüstungswirtschaftliche Überlegenheit und rücksichtslose Kriegsführung (Blitzkriegstrategie). 1939 – 1941

Überfall auf Dänemark und Norwegen (April), auf Luxemburg, die Niederlande, Belgien und Frankreich (Mai); Luftschlacht um England (August). 1940

Einsatz deutscher Truppen in Nordafrika (Februar); Überfall auf Jugoslawien und Griechenland (April). Überfall auf die Sowjetunion (22. Juni).
'Endlösung' der Judenfrage ab Juli; Ausrottung von schätzungsweise sechs Millionen Juden. Konzentrationslager als Vernichtungslager.
Moskauer Dreimächtekonferenz (UdSSR, USA und Großbritannien; im September); Beginn der Antihitlerkoalition. Kriegseintritt der USA (Dezember). Schlacht um Moskau; Scheitern der Blitzkriegstrategie (Oktober 1941 bis Januar 1942). 1941

Deklaration von 26 Staaten der Antihitlerkoalition über die Kriegsziele (Januar). Entscheidende Wende des Krieges durch Schlachten bei Stalingrad (September 1942 bis Januar 1943) und Kursk (Juli 1943). 1942

Zweite Front durch Landung anglo-amerikanischer Truppen in der französischen Normandie (Juni).
Vergebliches Attentat auf Hitler (20. Juli); Ermordung Ernst Thälmanns im Konzentrationslager Buchenwald (16. August). 1944

Konferenz von Jalta auf der Halbinsel Krim (UdSSR): Bestimmungen über das Nachkriegsdeutschland (Februar).
Zerstörung der Stadt Dresden durch anglo-amerikanisches Luftbombardement (13./14. Februar).
Besetzung des zerschlagenen Deutschlands durch die alliierten Siegermächte. Vertreter des Oberkommandos der deutschen Wehrmacht unterzeichnen in Berlin-Karlshorst die bedingungslose Kapitulation (8. Mai). 1945

Gemäß der 'Berliner Viermächteerklärung' vom 5. Juni 1945 übernehmen die Oberbefehlshaber der vier Siegermächte (Vereinigte Staaten von Amerika, Großbritannien, Frankreich, Sowjetunion) die 'oberste Gewalt' in Deutschland, das in vier Besatzungszonen aufgeteilt wird. Die bislang deutschen Gebiete östlich der Oder-Neiße-Linie kommen unter polnische bzw. sowjetische Verwaltung; mehr als elf Millionen Deutsche werden von dort vertrieben.
Nürnberger Kriegsverbrecherprozesse.

Sowjetische Besatzungszone (SBZ) Deutschlands
(1945 – 1949)

Überlick

Nach dem Ende des verheerenden Zweiten Weltkrieges errichtet die Sowjetunion in der ihr im Londoner Abkommen zugesprochenen Besatzungszone die Sowjetische Militäradministration in Deutschland (SMAD). Mit dem Potsdamer Abkommen (Entmilitarisierung, Entnazifizierung und Demontage der Industrie) setzt die UdSSR in der 'Ostzone' auch gesellschaftspolitische Veränderungen durch.

Mit der Währungsreform vollzieht sich dann die wirtschaftliche und letztlich die politische Spaltung Deutschlands.

1945

Es entstehen der Magistrat von Groß-Berlin (17. Mai), der Alliierte Kontrollrat (5. Juni) und die Sowjetische Militäradministration (9. Juni).

Rückzug britischer und US-amerikanischer Truppen aus der Sowjetischen Besatzungszone (SBZ) Deutschlands. Bildung der Länder Mecklenburg-Vorpommern, Brandenburg, Sachsen-Anhalt, Thüringen und Sachsen.

Mit Hilfe kleiner, in der Sowjetunion ausgebildeter Gruppen (z. B. um Walter Ulbricht), die an politisch bedeutsame Positionen (Justiz, Polizei, Verwaltung) gesetzt werden, sichert sich die SMAD von Anfang an beträchtlichen Einfluß.

Zulassung politischer Parteien (KPD, SPD, CDUD, LDPD).

Potsdamer Konferenz der Siegermächte (17. Juli bis 2. August): Das Potsdamer Abkommen enthält genaue Bestimmungen über Entmilitarisierung, Entnazifizierung, Kontrolle der Industrie, Reparationsleistungen und Demontage von Industrieanlagen. Festlegung der Oder-Neiße-Grenze.

Durchführung der Bodenreform (entschädigungslose Enteignung des Grundbesitzes über 100 ha, Neuaufteilung in Parzellen von 5 – 25 ha). Guthaben und Besitz von nationalsozialistischen Aktivisten und Kriegsverbrechern werden blockiert und beschlagnahmt.

Umfassende Justiz- und Schulreform (staatliche Einheitsschule).

1946

Im Zuge der Reparationspolitik demontiert die östliche Besatzungsmacht eine große Anzahl von Betrieben, ca. 25% der Betriebe gehen in sowjetischen Besitz über, erheblich sind auch die Entnahmen aus der laufenden Produktion. Verstaatlichung von Industrie- und Handelsunternehmen, Gründung sogenannter Volkseigener Betriebe (VEB).

Gründung kommunistisch orientierter Massenorganisationen (Freier Deutscher Gewerkschaftsbund FDGB, Freie Deutsche Jugend FDJ u. v. m.).

Die Berliner Universität nimmt ihre Lehrtätigkeit wieder auf (20. Januar).

Unter starkem Druck auf die Sozialdemokratische Partei Deutschlands (SPD) kommt es zum Zusammenschluß mit der Kommunistischen Partei Deutschlands (KPD) zur Sozialistischen Einheitspartei Deutschlands (SED) unter Wilhelm Pieck und Otto Grotewohl (21./22. April), die ihre Vormachtstellung auf Kosten der übrigen Parteien mit Unterstützung der sowjetischen Besatzungsmacht ausbaut.

Eröffnung der ersten 'Friedensmesse' in Leipzig (8. Mai).

Im Dezember wird erstmals der Deutsche Volkskongreß gewählt.

1948

Nach dem Scheitern einer gemeinsamen Deutschlandpolitik führen die Militärregierungen am 23. Juni in den westlichen Besatzungszonen eine Währungsreform (10 Reichsmark = 1 Deutsche Mark) durch; drei Tage später folgen die Sowjets in der SBZ und in Berlin mit einer eigenen Währungsreform (23. Juni).

Die Westmächte erklären diese Maßnahme für nichtig und führen die westdeutsche Währung auch im Westteil Berlins ein. Daraufhin blockiert die SMAD den gesamten Interzonenverkehr, sperrt alle Zufahrtswege und Lieferungen nach West-Berlin (24. Juni). Die westlichen Alliierten (v. a. die USA) versorgen 13 Monate lang die Westberliner Bevölkerung über die legendäre 'Luftbrücke'.

Umgestaltung der SED zu einer 'Partei neuen Typs' (Gleichschaltung der Parteien und Verbände). – Adolf Hennecke erster 'Aktivist'.

Sozialistischer Staat Deutsche Demokratische Republik (DDR)
(1949 – 1989)

Mit der Gründung der Bundesrepublik Deutschland und der Deutschen Demokratischen Republik (DDR) vollzieht sich im Gefolge der wirtschaftlichen alsbald auch die politische Spaltung Deutschlands. Die in allen Bereichen streng nach sozialistischen Vorstellungen organisierte DDR wird in den Verband der Ostblockstaaten integriert und zerbricht schließlich an der Unfähigkeit der vier Jahrzehnte lang herrschenden Partei- und Staatsdiktatur eines 'real existierenden Sozialismus'. — Überblick

Der Deutsche Volkskongreß organisiert auf der Grundlage einer Einheitsliste der Parteien und Massenorganisationen Wahlen zum Deutschen Volksrat. Dieser konstituiert sich am 7. Oktober 1949 als provisorische Volkskammer und ruft unter Annahme der Verfassung die Deutsche Demokratische Republik (DDR) aus. Erster Präsident wird Wilhelm Pieck (11. Oktober), Otto Grotewohl Ministerpräsident. Ungeachtet des für ganz Berlin geltenden Viermächtestatus erklärt man den sowjetischen Stadtsektor zur 'Hauptstadt der DDR'. — 1949

Die DDR anerkennt in Warschau die Oder-Neiße-Linie als Grenze zu Polen (Juli 1950). – Freundschaftsabkommen mit Ungarn, Rumänien und Bulgarien. Aufnahme der DDR in den Rat für Gegenseitige Wirtschaftshilfe (RGW/Comecon; September).
Umbildung des Volkskongresses zur Nationalen Front (NF), organisiert in Haus-, Wohn-, Betriebsgenossenschaften. Einrichtung des Ministeriums für Staatssicherheit (MfS; vulgo 'Stasi'). Aufstellung der Volkspolizei (VP; 'Vopo') und der Kasernierten Volkspolizei (KVP; 1952). — 1950–1951

Beschluß der 2. Parteikonferenz der SED zum 'planmäßigen Aufbau des Sozialismus'.
Grundlegende Verwaltungsneuordnung: Die fünf bisherigen Länder werden aufgelöst und das Territorium in 14 Bezirke gegliedert (Juli).
Der Staatsanteil auf dem Industriesektor wird ständig vergrößert. Erste Landwirtschaftliche Produktionsgemeinschaften (LPG) nach dem Vorbild sowjetischer Kolchosen werden gebildet. Verabschiedung des 1. Fünf-Jahre-Planes (Ausbau der Schwerindustrie).
Errichtung von Sperren entlang der 'Staatsgrenze' zur Bundesrepublik Deutschland. — 1952

Nach Stalins Tod (März) und vor dem Hintergrund drückender politischer Probleme entschließt sich die SED dazu, 'einen neuen Kurs zur Verbesserung der Lebensverhältnisse' einzuschlagen. Zunächst führt jedoch eine drastische Erhöhung der Arbeitsnormen am 17. Juni zu einem Streik, der sich in Ost-Berlin und anderen Städten der DDR zu einem Aufstand ausweitet. Er wird unter Einsatz sowjetischer Truppen niedergeschlagen, oppositionelle Kräfte werden mit aller Härte verfolgt (Massenverhaftungen, Standgerichte, Erschießungen). — 1953

Anerkennung der Souveränität der Deutschen Demokratischen Republik durch die Sowjetunion und Verzicht auf weitere Reparationsleistungen (1954).
Gründung des Warschauer Paktes (Mai 1955).
Vertrag über die Beziehungen zwischen der DDR und der UdSSR (September 1955).
Schaffung der Nationalen Volksarmee (NVA; Januar 1956). Weitere Umwandlung der Wirtschaftsordnung: Ausweitung des Staats- und Genossenschaftsbesitzes auf Kosten des Privateigentums.
Zwangskollektivierung der bis dahin noch freien landwirtschaftlichen Betriebe: Am 14. April 1960 sind 93% der landwirtschaftlichen Nutzfläche in LPGs zusammengefaßt.
Bildung des Staatsrates der DDR; sein erster Vorsitzender wird Walter Ulbricht (September 1960). — 1954–1961

1961

Angesichts der zunehmenden Fluchtbewegung aus der DDR – vor allem über West-Berlin in die Bundesrepublik Deutschland (seit 1949 rund 2,7 Mio. Menschen, darunter viele Fachkräfte) – beginnt die DDR mit dem Bau der 'Berliner Mauer' (13. August) und verschärft die hermetische Sicherung (Schießbefehl) der gesamten Grenzlinie zur Bundesrepublik Deutschland.

1962–1971

Einführung der allgemeinen Wehrpflicht (Januar 1962).
Aufgrund der andauernden Wirtschaftskrise Beschluß eines 'neuen ökonomischen Systems' in Anlehnung an den sog. Liberman-Plan in der Sowjetunion (u. a. Einführung des Rentabilitätsprinzips für Konzerne und Betriebe, Gewinnanreize; 6. SED-Parteitag 1963).
Ab 1963/1964 ist die DDR nach der Sowjetunion die stärkste Industriemacht der RGW-Länder.
Als entschiedener Gegner des 'Prager Frühlings' beteiligt sich die DDR im August 1968 an seiner Niederschlagung mit Waffengewalt.
Rücktritt Walter Ulbrichts (3. Mai 1971) vom Amt des Ersten Sekretärs des ZK der SED; sein Nachfolger wird Erich Honecker, seit November 1971 auch Vorsitzender des Nationalen Verteidigungsrates und ab 1976 zudem Vorsitzender des Staatsrates.

1972–1986

Weitere Verstaatlichungen von Betrieben. Gemäß dem neuen Wehrdienstgesetz ist der Wehrdienst Bestandteil der Bildung und Erziehung an den Schulen.
Grundlagenvertrag zwischen der Deutschen Demokratischen Republik und der Bundesrepublik Deutschland (Dezember 1972): Unverletzlichkeit der innerdeutschen Grenzen; Hoheitsgewalt jedes der beiden Staaten auf seinem Staatsgebiet.
Die Aufnahme der DDR in die Vereinten Nationen (UN; 1973) bewirkt zunehmende internationale Anerkennung.
Austausch ständiger diplomatischer Vertreter zwischen Bonn und Ost-Berlin (1974).
Verfassungsänderung zum 25. Jahrestag der DDR-Gründung (7. Oktober 1974; Tilgung des Ausdruckes 'deutsche Nation').
Bemanntes Weltraumunternehmen der UdSSR ("Sojus 31": 26. August bis 3. September 1978) erstmals mit Beteiligung der DDR; erster Deutscher im All ist Sigmund Jähn.
Seit 1976 Auseinandersetzungen mit Kritikern des 'real existierenden Sozialismus' (Robert Havemann, Rudolf Bahro u. a.); die Partei- und Staatsführung reagiert mit Hausarrest, Strafprozessen und Ausbürgerung.
Evangelische Christen fordern vergeblich die Einführung eines Friedensdienstes als Alternative zum Wehrdienst.
Friedensdemonstration in Dresden (Februar 1982) und Entwicklung einer unabhängigen Friedensbewegung.

1987

Große 750-Jahr-Feiern in ganz Berlin.
Abschaffung der Todesstrafe zum 38. Jahrestages der DDR-Gründung.
Friedensdemonstration in Ost-Berlin (5. September).
Erster offizieller Staatsbesuch aus der DDR in der Bundesrepublik Deutschland durch Partei- und Staatschef Erich Honecker (7.–11. September; Unterzeichnen diverser Abkommen über Umweltschutz, wissenschaftliche und technische Zusammenarbeit u. a.).
Durchsuchung der 'Umwelt-Bibliothek' der Ostberliner Zionsgemeinde durch den Staatssicherheitsdienst führt zu Protesten (November).

1988

Anläßlich des 69. Jahrestages der Ermordung von Rosa Luxemburg und Karl Liebknecht (17. Januar) kommt es in Berlin (Ost) zu Auseinandersetzungen zwischen Parteifunktionären und Mitgliedern von Friedens- und Menschenrechtsgruppen; Verhaftungen und Ausbürgerungen sind die Folge. In mehreren Städten der DDR kommt es zu Solidaritätsandachten und Demonstrationen.
Die DDR nimmt diplomatische Beziehungen zur Europäischen Gemeinschaft (EG) auf (August).

Nach Protesten gegen Manipulationen bei den Kommunalwahlen werden in Leipzig über hundert Personen verhaftet (7. Mai). Nachdem sich Hunderte von DDR-Bürgern in die Ständige Vertretung der Bundesrepublik Deutschland in Berlin (Ost) sowie die bundesdeutschen Botschaften in Budapest und Prag geflüchtet haben, müssen diese Einrichtungen vorübergehend geschlossen werden. Über die inzwischen durchlässig gewordene ungarisch-österreichische Staatsgrenze gelangen viele DDR-Bürger nach Österreich (August).

In der DDR konstituieren sich die Oppositionsgruppen "Neues Forum" und "Demokratie Jetzt" (September); sie fordern eine demokratische Umgestaltung des Staates. Beginn der 'Montagsdemonstrationen' in Leipzig.

Als Ungarn seine Westgrenze öffnet, setzt eine wahre Massenflucht ein; auch die bundesdeutsche Botschaft in Warschau wird nun von ausreisewilligen DDR-Bürgern bestürmt.

Die DDR-Regierung erlaubt schließlich die Ausreise der Flüchtlinge aus Polen (30. September) und der Tschechoslowakei, führt aber zugleich die Visumspflicht für Reisen in die Tschechoslowakei ein (3. Oktober); in Dresden kommt es zu Unruhen, als der Bahnhof wegen der Durchfahrt von Flüchtlingszügen aus Prag abgeriegelt wird (4. Oktober).

1989

Umbruch und Endphase der DDR (ab Herbst 1989)

Zum 40. Jahrestag der Gründung der DDR kommt der sowjetische Staats- und Parteichef Michail Gorbatschow nach Berlin (Ost); hier und in anderen DDR-Städten werden Massenproteste gegen die Staatsführung laut. Dann überstürzen sich die Ereignisse:

7. Oktober 1989

Trotz starker Aufgebote von Sicherheitskräften demonstrieren in Leipzig etwa 50 000 Menschen friedlich und rufen zum Verzicht auf Gewaltanwendung auf ("Keine Gewalt!" – "Wir sind das Volk!"). Der Ausbruch eines Bürgerkrieges kann verhindert werden.

9. Oktober

Erich Honecker wird abgesetzt, Egon Krenz neuer SED-Chef.

18. Oktober

Schätzungsweise 300 000 DDR-Bürger demonstrieren allein in Leipzig wiederum friedlich für politische Reformen.

23. Oktober

Der auch zum Vorsitzenden des Staatsrates der DDR gewählte Egon Krenz kündigt eine Amnestie für 'Republikflüchtige' an.

27. Oktober

Die alte Garde der SED-Politbüromitglieder tritt zurück.
Die Aufhebung des Visumszwangs für Reisen in die Tschechoslowakei hat eine neue Ausreisewelle zur Folge.

3. November

In Berlin (Ost) demonstrieren rund eine Million Menschen für Reformen.
Die DDR-Regierung unter Willi Stoph tritt geschlossen zurück.
Das SED-Politbüro tritt ebenfalls geschlossen zurück.

4. November
7. November
8. November

Gegen Abend wird die **Öffnung der DDR-Grenzen** zu Berlin (West) und zur Bundesrepublik Deutschland bekanntgegeben. Ab 22.00 Uhr sind die Grenzübergänge in Berlin passierbar; unzählige DDR-Bürger drängen in den Westteil der Stadt, wo sich ergreifende Szenen des Wiedersehens abspielen und ein großes Freudenfest gefeiert wird.

9. November

An diesem Wochenende strömen über eine Million Menschen aus Berlin (Ost) und anderen Teilen der DDR nach Berlin (West). Bis zum Sonntag werden sechs neue Grenzübergänge geöffnet; die 1961 'zur Sicherung der Staatsgrenze' errichtete Berliner Mauer wird durchlässig.

10. – 12.
November

Die Volkskammer der DDR wählt den Ersten Sekretär der SED-Bezirksleitung Dresden, Hans Modrow, zum neuen Regierungschef; Günther Maleuda, Vorsitzender der Demokratischen Bauernpartei Deutschlands (DBD), wird Parlamentspräsident.
Nach der Öffnung zahlreicher neuer DDR-Grenzübergänge ergießen sich große Besucherströme in die Bundesrepublik Deutschland.

13. November

Hans Modrow stellt seine neue Regierung vor; das einst gefürchtete Ministerium für Staatssicherheit wird aufgelöst.

17. November

Die SED schlägt 'Gespräche am Runden Tisch' zwischen den alten Blockparteien und den neu entstandenen Oppositionsgruppen vor.

22. November

Geschichte

1989 (Fortsetzung)

23. November DDR-Grenzsoldaten beginnen damit, den Schutzstreifenzaun entlang der Grenze zur Bundesrepublik Deutschland abzubauen.

28. November Bundeskanzler Helmut Kohl legt einen Zehn-Punkte-Plan für die Vereinigung der beiden deutschen Staaten vor, wobei er 'zunächst konföderative Strukturen' vorschlägt.

2. Dezember Die Volkskammer streicht die führende Rolle der SED aus der Verfassung.

3. Dezember Politbüro und Zentralkomitee der SED treten geschlossen zurück. Erich Honecker und weitere Mitglieder der alten Führungsriege werden aus der Partei ausgeschlossen.

6. Dezember Manfred Gerlach (LDPD) löst Egon Krenz als Staatsratsvorsitzenden ab.

9. Dezember Die SED rekonstituiert sich als 'Partei der Demokratischen Sozialismus' (PDS); neuer Vorsitzender wird der Rechtsanwalt Gregor Gysi.

19. Dezember In Dresden treffen sich DDR-Ministerpräsident Hans Modrow und Bundeskanzler Helmut Kohl zu politischen Gesprächen, u. a. über eine eventuelle Vertragsgemeinschaft der beiden deutschen Staaten.

22. Dezember Öffnung des Brandenburger Tores in Berlin (Grenzübergang).

24. Dezember Aufhebung des DDR-Visumszwangs für Bundesdeutsche (und Westberliner), die nun bis zum Jahreswechsel 1989 / 1990 in einer geschätzten Zahl von 3,8 Mio. besuchsweise in die DDR reisen.

1. Januar 1990 Aufhebung des bisher für Bundesbürger und Westberliner bei DDR-Reisen obligatorischen Mindestumtausches von frei konvertierbarer Währung. Die Parität der beiden deutschen Währungen wird amtlich im Verhältnis 1:3 festgelegt: 1 DM = 3 Mark der DDR.

18. März Aus den **ersten freien Wahlen in der DDR** (zur Volkskammer; 12,2 Mio. Wahlberechtigte; 24 Parteien, Bündnisse und Listenverbindungen; keine Sperrklausel) erreicht die 'Allianz für Deutschland' (CDU, DSU, DA) zwar nicht die absolute Mehrheit, geht aber als stärkste Gruppierung aus den Wahlen hervor.

Nach anfänglicher Ablehnung findet sich im weiteren Verlauf der Koalitionsgespräche die SPD der DDR bereit, an der Regierungsbildung mitzuwirken. Lothar de Maizière wird Ministerpräsident und steht einer Großen Koalition aus CDU, DSU, DA, SPD und Liberalen vor.

1. Juli Die Realisierung der Währungs-, Wirtschafts- und Sozialunion zwischen der Bundesrepublik Deutschland und der Deutschen Demokratischen Republik schafft nicht zuletzt mit der Einführung der D-Mark in der DDR die wichtigsten praktischen Voraussetzungen für die Einigung.

31. August Beide deutschen Staaten schließen den Einigungsvertrag.

12. September In Moskau unterzeichnen die Außenminister der Bundesrepublik Deutschland, der Deutschen Demokratischen Republik, Frankreichs, Großbritanniens, der Sowjetunion und der Vereinigten Staaten von Amerika den Schlußvertrag der sog. Zwei+Vier-Verhandlungen: Mit sofortiger Wirkung geben die Siegermächte des Zweiten Weltkrieges ihre besonderen Rechte in Bezug auf ganz Deutschland und Berlin auf.

3. Oktober **Tag der deutschen Einheit:** Um 0.00 Uhr Beitritt der Deutschen Demokratischen Republik zur Bundesrepublik Deutschland. Im Berliner Reichstagsgebäude versammelt sich erstmals nach dem Zweiten Weltkrieg ein gesamtdeutsches Parlament; 144 Mitglieder der ehem. DDR-Volkskammer werden in den Deutschen Bundestag entsandt.

14. Oktober In den fünf neu konstituierten Bundesländern – Mecklenburg-Vorpommern, Brandenburg, Sachsen-Anhalt, Thüringen und Sachsen – finden Landtagswahlen statt: Die Mehrzahl der Stimmen erreicht in Brandenburg die SPD, in den vier übrigen Ländern die CDU (in Sachsen die absolute Mehrheit).

28. Oktober Nach letzten Debatten stehen die Hauptstädte der neuen Bundesländer fest: Schwerin für Mecklenburg-Vorpommern, Potsdam für Brandenburg, Magdeburg für Sachsen-Anhalt, Erfurt für Thüringen und Dresden für Sachsen, das sich als Freistaat definiert.

2. Dezember Erste gesamtdeutsche Parlamentswahlen im geeinten Deutschland; zugleich Wahlen zum Stadtparlament von ganz Berlin.

Berühmte Persönlichkeiten

Hinweis

Die folgende, namensalphabetisch geordnete Liste vereinigt Persönlichkeiten, die durch Geburt, Aufenthalt, Wirken oder Tod mit der einstigen Deutschen Demokratischen Republik verbunden waren und überregionale Bedeutung erlangt haben.

Manfred
von Ardenne
(geb. 20.1.1907)

Der aus Hamburg gebürtige Baron Manfred von Ardenne gründete bereits 1923 in Berlin-Lichterfelde ein eigenes Versuchslaboratorium für Hochfrequenztechnik, machte zahlreiche Erfindungen auf den Gebieten von Elektronenoptik, Funk- und Fernsehtechnik (u.a. eine TV-Apparatur, 1930), lieferte seit 1940 Arbeiten zur angewandten Kernphysik, war von 1945 bis 1955 am Institut für elektronische Physik bei Suchumi (UdSSR) tätig und leitet seither das Forschungsinstitut 'Manfred von Ardenne' im vornehmen Dresdener Stadtteil Weißer Hirsch. Seit 1965 ist von Ardenne auch mit aufsehenerregenden medizinischen Forschungen (v.a. Mehrschritt-Therapie zur Krebsbehandlung) weithin bekannt geworden.

Johannes R.
Becher
(22.5.1891 bis
11.10.1958)

Der in München als Sohn eines Oberlandesgerichtspräsidenten geborene Johannes R. Becher studierte Medizin und Philosophie. Er schrieb Dichtungen im expressionistischen Stil. Im Jahre 1918 wurde Becher Mitglied des Spartakusbundes, 1919 trat er der KPD bei. Von 1928 bis 1933 fungierte er als Sekretär des Bundes proletarisch-revolutionärer Schriftsteller. 1933 ging Becher als Emigrant in die Tschechoslowakei, anschließend nach Frankreich und in die Sowjetunion. Im Jahre 1945 kehrte er nach Deutschland zurück.
Becher hatte nach dem Zweiten Weltkrieg an der Erneuerung des kulturellen Lebens in der DDR (bis 1949 Sowjetische Besatzungszone Deutschlands) maßgeblichen Anteil. So ging von ihm die Initiative zur Gründung des 'Kulturbundes zur demokratischen Erneuerung Deutschlands' aus, dessen erster Präsident er war. Neben sozialistischen Schriftstellern wie Willi Bredel, Erich Weinert, Friedrich Wolf und Anna → Seghers war er am Zustandekommen des ersten Schriftstellerkongresses, der im Oktober 1947 in Berlin tagte, beteiligt. In den Reden wird Parteinahme für die Arbeiterklasse und eine Abgrenzung gegen Faschismus und Imperialismus gefordert, die Entwicklung einer realistischen Literatur als Ziel formuliert. Bechers kulturpolitische Tätigkeit wurde durch Reden und Aufsätze, darunter "Erziehung zur Freiheit, Gedanken und Betrachtungen" (1946) begleitet. Von 1952 bis 1956 war Becher Präsident der Akademie der Künste in Berlin (Ost) und von 1954 bis 1958 Minister für Kultur.
Johannes R. Becher schrieb die 'Nationalhymne' der Deutschen Demokratischen Republik ("Auferstanden aus Ruinen ..."), die von Hanns Eisler (1898–1962) vertont wurde. Eisler, der nach dem Ersten Weltkrieg bei Arnold Schönberg Komposition studiert hatte, war 1926 der KPD beigetreten und 1933 emigriert. Seit 1950 lebte Becher in Berlin (Ost).

Volker Braun
(geb. 7.5.1939)

Volker Braun, in Dresden geboren, arbeitete zunächst in verschiedenen Betrieben und studierte anschließend Philosophie. Mitte der sechziger Jahre war er Dramaturg am Berliner Ensemble in Berlin (Ost), später auch an anderen Berliner Theatern.
In seiner Lyrik ("Provokation für mich", 1965; "Wir und nicht sie", 1970; "Training des aufrechten Gangs", 1979; u.a.) ist Braun Schüler Bertolt Brechts und Wladimir Majakowskis. Die Gedichte kreisen inhaltlich um zeit- und gesellschaftskritische Fragen; Brauns Vorstellung einer Verbindung von Individuum und Kollektiv kommt in ihnen zum Ausdruck.
In den Dramen wird die Arbeitswelt kritisch dargestellt. Das Stück "Die Kipper" (1972; ursprünglich "Kipper Paul Bauch", 1966) hat mit der Auseinandersetzung zwischen der Arbeitsbrigade eines Braunkohlentagebaues und einem 'Kipper', der eine Neuerung einführen will, zum Thema.

Berühmte Persönlichkeiten

Volker Braun
(Fortsetzung)

In "Hinze und Kunze" (1973; ursprünglich "Hans Faust", 1968) entzündet sich der Konflikt an Meinungsverschiedenheiten zwischen einem von der Zukunft träumenden Arbeiter (Hinze) und einem auf die Realisierung des Klassenauftrages bedachten Parteisekretär (Kunze); Braun hat sich bei der Konzeption des Stückes – bezugnehmend auf Goethes "Faust" – von der Gegenüberstellung der Charaktere Fausts und Mephistos leiten lassen. Weitere Dramen von Volker Braun sind u. a. "Guevara oder der Sonnenstaat" (1977), "Großer Frieden" (1979) und "Die Übergangsgesellschaft" (1987).

Bertolt Brecht
(10.2.1898 bis
4.8.1956)

Bertolt Brecht hat die Literatur und das Theater des 20. Jahrhunderts, insbesondere durch seine Hinwendung zum 'epischen Theater' stark beeinflußt. Er stammte aus Augsburg und studierte 1917/1918 in München Medizin und Philosophie. Brecht, der schon in jungen Jahren zu einem erbitterten Kriegsgegner wurde, schrieb zunächst Theaterkritiken für eine der USPD (Unabhängige Sozialdemokratische Partei Deutschlands) nahestehende Augsburger Zeitung. In dieser Zeit entstanden die ersten Stücke, darunter "Baal" (1918–1920), "Trommeln in der Nacht" (1919) und "Im Dickicht der Städte" (1921–1923).

Im Jahre 1924 ging Brecht nach Berlin, wo er als Dramaturg am 'Deutschen Theater' bei Max Reinhardt arbeitete. Anschließend lebte er als freier Schriftsteller und Regisseur in Berlin. 1928 heiratete er die Schauspielerin Helene Weigel. Für seine weitere Arbeit wurde die Beschäftigung mit dem Marxismus bestimmend; die Stücke haben jetzt einen betont lehrhaften Charakter ("Die Maßnahme", 1930).

Im Jahre 1933 emigrierte Brecht. Nach Aufenthalten in der Schweiz, in skandinavischen Ländern und der Sowjetunion ließ er sich im US-Bundesstaat Kalifornien nieder (1941–1947). Während des Exils entstanden zahlreiche Schriften und bedeutende Theaterstücke. Zu diesen zählen u. a. "Leben des Galilei" (1938), in dem die Problematik des Wissenschaftlers diskutiert wird, das gegen den Krieg gerichtete Stück "Mutter Courage und ihre Kinder" (1939), ferner "Der gute Mensch von Sezuan" (1938–1940) und "Der kaukasische Kreidekreis" (1944/1945). Brecht wollte mit seinem 'Epischen Theater' bewirken, daß die Einfühlung bei Schauspielern und Zuschauern zugunsten eines kritischen Bewußtseins zurücktritt; dies suchte er durch kommentierende Songs und eine distanzierende Darstellungsweise zu erreichen ('Verfremdungseffekt').

Im Jahre 1948 kehrte Bertolt Brecht nach Deutschland zurück und gründete 1949 – zusammen mit Helene Weigel – in Berlin (Ost) das 'Berliner Ensemble', dem seit dem Jahre 1954 ein eigenes Haus zur Verfügung stand, das Theater am Schiffbauerdamm. Bei den Aufführungen des Berliner Ensembles, meist Werken Bertolt Brechts oder von ihm bearbeitete Stücke aus der Theaterliteratur (u. a. "Der Hofmeister", Bearbeitung des gleichnamigen Stücks von J. M. R. Lenz; 1951), führte Brecht oder einer seiner Schüler Regie. Wichtig für das Zustandekommen des von Brecht angestrebten Effekts war auch die Mitarbeit der Komponisten Hanns Eisler, Paul Dessau und Kurt Weill ("Die Dreigroschenoper", 1928) sowie der Bühnenbildner C. Neher und T. Otto.

Neben den Theaterstücken hat Brecht Prosa und Lyrik geschrieben. In den Gedichten (u. a. "Svendborger Gedichte", 1939; "Buckower Elegien", 1954) kommen auch Motive persönlicher Art – Mitleid und das Verlangen nach Glück – zum Tragen. Im Bereich der Prosa bevorzugt Brecht die Kurzform gegenüber dem Roman ("Kalendergeschichten", 1949; "Geschichten von Herrn Keuner", 1930–1956 entstanden und im Jahre 1958 veröffentlicht).

Bertolt Brecht ist 1956 in Berlin (Ost) gestorben und wurde auf dem Dorotheenstädtischen Friedhof beigesetzt. Auch Helene Weigel (1900–1971), die bis zu ihrem Tod das Theater am Schiffbauerdamm leitete, fand dort ihre letzte Ruhestätte.

Günter de Bruyn
(geb. 1.11.1926)

Der in Berlin geborene Günter de Bruyn nahm als junger Mann am Zweiten Weltkrieg teil. Nach kurzer Kriegsgefangenschaft arbeitete er als Lehrer in

Johannes R. Becher   *Bertolt Brecht*   *Paul Dessau*

Günter de Bruyn
(Fortsetzung)

Brandenburg und besuchte von 1949 bis 1953 die Bibliothekarschule in Berlin. Anschließend war er bis 1961 wissenschaftlicher Mitarbeiter des Zentralinstituts für Bibliothekswesen. Seit 1963 lebt Günter de Bruyn als freier Schriftsteller in Berlin (Ost).

Seine ersten Arbeiten sind noch vom Erlebnis des Krieges geprägt. In dem Roman "Buridans Esel" (1968) schildert de Bruyn eine Dreiecksgeschichte in sozialistischer Umwelt. Auch in den späteren Romanen – "Preisverleihung" (1972), "Märkische Forschungen" (1979), "Neue Herrlichkeit" (1984) werden die zwischenmenschlichen Beziehungen in der DDR, etwa die Herausbildung neuer Klassen geschildert.

In dem biographischen Werk "Das Leben des Jean Paul Friedrich Richter" (1975) stellt Günter de Bruyn einen Dichter dar, der sich von den Vertretern der Weimarer Klassik distanziert und von der Norm des als klassisch Geltenden abweicht. Im Rahmen der Auseinandersetzung mit dem 'bürgerlichen Erbe', die in der Literatur-Diskussion der DDR einen breiten Raum einnimmt, bedeutete seine Beschäftigung mit Jean Paul die Einbeziehung eines bis dahin wenig beachteten Autors.

Fritz Cremer
(geb. 22.10.1906)

Der im westfälischen Arnsberg geborene Bildhauer Fritz Cremer wurde 1929 Mitglied der KPD. In den dreißiger Jahren machte er Studienreisen nach Frankreich, England und Italien. Cremer nahm am Zweiten Weltkrieg teil und war zwei Jahre in jugoslawischer Kriegsgefangenschaft. Im Jahre 1946 wurde er Professor und Leiter der Bildhauerabteilung an der Akademie für angewandte Kunst in Wien. Zusammen mit W. Schütte gestaltete er auf dem Zentralfriedhof in Wien ein Mahnmal für die Opfer des Nationalsozialismus.

Seit 1950 lebt Fritz Cremer in Berlin (Ost); in der DDR wurde er zu einem wichtigen Anreger der realistischen Plastik. Cremers Arbeiten lassen Einflüsse von Auguste Rodin, Ernst Barlach und Käthe Kollwitz erkennen. Seine Hauptwerke sind die Mahnmale in den ehemaligen Konzentrationslagern Auschwitz (1947), Buchenwald (1952–1958) und Ravensbrück (1959/1960). Ferner hat er graphische Zyklen und Ölbilder geschaffen.

Paul Dessau
(19.12.1894 bis 28.6.1979)

Paul Dessau, in Hamburg geboren, studierte in Berlin Musik und wurde dort 1925 Kapellmeister an der Städtischen Oper. Er schuf Kompositionen für Bühnenstücke und Filme sowie für den Arbeitersängerbund. Im Jahre 1933 emigrierte er nach Paris, wo er sich mit der Zwölftonmusik auseinandersetzte. Seit der Emigrationszeit in den Vereinigten Staaten (New York, Hollywood) trat der Komponist durch die Vertonung von Texten Bertolt Brechts, mit dem er befreundet war, hervor.

Im Jahre 1948 kehrte Paul Dessau nach Deutschland zurück und ging nach Berlin (Ost). Er komponierte Opern, darunter "Die Verurteilung des Lukullus" (1951, nach B. Brecht; Neufassung 1968), "Puntila" (1966, nach

Berühmte Persönlichkeiten

Paul Dessau
(Fortsetzung)

B. Brecht), "Einstein" (1973) sowie "Leonce und Lena" (1978, nach Georg Büchner), Orchesterwerke, Kammermusik, Kantaten und Lieder. Einen besonderen Akzent erhalten die Kompositionen durch Elemente der Volksmusik. Für seine politisch engagierte Musik wurde Dessau in der DDR mit mehreren Staatspreisen ausgezeichnet. Er veröffentlichte die Schrift "Notizen zu Noten" (1974).

Paul Dessau war verheiratet mit Ruth Berghaus (geb. 2.7.1927 in Dresden), einer Choreographin, die von 1951 bis 1964 an der Palucca-Schule in Dresden arbeitete. Im Jahre 1967 wurde sie Regisseurin beim Berliner Ensemble (1971–1977 auch Intendantin), 1977 an der Berliner Staatsoper. Ruth Berghaus wirkte auch als Gast an Bühnen der Bundesrepublik Deutschland, wo sie durch eigenwillige Inszenierungen – u. a. von Richard Wagners Opern "Rheingold" (1985) und "Walküre" (1986), beide Male in Frankfurt am Main – bekannt geworden ist.

Bernhard Heisig
(geb. 31.3.1925)

Der Maler und Graphiker Bernhard Heisig, als Sohn des Malers Walter Heisig in Breslau geboren, lebt in Leipzig. Im Jahre 1942 meldete er sich freiwillig zur Wehrmacht, wurde Panzerfahrer und geriet in sowjetische Kriegsgefangenschaft. Das Erlebnis des Krieges bildet ein konstitutives Element seiner Malerei. Seine Kriegsbilder, darunter "Christus fährt mit uns" (1978–1988) und "Begegnung mit Bildern" (1982–1986), lassen den Einfluß von Max Beckmann und Otto Dix erkennen. Im Mittelteil von "Begegnung mit Bildern" sieht man einen jungen Soldaten mit weitaufgerissenem Mund und intensivem Ausdruck der Augen – als Zeichen des Protests gegen Krieg und Zerstörung.

Heisig, der auf vielen Bildern Szenen aus der Geschichte der Arbeiterbewegung dargestellt hat, stellt die Beschäftigung mit der menschlichen Figur weitgehend in den Mittelpunkt seiner Arbeit. Er hat Selbstbildnisse und zahlreiche Porträts geschaffen. Die Beschäftigung mit Adolph Menzels Illustrationen zu Kuglers "Geschichte Friedrichs des Großen" (1840–1842) regte ihn zu einer Reihe von Bildnissen an, die Friedrich II. – oft mit einer Maske seiner selbst, die er in der Hand hält – zeigen. Die Gemälde tragen Titel wie "Beschäftigung mit Fritz und Friedrich" (1987), "Fritz und Friedrich" (1986–1988, Triptychon) und "Der Feldherrnhügel" (1988). Beschriftete Papierstücke oder Bänder, wie man sie von Kunstwerken des Barock kennt, geben Hinweise zu den Bildern (u. a. "1730. Hinrichtung des armen Freundes Katte"). Durch die schonungslose Art der Darstellung von Menschen und Gesichtern sowie durch die Einbeziehung ungewohnter Elemente in das Gemälde sucht Heisig den vielschichtigen Charakter des preußischen Königs zu erfassen.

Bernhard Heisig hat Illustrationen zu dem Stück "Mutter Courage und ihre Kinder" von Bertolt → Brecht geschaffen.

Hermann Kant
(geb. 14.6.1926)

Der in Hamburg geborene Hermann Kant nahm als Soldat am Zweiten Weltkrieg teil und verbrachte anschließend mehrere Jahre in polnischer Kriegsgefangenschaft. Er wurde zum Mitbegründer des Antifa-Komitees im Arbeitslager Warschau. Nachdem Kant an der Arbeiter- und Bauernfakultät der Universität Greifswald das Abitur nachgeholt hatte, studierte er in den fünfziger Jahren in Berlin Germanistik. Anschließend arbeitete er als wissenschaftlicher Assistent an der Humboldt-Universität und als Redakteur. Seit 1962 lebt Kant als freier Schriftsteller in Berlin (Ost).

Die Romane und Erzählungen schildern das Leben der Menschen in der DDR und ihre Probleme. Erlebnisse aus Kindheit und Jugend sowie mit Verwandten und Bekannten des Autors bilden die Ausgangssituation der Erzählungen in dem Band "Ein bißchen Südsee" (1962). Viel Erfolg hatte der Schriftsteller mit dem Roman "Die Aula" (1965). In dem stark autobiographischen Werk, das 1968 dramatisiert wurde, berichtet ein Journalist in immer neuen Rückblenden über sein bisheriges Leben und seine Studienzeit, ferner über den bildungs- und gesellschaftspolitischen Umbruch in der DDR. Letztlich scheint nicht die Einzelperson in ihrer Individualität, sondern die Entwicklung eines neuen Menschentyps wichtig. Formal werden Elemente des Sozialistischen Realismus mit modernen Techniken

– innerer Monolog, Wechsel der Zeit- und Stilebenen – kombiniert. In dem Roman "Das Impressum" (1972) geht es um den beruflichen Aufstieg eines jungen DDR-Bürgers, wiederum eines Journalisten, seine Bedenken und seine Selbstkritik sowie um politisches Engagement. Im Jahre 1981 erschien das Buch "Zu den Unterlagen", eine Sammlung von Reden und Essays.

Hermann Kant hat sich im Schriftstellerverband der DDR engagiert und wurde dessen Vorsitzender. Nach dem Tode von Anna → Seghers (1983) hielt er auf dem IX. Schriftstellerkongreß der DDR eine Rede, in der er sich besonders mit den Pflichten und Möglichkeiten der Schriftsteller, für den Frieden zu wirken, auseinandersetzte.

Hermann Kant (Fortsetzung)

Der aus Reichenbach im Vogtland gebürtige Maler Wolfgang Mattheuer lebt in Leipzig. Reisen führten ihn nach Ungarn und in die Sowjetunion ("Bratsker Landschaft", 1967). Im Jahre 1976 stellte er das Bild "Guten Tag" für den Palast der Republik in Berlin (Ost) fertig.

Mattheuer entwickelte den Sozialistischen Realismus zum 'Kritischen Realismus' weiter. Die Widersprüche der Gegenwart zeigt er an Gestalten aus der antiken Mythologie auf, mit der Forderung, auch unter ungünstigen Umständen die Hoffnung auf Veränderung nicht aufzugeben. Zentrale Figuren seines bildnerischen Schaffens sind Sisyphos und Ikarus. Auf dem pessimistisch gestimmten Gemälde "Was tun?" (1980) sieht man eine Insel mit mehreren Personen und Ikarus, der tot am Boden liegt, während die Flügel 'selbständig' davon fliegen. Auch bei den Sisyphos-Bildern wird die durch den Mythos gegebene Situation verkehrt: Sisyphos läuft von dem Stein, den er bewegen soll, weg ("Die Flucht des Sisyphos", 1972), oder benutzt ihn als Rohmaterial für eigene Intentionen ("Sisyphos behaut den Stein", 1974).

Das Motiv des Menschen, der mit weitausholendem Schritt flieht, hat der Maler zu dem Thema "Jahrhundertschritt" (1984 als bemalte Bronze, 1987 als Ölbild) weiterentwickelt; dem zurückgesetzten Bein entspricht bei der Bronze ein nach oben gerichteter Arm, dem nach vorne gestreckten Bein ein nach hinten gewandter angewinkelter Arm. Bei dem Bild sieht man im Hintergrund eine Mauer; durch die Haltung der Hände – eine mit Proletarierfaust und eine zum Hitler-Gruß erhoben – wird auf historische Entwicklungen und Widersprüche der Geschichte des 20. Jh.s hingewiesen. Als Landschaftsmaler sucht Mattheuer, der gern in das Vogtland fährt, die Bildtradition der Romantik mit den sozialistischen Vorstellungen in Einklang zu bringen. Das Gemälde "Selbstbildnis" (1984) zeigt einen Maler, der – einen Pinsel in der Hand – neben einem geöffneten Fenster steht, das den Blick auf eine ländliche Gegend mit Bäumen freigibt.

Wolfgang Mattheuer (geb. 7.4.1927)

Der im sächsischen Eppendorf geborene Heiner Müller lebt seit 1959 in Berlin (Ost). Er war Mitarbeiter des Maxim-Gorki-Theaters sowie des Berliner Ensembles und der Volksbühne Berlin.

Als Dramatiker versucht Heiner Müller, die Brechtsche Dialektik auf die Verhältnisse in der DDR anzuwenden. Ein Beispiel für diese Konzeption bildet das Stück "Der Lohndrücker" (1959). Die Konflikte, die in einem volkseigenen Betrieb entstehen, werden darin zur Diskussion gestellt; die mageren Löhne und der durch die Normen ausgelöste Druck nehmen den Arbeitern die Hoffnungen, welche die Vergesellschaftung der Produktionsmittel geweckt hatte. Einer von ihnen, der 'Held' des Stückes, erfindet Verbesserungen und führt eine neue Norm ein. Gegen diesen sogenannten Lohndrücker richtet sich die Wut der anderen. Ein Parteisekretär sorgt schließlich für einen Ausgleich zwischen den Streitenden. In dem Stück "Die Umsiedlerin oder das Leben auf dem Lande" (1961) befaßt sich Müller mit den Auswirkungen der Bodenreform und der Kollektivierung: Der gesellschaftliche Fortschritt wird durch Nachteile auf Seiten des Individuums erkauft. Das Drama "Germania Tod in Berlin" (entstanden 1956–1971, 1977 geänderte Textfassung) zeigt, in welcher Weise die Beziehungen zwischen den Menschen unter den Bedingungen des 'Faschismus' verrohen; Episoden der DDR-Geschichte werden – in schockhaft kurzen Bildern – in

Heiner Müller (geb. 9.1.1929)

Berühmte Persönlichkeiten

Heiner Müller
(Fortsetzung)

Beziehung gesetzt zu Ereignissen aus der preußischen Geschichte und zu politischen Vorgängen im 20. Jahrhundert (u.a. Novemberrevolution). Später schuf Heiner Müller eigenwillige Bearbeitungen antiker Stoffe (u.a. "Philoktet", 1965; "Ödipus Tyrann", 1969) und von Werken europäischer Dramatiker, darunter besonders solcher von William Shakespeare (u.a. "Macbeth", 1972; "Anatomie Titus Fall of Rome", 1985).

Ulrich Plenzdorf
(geb. 26.10.1934)

Ulrich Plenzdorf, in Berlin geboren, studierte in Leipzig Philosophie. Von 1955 bis 1958 war er als Bühnenarbeiter tätig; anschließend – von 1959 bis 1963 – studierte er an der Filmhochschule in Babelsberg. Er lebt heute in Berlin (Ost).

Bekannt wurde Plenzdorf vor allem durch das Werk "Die neuen Leiden des jungen W.", das 1966/67 als Filmerzählung entstand (1973 als Roman veröffentlicht) und besonders in seiner Bühnenfassung ein großer Erfolg wurde. Im Mittelpunkt steht ein junger Mann, der seine – geschiedenen – Eltern verläßt und nach Berlin geht. Dort verliebt er sich in ein Mädchen, das aber schon verlobt und später verheiratet ist. Während dieser Zeit beschäftigt sich Plenzdorf mit Goethes "Werther"; der Briefroman wird zur Metapher für die Gefühlslage des jungen Mannes. Bei Arbeiten, die eine technische Erfindung zum Ziel haben, stirbt er an einem Stromschlag. Der Unfall wird als ein vom Unterbewußtsein geleiteter Selbstmord gedeutet. Den Achtzehnjährigen, der einen Anspruch auf Selbstverwirklichung erhebt und sich gesellschaftlich verordneten Lebenszusammenhängen zu entziehen sucht, empfanden in den siebziger Jahren viele Jugendliche in der DDR als Identifikationsfigur; die zum Teil recht schnoddrige, vom Beat-Jargon beeinflußte Ausdrucksweise mag dazu beigetragen haben.

Ulrich Plenzdorf schrieb ferner "Die Legende von Paul und Paula" (1974), ebenfalls als Drehbuch angelegt. Darüber hinaus entstanden im Laufe der achtziger Jahren verschiedene Drehbücher.

Anna Seghers
(19.11.1900 bis 1.6.1983)

Die in Mainz geborene Schriftstellerin Anna Seghers (eigentlich Netty Radvanyi, geb. Reiling) studierte Kunstgeschichte, Geschichte und Sinologie. 1928 trat sie in die Kommunistischen Partei bei. 1933 zur Emigration gezwungen, gelangte sie über Frankreich und Spanien nach Mexiko, wo sie bis zu ihrer Rückkehr nach Deutschland (1947) blieb. Danach lebte sie in Berlin (Ost). Von 1952 bis 1978 war Anna Seghers Vorsitzende des Schriftstellerverbandes der DDR, seit Mai 1978 dessen Ehrenpräsidentin. Sie engagierte sich auch im Weltfriedensrat. Der Schriftstellerin, die zahlreiche Preise erhalten hat, wurde 1981 die Ehrenbürgerschaft der Stadt Mainz verliehen. Sie starb in Berlin (Ost).

Hauptanliegen ihrer Werke ist die Darstellung sozialer Ungerechtigkeit und unmenschlicher Gesellschaftsformen. Schon in ihrem ersten Werk, der Erzählung "Der Aufstand der Fischer von St. Barbara" (1928) schildert Anna Seghers im herben Stil der 'Neuen Sachlichkeit' die Revolte besitzloser Fischer gegen ihre Ausbeuter. Während des Zweiten Weltkrieges schrieb sie Romane, die den nationalsozialistischen Terror ("Das siebte Kreuz", 1942) und das Schicksal der Emigranten ("Transit", 1944; deutsch 1948) zum Thema haben. Besonders der Roman "Das siebte Kreuz", in dem die Flucht von sieben Häftlingen aus einem Konzentrationslager erzählt und die Frage der Beziehung zwischen dem einzelnen und den Kräften der geschichtlich-gesellschaftlichen Wirklichkeit behandelt wird, hatte in der Nachkriegszeit großen Einfluß auf die DDR-Literatur. Mit den Werken der vierziger Jahre sowie mit den später in der DDR entstandenen Romanen, darunter "Die Entscheidung" (1959) und "Das Vertrauen" (1968), gilt Anna Seghers als eine Hauptvertreterin des Sozialistischen Realismus. Sie hat sich auch als Essayistin einen Namen gemacht.

Erwin Strittmatter
(geb. 14.8.1912)

Erwin Strittmatter, der aus Spremberg (Niederlausitz) stammt, arbeitete zunächst in verschiedenen Berufen und nahm als Soldat am Zweiten Weltkrieg teil. Nach dem Krieg verdiente er sich seinen Lebensunterhalt als Bürgermeister in der Sowjetzone und als Zeitungsredakteur. Später war er eine Zeitlang Vizepräsident des Schriftstellerverbandes der DDR. Heute lebt Strittmatter in Schulzendorf bei Gransee.

Der sozialistisch orientierte Schriftsteller schrieb verschiedene Romane, die das kleinbürgerliche Milieu zum Hintergrund haben. Die Romantrilogie "Der Wundertäter" (1957, 1973, 1980) handelt von einem Mann, der sich als Autodidakt Bildung aneignet, während des Krieges durch viele Länder Europas kommt und schließlich auf einer kleinen griechischen Insel die Gelegenheit zur Flucht ergreift.

Erwin Strittmatter (Fortsetzung)

Strittmatters Sprache erzielt durch Kürze, verbunden mit urwüchsigem Humor und scharfer Satire, ihren besonderen Reiz. An die Verskomödie "Katzgraben". Szenen aus dem Bauernleben" (1954; 1958 erweiterte Fassung) knüpft der Roman "Ole Bienkopp" (1963) an; Strittmatter schildert darin die Veränderungen auf dem Lande am Beispiel der Gründung einer Landwirtschaftlichen Produktionsgenossenschaft. Dabei geht es nicht allein um die Schaffung der LPG, sondern um die Bewährung eines jeden einzelnen beim Aufbau des Sozialismus.

Später wandte sich Strittmatter der Kurzprosa zu ("Ein Dienstag im September", 1969; "Dreiviertelhundert Kleingeschichten", 1971; "Die blaue Nachtigall", 1972; u. a.).

In den achtziger Jahren veröffentlichte er unter dem Titel "Der Laden" seine Kindheitsgeschichte. In diesem Werk, einem 'Roman in zwei Teilen' (1983, 1987), wird der Ort Bossdom gegenwärtig, ein halbsorbisches Dorf in der Niederlausitz, in dem der kindliche Held des Romans heranwächst.

Der Maler Werner Tübke, geboren in Schönebeck an der Elbe, lebt in Leipzig, einem Zentrum des künstlerischen Schaffens in der DDR. In seinen Gemälden, die Einflüsse aus Renaissance und Manierismus zeigen, sprengt er die Grenzen des Sozialistischen Realismus, ohne den Boden dieser Stilrichtung zu verlassen. Thematisch dem Sozialismus verpflichtet ist u. a. das Bild "Porträt eines sizilianischen Großgrundbesitzers mit Marionetten" (1972; Staatliche Kunstsammlungen, Dresden), das in der Malweise surrealistische Züge erkennen läßt.

Werner Tübke (geb. 30.7.1929)

Besondere Aufmerksamkeit hat Tübke durch das im Auftrag des Staates und mit Hilfe zahlreicher Mitarbeiter geschaffene Panorama-Wandbild bei Bad Frankenhausen (Thüringen) auf sich gezogen. Das Werk entstand zur Erinnerung an die 'frühbürgerliche Revolution', wie der Bauernaufstand von 1525 in der DDR heißt, und zu Ehren von Thomas Müntzer ('Münzer'), eines protestantischen Theologen, der sich an die Spitze der Aufrührer stellte. Im Jahre 1989 wurde in der Deutschen Demokratischen Republik der 500. Geburtstag von Thomas Müntzer begangen. Die Schlacht zwischen den überwiegend berittenen Fürstensöldnern und den Bauern, die auf dem Schlachtberg nahe Bad Frankenhausen ausgetragen wurde, bildet das zentrale Thema des monumentalen Gemäldes, für das eigens ein Rundbau errichtet wurde. Thomas Müntzer, der nach der Niederlage der Aufständischen hingerichtet wurde, steht, eine gesenkte Fahne in der Hand und Trommler zur Seite, im Blickpunkt.

In den letzten Jahren hat Tübke auch Bilder mit religiöser Thematik geschaffen, u. a. "Kreuzabnahme" (1983) und "Auferstehung" (1988), die ihre besondere Wirkung durch den Kontrast von Licht und Dunkelheit erhalten.

Christa Wolf, in Landsberg an der Warthe geboren, siedelte 1945 nach Mecklenburg um. Nach dem Studium der Germanistik in Leipzig und Jena war sie Mitarbeiterin des Schriftstellerverbandes und Verlagslektorin. Seit 1962 lebt sie als freie Schriftstellerin in Kleinmachnow bei Berlin.

Christa Wolf (geb. 18.3.1929)

Stilistisch ist Christa Wolf von Bertolt Brecht und Anna Seghers beeinflußt. Ihre Romane lassen ein skeptisches Verhältnis zum sozialistischen Alltag der DDR erkennen, sind jedoch überwiegend von einem Gefühl der Zugehörigkeit geprägt. Die Situation des gespaltenen Deutschlands findet ihren Niederschlag in dem Roman "Der geteilte Himmel" (1963), wobei privates Schicksal und politische Spannungen eng miteinander verknüpft sind. Die beiden jungen Leute, ein Mann und eine Frau, die im Mittelpunkt des Geschehens stehen, lieben sich. Als der Mann eine Erfindung macht und diese von den maßgeblichen Wirtschaftsfunktionären nicht akzeptiert

Berühmte Persönlichkeiten

Christa Wolf
(Fortsetzung)

wird, scheint ihm die Übersiedlung nach Westberlin der einzige Ausweg zu sein; als Folge davon kommt es zur Trennung. Der zweite Roman der Autorin, "Nachdenken über Christa T." (1968), handelt von einer Frau, die in Selbstzweifel verstrickt ist und die bedingungslose Anpassung verweigert; ihr Leben wird von einer Ich-Erzählerin anhand von Tagebüchern, Briefen und Aufzeichnungen rekonstruiert. Autobiographische Züge hat der Roman "Kindheitsmuster" (1976): Eine Reise der Erzählerin aus der DDR in ihre einstige Heimat, ein Gebiet, das inzwischen zu Polen gehört, löst Erinnerungen an die eigene Kindheit aus und läßt ein Panorama der Vorkriegs-, Kriegs- und ersten Nachkriegszeit entstehen. Die Autorin reflektiert darin über Verhaltensweisen, die den Nationalsozialismus als etablierte Macht ermöglicht haben.

In der Erzählung "Kein Ort. Nirgends" (1979) wendet sich Christa Wolf einem literarischen Thema zu. Das auslösende Moment dieser elegischen Dichtung bildet ein Zusammentreffen Heinrich von Kleists mit der Dichterin Karoline von Günderode, das 1804 in Winkel am Rhein stattgefunden haben soll. Bei einem Spaziergang im Park erkennen die beiden innerlich gefährdeten Menschen, die später Selbstmord begehen, ihre Seelenverwandtschaft und ihr Leiden an den Menschen.

In den achtziger Jahren veröffentlichte die Autorin als Reaktion auf die Reaktorkatastrophe von Tschernobyl das Buch "Störfall" (1987) mit dem Untertitel 'Nachrichten eines Tages' und die Erzählung "Sommerstück" (1989), auch dies ein Text mit autobiographischen Zügen.

Kunst und Kultur

Kunstgeschichte

Vorbemerkung

Dieser für das Gebiet der einstigen Deutschen Demokratischen Republik skizzierte Abriß kann nur auf wichtigste Zeugnisse der vor- und frühgeschichtlichen Kulturentwicklung sowie auf Wesenszüge und Hauptwerke der deutschen Kunst hinweisen. Sie sollen jedoch vom Leser nicht als isolierte Einzelschöpfungen betrachtet und verstanden werden, sondern immer in ihren Wechselbeziehungen der Aufnahme fremder Einflüsse und der Einwirkung auf die Kunst anderer Länder.

Vor- und frühgeschichtliche Zeit

Altsteinzeit

Im östlichen Teil Deutschlands gab es schon in vorgeschichtlicher Zeit eine Besiedlung, deren bedeutende Funde in den Museen für Vor- und Frühgeschichte in Berlin, Dresden, Halle an der Saale, Jena, Potsdam, Schwerin und Weimar zugänglich sind.
Erste Spuren von Menschen im Paläolithikum (Altsteinzeit) wurden durch Skelettreste (Hinterhauptbein des Urmenschen vom Fundplatz Bilzingsleben, Kreis Artern; ca. 35 000 v. Chr.) und Steinwerkzeuge wie Faustkeile, Klingen und Schaber (z. B. von Markkleeberg; ca. 23 000 v. Chr.) belegt. Die ersten künstlerischen Zeugnisse stammen aus der jüngeren Altsteinzeit: die frühesten in Form von geritzten Ornamenten in Stein, Knochen oder Geweihmaterial, die späteren im Zusammenhang mit dem Jagdzauber entstandenen figürlichen Darstellungen wie Ritzzeichnung von Wildpferdköpfen mit magischen Verwundungen auf einem Schieferplättchen (Groitzsch, Kreis Eilenburg) oder eine gravierte Elfenbeinharpune (Kniegrotte bei Döbritz, Kreis Pößneck) und die für den Fruchtbarkeitszauber geschaffenen Tonplastiken von Muttergottheiten, stilisierte Frauen- bzw. sog. Venusstatuetten (Nebra / Unstrut).

Jungsteinzeit

Aus dem Neolothikum (Jungsteinzeit) sind zahlreiche Bodenfunde kunsthandwerklicher Art wie verzierte Tongefäße und Schmuckgegenstände (Spondylusmuschelschmuck aus Bernburg) ergraben worden. Hügel und Großsteingräber jener Zeit finden sich z. B. in Gruppierungen auf der Insel Rügen bei Lonvitz und Nadelitz, in der Altmark südwestlich von Salzwedel oder auch vielerorts vereinzelt wie das sog. Fürstengrab in Bebertal-Dönstedt (Kreis Haldensleben). Reste von jungsteinzeitlichen Hausbauten wurden freigelegt; bemerkenswert eine befestigte Siedlung in der Dölauer Heide bei Halle an der Saale. Gegen Ende der Jungsteinzeit lassen sich auch Grundtypen des Hauses, z. B. das rechteckige Pfostenhaus, nachweisen.

Bronzezeit

In der Bronzezeit entstanden zahlreiche Hügelgräber. Die bekanntesten befinden sich bei Sagard, Lauterbach und Göhren auf der Insel Rügen sowie bei Wartin im Kreis Angermünde, bei Seddin das sog. Königsgrab und bei Leubingen (Kreis Sömmerda) das sog. Fürstengrab. Sie enthielten z. T. umfangreiche Grabbeigaben aus Bronze und Gold, verziert mit dem Motiv des Kreises als dekorative Grundform, dem ein Wandel von abstrakt-geometrischen Formen über die Formenwelt der Dreieck- und Zickzackmuster zu den Kreis- und Spiralmustern bis zum Wellenband folgte. Neben reich verzierten Waffen, Kultgeräten (Kultwagen aus Peckatel, Kreis Schwerin; 13. Jh. v. Chr.), Schmuck (Armringe, Spiralarmbänder, Gewandfibeln), Gebrauchsgegenständen und vielfältigen keramischen Erzeugnissen aus bodenständigen Kulturbereichen tauchten aber auch aus anderen Kulturkreisen importierte Fundstücke aus Metall, Keramik,

Bronzezeit
(Fortsetzung)

Glas und anderem Material auf. Bekannt ist der Goldfund von Eberswalde (1200–1000 v.Chr.), der acht reich verzierte Schalen, glatte und gedrehte Hals- und Armringe sowie 60 Bündel Golddraht umfaßte (Fundstücke seit 1945 verschollen).

Eisenzeit

Während der Eisenzeit und des ersten nachchristlichen Jahrhunderts siedelten in der Region Germanen und Sueben, von denen kunsthandwerkliche Arbeiten hoher Qualität sowie Siedlungsreste überliefert sind. Vom Einfluß keltischer Kultur zeugt die Steinsburg bei Römhild im Kreis Meiningen. Diese 66 ha große, stadtartige Bergsiedlung (oppidum) aus der La-Tène-Zeit (2. Jh. v.Chr.) war von einem dreifachen Basaltmauerring umgeben. Unter den Fundstücken im Steinsburg-Museum von Römhild befinden sich auch sog. Vogelkopffibeln als typische Beispiele für die in dieser Periode auftretenden Tiermotive. Überhaupt herrscht die Gestalt des Tieres in der Zierkunst der Völkerwanderungszeit vor. Tierfiguren wurden in die Ornamentbänder und komplizierten Flechtmuster einbezogen. In der Kunst der Wikinger lebten diese Bildmotive bis in das 12. Jahrhundert weiter. Ein bekanntes Beispiel dafür ist der Goldschatz von Hiddensee (um 1000 n.Chr. in Jütland gefertigt), u.a. bestehend aus Halsreif, Scheibenfibel und zehn Anhängern in Kreuzform mit Querbalken und Tierkopf.

Zeit der Völkerwanderung

Slawischer
Einfluß

Im Raum östlich von Elbe und Saale siedelten seit dem 6./7. Jahrhundert slawische Stämme, z.B. die Ranen, Obodriten und Lutizen im Norden, die Wilzen, Heveller und Sorben im Süden. Ihre Kultur wurde im Verlaufe der beiden deutschen Ostexpansionen im 10. und Mitte des 12. Jahrhunderts weitgehend vernichtet. Dennoch konnten Reste ihrer reichen Holzarchitektur (Blockbau) für Tempel (Arkona, Wolgast, Rethra bei Neubrandenburg) und für Burgen erforscht werden. Die wichtigsten slawischen Burgen des 8. bis 12. Jahrhunderts waren Brennabor (Stadt Brandenburg), Lenzen (Kreis Ludwigslust), Lebus und Köpenick, die von den deutschen Eroberern gänzlich zerstört wurden; von den Burganlagen in Teterow, Groß Raden (Kreis Sternberg), Behren-Lübchin (Kreis Teterow), Tollensesee und Arkona (auf der Insel Rügen) blieben Reste der Ringwälle erhalten.

Beachtliche Zeugnisse der Holzschnitzerei wie mythologische Figuren (Kultfigur von Altfriesack bei Neuruppin, 6./7. Jh.; Gott Svantevit, Arkona), Idole, Amulette und Tierfiguren (auch aus Knochen) wurden ergraben. Auch einige Reliefsteine, die von fremden Einflüssen geprägt sind, wurden überliefert, weil sie als Dokumente besiegten Heidentums in die Wände von Kirchen (Bergen, Altenkirchen) eingemauert worden sind.

Fränkischer
Einfluß

Das westliche Gebiet gelangte nach der Vernichtung des Königreiches der Thüringer durch die Franken und Sachsen (532 Schlacht an der Unstrut) erst seit dem Anfang des 8. Jahrhunderts in die Einflußsphäre des von den Karolingern geführten Frankenreiches. Die frühesten, urkundlich genannten Siedlungen sind Arnstadt (704), Erfurt (742), Mühlhausen und Gotha (775). Fränkischer Herkunft wird der bekannte Reiterstein von Hornhausen im Kreis Oschersleben (um 700 n.Chr., jetzt Landesmuseum Halle/Saale) zugeschrieben.

Karolingische und ottonische Kunst

Karolingische
Renaissance

Von der kurzen Hochblüte karolingischer Kunst, die im wesentlichen auf Aachen (Pfalzkapelle Karls des Großen als symbolhafte Verkörperung der 'karolingischen Renaissance') und auf einige klösterliche Kunstzentren (Blüte der Buchmalerei, Elfenbeinschnitzerei und Kleinplastik) beschränkt blieb, wurde das Gebiet der einstigen Deutschen Demokratischen Republik nur wenig berührt.

Hiddenseer Goldschmuck (um 960)

St. Cyriakus in Gernrode (um 960)

Urkundliche Nachrichten bzw. Grabungsfunde bezeugen die Existenz karolingischer Kastelle in Magdeburg (805) und Halle an der Saale (806) – nach Unterwerfung der Sorben. Als vermutlich ältester Profansteinbau der Region konnte der 'Burgus' der Querfurter Burg nachgewiesen werden. Ergrabene Reste von karolingischen Kirchen und einer Befestigung weisen den Domberg in Halberstadt als frühen Siedlungsschwerpunkt aus.

Karolingische Kastelle

Erst im 10. Jahrhundert bildete sich der eigentliche deutsche Staat heraus. Unter der starken Zentralgewalt der sächsischen Ottonen verlagerten sich die politischen und wirtschaftlichen Schwerpunkte weit nach Osten in den niedersächsischen Raum zwischen Westfalen und Magdeburg. Hier wuchsen gleichzeitig kräftige Impulse für die Herausbildung einer eigenständigen deutschen Kunst heran, die sich den Einflüssen aus der karolingischen und mittelbyzantinischen Kunst als auch dem erneuten Einstrom spätantik-frühchristlichen Traditionsgutes öffnete und in relativ kurzer Zeit überregionale Bedeutung erlangte.

Anfänge einer spezifisch deutschen Kunst

Der im Jahre 955 gegründete basilikale Kaiserdom in Magdeburg muß als Symbol des sächsischen, durch die 962 erfolgte Kaiserkrönung Ottos I. in Rom erneuerten römischen Kaisertums verstanden werden, belegt u.a. durch den Einbau von Spolien aus Italien.
Die Stiftskirche St. Cyriakus in Gernrode, um 960 als kreuzförmige Emporenbasilika mit der frühesten Hallenkrypta im norddeutschen Raum begonnen, gehört zu den besterhaltenen ottonischen Bauten (mit klar geordnetem äußerem Baukörper und mit einem durch einfachen Stützenwechsel rhythmisierten Innenraum). Sie ist ein Musterbeispiel sächsischer Architektur des 10. Jahrhunderts.
Von Bedeutung ist der ergrabene erste Bau der Klosterkirche Memleben (um 980), eine Gründung des Kaisers Otto II. unweit der Königspfalz, in der Heinrich I. und Otto I. verstarben.
Im Merseburger Dom befindet sich eine der ältesten (unveränderten) Hallenkrypten der mitteldeutschen Region (1015 begonnen).

Sakralbauten

Die Zentren der Bildhauerei, Buchmalerei und Goldschmiedekunst lagen im Westen und Südwesten, u.a. Klosterwerkstätten im heute luxemburgischen Echternach, in Essen, Fulda, Hildesheim, Köln, Trier und auf der Bodenseeinsel Reichenau.

Kunstzentren

Romanik

Gliederung

Die romanische Kunst (um 1025 bis etwa 1230) wird auch auf Grund ihrer von Hochadel und Klosterstiftern bestimmten Kultur in die Perioden 'Salische Kunst' (bis 1137) und 'Staufische Kunst' gegliedert.

Kirchenbau

In unmittelbarer Anknüpfung an die ottonische Kunst entstanden unter Einbeziehung neuer Ideen bedeutende Leistungen auf allen Gebieten der Kunst, insbesondere in dem von der katholischen Kirche getragenen Sakralbau. Obwohl viele der entwicklungsgeschichtlich wichtigsten Bauten im Rheingebiet (Dome zu Speyer, Worms, Mainz und Trier, Abteikirche Maria Laach und St. Maria im Kapitol zu Köln) und im süddeutschen Raum errichtet wurden, vermitteln die in Mitteldeutschland entstandenen Kloster- und Stiftskirchen ein anschauliches Bild von der romanischen Baukunst.
Der Typus der dreischiffigen, kreuzförmigen Basilika wurde vorwiegend mit Flachdeckung beibehalten. Die betont kubische Körperhaftigkeit (von geometrischen Grundformen wie Würfel, Zylinder, Kugel, Pyramide und Kegel ausgehend) wurde durch Hinzufügen und Differenzieren von Baugliedern zu einem System herausgebildet, in dem die Gesamt- und die Detailform in ihrer Ein- bzw. Unterordnung eine Einheit bilden. Sinnvoller Bestandteil sind Bauplastik und Bauornamentik, die in reichem Maße zur Belebung der äußeren und inneren Baugestalt herangezogen wurden (besonders Portale, Gesimse, Kapitelle).

Hochromanische Kirchen

Die Kirchen des Harzgebietes stehen entwicklungsgeschichtlich an führender Stelle. Die unter kaiserlicher Einflußnahme errichtete Stiftskirche St. Servatius in Quedlinburg (Bau IV: 1070 – 1129) bewahrt in ihrer kaum veränderten Gestalt sehr eindrucksvoll den monumentalen Ernst romanischer Architektur; die Bauornamentik verweist auf lombardischen Einfluß. Besondere Erwähnung verdienen die Klosterkirchen in Dingelstedt (Huysburg; um 1084 bis 1121) und in Hecklingen (nach 1160 – 1176) als typische Beispiele für die sächsische Grundrißlösung.
Der durch die cluniazensische Reformbewegung auf die deutsche Baukunst wirkende französische Einfluß erlangte in der Hirsauer Bauschule große Bedeutung. Mit dem Rückgriff auf das Ideal der frühchristlichen Gemeindebasilika erfolgte die Hinwendung zur stark differenzierten Chorbildung mit Nebenkapellen und Nebenapsiden.
Ein Hauptbeispiel für diese auf neue Strenge und Askese orientierte Strömung ist die als Ruine erhaltene Klosterkirche Paulinzella (um 1105 bis Ende 12. Jh.), eine in meisterhafter Technik der Steinbearbeitung errichtete dreischiffige Säulenbasilika im gebundenen System mit fünfapsidialer Chorpartie.
Auch die Klosterkirche Hamersleben (um 1111 begonnen) gehört dieser Strömung an. Die hervorragende Bauornamentik rückt sie in die Reihe der edelsten hochromanischen Kirchen.
Die Klosterkirche Unser Lieben Frauen in Magdeburg (nach 1064 begonnen) hat äußerlich das Bild einer klassischen hochromanischen Basilika sächsischer Prägung bewahrt; die Form des Westbaues wurde von den Prämonstratenser-Tochterklöstern, z.B. Jerichow (um 1150), übernommen, die zu den ältesten und zugleich künstlerisch vollendetsten märkischen Backsteinkirchen gehört.

Spätromanische Kirchen

In spätromanischer Zeit läßt sich das Eindringen einzelner Gestaltungsprinzipien der Gotik (z.B. Gewölberippen) verfolgen. Die von Burgund über deutsches Gebiet sich ausbreitende Zisterzienserbewegung entwickelte eine eigene Baugesinnung unter Verwendung von Gestaltungselementen aus Burgund und der Hirsauer Bauschule.
Die Zisterzienser-Klosterkirche in Doberlug-Kirchhain (Ende 12. Jh. bis Mitte 13. Jh.) ist der wichtigste spätromanische Backsteinbau der Niederlausitz. In Brandenburg begann der Neubau des romanischen Doms im Jahre 1165.

Der Havelberger Dom hat trotz seines gotischen Umbaues die spätromanische Gestalt (1150–1170) mit dem wehrhaften Westriegel behalten. Das spätromanische Erscheinungsbild zeigen die Stiftskirche Wechselburg (um 1160–1180) und die Stadtkirche von Gadebusch (um 1200 begonnen).

Romanik, Spätromanische Kirchen (Fortsetzung)

In enger Anlehnung an den Bamberger Dom wurde Anfang des 13. Jahrhunderts der Naumburger Dom mit zwei Turmpaaren erbaut. Die in Abhängigkeit von den Ordenskirchen errichteten städtischen Pfarrkirchen folgten der basilikalen Form.

Von den romanischen Dorfkirchen, die wie ein dichtes Netz das kolonisierte Neuland überzogen, haben sich in ihrer voll entwickelten Form mit den Bauteilen Westturm, Schiff und eingezogenem Chor mit halbkreisförmiger Apsis nur wenige Beispiele unverändert erhalten.

Die Zahl der überlieferten meist unveränderten Wehr- und Wohnbauten ist gering. Unter den Feudalburgen ragt die Wartburg bei Eisenach heraus. Der als Repräsentationsbau der Thüringer Landgrafen errichtete Palas (um 1190 bis 1220) mit hervorragender Kapitellplastik erlangte zugleich Berühmtheit als vermutlicher Austragungsort des Sängerkrieges (1206/ 1207) sowie als Wohnstätte der heiliggesprochenen Elisabeth (1211 bis 1227).

Profanbauten

Erwähnung verdienen auch die Querfurter Burg (Palas Ende 12. Jh.) und die sagenumwobene Ruine der Reichsburg Kyffhausen (erste Hälfte des 12. Jh.s und 1152–1290 unter Kaiser Friedrich I. Barbarossa).

In der Neuenburg bei Freyburg an der Unstrut und in der ehemaligen Burg Landsberg bei Halle an der Saale (um 1170) sind Doppelkapellen mit hervorragender Bauornamentik überliefert, eine spezifisch deutsche Sonderlösung der Romanik.

Ehemalige Wohntürme finden sich u. a. in Querfurt und Saalfeld (einst Sitz des Stadtvogtes).

Die Entfaltung der bildenden Künste vollzog sich in engem Zusammenhang mit der Ausstattung der Kirchen. Bedeutende Werke der baubezogenen Malerei und Plastik sind vielerorts zu besichtigen: Den Zustand einer Gesamtausmalung nach einem einheitlichen Programm vermittelt noch die Stadtkirche in Bergen (Anfang 13. Jh.). Bemerkenswerte Gewölbemalereien enthält die Quedlinburger Stiftskirche (zweite Hälfte 12. Jh.).

Bildende Künste

Auf dem Gebiet der baubezogenen Plastik entstanden im niedersächsischen Raum Meisterwerke der Stucktechnik, wie die Chorschranken in der Halberstädter Liebfrauenkirche (Anfang 13. Jh.) mit den in Blendarkaden eingefügten Reliefsitzbildern (Christus, Maria und Zwölf Apostel) von differenzierter Ausdruckskraft und Figurenbeweglichkeit.

Spätere Beispiele sind Hamersleben (frühes 13. Jh.) und schließlich Bamberg (um 1230) als Höhepunkt der Individualisierung der Figuren.

Als hervorragende Stuckarbeiten gelten der Altaraufsatz (um 1160) des Erfurter Domes mit Figuren in streng frontaler und symmetrischer Haltung und der Figurenschmuck (Osterprogramm, zweite Hälfte 11. Jh.) am ältesten Beispiel einer Nachbildung des Heiligen Grabes in der Stiftskirche Gernrode sowie zehn Äbtissinnengrabplatten (vermutlich Gedächtnisgrabsteine, Anfang 12. Jh.) in Quedlinburg.

Ein Höhepunkt der deutschen spätromanischen Plastik ist die Goldene Pforte des Freiberger Domes, das früheste und bedeutendste deutsche Figurenportal (um 1230), das hinsichtlich seiner Anlage die Kenntnis französischer Vorbilder voraussetzt.

Weitere Glanzstücke und Hauptwerke der mitteldeutschen Holzbildnerei sind die Triumphkreuzgruppen im Halberstädter Dom (um 1220/1230) in niedersächsisch-byzantinischer Formenwelt, eine Arbeit von europäischem Rang, im Freiberger Dom (um 1230) und in Wechselburg (um 1235).

Die Entwicklung der romanischen Bronzegießerei belegen drei erstrangige Werke:

Bronzegießerei

Michael-Abraham-Teppich (Dom, Halberstadt)   *Tafelmalerei (Nikolaikirche, Stralsund)*

**Romanik,
Bronzegießerei
(Fortsetzung)**

Der monumentale sog. Wolfram-Leuchter im Erfurter Dom (1157) ist als frühe vollplastische Figur von kultbildhafter Strenge.

Als Schulbeispiele gelten das älteste datierbare deutsche Bildnisgrabmal für den Gegenkönig Rudolf von Schwaben († 1080) im Merseburger Dom mit dem Bildnis des Verstorbenen in frühromanisch strenger und hoheitsvoller Auffassung und die hochromanische Grabplatte für den Erzbischof Friedrich von Wettin († 1152) im Magdeburger Dom; letztere ist ein Werk aus der dortigen Gießhütte, die auch die Bronzetüren für die Nowgoroder Sophienkirche ausführte.

**Liturgische
Gegenstände**

Liturgische Ausstattungsstücke von höchster Qualität birgt der Halberstädter Domschatz, einer der bedeutendsten europäischen Kirchenschätze; u.a. den Michael-Abraham-Teppich (um 1160) und den Christus-Apostel-Teppich (um 1180) sowie kostbare Reliquiare, Elfenbeinarbeiten und einen bemalten Sakristeischrank (um 1230) mit fast lebensgroßen Heiligenfiguren, die zu den ältesten deutschen Tafelmalereien zählen. Spätromanische Figurenmalereien schmücken auch einen ehem. Reliquienschrank (um 1270–1280) im Doberaner Münster.

Der älteste bekannte Bildteppich mit dem spätantiken Thema der Hochzeit des Merkur mit der Philologie (vor 1203 geknüpft) wird im Quedlinburger Stiftsschatz aufbewahrt.

Reste spätromanischer Glasmalerei bergen die Klosterkirche Neukloster und das Dommuseum Brandenburg.

**Magdeburger
Reiter**

In Magdeburg befindet sich das älteste freifigürliche Reiterstandbild auf deutschem Boden: der Magdeburger Reiter (Mitte 13. Jh.).

Gotik

Übergangsstil

Bereits im 12. Jahrhundert entwickelte sich in Frankreich auf der Grundlage der Spezialisierung des Handwerks, der Entfaltung der Warenwirtschaft und der Entstehung der Bürgerstädte als Zentren des Handels und Handwerks der neue Stil, der in Deutschland Anfang des 13. Jahrhunderts nur zögernd aufgenommen wurde, zuerst in einzelnen Konstruktionsformen und Schmuckelementen. Der dieser Entwicklung vorangegangene

Übergangsstil mit Schwerpunkt im Rheingebiet trat z. B. in der Mark Brandenburg an der Zisterzienser-Klosterkirche Lehnin (um 1195 bis 1262) deutlich in Erscheinung.

Gotik,
Übergangsstil
(Fortsetzung)

In der Plastik führte der gotische Einfluß zur 'ritterlichen' deutschen Klassik, deren blockhaft und herber gehaltene Skulpturen ausgeprägt realistische Züge im Gegensatz zu ihren französischen Vorbildern tragen. Die in den Bauhütten französischer Kathedralen ausgebildeten Meister schufen die bekannten Bildwerke im Straßburger Münster und im Bamberger Dom. Höhepunkt sind eine Gruppe von Bildwerken im Naumburger Dom, die um 1250–1260 vom Naumburger Meister, einem der größten Bildhauer des europäischen Mittelalters, geschaffen wurden. Dazu gehören die Lettneranlage mit der Kreuzigungsgruppe im mittleren Durchgang, Passionsreliefs und zwölf Säulenfiguren im frühgotischen Westchor. Diese Stifterfiguren, in klassischer Verhaltenheit und in Zeittracht als Repräsentanten der Feudalgesellschaft gestaltet, gehören zu den reifsten Leistungen der figürlichen Plastik überhaupt.

Bildhauerei

Die Gotik, durch ihre Hauptmerkmale wie Einheitsraum, Spitzbogen, Höhentendenz, Mauerauflösung, Strebewerk, Kreuzrippengewölbe charakterisiert, gelangte erstmals im Neubau des Magdeburger Domes (1209) mit einer Konzeption nach dem französischen Kathedralsystem mit Chorumgang und Kapellenkranz voll zur Anwendung.

Französisches
Kathedralsystem

Das Bauprogramm wurde jedoch im Verlaufe der rund 150 Jahre währenden Ausführung mehrfach geändert und reduziert. Zahlreiche andere gotische Kirchenbauten erfuhren ähnliche Veränderungen. Als mit dem Bau des Kölner Domes (Mitte 13. Jh.) der Anschluß an den französischen Kathedraltypus (Hochgotik) vollzogen war, folgten in Mitteldeutschland z. B. die Dome in Halberstadt (um 1230 bis 1492), Meißen (um 1260 begonnen) und Schwerin (vor 1270 begonnen).

Magdeburger Dom

Kunstgeschichte

**Gotik (Fortsetzung)
Norddeutsche
Backsteingotik**

Höhepunkte der märkischen und norddeutschen Backsteinarchitektur in ihrer hochgotischen Phase sind die Zisterzienser-Klosterkirchen Chorin (1273 bis um 1320) und Doberan (Ende 13. Jh. begonnen). Merkmale dieser Bauten waren der nach einem einheitlichen Planschema gestaltete Grundriß, der Verzicht auf Türme (nur Dachreiter) und ausgebildete Fassaden sowie auf jeglichen Bauschmuck.

**Deutsche
Sondergotik**

Die deutsche Sondergotik (Ende 13. Jh. bis Mitte 14. Jh.), führte im wesentlichen zur Reduzierung des nordfranzösisch-hochgotischen Kathedralsystems. Hauptwerke dieser Richtung sind z. B. die Predigerkirche (um 1278 bis 1370) und die Barfüßerkirche (Ende 13. Jh. begonnen) in Erfurt. Die Spätgotik entfaltete sich voll seit der Mitte des 14. Jahrhunderts in den aufblühenden Städten, wo die erstarkte Bürgerschaft als Bauherr der städtischen Pfarrkirchen auftrat. In den Ostseestädten ging die Übernahme des Kathedralsystems von Lübeck, der führenden Hansestadt, aus. Die Pfarrkirche St. Marien (querschifflos, großer Chorraum mit Kapellenkranz) wurde zum Vorbild für die Marienkirchen in Rostock und Wismar sowie für die Nikolaikirchen in Stralsund und Wismar.
Zu den stilistisch fortgeschrittenen Hallenkirchen im mitteldeutschen Raum gehört die Stiftskirche St. Severi in Erfurt (ab Ende 13. Jh.), die zusammen mit dem Dom ein großartiges Ensemble bildet.
Bedeutende Stadtpfarrkirchen mit Hallenumgangschor entstanden besonders in Süddeutschland, aber auch in brandenburgischen Städten wie Brandenburg und Tangermünde.

**Böhmischer
Einfluß**

Aus dem böhmischen Kulturzentrum Prag, aus der Parler-Werkstatt, gelangten Einflüsse auf den Gebieten der Baukunst, Plastik und Malerei nach Deutschland. Beachtung verdienen die plastische Gestaltung der Marienkirche in Mühlhausen (um 1370–1380), die Moritzkirche in Halle an der Saale (1388 unter Leitung des in Prag geschulten Conrad von Einbeck begonnen) und die Gewölbemalereien in der Herzberger Stadtkirche (Anfang 15. Jh.).

**Sächsische
Hallenkirchen**

Im obersächsischen Raum erlebte die Hallenkirche im Zusammenhang mit den reichen Silberfunden im Erzgebirge eine letzte Blüte. Es entstanden langgestreckte Hallen mit herrlichen Netzgewölben und eingezogenen Strebepfeilern mit dazwischen umlaufenden Emporen: Freiberger Dom (1484–1512), Annenkirche in Annaberg (1499–1520), Marienkirche in Pirna (1502–1546), Stadtkirche in Schneeberg (1515–1540) und als letzte Vertreterin dieses Bautyps die Hallenser Marienkirche (1530–1554).

Profanbauten

Das Bürgertum hat im städtischen Profanbau der Gotik großartige Leistungen wie Rathäuser, Zunft- und Gildehäuser, Lagerhäuser, Tuch- und Fleischhallen, Spitäler, unzählige Bürgerhäuser und andere Bauten hervorgebracht.
Im Backsteingebiet stehen bedeutende Rathäuser in Stralsund (mit Schaufassade), Brandenburg, Frankfurt an der Oder und Tangermünde. Das Wernigeroder Rathaus, einer der reizvollsten Fachwerkbauten, ist ursprünglich als städtisches Spiel- und Tanzhaus (1494–1498) errichtet worden.
Zahlreiche Bürgerhäuser, in aufwendiger Gestaltung aus Back- oder Haustein (mit interessanten Giebel- und Schmuckformen) für die Patrizier an den Hauptstraßen und am Markt errichtet, in einfacher Fachwerkbauweise für die Handwerker erbaut, prägen noch heute manches Platz- und Straßenbild in Städten wie Erfurt, Mühlhausen, Freiberg, Meißen, Görlitz, Wismar, Rostock, Stralsund und Greifswald.
Imposante Befestigungsanlagen mit Mauerringen, Türmen und Stadttoren, Gräben und Wällen schützten die städtische Gemeinschaft. Eindrucksvolle Wehrbauten blieben in Neubrandenburg, Tangermünde, Jüterbog, Wittstock und Bautzen erhalten.
Die Albrechtsburg in Meißen, 1471 von Arnold von Westfalen begonnen, war in der Geschichte des deutschen Burgenbaues epochemachend. Hier

wurde der Wandel von der Burg zu der nach einheitlichem Plan erbauten Schloßanlage vollzogen, bei der die Funktionen der Repräsentation und der Wohnlichkeit berücksichtigt sind.

Die Malerei der Gotik konnte sich in Glasmalereien auf den riesigen Fensterflächen – zwischen den zu einem Gerüst aufgelösten Mauern der Kirchen – zu monumentaler Gestaltung entfalten. Die bedeutendsten Reste befinden sich in Erfurt, Mühlhausen, Halberstadt und Stendal. Vielerorts blieben gotische Wand- und Gewölbemalereien, teils in beachtlichem Umfang, erhalten.

Die Tafelmalerei, zunächst nur für die Flügelaltäre zur Anwendung gelangend, entwickelte sich seit Mitte des 14. Jahrhunderts zum wichtigsten Zweig der Malerei. Ihre Zentren lagen im westlichen Deutschland; führend war die Kölner Malschule mit Stefan Lochner als Hauptmeister. Der langsame Übergang vom goldenen Bildgrund zur landschaftlichen Raumdarstellung wird in der Tafelmalerei u. a. durch den Erfurter Augustineraltar (um 1350) belegt. Seit der zweiten Hälfte des 15. Jahrhunderts schritt die Entwicklung des Tafelbildes (auch schon mit weltlichem Inhalt; Bildnis) voran, um dann in der folgenden Kunstperiode der Dürerzeit zur vollen Entfaltung zu gelangen.

Die Plastik der Gotik war zunächst in der frühgotischen 'Klassik' noch stark architekturbezogen. Typischer Ausdruck dafür ist die Schaffung des Figurenzyklus mit Säulenfiguren in den Gewänden der Portale, die Verlagerung des Statuenprogramms in die Vorhalle. Ihr folgte die Herausbildung einer höfisch-konventionellen Strömung (mit einer Vielzahl von Madonnenfiguren), die ihren Höhepunkt in den Chorpfeilerfiguren des Kölner Doms (um 1320) fand. Im Laufe des 14. Jahrhunderts setzte im Zusammenhang mit der Mystik eine neue realistische Haltung ein, die sich in den ekstatisch übersteigerten, zumeist geschnitzten Andachtsbildern der Mystik äußerte; Hauptbildmotive waren Vesperbilder (Pietà; Hauptwerk in der Erfurter Ursulinerinnen-Klosterkirche, um 1320), Christus-Johannes-Gruppen, Figuren des Schmerzensmannes und Schutzmantelmadonnen.

Der sog. Weiche Stil, als Kunstströmung getragen von einer bürgerlichen Oberschicht, erreichte nach 1400 seine Blütezeit; seine Hauptleistung wurde der insbesondere für Pfarrkirchen gearbeitete Typus der Schönen Madonna, vorwiegend für Pfarrkirchen gearbeitet.

Auf die spätgotische Plastik (seit Mitte 15. Jh.) wirkte starker niederländischer Einfluß. Zahlreiche Künstlerpersönlichkeiten gelangten zur Entfaltung. In der Spätstufe um 1500 entwickelten sich neben einer zum Manierismus neigenden Richtung (z. B. Apostelfiguren des Claus Berg im Güstrower Dom, um 1530) auch frühbürgerlich-realistische, renaissancehafte Züge. Zu den bekanntesten Meistern gehören Hans Witten (Tulpenkanzel im Freiberger Dom, um 1500), Conrad von Einbeck (Porträtbüste und andere Bildwerke in der Hallenser Moritzkirche) sowie für den süddeutschen Raum Tilman Riemenschneider, Veit Stoß und Peter Vischer.

In die Zeit der Spätgotik fielen auch die Erfindungen von Holzschnitt, Kupferstich und Buchdruck (Gutenberg in Straßburg und Mainz). Das sich reich entfaltende Kunsthandwerk (z. B. Kunstschmiedezentrum Nürnberg) schuf eine Fülle von Gegenständen für sakrale und profane Verwendung, produzierte Möbel und Bildteppiche; nicht wenige aus der Vielzahl können in staatlichen und kirchlichen Sammlungen betrachtet werden.

Renaissance

Die Auseinandersetzung mit der italienischen Renaissance vollzogen in der Malerei die großen Meister wie Albrecht Dürer in Nürnberg, Hans Holbein d. J. aus Augsburg und Lucas Cranach d. Ä., der seit 1505 in der kursächsischen Residenzstadt Wittenberg als Hofmaler und Leiter einer

Kunstgeschichte

Renaissance, Malerei (Fortsetzung)

außerordentlich produktiven Werkstatt (Gemälde und Graphiken) tätig war. Diese Künstler führten die Porträtkunst zu europäischer Geltung. Sie faßten die künstlerischen Bestrebungen ihrer Zeit zusammen. Kupferstich und Holzschnitt gelangten durch ihre Werke zu internationaler Wirkung. Sie bezogen aber auch durch zahlreiche künstlerische Äußerungen eine Stellung zu den sozialen Auseinandersetzungen ihrer Zeit, zur Reformation und Bauernbewegung, z.B. in Bildnissen der Reformatoren Luther und Melanchthon (von Dürer und Cranach), in der Holzschnittfolge des "Passional Christi und Antichristi" (Cranach, 1521), in der "Apokalypse" (Dürer, 1498) sowie in den "Bildern vom Tode" (Holbein d.J., 1525).

Architektur

Die Renaissance fand zuerst in den Hauptzentren der bürgerlichen Kunst, den süddeutschen Reichsstädten Nürnberg und Augsburg, Eingang. In der Architektur wurde der neue Stil zunächst nur in den gliedernden Teilen (Gesimse, Profile, Säulen, Pilaster, Kapitelle) und in Dekorformen (Ornamente) übernommen. Der Sakralbau verlor seine bisherige künstlerische Leitfunktion, so daß sich neue architektonische Hauptaufgaben herausbildeten.

Schloßbau

Der Schloßbau und die städtische Profanbautätigkeit entfalteten sich rasch im ehemaligen Kurfürstentum Sachsen, das damals eines der ökonomisch am meisten entwickelten deutschen Länder war. Ausländische Anregungen (aus Italien und Frankreich) wurden aufgenommen, die z.T. durch wandernde Architekten vermittelt wurden. Die Bautätigkeit des Kurfürsten konzentrierte sich jahrzehntelang auf das Dresdner Residenzschloß, das sich zu einer umfangreichen Schloßanlage ausweitete. Der Georgenbau entstand um 1530; später folgten die Umbauung des Großen Schloßhofes, die Lange Galerie (1588/1589) und der Umbau des Stallhofes.

Dresdener Renaissance

Diese italienisierende 'Dresdener Renaissance' fand ihren Höhepunkt in der Schloßkapelle (1555).
Das Schaffen der hier tätigen Baumeister und Bildhauer hatte große Ausstrahlung. In der kurfürstlich-sächsischen Residenzstadt Torgau wurde mit Schloß Hartenfels ein Hauptwerk der deutschen Frührenaissance errichtet. Den Ostflügel mit dem Wendelstein (nach französischem Vorbild) erbaute 1532 bis 1536 Conrad Krebs, den Nordostflügel mit der Schloßkapelle Nikolaus Gromann. Diese zweigeschossige Kapelle mit umlaufenden Emporen, als erste protestantische Schloßkirche 1544 von Martin Luther selbst geweiht, wurde zum Vorbild für die Schloßkapellen in Schmalkalden, Schwerin, Stettin und Augustusburg. Letztere ließ sich der sächsische Kurfürst als Residenzschloß mit Festungscharakter 1568 bis 1573 am Rande des Erzgebirges errichten.

Zu den mecklenburgischen Renaissanceschlössern gehört der Fürstenhof in Wismar (1553/1554). Die hier verwendeten Portal- und Fenstergewände, Pilaster und Friese bestehen aus Terrakotta, welche die Lübecker Werkstatt des Statius von Düren lieferte. Derartige Dekorteile schmücken auch das herzogliche Schloß in Gadebusch (1571), das 1553–1556 umgebaute Schweriner Schloß sowie Schloß Freyenstein. Im Güstrower Schloß, das 1558 von der lombardischen Baumeisterfamilie Parr als Vierflügelanlage begonnen und seit 1587 von Philipp Brandin weitergeführt wurde, trafen oberitalienische, französische und niederländische Einflüsse zu einem außergewöhnlichen Bau mit kostbaren Stuckdekorationen zusammen.

Rathäuser

In den größeren Städten Sachsens (Leipzig, Görlitz) und Thüringens (Erfurt, Gera) sowie in den Hansestädten bewirkten Reichtum und Selbstbewußtsein zahlreiche Um- und Neubauten von städtischen Gemeinschaftsbauten und von Wohnhäusern.
Entwicklungsgeschichtlich bedeutsam wurde das Rathaus der Messestadt Leipzig (Hieronymus Lotter, 1556/1557), ein langgestreckter Bau mit großen Seitengiebeln, Zwerchhäusern, hohem Turm in asymmetrischer Stellung, Erker und Erdgeschoßarkaden mit Kaufgewölben. Diese spezifischen Merkmale wurden teilweise von den Rathausbauten der Region

aufgenommen. Die bekanntesten Beispiele stehen in Altenburg (Nikolaus Gromann, 1562–1564), Torgau (1561–1565), Wittenberg (Umbau mit Vorhalle 1570–1573) und in Gera (1573–1576).

Im Wohnhausbau, der sich in dieser Periode in eine regionale Vielfalt gliedert, wurden die Details des neuen Stils anfangs in die alte gotische Bausubstanz, an den bevorzugten Schmuckzonen der Portale Fenster, Erker und Giebel eingefügt.

Der Fachwerkbau erblühte in den waldreichen Gebirgsgegenden Mitteldeutschlands. Die Konstruktion war schon in der Gotik entwickelt worden, durch die Renaissance wurde der flächige Dekor aller Holzteile phantasiehaft umgeformt und auch farbig gesteigert. In der weiteren Entwicklung erfolgte z. T. eine Anlehnung an den Massivbau durch die Profilierung und Verkröpfung der Schwellen und Balken oder die Umgestaltung von Ständern zu Pilastern. Zahlreiche Fachwerkhäuser gibt es in Quedlinburg, Wernigerode, Osterwieck, Stolberg und Halberstadt.

In sächsischen Bergbaustädten wie Freiberg und Annaberg ließen Patrizier ihre Häuser mit prächtigen Portalen schmücken. In Görlitz, dessen Blütezeit auf der Tuchmanufaktur und dem Fernhandel beruhte, bildete sich die Sonderform des Tuchhallenhauses mit Zentralhalle heraus. Die Giebelhäuser der Waidhandelsstadt Erfurt wiederum lassen niederländischen Einfluß erkennen, der auch in den Ostseestädten wirksam war.
Auch die Herausbildung einer komfortableren und schöneren Wohnkultur gehört zu den Leistungen der Renaissance.

Die Zentren der Renaissanceplastik befanden sich in Augsburg und Nürnberg. Die Erzgießerwerkstatt der Künstlerfamilie Vischer in Nürnberg belieferte den gesamten deutschen Raum mit ihren Werken (Grabplatten u. a. in Wittenberg und im Meißner Dom). Der Augsburger Bildhauer Adolf Daucher z. B. schuf den Hochaltar in der Annenkirche zu Annaberg (1522). Die Bildhauerfamilie Walther in Dresden kann für eine Vielzahl unterschiedlichster Werke im sächsischen Raum und darüber hinaus nachgewiesen werden.

Die Grabmalplastik der Epoche ist durch bedeutende Werke wie das Freigrab (1558–1563) für den Kurfürsten Moritz von Sachsen und die monumentale Epitapharchitektur der Fürstengruft (von Giovanni Maria Nosseni und Carlo de Cesare, 1585 begonnen) im Freiberger Dom vertreten. Bemerkenswert sind auch die Wandgräber im Dom zu Güstrow (Philipp Brandin, 1584) und das Freigrab für Herzog Christoph von Schweden (1595) in Schwerin.

In der Spätphase zwischen Spätrenaissance und Frühbarock entstanden überladene Altäre, Kanzeln und Epitaphe, geschmückt mit zahlreichen Freifiguren und Ornamentik im Knorpel- und Ohrmuschelstil; am ausgeprägtesten das Epitaphe des Magdeburger Bildhauers Christoph Dehne im Dom zu Magdeburg und in Ketzür.
Vom blühenden Kunsthandwerk der Spätrenaissance sollen nur die Werke des Nürnberger Goldschmieds und Kleinplastikers Wenzel Jamnitzer erwähnt werden (Dresden, Grünes Gewölbe), deren manieristische Formensprache das Ende der Stilepoche kennzeichnen.

Barock und Rokoko

Als der Barockstil bereits in Italien, Frankreich und in den Niederlanden seinen Höhepunkt erreicht hatte, kam er nach dem Dreißigjährigen Krieg im zersplitterten Deutschland zur allgemeinen Ausbildung, weitgehend ohne eine frühbarocke Phase.
Der Barock war von der katholischen Kirche im Zuge der Gegenreformation zur offiziellen Kunst bestimmt worden. In Süddeutschland kam es daher zu starken italienisch-jesuitischen Einflüssen. Erst um 1700 schuf

eine Generation deutscher Baumeister eigene spätbarocke Gipfelleistungen mit selbständigen architektonischen Lösungen wie die dynamisch bewegten Kirchenräume oder die prächtigen Treppenhäuser der Schlösser. Sie wurden mit üppigen plastischen und malerischen Dekorationen und mit illusionistischen (apotheotischen) Wand- und Deckenmalereien ausgestattet. Die Ausführung der Arbeiten erfolgte in enger Zusammenarbeit zwischen Baumeistern, Bildhauern und Malern zu der vollendeten künstlerischen Einheit, die mit dem Begriff 'Gesamtkunstwerk' benannt worden ist.

In der weitgehend protestantischen Region Mitteldeutschlands entstanden wenige katholische Kirchenbauten von Rang. Bei dem Umbau der Zisterzienser-Klosterkiche Neuzelle kam in der Architektur starker böhmischer Einfluß zum Tragen, die Ausgestaltung mit Altären, Stukkaturen und Malereien erfolgte im Sinne des böhmisch-süddeutschen Barock (Stukkateurfamilie Hennevogel aus Wessobrunn; Georg Wilhelm Neunherz).

Für den Bau der katholischen Hofkirche in Dresden (1739–1755) zog man den italienischen Baumeister Gaetano Chiaveri heran.

In Berlin entwarf der Franzose Jean Laurent Legeay die St. Hedwigskathedrale (1743 begonnen). Die Ausgestaltung der Schloßkapellen in Weißenfels, Eisenberg, Saalfeld und Berlin-Köpenick durch italienische Stukkateure erfolgte noch vor 1700.

Von gleichem Rang wie die von der Baumeisterfamilie Dientzenhofer erbauten Kirchen, z. B. in Fulda und Prag, oder die Wallfahrtskirchen Vierzehnheiligen (Balthasar Neumann) und Steinhausen (Domenicus Zimmermann) u.a., war die protestantische Frauenkirche in Dresden; dieser 1726–1734 von George Bähr errichtete Zentralbau mit mächtiger Steinkuppel ist seit 1945 eine Ruine.

Zu Beginn des 18. Jahrhunderts begannen viele der deutschen absolutistischen Fürsten neue Residenzschlösser mit Parkanlagen nach dem französischen Vorbild von Schloß und Park Versailles zu bauen. Oft waren sie von Baueifer und fast grenzenloser Repräsentationssucht ergriffen. Im Schloßbau sind dem französischen Einfluß z. B. die Symmetrie der Dreiflügelanlage mit ihren axialen Beziehungen der Zimmerfluchten (Enfilade) und des Freiraumes sowohl von der Zufahrt als auch in der reich gegliederten Parkanlage zuzuschreiben.

Als deutschen Beitrag zum Schloßbau des Barock sind u. a. die großartig gestalteten Treppenhäuser zu werten. Die wichtigsten Beispiele schuf Balthasar Neumann in der Würzburger Residenz (1720 begonnen; der bedeutendste deutsche Schloßbau des Barock überhaupt) sowie in den Schlössern Bruchsal (1729–1733) und Augustusburg in Brühl (1743–1748).

Die Schwerpunkte der barocken Bautätigkeit Mitteldeutschlands lagen in der sächsischen Residenz Dresden, besonders unter August dem Starken, sowie in Berlin und Potsdam, den Residenzstädten von Brandenburg/ Preußen. Der Zwinger in Dresden, eine von Matthäus Daniel Pöppelmann 1711–1728 errichtete 'Festplatzdekoration' mit Pavillons, Galerien, Toren und Nymphenbad, die in einem unerschöpflichen, Ideenreichtum auf das prächtigste mit Skulpturen- von Balthasar Permoser und anderen Meistern dekoriert wurde, gehört zum Großartigsten jener spätbarocken Synthese des architektonischen und plastischen Dekors.

In dieser Blütezeit des Dresdener Barocks entstanden zahlreiche Stadtpalais, u.a. Palais im Großen Garten, Taschenberg-Palais, Japanisches Palais, Wasser- und Bergpalais in Pillnitz (1720–1723), der durchgreifende Umbau des Jagdschlosses Moritzburg (von Matthäus Daniel Pöppelmann und Zacharias Longuelune, 1723–1736) und die Umgestaltung von Schloß Hubertusburg (unter Johann Christoph Knöffel, 1743–1751).

In Berlin bestimmte Andreas Schlüter maßgeblich den Neubau des Stadtschlosses (1699–1707; Ende des Zweiten Weltkrieges zerstört; Ruine

◀ *Blick in die ehemalige Klosterkirche Neuzelle (bei Eisenhüttenstadt)*

Dresdener Barock: Wallpavillon im Zwinger

Barock,
Andreas Schlüter
in Berlin
(Fortsetzung)

1950/1951 abgetragen). Schlüter verschmolz in seinen Werken als Architekt und zugleich als Bildhauer von europäischem Rang (auch bei der Gestaltung der prunkvollen Schloßsäle und Kammern) französisches, italienisches und niederländisches Gedankengut.

Zuvor hatte er mit Hilfe eines hochqualifizierten Werkstattbetriebes die umfangreiche Bauplastik (u. a. Masken sterbender Krieger) am Berliner Zeughaus geschaffen. Von Schlüters Hand stammen auch die Prachtsarkophage für das Herrscherpaar Friedrich I. und Sophie Charlotte (im Berliner Dom) und das Reiterstandbild des Großen Kurfürsten (1696 bis 1700; jetzt vor dem Charlottenburger Schloß aufgestellt), das an die Tradition der Reiterdenkmale in der Antike und Renaissance anknüpft.

Weitere
Barockschlösser

Die Vielfalt des barocken Schloßbaues verdeutlichen Bauten u. a. in Berlin-Köpenick, Potsdam-Sanssouci, Oranienburg, Ludwigslust, Oranienbaum, Burgscheidungen, Rudolstadt, Gotha und Weißenfels.

Rokoko

Schloß Sanssouci

Die Hinwendung zum Rokoko als der höfischen Verfeinerung des Stils in einer überreichen Formensprache, insbesondere als Dekorationskunst der Innenräume, fand im sog. Friderizianischen Rokoko im Schloß Sanssouci in Potsdam (Georg Wenzeslaus v. Knobelsdorff, 1745–1747), einen Höhepunkt, der zuvor im Schloß Rheinsberg anklingt. In Rokokoformen ist auch das Schloß Molsdorf bei Erfurt von Gottfried Heinrich Krohne erbaut.

Bekanntlich lag der andere Schwerpunkt des Rokoko in Bayern (z. B. Amalienburg von François de Cuvilliés, 1734–1739, im Münchener Schloßpark Nymphenburg).

Im Schaffen Georg Wenzeslaus v. Knobelsdorffs (besonders am Berliner Opernhaus, 1741–1743) durchdringen sich Rokokohaftes mit klassizierenden Elementen des Palladianismus und der französischen Klassizisten.

Gartenkunst

Die Gartenkunst der Epoche orientierte sich am Vorbild des Versailler Parkes. Die wichtigsten Anlagen befinden sich in Potsdam-Sanssouci, Großsedlitz, Rheinsberg und Dresden-Pillnitz.

Im bürgerlichen Wohnhausbau standen Palais und Bürgerhäuser im Gefolge des höfischen Barock (Leipzig, Bautzen, Potsdam). ·

Da die Barockplastik hauptsächlich baubezogen war, entstanden ihre Hauptwerke bei der Ausstattung der Kirchen und der Schlösser; die bekanntesten Bildhauer waren Andreas Schlüter in Berlin, Balthasar Permoser in Dresden und Egid Quirin Asam im süddeutschen Raum. Nach der Erfindung des europäischen Porzellans wurde die Porzellanplastik ein neuer Zweig bildnerischen Schaffens, der durch den Bildhauer Johann Joachim Kändler in der künstlerisch führenden Meißener Manufaktur eine erste Blütezeit erfuhr.

In der Tafelmalerei des 18. Jahrhunderts nimmt Antoine Pesne als namhaftester Berliner Maler seiner Zeit und als preußischer Hofmaler (Rokoko-Bildnisse von hervorragender Koloristik) einen besonderen Rang ein.

Klassizismus

Der in enger Verbindung mit der Aufklärung und der Französischen Revolution entstehende Klassizismus äußerte sich in Werken der Baukunst und Bildenden Kunst ebenso wie in der Literatur und der Philosophie. Die theoretischen Grundlagen dazu lieferten Gotthold Ephraim Lessing und besonders Johann Joachim Winckelmann, der auch einen persönlichen Einfluß auf das Schaffen der Meister des Frühklassizismus, Friedrich Wilhelm von Erdmannsdorff und Anton Raphael Mengs, ausgeübt hat.

Die neue Strömung wurde im letzten Drittel des 18. Jahrhunderts stilbestimmend. Das Hauptwerk der Frühphase ist Schloß Wörlitz (1769 bis 1773), von Friedrich Wilhelm v. Erdmannsdorff in Anlehnung an englische Landhäuser und italienisch-palladianische Villen für den aufgeklärten Fürsten Friedrich Franz von Anhalt-Dessau entworfen.

Von der fast gleichzeitig als eine historische Strömung auftretenden Neugotik, die vom Adel getragen wurde, befindet sich ebenfalls in Wörlitz ein bemerkenswertes Beispiel, das 1773 begonnene 'Gotische Haus'.

Der Klassizismus erreichte schon um die Wende vom 18. zum 19. Jahrhundert in Berlin, das damals auf wirtschaftlichem Gebiet die führende deutsche Stadt war, seine volle Entfaltung. Zu Beginn der Blütezeit steht das Brandenburger Tor (1788–1791), von C.G. Langhans als monumentales Prachttor in den strengen Formen der griechischen Antike erbaut. Hervorragendes leistete David Gilly in der Landbauweise und als Lehrer einer neuen Architektengeneration. Genialster Schüler war sein Sohn Friedrich Gilly, der die deutsche Baukunst an die französische 'Revolutionsarchitektur' heranführte; am bedeutendsten sind sein Wettbewerbsentwurf eines Nationaldenkmals für Friedrich II. von Preußen (1797) und sein Projekt für ein bürgerliches Nationaltheater, das im modernen deutschen Theaterbau vorbildhafte Wirkung erlangte. Bemerkenswert war auch die von Heinrich Gentz ausgeführte Neue Münze in Berlin (1884 abgebrochen). In Zusammenarbeit mit Goethe lieferte Gentz auch die Entwürfe für die Umgestaltung des Treppenhauses und des Festsaales (1801–1803) im Schloß zu Weimar. Unter Karl Friedrich Schinkel, dem bedeutendsten Baumeister der Stilepoche, zugleich Maler und Bühnenbildner von Rang, strahlte der Berliner Klassizismus fast auf den gesamten deutschen Raum aus. Schinkels Hauptwerke, u. a. in Berlin die Neue Wache (1816–1818), das Schauspielhaus (1819–1821), das Alte Museum (1822–1828), zeigen in ihrer Formenstrenge eine ausgewogene Harmonie, die auf der Betonung der Funktion der einzelnen Bauglieder beruht. Schinkels Schüler und Nachfolger bestimmten mit ihren Bauten eine breite spätklassizistische Strömung: Carl Ferdinand Langhans schuf vorwiegend Theaterbauten; Friedrich August Stüler entwarf Kirchen, zahlreiche

Klassizismus, Bauten in Berlin und Potsdam (Fortsetzung)	Schlösser, Landhäuser und öffentliche Gebäude in Preußen und im Ausland; Ludwig Persius gilt als der Meister der Potsdamer Landschaftsbaukunst (Villen, Römische Bäder, 1834/1835); Johann Heinrich Stracks Schaffen konzentrierte sich auf den Raum Berlin – Potsdam, vorwiegend in seiner Tätigkeit als preußischer Hofarchitekt.
Andere Zentren der Baukunst	Zentren klassizistischer Baukunst gab es außerdem in München (Hauptmeister Leo v. Klenze) und in Karlsruhe, wo Friedrich Weinbrenner die Stadt als monumentale klassizistische Anlage ausbaute und architekturgeschichtlich bedeutsame Einzelbauten schuf.
Ostseebäder	Gegen Ende des 18. Jahrhunderts entstanden auch die ersten Ostseebäder mit klassizistischen Bade-, Kur- bzw. Logierhäusern in Heiligendamm / Bad Doberan und Putbus / Lauterbach.
Plastik	Auf dem Gebiet der Plastik nimmt das Werk des Berliners Johann Gottfried Schadow internationalen Rang ein. Es zeichnet sich besonders durch eine vollendete klassische Formensprache und lebendige Natürlichkeit aus (u. a. Porträtplastiken zeitgenössischer Persönlichkeiten; Quadriga auf dem Brandenburger Tor; Prinzessinnengruppe, jetzt in der Berliner Nationalgalerie). Die Skulpturen seines Schülers Christian Daniel Rauch sind in ihrem 'beseelteren' Ausdruck mehr dem Zeitgeschmack verpflichtet, z.B. Denkmäler für Blücher, Hardenberg, Dürer und als Hauptwerk das Reiterstandbild für Friedrich II. (1839–1851; Unter den Linden in Berlin). Rauch begründete eine starke Schultradition (u. a. Ernst Rietschel, Albert Wolff, Friedrich Drake und August Kiß).
Malerei	In der Malerei bildete sich gegen Ende des 18. Jahrhunderts eine realistische Richtung heraus: Anton Graff in Dresden schuf Bildnisse von Persönlichkeiten des deutschen Geisteslebens (u. a. Herder, Lessing, Schiller, Wieland). Daniel Chodowiecki überlieferte in Berlin mit seinen unübertroffenen Schilderungen ein anschauliches Bild vom Leben seiner Zeit. Anton Raphael Mengs gehörte zu den ersten Vertretern der klassizistischen Formensprache in der Malerei; als früher, konsequentester Vertreter der Darstellung neuer Ideale gilt Asmus Jakob Carstens. Auf dem Gebiet der Landschaftsmalerei waren die Dresdener Vedutenmaler Johann Alexander Thiele und Bernardo Belotto, genannt Canaletto, sowie Philipp Hackert und Friedrich Preller d. Ä. führend.

Kunstströmungen im 19. Jahrhundert

Romantik	Die deutsche Romantik, eine geistige Strömung um 1800, stellte den Klassizismus in Frage. Ihr wandte sich als erster Maler Philipp Otto Runge zu. Seine Figurenbilder zeigen die bewußte Reaktion gegen die 'trockene Manier' der Klassizisten und reflektieren vielfältig das romantische Naturgefühl. Das Schaffen des fast ausschließlich als Landschaftsmaler wirkenden Greifswalder Caspar David Friedrich wurde von Carl Gustav Carus in seiner Theorie der romantischen Landschaftsmalerei als "Darstellung einer gewissen Stimmung des Gemütslebens durch die Nachbildung einer entsprechenden Stimmung des Naturlebens" apostrophiert.
Nazarener	Die Nazarener verstanden sich als Schöpfer einer neuen vaterländisch-religiösen Kunst. In der Malweise alter Meister schufen Overbeck, Cornelius, Schadow und Veit die Fresken der Casa Bartholdy in Rom (seit 1887 in der Berliner Nationalgalerie).
Spätromantik	Die Malerei der Spätromantik wird durch Künstlerpersönlichkeiten wie Adrian Ludwig Richter in Dresden, der durch seine volkstümlichen Illustrationen aus der Welt des Kleinbürgertums bekannt wurde, und Moritz von

Schwind mit seinen Tafel- und Wandgemälden aus der Thematik der Märchenwelt (u. a. Fresken in der Wartburg, 1853–1855) belegt. Der Münchener Carl Spitzweg gehört mit seinen humor- und poesieverklärten Genrebildern der kleinbürgerlichen Verhältnisse schon zum Biedermeier.

Spätromantik (Fortsetzung)

Biedermeier

In Berlin entwickelte sich die Kunst des Vormärz in Werken von Johann Erdmann Hummel (Gemäldefolge über die Granitschale im Lustgarten), Franz Krüger (Parade- und Stadtansichten), Eduard Gärtner (Stadtbilder) und Carl Blechen (Landschaftsbilder mit pleinairistischen Lösungen) zu einem Wegbereiter des Realismus.

Vormärz

In Dresden malte Ferdinand von Rayski wirklichkeitsverbundene Porträts und Jagdstücke. Zu Beginn und auf dem Gipfelpunkt der Entwicklung des Realismus steht Adolph v. Menzel mit seinen Gemälden "Das Balkonzimmer" (1845) und "Das Eisenwalzwerk" (1875). Diesen Realismus verkörpern auch die besten Werke von Wilhelm Leibl (Interieurs, Bildnisse) und einige Frühwerke von Max Liebermann.

Realismus

Die idealistische Malerei als Gegenströmung zum Realismus fand ihren prägnantesten Ausdruck durch Arnold Böcklin in natursymbolistischen Gemälden ("Toteninsel") und durch den Deutsch-Römer Anselm Feuerbach in Themen der Sehnsucht nach klassischen Idealen ("Iphigenie", "Gastmahl des Plato").

Idealismus

In der Malerei des deutschen Impressionismus erstrebten einige bedeutende Maler wie Max Slevogt (Ägyptenbilder), Lovis Corinth (Walchenseebilder) und Robert Sterl (Musikthemen) in ihren Arbeiten durch Vereinfachung der Formen einen expressiven Ausdruck (Dresdener Gemäldegalerie Neue Meister). Das Schaffen von Max Liebermann zeichnete sich anfangs durch einen impressionistischen Realismus aus, der später einer Abkehr von diesen Prinzipien wich (Arbeitsmotive, Bildnisse).

Impressionismus

Das schon im späten 18. Jahrhundert gelegentliche Aufgreifen historischer Formen (Neugotik) entwickelte sich im Verlaufe des 19. Jahrhunderts mangels eines tragenden Stils zu einer als Historismus bezeichneten Richtung. Tiefgreifende gesellschaftliche Veränderungen führten u. a. zu einem enormen Wachstum der Städte und der Herausbildung neuer Bedürfnisse.

Historismus

Diesen immensen Anforderungen wurde durch eine in bisher ungekanntem Umfang gesteigerte Bautätigkeit in Form neuer Aufgaben entsprochen: Schulen, Theater, Museen, Konzertsäle, Bibliotheken, Universitätsbauten, Krankenhäuser, Kauf- und Warenhäuser, Markthallen, Geschäftshäuser, Banken, Hotels, Verkehrsbauten, Postgebäude, staatliche und städtische Verwaltungsbauten, Mietshäuser, Villen und vieles andere.
Jedoch stand häufig die Fassadengestaltung mit ihren dekorativ verwendeten historischen Stilformen kaum in Beziehung zur Funktion. Ideologische Aspekte und Repräsentationsbedürfnisse der verschiedenen Auftraggeber spielten zudem eine Rolle:
Beispielsweise läßt sich eine bevorzugte Verwendung der Neorenaissance für Bauaufgaben des Bürgertums nachweisen; für Kirchen und Feudalbauten fanden vorwiegend mittelalterliche Formen (Romanik und Gotik) Aufnahme, und seit Mitte der achtziger Jahre wurde bei Staatsbauten zunehmend auf den Barock zurückgegriffen. Den Höhepunkt bilden pompöse Neubauten wie das Reichstagsgebäude und der Dom in Berlin, das Gebäude des Reichsgerichtes in Leipzig und der Münchener Justizpalast.
In Dresden hatte schon im Vormärz Gottfried Semper unter Beachtung der Materialgerechtigkeit und anderer Faktoren das Opernhaus (1838–1841; Neubau bis 1878) und die Gemäldegalerie (1847) in Neurenaissanceformen geschaffen.
In der Spätphase des Historismus wurden sogar in eklektizistischer Manier verschiedenartige Stilformen (Stilmischung) für die Fassadengestaltung eines Gebäudes herangezogen.

Gewaltige Bautätigkeit

<table>
<tr><td>19. Jahrhundert
(Fortsetzung)
Zweckbauten</td><td>Neben dem Historismus existierte eine funktionalistisch orientierte Ingenieurbaukunst, die neue Baustoffe wie Eisen, Stahl, Beton und Glas als bevorzugte Baumaterialien bei der Lösung neuer technischer Möglichkeiten heranzog und beachtliche Leistungen hervorbrachte, u. a. Brücken, Bahnhofsgebäude (Frankfurt am Main, Dresden, Berlin, Köln, Leipzig), zahllose Fabrikgebäude, Warenhäuser und Markthallen.</td></tr>
<tr><td>Gartenkunst</td><td>In der Gartenkunst war der erste 'englische' Garten des Kontinents schon 1765 von Johann Friedrich Eyserbeck in Wörlitz angelegt worden, dem bald der durch Goethe mitgeformte Park an der Ilm in Weimar folgte. Die weitere gartenkünstlerische Entwicklung im 19. Jahrhundert bestimmten u. a. Hermann Fürst von Pückler-Muskau mit seinen klassischen Landschaftsparks in Muskau (1816–1845; weitergeführt durch Heinrich Rehder und Carl Eduard Petzold) und in Branitz (1845–1871) sowie Peter Joseph Lenné, der als letzter bedeutender Vertreter der klassischen englischen Gartenkunst in Berlin die Entwürfe für mehrere Neu- oder Umgestaltungen schuf; die Hauptstätte seines Wirkens war Potsdam-Sanssouci.</td></tr>
<tr><td>Plastik</td><td>Die nachklassizistische Plastik blieb weitestgehend in einem Akademismus befangen. Beachtliche Skulpturen schuf Reinhold Begas (u. a. Neptunbrunnen in Berlin, 1886–1891), der bedeutendste Bildhauer des naturalistischen Neobarock.
Im Gegensatz zur historisierenden Strömung entwickelte Adolf von Hildebrand eine Formensprache, die in Anlehnung an die Antike und italienische Frührenaissance Einfachheit und Klarheit betonte. Im gleichen Geiste arbeitete auf dem Gebiet der Tierplastik August Gaul.</td></tr>
</table>

Entwicklung im ersten Drittel des 20. Jahrhunderts

<table>
<tr><td>Jugendstil</td><td>Um 1900 wurde der Jugendstil als bürgerliche Reform-Gegenströmung zu der vorangegangenen Verfallsperiode auf allen Teilgebieten der bildenden Kunst, und – wenn auch in geringerem Maße – auch in der Architektur wirksam.
Er wurde in seiner formalen Gestaltung durch die Reduzierung auf eine ornamentale Linienführung sowie eine inhaltliche Hinwendung zur Symbolik bestimmt (Henry van de Velde, Leiter der Kunstgewerbeschule in Weimar; Stadttheater Cottbus, Bernhard Sehring, 1908).</td></tr>
<tr><td>Expressionismus</td><td>Ausgangspunkt für den Expressionismus wurde die 1905 in Dresden gegründete Künstlergruppe 'Brücke' mit Erich Heckel, Ernst Ludwig Kirchner und Karl Schmidt-Rottluff, der später auch Max Hermann Pechstein und Otto Mueller angehörten. Aus Münchener Malervereinigungen ging 1911 der 'Blaue Reiter' hervor. Mitglieder waren u. a. Franz Marc, August Macke, Wassili Kandinsky und Paul Klee. Von Kandinsky wurde die abstrakte Kunst vorbereitet. Daneben gab es enge Kontakte zwischen deutschen Künstlern und dem Fauvismus und Kubismus in Frankreich sowie zum Futurismus in Italien. Die deutsche Kunstszene zwischen dem Ersten Weltkrieg und ihrer brutalen Unterbrechung durch die nationalsozialistischen Machthaber unterschied sich durch mehrere Strömungen: Sozialkritisch-antimilitaristisch sind u. a. die Werke von Otto Dix und George Grosz (besonders seine Zeichnungen), expressiv-humanistisch durchdrungen ist die Plastik von Ernst Barlach (Gedenkstätten u. a. in Güstrow), subjektiv-realistisch waren die Gemälde von Max Beckmann und Carl Hofer. Eine 'Neue Sachlichkeit' vertrat u. a. Georg Schrimpf. Meisterwerke proletarisch-revolutionärer Kunst schufen Käthe Kollwitz (Graphikzyklen "Ein Weberaufstand" und "Bauernkrieg"; Plastiken), Hans Baluschek, Otto Nagel, Hans Grundig, Konrad Felixmüller, Rudolf Nerlinger und Curt Querner.</td></tr>
<tr><td>Architektur</td><td>Um 1900 vollzogen sich auch in der Architektur erste Ansätze einer Überwindung des Historismus. Zweckbetonte Fabrikbauten von Alfred Messel</td></tr>
</table>

(in Berlin) und von Walter Gropius, die Gründung des Werkbundes (1907) mit einem Aufgreifen funktionalistischer Ideen und die Errichtung der ersten deutschen Gartenstadt, Hellerau bei Dresden (Richard Riemerschmidt u.a.), gehören zu den vorbildlichen Leistungen jener Erneuerungsphase.

Erstes Drittel des 20. Jahrhunderts, Architektur (Fortsetzung)

Nach dem Ersten Weltkrieg setzte sich rasch die Herausbildung der Grundlagen der modernen Architektur fort. Die Aspekte der Materialgerechtigkeit und Materialechtheit wurden durch diejenigen der Berücksichtigung von Funktion und Technik, der modernen industriellen Fertigung und Präfabrikation sowie der sozialen Gesichtspunkte erweitert und schließlich theoretisch zu einem neuen ästhetischen Ideal formuliert. Der Leiter des 'Bauhauses', Walter Gropius, fand dafür die Worte: "Wir wollen lebendigen Einfluß auf die Gestaltung der Architektur und Angewandten Kunst nehmen".

Bauhaus

Die Bauhaus-Schule (Gebäude 1925/1926 von Gropius in Dessau erbaut) mit ihren Meistern Lyonel Feininger, Gerhard Marcks, Paul Klee, Oskar Schlemmer, Wassili Kandinsky, Laszlo Moholy-Nagy war zuerst in Weimar (1919–1924) angesiedelt; danach bestimmten in Dessau Marcel Breuer, Hannes Meyer, Ludwig Mies van der Rohe u.a. das Profil dieser Hochschule für Gestaltung, die eine weltweite Ausstrahlung erlangte.

In den zwanziger Jahren zeigte sich eine stark differenzierte Architekturentwicklung, z.B. sachlich bezogen in den Werken von Heinrich Tessenow (Festspielhaus Dresden-Hellerau), expressiv gestaltet durch Erich Mendelsohn (Einsteinturm in Potsdam) nach sozialen Belange berücksichtigend im genossenschaftlichen Siedlungsbau von Bruno Taut (Berlin und Magdeburg) sowie im kommunalen Wohnungsbau von Martin Wagner in Berlin.

Das nationalsozialistische Gewaltregime unterdrückte abrupt sämtliche progressive Strömungen in allen künstlerischen Bereichen. Auch zahllose bildnerische Werke wurden als Zeugnisse einer 'entarteten Kunst' beschlagnahmt und vielfach vernichtet. Ihre Schöpfer wurden verfolgt oder vertrieben. Gegen diese Barbarei erwuchs in der Illegalität oder in der Emigration eine kämpferische antifaschistische Kunst.

Wiederaufbau und Entwicklung nach dem Zweiten Weltkrieg

Bald nach Kriegsende begann die Sicherung bzw. der Wiederaufbau bedeutender Bau- und Kunstdenkmale (Dome in Magdeburg und Halberstadt, Zwinger in Dresden, ehem. Zeughaus in Berlin u.a.).

Architektur und Städtebau

Auf der Grundlage des von der damaligen DDR beschlossenen Aufbaugesetzes (1950) und des Nationalen Aufbauwerkes (1951) wurde der Aufbau der kriegszerstörten Stadtzentren anfangs mit Neubauten begonnen, deren historisierende Gestaltung (besonders der Fassaden) mit Berufung auf die Tradition an lokale Vorbilder angelehnt war, z.B. Karl-Marx-Allee (östl. Teil) in Berlin, Lange Straße in Rostock, Altmarkt in Dresden. Beim Wohnungsbau wurden erste Ergebnisse in sozialer Hinsicht sowie im Städtebau u.a. durch Großzügigkeit und die Einbeziehung von Werken der bildenden Kunst erzielt.

Die Hinwendung zu einer sachlich betonten, die funktionalen und gesellschaftlichen Erfordernisse berücksichtigenden Architektur wurde mit dem Übergang zur industriellen Bauweise mit standardisierten und vorfabrizierten Bauelementen um 1959 in breitem Maße erreicht. In Berlin konzentrierte sich die Neugestaltung des Zentrums auf die Umbauung des Alexanderplatzes mit Hochhäusern und dem Fernsehturm als neuer Dominante, auf die Baulückenschließung an der Straße Unter den Linden und auf repräsentative öffentliche Gebäude wie Staatsratsgebäude und Palast der Republik; später auch auf Hotels, Krankenhäuser (Charité) und auf das Viertel um die ehem. Nikolaikirche.

Kunstgeschichte

Wiederaufbau nach dem Zweiten Weltkrieg, Architektur und Städtebau (Fortsetzung)

Der weitergeführte Aufbau der einstigen Bezirkszentren zeigt sich in neuen Ensembles (z. B. in Chemnitz, Magdeburg, Suhl und Cottbus) und in Höhendominanten wie den Hochhäusern der Universitäten in Leipzig und Jena.

Die Entwicklung von Typenprojekten, besonders für den Wohnungs- und Industriebau, sowie die Anwendung der Großblock- und Großplattenbauweise ermöglichten eine enorme Steigerung des Bauvolumens und des Bautempos. Das Wohnungsbauprogramm führte zu neuen Städten in unmittelbarer Nähe historischer Städte (Schwedt, Hoyerswerda, Halle-Neustadt u. a.) bzw. zu neuen Stadtteilen (Rostock - Lütten Klein, Berlin-Marzahn, Berlin-Hohenschönhausen, Leipzig-Grünau u. a.) mit qualitativen Ergebnissen in der Grundriß-, Fassaden- und stadträumlichen Gliederung und in der Einbeziehung der Natur; jüngst auch bei der Einbindung historisch gewachsener Altstadtbereiche und bei Sanierungsprogrammen für die unter Denkmalschutz gestellten historischen Stadtkerne oder städtebaulichen Ensembles.

Bemerkenswerte denkmalpflegerische Leistungen wurden vielerorts erzielt, z. B. beim Wiederaufbau der Dresdener Semperoper, des Platzes der Akademie (ehem. Gendarmenmarkt) mit dem Schauspielhaus (jetzt Konzertstätte) sowie der Französischen und der Deutschen Kirche in Berlin.

Plastik

Die Plastik der DDR blieb der klassischen Tradition realistischer Menschendarstellung und dem humanistischen Werk von Bildhauern wie Wilhelm Gerstel, Georg Kolbe, Wilhelm Lehmbruck, Gerhard Marcks und Hermann Blumenthal verpflichtet. Gültige plastische Leistungen schufen Will Lammert (Mahnmal Gedenkstätte Ravensbrück), Fritz Cremer (Mahnmal Gedenkstätte Buchenwald; Plastiken "Aufsteigender", "Galilei"), Waldemar Grzimek (Gedenkstätte Sachsenhausen). Statuen und Bildnisbüsten gestalteten die Bildhauer Walter Arnold, Theo Balden, Heinrich Drake, Walter Howard und Gustav Seitz; gefolgt von jüngeren Künstlern wie Wieland Förster, Georg Lichtenfeld, Werner Stötzer, Jürgen von Woyski und Joachim Jastram.

Malerei und Graphik

Auch in der Malerei und Graphik der Nachkriegsjahre waren die Wegbereiter der proletarisch-revolutionären Kunst die Schöpfer bedeutender Werke. Otto Nagel, Hans und Lea Grundig, Heinrich Ehmsen, Max Lingner, Oskar Nerlinger und Max Zeller widmeten sich Themen der Anklage des Faschismus, schufen aber zugleich von neuer humanistischer Auffassung erfüllte Bilder.

Hans Grundig: "Den Opfern des Faschismus" (Gemäldegalerie Neue Meister, Dresden)

Versuche, an die Kunstvorstellung der zwanziger Jahre, an den spätbürgerlichen Modernismus anzuknüpfen, wurden für eine gewisse Zeit durch Tendenzen (u. a. durch naturalistische und eklektizistische Bildlösungen) verdrängt, die sich auf der Grundlage von dogmatisch interpretierten Kriterien des sozialistischen Realismus als den Grundprinzipien der Kunst (Parteilichkeit, Volksverbundenheit, Wirklichkeitssuche bzw. sozialistischer Ideengehalt) gebildet hatten.

Kunstgeschichte, Nachkriegszeit, Malerei und Graphik (Fortsetzung)

Auf dem weiteren Weg zu überzeugenden realistischen Werken der Malerei und Graphik stehen Künstlernamen wie Ernst Hassebrauk, Josef Hegenbarth, Otto Herbig, Hans Jüchser, Werner Klemke, Otto Niemeyer-Holstein, Hans Theo Richter, Theodor Rosenhauer, Wilhelm Rudolph, Max Schwimmer, Herbert Tucholski, Paul Wilhelm und andere, deren Schaffen, mitgeprägt von einer schöpferischen Auseinandersetzung, besonders mit impressionistischen und expressionistischen Stilelementen, vorwiegend Landschaften, Stilleben, Porträts, Genreszenen und Graphiken umfaßt.

In der weiteren Entwicklung bildeten sich in den Städten mit Hochschulen für Bildende Künste und Angewandte Kunst lokale Tendenzen mit profilierten Künstlern heraus; so in Berlin Bert Heller, Arno Mohr, Günther Brendel, Wolfgang Frankenstein, Frank Glaser, Konrad Knebel, Harald Metzkes und Walter Womacka; in Dresden Rudolph Bergander, Bernhard Kretzschmar, Gottfried Richter, Eva Schulze-Knabe, Gerhard und Friderun Bondzin, Gerhard Kettner und Paul Michaelis; in Leipzig Werner Tübke, Volker Stelzmann, Bernd Heisig, Wolfgang Mattheuer, Arno Rink und Frank Ruddigkeit; in Halle (Saale) Willi Sitte, Karl Erich Müller, Willi Neubert und Karl Heinz Jakob.

Aus der Fülle ihrer Werke kristallisierten sich neue Bildthemen heraus: u. a. Darstellungen von Zeitgenossen als Persönlichkeiten, der Bejahung des Lebens im 'real existierenden Sozialismus', der internationalen Solidarität von moralischen und ethischen Beziehungen und von solchen, die den Friedensgedanken zum Ausdruck bringen sowie von bedeutenden Geschichtsereignissen (Gedenkstätte Deutscher Bauernkrieg – Panorama von Werner Tübke bei Bad Frankenhausen) zeugen.

Literaturgeschichte

Der knapp skizzierte Abriß deutscher Literaturentwicklung umfaßt einen Zeitraum von mehr als einem Jahrtausend: von den ersten Zeugnissen der germanischen Dichtung bis zur Herausbildung einer eigenständigen Literatur in der einstigen Deutschen Demokratischen Republik. Da Literatur die Tendenz hat, weit über einen regionalen Rahmen hinaus wirksam zu werden, folgt die Darstellung mit der Nennung der Hauptgestalten und wesentlichen Entwicklungen dem Ablauf der deutschen Nationalliteratur. In Österreich und in der Schweiz entwickelt sich seit dem 19. Jahrhundert eine eigenständige nationale Literatur, die aber infolge der Funktion ihrer Werke in einem engen Bezug zur deutschen Literatur steht.

Vorbemerkung

Die Dichtung der Germanen – vornehmlich Zauberlieder und Schlachtgesänge – war ausschließlich für den mündlichen Vortrag bestimmt. Die erst im 10. Jahrhundert aufgezeichneten und nach ihrem späteren Aufbewahrungsort benannten "Merseburger Zaubersprüche" sind das einzig überlieferte Beispiel. Das älteste germanische Sprachdenkmal ist eine Mitte des 4. Jahrhundert durch den Westgotenbischof Ulfilas (um 311 bis 383) übersetzte Bibel. Erst nach der Völkerwanderungszeit entstanden Preis- und Heldenlieder, deren anonyme Dichter unmittelbar aus den kriegerischen Zeitereignissen schöpften. Das um 810 im Kloster Fulda aufgezeichnete "Hildebrandslied" vermittelt von ihrer Bedeutung eine ungefähre Vorstellung.

Anfänge

Literaturgeschichte

Die nach der Annahme des Christentums durch die Franken gegründeten Klöster (u. a. St. Gallen, Tegernsee, Benediktbeuren, Fulda) entwickelten sich seit dem 7. Jahrhundert zu Zentren der literarischen Bildung. Die Mönche formten das aus dem Germanischen hervorgegangene Althochdeutsche zur Schriftsprache. Frühe Werke der sich in den Klöstern herausbildenden deutschsprachigen Literatur waren das spätlateinische Wörterbuch "Abrogans" und verschiedene Bibelübertragungen, so der "Heliand" und Otfried von Weißenburgs "Evangelienbuch" (um 865). Allesamt machten sie deutlich, wie die sich etablierende Feudalordnung im Bündnis mit dem Christentum endgültig über Sippengesellschaft und germanischen Götterglauben triumphierte. Im 10. Jahrhundert verstummte die volkssprachige Dichtung, eine Ausnahme bildete lediglich das umfangreiche Übersetzungswerk Notkers des Deutschen. Dagegen erlebte die lateinische Dichtung im dramatischen Werk der Nonne Hrotsvitha von Gandersheim einen Höhepunkt. In der Ottonenzeit verlagerten sich die im süd- und westdeutschen Raum gelegenen kulturellen Zentren erstmals nach Osten (Merseburg, Quedlinburg, Magdeburg).

Seit dem 12. Jahrhundert hatte die herrschende Feudalklasse ihre Macht gefestigt und auf ihren Burgen eine eigenständige weltliche Kultur entfaltet. Die von anonym gebliebenen Autoren in mittelhochdeutscher Sprache verfaßten Spielmannsepen ("König Rother") waren erster Ausdruck dieser neuen Funktion der Literatur. Auch die lateinisch verfaßte Vagantendichtung des Archipoeta war Bestandteil eines allgemeinen Verweltlichungsprozesses. Die Hauptform der mittelalterlichen höfischen Lyrik war jedoch der Minnesang, der in Österreich (Der Kürenberger) und im Rheinland (Heinrich von Veldeke) seine höchste Ausprägung fand. Die dienende und huldigende Liebe zu einer adligen Dame war Hauptgegenstand des Minnesangs. Die 'niedere' Minne poetisierte später auch das individuelle Liebeserlebnis zu einem Mädchen aus dem Volk. Walther von der Vogelweide war der bedeutendste mittelalterliche deutsche Lyriker, in seiner Spruchdichtung erwies er sich auch als wortgewaltiger politischer Dichter. Sein Auftreten am Hof der Thüringer Landgrafen in Eisenach ist in der Sage vom "Sängerkrieg auf der Wartburg" lebendig geblieben.

Mit Thüringen verbunden ist auch die Ende des 13. Jahrhunderts aufgezeichnete Legende vom "Leben der Heiligen Elisabeth" des Erfurter Dominikaners Dietrich. Eine herausragende Rolle spielte im 12. und 13. Jahrhundert das Epos. Der Alemanne Hartmann von Aue ("Der arme Heinrich", "Iwein") und der Franke Wolfram von Eschenbach ("Parzifal") verarbeiteten Stoffe aus der keltischen Artus-Sage. Andere Dichter griffen germanische Heldensagen auf, in denen sich auch das höfische Leben der Stauferzeit widerspiegelte. Der Verfasser des monumentalen "Nibelungenliedes" als auch der des "Kudrun"-Epos blieben jedoch unbekannt.

Zunehmende Bedeutung für die Kulturentwicklung erlangten im 13. Jahrhundert die Städte. Ein früher städtebürgerlicher Dichter war Gottfried von Straßburg ("Tristan und Isolde"). Bürgerlicher Herkunft soll auch der Stricker gewesen sein, dessen Schwanksammlung schon auf die späteren Volksbücher verwies. Sowohl Freidanks Epigrammatik als auch die bedeutende, im bäuerlichen Milieu angesiedelte Versnovelle "Meier Helmbrecht" von Wernher der Gartenaere reflektierten bereits den Zerfall des Rittertums.

Auf der Grundlage allgemeiner sozialer Umschichtungen vollzogen sich auch innerhalb der Kirche Veränderungen. Mit der Mystik trat eine religiöse Literatur in den Vordergrund, die sich der Suche nach einem persönlichen Gotteserlebnis verschrieb; Konflikte mit der institutionalisierten Kirche und der rationalen Scholastik konnten nicht ausbleiben. Ihre herausragenden Vertreter waren Mechthild von Magdeburg und der Gothaer Meister Eck-

Zentralbibliothek der deutschen Klassik in Weimar ▶

Literaturgeschichte

hart. Ausdruck der emanzipatorischen Bestrebungen des Bürgertums im 14. Jahrhundert waren vor allem die Schul- und Universitätsgründungen u. a. in Prag 1348, Heidelberg 1386, Erfurt 1392.

Als revolutionierend erwies sich die Erfindung des Buchdrucks mit beweglichen Lettern durch Johannes Gutenberg um 1445 in Mainz. Die ersten Druckorte, die auf dem Gebiet der einstigen Deutschen Demokratischen Republik liegen, waren Erfurt, Rostock, Magdeburg und Leipzig.

Eine bürgerliche Neuschöpfung ist der meist didaktische Meistergesang, als dessen Vorläufer Heinrich von Meißen gilt. Ins 14./15. Jahrhundert fällt auch die Herausbildung des deutschsprachigen Dramas. Das aus der kirchlichen Liturgie entwickelte geistliche Spiel (z. B. "Eisenacher Zehnjungfrauenspiel" von 1321) verbreitete sich genauso rasch wie das von Handwerkern getragene weltliche Fastnachtsspiel, das mit der Entstehung der Schwankliteratur ("Till Eulenspiegel") einherging. Aber auch die Tierfabel ("Magdeburger Äsop") fand durch den Buchdruck rasch Verbreitung.

16. Jahrhundert

Diese bürgerliche Entwicklung hatte im 15. und 16. Jahrhundert ihren Höhepunkt. Innerhalb der Renaissance, der von Erkenntnisverlangen und Forscherdrang getragenen Kulturbewegung, stellt der Humanismus eine umwälzende geistige Erscheinung dar. Die Humanisten waren zugleich Sprachgelehrte und Übersetzer, Philosophen und Naturforscher, Historiker und Poeten; ihre Dichtersprache war das Lateinische.

Wien, Köln und Erfurt waren wichtige Zentren der bürgerlichen Emanzipationsbewegung. Aus dem Erfurter Humanistenkreis um Eobanus Hessus, Crotus Rubeanus und Euricius Cordus (Epigramme) gingen auch die berühmten "Dunkelmännerbriefe" hervor. Zu den Mitautoren dieser bedeutendsten satirischen Streitschrift der Zeit gehörte der Reichsritter Ulrich von Hutten. Als Vorkämpfer für eine einige deutsche Nation benutzte der aus Hessen stammende sprachgewaltige Dichter in seinem "Gesprächsbüchlein" das Deutsche als Poetensprache. Zu den gerühmtesten Humanisten zählte Erasmus von Rotterdam, dessen antiklerikal gestimmte Satire "Lob der Torheit" von den Gelehrten in ganz Europa gelesen wurde. Vielseitig waren auch die Wirkungen, die von Konrad Celtis, dem 1487 als erstem Deutschen der begehrte Lorbeer des 'poeta laureatus' zufiel, und dem mutigen Johannes Reuchlin ausgingen. Neben den Humanisten schufen auch die Satiriker Sebastian Brant ("Das Narrenschiff") und Thomas Murner ("Narrenbeschwörung") Dichtungen von tagespolitischer Wirksamkeit.

Ausgangspunkt der frühbürgerlichen Revolution war der thüringisch-sächsische Raum. Für Martin Luthers spätere Leistungen als Übersetzer war es von besonderem Belang, daß er sowohl oberdeutsche (Eisleben, Mansfeld, Eisenach, Erfurt) als auch niederdeutsche Mundarten (Magdeburg, Wittenberg) in seinen Jugend- und frühen Mannesjahren kennengelernt hatte. Nach dem Studium in Erfurt und dem Eintritt in das Erfurter Augustinerkloster wirkte er als Theologieprofessor an der kursächsischen Universität Wittenberg, wo später auch der Humanist und Mitreformator Philipp Melanchthon lehrte. Luthers dort entstandene reformatorische Streitschriften (u. a. "An den christlichen Adel deutscher Nation") entlarvten das unchristliche Leben der hohen Geistlichkeit und formulierten das Programm des Protestantismus.

Die wirksamste poetische Leistung des Reformators war jedoch die Übertragung der Bibel in die frühneuhochdeutsche Volkssprache. Das 'Neue Testament' hatte er während seines Zwangsaufenthaltes auf der Wartburg übersetzt. Von dieser Leistung gingen für die Herausbildung einer einheitlichen deutschen Nationalsprache entscheidende Impulse aus. Allein die Tatsache, daß der Wittenberger Buchdrucker Hans Lufft von der Luther-Bibel innerhalb weniger Jahrzehnte 100 000 Exemplare herstellte und verkaufte, verdeutlicht ihre ungeheure Wirkung weit über den deutschen Sprachraum hinaus. Auch die übrige Literatur griff unmittelbar in die sozialen und ideologischen Auseinandersetzungen der Zeit ein. Ausdruck dieser neuen Aufgabe der Literatur ist eine Fülle von Flugschriften und Liedern. Thomas Müntzers "Fürstenpredigt" enthält das sozialrevolutionäre Programm der von ihm geführten Volksreformation.

16. Jahrhundert (Fortsetzung)

Die Niederlage der frühbürgerlichen Revolution beeinflußte auch die weitere literarische Entwicklung. Die Schriftsteller in den protestantischen Regionen waren darauf bedacht, den errungenen konfessionellen Sieg mit literarischen Mitteln zu festigen. Sprichwortsammlungen (Johannes Agricola, Sebastian Franck) und Fabelbücher (Luther, Erasmus Alberus, Burkhard Waldis) verfolgten erzieherische Absichten. Auch die Tierdichtung des Magdeburger Schulrektors Georg Rollenhagen reiht sich hier ein.

Neben Nikodemus Frischlin, dem Verfasser lateinsprachiger Komödien, war der Nürnberger Hans Sachs der bedeutendste Dramatiker des 16. Jahrhunderts. Seine nahezu hundert Fastnachtsspiele sind ein noch heute lebenskräftiges Zeugnis volkstümlich-stadtbürgerlicher Kulturpraxis. Aus der Feder des Elsässers Jörg Wickram ("Rollwagenbüchlein") stammt auch der erste deutsche Roman. Und mit der Autobiographie wurde ein neues Genre aus der Taufe gehoben, als dessen beste Leistung die des Stralsunder Bürgermeisters Bartholomäus Sastrow gilt. Beherrscht wurde der Buchmarkt jedoch noch lange von den Volksbüchern, aus deren Fülle der "Hans Clawert" des Trebbiners Bartholomäus Krüger, das "Lalebuch" (Schildbürger) und die weltliterarisch wirksame "Historia von D. Johann Fausten" herausragen.

Der die Barockzeit bestimmende Dreißigjährige Krieg spiegelt sich unmittelbar im Weltverständnis der Dichter wider: Neben einer allgemeinen Friedenssehnsucht sind es nicht selten stoische Schicksalsergebenheit und Resignation. Viele Dichter gingen deshalb von einer poetischen Scheinwelt aus, die oft durch pathetische Überhöhung und vordergründige Effekte lebte. Der aus Schlesien stammende Dichter, Theoretiker und Übersetzer Martin Opitz beeinflußte mit seinem "Buch von der deutschen Poeterey" die Gesamtentwicklung der deutschen Literatur. Seine Vorschläge zur Erneuerung der Poesie fanden in den gelehrten Sprachgesellschaften Gehör. Die älteste und angesehenste war die 1617 nach italienischem Vorbild gegründete 'Fruchtbringende Gesellschaft', deren Wirkungsorte die Fürstenhöfe von Köthen und Weimar waren und die neben Adligen auch bedeutende Dichter zu ihren Mitgliedern zählte. Neben ihnen entwickelten sich noch andere Höfe zu literarischen Zentren (Wolfenbüttel, Gotha, Weißenfels, Rudolstadt). Eine breitere literarische Öffentlichkeit bestand in den städtischen Handels- und Bildungszentren (Hamburg, Nürnberg, Leipzig, Jena u.a.), in denen auch der Buchhandel und das Pressewesen erblühten.

17. Jahrhundert

Einer der begabtesten Barockdichter war Andreas Gryphius, der sowohl dramatische als auch lyrische Werke von hohem Rang hervorbrachte. Seine Tragödien behandelten als 'Haupt- und Staatsaktionen' aktuell-politische und moralische Themen; die 'Scherz- und Schimpfspiele' ("Herr Peter Squentz") wurden durch Wanderbühnen einem breiten Publikum zugänglich gemacht. Gryphius' Sonette wirkten durch ihre Sprachkraft und philosophische Tiefe ("Tränen des Vaterlandes"); bis heute sind sie für dieses Genre beispielgebend.

Zu den bekanntesten Lyrikern gehörte auch Paul Fleming, der im erzgebirgischen Hartenstein geboren wurde. Seine formvollendeten Oden enthalten Verse von zehrender Leidenschaft und tiefem persönlichen Bekenntnis. Im von Fleming gepflegten protestantischen Kirchenlied erreichte die volksverbundene Lyrik einen Höhepunkt. Texte zarten individuellen Empfindens schrieb der in Berlin und Lübben wirkende Kirchenmann Paul

Literaturgeschichte

Gerhardt ("Geh aus mein Herz und suche Freud", "Nun ruhen alle Wälder"). Simon Dach schrieb mit "Ännchen von Tharau" eines der bekanntesten Lieder jener Zeit. Diesseitsfreude artikulierten auch die Gedichte des Erfurter Sprach- und Zeitungsforschers Kaspar Stieler, dessen "Geharnischte Venus" zu den noch heute wirksamen barocken Zyklen gehört. Lyrik im sog. galanten Stil schrieb Christian Hoffmann von Hoffmannswaldau, in dem viele Zeitgenossen den bedeutendsten deutschen Poeten zu erkennen glaubten. Die Satiriker der Renaissance-Zeit waren lange ohne Nachfolger geblieben. Erst mit dem umfänglichen Prosawerk des Elsässers Hans Michael Moscherosch ("Philander von Sittewald") wird diese Lücke geschlossen. Und das von den Humanisten gepflegte lateinische Epigramm erneuerte Friedrich Freiherr von Logau in deutscher Sprache.

Während in Süddeutschland das Theater in den Dienst der Gegenreformation (Jesuitendrama) gestellt wurde, erblühte im protestantischen Norden das Schultheater. In Zittau führte Christian Weise es zum Gipfelpunkt seiner Entwicklung. Komödien in der Manier Molières schrieb in Leipzig Christian Reuter ("Frau Schlampampe"). Nach 1650 gelang der Vorstoß zum Roman. Aber erst mit Hans Jakob Christoffel von Grimmelshausens "Abenteuerlichen Simplicissimus Teutsch", in der Tradition der Volksbücher und Schelmenromane stehend, ist der Beginn der bürgerlich-realistischen Romankunst anzusetzen.

Einer der Wegbereiter dieser geistigen Befreiungsbewegung des aufstrebenden Bürgertums im 18. Jahrhundert war der in Leipzig geborene Philosoph und Naturforscher Gottfried Wilhelm Leibniz. Christian Thomasius und Christian Wolff, beide Professoren der Hallischen Universität, machten durch ihre Ausstrahlung das aufklärerische Denken zu einer öffentlichen Angelegenheit. In Halle (Saale) fand auch der sich gegen formale Schulgelehrsamkeit und Orthodoxie richtende Pietismus eine Heimstatt (Jakob Spener, August Hermann Francke); Erbauungsliteratur und Kirchenlied erlebten durch ihn eine letzte große Blütezeit.

Die höfische Dichtung war im 18. Jahrhundert nur noch epigonal. Die Literatur wurde zunehmend integriert in das bürgerliche Kulturleben der großen Wirtschaftszentren; neben Hamburg (Barthold Hinrich Brockes, Friedrich von Hagedorn) avancierte vor allem Leipzig zu einem Zentrum literarischen Lebens. In der Messestadt wirkten um 1750 der Theoretiker und Theaterreformer Johann Christoph Gottsched und der populäre Fabeldichter Christian Fürchtegott Gellert. Treffliche Fabeln verfaßte auch Magnus Georg Lichtwer. Und mit Christian Ludwig Liscow und Gottlieb Wilhelm Rabener standen auch die erfolgreichsten Satiriker der Zeit zu Leipzig in Beziehung. Eines der vielgelesenen Werke war Friedrich Wilhelm Zachariäs "Renommist", ein im Jenenser und Leipziger Studentenmilieu angesiedeltes komisches Heldengedicht.

Die im zweiten Jahrzehnt des 18. Jahrhunderts entstandenen unkonventionellen Liebesgedichte und Trinklieder von Johann Christian Günther können bereits als ein Höhepunkt der Lyrik der Aufklärung angesehen werden. Die Anakreontiker schufen in der Nachahmung antiker Wein- und Liebeslieder rokokohaft-empfindsame Gedichte. Zu ihnen gehörte der in Halberstadt lebende, jungen Talenten äußerst aufgeschlossene Johann Wilhelm Ludwig Gleim, ein geistvoller Korrespondenzpartner fast aller zeitgenössischen Dichter. Die bedeutendste Leistung in der Lyrik vollbrachte Friedrich Gottlieb Klopstock. Seine formvollendete Odendichtung und das Menschheitsepos "Messias" wurden schon damals als klassisch empfunden. Gleichfalls epochale Wirkungen gingen von Johann Joachim Winckelmann und seiner "Geschichte der Kunst des Altertums" aus.

Gotthold Ephraim Lessings dichterisches, publizistisches und philosophisches Lebenswerk gilt als Gipfelpunkt der deutschen Aufklärung. In Kamenz geboren, führte ihn sein Bildungsweg über die Meißener Fürstenschule an die Leipziger Universität. Die Aufführungen der Theatertruppe von Friederike Caroline Neuber regten ihn an, selbst Stücke zu verfassen. In Berlin versuchte er, als freier Schriftsteller und Bühnenautor zu existieren, hatte sich doch die preußische Hauptstadt unter der Regierung des kunstsinnigen Königs Friedrich II. zu einem geistigen Zentrum von europäischem Rang entwickelt. Mit dem hier entstandenen Trauerspiel "Miß Sara Sampson" wurde Lessing zum Schöpfer des ersten bürgerlichen deutschen Dramas; und mit der "Minna von Barnhelm" schuf er eine mustergültige deutsche Komödie. Beachtete Berliner Poeten waren Karl Wilhelm Ramler und Ewald von Kleist. Eine Ausstrahlung weit über Preußen hinaus hatten jedoch die Werke des jüdischen Philosophen Moses Mendelssohn und des Buchhändlers und Schriftstellers Christoph Friedrich Nicolai. Mit dem Drama "Nathan der Weise" setzte Lessing Mendelssohn ein literarisches Denkmal. Die Herausbildung einer bürgerlichen literarischen Öffentlichkeit erwies sich vor allem für den Roman als fruchtbar. Doch nur allmählich gelang der Anschluß an die weltliterarische Entwicklung: Die Robinsonade "Insel Felsenburg" von Johann Gottfried Schnabel steht ebenso noch unter englischem Einfluß wie die sentimentalen Romane des in Weimar wirkenden Johann Karl August Musäus. Der erfolgreichste Romancier war Christoph Martin Wieland. Nach einer kurzen Lehrtätigkeit an der Erfurter Universität wurde er 1722 als Prinzenerzieher an den Weimarer Hof berufen. Dort gelangen ihm mit dem "Agathon" und der "Geschichte der Abderiten", wenn auch in antikem Gewand, bedeutende zeitkritische Romane. Die von ihm herausgegebene Zeitschrift "Teutscher Merkur" galt lange als das führende Organ der deutschen Aufklärung.

Aufklärung (Fortsetzung)

Die Anfang der siebziger Jahre aufkommende Bewegung des 'Sturm und Drang', so genannt nach einem Dramentitel des Goethefreundes Friedrich Maximilian Klinger, faßte das Aufbegehren gegen die religiösen und feudalstaatlichen Fesseln in poetische Formen. Ihre Geburtsstätte war Straßburg, wo sich Johann Wolfgang Goethe und Johann Gottfried Herder begegneten. Herders Auffassung von der Poesie als einer 'Welt- und Völkergabe' beeinflußte die Lyrik des jungen Goethe nachhaltig; an so berühmten Gedichten wie "Willkommen und Abschied" und "Mailied" ist dieser Einfluß spürbar. Frühzeitig erkannte Herder die Bedeutung Shakespeares, den er der französischen Vorbildempfehlung Gottscheds entgegenstellt. Mit dem an Shakespeare orientierten Bauernkriegsdrama "Götz von Berlichingen" und dem Briefroman "Die Leiden des jungen Werthers" entwickelte sich Goethe zum bedeutendsten Repräsentanten dieser an Natur, Genie und Originalität sich messenden 'literarischen Revolution'. Neben Goethe zählen auch Heinrich Leopold Wagner ("Die Kindsmörderin") und Jakob Michael Reinhold Lenz ("Der Hofmeister") zu den Dramatikern mit nachhaltiger Wirkung.

Seit der Jahrhundertmitte hatte sich die Universitätsstadt Göttingen zu einem herausragenden literarischen Zentrum entwickelt. Bedeutung erlangte der "Göttinger Musenalmanach" als Organ der Dichter des 'Hain-Bundes', zu dem der Idyllendichter und Homer-Übersetzer Johann Heinrich Voß ebenso gehörte wie der Balladendichter und Autor des "Münchhausen" Gottfried August Bürger. In Göttingen wirkte auch der Satiriker und Aphoristiker Georg Christoph Lichtenberg. Im Roman zerstörten die Stürmer und Dränger mit ihren neuartigen Werken die herkömmlichen Vorstellungen von diesem Genre, die Romane Johann Karl Wezels, Wilhelm Heinses und Karl Philipp Moritz' sind solcher Art.

Die zwar in ihrem Grundcharakter feudalabsolutistische, jedoch mehr und mehr von bürgerlichen Interessen bestimmte Politik des Sächsisch-Weimarischen Staates trug dazu bei, daß sich die kleine thüringische Residenzstadt Weimar gegen Ende des 18. Jahrhunderts zu einem geistig-literarischen Zentrum von europäischer Geltung entwickelte. Im Jahre 1775 holte der junge Herzog Carl August den nach seiner Leipziger und Straßburger Studienzeit wieder im heimatlichen Frankfurt am Main lebenden

Klassik und Romantik

Erfolgsautor des "Werther" nach Weimar, wohin dann auf Goethes Vermittlung hin auch Herder übersiedelte. In seinem ersten Weimarer Jahrzehnt übte Goethe in der Staatsverwaltung wichtige Funktionen aus.
Seine Versuche, in das Staatsgefüge reformierend einzugreifen, mußten jedoch scheitern. Die klassischen Dramen "Iphigenie auf Tauris" und "Torquato Tasso" und "Egmont" reflektierten seine innere Auseinandersetzung mit dem absolutistischen Kleinstaat. Die Jahre von 1786 bis 1788 verbrachte Goethe in Italien; erst nach seiner Rückkehr nach Weimar wurde er von den ihm unerträglich gewordenen Staatsgeschäften entbunden.

Der aus Schwaben stammende Friedrich Schiller debütierte mit dem antidespotischen Schauspiel "Die Räuber". Kurz darauf mußte er vor den Nachstellungen des württembergischen Herzogs fliehen. In seinem Zufluchtsort, dem Gut Bauerbach bei Meiningen, schrieb er mit "Kabale und Liebe" das 'erste politische Tendenzdrama' (F. Mehring). In Leipzig und Dresden wurde Schiller von Freunden gastlich aufgenommen, es entstanden mit dem "Don Carlos" und der Ode "An die Freude" Werke von weltliterarischer Ausstrahlung. Im Jahre 1787 folgte er der Einladung einer Weimarer Hofdame in die thüringische Residenz; 1789 wurde er zum Professor für Geschichte an die nahe Jenaer Universität berufen.

Während die Dichterbündnisse des Sturm und Drangs zerfielen und die meisten Schriftsteller zu Einzelgängern wurden, formulierten Goethe und Schiller in Weimar und Jena ihr klassisches Kunstprogramm. Sie sahen in der Wirkung von Kunst und Literatur eine erzieherische Kraft, die das Menschengeschlecht ständig vervollkommnet und einem bürgerlichen Humanismus auch ohne Revolution zum Siege verhelfen kann. Dabei spielten antike Modelle ebenso eine Rolle wie ein hochentwickeltes literarisches Formbewußtsein. Goethes Gedicht "Das Göttliche" und "Das Ideal und das Leben" von Schiller sind Ausdruck dieses klassischen Humanitätsideals. Doch erst 1794 kam es in Jena zwischen beiden Dichtern zu einer persönlichen und geistigen Annäherung, aus der sich ein bis zum Tode Schillers währendes Arbeitsbündnis entwickelte. Mitte der neunziger Jahre überwand Schiller die tiefe Schaffenskrise, in die er nach der Arbeit am "Don Carlos" geraten war. Die in Jena entstandene "Wallenstein"-Trilogie und die Schauspiele "Maria Stuart" und "Wilhelm Tell" sind für die klassische Konzeption des Dichters ein gültiger Ausdruck. Auf Drängen Schillers hatte Goethe die seit den siebziger Jahren ruhende Arbeit an "Faust" wieder aufgenommen; 1808 legte er den ersten Teil vor. Mit dem Roman "Wilhelm Meisters Lehrjahre" gelang ihm der bedeutendste Entwicklungsroman der deutschen Klassik.

Der Aufstieg Weimars zum Mittelpunkt der deutschen Klassik hatte sich vor dem Hintergrund gewaltiger politischer Veränderungen vollzogen. Der Sieg der bürgerlichen Klasse in der Revolution in Frankreich bewirkte in Deutschland vor allem Wandlungen auf geistigem Gebiet, was auch die Politisierung der Literatur mit einschloß. Die von einem jakobinischen Gestus getragenen Reiseschilderungen Georg Forsters sind dafür beispielgebend. Wie dieser hielt sich der republikanisch-oppositionelle Publizist Georg Friedrich Rebmann in der französischen Hauptstadt auf. Einem ähnlichen demokratischen Geist sind die Reiseschriften Johann Gottfried Seumes verpflichtet. Ebenso tragen Klopstocks späte Oden ("Sie, und nicht wir") und Herders geschichtsphilosophische "Briefe zur Beförderung der Humanität" den Zeitereignissen Rechnung. Dessen ungeachtet beherrschte eine seichte Unterhaltungsliteratur den immer größer werdenden Buchmarkt: Der Weimarer Bibliothekar Christian August Vulpius wurde zum meistgelesenen Romanautor, die Stücke des ebenfalls aus Weimar stammenden August von Kotzebue gehörten zu den vielgespielten. Den klassischen Werken Goethes und Schillers blieben die großen Publikumserfolge meist versagt. Einzig dem Außenseiter unter den Schriftstellern, Jean Paul, gelang es, mit seinen humorvollen Romanen breite Leserschichten zu gewinnen. Sein Werk läßt sich keiner Strömung, weder der

J. W. v. Goethe   Theodor Fontane   Gerhart Hauptmann

klassischen noch der aufkommenden romantischen, zuordnen. Eine ähnliche Stellung nimmt nur noch das Werk Friedrich Hölderlins ein. Wie kaum ein anderer Dichter vermochte er es, die gravierenden Widersprüche der Epoche in an griechische Vorbilder erinnernde, freirhythmisch gestaltete Hymnen sowie in dem elegischen Briefroman "Hyperion" zu gestalten. Mitte der neunziger Jahre lebte der aus Schwaben stammende Dichter als Hauslehrer in Jena und versuchte vergeblich, die Anerkennung der Klassiker zu erhalten. Dennoch empfing er hier die entscheidenden Bildungsimpulse seines Lebens. Er starb, zerbrochen an den widrigen Zeitverhältnissen, in geistiger Umnachtung.

Klassik und Romantik (Fortsetzung)

Die Brüder August Wilhelm und Friedrich Schlegel waren mit ihren Frauen die Initiatoren des frühromantischen Jenaer Dichterkreises, dem sich auch der in Weißenfels lebende Novalis und der Berliner Ludwig Tieck anschlossen. Die Zeitgenossen empfanden die Romantik von Anfang an als Gegenstück zur Weimarer Klassik, auch wenn Goethe – im Unterschied zu Schiller – dieser Bewegung anfangs mit Wohlwollen begegnete. Die Romantiker gehörten zu den deutschen Dichtern, die der Französischen Revolution am längsten die Treue hielten. Früher als andere erkannten sie jedoch, daß auch in der aufkommenden bürgerlichen Gesellschaft die erwartete Menschheitsbefreiung ausbleiben mußte; und so richtete sich ihr Haß zwangsläufig gegen die sich immer mehr ausbreitende kapitalistische Entwicklung. In ihrer literarisch-kritischen Zeitschrift "Athenäum" formulierten sie ihre ästhetischen Grundpositionen. Doch so schnell sich der Jenaer Kreis zusammengefunden hatte – der Lyriker Clemens Brentano und der Philosoph Friedrich Wilhelm Joseph Schelling hatten sich noch dazugesellt – zerbrach er auch wieder. Nach 1800 entwickelten sich Berlin und Heidelberg, zeitweise auch Dresden und Halle (Saale) zu Zentren dieser Bewegung. Bevor bedeutende Romantiker nach Berlin kamen, wirkte hier mit dem in Frankfurt (Oder) geborenen Offizierssohn Heinrich von Kleist ein Dramatiker und Erzähler mit einer einzigartigen poetischen Kraft. Auch er wurde von den Zeitgenossen kaum verstanden; 1811 verübte er in der Nähe von Berlin Selbstmord. Sein "Zerbrochener Krug" gehört zu den wenigen deutschen Komödien von weltliterarischem Rang. Die Kleistschen Novellen sind mit ihrer Realistik, der Prägnanz ihres Erzählstils Kleinode deutscher Prosakunst. Wie auch die Geschichten des Alemannen Johann Peter Hebel weisen sie weit über ihre Zeit hinaus. Neben Theodor Körner und Ernst Moritz Arndt trat auch Kleist im Vorfeld der Befreiungskriege als patriotischer Liederdichter hervor.

Für die literarische Entwicklung Berlins war das geistige Leben in den Salons der Rahel Levin (Varnhagen von Ense) und der Henriette Herz von großem Gewicht. Später verkehrten dort der politisch engagierte Kritiker

Literaturgeschichte

Klassik
und Romantik
(Fortsetzung)

Ludwig Börner und der mit romantischen Gedichten debütierende Heinrich Heine. Die Berliner Romantiker waren vor allem Prosaiker: Mit Friedrich de la Motte-Fouques "Undine" und Adelbert von Chamissos "Peter Schlemihl" entstanden bis in unsere Zeit wirksame Kunstmärchen. Der bedeutendste romantische Erzähler war E. T. A. Hoffmann, dessen wundersame Novellen ("Klein Zaches", "Meister Floh") zwischen Wirklichkeit und Phantastik angesiedelt sind. Mit dem Roman "Lebensansichten des Katers Murr" erwies er sich als zeitkritischer Satiriker. Der lange Zeit im preußischen Staatsdienst stehende Hoffmann war auch ein begabter Komponist und ein beachteter Maler. Herders Spuren folgend, sammelten Clemens Brentano und Achim von Arnim deutsche Volkslieder und veröffentlichten sie unter dem Titel "Des Knaben Wunderhorn". Die Brüder Jacob und Wilhelm Grimm gaben Märchen und Sagen heraus, in denen Phantasie und Klugheit des Volkes zum Ausdruck kommen. Wesentlich war auch ihr Beitrag zur Entwicklung der Germanistik. Zeilen wie "Es war, als hätt der Himmel die Erde still geküßt" ("Mondnacht") und "Es schienen so golden die Sterne" ("Sehnsucht") sind beispielhaft für die einfühlsam gestaltete Naturlyrik des Joseph von Eichendorff. Ebenso bekannt wurden die volksliedhaften Gedichte Wilhelm Müllers ("Am Brunnen vor dem Tore").

Während sich die Romantik in den zwanziger Jahren als europäische Kunstrichtung in Dichtung, Malerei und Musik durchsetzte, verblieb Goethe auf klassischen Positionen. Im Jahre 1831 vollendete er den zweiten Teil seiner "Faust"-Tragödie. Mit dem Erkenntnisdrang der Titelfigur fragt Goethe nach den Entwicklungsmöglichkeiten der menschlichen Gesellschaft; seine Antwort verknüpft er eng mit den geschichtlichen Erfahrungen seines an weltpolitischen Ereignissen so reichen Zeitalters.

19. Jahrhundert

Die infolge der französischen Julirevolution 1830 im Aufschwung begriffene demokratische Bewegung hatte in den dreißiger Jahren besonders die Intelligenz erfaßt. Einige der liberalgesinnten Schriftsteller und Publizisten vereinigten sich in der Bewegung des 'Jungen Deutschland' (u. a. Heinrich Laube und Karl Gutzkow). Doch allein Georg Büchner, dessen politische Flugschrift "Der hessische Landbote" die bezeichnende Losung "Friede den Hütten! Krieg den Palästen!" trägt, war auf revolutionäre Veränderungen aus. In nur knapp vier Jahren schuf er mit den Dramen "Dantons Tod" und "Woyzeck" weit in die Zukunft weisende Werke.
Wie auch die historischen Schauspiele Christian Dietrich Grabbes ("Napoleon und die 100 Tage") nahm sie die Öffentlichkeit kaum zur Kenntnis. Beide Dichter gehören zusammen mit Friedrich Hebbel ("Maria Magdalene") zu den bedeutendsten deutschen Dramatikern des 19. Jahrhunderts. Namhafte Lyriker waren Ludwig Uhland, August Graf von Platen und Annette von Droste-Hülshoff.

Zu den 'Achtundvierzigern', deren literarisches Werk der bürgerlich-demokratischen Revolution von 1848/1849 unmittelbar vorausging, gehörten Heinrich Hoffmann v. Fallersleben ("Unpolitische Lieder"), Georg Herwegh ("Gedichte eines Lebendigen") und Ferdinand Freiligrath ("Ça ira!"). Eine unerschrockene Kämpferin für den sozialen Fortschritt im Berlin des Vormärz war Bettina von Arnim. Die literarische Szene in dieser Stadt beherrschte jedoch Adolf Glaßbrenner, der mit seinen Possen, Versen und Geschichtchen – oft in Berliner Mundart – den Versuch unternahm, die von den Rührstücken Louis Angelys und Karl von Holteis beherrschten Vorstadtbühnen zu politisieren.

Einen Höhepunkt in der deutschen Literatur des 19. Jahrhunderts stellt das Werk Heinrich Heines dar. Das noch der Romantik verpflichtete "Buch der Lieder" gehört zu seinen erfolgreichsten Gedichtsammlungen. Mit den "Reisebildern", einer Mischung aus Feuilleton, Reportage und Reisetagebuch, schuf er eine neuartige künstlerisch-publizistische Prosa. Die "Harzreise" verknüpft lyrische Naturbilder und poetisierende Umweltbeschreibungen mit beißender Zeitsatire. Nach seiner Übersiedlung nach Paris (1831) schrieb Heine seine aggressivsten politischen Verse. Mit dem Gedicht "Die schlesischen Weber" reagierte er unmittelbar auf die erste Erhebung des deutschen Proletariats. Im gleichen Jahr entstand das große politische Poem "Deutschland – ein Wintermärchen". In dem nach der Niederlage der Revolution verfaßten Gedichtzyklus "Romanzero" setzte er sein persönliches tragisches Schicksal zu den großen Menschheitsfragen in Beziehung.

Die Anfänge der sozialistischen deutschen Literatur sind verknüpft mit dem Werk Georg Weerths; in den "Liedern aus Lancashire" verleiht der mit Marx und Engels befreundete Dichter erstmals dem kampfbereiten Proletariat poetischen Ausdruck. Marx und Engels selbst verfolgten die zeitgenössische Literatur kritisch und beeinflußten die Herausbildung einer materialistisch orientierten Literaturtheorie nachhaltig.

Nach 1848/1849 ging im geistigen Leben ein tiefgreifender Wandel vor sich. Das Scheitern der Hoffnungen und Illusionen des demokratisch orientierten Bürgertums ebnete einer nationalistischen Literatur den Weg. Einher mit diesem Prozeß ging die Herausbildung einer massenwirksamen Trivialliteratur. Die Schriftstellerin Eugenie John, genannt Marlitt, ist zum Inbegriff wirklichkeitsverschönernder Illusionsliteratur geworden. Noch erfolgreicher waren die kitschigen Bücher der Hedwig Courths-Mahler. Die differenzierter zu betrachtenden Reise- und Abenteuerbücher des Sachsen Karl May fanden einen breiten Leserkreis. Schon in der ersten Jahrhunderthälfte ermöglichten die neuen Drucktechniken die Massenproduktion von reich bebilderten Büchern und Bildserien, was vor allem die Herausbildung einer Kinderliteratur begünstigte. In der Tradition der beliebten "Neuruppiner Bilderbogen" steht das weit vielfältigere Werk des Maler-Dichters Wilhelm Busch ("Max und Moritz").

An der Wende von der Romantik zum kritischen Realismus standen die Romane Karl Immermanns und Otto Ludwigs. Die ersten realistischen deutschen Geschichtsromane verfaßte Wilhelm Alexis. Die Mehrheit der demokratischen Schriftsteller verblieb auf kleinbürgerlichen, teilweise völlig entpolitisierten Positionen. Vor diesem Hintergrund kam die Novelle zu einem Höhepunkt ihrer Entwicklung; Theodor Storm ist ihr bedeutendster Meister ("Immensee", "Der Schimmelreiter"). Zusammen mit Eduard Mörike gehört er auch zu den großen lyrischen Begabungen der zweiten Hälfte des 19. Jahrhunderts. Verdienste um den realistischen Gesellschaftsroman erwarb sich Wilhelm Raabe ("Abu Telfan"). Berühmt wurde er bereits mit seinem Erstlingswerk, dem Berlin-Roman "Die Chronik der Sperlingsgasse". Die Novellen des Schweizers Gottfried Keller ("Die Leute aus Seldwyla") setzen sich wie die zeitgenössische westeuropäische und russische Prosaliteratur mit der gesellschaftlichen Wirklichkeit auseinander. Sein autobiographisch gefärbter Künstlerroman "Der grüne Heinrich" stellt die Frage nach der politischen Mitverantwortung des einzelnen.

Auffällig ist, daß fast alle Prosaiker des 19. Jahrhunderts landschaftsgebunden waren; so ist es nicht verwunderlich, daß gerade in dieser Zeit mit dem Werk des Mecklenburgers Fritz Reuter ("Kein Hüsung", "Ut mine Stromtid") die niederdeutsche Mundart literaturfähig wurde. John Grinckman und Klaus Groth folgten ihm.

Fritz-Reuter-
Denkmal (Detail)
in Stavenhagen

<table>
<tr><td>

19. Jahrhundert
(Fortsetzung)

</td><td>

In die zweite Jahrhunderthälfte fiel auch die Wiedergeburt der sorbischen Literatur in der Ober- und Niederlausitz, die mit Handrij Zejler und Jakub Bart-Ćišinski bedeutende Schriftsteller hervorbrachte.

Von weltliterarischer Wirksamkeit ist das späte epische Werk Theodor Fontanes, der wie kaum ein anderer Schriftsteller seiner Zeit mit dem Aufstieg Berlins zur Weltstadt verbunden ist. Mit den liebevoll-kritischen Reisebänden "Wanderungen durch die Mark Brandenburg" bereitete er das Romanschaffen der letzten Lebensjahrzehnte vor. Die Stoffe entnahm er entweder der preußischen Geschichte ("Schach von Wuthenow") oder dem aristokratischen Berliner Alltag der Gründerjahre ("Frau Jenny Treibel"). Mit "Effi Briest" verdeutlicht er die Fragwürdigkeit der bestehenden Gesellschaftsnormen am Beispiel eines Ehekonfliktes. Sein wohl 'märkischster' Roman und zugleich sein philosophisches Testament ist "Der Stechlin". Mit Fontane fand der deutsche Gesellschaftsroman wieder Anschluß an die europäische Entwicklung. Fontane war es auch als einzigem bürgerlichen Realisten möglich, die sich Anfang der achtziger Jahre zu Wort meldende junge Dichtergeneration der Naturalisten anzuerkennen. In ihrem Werk spiegeln sich die Veränderungen der auf den Imperialismus zusteuernden Gesellschaft wider. Die Dramen von Arno Holz, Max Halbe und Johannes Schlaf gaben dem Naturalismus entscheidende Impulse. Das Werk des jungen Gerhart Hauptmann gilt bereits als ein Höhepunkt dieser Bewegung. In Erkner bei Berlin, wohin Hauptmann nach seinen Studien in Jena und Dresden übergesiedelt war, entstanden die Novelle "Bahnwärter Thiel" und die Komödie "Der Biberpelz".
Berlin hatte sich in den achtziger Jahren zum Zentrum des Naturalismus entwickelt. Hier wirkten mit dem Theaterleiter Otto Brahm, dem marxistischen Literaturkritiker Franz Mehring und dem an Darwin orientierten Naturphilosophen Wilhelm Bölsche die wichtigsten Förderer der naturalistischen Autoren. Letzterer gehörte neben Bruno Wille, den Brüdern Hart und dem Lyriker Peter Hille zum bohèmehaften Friedrichshagener Dichterkreis.

</td></tr>
<tr><td>

Erstes Drittel des
20. Jahrhunderts

</td><td>

Die gesellschaftliche Entwicklung um die Jahrhundertwende zeigte sich für viele Schriftsteller als ein undurchschaubarer Prozeß. Eine der Folgen war ein Rückzug in eine 'neue' Innerlichkeit, deren zeittypisches Ausdrucksfeld die Lyrik war. Die sensiblen, an die Grenzen des poetisch Sagbaren vorstoßenden monologisch gebauten Gedichte Rainer Maria Rilkes wurden zu einem Höhepunkt der spätbürgerlichen Lyrikentwicklung ("Duineser Elegien", "Sonette an Orpheus").

Mehr an der Wirklichkeit orientiert waren die Romandebüts der Lübecker Senatorensöhne Heinrich und Thomas Mann. In seinem Buch "Im Schlaraffenland" zeigte Heinrich Mann am Beispiel des Berliner Börsenlebens den Fäulnischarakter der Wilhelminischen Gesellschaft. Einen noch schärferen satirischen Zuschnitt hatten die Romane "Professor Unrat" und "Der Untertan". Thomas Mann verfolgte in den "Buddenbrooks" den Verfall des deutschen Bürgertums mit psychologischem Gespür. In den Novellen "Tristan" und "Der Tod in Venedig" verwies er auf den Konflikt zwischen Künstler und bürgerlicher Umwelt.

Neben München, wo u. a. der Dramatiker Frank Wedekind lebte, war um die Jahrhundertwende vor allem Berlin mit seinem Theater- und Kabarettleben das bestimmende literarische Zentrum Deutschlands. Hier wirkte auch der Kabarettdichter Joachim Ringelnatz. In beiden Weltstädten formierte sich um 1910 der Expressionismus. Radikaler als der Naturalismus wandte er sich mit seinen alternativen Lebens- und Kunstvorstellungen gegen die überkommenen bürgerlichen Konventionen. In dynamischer Weise reagierte die junge Dichtergeneration auf die sich ständig verschärfende Weltlage und die zunehmende Entfremdung des Menschen. Weltkrise, Weltkrieg und Weltrevolution wurden die bestimmenden Metaphern ihrer neuartigen Dichtung. Das erste expressionistische Drama schrieb der

</td></tr>
</table>

in Jena lebende Reinhard Johannes Sorge ("Der Bettler"). Bis heute wirksam sind die Stücke von Carl Sternheim ("Die Hose") und Georg Kaiser ("Von morgens bis mitternachts"). Zu den bedeutendsten Lyrikern des Expressionismus gehörten Jakob van Hoddis, Georg Heym und vor allem der Österreicher Georg Trakl.

Erstes Drittel des 20. Jahrhunderts (Fortsetzung)

Unter dem Eindruck der Niederlage der Arbeiterklasse in der Novemberrevolution formierte sich in den zwanziger Jahren eine proletarisch-revolutionäre Literatur. Mit dem in Berlin gegründeten Bund proletarisch-revolutionärer Schriftsteller hatte sich diese Bewegung ein ideologisches Zentrum geschaffen. Zu den führenden Mitgliedern zählten Johannes R. Becher und Erich Weinert, die beide aus bürgerlichen Verhältnissen stammten. Becher hatte sich, wenn auch nicht ohne Widersprüche, von einem bedeutenden expressionistischen Lyriker zum sozialistischen Autor entwickelt. Ähnlich verlief der Werdegang des Dramatikers Friedrich Wolf. Weinert hatte sich als Kabarettist versucht, ehe er der bedeutendste politische Sprechdichter der Weimarer Republik wurde. Zunehmend stießen aber auch Autoren aus der Arbeiterklasse zum Bund: Der Jenaer Zeißarbeiter Kurt Kläber verfaßte die ersten proletarischen Kurzgeschichten und der in der Industriestadt Merseburg wirkende Walter Bauer dokumentierte das Leben der mitteldeutschen Arbeiter. In den Romanen von Karl Grünberg, Willi Bredel und Hans Marchwitza nahm der Kampf des Proletariats literarische Gestalt an.

Zeitweilig standen der sich entfaltenden proletarisch-revolutionären Literatur auch bürgerliche Autoren nahe: so der Berliner Satiriker und Autor der heiter-ironischen Erzählung "Rheinsberg" Kurt Tucholsky und der bayerische Volksschriftsteller Oskar Maria Graf ("Kalendergeschichten").

In der literarischen Auseinandersetzung mit dem Weltkriegsthema überzeugten vor allem linksbürgerliche Autoren: Arnold Zweig schrieb den großangelegten Romanzyklus "Der große Krieg der weißen Männer"; der ehemalige adlige Offizier Ludwig Renn gestaltete im Roman "Krieg" die barbarische Wirklichkeit aus der Sicht des einfachen Soldaten; das erfolgreichste Antikriegsbuch war jedoch "Im Westen nichts Neues" von Erich Maria Remarque. Zu den berühmten Romanciers gehörten auch Lion Feuchtwanger ("Erfolg") und Alfred Döblin, dessen "Berlin – Alexanderplatz" eine neue epische Erzählweise erfolgreich erprobte. Ein bedeutender Beitrag der spätbürgerlichen Literatur ist das unvollendet gebliebene Werk des Pragers Franz Kafka. Seine Erzählungen ("Die Verwandlung") und Romane ("Der Prozeß") verdeutlichen die tiefen Widersprüche innerhalb der bürgerlichen Gesellschaft.

Anfang der zwanziger Jahre kam Bertolt Brecht nach Berlin. Die erfolgreiche Uraufführung der "Dreigroschenoper" machte den anfangs gescholtenen Schriftsteller in ganz Europa bekannt. In Berlin fand Brecht Zugang zum Marxismus und entwickelte mit der Lehrstücktheorie eine auf gesellschaftliche Veränderungen bedachte Theaterkonzeption ("Die Mutter").

Nach dem von den Nationalsozialisten angezettelten Reichstagsbrand begann für die Mehrheit der deutschen Schriftsteller das Exil. Die Bücherverbrennung am 10. Mai 1933 auf dem Berliner Opernplatz machte deutlich, daß für das Werk humanistischer Schriftsteller im sog. Dritten Reich kein Platz mehr war. Der den Kommunisten nahestehende radikale Publizist und massenwirksame politische Lyriker Erich Mühsam gehörte zu den ersten Schriftstellern, die von den nationalsozialistischen Machthabern in einem Konzentrationslager ermordet wurden. Die ersten literarischen Sachzeugen des Terrors waren Bücher von Bredel ("Die Prüfung"), Wolfgang Langhoff ("Die Moorsoldaten") und Jan Petersen ("Unsere Straße"). Weltweite Wirkungen gingen von Friedrich Wolfs Schauspiel "Professor Mamlock" aus, das der Dichter unter dem unmittelbaren Eindruck der 'Machtübernahme' in den ersten Monaten des Exils verfaßt hatte.

Schriftsteller im nationalsozialistischen Dritten Reich

Die offizielle Literatur in Deutschland wurde vor allem von den nationalsozialistischen Parteigängern bestimmt. Die wenigen im Lande verbliebenen großen Schriftsteller hatten Schreibverbot oder waren in ihrer
Wirkung erheblich eingeschränkt. Zu ihnen gehörten der greise Gerhart
Hauptmann und die in Jena zurückgezogen lebende Erzählerin und Histo-
rikerin Ricarda Huch. Ehm Welk erhielt nach seiner Haftentlassung die
Erlaubnis, 'unpolitische' Bücher zu schreiben: So konnte mit den "Heiden
von Kummerow" noch ein bedeutendes Werk in Deutschland erscheinen.

Ein ähnliches Schicksal traf auch die Bücher von Hans Fallada, der kurz
vor dem Machtantritt der Nationalsozialisten mit dem in der Weltwirt-
schaftskrise spielenden Roman "Kleiner Mann – was nun?" berühmt geworden war. Viele der emigrierten Schriftsteller wandten sich in ihren
Büchern der Historie zu, um sich parabelhaft den Fragen der Gegenwart zu
stellen. Heinrich Mann entwickelte sich in den "Henri Quatre"-Romanen
und in seiner Essayistik zu einem streitbaren Humanisten und Bundes-
genossen der Kommunisten. Thomas Mann legte mit dem Goethe-Roman
"Lotte in Weimar" ein Bekenntnis zum Humanitätsideal der deutschen
Klassik ab. Mit dem schon nach dem Zweiten Weltkrieg erschienenen
Roman "Doktor Faustus" unternahm er den Versuch einer umfassenden
Epochenbilanz. Auch Becher hielt im Moskauer Exil Rückschau. In dem
lyrischen Sammelband "Der Glücksucher und die sieben Lasten" bekennt
sich der Dichter zu seiner deutschen Heimat, der er eine blühende Zukunft
voraussagt. Brecht, mehr als andere Dichter durch die Exilländer getrieben
(Skandinavien, USA), erreichte Ende der dreißiger Jahre den Gipfelpunkt
seiner schriftstellerischen Entwicklung. Auch Anna Seghers, schon in der
Weimarer Republik mit beachteten Erzählungen hervorgetreten, gelang in
diesen Jahren ein weltliterarischer Wurf: Mit dem Roman "Das siebte
Kreuz" zeichnete sie ein realistisches Bild der Menschen unter der faschi-
stischen Diktatur, und in dem Roman "Transit" erfaßte sie die zermürbende
Wirkung der Emigration mit psychologischem Feingefühl.

Literatur der Nachkriegszeit

Nach der Zerschlagung der nationalsozialistischen Gewaltherrschaft
schien es um so notwendiger, die Literatur für die humanistische Erneuerung der deutschen Nation einzusetzen. Mit der Spaltung Deutschlands in
den endvierziger Jahren begannen sich unter den jeweils verschiedenen
gesellschaftlichen Bedingungen zwei deutsche Literaturen herauszu-
bilden. Für das sich rasch entfaltende literarische Leben in der Sowjetischen Besatzungszone Deutschlands war es von besonderem Gewicht,
daß ein beträchtlicher Teil der namhaften exilierten Autoren in diesen östlichen Teil Deutschlands zurückkehrte. Johannes R. Becher, Erich Weinert,
Anna Seghers, Stefan Zweig und Bert Brecht lebten fortan in Berlin.

Berlin (Ost) entwickelte sich schnell zum literarischen Mittelpunkt des
Landes. Brecht gründete hier mit dem 'Berliner Ensemble' sein eigenes
Theater, an dem er seine im Exil entstandenen Stücke ("Mutter Courage
und ihre Kinder", "Der kaukasische Kreidekreis") auf 'epische' Weise auf-
führen konnte. Dem jungen Theater der DDR verhalf er durch seine damals
noch umstrittenen Inszenierungen zu weltweiter Anerkennung. Die Debatten, die er u. a. auch mit Christa Wolf führte, zeugen einerseits von
einem eingeengten Realismusverständnis der offiziellen Kulturpolitik,
belegen andererseits aber auch einen produktiven, unter Intellektuellen
geführten Meinungsstreit. Von Bedeutung für die Kunst- und Literatent-
wicklung waren in diesen Anfangsjahren die Auseinandersetzungen über
Probleme der Literatur und der Literaturtheorie. Sie förderten die Einsicht
in das Wesen und die Funktion einer kämpferisch verstandenen sozia-
listisch-realistischen Literatur.
Mit den eigens für das deutsche Nachkriegspublikum zusammenge-
stellten "Kalendergeschichten" gab sich Brecht auch als ein bedeutender

Prosaautor und Lyriker zu erkennen. Die in seinem Sommerhaus bei Berlin entstandenen "Buckower Elegien" zeigen ihn als feinfühligen Gedichteschreiber und scharfen Beobachter der sozialistischen Entwicklung. Becher, unmittelbar nach Kriegsende aus dem sowjetischen Exil heimgekehrt, griff wie kaum ein anderer Schriftsteller in die kulturelle Umgestaltung des Landes ein: Er gehörte zu den Begründern des Kulturbundes und des Aufbau-Verlages, seit 1954 war er der erste Kulturminister der DDR. Dieses weitgefächerte Engagement spiegelte sich in seinem umfangreichen poetischen und essayistischen Werk wider.

Eduard Claudius' Roman "Menschen an unserer Seite", eines der ersten Werke einer eigenständigen DDR-Literatur, gewährt Einblicke in die Schwierigkeiten des wirtschaftlichen Neubeginns. Vom sich entwickelnden geschichtlichen Selbstbewußtsein der Arbeiterklasse handeln auch die Bücher von Bredel, Marchwitza und Otto Gotsche, Brechts Einfluß belegen die epischen Strukturen in Stücken Erwin Strittmatters ("Katzgraben") und Helmut Baierls ("Frau Flinz"); und die Anfänge von Peter Hacks ("Columbus") und Heiner Müller ("Der Lohndrücker") sind nur aus einem solchen Umfeld heraus verständlich. Frühzeitig einen eigenen Weg beschritt der Dramatiker Alfred Matusche. Vor allem das Pathos der Lyrik jener Anfangsjahre läßt den Enthusiasmus bei der revolutionären Umgestaltung noch heute nachempfinden. Wilhelm Tkaczyk, Hans Lorbeer, Max Zimmering und Kurt Barthel (KuBa) knüpften in ihren Gedichten an die proletarische Tradition der zwanziger Jahre an.

Sowohl kämpferische Lieder als auch leise gestimmte Naturgedichte schrieb der von Prag nach Weimar übergesiedelte Louis Fürnberg. Zu den herausragenden Leistungen der deutschen Nachkriegslyrik gehört das schmale, in märkischer Landschaft angesiedelte Werk Peter Huchels. Natur und Mythologie verschmelzen in den Gedichten des aus dem lateinamerikanischen Exil zurückgekehrten Erich Arendt zu einer symbolträchtigen Einheit. Von gleichfalls großer Wirksamkeit erwiesen sich die an klassischen Mustern geschulten und philosophisch ausgerichteten lyrischen Texte des in Leipzig lebenden Georg Maurer. In die Reihe der großen poetischen Leistungen der Anfangsjahre gehören auch die Gedichte des einer jüngeren Generation angehörenden Stephan Hermlin, in denen sich klassische Formen mit der Ausdruckskraft der Moderne verbinden. Auf kulturpolitischem Gebiet und als Nachdichter verstand sich Hermlin von Anfang an als ein Mittler zwischen den europäischen Literaturen. Anna Seghers gelang es, mit dem drei Jahrzehnte umspannenden Gesellschaftsroman "Die Toten bleiben jung" den Verlauf deutscher Geschichte kritisch zu befragen und das Schicksal der handelnden Personen mit dem politischen Neuanfang zu verknüpfen. In Erzählungen und zwei weiteren Romanen stellte sie sich unmittelbar den Fragen der Gegenwart. Weltweite Wirkung ging noch einmal von ihrem Spätwerk ("Karibische Geschichten", "Sonderbare Begegnungen") aus. Zu einem Geschichtenerzähler von großer Originalität und beeindruckender Sprachkraft entwickelte sich seit den fünfziger Jahren der aus der Niederlausitz stammende Erwin Strittmatter. In dem frühen Roman "Tinko" wird der Nachkriegsalltag aus dem Blickwinkel eines Dorfjungen erzählt und in dem ebenfalls in ländlichem Milieu spielenden "Ole Bienkopp" wird die Lebensgeschichte eines Außenseiters verknüpft mit dem schöpferischen Lebensanspruch des einzelnen. Weitreichende Wirkungen gingen auch von Strittmatters einfühlsamer Kurzprosa, vor allem aber von seiner Roman-Trilogie "Der Wundertäter" und dem jüngsten Roman "Der Laden" aus.

Eines der erfolgreichsten Werke der DDR-Literatur ist der Roman "Nackt unter Wölfen" von Bruno Apitz. Das in dreißig Sprachen übersetzte Buch über das authentische Schicksal des 'Buchenwaldkindes' war ein Beitrag zur moralischen Bewältigung der Vergangenheit. Auch der Verfasser meisterhafter Anekdoten F.C. Weiskopf, die Erzähler Bodo Uhse und Dieter Noll ("Die Abenteuer des Werner Holt") sowie Hedda Zinner und

Peter Edel leisteten dazu ihren Beitrag. Die Aussöhnung mit den ost-
europäischen Völkern wurde zum 'Generalthema' des früh verstorbenen,
aus Ostpreußen stammenden Johannes Bobrowski. Sein aus Romanen
("Lewins Mühle", "Litauische Claviere"), Erzählungen ("Boehlendorff und
Mäusefest") und Gedichten bestehendes Werk gehört zu den großen stili-
stischen Leistungen der jüngeren deutschsprachigen Literatur, die welt-
weit ausstrahlten. Bedeutend und vielfältig war auch das Schaffen Franz
Fühmanns. Die geistig-moralische Wandlung einer durch den Nationalsozialismus irregeleiteten Jugend ist die thematische Grundorientierung
seiner Erzählungen ("Kameraden", "Das Judenauto"). Fühmann trat aber
auch als einfühlsamer Nachdichter, philosophisch-nachdenklicher Essay-
ist ("Zweiundzwanzig Tage") und meisterhafter Nacherzähler von Stoffen
der Weltliteratur hervor, womit er besonders der Kinderliteratur neue Bereiche erschloß.

Die aus dem Exil heimgekehrten Schriftstellerinnen Alex Wedding und
Auguste Lazar hatten der Kinderliteratur der DDR bereits in den fünfziger
Jahren zu internationaler Anerkennung verholfen. Liselotte Welskopf-
Henrich knüpfte an das traditionsreiche Genre der Indianererzählung an
und Willi Meinck verhalf der Reiseerzählung zu neuem Ansehen. Benno
Pludra ("Tambari"), Gerhard Holtz-Baumert ("Alfons Zitterbacke") und Uwe
Kant ("Das Klassenfest") brachten Alltagserfahrungen in die Kinderliteratur
ein. Günter Görlich schrieb Jugendbücher von großer Emotionalität und
Wirkung ("Den Wolken ein Stück näher"). Einen Aufschwung nahm auch
die sorbischsprachige Literatur: Jurij Brežans weltanschaulich anspruchsvoller Roman "Krabat" verarbeitet sorbische Mythen und setzt sie in Bezug
zu allgemeinen Fragen der Menschheitsentwicklung. Ein sorbischer Lyriker von Rang ist Kito Lorenc.

Mit den frühen sechziger Jahren ist in der Entwicklung der Literatur der
DDR eine Zäsur festzumachen. Weite und Vielfalt in Themenwahl und
Schreibweise hatten sich endgültig durchgesetzt. Hermann Kant legte mit
dem Buch "Die Aula" den Roman einer ganzen Generation von Intellektuellen vor: Er befragte die eigene Vergangenheit kritisch und probierte neue
Formen des Erzählens. Christa Wolfs vieldiskutierte Erzählung "Der ge-
teilte Himmel" stellte junge Menschen in die Entscheidungssituation des
Jahres 1961. Erik Neutsch brachte mit seinem umfänglichen Roman "Spur
der Steine" eine wirklichkeitsnahe Sicht auf die Arbeiterklasse in die
Diskussion ein. Die wichtige Rolle der Persönlichkeit wurde in den Büchern
von Günter de Bruyn ("Buridans Esel"), Brigitte Reimann ("Franziska
Linkerhand"), Irmtraud Morgner ("Trobadora Beatriz") und Max Walter
Schulz ("Der Soldat und die Frau") auf ihre Qualität hin untersucht. Impulse
gingen auch von der Gestaltung historischer Stoffe aus: Stefan Heym,
Johannes Tralow, Rosemarie Schuder, seit den siebziger Jahren Waltraud
Lewin. Einen seit den sechziger Jahren wachsenden Beitrag zur Bewältigung der jüngsten Geschichte und bei der Diskussion neuer Alltagserfahrungen leisteten die Werke Eberhard Panitz', Helmut Sakowskis und
Benito Wogatzkis (auch durch das Fernsehen dramatisiert). Auf dem
Gebiet des Hörspiels zeichneten sich Günter Rücker und Wolfang Kohl-
haase aus, beide Autoren traten in den siebziger und achtziger Jahren
auch mit gewichtigen Prosabänden an die Öffentlichkeit. Heinz Knobloch
entwickelte sich zu einem der führenden Feuilletonisten.

Paul Wiens und Günter Kunert haben schon in den fünfziger Jahren die
Lyriklandschaft bereichert; nachhaltig beeinflußten sie eine ganze Generation junger Gedichteschreiber. Neben Karl Mickel, Adolf Endler, Sarah
und Rainer Kirsch entwickelte sich Volker Braun zu ihrem wichtigsten Vertreter. Von Majakowski herkommend, begann er provokativ-liedhaft, fand
aber bald auch zu klassischen, philosophisch ausgerichteten Formen
(Klopstock, Hölderlin). Braun gehörte bald zu den experimentierfreudigen Erzählern und anerkannten Dramatikern ("Der große Frieden"). Während Braun schon früh seine Stoffe in den revolutionären Prozessen des

20. Jahrhunderts fand, entdeckte Heiner Müller in den sechziger Jahren die Antike für sich ("Philoktet") und machte sie für andere Autoren fruchtbar. Müller, der sich zunehmend mit den widerspruchsvollen Prozessen deutscher Geschichte ("Die Schlacht") auseinandersetzte, gehört heute zu den Dramatikern von Weltgeltung. Auf antike Stoffe griff auch Peter Hacks zurück, näherte sich dann aber mehr und mehr einem dem Klassizismus verschriebenen Theater. Den Nerv der jungen Generation der siebziger Jahre traf Ulrich Plenzdorf mit seinem auf Goethe und Salinger zurückgehenden Stück "Die neuen Leiden des jungen W.".

Literaturgeschichte, Nachkriegszeit, DDR-Literatur (Fortsetzung)

In der Prosa kam es in den siebziger Jahren zu einer weltanschaulichästhetisch vertieften Neusicht des antifaschistischen Themas: Die Bücher von Jurek Becker ("Jakob der Lügner"), Helga Schütz ("Vorgeschichten"), Christa Wolf ("Kindheitsmuster"), Hermann Kant ("Der Aufenthalt") und Stephan Hermlin ("Abendlicht") ragen aus einem breiten Spektrum heraus. Diese Sicht auf die Darstellung von Alltags- und Lebenserfahrungen prägte auch neue Werke von Maxie Wander, Herbert Otto, Helga Schubert, Helga Königsdorf, Günter Görlich, Erik Neutsch und Christoph Hein ("Der fremde Freund"). Mit der Erzählung "Kassandra" von Christa Wolf, ein stofflicher Rückgriff auf den griechischen Mythos vom Untergang Trojas, wird die Frage nach der Zukunft der Menschheit im Nuklearzeitalter verbunden mit dem Streben nach weltweitem Frieden.

Theaterleben

Nach den grundlegenden Veränderungen im Bereich der ehemaligen Deutschen Demokratischen Republik infolge der friedlichen Revolution im Herbst 1989, des am 3. Oktober 1990 erfolgten Beitritts zur Bundesrepublik Deutschland und der Neugliederung in Länder am 14. Oktober 1990 wird sich auch die Theaterlandschaft im östlichen Teil Deutschlands erheblich verändern.

Vorbemerkung

Da es dennoch von Interesse sein dürfte, welche Theateraktivitäten bisher dort zu finden waren, werden diese im folgenden – sozusagen rückblickend – umrissen, wobei zuweilen noch auf die im Jahre 1952 verfügte Verwaltungsgliederung in 'Bezirke' Bezug genommen ist; ihre Lage und Gestalt zeigt die Übersichtskarte auf Seite 10 dieses Reiseführers.

Die einstige Deutsche Demokratische Republik zählte mit 68 Theatern (darunter 49 Schauspielensembles, 42 Musiktheaterensembles, 30 Ballettensembles und 18 Puppentheaterensembles) zu den theaterreichsten Ländern Europas. Nahezu 28 000 Vorstellungen wurden jährlich in den 89 Theaterhäusern, auf den rund 80 Spielstätten und an den über 350 regelmäßigen Gastspielorten – einschließlich der über 20 Freilicht- und Naturtheater – gespielt. Diese Aufführungen wurden alljährlich von rund zehn Millionen Zuschauern besucht.

Allgemeines

Das Spielplanangebot der Theater des Landes war recht vielseitig und umfaßte in einer Spielzeit rund 2 000 Inszenierungen – Opern, Operetten, Musicals, Schauspiele, Stücke für Kinder und Jugendliche, Ballettwerke und Puppenspiele.

Trotz der großen Zahl von Theatern und Spielstätten war vor allem für Bürger in den nördlichen Regionen ein Theaterbesuch nicht immer ohne größere Anfahrtswege möglich. Die Verteilung der Theaterstandorte war ungleichmäßig und wies eine große Konzentration im südlichen Sachsen und Thüringen aus. Die Ursachen dafür liegen nicht zuletzt in der deutschen Kleinstaaterei früherer Jahrhunderte und im Ehrgeiz des Adels, eigene Hoftheater in ihren Residenzen zu erbauen und zu erhalten. Neben den noch nicht überwundenen Standortkonzentrationen haben diese Entwicklungen aber auch eine große Zahl zum Teil architektonisch wertvoller Theaterbauten nicht nur in Dresden oder Berlin, sondern beispielsweise

Theaterleben

auch in Altenburg, Meiningen, Gera, Weimar, Potsdam, Schwerin oder Neustrelitz 'vererbt'. Dieses Erbe in seiner Schönheit und Funktionsfähigkeit zu erhalten, war ein erklärtes Ziel der sozialistischen Kulturpolitik. Beispiele hierfür sind etwa die rekonstruierten Theaterhäuser in Cottbus, Berlin (Deutsches Theater, Deutsche Staatsoper), Annaberg, Plauen oder Halle (Saale).

Die Verpflichtung zur Erhaltung und Pflege der noch vorhandenen historischen Bausubstanz ergab sich zwangsläufig, wenn man sich die Verluste, die durch den Zweiten Weltkrieg entstanden sind, ins Bewußtsein ruft. Am Kriegsende stand das deutsche Theater im wörtlichen und übertragenen Sinne vor einem Trümmerfeld. Historisch bedeutende Theatergebäude waren in Schutt und Asche gesunken oder schwer beschädigt. Erinnert sei nur an das Dresdener Opernhaus, die Gebäude der Deutschen Staatsoper Berlin, des Deutschen Nationaltheaters in Weimar oder der Berliner Volksbühne. Zu den in ganz Deutschland 1945 total vernichteten 98 Theatergebäuden zählten u.a. das Städtische Schauspielhaus in Potsdam, das Stadttheater in Rostock, das Stadttheater in Frankfurt an der Oder und das Neue Theater in Leipzig.

Der beklagenswerte materielle Verlust für das deutsche Theater ging einher mit der gewaltigen Vernichtung seines geistigen und künstlerischen Potentials durch die nationalsozialistische Gewaltherrschaft.
Der Neubeginn war deshalb zu bewältigen als Erneuerung der geistigen und künstlerischen Substanz und diente gleichzeitig dem Wiederaufbau der materiell-technischen Basis.
Die Sowjetische Militäradministration in Deutschland erteilte den Theatern frühzeitig – in Berlin bereits ab 16. Mai 1945 – wieder Spielerlaubnis. Zahlreiche Theater nahmen unter ausgesprochen provisorischen Bedingungen den Spielbetrieb sofort wieder auf. Unterstützt wurden diese Aktivitäten von den nach Deutschland zurückgekehrten antifaschistischen Theaterschaffenden. In Städten wie Leipzig, Dresden und Berlin wurden die Theater programmatisch mit Lessings "Nathan der Weise" eröffnet.

Neben den bestehenden und sich formierenden Theaterensembles entstanden in kürzester Zeit neue Theatergruppen. Historiker sprechen von einer 'Fieberkurve der Theatereröffnungen und Neugründungen'. Nicht alle neu ins Leben gerufenen Theatergruppen haben bestehen können, manche Tourneegruppe wurde mit einem 'stehenden' Ensemble zu einem leistungsstarken Theater vereint, andere existierten nach wenigen Jahren bereits nicht mehr.

Um historisch überkommene Standortkonzentrationen zu überwinden und um den gesellschaftlichen Entwicklungen bzw. der angestrebten industriellen oder landwirtschaftlichen Bedeutung einiger Gebiete zu entsprechen, wurden nach 1945 neue Theater gegründet. Zu ihnen gehören u.a. das Theater der Bergarbeiter in Senftenberg, das Theater in Anklam und die Sächsischen Landesbühnen.
Als Beispiel sozialistischer Nationalitätenpolitik galt die Vereinigung des deutschen Stadttheaters Bautzen und des sorbischen Berufstheaters zum Deutsch-Sorbischen Volkstheater (1963).

In den ersten Jahren der Erneuerung des Theaters wurden Grundsteine für die Entwicklung eines sozialistischen Nationaltheaters gelegt: In konsequenter Umsetzung der Prinzipien des Ensemblespiels hatte sich eine realistische Darstellungskunst entwickeln können. Mit einem Repertoire, das humanistische und demokratische Positionen berücksichtigte und revolutionäre Entwicklungen förderte, war eine 'geistige Umwandlung' des Zuschauers eingeleitet worden. In ersten Ansätzen konnten neue Besucherschichten gewonnen werden. Die Leistungen und Ergebnisse der Theaterarbeit vergangener Jahrzehnte waren das Fundament der späteren Theaterentwicklung. Diese Erfolge der Vergangenheit sind eng verknüpft mit den Namen großer Künstlerpersönlichkeiten, die dem mitteldeutschen Theater zu seinem ersten Ruhm verhalfen. Zu ihnen gehören Autoren und Publizisten wie Friedrich Wolf, Fritz Erpenbeck, Herbert Jhering, Regisseure und Schauspieler wie Wolfgang Langhoff, Gustav von Wangenheim, Hans Rodenberg, Ernst Busch, Helene Weigel, Erich Engel, Wolfgang Heinz und viele andere.

Situation
und Entwicklung
nach dem
Zweiten Weltkrieg
(Fortsetzung)

Zwei Persönlichkeiten des Theaters im östlichen Teil Deutschlands haben die Entwicklung nach 1945 auf ihren Gebieten jedoch so maßgeblich beeinflußt und ihren Ensembles zu Weltruhm verholfen, daß ihr Wirken heute noch spürbar ist: Bertolt Brecht und Walter Felsenstein.

Bertolt Brecht
und
Walter Felsenstein

Was Brecht mit seinen Stücken und seiner Regiearbeit im Berliner Ensemble bei der praktischen Umsetzung seiner Theorie des epischen Theaters und seiner Spielweise geleistet hat – die berühmten Inszenierungen jener Jahre sprechen für sich –, ist mit der Arbeit Walter Felsensteins vergleichbar. Felsenstein hat als erster Intendant der Komischen Oper Berlin in vielen, heute ebenfalls legendären Inszenierungen, seine Vorstellungen von einem realistischen Musiktheater umsetzen können und damit dem routinierten, gedankenlosen Opernbetrieb erfolgreich den Kampf angesagt.

Die Theaterarbeit von Brecht und Felsenstein hat Eingang gefunden in die deutsche Theaterpraxis; sie ist bis heute gegenwärtig in den besten Aufführungen der Theater.

Theater in Berlin (Ost)

Berlin (Ost) war als 'Hauptstadt der DDR' auch das Zentrum der Theaterkunst des Landes. Zwei Opernhäuser, ein Operettentheater, vier Schauspieltheater, ein Theater für Kinder und Jugendliche, ein Puppentheater und verschiedene kleinere Ensembles, wie z.B. das Ei im Friedrichstadtpalast, bestimmten das kulturelle Leben.

Theaterzentrum
der einstigen DDR

Die 'Deutsche Staatsoper', umgangssprachlich auch 'Lindenoper' genannt, ist das traditionsreichste Opernhaus Berlins. Sie wurde 1742 unter Friedrich II. von Georg Wenzeslaus von Knobelsdorff im Stil des preußischen Klassizismus als italienisches Logentheater erbaut, 1788 von Carl Gotthard Langhans zum Rangtheater umgestaltet und nach dem Brand von 1843 von Carl Ferdinand Langhans d.J. neu errichtet. Im Zweiten Weltkrieg wurde das Gebäude zerstört und von 1951 bis 1955 unter Leitung von Richard Paulick wiederaufgebaut. Das Ensemble der Lindenoper spielte in der Zwischenzeit im Admiralspalast, dem heutigen Metropol-Theater. Die Lindenoper wurde am 4. September 1955 mit Richard Wagners Oper "Die Meistersinger von Nürnberg" eröffnet. Umfangreiche Rekonstruktionsmaßnahmen führten 1985 zur Schließung des Hauses, das am 15. November 1986 in neuem 'alten' Glanz wiedereröffnet wurde, diesmal mit Carl Maria von Webers "Euryanthe".

Deutsche
Staatsoper

Eine wechselvolle Geschichte hatte die 'Lindenoper' auch in künstlerischer Hinsicht. Über Jahre war sie, ihrem Zweck entsprechend als Hoftheater genutzt, zu künstlerischer Bedeutungslosigkeit verurteilt. Erst ab 1811 durften deutsche und italienische Opern gleichberechtigt auf dem Spielplan stehen. Die Durchsetzung der deutschen Oper war aber nach wie vor schwierig. Im Jahre 1918 übernahm Richard Strauss, der seit 1899 Kapellmeister und Generalmusikdirektor war, die Leitung der Preußischen Staatsoper. In der Folgezeit erlangte die Lindenoper mit bedeutenden Dirigenten, hervorragenden Sängern und Uraufführungen wichtiger musikdramatischer Werke Weltgeltung. Schon 1924 erfolgte zum Beispiel die deutsche Erstaufführung von Leoš Janáčeks Oper "Jenufa", und ein Jahr später wurde Alban Bergs "Wozzek" uraufgeführt. Berühmte Dirigenten der Staatskapelle Berlin waren bis 1945 unter anderem Erich Kleiber, Leo Blech, Clemens Kraus, Wilhelm Furtwängler und Herbert von Karajan.

Theaterleben

Berlin (Ost), Deutsche Staatsoper (Fortsetzung)

Nach 1945 bewiesen Uraufführungen, ein reiches Repertoire und Gastspiele in vielen Ländern den hohen künstlerischen Rang der Deutschen Staatsoper Unter den Linden. Uraufführungen von Werken Paul Dessaus ("Lukullus", "Puntila", "Lanzelot", "Einstein", "Leonce und Lena") und Sängerpersönlichkeiten wie Theo Adam, Peter Schreier, Eberhard Büchner, Celestina Casapietra, Magdalena Hajossyova, Anna Tonowa-Sintow und viele andere stellten, gemeinsam mit der Staatskapelle Berlin, die Bedeutung der Deutschen Staatsoper unter Beweis.

Komische Oper

Im Jahre 1947 wurde die 'Komische Oper Berlin' gegründet und mit der maßstabsetzenden Felsenstein-Inszenierung "Die Fledermaus" eröffnet. Als Spielstätte erhielt die Komische Oper das wiederaufgebaute Gebäude des ehemaligen Metropol-Theaters an der Behrenstraße, das von 1964 bis 1966 einer umfassenden Rekonstruktion unterzogen wurde und 1986 ohne längere Schließzeiten gründlich renoviert wurde.

Intendant und Chefregisseur war bis zu seinem Tode (1975) Walter Felsenstein. Er entwickelte in den Jahren seiner schöpferischen Arbeit an der Komischen Oper theoretisch und praktisch ein Musiktheater, das aufgrund seiner theatralisch wirksamen, sinngetreuen, dem Werk und den künstlerischen Realismus verpflichteten Aufführungen in kurzer Zeit internationalen Ruhm erringen konnte.

Im Laufe der Zeit wurden neben der klassischen Operette und Werken des Opéra-comique-Typus zunehmend die Hauptwerke des internationalen Repertoires in den Spielplan aufgenommen. Bedeutende Inszenierungen, die den Ruf der Komischen Oper begründeten, waren unter anderem: "Carmen" (1949), "Das schlaue Füchslein" (1956), "Hoffmanns Erzählungen" (1958) und "Ritter Blaubart" (1963).

Auch das Ballett der Komischen Oper entwickelte sich zu einem leistungsstarken Tanztheater. Erfolgreiche Aufführungen wie Hans-Werner Henzes "Undine" und Sergej S. Prokofjews "Romeo und Julia", aber auch Uraufführungen wie "Schwarze Vögel", "Wahlverwandtschaften" u.a. sind mit dem Namen des Chefchoreografen Tom Schilling verbunden. Später prägte die unverwechselbare Handschrift des Chefregisseurs Harry Kupfer das künstlerische Profil der Komischen Opfer. Aufführungen eines Mozart-Zyklus und Uraufführungen von neuen Opernwerken, wie zum Beispiel "Judith" von Siegfried Matthus, zeigten, wie zeitnahes, künstlerisch und geistig anspruchsvolles Musiktheater im Sinne Felsensteins weiterentwickelt werden konnte.

Metropol-Theater

Das 'Metropol-Theater' mit seinem umfangreichen Operettenrepertoire, seinen Revuen und Shows gibt es seit 1898 in Berlin. Nach 1945 mußte das 'Metropol' als Interimslösung zunächst mit dem Kino 'Colosseum' an der Schönhauser Allee vorliebnehmen. Ab 1955 bezog es dann den ehemaligen Admiralspalast an der Friedrichstraße, den bis dahin die Deutsche Staatsoper als Spielstätte genutzt hatte.

Zur Spielzeit 1950/1951 übernahm Hans Pitra, bis dahin Intendant der Dresdener Volksbühne, das Metropol-Theater, das er bis zu seinem Tode (1973) leitete. In diesen Jahren entwickelte das Metropol-Theater sein eigentliches Profil. Neben der klassischen Operette wurde der Förderung neuer Werke des heiteren Musiktheaters besonderes Gewicht verliehen. Der bisher größte Erfolg dieser Bemühungen war die Uraufführung des Musicals "Mein Freund Bunbury" von Gerd Natschinski. Auch internationale Musical-Erfolge wie "My Fair Lady", "Annie Get Your Gun", "Cabaret" und "Hallo Dolly" bereicherten das Angebot des Metropol-Theaters.

Berliner Ensemble (BE)

Die bevorzugte Pflege der Dramatik Bertolt Brechts und der von ihm entwickelten Spielweise und Aufführungspraxis steht im Mittelpunkt der Theaterarbeit des 'Berliner Ensembles' (BE). Das Berliner Ensemble wurde 1949 von Bertolt Brecht und Helene Weigel gegründet und war zunächst zu Gast im Deutschen Theater. Im Jahre 1954 bezog es eigenes Haus, das ehemalige Theater am Schiffbauerdamm. Helene Weigel hat das Berliner Ensemble bis zu ihrem Tode (1971) als Intendantin geleitet.

Theatergebäude des Berliner Ensembles am Schiffbauerdamm

Innerhalb weniger Jahre erlangte das Berliner Ensemble mit seinen Aufführungen Weltruhm. Zu den bedeutendsten Inszenierungen gehörten:
"Mutter Courage und ihre Kinder" (1949, Regie: B. Brecht / E. Engel, Titelrolle: H. Weigel), "Herr Puntila und sein Knecht Matti" (1949, mit L. Steckel
und E. Geschonnek), Maxim Gorkis "Wassa Shelesnowa" (mit Th. Giehse)
und "Die Mutter" von Brecht nach Gorki (1951, mit H. Weigel). 1953 insze-
nierte Brecht die Uraufführung von Strittmatters "Katzgraben". Bis zu
Brechts Tod (1956) setzten Aufführungen wie "Der kaukasische Kreidekreis" und Johannes R. Bechers "Winterschlacht" Maßstäbe, die in der
weiteren Arbeit von den Schülern Brechts (Manfred Wekwerth, Peter
Palitzsch, Benno Besson, Joachim Tenschert) berücksichtigt wurden.

Mit der Fortführung der Arbeitsmethoden Brechts wurde Anfang der sechziger Jahre der Weltruhm des Berliner Ensembles ausgebaut. Auch mit
Aufführungen einer Reihe jüngerer Regisseure trat das BE hervor. Gleichzeitig wurde das Repertoire mit Werken des Erbes und Stücken von DDR-
Autoren (Volker Braun, Heiner Müller) erweitert. Dennoch blieb die Pflege
des Brechtschen Werkes Schwerpunkt der Bemühungen um ein interessantes zeitgenössisches Theater.

Das 'Deutsche Theater' wurde 1883 von Adolf L'Arronge gegründet, der
besonders die Dramatik von Gerhart Hauptmann und Henrik Ibsen
förderte. Im Jahre 1905 übernahm Max Reinhardt das Deutsche Theater,
der es in der Zeit bis zum Ersten Weltkrieg zum Zentrum deutscher
Theaterkunst entwickelte und zu Weltruhm führte. Max Reinhardt, der das
Haus von 1929 bis 1932 ein zweites Mal leitete, erwarb sich besonders mit
seinen Klassikeraufführungen große Verdienste um die deutsche Theaterkunst. In dieser Zeit gehörte das Deutsche Theater auch zu den großen
Schauspielerpersönlichkeiten wie Elisabeth Bergner, Eduard von Winterstein, Tilla Durieux, Lucie Höflich, Agnes Sorma, Albert Bassermann, Alexander Moissi oder Paul Wegener.

Berlin (Ost),
Berliner Ensemble
(Fortsetzung)

Deutsches Theater

Theaterleben

Das Deutsche Theater wurde 1945, im Zweiten Weltkrieg unversehrt geblieben, mit Lessings "Nathan der Weise" mit Paul Wegener und Eduard von Winterstein wiedereröffnet. Unter der Führung von Wolfgang Langhoff und Wolfgang Heinz profilierte es sich mit einem breit gefächerten Repertoire deutscher und ausländischer Dramen zum führenden Theater im östlichen Teil Deutschlands. Zu den besonders erfolgreichen Aufführungen nach 1945 gehörten "Der Schatten" von Jewgeni L. Schwarz (1947, Regie: G. Gründgens), "Vor Sonnenuntergang" von Gerhart Hauptmann (1955, Regie: W. Heinz), "Minna von Barnhelm" von Gotthold Ephraim Lessing (1960, Regie: W. Langhoff) sowie "Der Drache" von Jewgeni L. Schwartz (Regie: B. Besson) und "Juno und der Pfau" von Sean O'Casey (Regie: A. Dresen). Die maßstabsetzenden Aufführungen des Deutschen Theaters, zu denen in jüngerer Zeit vor allem Inszenierungen von Alexander Lang gehörten ("Dantons Tod" von G. Büchner, "Iphigenie" von J. W. v. Goethe, "Winterschlacht" von J. R. Becher), wurden von einem großen Ensemble herausragender Darsteller getragen.

Zum Deutschen Theater gehörte später auch ein Pantomimenensemble, dessen Aufführungen das Theaterangebot in Berlin bereicherten.

Das Deutsche Theater wurde 1983 nach umfangreichen Rekonstruktionsmaßnahmen anläßlich der einhundertjährigen Wiederkehr seiner Gründung wieder der Öffentlichkeit übergeben.

Kammerspiele

Die im Jahre 1907 mit Ibsens "Gespenster" von Max Reinhardt eröffneten 'Kammerspiele' konnten 1984 nach vollständiger Rekonstruktion den Spielbetrieb wiederaufnehmen. Das gesamte architektonische Ensemble Deutsches Theater / Kammerspiele lohnt auch eine Besichtigung ohne Vorstellungsbesuch.

Maxim-Gorki-Theater

Im Jahre 1952 wurde in der ehemaligen 'Singakademie' am Kastanienwäldchen das 'Maxim-Gorki-Theater' gegründet. Den Grundstein des Ensembles bildete das von Maxim Valentin in Weimar geleitete 'Junge Ensemble', das sich schon in seinen Anfängen zur Spielweise und Tradition des Moskauer Künstlertheaters von Konstantin Stanislawski bekannte. Der Spielplan des Maxim-Gorki-Theaters umfaßte neben den Stücken Maxim Gorkis vor allem die dramatischen Werke russischer und sowjetischer Autoren und eine beachtliche Zahl von Werken aus der damaligen DDR. Die Aufführungen des Theaters zeichneten sich vor allem durch den Versuch aus, auf der Grundlage strenger Figurengestaltung ins Zentrum der Schauspielkunst zu rücken. In jüngerer Zeit trugen Inszenierungen von Stücken Athol Fugards und anderer ausländischer zeitgenössischer Autoren zur Erweiterung des Repertoires bei.

Volksbühne

Die 'Volksbühne', das aus der Volksbühnenbewegung der Arbeiterbewegung hervorgegangene Theaterensemble, konnte 1914 am Bülowplatz ein eigenes Haus eröffnen, das aus den freiwilligen Beiträgen und Spenden der Arbeiter erbaut worden war. Von 1915 bis 1918 leitete Max Reinhardt dieses Theater, der hier vor allem Werke von Schiller, Shakespeare und Gorki herausbrachte. Von 1924 bis 1927 wirkte Erwin Piscator als Oberspielleiter an der Volksbühne. Seine Bemühungen um ein zeitgemäßes, revolutionäres Theater wurden ebenso unterdrückt wie diejenigen von Karl-Heinz Martin, der von 1929 bis 1932 Direktor der Volksbühne war. Wichtige Aufführungen dieser Zeit, die Theatergeschichte gemacht haben, waren: Ernst Tollers "Hoppla, wir leben", Bertolt Brechts "Mann ist Mann" und Friedrich Wolfs "Matrosen von Cattaro". Die Nationalsozialisten lösten 1933 den Verband der Volksbühne auf. Das Gebäude wurde im Zweiten Weltkrieg schwer beschädigt.

Am 21. April 1954 wurde die an alter Stelle wiedererbaute Volksbühne als Volkstheater neu eröffnet. Neben Fritz Wisten, Wolfgang Heinz, Maxim Vallentin und Kurt Holan kam es vor allem unter der Leitung von Benno Besson zu einem bemerkenswerten künstlerischen Aufschwung in der Arbeit der Volksbühne. Durch die Wiederentdeckung verschiedener Elemente des Volkstheaters früherer Epochen und das Experimentieren mit neuen Formen und Mitteln wurde die Volksbühne Anziehungspunkt für ein vorwiegend jugendliches Publikum. Neben Besson, der speziell mit Werken von Shakespeare neue Akzente setzte, wirkten Inszenierungen des Regieteams Karge/Langhoff, wie Schillers "Räuber", Ibsens "Wildente" und Heiner Müllers "Schlacht", besonders nachhaltig.

Berlin (Ost),
Volksbühne
(Fortsetzung)

Besondere Aufmerksamkeit widmete die Volksbühne dem Werk Heiner Müllers, dessen "Auftrag" und "Macbeth" ebenso im Spielplan vertreten waren wie "Die Bauern" und "Der Bau". Ein leistungsstarkes Ensemble profilierter Schauspieler verlieh den Aufführungen der Volksbühne ihren besonderen Reiz.

Mit der Eröffnung des Palastes der Republik (1976) wurde gleichzeitig das jüngste Ostberliner Theater, das 'TiP' – 'Theater im Palast' – gegründet. Es unterschied sich in mehrfacher Hinsicht von den traditionellen Berliner Bühnen: Ohne eigenes Ensemble wurden die jeweiligen Inszenierungen mit Gästen – meist namhaften Berliner Schauspielern – erarbeitet. Das vielseitige Spielplanangebot beschränkte sich nicht auf Theateraufführungen: Konzerte, Vortragsabende und Lesungen waren gleichberechtigt. Die Räumlichkeiten des Theaters wurden – bis zur Schließung des Palastes der Republik wegen gravierender Baumängel im Sommer 1990 – regelmäßig für Ausstellungen genutzt.

Theater im Palast
(TiP)

Die nachstehenden Ausführungen geben einen knappen Überblick über das bisherige Theatergeschehen in der einstigen Deutschen Demokratischen Republik, wobei der geographischen Lage der neuen deutschen Bundesländer im wesentlichen von Norden nach Süden gefolgt wird.

Hinweis

Theater in Mecklenburg-Vorpommern

In Schwerin, der neuen Landeshauptstadt von Mecklenburg-Vorpommern, hat sich in der Nachfolge des im Jahre 1886 eröffneten 'Großherzoglichen Hoftheaters' das 'Mecklenburgische Staatstheater Schwerin' mit einem umfangreichen Repertoire vor allem Verdienste bei der Pflege der deutschen Klassik, des Werkes Bertolt Brechts und zeitgenössischer Dramatik erworben.

Schwerin

Die "Schweriner Entdeckungen" – große Theaterabende mit Simultanaufführungen an verschiedenen Spielstätten – fanden ein großes Echo beim Publikum. Durch Gastspiele bei den Berliner Festtagen und auf Tourneereisen ins Ausland hat vor allem das Schweriner Schauspielensemble vom künstlerischen Leistungsniveau seiner Arbeit überzeugen können. Goethes "Faust I und II" an einem Abend oder das Antike-Projekt waren Höhepunkte einer bemerkenswerten künstlerischen Entwicklung.

In der Spielzeit 1951/1952 wurde dem Schweriner Theater die 1926 gegründete 'Fritz-Reuter-Bühne' angegliedert. Seither gehörten Aufführungen niederdeutscher Stücke zum festen Bestandteil des Spielplanes. Hinzu kam ein kleine Puppentheatersparte.

In der Hansestadt Wismar war das 'Staatliche Puppentheater Wismar' beheimatet.

Wismar

In Parchim spielte das 'Landestheater Parchim'.

Parchim

Das 'Volkstheater Rostock' gehörte zu den experimentierfreudigen Bühnen des Landes. Sein umfangreicher Spielplan wies immer wieder Stücke der Gegenwartsdramatik aus dem In- und Ausland aus. So fanden Ur- und DDR-Erstaufführungen von Stücken der Dramatiker Rolf Hochhuth und Peter Weiss auch international Anerkennung. Aber auch Gegenwartswerke von DDR-Autoren waren im Repertoire. Das Musiktheater hielt ein umfangreiches Angebot anspruchsvoller Opernaufführungen bereit. Neue Akzente setzte das Ballettensemble.

Rostock

Dem Volkstheater der Hansestadt waren ein Kabarett und eine Puppenbühne angeschlossen.

Stralsund Greifswald, Anklam	Das 'Theater der Stadt Stralsund' (erbaut 1913–1916) und das 'Theater Greifswald' (erbaut 1912–1914) galten als leistungsfähige Stadttheater. Erwähnung verdient ferner das 'Theater Anklam'.
Neubrandenburg	Das 'Staatliche Puppentheater Neubrandenburg' hatte sich in den zu einem landesweit bekannten Figurentheater entwickelt. Gastspielreisen führten das Ensemble zu den Berliner Festtagen und ins Ausland.
Neustrelitz	Das 'Friedrich-Wolf-Theater Neustrelitz' war ein erfolgreiches Bezirkstheater mit einem umfangreichen Repertoire, ausgewogen zwischen Schauspiel und Musiktheater. Das heutige Theatergebäude wurde 1928 seiner Bestimmung übergeben, nachdem das alte 'Großherzogliche Hoftheater' im Jahre 1924 'aus ungeklärter Ursache' abgebrannt war.

Theater im Lande Brandenburg

Potsdam	In Potsdam, der neuen Landeshauptstadt von Brandenburg, gehörte das 'Hans-Otto-Theater' zu den leistungsstarken Theatern des einstigen Bezirkes gleichen Namens. Im Jahre 1952 gegründet, förderte es gezielt die zeitgenössische Dramatik des In- und Auslandes. Ein aktives Schauspielensemble begünstigte den wachsenden Ruf dieses Theaters, das sich vor allem mit DDR-Erstaufführungen afrikanischer, polnischer und spanischer Autoren einen Namen machte.
	Das Musiktheaterensemble stellte seine Leistungsfähigkeit u.a. mit Aufführungen von Mozart-Opern unter Beweis. Erweitert wurde das Repertoire mit Werken von Rossini, Gluck und anderen Komponisten, auch im Hinblick auf die Spielmöglichkeiten im 'Schloßtheater' des Neuen Palais (Sanssouci), das auch als Schauspielbühne genutzt wurde.
Brandenburg	Für das Publikum der Stadt Brandenburg und ihrem Einzugsbereich spielte das 'Brandenburger Theater'.
Schwedt	Die Industriestadt Schwedt verfügte über ein eigenes Schauspieltheater.
Frankfurt (Oder)	Das 'Kleist-Theater' in Frankfurt an der Oder unterhielt mehrere Sparten, wobei das Musiktheater (Oper, Operette, Ballett) und das Schauspiel gleichwertig im Spielplan vertreten waren und ein vielseitiges Repertoire aller Genres anboten.
	In der einstigen Bezirksstadt bestand ferner das 'Staatliche Puppentheater Frankfurt'.
Senftenberg	In der Industriestadt Senftenberg bestimmte das 'Theater der Bergarbeiter Senftenberg' das Kulturleben.
Cottbus	Nach mehrjähriger Rekonstruktion wurde 1986 in Cottbus der architektonisch bedeutsame Jugendstilbau des 'Theaters der Stadt Cottbus' wiedereröffnet. Das einstige Bezirkstheater bot Aufführungen in verschiedenen Sparten.

Theater in Sachsen-Anhalt

Stendal	Für das theaterinteressierte Publikum der Stadt Stendal und der übrigen Altmark spielte das 'Theater der Altmark Stendal'.
Magdeburg	In Magdeburg, der neuen Landeshauptstadt von Sachsen-Anhalt, bestimmte der Mehrspartenverband der 'Bühnen der Stadt Magdeburg' das Theaterleben. Ihre Ensembles bespielten die 'Kammerspiele' (1945 als Theater eröffnet) und das 'Maxim-Gorki-Theater' (1906/1907 als Zentraltheater erbaut, 1945 zerstört). Im Jahre 1950 war das Haus nach dem Wiederaufbau als Maxim-Gorki-Theater der Öffentlichkeit übergeben worden.

Seither wurde den Publikumserwartungen mit einem umfangreichen Repertoire des Musiktheaters, des Balletts und des Schauspiels entsprochen.
Den Bühnen der Stadt Magdeburg war auch das 'Theater für junge Zuschauer' angeschlossen, das seine Spielstätte in den Kammerspielen hatte. Ferner spielte in der Elbestadt das 'Puppentheater Magdeburg'.

Magdeburg
(Fortsetzung)

Mehrere Bühnen seien in Sachsen-Anhalt zusammengefaßt:
'Landestheater Dessau' (Mehrspartentheater; Puppenbühne)
'Elbe-Elster-Theater Wittenberg' (Mehrspartentheater; Puppenbühne)
'Carl-Maria-von-Weber-Theater Bernburg' (Musiktheater)
'Volkstheater Halberstadt' (Musiktheater).
'Theater Quedlinburg' (Schauspiel)
'Theater Nordhausen' (Mehrspartentheater)
'Puppentheater Naumburg'
'Theater der Stadt Zeitz' (Mehrspartentheater)

Dessau
Wittenberg
Bernburg
Halberstadt
Quedlinburg
Nordhausen
Naumburg
Zeitz

Das 'Landestheater Halle', 1886 als Stadttheater eröffnet, wurde im Zweiten Weltkrieg zerstört und nach dem Wiederaufbau 1951 mit Beethovens "Fidelio" als 'Theater des Friedens' wiedereröffnet. Im Jahre 1968 wurden Rekonstruktionsmaßnahmen erforderlich. Den Spielbetrieb nahm man mit der Uraufführung des Stückes "Die Aula" nach dem Roman von Hermann Kant wieder auf. Schwerpunkt des Spielplanes war und ist die Gegenwartsdramatik; ein Beispiel dafür ist die erfolgreiche Uraufführung von Ulrich Plenzdorfs "Die neuen Leiden des jungen W." in den siebziger Jahren. Das Musiktheater erwarb sich besondere Verdienste bei der Entdeckung und Neuinterpretation der Werke Georg Friedrich Händels.
Gegen Ende des Jahres 1984 wurde mit einer Gesamtrekonstruktion des Theaters begonnen, deren erster Bauabschnitt abgeschlossen ist. Das umfangreiche Repertoire konnte durch die Eröffnung des 'Neuen Theaters' – einer zusätzlichen Spielstätte des Landestheaters – noch erweitert werden.
In Halle waren ferner das 'Theater der jungen Garde' und das 'Staatliche Puppentheater Halle' beheimatet.

Halle (Saale)

Theater in Sachsen

Für die Geschichte der 'Leipziger Theater' nach 1945 sind zwei Daten von Bedeutung: Am 1. März 1957 wurde mit Friedrich Schillers "Wallenstein" das neuerrichtete 'Schauspielhaus' eröffnet, am 9. Oktober 1960 das neue 'Opernhaus' am Karl-Marx-Platz mit Richard Wagners "Die Meistersinger von Nürnberg" eingeweiht.
Die Theateraufführungen standen für die künstlerische Arbeit in Leipzig, für die Pflege des deutschen und ausländischen Erbes ebenso wie für eine konsequente und erfolgreiche Bemühung um neue Werke. Vor allem das Schauspiel hatte hier in neugeschaffenen kleineren Spielstätten ('Kellertheater', 'Neue Szene') vielfältige Möglichkeiten.
Das Opernensemble, das mit Wagner-Interpretationen internationales Ansehen errungen hat, setzte Versuche der Neuinterpretation des klassischen Opernrepertoires fort. Das musikalische Niveau der Leipziger Oper wurde wesentlich durch das weltbekannte Gewandhausorchester geprägt.
Dem Verband der Städtischen Theater Leipzig angeschlossen war auch das 'Theater der Jungen Welt'.

Leipzig

Für den Besucher Altenburgs ist das imposante Gebäude des mehrspartigen 'Landestheaters Altenburg' nicht zu verfehlen. Es wurde von Bruckwald, dem Erbauer des Bayreuther Festspielhauses, nach dem Muster des Dresdener Opernhauses 1870/1871 errichtet und mit Carl Maria v. Webers "Freischütz" eröffnet. Spätere Ergänzungsbauten und Modernisierungen haben dem Gesamteindruck nicht geschadet.

Altenburg
(jetzt zum
Bundesland
Thüringen
gehörig)

Theaterleben

Im kunstsinnigen Dresden, der neuen Landeshauptstadt des Freistaates Sachsen, waren neben den beiden traditionsreichen großen Häusern, der 'Dresdner Staatsoper' und dem 'Dresdner Staatsschauspiel', die 'Staatsoperette Dresden', das 'Theater der jungen Generation' und das 'Staatliche Puppentheater' beheimatet.

Dresdner Staatsoper (Semperoper)

Die 'Dresdner Staatsoper' hat eine mehr als 300jährige Geschichte, die berühmte Staatskapelle ist noch um mehr als 130 Jahre älter. In Dresden stand die Wiege der deutschen Opernkunst – hier wurde 1627 "Daphne" von Heinrich Schütz uraufgeführt. In den Jahren 1664 bis 1667 ist in Dresden das erste Opernhaus am Taschenberg errichtet worden. M. D. Pöppelmann erbaute 1717 bis 1719 das Große Opernhaus, daneben gab es das Hoftheater, zur Unterscheidung Kleines Opernhaus genannt. Das Große Haus wurde in den Revolutionstagen 1849 ein Opfer der Flammen, das 1754/1755 erbaute Hoftheater riß man mit der Eröffnung des ersten Semperbaues 1841 nieder.

Die berühmte 'Semperoper', die Dresdens Ruf als Musikstadt in der Welt begründete, ist der zweite Semperbau; er wurde 1878 eingeweiht. Von 1872 bis 1914, über 40 Jahre lang, stand Ernst von Schuch am Pult der Semperoper. Hatten im 19. Jahrhundert Werke von Carl Maria v. Weber und Richard Wagner Eingang in den Spielplan gefunden, so ist dem Wirken Ernst von Schuchs der Ruf der Dresdner Oper als Haus der Strauss-Uraufführungen in Europa zu danken. Die Uraufführung vom "Rosenkavalier" im Jahre 1911, inszeniert von Max Reinhardt, war ein Opernereignis von Weltrang. Den Namen großer Dirigenten wie Fritz Busch und Karl Böhm und der Bedeutsamkeit des Spielplanes entsprach der Glanz der Sängernamen wie Margarete Teschenmacher oder Christel Goltz auf Dresdens Opernbühne.

Am 13. Februar 1945 wurde die Semperoper ein Opfer des anglo-amerikanischen Luftbombardements. Vierzig Jahre später konnte die wiedererbaute Semperoper in neuer 'alter' Schönheit der Öffentlichkeit übergeben werden. Bis zu diesem historischen Tag hatte die Dresdner Oper gemeinsam mit dem Schauspiel das Große Haus bespielt. In diesen Jahren wurde versucht, nicht nur mit bemerkenswerten Aufführungen des klassischen Opernrepertoires an die großen Traditionen anzuknüpfen. Mit Uraufführungen zeitgenössischer Opern und mit Werken des 20. Jahrhunderts setzte man neue Maßstäbe für das Musiktheater. Zu diesen, auch international erfolgreichen Inszenierungen, gehörte Schönbergs "Moses und Aron" (1975). Fortgeführt wurden diese neuen Ansätze auch nach der Wiedereröffnung der Semperoper (1985). Davon zeugte u. a. die Uraufführung der Opernvision "Die Weise von Leben und Tod des Cornets Christoph Rilke" von Siegfried Matthus.

Dresdner Staatsschauspiel

Das 'Dresdner Staatsschauspiel', das seit der Eröffnung der Semperoper zwei eigene Spielstätten nutzte – das inzwischen modernisierte 'Schauspielhaus' (ehemals Großes Haus, erbaut 1912 bis 1913) und das 'Kleine Haus' – stand schon vor dem Zweiten Weltkrieg in einem fruchtbaren Wettbewerb mit der Oper. Immer angespornt durch die Erfolge des Musiktheaters, verstand es das Ensemble, künstlerische Leistungen von Rang vorzustellen.

Im Jahre 1945 wurde, wie auch in anderen Theatern, der programmatische Neubeginn mit Lessings "Nathan der Weise" (Titelrolle: Erich Ponto) gesetzt. Entscheidende Impulse vermittelte das Dresdner Schauspiel Anfang der sechziger Jahre durch Shakespeare-Neuentdeckungen, eigenständige Brecht-Interpretationen und die Aufführung zeitgenössischer Dramatik. Mehrere Stücke des Dramatikers Peter Hacks wurden beispielsweise in Dresden uraufgeführt.

In jüngerer Vergangenheit hat das Dresdner Staatsschauspiel, bedingt auch durch die Eigenständigkeit als Folge der Trennung von der Oper, eine recht produktive Periode eingeleitet. Neben Stücken von Shakespeare, Kleist und Hebbel waren es vor allem solche zeitgenössischer Autoren, mit denen das Staatsschauspiel auch im Ausland Anerkennung fand.

In Dresden-Radebeul befand sich das Stammhaus der 'Landesbühnen Sachsen'. Als Tourneetheater 1952 gegründet, betreute das Theater Städte und Gemeinden nicht nur im einstigen Bezirk Dresden. Vor allem viele Urlauber der Sächsischen Schweiz lernten das Theater kennen, das mit Opern, Operetten, Schauspielen und Jugendstücken in den Sommermonaten die 'Felsenbühne Rathen' bespielte.

Sachsen (Fortsetzung), Dresden-Radebeul

In Döbeln (an der Freiberger Mulde) spielte das 'Stadttheater Döbeln'. Wenn sich auch die wichtigsten Theater des ehemaligen Bezirkes Dresden im 'Elbflorenz' und seiner Umgebung konzentrierten, so bereicherten das 'Deutsch-Sorbische Volkstheater Bautzen' und das 'Gerhart-Hauptmann-Theater Görlitz/Zittau' als leistungsstarke Mehrspartentheater das Angebot ganz wesentlich.

Döbeln

Bautzen Görlitz/Zittau

Die 'Städtischen Theater Karl-Marx-Stadt' (so hieß Chemnitz offiziell von 1953 bis 1990) waren ein spielaktiver Mehrspartenverband mit dem 'Opernhaus', das 1909 als Stadttheater eröffnet wurde, und dem 'Schauspielhaus', das man nach einem Brand im Jahre 1976 neu errichtet hat und das in seiner heutigen Gestalt 1980 den Spielbetrieb wiederaufnahm. Kontinuität und hohes künstlerisches Niveau zeichnen die Arbeit der Ensembles aus. Sowohl das Musiktheater als auch das Schauspiel realisierten einen umfangreichen und ausgewogenen Spielplan, der das klassische Erbe ebenso wie Gegenwartswerke vieler Länder berücksichtigte. Schauspiel- und Musiktheaterensembles belegten nicht nur bei Gastspielen an den Berliner Festtagen, sondern auch auf Gastspielreisen im Ausland ihre große künstlerische Wirkungskraft. In Chemnitz spielte auch ein selbständiges Puppentheater.

Chemnitz

Als kleinere Mehrspartentheater sind zu erwähnen das 'Stadttheater Freiberg' sowie das 'Eduard-von-Winterstein-Theater Annaberg', welches auch das beliebte 'Naturtheater Greifensteine' bespielte.

Freiberg Annaberg

Das seit 1898 bestehende 'Theater der Stadt Plauen' und die 'Bühnen der Stadt Zwickau', denen ein Puppentheater angeschlossen war, galten als gute Mehrspartentheater mit einem ausgewogenen Repertoire an Musiktheater und Schauspiel. Besucher der Stadt Zwickau werden am Hauptmarkt das imposante 'Gewandhaus' sicher nicht auf den ersten Blick als Theater identifizieren, gleichwohl wurde in dem bereits 1522 erbauten Gewandhaus schon seit 1823 Theater gespielt.

Plauen Zwickau

Theater in Thüringen

Die westthüringische Wartburgstadt Eisenach wurde von dem Mehrspartentheater 'Theater Eisenach' bespielt.

Eisenach

In Erfurt, der neuen Landeshauptstadt von Thüringen war das einstige 'Bezirkstheater Erfurt' ein Mehrspartenverband aus Oper, Ballett, Schauspiel, Puppentheater und Kabarett. Für Musiktheater und Schauspiel standen eigene Häuser zur Verfügung. Im Oktober 1986 wurde der 'Waidspeicher' nach grundlegender Rekonstruktion mit Spielstätten für das 'Puppentheater' und das 'Kabarett' der Öffentlichkeit übergeben. Nach der Modernisierung des Opernhauses und des Schauspielhauses besaßen die Bühnen der Stadt Erfurt günstige Voraussetzungen, um das künstlerische Potential der Ensembles voll zur Wirkung zu bringen.

Erfurt

Zu den traditionsreichen Bühnen im deutschsprachigen Raum gehört fraglos das 'Deutsche Nationaltheater Weimar (DNT)', das aus dem 1791 bis 1817 von Johann Wolfgang v. Goethe geleiteten Weimarer 'Hoftheater' hervorgegangen ist und seit der Tagung der Nationalversammlung 1919 in Weimar diesen Namen trägt.

Weimar

Deutsches Nationaltheater (DNT)

Thüringen,
Weimar,
Deutsches
Nationaltheater
(Fortsetzung)

Das heutige Theatergebäude wurde 1907 erbaut und nach seiner Zerstörung im Zweiten Weltkrieg wiederaufgebaut. Seit seiner Wiedereröffnung im Jahre 1948 hatte es sich zur bedeutenden Pflegestätte des deutschen und internationalen Literaturerbes sowie der zeitgenössischen Dramatik entwickelt. Im Jahre 1975 wurde das Haus einer grundlegenden Rekonstruktion unterzogen. Besonders geprägt wurde das Profil des Hauses durch seine Shakespeare-Pflege. Bei den alljährlich stattfindenden Shakespeare-Tagen fanden Aufführungen des DNT und Gastspiele von Ensemblen aus dem In- und Ausland statt. Aber auch Werke des Gegenwartsschaffens waren im Repertoire vertreten.

Gera

Das Haus der 'Bühnen der Stadt Gera' wurde im Oktober 1902 als das 'Reußische Theater' eröffnet. Das Gebäude besitzt neben dem Theatersaal einen Konzertsaal und war u. a. Austragungsort des landesweit ausgetragenen Sängerwettbewerbs. Im Spielplan waren das Musiktheater und das Schauspiel gleichberechtigt vertreten.
Dem einstigen Bezirkstheater angeschlossen war die 'Puppenbühne Oestreich-Ohnesorge', die über eine eigenen Spielstätte verfügte.

Rudolstadt

Mit dem 'Theater der Stadt Rudolstadt' verfügte man am Ort über ein leistungsfähiges Mehrspartentheater.

Meiningen

Das 'Meininger Theater' lebte mit einer verpflichtenden Tradition, die vom sog. Theaterherzog, Georg II., begründet worden war. Im Jahre 1866 leitete er mit dem Schauspielensemble seines 'Hoftheaters' eine Theaterreform ein, die historische Bedeutung erlangen sollte: Gebrochen wurde mit einer konventionellen Aufführungspraxis; Schauspielkunst und werkgetreue Interpretation der Stücke waren eng verbunden mit szenischen Erneuerungen. Dem entsprach auch das Bemühen um historisch getreue Bühnenbilder und Kostüme. Das Meininger Ensemble, das sich durch einen hohen Grad an Disziplin und Zusammenspiel auszeichnete, hat mit zahlreichen Gastspielreisen von 1874 bis 1890 das Reformwerk des Theaterherzogs in ganz Europa bekannt gemacht. Wesentliche Auffassungen der Meininger, wie der Realismus der Szene und das Ensemblespiel, sind auch für das gegenwärtige Theater verpflichtend.
Nachdem das alte Hoftheater 1908 abgebrannt war, wurde 1909 das 'Neue Herzogliche Hoftheater', später 'Landestheater', eröffnet.

Musikgeschichte

Vorbemerkung

Musik gab es wahrscheinlich schon in einem viel früheren Stadium der Menschheitsentwicklung, als bisher angenommen wurde. Ob sie ausschließlich Kultzwecken diente, ist vorläufig ungeklärt.
Das Musikleben heute beruht zum großen Teil auf schriftlich überlieferter Kunstmusik, ist also im Vergleich zur gesamten Musikentwicklung noch sehr jung. Die Vielfalt lebendiger Volksmusik, die natürlich auch Kunst ist, kann in diesem kurzen Abriß europäischer Musikgeschichte kaum Berücksichtigung finden. Ebensowenig ist es möglich, den musikgeschichtlichen Überblick auf den östlichen Teil des heutigen Deutschland zu beschränken. Im Unterschied zu anderen Künsten hat sich die deutsche Musik erst spät von ihren europäischen Schwestern emanzipieren können.

Steinzeit

Die ersten Anzeichen für die Anwesenheit von Musikinstrumenten fallen in die Ältere Altsteinzeit. Es handelte sich hierbei um Funde von Pfeifen aus Rentierphalangen. Um 118 000 bis 10 000 v. Chr. weisen eine Reihe von Instrumentenfunden sowie Höhlenmalereien auf die magischen Zwecke der Musik hin. Es wurden einfache Musikbogen (Zauberer mit Musikbogen in der Höhle Trois Frères), Grifflochflöten und Spaltflöten aus Röhrenknochen, Schwirrhölzer und Schrapen verwendet. Dazu muß man sich einen Tanzritus mit Händeklatschen, Stampfen und Schlagen denken.

In der jüngeren Steinzeit waren die Grifflochflöten schon weiter verbreitet. Mit beginnender Seßhaftigkeit bildeten sich Menschengemeinschaften mit wachsendem Kulturbedürfnis. Im Bessburger Kulturkreis fand man Trommeln aus Ton. Seltener gab es Glocken aus Ton. Schneckentrompeten deuteten auf eine neue Musizierweise hin.

Steinzeit
(Fortsetzung)

In der Bronzezeit löste sich die Gentilordnung allmählich zugunsten der Militärdemokratie auf. Innerhalb der Stämme und während der Heerzüge erhielt die Musik nun eine neue Funktion. Einige Instrumente unterstützten die rituellen Handlungen der Stammesführer und flößten somit den Stammesangehörigen Furcht und Achtung vor übersinnlichen Kräften ein. Noch heute gibt es Naturvölker, die Blasinstrumente zu dem Zweck benutzen, die menschliche Stimme geisterhaft zu verstärken. Bei anderen Stämmen gilt derjenige als todgeweiht, der das Schwirrholz zu Gesicht bekommt. Dieses Instrument erzeugt durch schnelles Kreisen einen Ton, der dem des Totemvogels gleicht. Während der Kriegführung wurden, wie der römische Geschichtsschreiber Tacitus (um 55 bis um 120) berichtet, rauhe Gesänge angestimmt, welche die Angriffslust stärken und den Feind erschrecken sollten. Um die unheimliche Wirkung zu steigern, hielt man die Schilde vor das Gesicht.

Bronzezeit

In der Zeit, da germanische Militärdemokratie und Sklavenhaltergesellschaft der Römer und Griechen aufeinanderstießen, bildete sich eine erste musikalische Hochkultur heraus; die griechische Antike bedeutete die entscheidende Grundlage für die Entwicklung deutscher Musikkultur. Die Antike hatte für alle Bereiche des gesellschaftlichen Lebens Schutzgötter erwählt. Für die Kunst waren die neun Musen zuständig, deren Führer Apollo wurde. Die Musiker erkoren sich Polyhymnia zur Schutzgöttin. Das gesellige Leben und die sich kulturvoll gebende herrschende Klasse förderten eine Vielfalt musikalischer Formen.
Bestimmte Kompositionen und Instrumente waren den verschiedenen Kulten zugeordnet. Eine besondere Rolle spielten dabei der Dionysoskult, die Verherrlichung orgiastischen Treibens, und der Apollokult. Dem weisen, maßvollen Apollo waren die Leiern bestimmt, Dionysos feierte man mit den verschiedenen schalmeiähnlichen Aulos-Arten und einer Reihe von Schlaginstrumenten (Handklapper, Becken, Rahmentrommel). Die siebensaitige Kithara diente dem Berufssänger als Vortragsinstrument. Für Geselligkeit und Musikerziehung leistete die leichtere und handlichere Lyra die besten Dienste. Vielsaitige Harfen gab es in mehrfacher Ausführung. Aus Abbildungen, u. a. aus Vasenmalereien, kennt man auch die Syrinx, die aus einer Folge verschieden langer Pfeifen für den Gebrauch des Hirten entstand.

Griechische
Antike

Das Instrumentarium der Etrusker ist dem griechischen verwandt. Die Etrusker bevorzugten Blasinstrumente: Trompeten wurden zu Lituus und Cornu weitergebildet, hinzu kamen Doppelauloi, Syrinx und Querflöten. Ein reiches Musikleben führten auch die Römer in dieser Zeit. Sie verwendeten ein neues Instrument zur Hausmusik, im Amphitheater oder auch als Straßeninstrument fahrender Musikanten, die Wasserorgel. All diese Instrumente wurden solistisch und in kleiner sowie auch großer Besetzung verwendet. So gab es schon zu dieser Zeit eine Vielfalt von Musikgattungen vokaler und instrumentaler Art, die sich im Laufe der Jahrhunderte weiterentwickelten bzw. spezialisierten. Immer spürbarer ging die Musik von den Laien in die Hände von Berufsmusikern über.
Die bedeutendsten Musiktheoretiker und -ästhetiker der Griechen, zugleich auch Staatsmänner und Philosophen, prägten mit ihren Schriften die Musikanschauung der Folgezeit. Es waren dies Plato, Aristoteles und in seiner Wirkung am größten: Boëthius.
Der zuletzt genannte war schon ein Mann des Hellenismus, in dem die griechische Kultur mit der orientalischen in Berührung kam und in dem griechische Kunst ihrerseits auf den Westen (einschließlich Rom) und auf den Orient einwirkte.

Etrusker
und Römer

Musikgeschichte

Hellenistische Zeit

Von der Musikkultur der hellenistischen Zeit ist kaum etwas überliefert, dafür aber um so mehr von der Musikwissenschaft. Die Spannbreite geht von Aristoxenos von Tarent, der die Musiktheorie entscheidend weiterentwickelt und als Schüler von Aristoteles dessen ästhetische Musikauffassung mit der platonischen Ethoslehre zu verbinden sucht, bis eben zu Boëthius, auf dem fast die ganze Musiktheorie des Mittelalters fußt. Aus musikgeschichtlicher Sicht kann man diesen Zeitraum vom sechsten bis zum Beginn des 16. Jahrhunderts fassen, wobei ein deutlicher Wendepunkt um 1200 zu registrieren ist.

Mittelalter

Die Musik des Mittelalters bedeutete eine schöpferische Aneignung der Antike und ihrer Kultur. Zusammen mit der Arithmetik, der Geometrie und der Astronomie bildete die Musik ein Quadrivium der 'Sieben freien Künste' und war Pflichtfach im Unterricht während des ganzen Mittelalters. Im Zuge der Christianisierung Europas bildeten sich die Klöster zu Bildungs- und Kulturzentren heran. Im Rahmen der Liturgie wurden Psalmen, Hymnen und geistliche Gesänge, vor allem Allelujas, ohne Instrumentalbegleitung in reicher Auswahl geschaffen.

Gregorianischer Gesang

Die Krönung des Kirchengesanges bedeutete seit der zweiten Hälfte des 7. Jahrhunderts der Gregorianische Choral. Damit auch die Neumissionierten die vielfältigen Melodien der Gregorianik erlernen konnten, entstand die erste Notenschrift Europas, die Neumen. Sie entstand aus Interpunktions- und Akzentzeichen, wohl auch in Anlehnung an Handbewegungen der Vorsänger und Chorführer beim Einstudieren der Melodien. Jede Landschaft bildete spezifische Neumen, die sich in den Grundformen jedoch glichen. Das älteste erhaltene deutsche Kirchenlied ist das Freisinger Petruslied aus dem 9. Jahrhundert.

Volksmusik

Neben der einstimmigen geistlichen Musik des Mittelalters entwickelte sich die einstimmige weltliche Musik, deren Träger vornehmlich das Rittertum war. In dieser Musik sind Elemente sakraler und Volksmusik verschmolzen. Zur Volksmusik zählen Lieder und Tänze, die fahrende Spielleute zum Dudelsack, zur Schalmei oder zur Fiedel vortrugen. Es war Gelegenheitsmusik, und so wurde sie leider auch nicht aufgeschrieben, obwohl durch Guido von Arezzo inzwischen (um 1025) eine Notenschrift entwickelt wurde, die weitaus genauer als die Neumen den Melodieverlauf kennzeichnen konnte.

Minnesang

In Deutschland fand der Minnesang als weltliches einstimmiges Gesellschaftslied der Ritter im 13. Jahrhundert weite Verbreitung. Seine bekanntesten Vertreter sind Walther von der Vogelweide, Neidhart von Reuenthal, Wolfram von Eschenbach und Hartmann von der Aue, die eine Blüte deutscher Liedkunst begründeten. Als herausragendes Ereignis dieser Zeit ist der Sängerkrieg auf der Wartburg (1207) bekannt. Erfahren haben wir davon durch die älteste Quelle deutscher Liedkunst, durch die Jenaer Liederhandschrift.

Der Minnesang war jedoch keine deutsche Erfindung. Er stammt im wesentlichen von der französischen Troubadourkunst ab. Die Meistersinger sahen wiederum im Minnesang ihr Vorbild. Als Meister ihres Handwerks konnten sie sich eine eigene Kunst leisten. In Singschulen wurde ihre Kunst nach Regeln (Tabulaturen) gemäß der vereinbarten Satzungen unter der Kritik eines Merkers geübt. Die Singschulen unterstanden den Zünften. Allmählich entstand ein eigener, wenn auch bescheidener Melodienfundus. Bekannte Zünfte mit Meistergesang gab es u.a. in Freiberg und Zwickau. Auch durch Richard Wagners Oper "Die Meistersinger von Nürnberg" erhielt die Gestalt des Schuhmachers Hans Sachs legendäre Züge. Dem Sängerkrieg auf der Wartburg widmete Wagner die Oper "Tannhäuser".

Der Höhepunkt des Meistergesangs lag im 15. Jahrhundert bis Mitte des 16. Jahrhunderts. Obwohl durch die Kirche streng auf die Einstimmigkeit geachtet wurde, entwickelte sich ausgehend von der Notre-Dame-Schule seit dem 12. Jahrhundert eine instrumentale und vokale Mehrstimmigkeit. Das bedeutete eine entscheidende neue Qualität in der Musikentwicklung. Die Mehrstimmigkeit erfaßte bald sowohl geistliche als auch weltliche Musik. Durch die in dieser Zeit übliche Mensuralnotation sind uns eine ganze Reihe mehrstimmiger Sätze mit Bezeichnung des Komponisten bekannt. Das spricht dafür, daß der schöpferische Musiker im Gegensatz zu den fahrenden Spielleuten allmählich öffentliche Achtung genoß. Doch waren es auch die fahrenden Spielleute, welche die schriftlich nicht fixierte Volksmusik überlieferten.

Mittelalter, Minnesang (Fortsetzung)

Als Musikzentren bildeten sich neben den Klöstern auch die Städte und Feudalhöfe heraus. Der Musikerziehung wurde große Aufmerksamkeit geschenkt. Da die Musik nach wie vor als gleichberechtigtes Glied innerhalb der 'Sieben freien Künste' galt, gründete man auch in den ersten deutschen Universitäten Lehrstühle für Musikwissenschaft (z. B. Erfurt, Rostock und Leipzig um 1400).

Musikzentren

Obwohl seit dem 12. Jahrhundert ein so großer Aufschwung in der Musikkultur Europas zu verzeichnen war, verlief die Entwicklung in der Folgezeit noch stürmischer, so daß man schon um 1320 die Musik des vergangenen Jahrhunderts als 'Ars antiqua' abtat (im Gegensatz zu der 'Ars nova', die als solche in dem berühmten Traktat von Philipp de Vitry benannt wurde). Die Epoche der Renaissance hatte begonnen. Sie beschloß die Zeit des Mittelalters und schuf zugleich den Überang in die sog. Neuzeit. Musikgeschichtlich kann man die Renaissance mit dem Zeitraum um 1450 bis gegen 1600 bestimmen. Der Höhepunkt der Renaissance wurde durch die Verschmelzung flämisch-französischer Musik mit der italienischen erreicht. Dabei spielten das Formbewußtsein und die Sangbarkeit der italienischen Musik die bestimmende Rolle. Dieser neue Stil breitete sich in einem bis dahin nicht bekannten Ausmaß über Europa aus. An dieser schnellen Verbreitung trug die Erfindung des Notendrucks den Hauptverdienst (Ende 15. Jh.). Der Komponist war als Auftragnehmer in seine Gesellschaft eingebunden. Je nach Zweck schuf er Musik für die Kirche (Messen, Motetten), für öffentliche Festlichkeiten, für Kenner (Ballade, Rondeau) und für allgemeine Geselligkeit (Tänze u.a.). Sein Ansehen stieg, und bald erwuchs aus dieser Hochachtung für den schöpferischen Künstler der Geniekult. Auch im Architektonischen und im Harmonischen des Musikwerkes gab es entscheidende Veränderungen. Vom modalen Harmonieverständnis ging man allmählich zum tonalen über. Die Melodik wurde entsprechend der Auffassungsmöglichkeit klarer gegliedert und mit Wiederholungen versehen. Die Vorliebe der Italiener für eine weiche Klanglichkeit unter Verwendung von Terzen- und Sextenparallelen entwickelte sich zum Klangideal der Zeit.

Renaissance

Die wichtigste neu geschaffene musikalische Form war das italienische Madrigal. In ihm wurde ein qualitativ neues Wort-Ton-Verhältnis verwirklicht. Madrigal und Motette waren die führenden Vokalformen. Gefeierte Komponistenpersönlichkeiten wie Josquin des Prez und Orlando die Lasso beherrschten die reich ausgeprägte Kompositionstechnik der Zeit meisterhaft und bewährten sich zugleich als musikalische Neuerer. Die wichtigsten Musikerstellen in Deutschland wurden von Vertretern der franko-flämischen Richtung besetzt. Unter ihnen war es Heinrich Isaac, ein flämischer Komponist am deutschen Hof, der von den deutschen Musikern als Vorbild angesehen wurde.

Madrigal und Motette

Aber noch eine musikalische Entwicklung mußte kommen, ehe es die ersten deutschen Großmeister der Musik gab. Es war dies seit Mitte des 16. Jahrhunderts das Prinzip der Mehrchörigkeit, wie es die Venezianische Schule zu voller Blüte gebracht hatte. Ihr herausragender Vertreter, Giovanni Gabrieli, der Lehrer von Heinrich Schütz, hatte diese Kunst von dem Flamen Adrian Willaert gelernt. Durch die Mehrchörigkeit entstand ein ganz neues Raumgefühl, wohl mit frappierender Wirkung auf den Hörer.

Mehrchörigkeit

Musikgeschichte

Renaissance (Fortsetzung), Instrumentalmusik

Epochemachend wurde auch der Ausbau der Instrumentalmusik, die ja bisher im Schatten der Vokalpolyphonie gestanden hatte. An diesen Entwicklungsstand knüpften die deutschen Musiker in der zweiten Hälfte des 16. Jahrhunderts an. Ihre bedeutensten Vertreter sind Hans Leo Haßler, Michael Praetorius und Heinrich Schütz. Ungenannt bleiben dürfen aber nicht Leonhard Lechner, Johann Hermann Schein und Samuel Scheidt.

Deutsche Komponisten

Der Stuttgarter Hofkapellmeister Leonhard Lechner hat sich vornehmlich durch seine Motettenkompositionen und durch seine bürgerlichen Musikvereinigungen verpflichteten Lieder einen Namen gemacht. Die Motetten und Madrigale von Hans Leo Haßler gehören noch heute zum Repertoire vieler Chöre. Er trat auch mit Instrumentalmusik hervor. Konsequenter als andere Komponisten seiner Zeit bediente er sich der Dur-Moll-Tonalität. Als einer der ersten deutschen Musiker, die in Italien studierten, trug er die Errungenschaften der Venezianischen Schule nach Deutschland, u.a. auch nach Dresden, wo er 1608 in kurfürstliche Dienste trat.

Ein reges Wanderleben führte auch Michael Praetorius. Er verbreitete den konzertanten Stil der Italiener in deutschen Musikstätten, u.a. in Halberstadt, Frankfurt (Oder), Wolfenbüttel, Dresden, Magdeburg, Halle (Saale), Sondershausen und Leipzig. Die Musikwissenschaft verdankt ihm eines der wichtigsten Quellenwerke vor dem Dreißigjährigen Krieg, sein "Syntagma musicum', dessen zweiter Band (1618 erschienen) die erste ausführliche Instrumentenkunde (altes und neues Instrumentarium) darstellt.

Johann Hermann Schein wird als mitteldeutscher Meister der Motette und des geistlichen Liedes geschätzt. Er wirkte seit 1616 als Thomaskantor in Leipzig.

In der Nachbarstadt Halle (Saale) lebte Samuel Scheidt. Die Wirren des Dreißigjährigen Krieges stürzten ihn in völlige Verarmung. Von ihm besitzen wir das "Görlitzer Orgelbuch" von 1650. Er hat sich vor allem mit Choral- und Volksliedbearbeitungen verdient gemacht. Von ihm überliefert sind auch eine Reihe von geistlichen Vokalkonzerten und instrumentale Spielmusik.

Heinrich Schütz

Allen Künstlern freundschaftlich verbunden und ihre Kunst zu einem Höhepunkt führend war Heinrich Schütz, einer der bedeutendsten Komponisten Europas. In seiner musikgeschichtlichen Leistung ist er etwa mit seinem Zeitgenossen aus Italien, Claudio Monteverdi, auf derselben Stufe stehend. Schütz schrieb sozusagen das deutsche Kapitel Musikgeschichte im 17. Jahrhundert.

Schütz war Musiker und Musikpolitiker in einem. Er faßte Ergebnisse der europäischen Musikentwicklung in einem höchst individuellen Stil zusammen. Er schuf Werke für mehrchörige Besetzung, einstimmige geistliche Konzerte, pflegte das konzertierende Element in der Instrumentalmusik und bereicherte die Harmonik durch affektgebundene Chromatik. Seine musikpolitische Leistung bestand im Aufbau von deutschen Hofkapellen und Kantoreien, in seinem unermüdlichen Wirken als Musikpädagoge und nicht zuletzt in seinem Einsatz für die Verbesserung der sozialen Lage zahlreicher Musiker. Für die evangelische Kirchenmusik schuf er unvergängliche Werke. Bekannt sind vor allem seine kleinen geistlichen Konzerte, seine Passionen, "Die sieben Worte", das Weihnachtsoratorium und (erst in jüngster Zeit entdeckt) sein ein Jahr vor dem Tode vollendeter Motettenzyklus "Schwanengesang". Weniger bekannt ist, daß Schütz auch weltliche Musik komponierte. Von seinen Fest- und Hochzeitsmusiken, weltlichen Madrigalen, einem Sing-Ballett "Orpheus und Euridice" u.a. ist außer Bruchstücken nichts erhalten geblieben.

Aufklärung (Bach-Händel-Zeit)

Die herausragenden Komponistenpersönlichkeiten nach Schütz waren Georg Philipp Telemann, Johann Sebastian Bach und Georg Friedrich Händel. Der Zeitraum, in dem die genannten Komponisten lebten, wurde vielfach mit dem kunstgeschichtlichen Begriff 'Barock' bezeichnet. Da sich jedoch kaum Parallelen zwischen der repräsentativen Architektur des

Händelhaus in Halle (Saale)   *Wagnermuseum in Graupa (bei Pirna)*

Barocks und dem musikalischen Schaffen ziehen lassen, ist man überein-
gekommen, die Epoche vom ausgehenden 17. Jahrhundert bis zur Mitte
des 18. Jahrhunderts entweder 'Musik in der Zeit der Aufklärung' oder
kurz 'Bach-Händel-Zeit' zu umschreiben.

Aufklärung
(Bach-Händel-Zeit;
Fortsetzung)

Telemann, Bach und Händel waren der Aufklärungsbewegung ihrer Zeit
eng verbunden. Mit ihren Kompositionen und ihrem musikpolitischen
Wirken, das von dem erstarkenden bürgerlichen Selbstbewußtsein der
Epoche getragen war, vermochten sie der bürgerlichen Musikentwicklung
bedeutende Impulse zu verleihen. Durch sie erlangten deutsche Musiker
Weltgeltung. Nach wie vor war aber auch ihre Musik eng französischen
und italienischen Musiktraditionen verpflichtet. Eine ihnen gemeinsame
Leistung bestand in der Verschmelzung zeitgenössischer Stilarten zu
einem charakteristischen Personalstil. Verbunden waren sie auch durch
ihre Bemühungen, die Emanzipation der Instrumentalmusik, die im 19.
Jahrhundert ihren Höhepunkt erreichte, voranzutreiben. Sie wurden darin
durch die großartigen Leistungen der Instrumentenbauer ihrer Zeit be-
stärkt. Erinnert sei an dieser Stelle nur an die Einführung der temperierten
Stimmung für das Cembalo und das Klavier, an die Vervollkommnung und
Entwicklung der Holzblasinstrumente (z.B. die Klarinette) und schließlich
an die Entwicklung der heute noch üblichen Streichinstrumente (Aussterben der Gamben u.a.). Neben der Vervollkommnung der Konzert-
musikinstrumente lag den Instrumentenbauern dieser Zeit sehr daran,
dem wachsenden Bedürfnis nach Hausmusik durch den Bau handlicher
Instrumente Rechnung zu tragen. Parallel zu den vielen Lesegesell-
schaften, die sich in der ersten Hälfte des 18. Jahrhunderts zusammen-
fanden, entwickelten sich – zum Teil mit ihnen übereinstimmend – vielfältige Musikzirkel mit wachsendem Niveau der Musikausübung. Die Grün-
dungswelle von Verlagen, Konzertgesellschaften und Musiktheatern tat ein
übriges dazu, daß die Komponisten dieser Zeit ein breit gefächertes
Wirkungsfeld bearbeiten konnten. Die soziale Stellung des Musikers erfuhr zwar im allgemeinen weiterhin eine Aufwertung, der unterschiedliche

Musikgeschichte

Lebensweg der drei großen Komponisten zeigt jedoch deutlich, daß die Musik nach wie vor noch eine 'brotlose Kunst' war, wenn ihre Jünger es nicht verstanden, mit Höchstleistungen um ihre Rechte zu kämpfen.

Georg Friedrich Händel

Prototyp des neuen bürgerlichen Musikers war Georg Friedrich Händel. In engem Kontakt mit seinem (zahlenden) Publikum bemühte er sich stets, mit seiner Musik diesem entgegenzukommen. Nachdem er um 1740 in England erkennen mußte, daß es für seine Opern kaum noch ein Publikum gab, wandte er sich der Komposition von großen Oratorien zu, die mit ihren menschheitsbewegenden Stoffen zum Teil Bezug nahmen auf das aktuelle Zeitgeschehen und somit großen Anklang fanden. In fast allen Genres schuf Händel Unvergängliches. Da er den größten Teil seines Lebens in England zubrachte, feiert ihn die englische Nation als ihren Nationalkomponisten. Seine Wirkung in der Zeit und bis heute ist jedoch eine über die Grenzen einer Nation hinausgehende.

Johann Sebastian Bach

Im Gegensatz zu dem weltoffenen, mit dem kapitalistischen Kunstmarkt durchaus vertrauten Händel schien Johann Sebastian Bach geradezu weltfremd. Vielen Zeitgenossen war er nur wegen seines unübertrefflichen Orgelspiels bekannt. Der Ausspruch Ludwig van Beethovens: "Nicht Bach – Meer sollte er heißen", wurde erst etwa 100 Jahre nach Bachs Tod vom Publikum anerkannt. Zu kunstvoll in seinen polyphonen Werken schien er seinen Hörern. Händel hatte seinen Opernstil aus Italien mitgebracht. Bach studierte die Kunst der Italiener (besonders die von Antonio Vivaldi) und Franzosen, um sie zu einem vorläufig letzten Gipfelpunkt zu führen. Ein beträchtlicher Teil seines Schaffens wirkte wie ein großes Lehrgebäude für die Nachwelt; insbesondere gilt dies für die 'Kunst der Fuge'. Daß es Bach aber nicht allein um die Kunst um ihrer selbst willen zu tun war, zeigen seine Passionen, Kantaten und Orchestermusiken. Er war durchaus nicht nur dem Alten verhaftet, wie man nach seiner Vorliebe für kontrapunktische Kunststücke vermuten möchte. Schneller als andere Zeitgenossen erkannte er die Vorteile der temperierten Stimmung und nutzte sie sofort zur Bereicherung seines Schaffens. Die klassische Sinfonie und Sonate ist ohne die Vorleistungen Bachs in seinen Instrumentalwerken (besonders in der Konzert- und Suitenform) nicht denkbar. Die Technik der Durchführung und damit der Entwicklung eines musikalischen Themas konnte man nirgendwo besser lernen als von Bach.

Georg Philipp Telemann

Als ein Wegbereiter der musikalischen Klassik muß aber auch Georg Philipp Telemann gesehen werden. Sein Lebensweg von Magdeburg über Leipzig, Eisenach, Frankfurt (Main) bis Hamburg war von dem unermüdlichen Bestreben um eine qualitative Verbesserung des Musiklebens gekennzeichnet. Er gründete Musikvereinigungen und schuf für diese eine Vielzahl der Volksmusik eng verbundener Musiken. Seine geistreichen, oft witzigen Generalbaßlieder haben sich auf das Liedschaffen der Folgezeit fruchtbar ausgewirkt. Das gilt auch für die Kantaten, Opern und vielfältigen Instrumentalmusiken. Die klare Architektonik sowie die u. a. der polnischen Volksmusik abgelauschte Melodik seiner Werke ließen ihn zum erfolgreichsten deutschen Komponisten in der ersten Hälfte des 18. Jahrhunderts werden.

Vorklassik

Nach dem Tode dieser drei großen Musiker bereitete sich ein Wandel in den Musikverhältnissen und in der Musikanschauung vor, so daß diese Epoche einen Übergangscharakter trägt. Sie wird darum häufig 'Vorklassik' genannt und auf den Zeitraum von etwa 1750 bis etwa 1780 eingeschränkt. Das ist insofern keine gelungene Bezeichnung, als sie das Schaffen der in dieser Zeit wirkenden Komponisten in seiner Bedeutung verringert. So hat man sich lange darauf beschränkt, die Werke Johann Christian Bachs und seines Bruders, Carl Philipp Emanuel Bach, in ihrer Wirkung auf die Wiener Klassik zu untersuchen. Die Zeitgenossen der Bach-Söhne sahen das natürlich ganz anders. Vater Bach lebte noch, als ihn der Ruhm seiner Söhne schon nahezu überflügelt hatte.

Johann Sebastian Bach   *Robert Schumann*   *Richard Wagner*

In den deutschen Musikverhältnissen verloren Kirche und Adel ihre Führungsrolle. Der Adel mußte akzeptieren, daß das ökonomisch erstarkende Bürgertum seinen Kunstanspruch geltend machte. Das bedeutete zunächst eine Öffnung der Hofkonzerte für ein breiteres Publikum, führte mehr und mehr zur Einrichtung von öffentlichen Abonnementskonzerten und nicht zuletzt zum Bau von Theatern und Konzertsälen. Hinzu kam die Gründung von Liedertafeln und anderen Chorvereinigungen sowie vielen privaten Musikgesellschaften, was zum einen den ungeheuren Aufschwung des deutschen Musiklebens zur Folge hatte und zum anderen die Stellung des Musikers in der Gesellschaft weiter festigte.
Vorklassik
(Fortsetzung)

Daß die Musik sogar eine wichtige politische Funktion erhielt, dafür sorgte die Französische Revolution (1789–1794), die auch von den deutschen Musikern mit großer Anteilnahme verfolgt wurde. Im Zeitalter des aufgeklärten Absolutismus hatte der Schlachtruf "in tyrannos" (= "gegen die Tyrannen") einen guten Klang. Er widerspiegelte sich u.a. auch in den Opernlibretti, den Liedern und Singspielen der Zeit, und er tönte auch in den großen Werken der Wiener Klassik fort.

In der Musik wurde nach neuen Ausdrucksmöglichkeiten gesucht, die etwa dem Geist des literarischen Sturm und Drangs entsprachen. Auf dem Gebiet der Sinfonie entwickelte die sog. Mannheimer Schule einen neuen Stil, der sich bald über ganz Deutschland verbreitete. Das Wesen dieser Neuerungen bestand in der Ausnutzung des Themenkontrastes für eine musikalische Entwicklungsform, ebenso in der Einführung des berühmten 'Mannheimer Crescendos', das ebenfalls viele Möglichkeiten einer musikalischen Konfliktgestaltung in sich barg.
Mannheimer
Schule

Der Begründer der Schule und zugleich ihr wichtigster Vertreter war der böhmische Komponist Johann Stamitz. Während seiner Tätigkeit als Musikdirektor in Mannheim (1744–1757) entwickelte sich die Stadt zum deutschen Musikzentrum ersten Ranges. Sein Nachfolger, Christian Cannabich, führte die Tradition fort. Auch er schrieb nun viersätzige Sinfonien (Stamitz hat das Menuett als dritten Satz eingeführt) und fand bei seinem Publikum großen Anklang. Fortschritte gab es auch in der Behandlung der Instrumentation und der Harmonik. Der Orchesterklang wurde durch die Verselbständigung der Bläser farbiger und machte den Generalbaß überflüssig. Viele Sinfonien der Zeit, so auch die von C.P.E. Bach, erklangen jedoch noch mit obligatem Generalbaß-Instrument (Cembalo, Orgel oder Positiv). C.P.E. Bach, der auch den 'Berliner Bach' oder der 'Hamburger Bach' genannt wurde, ist einer der großen musikalischen Aufklärer gewesen. Sein Lehrwerk ("Versuch über die wahre Art das Clavier zu spielen") sowie seine Klaviersonaten haben einen großen Schülerkreis gefunden, unter ihm Joseph Haydn und Wolfgang Amadeus Mozart.

Musikgeschichte

18. Jahrhundert: das Jahrhundert der Oper

So wichtig die Entwicklung des neuen Instrumentalstils auch für die Folgezeit wurde, so ist doch das 18. Jahrhundert das Jahrhundert der Oper. Seit Beginn des Jahrhunderts hatte sich in Neapel ein Zentrum des Opernschaffens gebildet, die Neapolitanische Opernschule. Ihre beiden Hauptformen, die 'Opera seria' und die 'Opera buffa' beherrschten die Musiktheaterszene ganz Europas. In Deutschland wurde die neapolitanische Oper vornehmlich von den Dresdener Komponisten Johann Adolph Hasse und Johann Gottlieb Naumann gepflegt. In England war ihr Hauptvertreter Johann Christian Bach.

Während die 'Opera seria' in ihrer Form (Rezitativ und Da-capo-Arie mit hohem virtuosem Anspruch) relativ unangetastet blieb, erfuhr die 'Opera buffa' im Laufe des 18. Jahrhunderts eine Wandlung hin zum Singspielhaften.

Wiener Klassik

Ein neues Kapitel europäischer Musikgeschichte begann mit der Herausbildung der Wiener Klassik.

Ihr erster großer Vertreter war Christoph Willibald Gluck, dessen Hauptverdienst in der Reform der italienischen und französischen Oper zu sehen ist. Sein Anliegen bestand vornehmlich darin, eine enge Verbindung von Drama und Musik zu schaffen, denn die Musik hatte sich im Verlauf der Operngeschichte mehr und mehr verselbständigt. Daß die Reformversuche Glucks auf heftigen Widerstand stießen, zeigt u. a. der Streit der Puccinisten und Gluckisten in Paris. Sieger blieb Gluck, seine Gegner konnten nicht umhin, die Gluckschen Errungenschaften in ihren Werken anzuerkennen. Von besonders großer Wirkung der Operndramatik Glucks zeugen die Opern Wolfgang Amadeus Mozarts und Richard Wagners.

So wie Gluck und Mozart das Opernschaffen der Wiener Klassik repräsentierten, so gelten Joseph Haydn und Ludwig van Beethoven, aber auch Mozart zu Recht als die Hauptvertreter klassischer Instrumentalmusik. Unter ihnen war es vornehmlich Haydn, der, von C.P.E. Bach lernend, die Form des klassischen Sonatenhauptsatzes zur Vollendung brachte. Die Viersätzigkeit von Sonate und Sinfonie erhielt mehr denn je Zykluscharakter, d. h. sowohl die Thematik innerhalb eines Satzes als auch die Bindungen zwischen den Sätzen glichen dem Aufbau und der Gestaltung eines musikalischen Dramas. Die Expressivität des Klanglichen, u. a. auch durch die Vergrößerung des Instrumentariums bei Beethoven, tat ein Übriges, um den neuen Stil der Instrumentalmusik allmählich ein Massenpublikum zuzuführen.

Ludwig van Beethoven

Den Höhepunkt dieser Entwicklung bildeten die Aufführungen der Beethoven-Sinfonien zu Beginn des 19. Jahrhunderts in Wien.

Berliner Liederschulen

Das Bürgertum ergriff um die Wende vom 18. zum 19. Jahrhundert endgültig von allen Musikgenres Besitz.

So entwickelte sich neben den aristokratischen Salons eine Vielfalt bürgerlichen Musizierens, sei es in den Liedertafeln, Singakademien und Laienmusikvereinigungen, die allerdings mehr und mehr den Berufsmusikern weichen mußten, oder sei es in den bürgerlichen Salons. Für dieses Publikum entstanden nun in rascher Folge Sing- und Liederspiele, Chorkompositionen und eine Vielzahl von Liedern. Stellvertretend für viele stehen die Komponisten der beiden Berliner Liederschulen.

Es sind dies aus der ersten Berliner Liederschule – etwa von der Mitte bis zum Ende des 18. Jahrhunderts – vornehmlich C.P.E. Bach, Gottfried Krause und Christian Gottlob Neefe, die alle drei eine bewußte Volksliednähe in ihren Liedern anstrebten.

Bekannter sind die Kompositionen aus der zweiten Berliner Liederschule – etwa von 1800 bis 1815 – geworden. Das liegt zum Teil an den Textvorlagen berühmter Dichter, z. B. von Johann Wolfgang v. Goethe und Friedrich Schiller. Mit Goethe eng in der Frage der Wort-Ton-Beziehung zusammengearbeitet haben Karl Friedrich Zelter und Johann Friedrich Reichardt. Nicht weniger bedeutend als diese waren Johann André und Johann Abraham Peter Schulz.

Im Schoße der Wiener Klassik, die mit dem Jahre 1815 ihren Höhepunkt überschritten hatte, entwickelte sich die Musikanschauung der Romantik (um 1800 bis etwa 1830). Sie begründete sich vornehmlich auf der Emanzipation der Instrumentalmusik, die ihren Siegeszug mit den großen Instrumentalwerken der Wiener Klassik angetreten hatte. Die romantischen Musikästhetiker sahen in der Instrumentalmusik, der 'absoluten Musik', die romantischste aller Künste, da nur sie es vermöge, das Unnennbare und die Sehnsucht nach dem Unendlichen auszudrücken. Neben den Begründern dieser Musikauffassung, Wilhelm Heinrich Wackenroder, Freiherr von Hardenberg (Novalis) und Friedrich Schlegel, war es vor allem der Dichter-Komponist Ernst Theodor Amadeus Hoffmann, der u. a. in seinen berühmten Beethoven-Rezensionen romantische Musikbetrachtung praktizierte. Die Musik dieser Zeit war jedoch alles andere als romantisch. Es hat sich als müßig erwiesen, in den Werken E.T.A. Hoffmanns, Ludwig Spohrs, Franz Schuberts oder Felix Mendelssohn-Bartholdys nach romantischen Elementen zu suchen. Über ihrem Gesamtwerk stand in einschlägigen Musikgeschichten gewöhnlich: "Zwischen Klassik und Romantik". Diese Polarisierung ist wenig sinnvoll. Die Komponisten dieser Zeit haben sich ebenso wie alle vorangegangenen Musikergenerationen bemüht, die bisherigen musikalischen Errungenschaften den Anforderungen ihrer Zeit entsprechend weiterzuentwickeln.

Darum soll im folgenden nicht von der Früh-, Hoch- und Spätromantik gesprochen werden, sondern von der Musik im 19. Jahrhundert. Die Rettungs- und Schreckensoper der Französischen Revolution hatte in Beethovens "Fidelio" ihr deutsches Gegenstück gefunden. In der Folgezeit bevorzugte man Stoffe aus der Märchen- und Sagenwelt. Die Befreiungskriege gegen die französische Fremdherrschaft ließen das Interesse am eigenen Nationalerbe wachsen. So war es von der deutschen Singspiel- und Liederbewegung des 18. Jahrhunderts bis zur ersten deutschen Nationaloper nur noch ein kleiner Schritt. Carl Maria von Webers "Freischütz" von 1821 traf sofort ins Schwarze. Deutsche Opern waren schon davor entstanden (z.B. Hoffmanns "Undine", 1816), aber keine wies diese glückliche Verbindung von nationalem Stoff und einer dem Volkston nachspürenden Musik auf.
Erfolgreiche Opernkomponisten, welche die Entwicklung der deutschen Oper deutlich vorantrieben, waren neben Carl Maria v. Weber, Ludwig Spohr, Heinrich Marschner, Albert Lortzing, Otto Nicolai und schließlich Richard Wagner.

Die Opernreform Wagners hat die Schaffung eines 'Gesamtkunstwerkes' zum Ziel. Statt der bisher üblichen Nummernoper setzte Wagner ein durchkomponiertes Musikdrama. Die Musik sollte sich dem dramatischen Geschehen anpassen. Um den Handlungsfluß nicht durch Rezitativ und Arie zu unterbrechen, arbeitete Wagner mit einer symbolgeladenen Kompositionsmethode (Verwendung von Leitmotiven), die in großer sinfonischer Geste 'durchgeführt' wurde.

Das, was Richard Wagner für das Musiktheater schuf, versuchte Franz Liszt als Kompositionsprinzip der Instrumentalmusik zu entwickeln. Er wollte der Bedeutungsvielfalt der sogenannten 'absoluten Musik' eine inhaltlich eindeutig gebundene Musik entgegensetzen und prägte für diese den Begriff der 'Programm-Musik'. Die Anhänger Wagners und Liszts fühlten sich als berufene Verteter der 'Zukunftsmusik'. In der Mitte des 19. Jahrhunderts nannten sie sich darum 'Neudeutsche Schule'. Ihre Ideen und Programme wurden von einer starken Musikvereinigung propagiert, der neben den genannten Komponisten auch viele Interpreten und Musikschriftsteller angehörten.
Als Schlüsselwerk der Neudeutschen galt die Neunte Sinfonie von Ludwig van Beethoven. Man war der Auffassung, sie habe die Grenzen der klassischen Sinfonie gesprengt und zugleich den Weg aus der 'absoluten Musik' gewiesen.

Musikgeschichte

Schumannianer

Denselben Stammvater für ihre musikalische Richtung beanspruchten die Gegner der Neudeutschen, die sogenannten 'Schumannianer'. Robert Schumann und nach ihm Johannes Brahms waren die zentralen Gestalten dieses Kreises. Ihr Anliegen bestand in der musikalisch zeitgemäßen Behandlung der klassischen Sinfonie. Neue Harmonik und Instrumentation sowie eine zeitweilige Abkehr von dem Entwicklungsgedanken der klassischen Sinfonie schufen Werke höchst individueller Aussage. Der musikalische Parteienstreit nahm im letzten Drittel des Jahrhunderts unversöhnlichen Charakter an, als sich auf dem Gebiet der sinfonischen Musik die Antipoden Anton Bruckner und Johannes Brahms gegenüberstanden.

Liedkomposition

Wesentlich einiger war man sich auf dem Gebiet der Liedkomposition. Die Wirkung der Schubertschen Lieder (als Sinfoniker erlangte Schubert erst später Bedeutung) wurde von keinem Komponisten des 19. Jahrhunderts übertroffen. Ganz in der Tradition Schuberts standen die Liedkompositionen von Schumann, Mendelssohn Bartholdy und Brahms. Dennoch tragen sie ganz unverkennbar die Handschrift jedes einzelnen. Die durchkomponierte Liedform gewann allmählich etwa im Vergleich zum Strophenlied an Bedeutung. In diesem Zusammenhang gehören die Balladen-Kompositionen von Carl Löwe, das umfangreiche Liedwerk von Hugo Wolf und die Lieder (z.T. mit Orchester) von Gustav Mahler.

Virtuosenmusik

Was die Musik im 19. Jahrhundert von der Wiener Klassik unterscheidet, ist die Konzentration für die kleine Form und, als Reverenz an den Kunstmarkt, die Virtuosenmusik. Die Vielzahl der musikalischen Charakterstücke (Fantasie, Romanze, Impromptus, Elegie, Ballade, Nocturne u.a.) entstand in dem Bestreben, eine Grundstimmung in einem in sich geschlossenen Musikstück wiederzugeben. Es war intime Musik für den kleinen Raum, der Tradition bürgerlicher Hausmusikbewegung verpflichtet, aber auch als Selbstverständnis des individuell-schöpferischen Künstlers. Wenn man versuchte, Merkmalkataloge für die musikalische Romantik aufzustellen, würde das Charakterstück mit an erster Position genannt. Bezeichnend für die romantische Richtung war die Abkehr von der kapitalistischen Welt, die dem Wesen nach kunstfeindlich war. Als Kunst wurde mehr und mehr leeres Virtuosentum gefeiert, dessen schönsten Klang das Geld im Kasten verursachte. Das war jedoch nur die eine Seite des Virtuosentums. Die großen Künstler unter den Virtuosen – genannt seien Franz Liszt, Hans von Bülow oder Clara Schumann – setzten neue Maßstäbe für die Interpretation. Allerdings sorgten sie dafür, daß musikalische Dilettanten endgültig in die 'bürgerliche gute Stube' verbannt wurden.

Aufschwung und Vermarktung des Musiklebens im 19. Jahrhundert

Das Musikleben der einzelnen Städte nahm im Verlauf des 19. Jahrhunderts einen nie dagewesenen Aufschwung. Die Folge war eine totale Vermarktung des Kunstbetriebes. Konzertagenturen, Musikverlage und die ihnen angeschlossene Musikpresse, Musikgesellschaften (Konzert- und Theatervereine) und Mäzene beherrschten bald die gesamte Musikszene. Die verschiedenen Musikveranstaltungen wurden ritualisiert, viele Formen haben sich so bis heute gehalten. Das musiksoziologische Phänomen bestand in der Herausbildung relativ stabiler Hörergemeinden für die einzelnen musikalischen Genres. Ein weiteres Ergebnis dieser Entwicklung ist das allmähliche Auseinandergleiten von unterhaltender und 'ernster' Musik. Parallel zu der Verfestigung der Musikveranstaltungen mit ihren jeweiligen Riten vollzog sich die Spaltung des Musikpublikums, die auch in der Gegenwart noch anzutreffen ist.

Wende vom 19. zum 20. Jahrhundert

Die herausragenden Musikerpersönlichkeiten um die Jahrhundertwende und zum Teil weit darüber hinaus waren Gustav Mahler, Max Reger und Richard Strauss in Deutschland. Wesentliche Bedeutung für die Entwicklung der deutschen Musik im 20. Jahrhundert hatte auch das Schaffen Igor Strawinskys. Diese Komponisten sind das Bindeglied zur musikalischen Moderne, ja sogar Väter der zeitgenössischen Musik.

Das Opernschaffen von Richard Strauss erschien den Zeitgenossen so unerhört kühn, daß manche Opernhäuser, wie z. B. die Berliner Staatsoper, es zunächst nicht wagten, diese Werke zur Aufführung anzunehmen. Darum ist die Stadt Dresden besonders stolz, Ort der Uraufführung einer Reihe von Strauss-Opern gewesen zu sein. Mit seinen sinfonischen Dichtungen führte Strauss die sinfonischen Traditionen des 19. Jahrhunderts, insbesondere die der Neudeutschen Schule, zu einem letzten Höhepunkt. Das Brahmssche Kammermusikschaffen fand in Reger einen schöpferisch tätigen Erben. Regers Orchesterwerke, darunter die berühmten "Mozart-Variationen" von 1915, konnten sich beim großen Konzertpublikum neben den Brahms-Sinfonien jedoch nicht behaupten. Trotz ihrer bewußten Traditionsbindung schien die neuartige Behandlung von Harmonik und Instrumentation eine breite Rezeption zu verhindern.

Richard Strauss

Die schreckliche Erfahrung des Ersten Weltkrieges trug wahrscheinlich mit dazu bei, daß sich das Musikpublikum fast ausschließlich auf die bürgerlich-humanistischen Traditionen der Musikkultur orientierte und den neuen Entwicklungen mit zunehmender Befremdung und Hilflosigkeit begegnete. Die neuen Wege, welche die Musik nun zu beschreiten begann, unterschieden sich allerdings in geradezu extremer Weise von den gewohnten Pfaden.
Atonalität und Zwölftontechnik setzten eine völlig veränderte Rezeptionshaltung voraus. Da die tonale Musik zum einen für die verschiedenen Genres der Unterhaltungsmusik bestimmend blieb und zum anderen im üblichen Konzertrepertoire in den Werken des 18. und 19. Jahrhunderts ständig vorhanden war, gerieten die zeitgenössischen Komponisten in eine Außenseiterposition, die sich bis zur Gegenwart mehr oder weniger erhalten hat.
Zeitgenössische 'ernste' Musik der ersten Jahrzehnte des 20. Jahrhunderts, wie sie in Deutschland z. B. von Arnold Schönberg, Alban Berg, Anton von Webern und Paul Hindemith zu hören war, wurde von den Kulturpolitikern des nationalsozialistischen Deutschland als 'entartete Kunst' diffamiert, ihre Vertreter trieb man in die Emigration.

Moderne Musik

Musikentwicklung der Nachkriegszeit in Mitteldeutschland

Die Musikentwicklung im heutigen östlichen Teil Deutschlands war von drei Grundsätzen geprägt:
Der erste bestand in der Erschließung des vielfältigen, vom Geist des Humanismus getragenen Erbes der Musikkultur für ein breites Publikum aus allen Bevölkerungsschichten. Das bedeutete eine gewaltige Aufbauarbeit. In jeder größeren Stadt wurden Kulturstätten geschaffen, Orchester gegründet und das Musiktheater neu belebt. Die schon bestehenden Ausbildungsstätten für Berufsmusiker mußten erweitert und reorganisiert werden. Die Musikhochschulen in Dresden, Berlin, Leipzig und Weimar fanden aus im Ausland nach und nach Anerkennung, was sich u. a. in der ständig wachsenden Zahl der Besucher (Teilnehmer an musikalischen Wettbewerben oder Kursen) und im Gefragtsein der Solisten in der Musikwelt widerspiegelte.
Die zweite grundsätzliche Überlegung betraf die Entfaltung der Volksmusikbewegung. Hier stand die Musikerziehung vor großen Aufgaben. Das Bedürfnis nach musikalischer Betätigung wuchs und forderte eine große Zahl an qualifizierten Chor- und Ensembleleitern (Instrumental- und Volkstanzgruppen). Das Land sollte mit einem möglichst dichten Netz von Musikschulen überzogen werden.
Der dritte Grundsatz hatte die Förderung des zeitgenössischen Musikschaffens zum Inhalt. Die Komponisten wurden von staatlicher Seite, vom sozialistischen Kulturbund und vom Komponistenverband unterstützt. Mit wachsendem Engagement setzten sich aber auch die Musikerzieher und die Interpreten sowie die Vertreter der Medien für die Vermittlung zeitgenössischer Musik ein.

Sozialistische Grundsätze in der ehemaligen DDR

Nachkriegszeit
(Fortsetzung)
Deutsche
Komponisten
der ersten Stunde

Zu den bereits in breiten Kreisen anerkannten Komponisten der 'ersten Stunde' im Musikleben der einstigen DDR, die z.T. schon auf ein reiches Schaffen in der Zeit vor dem Zweiten Weltkrieg zurückblicken konnten, gehörten Hanns Eisler, Paul Dessau und Ernst Hermann Meyer, alle drei in ihrer Hauptschaffenszeit Berliner Komponisten. Sie wirkten gleichermaßen als Komponisten, Musikerzieher und Kulturpolitiker. In den fünfziger Jahren haben sie insbesondere mit ihren Vokalwerken (Lieder, Chöre, Oratorien und Opern) den Weg zu einer zeitgenössischen Musik mit Breitenwirkung gewiesen.

Sowjetischer
Einfluß

Eine nicht zu verkennende Rolle im Musikleben spielten nach Einführung der sozialistischen Staats- und Parteidoktrin und der damit verbundenen Verbrüderung mit der Sowjetunion die Werke der sowjetischen Komponisten Dmitri Schostakowitsch und Sergej Prokofjew.

Mittlere
Komponisten-
generation

Die Komponisten der 'mittleren' Generation blickten noch mit Hochachtung auf ihren Lehrer Rudolf Wagner-Régeny, der die Berliner Hochschule für Musik nach 1945 durch sein Wirken entscheidend geprägt hatte. Standen im ersten Jahrzeht nach der Gründung der DDR Vokalwerke im Vordergrund, so erhielt in der Folgezeit das sinfonische und kammermusikalische Schaffen neue Impulse. Hier seien Namen wie Reiner Bredemeyer, Johann Cilenšek, Fritz Geißler, Günter Kochan, Gerhard Rosenfeld, Kurt Schwaen, Gerhard Wohlgemut und Ruth Zechling genannt. Ihr Schaffen war in jener Zeit von der Suche nach neuen Ausdrucksmöglichkeiten und Themen bestimmt.

Zeitgenössische
Komponisten

Als Komponisten, die durch ihr sinfonisches und kammermusikalisches Schaffen über die Grenzen des Landes hinaus bekannt wurden, weil sie nach interessanten Möglichkeiten zeitgemäßen Musizierens suchten, galten Reiner Bredemeyer, Friedrich Goldmann, Georg Katzer und Friedrich Schenker.
Führende Komponisten des Musiktheaters der jüngsten Vergangenheit waren Siegfried Matthus, Karl Ottomar Treibmann und Udo Zimmermann.

Unterhaltungs-
musik

Auf dem Gebiet der Operette und des Musicals hat sich neben anderen Gerd Natschinski einen Namen gemacht. Nach anfänglicher Zurückhaltung konnten sich seit den sechziger Jahren auch immer mehr Beat- und dann auch Rockgruppen etablieren. Auch die Jazzmusik fand zunehmend Anhänger; in Dresden und in Jena wurden regelmäßig Jazzfestivals veranstaltet.

Musikleben

Allgemeines

Wer vormals in Mitteldeutschland nach Denkmälern der Tonkunst forschen und traditionsreiche Stätten der Musikpflege aufsuchen wollte, mußte seine Schritte in den Süden lenken. Dort kann er auch noch heute den Spuren Bachs in Thüringen, Köthen und Leipzig folgen, die Geburtsorte von Heinrich Schütz, Bad Köstritz, von Georg Friedrich Händel, Halle (Saale), von Georg Philipp Telemann, Magdeburg, und von Richard Wagner, Leipzig, besuchen und feststellen, daß das Erbe jener großen deutschen Musiker lebendig geblieben ist und das Musikleben der genannten Plätze nach wie vor prägt. In den südlichen Regionen befinden sich auch mehrere Zentren des deutschen Musikinstrumentenbaues.

Doch auch der Norden hat sich auf seine musikalischen Traditionen besonnen und, wo keine aufzuspüren waren, neue geschaffen.
So gab es bis zur dramatischen 'Wende' der jüngsten Vergangenheit in der damaligen Deutschen Demokratischen Republik 88 Orchester, die sinfonische Konzerte veranstalteten. Zu ihnen gehörten Staatliche und Städtische Sinfonieorchester sowie Kultur- und Unterhaltungsorchester, die

ausschließlich Konzerttätigkeit ausübten; manche gaben im Jahr bis zu 250 Konzerte. Hinzu kamen die Konzerte der Theaterorchester und der Klangkörper des Staatlichen Rundfunkkomitees. Diese veranstalteten neben ihren Theater- bzw. Rundfunkproduktionsverpflichtungen im Jahr zwischen zwölf und 60 Konzerte. Eine Vielzahl musikinteressierter Laien sang in Chören, Singgruppen und Folkloreensembles mit. Als Förderer der über 50 000 Volkskunstzirkel des Landes organisierte das 'Zentralhaus für Kulturarbeit der DDR' (Sitz Leipzig) Tanz- und Sängerfeste, zentrale Leistungsschauen und Chortreffen. Im Jahre 1983 fand erstmals ein zentrales Chorfest in Eisenach statt. Allgemeines (Fortsetzung)

Die Zahl der Musikstätten wurde kontinuierlich vergrößert. Praktisch jede Kleinstadt und Landgemeinde verfügte über ein Kulturhaus. Dadurch konnte u. a. erreicht werden, daß sich die Reihe 'Konzertwinter auf dem Lande' nach erfolgreichem Beginn mit der Saison 1964/1965 im einstigen Bezirk Cottbus über das ganze Land ausbreitete.

Die nachstehenden Ausführungen geben einen Rückblick auf das Musikgeschehen in der einstigen Deutschen Demokratischen Republik, beginnend mit Berlin (Ost). Anschließend werden die bisherigen musikalischen Aktivitäten und Ereignisse im übrigen Lande umrissen, wobei der geographischen Lage der neuen deutschen Bundesländer im wesentlichen von Norden nach Süden gefolgt ist. Hierbei wird zuweilen noch auf die 1952 eingeführte sozialistische Verwaltungsgliederung in 'Bezirke' Bezug genommen; ihre Lage und Gestalt zeigt die Übersichtskarte auf Seite 10 dieses Reiseführers. Hinweis

Berlin (Ost)

Zu einem Zentrum norddeutscher Musikkultur entwickelte sich Berlin erst in der zweiten Hälfte des 18. Jahrhunderts während der Regierungszeit Friedrichs II. (1740–1786). Außer der Hofkapelle, der heutigen Staatskapelle, die im Jahre 1992 ihren 450. Geburtstag feiern soll, gab es damals musikalisch nichts Vergleichbares zu den Handelsstädten Leipzig oder Hamburg. Das Königliche Opernhaus, 1742 eröffnet, bot nur einmal im Jahr zur Karnevalszeit Opernaufführungen. Der musikalische Aufschwung dieser Zeit ist mit den Namen des Begründers der bis heute bestehenden Sing-Akademie zu Berlin (1791), Carl Friedrich Fasch, sowie seinem Nachfolger, Carl Friedrich Zelter, und nicht zuletzt mit den Namen Carl Philipp Emanuel Bach und Johann Friedrich Reichardt verbunden. Entwicklung im 18. Jahrhundert

Musikalische Weltstadt wurde Berlin jedoch erst im 19. Jahrhundert. Seitdem haben Komponistenpersönlichkeiten wie Felix Mendelssohn-Bartholdy, Carl Maria von Weber, Giacomo Meyerbeer, Albert Lortzing, Arnold Schönberg, Hanns Eisler, Kurt Weill, Paul Hindemith und Paul Dessau das Musikleben der Stadt entscheidend geprägt. Musikalische Weltstadt

Im 750. Jahr Berlins (1987) erstrahlten viele historische Gebäude in neuem Glanz, darunter die berühmte 'Lindenoper', die Deutsche Staatsoper Berlin. Wer statt des Musiktheaters – Deutsche Staatsoper, Komische Oper, Metropol-Theater (→ Theaterleben) – ein Konzert hören wollte, konnte das 1984 wiedereröffnete ehemalige Schauspielhaus Berlin besuchen, in dem regelmäßig Kammermusik- und Sinfoniekonzerte veranstaltet wurden. Die Staatskapelle Berlin, das Berliner Sinfonieorchester und das Rundfunksinfonieorchester Berlin gaben ihre Konzerte in diesem Hause.
Das Orchester der Komischen Oper veranstaltete seine Konzerte im eigenen Gebäude. Musiktheater und Konzertstätten

Viel besuchte Konzertreihen für Kammermusik wurden im Maxim-Gorki-Theater ('Stunde der Musik'), im alten Zeughaus Unter den Linden (mit dem Berliner Sinfonieorchester), im Apollosaal der Deutschen Staatsoper Konzertreihen

Konzert im Berliner ehemaligen Schauspielhaus

Berlin (Ost), Konzertreihen (Fortsetzung)	(mit Mitgliedern der Staatskapelle oder dem Streichquartett der Staats- oper), im Foyer der Komischen Oper (Reihe 'Kammermusik im Gespräch'), im inzwischen wegen gravierender Baumängel geschlossenen Palast der Republik, in der Akademie der Künste, im Pankower Rathaus, im Mär- kischen Museum und an anderen Musikstätten gegeben. Beliebtheit erfreuten sich die musikalisch-literarischen Veranstaltungen des Theaters im Palast der Republik (TiP; vgl. oben) und des Musikclubs im ehemaligen Schauspielhaus. Zur Tradition waren die Gitarrenabende im TiP ('Stunde der Gitarre') geworden, die mit den alljährlich im März ab- gehaltenen 'Internationalen Tagen der Gitarre' ihren Höhepunkt erreichten.
Musikalische Veranstaltungen	In vielen großen Städten nutzte man Mehrzweckhallen auch für musika- lische Veranstaltungen, so in Berlin die Kongreßhalle am Alexanderplatz. Jazz wurde u.a. in den Kammerspielen ('Jazz in der Kammer'), in der Kleinen Komödie im Rundbau des Deutschen Theaters, im Theater im dritten Stock der Volksbühne und im Filmtheater 'International' geboten. Besonders beliebt waren auch Konzerte an historischen Stätten. Dazu gehörten in Berlin das alte Zeughaus (Sommerkonzerte im Innenhof), das Rote Rathaus (sonntägliche 'Wappensaalkonzerte') und das Schloß Fried- richsfelde. Musikwissenschaftler und -interessierte besuchten gern die Musikabteilung der Deutschen Staatsbibliothek, in der auch die Reihe 'Musik im Lesesaal' großen Zuspruch fand.

Einige Berliner Kammermusikensembles hatten sich der Pflege alter Musik gewidmet. Zu ihnen zählten das 'Berliner Barocktrio' (ein 1980 gegründetes Gambentrio), das Ensemble 'Akademie für Alte Musik' und das Kammerensemble 'musica mensurata' (seit 1978).

In ihrem Engagement für zeitgenössische Musik haben sich die Berliner Bläservereinigung und das 'Ensemble für neue Musik Berlin' (seit 1982) internationales Ansehen erworben.

Jedes Jahr wurden in Berlin zentrale Musikfesttage unterschiedlicher Art veranstaltet. Im Februar waren es die 'DDR-Musiktage' und die 'Musik-Biennale Berlin' (im jährlichen Wechsel), die vor allem Interpreten und Freunde zeitgenössischer Musik nach Berlin riefen.

Berlin (Ost; Fortsetzung) Musikfestivals

Besondere musikalische Höhepunkte wurden auch während der alljährlich im September bis Anfang Oktober veranstalteten 'Berliner Festtage des Theaters und der Musik' geboten; herausragend waren dabei die Konzerte am 1. Oktober, dem Weltmusiktag.

Mecklenburg-Vorpommern

In Schwerin, der neuen Landeshauptstadt von Mecklenburg-Vorpommern, hatten zwei Orchester an der Gestaltung des Musiklebens maßgeblichen Anteil: die traditionsreiche Schweriner Staatskapelle und die Schweriner Philharmonie. Die zuletzt genannte gab auch in Güstrow, Hagenow, Lübz, Wittenberge und Parchim regelmäßig Sinfoniekonzerte.

Schwerin: Orchester und Konzerte

In Schwerin war neben den Sinfoniekonzerten und den Aufführungen des Musiktheaters viel Kammermusik zu hören. Großen Zuspruchs erfreuten sich die Museums- und Thronsaalkonzerte. Sie wurden vom Bläserquintett, dem Streichquartett der Mecklenburgischen Staatskapelle und von der 'Camerata pro musica rediviva', einer Vereinigung zur Wiederbelebung alter Musik, die aus der Schweriner Philharmonie hervorgegangen ist, getragen. Seit 1983 wurden in Schwerin mittsommerliche Kammermusiktage veranstaltet. Daran beteiligte sich auch das Laienensemble 'Collegium musicum', das sich vornehmlich der Pflege alter Musik widmete.

Das Schweriner Schloß lud zu vielfältigen musikalischen Veranstaltungen ein, so auch zu den 'Wandelkonzerten': Der Rundgang durch das Schloß wurde von Mitgliedern der Schweriner Philharmonie mit Kompositionen alter Meister eingeleitet.

Schweriner Wandelkonzerte

Ein besonderer Anziehungspunkt für viele Schwerin-Besucher ist der dortige Dom mit seiner über einhundert Jahre alten Ladegast-Orgel. Der sommerliche Zyklus 'Orgelmusik im Dom' bot etwa ein Dutzend Konzerte.

Orgelmusik im Schweriner Dom

Eine ähnliche Einstimmung wie bei den Schweriner 'Wandelkonzerten' auf das Kunsterlebnis erfolgte im Güstrower Atelierhaus der Ernst-Barlach-Gedenkstätte. Das in Güstrow ansässige 'Collegium musicum', ebenfalls ein Laienensemble, hat sich mit seinen allgemein beliebten Konzerten über die Grenzen der Stadt hinaus einen Namen gemacht.

Güstrow

In der Hansestadt Rostock wurden gern historische Bauten für Musikaufführungen genutzt, so etwa die Universitätskirche, der Festsaal im Rathaus, der Barocksaal im Palais, die Marienkirche und das ehemalige Kloster Zum Heiligen Kreuz (u.a. Sommerkonzerte im Klosterhof). Sinfonische Konzerte veranstaltete die Rostocker Philharmonie im Großen Haus des Volkstheaters. Musikalische Programme bot auch das Kleine Haus des Theaters. Für die Popularisierung von Kammermusik setzten sich das bekannte Rostocker Nonett (u.a. mit der Reihe 'Keine Angst vor Kammermusik'), das Kammerorchester der Außenstelle der Hochschule für Musik "Hanns Eisler" Berlin mit Sitz in Rostock, das Rostocker Seeligerquartett, diverse Kammermusikvereinigungen der Lehrer und das Rostocker Klaviertrio ein.

Rostock

Das Rostocker Konservatorium hatte eine Konzertreihe für die Jugend ins Leben gerufen, die u.a. auch das Jugendsinfonieorchester der Stadt einbezog; im Saal des Konservatoriums fanden sog. 'Hauskonzerte' statt. Musik erklang auch in der Rostocker Universitätsmensa (u.a. Jazz), im Kulturzentrum Lütten Klein ('Stunde der Musik'), im Kulturhaus der Neptunwerft (u.a. Jazz), im einstigen Haus der Deutsch-Sowjetischen Freundschaft und im 'Café am Barocksaal'.

Die 'Bachwochen in Greifswald' gehörten zu den ältesten Musikfesten des Landes; sie wurden seit 1946 alljährlich veranstaltet.

Greifswald

Musikleben

Mecklenburg-Vorpommern, Greifswald (Fortsetzung)	Seit 1975 organisierte die Hansestadt Greifswald darüber hinaus eigene Musikfesttage, die u. a. vom Universitätschor der Ernst-Moritz-Arndt-Universität und dem 'Collegium musicum' getragen wurden. Die 'Eldena Jazz Evenings' in der Klosterruine Eldena bei Greifswald waren besonders bei jungen Leuten beliebt.
Stralsund	Stralsund bot den Musikfreunden eine besondere Attraktion: die Remterkonzerte im ehemaligen Katharinenkloster. Viel besucht waren die Orgelkonzerte auf der Stellwagen-Orgel von 1659 in der Stralsunder Marienkirche und auf der neuen Schuke-Orgel im Doberaner Münster.
Musikantentreff Ostsee	Eine beliebte Musikveranstaltung war der 'Musikantentreff Ostsee', bei dem sich Jugendblasorchester aus neun Ländern trafen.
Neubrandenburg	Mit dem Bau des großen Hauses der Kultur und Bildung im Zentrum von Neubrandenburg erhielt die vom Zweiten Weltkrieg schwer getroffene Stadt eine neue, repräsentative Musikstätte, an der sinfonische Musik und Kammermusik in verschiedenen Konzertreihen einen festen Platz fanden. Die kriegszerstörte Marienkirche sollte als Konzerthalle und Kunstgalerie wiedererstehen. Im restaurierten ehemaligen Johanniskloster veranstalteten Mitglieder der Neubrandenburger Philharmonie seit 1980 'Konzerte bei Kerzenschein', die sich großer Beliebtheit erfreuten. Der Philharmonie angeschlossen wurde 1978 der Konzertchor Neubrandenburg.
Konzertwinter auf dem Lande	Um das Musikleben in der gesamten Region anzuregen, wurde Ende der sechziger Jahre die Reihe 'Konzertwinter auf dem Lande' eingerichtet. Vom Herbst bis zum Frühjahr wurden alljährlich mehr als 400 Musikveranstaltungen in rund 350 Dörfern geboten.
Laienmusik	Im einstigen Bezirk Neubrandenburg wurde die Laienmusikbewegung beträchtlich gefördert: Zu den Arbeiterfestspielen des Jahres 1982 hatten sich beispielsweise über 150 Ensembles qualifiziert. Besondere Beachtung fanden darunter das Neustrelitzer Jugendsinfonieorchester, das seine Aufgabe darin sah, Werke von mecklenburgischen Komponisten des 18. Jahrhunderts zu entdecken und zur Aufführung zu bringen, sowie der Anklamer Knabenchor. Zu viel besuchten Musikstätten hatten sich der Spiegelsaal des Schlosses Tützpatz und die Freilichtbühne Tutow entwickelt.
Musiktage	Jedes Jahr fanden die 'Musiktage des Bezirkes Neubrandenburg' statt, im zweijährigen Turnus wurden die 'Neubrandenburger Militärmusiktage' abgehalten.

Land Brandenburg

Fürstenwalde Eberswalde-Finow	Das Musikleben in der nordöstlichen Mark Brandenburg wurde von den Kreisstädten getragen, insbesondere von Fürstenwalde und Eberswalde-Finow. Beide Orte veranstalteten alljährlich eigene Musiktage: die 'Fürstenwalder Musiktage' im November und die 'Eberswalder Musiktage'
Choriner Musiksommer	mit dem anschließenden 'Choriner Musiksommer'. Er wurde seit 1964 alljährlich vom Institut für Forstwissenschaften Eberswalde organisiert. Zwischen Juni und August konnte man in der Ruine des Zisterzienserklosters Chorin zehn Konzerte von bekannten Solisten und Orchestern erleben. Ähnliche Ausstrahlung hatten die Konzerte im Fürstenwalder Rathaus, in der Kleinen Konzerthalle Eberswalde und im Saal des Beeskower Museums (Balkensaal der Burg).
Potsdam: Parkfestspiele Sanssouci	In Potsdam, der neuen Hauptstadt des Landes Brandenburg, bildeten die 'Parkfestspiele Sanssouci' den Höhepunkt des Musiklebens im Juni jeden Jahres. Der besondere Reiz dieser seit langen Jahren bestehenden Veran-

staltungsreihe lag darin, daß eine Vielzahl historischer Stätten für Musikaufführungen genutzt wurde. Zu ihnen gehörten das Schloßtheater des Neuen Palais, der Raffaelsaal der Orangerie, die Bildergalerie des Schlosses Sanssouci und die Gartenanlagen am Musenrondell, an der Großen Fontäne, am Chinesischen Teehaus, am Säulenhof der Orangerie und im Ehrenhof des Neuen Palais.

Land Brandenburg, Potsdam (Fortsetzung)

Nach anfänglichem Bestreben, ein möglichst breites Spektrum künstlerischen und volkskünstlerischen Schaffens in vielfältigen Veranstaltungsformen zu erfassen, begann Mitte der sechziger Jahre die Umprofilierung der Parkfestspiele zu Musikfesttagen. Dann wurde die Pflege von Kammermusikwerken zum wesentlichen Anliegen. Von etwa dreißig Veranstaltungen waren über die Hälfte der Kammermusik gewidmet; hinzu kamen Opern- und Ballettabende, Sinfonie- und Chorkonzerte. Durch die Mitwirkung der 'Potsdamer Turmbläser', die vor dem jeweiligen Konzert die Hörer 'herbeirufen', erhielten die Veranstaltungen eine besonders festliche Einstimmung.

Getragen wurden die Konzerte u.a. vom Potsdamer Kammerorchester, dem 'Orchester de camera', dem Flötentrio und dem Bläserquintett.

Die bekanntesten Klangkörper des einstigen Bezirkes Potsdam waren das Orchester des Potsdamer 'Hans-Otto-Theaters' und das DEFA-Sinfonieorchester Potsdam-Babelsberg. Eine Bereicherung erfuhr das Musikleben durch die Jugendsinfonieorchester der Bezirksmusikschule, die Potsdamer Singakademie und den Chor der Pädagogischen Hochschule Potsdam. Die Orchester gestalteten mehrere Konzertreihen, darunter die Studiokonzerte des DEFA-Sinfonieorchesters, die Sinfoniekonzerte des Theaterorchesters sowie Konzerte mit zeitgenössischer Musik.

Potsdamer Orchester

Den alljährlichen Weltmusiktag am 1. Oktober beging man in Potsdam als 'Tag der neuen Musik'.

Tag der neuen Musik

Das Kulturleben der Stadt Frankfurt an der Oder ist untrennbar mit den Namen Heinrich v. Kleist und Carl Philipp Emanuel Bach verbunden. Als ehemalige Universitätsstadt besaß sie für viele Studenten eine große Anziehungskraft. C.P.E. Bach hat als Jurastudent ein reges musikkulturelles Leben in der Oderstadt angeregt. Nach ihm ist die große Konzerthalle der Stadt in der ehemaligen Franziskaner-Klosterkirche benannt; ihr angeschlossen ist eine ständige Ausstellung zum Leben und Wirken des großen Bach-Sohnes. Am Ort ist die bekannte Orgelbaufirma Sauer beheimatet; sie hat 1975 die Orgel für die Konzerthalle gebaut. Seitdem konnte man dort Konzertreihen wie 'Sonntägliche Orgelmusik' und 'Volkstümlicher Orgelabend' besuchen.

Frankfurt (Oder)

Den Höhepunkt des Frankfurter Musiklebens bildeten alljährlich die seit 1974 stattfindenden 'Frankfurter Festtage der Musik' (Mitte Februar bis Anfang März). Sie wurden vom Philharmonischen Orchester der Kleist-Theaters, der Frankfurter Singakademie und dem Neuen Frankfurter Collegium Musicum gestaltet. Zu besonders attraktiven Veranstaltungen der Stadt zählten die sonntäglichen 'Hausmusiken bei Kleist' in der Kleist-Gedenk- und Forschungsstätte, die 'Konzerte auf historischen Instrumenten' im Museum 'Viadrina' und die 'Galeriekonzerte' in der Galerie 'Junge Kunst' des Rathaussaales.

Die 'Chansontage der DDR' sowie ein deutsch-polnisches Jugendsinfonieorchester waren musikkulturelle Besonderheiten des einstigen Oderbezirkes. Das Orchester der jungen Musiker der Musikschule Zielona Góra (Grünberg in Schlesien) und der Bezirksmusikschule Frankfurt (Oder) bestanden seit vielen Jahren.

Chansontage und deutsch-polnisches Jugendsinfonieorchester

Auf eine langjährige Tradition konnte der 'Cottbuser Musikherbst' zurückblicken. Gestaltet wurde er vor allem von den beiden Orchestern der Stadt Cottbus: dem Staatlichen Orchester und dem Theaterorchester. Aus dem zuletzt genannten bildeten sich mehrere Kammermusikvereinigungen,

Cottbus: Musikherbst

Musikleben

Land Branden- burg, Cottbus (Fortsetzung)	unter ihnen das Küster-Quartett, das Barockensemble, das Bläsertrio und das Erste Bläserquintett. Kammermusik konnte man im Carl-Blechen-Club, auf der Kammerbühne des Cottbuser Theaters und in der Aula des Cottbuser Konservatoriums hören. Im nahen Schloß Branitz fanden regelmäßig Sonntagskonzerte statt. Die Galerie 'Kunstsammlung' wurde u. a. für Aufführungen zeitgenössischer Musik genutzt.
Senftenberg	Auf reges musikkulturelles Leben traf man auch in der Bergarbeiterstadt Senftenberg, die zwei Orchester unterhielt.
Hoyerswerda (jetzt zum Freistaat Sachsen gehörig)	Parallel zum 'Cottbuser Musikherbst' wurden im Jahre 1966 die 'Hoyerswerdaer Musikfesttage' begründet; als Musikstätte diente u. a. der dortige Museumssaal.
Sorbische Musik	Sein spezifisches musikalisches Profil erhielt der einstige Bezirk Cottbus durch die Pflege sorbischer Musik. Im Jahre 1986 fanden die '3. Tage der sorbischen Musik' statt, die von dem 1957 gegründeten Arbeitskreis sorbischer Musikschaffender veranstaltet wurden. Daran beteiligt waren die Vereinigten Orchester des Bautzener Theaters und des Staatlichen Ensembles für sorbische Volkskultur, Kammermusikvereinigungen, Chöre sowie eine Vielzahl von Folkloregruppen. Das Musikfest diente vor allem der Aufführung zeitgenössischer sorbischer Kompositionen.
Spreewald- Musikanten	Eines der begehrtesten Ausflugsziele im Südosten des Landes Brandenburg ist der Spreewald. Darum darf bei dem Überblick über das Musikleben dieser Gegend die aus Funk und Fernsehen bekannte Gruppe 'Original Spreewald-Musikanten' nicht unerwähnt bleiben.

Sachsen-Anhalt

Magdeburg	Magdeburg, die neue Landeshauptstadt von Sachsen-Anhalt, ist stolz auf ihren großen Sohn Georg Philipp Telemann, der hier 1781 geboren wurde. Das Magdeburger Zentrum für die Telemann-Pflege und -Forschung bildete seit 1985 eine selbständige Organisation. Dem Schaffen Telemanns widmeten sich mit besonderer Intensität der Telemann-Chor und das 'telemann-consort'. Das Magdeburger Kloster Unser Lieben Frauen wurde 1977 in eine Konzerthalle umgebaut und trug, wie auch die örtliche Musikschule, den Namen des Komponisten. Zu den beliebten Konzertreihen der Konzerthalle gehörten die Sonntagsmusiken und die sommerlichen Kreuzgang- und Serenadenkonzerte.
Magdeburger Kulturtage	Alljährlich im September fanden die 'Magdeburger Kulturtage' statt, bei denen besonders die zahlreichen Orgelkonzerte regen Zuspruch fanden.
Stendal Schönebeck Salzwedel	Zu den Klangkörpern, die das Musikleben des einstiges Bezirkes Magdeburg mittrugen, gehörten das Orchester des Theaters der Altmark Stendal, ferner das Tanz- und Unterhaltungsorchester Schönebeck, das Konzertorchester Salzwedel und das Staatliche Orchester Wernigerode.
Halberstadt	Halberstadt war seit jüngerer Zeit mit dem 'Musik- und Theaterfrühling' hervorgetreten. Im Halberstädter Dom konnte man regelmäßig Musikaufführungen beiwohnen. Die Sinfoniekonzerte wurden durch das Orchester des Volkstheaters Halberstadt gestaltet.
Wernigerode	Die Konzerte im Rathaus von Wernigerode waren ebenso beliebt wie das jährlich stattfindende Rathausfest, bei dem man u. a. den Rundfunk-Jugendchor Wernigerode erleben konnte.

Die Kultur- und Forschungsstätte Michaelstein bei Blankenburg (Harz) galt als bekanntes Musikzentrum. In dem ehemaligen Zisterzienserkloster wurden alljährlich im Juni 'Tagungen zur Musik des 18. Jahrhunderts' veranstaltet. Sie erhiellten ihren besonderen Reiz durch die Verbindung mit der Musikpraxis. Hinzu kamen sommerliche Klosterkonzerte.

Sachsen-Anhalt (Fortsetzung), Michaelstein

Ein Musikzentrum besonderer Art hat sich in Zerbst herausgebildet. Dort ist Johann Friedrich Fasch geboren. Zum 225. Geburtstag des Komponisten wurden 1983 die ersten 'Fasch-Festtage' veranstaltet.

Zerbst

Die Stadt Halle an der Saale ist der Geburtsort von Georg Friedrich Händel (1685–1759). Den Bemühungen der Stadtväter, des Komponistenverbandes und nicht zuletzt der Musiker der Stadt ist es zu verdanken, Händels Erbe bewahrt zu haben.

Halle (Saale)

Zum 300. Geburtstag des Komponisten wurde das Händelhaus umfassend rekonstruiert und dient nun als Museum und Musikstätte; das Programmangebot umfaßt Kammermusikabende, Konzerteinführungen und Gesprächsrunden. Ein besonderes Erlebnis bedeuten die musikalischen Führungen durch die Ausstellungsräume.

Die Händelpflege wird vor allem durch das Landestheater Halle getragen, das im Jahr mindestens eine Händeloper in neuer Inszenierung herausbringt.

Große Verdienste hat sich dabei auch das im Hause wirkende Händel-Festspielorchester erworben, aus dem mehrere Kammermusikvereinigungen hervorgegangen sind. Erwähnung verdient auch die Hallesche Philharmonie.

Die alljährlich im Juni abgehaltenen Veranstaltungen zu den Händel-Festspielen waren außerordentlich beliebt. Dazu gehörten die Oratorien-Aufführungen in der Konzerthalle, die Opernaufführungen im Theater und im Goethe-Theater in Bad Lauchstädt, die Kammermusik in der Aula der Universität und im Händelhaus sowie Liederabende und Freiluftkonzerte, darunter das traditionelle Konzert in der Galgenbergschlucht mit anschließendem Feuerwerk.

Händel-Festspiele

Festspielorte waren u. a. auch Köthen (Spiegelsaal des Schlosses), Weißenfels, die Lutherstadt Wittenberg (Elbe-Elster-Theater), Dessau (Schloß Georgium), Aschersleben und Zeitz.

Köthen ist sich seiner Tradition als Bach-Stadt wohl bewußt (Bach-Gedenkstätte; Bach-Saal im Schloß). Seit 1967 wurden alle zwei Jahre die 'Köthener Bachfesttage' veranstaltet.

Köthen

Auch der zeitgenössischen Musik waren im einstigen Bezirk Halle mehrere Veranstaltungsreihen gewidmet. Ihren Höhepunkt fanden sie während der 'Halleschen Musiktage' und der 'Wochen zeitgenössischer Musik' in der Lutherstadt Wittenberg.

Zeitgenössische Musik

Als besonders attraktive Musikveranstaltungen galten die Galeriekonzerte in der Halleschen Moritzburg (im Hof auch Sommerkonzerte), die Konzerte im Merseburger Dom, im Wörlitzer Park und im Schloß Weißenfels.

Weitere Konzertstätten

Sachsen

Die traditionsreiche Handels- und Messestadt Leipzig entwickelte als eine der ersten deutschen Städte eine frühbürgerliche Musikkultur. Georg Philipp Telemann, der dort Jura studierte, gründete 1701 ein 'Collegium musicum'. Johann Sebastian Bach, Thomaskantor in Leipzig von 1723 bis zu seinem Tode (1750), vereinte ebenfalls die musikfreudige Leipziger Studentenschaft in seinem 'Collegium musicum', auf das sich das 1979 gegründete 'Neue Bachische Collegium Musicum' mit wachsendem Erfolg beruft.

Leipzig

Musikleben

Sachsen, Leipzig
(Fortsetzung),
Konzerte und
Orchester

Im Jahre 1743 gründeten Leipziger Kaufleute die 'Großen Konzerte', welche sich später zu den traditionsreichen 'Gewandhauskonzerten' ausweiteten. Das 1981 eröffnete Neue Gewandhaus zu Leipzig bot und bietet fast täglich Konzertveranstaltungen an. Die Sinfonie- und Orgelkonzerte, die sonntägliche Kammermusik mit interessanten Konzerteinführungen und die 'Begegnungen im Gewandhaus' fanden stets eine zahlreiche Zuhörerschaft.

Bestritten wurden alle diese Veranstaltungen nicht nur vom Gewandhausorchester mit seinen vielfältigen Kammermusikvereinigungen oder seinem Organisten, sondern auch von den Leipziger Rundfunkensembles, dem Akademischen Orchester der Universität, den Chören der Stadt und profilierten Interpreten zeitgenössischer Musik, wie der 'Gruppe Neue Musik – Hanns Eisler' und der 'Gruppe Junge Musik'.

Der Pflege alter Musik widmeten sich die Ensembles 'Collegium instrumentale lipsiense', 'Concertus musicus lipsiensis', die 'Capella Fidicina' und das 'Julius-Klengel-Kollegium'.

Thomanerchor
und andere
Leipziger Chöre

Die Messestadt könnte mit ihren Chören ein eigenes Chorfest feiern. Der weltbekannte Thomanerchor verdient es natürlich, zuerst genannt zu werden. Aber auch die anderen Chöre Leipzigs sind der Musikwelt längst ein Begriff geworden: Es sind dies der Gewandhauschor, der Gewandhauskinderchor, der Universitätschor, der Rundfunkchor und der Leipziger Synagogalchor.

Leipziger
Musikfeste

Höhepunkte des Leipziger Musiklebens bildeten wie anderorts die Musikfeste. Dem Erbe der Musikerfamilie Bach verpflichtet, wurden Feste und Wettbewerbe mit Beteiligung in- und ausländischer Orchester und Solisten durchgeführt.

Seit 1981 fanden im Herbst die 'Gewandhausfesttage' statt. In jährlichem Wechsel waren sie zeitgenössischer Musik und einer großen Musikerpersönlichkeit der Vergangenheit gewidmet. Während der Leipziger Messen wurden dem internationalen Publikum Messe- und Sonderkonzerte geboten. Die Konzertreihe 'Leipziger Sommer im Gewandhaus' bestand seit 1982 und wurde vorwiegend von Organisten und Kammermusikvereinigungen gestaltet.

Weitere
Musikstätten
in Leipzig

Zu den gern besuchten Musikstätten Leipzigs gehörten und gehören des weiteren das Leipziger Opernhaus, das Alte Rathaus (Rathauskonzerte im Festsaal), die Hochschule für Musik "Felix Mendelssohn Bartholdy" (u. a. Professorenkonzerte im Kammermusiksaal), das Museum der Bildenden Künste (Konzerte im Klinger-Saal), das Musikinstrumentenmuseum (Kammerkonzerte), das Gohliser Schlößchen und das Lindenau-Museum (Galeriekonzerte).

Altenburg
(jetzt in Thüringen)

Von den anderen Städten des einstigen Bezirkes Leipzig ist das nun zum neuen Bundesland Thüringen gehörende Altenburg zu nennen. Dort wirkten die Landeskapelle Altenburg und das Ensemble des Landestheaters Altenburg. Die Konzerte im Bach-Saal des Altenburger Schlosses und in der Konzerthalle der Schloßkirche gehörten zu den beliebtesten musikalischen Veranstaltungen.

Döbeln
Torgau
Borna

Das Stadttheater Döbeln unterhielt ein eigenes Orchester.
In der Elbestadt Torgau wirkte das Kreisorchester und in Borna das Staatliche Orchester Leipzig.

Dresden
und Umgebung

Die Einmaligkeit des Kunsterlebens in Dresden, der neuen sächsischen Landeshauptstadt, beruht auf dem harmonischen Zusammenklang von Architektur, Landschaft und Kunst. Unvergeßliche Erlebnisse boten darum die Zwingerkonzerte und die Sommerkonzerte auf den Schlössern Pillnitz und Moritzburg. Dasselbe galt für die Konzerte im Barockgarten Großsedlitz, auf der Meißener Albrechtsburg, der Felsenbühne Rathen und im Spiegelsaal des Schlosses Gaußig (südwestlich von Bautzen).

Seit den ersten 'Dresdener Musikfestspielen', die im Jahre 1978 stattfanden, und vor allem seit der Wiedereröffnung der restaurierten Semperoper (→ Theaterleben) im Februar 1985 blickte die Musikwelt mit gespannter Aufmerksamkeit auf Dresden.

Sachsen, Dresden
(Fortsetzung)

Eine Musikstadt ist das 'Elbflorenz' Dresden aber schon seit rund vier Jahrhunderten. Dafür sorgte Heinrich Schütz als einer der ersten und zugleich bedeutendsten Dresdener Musikerpersönlichkeiten. Er leitete von 1617 bis zu seinem Tode (1672) die Dresdener Staatskapelle, die 1973 ihr 425jähriges Bestehen feiern konnte. An ihrem Pult standen berühmte Dirigenten wie Johann Adolf Hasse, Carl Maria von Weber, Richard Wagner, Ernst von Schuch, Fritz Busch, Karl Böhm und Otmar Suitner.

Dresdener
Staatskapelle

Die Dresdener Philharmonie wurde 1870 als Gewerbehausorchester gegründet; ihren heutigen Namen erhielt sie 1924. Im 1969 errichteten Dresdener Kulturpalast fand sie ihre ständige Wirkungsstätte.

Dresdener
Philharmonie

Wer Dresden am Wochenende besucht, sollte die sonnabendliche Vesper in der Kreuzkirche mit dem berühmten Kreuzchor nicht versäumen (auch Orgelmusik).

Dresdener
Kreuzchor

Die musikalische Wiege vieler Interpreten von Weltruf stand in Dresden. Von Bedeutung war und ist die Dresdener Hochschule für Musik "Carl Maria von Weber", deren Studenten und Dozenten regelmäßig Konzerte veranstalteten, so die traditionellen Podiumskonzerte des Hochschulsinfonieorchesters und eine Reihe von Kammerkonzerten. Diese konnte man auch in der Carl-Maria-von-Weber-Gedenkstätte im Dresdener Vorort Hosterwitz hören.

Dresdener
Musikhochschule

Wer den Musiktheateraufführungen in der Staatsoper (Semperoper) einen Operettenabend vorzog, hatte die Möglichkeit, die Staatsoperette Dresden oder das Operettentheater Dresden-Leuben aufzusuchen.

Dresdener
Staatsoperette,
Operettentheater

Im Dresdener Kulturpalast trafen sich alljährlich im Mai die Freunde der traditionellen Jazzmusik zum 'Internationalen Dixieland-Festival'.

Internationales
Dixieland-Festival

In der Neißestadt Görlitz fand seit 1980 jedes Jahr im Juni eine 'Bachwoche' bzw. eine Orgelwoche statt; gespielt wurde auf der Schuster-Orgel der Görlitzer Frauenkirche.

Görlitz

Die Elbstädte Pirna und Riesa unterhielten je ein städtisches Orchester.

Pirna, Riesa

Internationale Anerkennung genießen die Erzeugnisse des sächsischen Musikinstrumentenbaues. Im Jahre 1984 konnte die Dresdener Orgelbaufirma Jehmlich das 175jährige Jubiläum ihres Bestehens feiern. Unter den rund einhundert Orgeln, welche die Firma im vergangenen Jahrzehnt gebaut hat, befindet sich auch die große Orgel im Berliner ehemaligen Schauspielhaus.
In Dresden werden auch Kesselpauken, Trommeln und Xylophone gebaut. Andere Stätten des Musikinstrumentenbaus in Sachsen sind in Bautzen (Orgeln), Löbau (Konzertflügel) und Seifhennersdorf (Klaviere) beheimatet.

Musikinstrumentenbau
in Dresden,
Bautzen,
Löbau und
Seifhennersdorf

Der einstige DDR-Bezirk Karl-Marx-Stadt (so hieß die Stadt Chemnitz offiziell von 1953 bis 1990) stand mit seinem 'Musikwinkel' im Vogtland, der Robert-Schumann-Stadt Zwickau und seiner Arbeitermusikkultur der Musikbegeisterung anderer Bezirke in nichts nach.
Das Zwickauer Arbeitersinfonieorchester feierte 1985 sein fünfundzwanzigjähriges Bestehen; aus seinen Reihen gingen mehrere Kammermusikvereinigungen hervor, u. a. ein Kammerorchester, ein Streichquartett und ein Bläserquintett.
Die alte Bergstadt Freiberg verfügte mit dem 'Collegium musicum der Bergakademie' über ein Laiensinfonieorchester.

Chemnitz
und Umgebung

Musikleben

In der sächsischen Industriestadt Chemnitz gab es zwei stehende Berufs-orchester: die Robert-Schumann-Philharmonie und das Orchester der IG Wismut. Die Philharmonie gestaltete neben ihren Anrechtskonzerten die 'Volkstümliche Konzertreihe', die sich besonders in den Landgemeinden großer Beliebtheit erfreute.

Musik an
historischen
Stätten

Zu den begehrten Konzerten gehörten die Aufführungen an historischen Stätten. Jedes Jahr von März bis Oktober verwandelten sich alte Ball-räume, ein Rittersaal sowie die Kapellen mehrerer Burgen und Schlösser in festliche Konzertsäle. Neben der Augustusburg und der Burg Kriebstein waren es die Rochsburg, die Schloßkapelle Rochlitz und Burg Schönfels mit regelmäßigen musikalischen Veranstaltungen. Im Hasensaal und in der Schloßkapelle der Augustusburg hatten derartige Musikabende seit vielen Jahren ihren festen Platz.

Frauenstein

Im Frauensteiner Heimatmuseum kann man sich mit dem Leben und Werk Gottfried Silbermanns vertraut machen.

Mauersberg

Ein besonderes Museum für die Würdigung von Leben und Schaffen der Brüder Mauersberger – Kreuzkantor Rudolf Mauersberger und Thomas-kantor Erhard Mauersberger – wurde in Mauersberg bei Annaberg-Buch-holz eingerichtet.

Zwickau

Das Robert-Schumann-Haus in Zwickau war und ist Anziehungspunkt für viele Musikinteressierte, die dort Ausstellungsräume zu Leben und Werk des in dieser Stadt geborenenKomponisten besichtigen und Konzerte im Kammermusiksaal besuchen können. Die Stadt veranstaltete alljährlich im Mai/Juni 'Robert-Schumann-Tage' und richtete den bekannten 'Robert-Schumann-Wettbewerb' aus.

Musik-
instrumentenbau
im vogtländischen
Musikwinkel

Kaum ein Musikfreund versäumt es, dem 'Musikwinkel' im Vogtland mit seinen weltberühmten Stätten des Musikinstrumentenbaues einen Be-such abzustatten. Wer einmal zusehen konnte, wie unter den behutsamen Händen eines Instrumentenbauers aus Markneukirchen oder aus Klingen-thal ein Instrumententeil entsteht – zur Herstellung eines ganzen Musik-instrumentes benötigt man allein schon wegen der Holzlagerungszeit mehrere Jahre –, der wird diesem Handwerk seine Hochachtung nicht ver-sagen wollen. Das Musikinstrumentenmuseum in Markneukirchen zeigt in seiner Ausstellung eine umfassende Sammlung der klingenden Kostbar-keiten.
Daß die Instrumentenbauer Musikinstrumente nicht nur bauen können, sondern auch verstehen, mit ihnen umzugehen, beweisen die vielfältigen Musikvereine dieser Gegend.

Vogtländische
Musiktage

Einen kulturellen Höhepunkt stellten die alljährlich im Mai stattfindenden 'Vogtländischen Musiktage' dar.

Thüringen

Musiktage und
Schloßkonzerte

Das Thüringer Land hat seit Jahrhunderten die Musikfreundlichkeit seiner Bevölkerung gefördert. Seine drei einstigen Bezirke – Erfurt, Gera und Suhl – vereinten sich in der Pflege thüringischer Musiktraditionen. Davon kün-deten die 'Thüringer Musiktage' sowie die beliebten 'Thüringer Schloß-konzerte'. In über zwanzig Denkmalen der Baugeschichte erklangen vor allem Werke alter Meister.

Bachfeste

Einer intensiven Bachpflege widmeten sich die Städte Erfurt, Eisenach, Mühlhausen, Arnstadt, Weimar und Ohrdruf. Bewährte Interpreten der an diesen Orten seit 1965 veranstalteten Bachfeste waren das Erfurter Kammerorchester, das Staatliche Sinfonieorchester Thüringen in Gotha, das Lohorchester Sondershausen und die Weimarer Staatskapelle.

In der Wartburgstadt Eisenach trafen sich alljährlich über 2000 Sänger zum 'Liederfest rund um die Wartburg', das seinen Höhepunkt in einem Konzert auf dem Wartburghof und einem Massensingen in der Wandelhalle des ehemaligen Kurbades in der Eisenacher Innenstadt fand.
Darüber hinaus wurden seit einiger Zeit in Eisenach 'Telemann-Tage' veranstaltet.
Die Kapelle der Wartburg erhielt 1984 eine neue Jehmlich-Orgel (aus Dresden). Orgelkonzerte wurden auch auf der neuen Schuke-Orgel in der Eisenacher Georgenkirche gegeben.

Thüringen (Fortsetzung) Eisenach

In Gotha hatte das Staatliche Sinfonieorchester Thüringen einen breiten Wirkungskreis. Von besonderer Attraktivität waren während der Sommermonate die Thronsaalkonzerte und die Ekhofkonzerte im historischen Ekhoftheater im Schloß Friedenstein.

Gotha

Gut besucht waren auch die Konzerte des Lohorchesters Sondershausen im Loh und im historischen Achteck des Schlosses.

Sondershausen

In der neuen thüringischen Landeshauptstadt gab das Philharmonische Orchester Erfurt seine Sinfoniekonzerte im Opernhaus. Über vier Jahrzehnte lang zogen die Sonntagsmatineen im Fayencesaal des Angermuseums die Besucher in ihren Bann.
Um den 'Thüringer Musiktagen', die seit 1965 alljährlich im Mai an vielen Orten stattfanden, ein neues Profil zu verleihen, wurden seit 1984 im April die 'Erfurter Tage zeitgenössischer Musik' veranstaltet.

Erfurt

Die Weimarer Musikhochschule "Franz Liszt" hat sich nicht zuletzt durch das allsommerlich abgehaltene 'Internationale Musikseminar' Ansehen erworben.
Die Konzerte im Festsaal des Weimarer Schlosses erfreuten sich großer Beliebtheit.
Der Pflege zeitgenössischer Musik widmete sich das Weimarer 'pauldessau-kammerensemble'.

Weimar

In der Eisenberger Schloßkapelle wurden regelmäßig Orgelkonzerte auf der dortigen Donath-Trost-Orgel gegeben.

Eisenberg

Die traditionsreiche Universitätsstadt Jena war u. a. ein Anziehungspunkt für Jazz-Gruppen, die sich dort alljährlich zu den 'Jazztagen der DDR' trafen.

Jena

Die Besichtigung der Dornburger Schlössern konnte man mit dem Besuch eines der dort regelmäßig veranstalteten Musikabende verbinden.

Dornburg

In dem mit einer Sauer-Orgel ausgestatteten Konzertsaal der Bühnen der Stadt Gera waren u. a. die Anrechtskonzerte des Hausorchesters zu hören.
Die 'Geraer Ballett-Tage' waren das einzige alljährlich wiederkehrende Ballettfestival in der ehemaligen Deutschen Demokratischen Republik.
Im einstigen Bezirk Gera wurden im Rahmen des Konzertzyklus 'Geraer Sommer' an besonders schönen Musikstätten Sommerkonzerte zu Gehör gebracht, so in der Klosterkirche Thalbürgel, im Sommerpalais Greiz, im Saalfelder Museumshof, in der Schwarzburg und in der Klosterruine Paulinzella.
Hinzu kamen die Veranstaltungen der 'Thüringer Schloßkonzerte'.

Gera

In Bad Köstritz feierte man 1985 den 400. Geburtstag von Heinrich Schütz auf besondere Weise: Das dortige Heinrich-Schütz-Haus wurde als Forschungs- und Gedenk-, zugleich aber auch als Musikstätte eingeweiht.

Bad Köstritz

In der Stadt Greiz, die über ein eigenes Staatliches Sinfonieorchester verfügte, fanden alljährlich die 'Greizer Musikwochen' statt, im Rahmen derer der 'Stavenhagen-Wettbewerb' ausgetragen wurde.

Greiz

Thüringen
(Fortsetzung),
Rudolstadt

In Rudolstadt bot die Heidecksburg mit ihren Barockräumen die reizvolle Kulisse für Sommerkonzerte.

Burgk

Gern besucht wurden die Musikabende im Schloß Burgk. In der Schloßkapelle wurde 1982 nach umfangreichen Restaurierungsarbeiten die Silbermann-Orgel festlich wiedereingeweiht. Das wertvolle Instrument ist das einzige seiner Art im östlichen Teil Deutschlands, das in die von Silbermann ursprünglich verwendete Stimmung zurückversetzt worden ist. Der durch Fachleute vom Bautzener Eule-Orgelbau ausgeführten Restaurierung lagen Aufzeichnungen über die alte Chortonstimmung aus dem Jahre 1784 zugrunde.

Meiningen

Im südwestlichen Thüringen bildet Meiningen ein Musikzentrum besonderer Art. Musikalische Hochkultur erfuhr die Stadt im 19. Jahrhundert durch das Wirken der Meininger Hofkapelle, die der Dirigent Hans von Bülow so meisterhaft geschult hatte, daß sie die gesamte Musikwelt in Erstaunen versetzte. Johannes Brahms kam häufig nach Meiningen, um dort seine Sinfonien mit diesem hervorragenden Orchester zu proben, bevor er die Noten zum Druck freigab.
In von Bülows Tradition standen Richard Strauss und Max Reger, der die Kapelle von 1911 bis zu ihrer Auflösung im Jahre 1914 zu einem letzten Höhepunkt führte.
Seit 1978 wurden in Meiningen von den 'Thüringer Musiktagen' unabhängige 'Max-Reger-Tage' durchgeführt, die sich mit 'Tagen der zeitgenössischen Musik' jährlich abwechseln. Am Schloß Elisabethenburg befindet sich ein Max-Reger-Archiv. Alljährlich wurden musikalische Jugendwettbewerbe und alle zwei Jahre die Meininger 'Studientage für Kammermusik und Solospiel' veranstaltet, die ebenfalls den Kompositionen Regers verpflichtet waren.
Brahms-Tradition wurde u. a. in dem 1982 restaurierten Meininger Johannes-Brahms-Saal gepflegt.

Weitere Orchester
und Konzerte

Der einstige Bezirk Suhl verfügte über vier staatliche Orchester, darunter das Orchester des Meininger Theaters (→ Theaterleben) und die Suhler Philharmonie. Die zuletzt genannte hatte eine neue Tradition begründet: Konzerte für in Großbetrieben Werktätige.
Das Staatliche Orchester Bad Salzungen konzertierte vorwiegend für Urlauber und Kurpatienten, ebenso das Staatliche Unterhaltungs- und Tanzorchester Sonneberg sowie das Kurorchester Bad Liebenstein.
Zu beliebten Musikveranstaltungen gehörten die Museumskonzerte im Schmalkaldener Schloß Wilhelmsburg, im Waffenmuseum Suhl und im Agrarhistorischen Museum Kloster Veßra.
Im Naturtheater Steinbach-Langenbach konnte man u. a. Aufführungen des Musiktheaters erleben.
Die Städte Ilmenau und Hildburghausen wurden im wesentlichen von der Suhler Philharmonie bespielt.

Brauchtum

Allgemeines

Trotz jahrzehntelanger zentralistischer Bevormundung im 'real existierenden Sozialismus' der ehemaligen Deutschen Demokratischen Republik hat sich das Folklore im östlichen Teil des nun wieder geeinten Deutschland in den verschiedensten Formen erhalten, wobei selbstredend regionale Besonderheiten bestimmend waren:
Neben volkstümlichen Sprüchen, Sagen, Legenden, Liedern und Tänzen sind es vor allem die Sitten und Bräuche, handwerkliche Techniken, Architektur und Hausrat sowie nicht zuletzt die Trachten.
Zunehmendes Interesse finden die landschaftsverbundenen Mundarten und Dialekte; insbesondere das Niederdeutsche (Plattdeutsch) erlebt in Norddeutschland eine bis vor kurzem noch unvermutete Renaissance.

Spreewälderin in Tracht   *Thüringischer Hirtenbläser*

Der Pflege des mecklenburgischen Brauchtums haben sich vor allem die Fritz-Reuter-Gedenkstätte in Stavenhagen und das ethnographische Museum in Klockenhagen angenommen, während sich der Rostocker Verlag Hinstorff um die niederdeutsche Literatur verdient gemacht hat. **Mecklenburg**
In den einstigen drei Nordbezirken – Schwerin, Rostock und Neubrandenburg – gab es etwa ein Dutzend niederdeutsche Berufs- und Laienbühnen, die mit überkommenen und zeitgenössischen Theaterstücken in den Städten und auf dem Lande gastierten.
Neben Sitten, Bräuchen, Trachten und der dem Landstrich eigenen Dorfarchitektur, die sich sämtlich aus den Bedingungen der Landschaft und der Arbeit ableiten, sind es hauptsächlich die Sprache in Form von Theaterstücken, Sagen, Legenden und Geschichten, Kinderreimen u.a. sowie plattdeutsche Lieder, die nach wie vor verbreitet sind.
Ein Volkskunstensemble, das auch im Ausland durch zahlreiche Gastspiele bekannt geworden ist, war das Staatliche Folkloreensemble Neubrandenburg. Daneben gab und gibt es eine große Zahl von Laiengruppen, die sich mit zunehmendem Erfolg der Brauchtumspflege widmen. Zu den geselligen Veranstaltungen zählten Ernte- und Fischerfeste (z.B. in Stralsund), Hochzeitsbräuche und Volkstänze.

⟶ Sorbisches Brauchtum (S. 140/141). **Lausitz**

Zu DDR-Zeiten gab es im östlichen Harz und seinem Vorland rund dreißig **Harz**
Volkskunstensembles, Trachten-, Volksmusik- und Jodlergruppen sowie Zirkel zur Pflege der Dialekte, die sich dem heimatlichen Brauchtum verschrieben hatten.
Beliebt sind in dieser Region u.a. Schäfertänze, Volkslieder, Birkenblattblasen, Peitschenknallen und Jodeln (alljährlich Jodelwettbewerbe in Altenbrak, Hesserode und Heringen). In Thale feiert man das 'Finkenmanöver' und in Hütterode das 'Grasetanzfest'. Große Anziehungskraft besitzen die 'Spinnstubenabende' mit dem Thaler Harzensemble.
Für Besucher ist in diesem Zusammenhang das Harzer Folkloremuseum in Wernigerode zu empfehlen, das einen umfassenden Überblick über Sitten, Bräuche, Trachten, Handwerk und Hausrat vermittelt.

Brauchtum

Das Zentrum der reichen Thüringer Folklore liegt in Schmalkalden, wo neben dem alljährlich stattfindenden Thüringer Folklorefest im Rhythmus von fünf Jahren auch das 'nationale Folklorefestival der DDR' abgehalten wurde. Tänze, Trachtensammlungen, Schnitzerei, Töpferei und Keramikfertigung sind einige der wichtigsten Bereiche, die auch heute noch gepflegt werden. Von den Sitten und Gebräuchen erfreuen sich die Hochzeitsbräuche großen Zuspruchs. Nach wie vor wird noch überall die 'Thüringer Kirmes' gefeiert.

Zu den wichtigsten folkloristischen Museen gehören das Heimatmuseum in Eisfels (Kreis Hildburghausen), das über historische Gewerbe Thüringens und traditionsreiche Techniken Thüringer Handwerkskunst (Schnitzerei, Töpferei) informiert, sowie das ethnographische Museum in Erfurt mit ähnlichem Profil.

Zu den bekanntesten Volkstanzgruppen dieser Region zählte das Tanzensemble Gera.

Die Folklore des Erzgebirges und des Vogtlandes hat sich wie kaum anderwo mit der fortschreitenden Industrialisierung entwickelt, die in diesem Gebiet durch den Bergbau sehr früh einsetzte. Künstlerisches Handwerk, Sitten und Gebräuche, Lieder und Mundartprosa sind deshalb eng mit dem Bergbau, seinen Traditionen und der wechselvollen Geschichte der Bevölkerung dieser Mittelgebirgsregion verbunden. Bergmannsbrauchtum, Umzüge, Trachten, Lieder und gesellige Zusammenkünfte wurden bis in die jüngere Vergangenheit durch die Lebensweise der Menschen direkt gepflegt und weiterentwickelt. In den Zeiten, als der Bergbau kaum noch den Lebensunterhalt gewährleisten konnte, entstanden Kunsthandwerke wie das Spitzenklöppeln, das Schnitzen und die Spielzeugherstellung.

Neben 'Kuch'neingen' und 'Hutzenabenden' wird vor allem das Weihnachtsfest im Erzgebirge und im Vogtland mit besonders großem Aufwand begangen. Die in aller Welt bekannten Weihnachtspyramiden, Schwippbögen und Weihnachtsberge sind sehr beliebt.

Die in allen größeren Städten durchgeführten Weihnachtsmärkte erhalten im Erzgebirge durch folkloristische Traditionen ihr besonderes Gepräge. Sie sind meist verbunden mit dem 'Fest des Lichts', mit Umzügen, großen, auf Plätzen aufgestellten Pyramiden, Nußknackern und etlichen anderen Traditionsfiguren.

Im Schneeberger Volkskunstmuseum und im Erzgebirgischen Spielzeugmuseum des Kurortes Seiffen bekommt man einen guten Eindruck von den Bräuchen und dem Kunsthandwerk dieser Landschaft.

Als bekanntestes Folkloregruppe dieser Gegend galt das Erzgebirgsensemble Aue.

Sorben

Slawische Minderheit in Deutschland

Wegweiser und Ortsschilder in zwei Sprachen – Deutsch und Sorbisch – sowie zweisprachige Beschriftungen an öffentlichen und privaten Gebäuden wecken die Aufmerksamkeit bei Reisen durch die sich südöstlich von Berlin ausdehnende Lausitz (von sorbisch 'Luzica' = 'Moor', 'Sumpfniederung') im Bereich der mittleren und oberen Spree, also in den neuen deutschen Bundesländern Brandenburg und Sachsen.

Sorbischer Siedlungsraum Lausitz

Das Sorbische, ein auch als wendische oder lausitzische Sprache bezeichnetes westslawisches Idiom, gliedert sich in zwei Schriftsprachen: das dem Polnischen nahestehende Niedersorbische (um Chośebuz/ Cottbus; Betonung auf der ersten Wortsilbe mit starkem Nebenton auf der vorletzten, altslawisches g bleibt g) und das dem Tschechischen ähnelnde Obersorbische (um Budyšin/Bautzen; Betonung auf der ersten Wortsilbe, altslawisches g wird zu h).

Sorbische Sprache

Niedersorbisch

Obersorbisch

Beide sorbischen Sprachen werden mit lateinischen Buchstaben sowie zusätzlichen diakritischen Zeichen für spezifische Laute geschrieben. Charakteristisch ist die Bewahrung des alten Duals sowie der Aorist- und Verlaufsformen. Die altslawischen Nasale sind aufgehoben.

In der Landschaft längs der Spree zwischen dem Spreewald und dem Lausitzer Bergland leben schätzungsweise 60 000 sorbische und über eine halbe Million deutsche Bürger gemeinsam.

Sorbische Bevölkerung

In der einstigen Deutschen Demokratischen Republik galten die Kreise Calau, Cottbus-Land, Cottbus-Stadt, Forst, Hoyerswerda, Guben, Lübben, Spremberg, Weißwasser sowie jene von Bautzen, Kamenz und Niesky als zweisprachige Kreise.
Der Anteil der Sorben an der Gesamtbevölkerung der ehemaligen DDR lag bei etwa 0,7 Prozent. Der sorbische Anteil an der Gesamtbevölkerung der zuvor genannten Kreise und in den Gemeinden und Städten dieser Kreise ist sehr unterschiedlich ebenso wie die Anwendung der sorbischen Sprache als tägliches Kommunikationsmittel im öffentlichen Leben, im Schulunterricht und in den Familien. Antwort auf Fragen zum Leben der Sorben kann vor allem die Geschichte geben.

Geschichtlicher Überblick

Die Sorben haben sich als Restvolk der ehemaligen südlichen Elbslawen erhalten. Seit der Völkerwanderung im sechsten nachchristlichen Jahrhundert besiedelten sie ein Gebiet, das im Osten von den Flüssen Oder, Queiß und Bober, im Süden vom Erz- und Fichtelgebirge, im Westen von der Saale begrenzt wurde und im Norden bis zur Linie Frankfurt (Oder) – Jüterbog – Zerbst reichte. Davon zeugen noch heute viele Orts-, Flur- und Familiennamen.

Völkerwanderung Elbslawen

Von den dort siedelnden slawischen Stämmen waren die Milzener in der Oberlausitz, die Lusizer in der Niederlausitz und die Daleminzer im Raum Meißen die größten und bedeutendsten.

Milzener, Lusizer, Daleminzer

Zum ersten Mal werden die Sorben ('Surbi') im Jahre 631 in der Chronik des fränkischen Mönches Fredegar erwähnt. In anderen Quellen wurden die Slawen von ihren westlichen Nachbarn als 'Vendi' bezeichnet, wovon der deutsche Namen 'Wenden' oder 'Winden' abgeleitet wurde. In der wissenschaftlichen Literatur trat seit dem Ausgang des 16. Jahrhunderts bei deutschen Autoren öfter der Begriff 'Sorbe' auf, der auf die sorbischsprachige Benennung 'Serb' zurückzuführen ist.

Bezeichnungen für die Sorben

Sorben

Geschichtlicher
Überblick
(Fortsetzung),
Fortschreitende
Unterdrückung
im Mittelalter

Seit dem 8. Jahrhundert wurden die elbslawischen Stämme in immer wieder aufflammende, opferreiche Kriege und Eroberungszüge ihrer westlichen Nachbarn, der Franken und Sachsen, hineingezogen. Die fränkischen Eroberer gingen nach dem bekannten Motto "Teile und herrsche!" gegen die einzelnen Stämme vor, nutzten deren gegenseitige Isoliertheit und verhinderten so untereinander abgestimmte militärische Maßnahmen. So weiß die Geschichte von vielen verlustreichen Abwehrkämpfen der Slawen bis hin zum endgültigen Verlust ihrer politischen Unabhängigkeit zu berichten. Kaiser Heinrich I. richtete seine Eroberungskriege darauf, "den Frieden zu festigen" und "die Wildheit der Slawen zu unterdrücken". Otto I. stellte sich das Ziel, die slawischen Länder in den deutschen Staat einzuordnen, auch mit der ideologischen Bindung durch eine gewaltsame Christianisierung.

Bereits seit dem 12. Jahrhundert wurde das eroberte Land systematisch mit deutschen Bauern, Handwerkern, Kaufleuten und Bergleuten z. B. aus dem Rheingebiet oder aus Franken und Sachsen besiedelt (vor 1200 gab es hier keine deutschen Ortsnamen!), die Vorrechte in den sich entwickelnden Städten und Dörfern erhielten. Anfangs herrschte in den Beziehungen zwischen den Volksgruppen wohl ein Mit- und ein Nebeneinander. Mit der Klassendifferenzierung und durch die davon abgeleiteten politischen und rechtlichen Nachteile gefördert, wurde eine soziale und damit auch ethnische Degradierung des slawischen Volksteiles bewirkt.

Seit dem 14. Jahrhundert wurde dann zuerst in den Zünften der Städte, in denen ja überwiegend Deutsche wohnten, eine überaus aktive Politik gegen die Slawen betrieben. Dies ist u. a. ablesbar an den Maßnahmen zur schrittweisen Unterdrückung bzw. Ausrottung der sorbischen Sprache. In manchen Gegenden wurde die sorbische Sprache gesetzlich, oft unter Androhung der Todesstrafe verboten, beispielsweise 1293 in Anhalt, 1327 um Leipzig, Altenburg und Zwickau, 1424 um Meißen und Dresden. Seit jener Zeit war jeder soziale Aufstieg zwangsweise mit der Aufgabe der slawischen Sprache und Kultur verbunden, was wiederum einer raschen Assimilierung Vorschub leistete. Stück für Stück wurde so eine siebenhundertjährige Periode, in der in weiten Gebieten zwischen Oder, Elbe und Saale slawische Sprachen und Dialekte erklangen, gewaltsam abgeschlossen.

Sorbische
Selbsterhaltung
in der Lausitz

Im Unterschied zum Elbe-Saale-Gebiet vollzog sich in der Niederlausitz (ehem. Mark Lausitz) und in der Oberlausitz (Budissiner Land) eine teilweise stärker ausgeprägte wirtschaftliche, gesellschaftliche und ethnischkulturelle Eigenentwicklung des sorbischen Volkes, was durch eine feudal bedingte Abgegrenztheit und daraus resultierende relativ geschlossene Siedlungsgebiete begünstigt wurde. Hier gab es bis um 1500 keine Sprachverbote, so daß die Sorben in den Lausitzen ihre Muttersprache bis an die Schwelle der frühbürgerlichen Entwicklung in Deutschland als lebendiges Gut einer größeren ethnischen Gruppe bewahren konnten. Die im 16. Jahrhundert entstandenen sorbischen Bürgereide sind ein Ausdruck des sich entwickelnden kulturellen Selbstbewußtseins nichtpatrizischer bürgerrechtsfähiger sorbischer Bevölkerungsschichten. Der 'Bautzener Eid' ist das älteste erhaltene sorbische Schriftdenkmal.

Anfänge
sorbischer
Volksbildung
im Zuge der
Reformation

Die Reformation fand in der Lausitz relativ späten Widerhall. Sie wurde von den Herrschenden durchgesetzt, erhob u. a. die Vermittlung der christlichen Lehre in der Muttersprache zum Prinzip und förderte auch in der Lausitz die ersten schüchternen Anfänge einer Volksbildung. Jetzt gingen sogar Söhne sorbischer Bauern zum Studium nach Wittenberg, Leipzig und Frankfurt an der Oder oder auf die Lateinschulen in Bautzen, Zittau und Görlitz. Als ausgebildete Dorfpastoren schufen sie die Anfänge der Schriftsprache und eine sorbische wissenschaftliche sowie belletristische Literatur, sie übten einen bedeutenden Einfluß auf das langsam entstehende Schulwesen aus und trugen so zur Entwicklung und Erhaltung der sorbischen Sprache bei.

Die sorbische (wendische) Literatur äußerte sich bis zum 17. Jahrhundert überwiegend in Sprichwörtern, Liedern, Märchen und Sagen. Erst zur Zeit der Reformation nahmen sich einige Geistliche beider Konfessionen der sorbischen Volkssprache an. Als erstes in sorbischer Sprache gedrucktes Buch gilt eine Übersetzung des Katechismus mit Gesangbuch (1574) des niedersorbischen Pastors A. Moller (1542–1625). Von großer Bedeutung für das Schrifttum der katholischen Sorben waren die Bibelübersetzung und das obersorbische Gesangbuch (1696) von H. Swětlik (1650–1729) sowie die Gründung des 'Lausitzer Seminars' (1706) in Prag. Am Anfang des weltlichen Schrifttums stehen die Oden des obersorbischen Pfarrers J. Mjeń (1727–1785).

Geschichtlicher Überblick (Fortsetzung), Anfänge der sorbischen Literatur (16.–18. Jh.)

Gegen diese Entwicklung war im 17. und 18. Jahrhundert in den preußischen Gebieten südöstlich von Berlin das Verbot der sorbischen Sprache durch staatliche und kirchliche Organe gedacht.

Neue Impulse erreichten die sorbische Bewegung und die Fortentwicklung von Sprache und Kultur im Prozeß der Auflösung der Feudalgesellschaft. In dieser Zeit wurde die blau-rot-weiße Fahne zum Symbol der sorbischen Volksgruppe; auch die sorbische Hymne "Rjana Lužica" (= "Schöne Lausitz"), die bis heute zu festlichen Anlässen erklingt, entstand damals.

Fahne und Hymne der Sorben

Großen Einfluß auf die nicht nachlassende gewaltsame Assimilierung hatte auch die Teilung der sächsischen Lausitz im Jahre 1815, nach der die nördliche Oberlausitz und die Niederlausitz Preußen zufielen. Die kleinbürgerliche nationale Bewegung der Sorben erstrebte bürgerlich-demokratische Verhältnisse und forderte die Gleichberechtigung der sorbischen mit der deutschen Bevölkerung.

Sorbische Opposition im 19. Jahrhundert

Im letzten Drittel des 19. Jahrhunderts kamen durch die beschleunigte Industrialisierung und durch die stärkere soziale Differenzierung in den Dörfern, gepaart mit der umfassenden Verbreitung chauvinistischer Ideen im Deutschen Reich schärfere Assimilierungsmaßnahmen hinzu. Die humanistischen Bestrebungen um die Erhaltung der sorbischen Kultur und Sprache führten zu einer starken Opposition gegenüber der Politik des deutschen Imperialismus.

Die Romantik weckte in den Sorben ein zunehmendes Nationalbewußtsein. So sammelten L. Haupt (1797–1883) und J. A. Smoler (1816–1884) ober- und niedersorbische Volkslieder, J. P. Jordan (1818–1891) gab 1842 erstmals die bis 1937 erscheinende obersorbische Wochenschrift "Serbske Nowiny" heraus. In Bautzen wurde 1847 die "Maćica Serbska" zur Pflege des Volkstums und der Erforschung von Sprache und Geschichte der Sorben gegründet, 1880 dann in Cottbus eine niedersorbische Abteilung.

Aufkommen eines sorbischen Nationalgefühls in der Romantik

Bedeutende Schriftsteller waren die Obersorben Handrij Zejler (Andreas Seiler, 1804–1872; patriotische und religiöse sowie Naturlyrik) und Jakub Bart (J. Ćišinski, 1856–1909; Epik, Lyrik, Dramen). Verdienste um die Förderung der sorbischen Literatur erwarben sich ferner K. B. Pfuhl (1825 bis 1889), K. A. Jenč (1828–1895), M. Hórnik (1933–1894), A. Mulka (1854 bis 1932) und M. Nawka (1885–1968).

Sorbische Schriftsteller im 19. Jahrhundert

Die sorbischen patriotischen Kräfte, in deren Leitungen nun neben Geistlichen immer mehr Lehrer, Handwerker und Bauern auftraten, die von Studenten wirksam unterstützt wurden, verstärkten den Zusammenschluß in kulturellen Vereinigungen. Führende Kräfte dieser Vereinigungen schufen sich schließlich am 13. Oktober 1912 in Wojerecy (Hoyerswerda) eine Dachorganisation, die sie "Domowina" (= "Heimatbewegung") nannten. Zu einer beachtenswerten Bewegung der sorbischen Bevölkerung, die soziale und nationale Forderungen anmeldete, kam es am Ende des Ersten Weltkrieges: 1918 wurde ein sorbischer 'Nationalausschuß' gegründet. Er trug, nachdem alle Verhandlungen mit der sächsischen Regierung gescheitert waren, die Forderungen nach einer Lösung der sorbischen Belange an die Versailler Friedenskonferenz heran – allerdings vergeblich.

Gründung sorbischer Vereinigungen zu Beginn des 20. Jahrhunderts

Domowina

Sorben

Geschichtlicher
Überblick
(Fortsetzung),
Germanisierungs-
versuche nach
dem Ersten
Weltkrieg

Für die Stärkung der Deutschtumsarbeit in der Lausitz wurde im Jahre 1920 in einer Beratung des Staatssekretärs beim Reichspräsidenten mit Vertretern der Regierungen Sachsens und Preußens und der betreffenden Verwaltungsbezirke die Gründung einer 'Wendenabteilung' festgelegt. Formell wurde sie der Amtshauptmannschaft Bautzen unterstellt. Faktisch bildete sie bis zum Mai 1945 das Koordinierungszentrum der Unter-drückungs- und Germanisierungsmaßnahmen gegenüber den Sorben.

Unter der nationalsozialistischen Gewaltherrschaft wurden im Jahre 1937 alle sorbischen Organisationen, Vereinigungen, Presseorgane und Institutionen verboten. Ihr bescheidenes Vermögen, vor allem aber unersetzliche Schätze der sorbischen Kunst und Literatur sowie wertvolle Denkmäler der sorbischen Kultur wurden vernichtet. Fluß- und Ortsnamen deutschte man zum Teil ein. Sorbische Patrioten wurden in NS-Konzentrationslager gesperrt; volkstumsbewußte Angehörige der Intelligenz wies man aus der Lausitz aus.

Sorbische
Literaten in der
ersten Hälfte des
20. Jahrhunderts

Vor und nach dem Ersten Weltkrieg schrieben in obersorbischer Sprache J. Lorenc-Zaleški (1874–1939; Prosa), Marja Kubašec (1890–1976; historische Erzählungen) und J. Wjela (1892–1969; Dramen).

Von den Vertretern der niedersorbischen Literatur seien genannt K. Šwjela (1836–1922; Prosa), M. Rizo (1847–1931; Lyrik), Mato Kosyk (1853–1940; Epik) und Marjana Domaškojc (1872–1946; Lyrik) sowie K. Šwjela (1873 bis 1948; Prosa).

Neubeginn
nach dem
Zweiten Weltkrieg
Sorbengesetz

Nach 1945 begannen Deutsche und Sorben, das Land neu zu ordnen. Eines der bedeutenden Resultate der unmittelbaren Nachkriegszeit war das am 23. März 1948 im sächsischen Landtag verabschiedete "Gesetz zur Wahrung der Rechte der sorbische Bevölkerung". Dieses 'Sorbengesetz' garantierte den Schutz und die staatliche Förderung der sorbischen Sprache und Kultur; an Grund- und weiterbildenden Schulen wurden der Sorbischunterricht eingeführt, die Einbeziehung von Sorben in die Verwaltungen gewährleistet und ein spezielles Amt der Landesregierung Sachsen zur Lenkung und Förderung dieser Prozesse eingerichtet.

Situation der Sorben in der ehemaligen DDR

Staatlicher Schutz
für die sorbische
Minderheit

Der Artikel 11 der ersten Verfassung der Deutschen Demokratischen Republik von 1949 übernahm den wesentlichen Teil dieser Bestimmungen. Im Artikel 40 jener Verfassung war schließlich festgelegt: "Bürger der DDR sorbischer Nationalität haben das Recht zur Pflege ihrer Muttersprache und Kultur. Die Ausübung dieses Rechts wird vom Staat gefördert."

Es wurden materielle und ideelle Voraussetzungen und Bedingungen für eine staatliche Förderung der Gleichberechtigung geschaffen. Das Programm der Sozialistischen Einheitspartei Deutschlands (SED) führte aus: "Die Bürger sorbischer Nationalität nehmen gleichberechtigt an der Gestaltung der entwickelten sozialistischen Gesellschaft teil und haben alle Möglichkeiten, ihre besonderen sprachlichen und kulturellen Interessen wahrzunehmen."

Politisches Leben

Bis zur friedlichen Revolution im Herbst 1989 waren etwa 2000 Sorben Mitglieder der Volksvertretungen in den Gemeinden, Kreisen, Bezirken und in der Volkskammer; etwa 5000 Kinder nahmen am Sorbischunterricht teil; es bestanden über 80 sorbische Volkskunstkollektive mit über 2000 Mitgliedern. Spezielle staatliche Leitungsorgane wurden im Ministerium des Inneren, in den Ministerien für Volksbildung und Kultur geschaffen. Den ersten Stellvertretern der Vorsitzenden der Räte der einstigen Bezirke Cottbus und Dresden wurden Abteilungen für Sorbenfragen unterstellt, bei den Vorsitzenden der Räte der Kreise Aktive (Arbeitsgruppen) für Sorbenfragen gebildet. Eine Reihe von speziellen staatlichen Einrichtungen für die Realisierung der erklärten Nationalitätenpolitik wurden gegründet.

Im Bereich des sozialistischen Volksbildungswesens gab es etwa 50 zehnklassige allgemeinbildende polytechnische Oberschulen mit sorbischem Sprachunterricht als Fach in allen 'gemischtnationalen' Kreisen, sieben sorbische zehnklassige allgemeinbildende polytechnische Oberschulen in den Kreisen Bautzen und Kamenz, zwei sorbische zwölfklassige Erweiterte Oberschulen in Bautzen und Cottbus, das Sorbische Institut für Lehrerbildung in Bautzen sowie die Arbeitsstelle für Schulen im zweisprachigen Gebiet der Akademie der Pädagogischen Wissenschaften. Auf dem Gebiet der sorabistischen Wissenschaften forschten bzw. lehrten das Institut für sorbische Volksforschung der Akademie der Wissenschaften (der DDR) in Bautzen und das Institut für Sorabistik an der Sektion 'Theoretische und angewandte Sprachwissenschaft' der Leipziger Universität.

Situation der Sorben in der ehemaligen DDR (Fortsetzung), Bildungsanstalten

In der geistig-kulturellen Sphäre wirkte der Domowina-Verlag Bautzen, in dem die sorbischsprachige und die sorbenkundliche Buchproduktion von der schöngeistigen über die popularwissenschaftliche und pädagogische bzw. zur wissenschaftlichen Literatur konzentriert war (jährlich etwa 90 Titel) und in dem alle neuen Zeitungen und Zeitschriften unabhängig von ihrem Herausgeber erschienen.

Kulturelle Institutionen

Weiterhin bestanden ein Haus für sorbische Volkskunst, ein deutschsorbisches Volkstheater, eine sorbische Redaktion beim Sender Cottbus von Radio DDR und eine Produktionsgruppe Sorbischer Film beim DEFA-Studio Dresden. In Bautzen befand sich ein Museum für sorbische Geschichte und Kultur im Aufbau.

Der sorbische Interessenverband 'Domowina', welcher nunmehr nach sozialistischer Auffassung eng mit den staatlichen Organen und Institutionen zusammenwirken mußte, beging im Jahre 1987 den 75. Jahrestag seiner Gründung.

Domowina

Nachdem die sorbische Literatur während der Zeit des gewaltsam herrschenden Nationalsozialismus weitgehend unterdrückt war, blühte sie nach dem Ende des Zweiten Weltkrieges neu auf und konnte sich besonders dank des 'Sorbengesetzes' von 1948 wieder entfalten.

Neue sorbische Literatur

Als Schriftsteller ist hier neben M. Nowak-Njechornski der aus Räckelwitz (Kreis Kamenz) stammende Arbeitersohn Jurij Brězan (geb. 1916) zu erwähnen, der mit Erzählungen, Gedichten und Dramen in sorbischer und deutscher Sprache zum Hauptvertreter der staatlich geförderten modernen sorbischen Literatur wurde; er behandelte Stoffe aus dem Leben der sorbischen Bevölkerung im Sinne des Sozialistischen Realismus.

Die neuere niederdeutsche Literatur ist vertreten durch H. Nowak (Erzählungen) sowie Ingrid Naglowa (Jugendbücher), die obersorbische durch A. Nawka (Prosa und Lyrik), C. Kola (Prosa), Marja Mlynkowa (Prosa), B. Budar (Erzählungen), Kito Lorenc (Lyrik), Angela Stachowa (Prosa, Jugendliteratur) und B. Dyrlich (Lyrik).

Besonderer Höhepunkt einer Manifestation der sorbischen Kultur waren die Festivals der sorbischen Kultur, die alle fünf Jahre in Bautzen stattfanden. Sie sollten mit jeweils etwa 100 Veranstaltungen von der Pflege und Entwicklung der sorbischen Kultur zeugen. Diese Festivals wurden u. a. durch Kreisfestivals, die jeweils im vorhergehenden Jahr in den zweisprachigen Kreisen stattfanden, vorbereitet. Das kulturelle Leben fand auch in vielen Dorf-, Heimat- und Kreisfesten sowie den alljährlich im September abgehaltenen Spreewaldfestspielen Ausdruck.

Festivals sorbischer Kultur

Die sorbische Kultur äußerte sich nicht nur in Gestalt der eigenen Sprache, sondern auch in einer lebendigen Folklore. Viele Werke sorbischer Schriftsteller und Künstler haben darin ihre Quelle.

Sorbisches Kulturschaffen

Die humanistischen Überlieferungen widerspiegeln sich auch bei dieser kleinen slawischen Volksgruppe in einer eigenen Volksdichtung, in Volksliedern, in der Volksmusik, in Volkstänzen, in Ornamenten, Trachten und Bräuchen. Sorbische Märchen, Sagen und Sprichwörter haben auch im deutschsprachigen Buchangebot Anklang gefunden.

Situation der
Sorben in der
ehemaligen DDR,
Sorbisches
Kulturschaffen
(Fortsetzung)

Verschiedenartige Liedsammlungen unterstützten die traditionellen Singabende und Chorveranstaltungen der sangesfreudigen Mitglieder der Domowina-Ortsgruppen. Von verschiedenen Volkskunstkollektiven und professionellen Ensembles wurde die Volksmusik auf überlieferten Musikinstrumenten, z. B. dem Dudelsack, auf Fiedeln verschiedener Größe und der Tarakawa (Blasinstrument) dargeboten.

Um die Wiederbelebung und Verbreitung des sorbischen Volkstanzes hat sich besonders das ehemalige Staatliche Ensemble für sorbische Volkskultur verdient gemacht.

Eine originäre Struktur in Form und Farbe zeigen die Ornamente, welche man in handwerklicher Gestaltung besonders auf verzierten Ostereiern und Trachten findet.

Sorbisches Brauchtum

Trachten

Trotz der planwirtschaftlichen Maßnahmen zur intensiven Industrialisierung der Lausitz haben sich noch in vier Regionen die alten sorbischen Trachten erhalten.

Gegenden mit
Trachtentradition

In der Umgebung von Cottbus: Trachten mit großem Kopftuch und farbigen Flachstickereien, die der Besucher in etwa fünf Dutzend Ortschaften antrifft.

In der Gegend um Schleife des Kreises Weißwasser: Trachten mit den typischen roten Kappen; sie fallen durch ihre starke Farbigkeit auf. Eine bedeutende Rolle spielen auch Blaudruckteile.

In etlichen Ortschaften um Hoyerswerda: Trachten in klaren und leuchtenden Farben, mit reichen, verschiedenartigen Stickereien.

In zahlreichen Gemeinden und Ortsteilen zwischen Bautzen, Kamenz und Hoyerswerda, im Gebiet der katholischen Kirchspiele: Trachten mit der langen dunklen Kopfschleife. Sie sind in strengeren Formen gehalten, aufgelockerter und farbenfreudiger nur in der Festtagskleidung, die mit Flachstickereien volkskünstlerisch verziert ist. Bemerkenswert ist auch, daß sich bis heute archaische Züge in den weißen Umhüllungen der Trauer- und Prozessionstrachten erhalten haben.

Verständlich ist, daß die Trachten im Alltag an Bedeutung verlieren. Doch zu besonderen Anlässen ist das Anlegen der Tracht eine Ehre und gilt zugleich als Bekenntnis zum sorbischen Volkstum.

Bräuche

Eine relativ breite Skala von Bräuchen hat bis heute einen Platz im geistigkulturellen Leben der Sorben behalten oder ihn sich wieder errungen. Teilweise erfreuen sie sich besonders unter der Jugend steigender Beliebtheit. Zum überwiegenden Teil haben diese Bräuche ihren Ursprung in vorchristlichen Glaubensauffassungen. Hier sollen nur einige bedeutende genannt werden:

Vogelhochzeit

Auf der 'Vogelhochzeit', am 25. Januar, tragen die Kinder traditionelle Hochzeitskleidung oder sind als Vögel verkleidet. In verschiedenen Orten finden in dieser Zeit gesellige Veranstaltungen statt, auf denen ein 'Hochzeitsbitter' als Moderator auftritt. In manchen Orten sind im Backwarenangebot Nachbildungen von Vögeln für die Kinder als Dank für die Sorge um die Tiere im Winter.

Zapust

Der 'Zapust' ist ein lustiger Fastnachtsbrauch in der Niederlausitz mit viel Musik und Tanz von Ende Januar bis Anfang März. In etwa dreißig Dörfern nehmen daran viele Sorben aktiv teil, die Frauen und Mädchen in farbenfrohen Trachten, die Männer in dunklen Anzügen sowie mit Blumen und Schleifen an ihren Hüten.

Ostereier

Das Verzieren der Ostereier ist besonders im Großraum Cottbus Brauch. Mit zugeschnittener Gänsefeder oder mit einer Stecknadelkuppe wird heißes Wachs auf das ausgeblasene bzw. hartgekochte Ei aufgetragen.

Beim Einfärben nehmen die wachsbedeckten Stellen keine Farbe an. Die Mehrfarbigkeit erzielt man durch wiederholtes Färben und den Einsatz dunklerer Farblösungen. Danach wird das Wachs erhitzt und abgewischt, und das Ei erhält einen silbrigen Glanz. In den Verzierungen findet man überwiegend geometrische Ornamente: Dreieck, Viereck, Strich und Punkt. Weniger verbreitete Techniken sind Kratzen und Ätzen. Alljährlich an Ostern findet ein Wettbewerb um das 'schönste Osterei' statt.

Sorbisches Brauchtum, Ostereier (Fortsetzung)

Am Ostersonnabend wird in bestimmten Dörfern der Kreise Cottbus und Calau das Osterfeuer angezündet.

Osterfeuer

Das Osterreiten am Ostersonntag ist in der Oberlausitz ein Flurumritt auf geschmückten Pferden auf acht Reiterstrecken zwischen den einzelnen katholischen Kirchspielen mit insgesamt etwa tausend Reitern.

Osterreiten

Das 'Hexenbrennen' findet am Walpurgisabend, dem Vorabend des 1. Mai, in der Oberlausitz und im Übergangsgebiet zur Niederlausitz statt.

Hexenbrennen

Am Abend vor dem 1. Mai werden auch vielerorts Maibäume mit geschmückten Wipfeln aufgestellt; das Maibaumwerfen wird als Dorffest gestaltet.

Maibäume

In der Niederlausitz finden zur Erntezeit das 'Hahnrupfen' und das 'Hahnschlagen' statt.

Hahnrupfen, Hahnschlagen

Das 'Bescherkind' (sorbisch 'dźěćatko') im Schleifer Trachtengebiet, das in der Vorweihnachtszeit die Kinder in den Familien aufsucht, um kleine Gaben zu verteilen (bescheren), trägt die Tracht mit bunten Bändern und Schleifen und einen Schleier, der das Gesicht gänzlich verhüllt, so daß niemand das betreffende Mädchen, das nicht sprechen darf, erkennen kann.

Bescherkind

Gegenwärtige Situation in der Lausitz

Nach den umwälzenden Ereignissen des Jahres 1989, besonders aber nach dem Beitritt der einst sozialistischen Deutschen Demokratischen Republik zur freiheitlich-demokratischen Bundesrepublik Deutschland am 3. Oktober 1990, dem Tag der deutschen Einheit, herrschen nun auch in der Lausitz, dem angestammten Siedlungsgebiet der Sorben, nach mehr als einem halben Jahrhundert wieder demokratische Verhältnisse.

Sorben leben nun in den neuen deutschen Bundesländern Brandenburg und Sachsen

Für die kulturellen Belange der ethnischen Minderheit der etwa 60 000 Sorben (rund ein Viertel Katholiken), die selbstredend die deutsche Staatsbürgerschaft besitzen, sind zukünftig in erster Linie die am 14. Oktober 1990 neu konstituierten deutschen Bundesländer Brandenburg (zu etwa einem Drittel) und Sachsen (zu etwa zwei Dritteln) zuständig. Derzeit bestehen insgesamt 161 sorbisch-deutsche Gemeinden, sechs Grundschulen und zwei Oberschulen, an denen Sorbisch für etwa 4 000 Kinder und Jugendliche Unterrichtssprache ist; an 64 Schulen wird Sorbisch als Fremdsprache angeboten. Für die Erhaltung des tradierten Kulturgutes der sangesfreudigen Sorben sorgen in Budyšin (Bautzen) die Dachorganisation 'Domowina' (ca. 12 000 Mitglieder), ein Zeitung, eine sorbische Rundfunkredaktion, das Deutsch-Sorbische Theater und ein Folkloreensemble. Politisch vertreten die Sorben jetzt vier Abgeordnete im Landtag des Freistaates Sachsen zu Dresden; in das brandenburgische Parlament zu Potsdam vermochten sorbische Abgeordnete nicht einzuziehen.

Sorbische Symbole: Drei Lindenblätter und blau-rot-weiße Fahne

Es ist nicht verwunderlich, daß sich unter den Sorben eine gewisse Sorge um das Geschick ihrer Volksgruppe unter den politischen Verhältnissen im geeinten Deutschland breitmacht. Engagierte Sprecher haben deshalb sehr bald den Wunsch geäußert, den Sorben müßte ein Sonderstatus auf Bundesebene eingeräumt werden, zumal sie – anders als die dänische Minderheit im nördlichen Schleswig-Holstein – kein Mutterland besäßen. Eine Abordnung der 'Domowina' will sich in Bonn für die sorbischen Interessen einsetzen.

Sorben wünschen Sonderstatus

Das Land in Zitaten

Germaine de Staël
Französische
Schriftstellerin
(1766–1817)

Von allen Fürstentümern Deutschlands zeigt keines in solchem Maß wie Weimar die Vorzüge eines kleinen Landes, wenn sein Fürst ein Mann von vielem Geist ist, und, ohne etwas vom Gehorsam, einzubüßen, seinen Untertanen zu gefallen suchen kann. Ein solcher Staat bildet eine besondere Gesellschaft, in der man durch die innersten Beziehungen zueinander gehört. Die Herzogin Luise von Sachsen-Weimar ist das wahre Muster einer von der Natur zum höchsten Range bestimmten Frau. Ohne Anmaßung, ohne Schwachheit, erweckt sie zugleich und in gleichem Grade Vertrauen und Ehrfurcht; der Heldensinn der Ritterzeit ist in ihre Seele gedrungen, ohne ihr von der Sanftmut ihres Geschlechts das Geringste zu nehmen. Die militärischen Talente des Herzogs[1] werden allgemein geschätzt. Seine geistreiche sinnige Unterhaltung erinnert in jedem Augenblick daran, daß er des großen Friedrichs Zögling gewesen ist; sein Geist und der Geist seiner Mutter[2] hat Weimar zum Sammelplatz der hervorragendsten Geister gemacht. Zum erstenmal erhielt Deutschland eine gelehrte Hauptstadt; doch konnte diese Hauptstadt, da sie übrigens sehr klein ist, nur durch ihr literarisches Licht Aufsehen erregen, ohne zugleich die Mode der Schöngeisterei, die wie alle übrigen, Einförmigkeit hervorbringt, aus ihrem zu engen Kreise allgemein verbreiten zu können.

[1] Karl August.
[2] Anna Amalia.
[3] Goethe leitete
das Hoftheater
in Weimar von
1791 bis 1817.

Herder war gestorben, als ich in Weimar ankam; aber Wieland, Schiller und Goethe lebten noch . . .
Das Schauspiel[3] wird von dem ersten Dichter Deutschlands, von Goethe, geleitet. Es findet eine so allgemeine Teilnahme, daß es die gesellschaftlichen Vereinigungen, in denen so manche geheime Langeweile zur Sprache kommt, entbehrlich macht.

Aus Madame de Staëls Hauptwerk "De l'Allemagne" (1810).

Heinrich Heine
Deutscher Dichter
(1797–1856)

Nach dem Stand der Sonne war es Mittag, als ich auf eine solche Herde stieß, und der Hirt, ein freundlicher blonder junger Mensch, sagte mir: der große Berg, an dessen Fuß ich stände, sei der alte, weltberühmte Brocken. Viele Stunden ringsum liegt kein Haus, und ich war froh genug, daß mich der junge Mensch einlud, mit ihm zu essen . . .
Je höher man den Berg hinauf steigt, desto kürzer, zwerghafter werden die Tannen, sie scheinen immer mehr und mehr zusammen zu schrumpfen, bis nur Heidelbeer- und Rotbeersträuche und Bergkräuter übrig bleiben. Da wird es auch schon fühlbar kälter. Die wunderlichen Gruppen der Granitblöcke werden hier erst recht sichtbar; diese sind oft von erstaunlicher Größe. Das mögen wohl die Spielbälle sein, die sich die bösen Geister einander zuwerfen in der Walpurgisnacht, wenn hier die Hexen auf Besenstielen und Mistgabeln einhergeritten kommen, und die abenteuerlich verruchte Lust beginnt, wie die glaubhafte Amme es erzählt, und wie es zu schauen ist auf den hübschen Faustbildern des Meister Retzsch . . .
In der Tat, wenn man die obere Hälfte des Brockens besteigt, kann man sich nicht erwehren, an die ergötzlichen Blocksbergsgeschichten zu denken, und besonders an die große, mystische, deutsche Nationaltragödie vom Doktor Faust. Mir war immer, als ob der Pferdefuß neben mir hinauf klettere, und jemand humoristisch Atem schöpfe. Und ich glaube, auch Mephisto muß mit Mühe Atem holen, wenn er seinen Lieblingsberg ersteigt; es ist ein äußerst erschöpfender Weg, und ich war froh, als ich endlich das langersehnte Brockenhaus zu Gesicht bekam . . .
Der Eintritt in das Brockenhaus erregte bei mir eine etwas ungewöhnliche, märchenhafte Empfindung. Man ist nach einem langen, einsamen Umhersteigen durch Tannen und Klippen plötzlich in ein Wolkenhaus versetzt; Städte, Berge und Wälder blieben unten liegen, und oben findet man eine wunderlich zusammengesetzte, fremde Gesellschaft, von welcher man,

wie es an dergleichen Orten natürlich ist, fast wie ein erwarteter Genosse, halb neugierig und halb gleichgültig, empfangen wird.

Heinrich Heine
(Fortsetzung)

Aus Heines Werk "Die Harzreise" (1824).

Bei Halle

Joseph Freiherr
von Eichendorff
Deutscher Dichter
(1788–1857)

Da steht eine Burg überm Tale
Und schaut in den Strom hinein,
Das ist die fröhliche Saale,
Das ist der Giebichenstein.

Da hab ich so oft gestanden,
Es blühten Täler und Höhn,
Und seitdem in allen Landen
Sah ich nimmer die Welt so schön!

Durchs Grün da Gesänge schallten,
Von Rossen, zu Lust und Streit,
Schauten viel schlanke Gestalten,
Gleichwie in der Ritterzeit.

Wir waren die fahrenden Ritter,
Eine Burg war noch jedes Haus,
Es schaute durchs Blumengitter
Manch schönes Fräulein heraus.

Das Fräulein ist alt geworden,
Und unter Philistern umher
Zerstreut ist der Ritterorden,
Kennt keiner den andern mehr.

Auf dem verfallenen Schlosse,
Wie der Burggeist, halb im Traum,
Steht ich jetzt ohne Genossen
Und kenne die Gegend kaum.

Und Lieder und Lust und Schmerzen,
Wie liegen sie nun so weit –
O Jugend, wie tut im Herzen
Mir deine Schönheit so leid.

Rudelsburg

Deutsches
Volkslied
Text von Franz
Kugler (1826)
Musik von
Friedrich Ernst
Fesca (1822)

1. An der Saa - le hel - lem Stran - de ste - hen Bur - gen stolz und
2. Zwar die Rit - ter sind ver - schwun - den, nim - mer klin - gen Speer und
3. Dro - ben win - ken schö - ne Au - gen, freund - lich lacht manch ro - ther
4. Und der Wand - rer zieht von dan - nen, denn die Tren - nungs-stun - de

1. kühn;   ih - re   Dä - cher   sind ge - fal - len,   und der
2. Schild;   doch dem   Wan - ders - mann er - schei - nen   in den
3. Mund,   Wand - rer schaut wol in die Fer - ne,   schaut in
4. ruft;   und er   sin - get   Ab - schieds - lie - der,   Le - be -

1. Wind streicht durch die Hal - len,   Wol - ken zie - hen drü - ber   hin.
2. alt - be - moo - sten Stei - nen   oft Ge - stal - ten zart und   mild.
3. hol - der Au - gen Ster - ne,   Herz ist hei - ter und ge - sund.
4. wohl tönt ihm her - nie - der,   Tü - cher we - hen in der Luft.

Das Land in Zitaten

Theodor Fontane
Deutscher
Schriftsteller
(1819–1898)

Wir warteten die letzten ab und kehrten dann erst in unseren Gasthof zurück, wo wir uns eine halbe Stunde später durch Kantor Klingestein – eine Spreewalds-Autorität, an die wir von Berlin her empfohlen waren – begrüßt sahen. Er übernahm unsere Führung, und nach kurzem Gange durch die Stadt und Park erreichten wir den Haupt-Spreearm, auf dem die für uns bestimmte Gondel bereits im Schatten eines Buchenganges lag . . . Einzelne Häuser werden sichtbar; wir haben Lehde, das erste Spreewalds-Dorf, erreicht. Es ist die Lagunenstadt in Taschenformat, ein Venedig, wie es vor 1500 Jahren gewesen sein mag, als die ersten Fischerfamilien auf seinen Sumpfeilanden Schutz suchten. Man kann nichts Lieblicheres sehen als dieses Lehde, das aus ebenso vielen Inseln besteht, als es Häuser hat. Die Spree bildet die große Dorfstraße, darin schmalere Gassen von links und rechts her einmünden. Wo sonst Heckenzäune sich ziehn, um die Grenzen eines Grundstückes zu markieren, ziehen sich hier vielgestaltige Kanäle, die Höfe selbst aber sind in ihrer Grundanlage meistens gleich. Dicht an der Spreestraße steht das Wohnhaus, ziemlich nahe daran die Stallgebäude, während klafterweis aufgeschichtetes Erlenholz als schützender Kreis um das Inselchen herläuft. Obstbäume und Düngerhaufen, Blumenbeete und Fischkasten teilen sich im übrigen das Terrain und geben eine Fülle der reizendsten Bilder. Das Wohnhaus ist jederzeit ein Blockhaus mit kleinen Fenstern und einer tüchtigen Schilfdachkappe; das ist das Wesentliche; seine Schönheit aber besteht in seiner reichen und malerischen Einfassung vom Blatt und Blüten: Kürbis rankt sich auf, und Geißblatt und Convolvulus schlingen sich in allen Farben hindurch. Endlich zwischen Haus und Ufer breitet sich ein Grasplatz aus, an den sich ein Brückchen oder ein Holzsteg schließt, und um ihn herum gruppieren sich die Kähne, kleiner und größer, immer aber dienstbereit, sei es, um bei Tag einen Heuschober in den Stall zu schaffen oder am Abend einem Liebespaare bei seinem Stelldichein behilflich zu sein.

Aus Fontanes Werk "Wanderungen durch die Mark Brandenburg" (1862 bis 1882).

Baedekers
"Nordost-
Deutschland"
(1892)

Das schmückende Beiwort "Heimat des Rokoko" wird Dresden wohl bleiben, mag auch der Begriff des Rokoko gegenwärtig enger genommen werden und nicht mehr gleichbedeutend erscheinen mit der Kunst des XVIII. Jahrh. überhaupt, welche zugleich den Barockstil und den Zopf in sich schließt. Mit August dem Starken tritt Dresden in den Kreis tonangebender Kunststädte. Die Gründung des Zwingers und die Erfindung des Porzellans (durch Böttger 1709) bestimmen den kunstgeschichtlichen Charakter Dresdens. Wie August der Starke in seiner Persönlichkeit zuweilen an Ludwig XIV. mahnt, so erinnert auch der Zwingerbau an die Prachtbauten, durch welche die Majestät des Frankreichs des Fürstentums verherrlicht werden sollte. Dem Zeitalter Ludwigs XIV. schmeichelte es, mit der Glanzperiode des römischen Wesens verglichen zu werden; ähnlich sollte der Zwingerbau, von dem bekanntlich nur der kleinere Teil ausgeführt wurde, römische Bauten nachahmen, alles in sich begreifen, was insbesondere römische Bäder Prächtiges und Nützliches umfaßten. In dem Umkleiden auch des privaten fürstlichen Daseins mit Pomp und Majestät, in dem Herauskehren des intimen Lebens im Boudoir und Kabinett in die große offene Welt, liegt das Rokokoelement, das sich auch teilweise in den Bauformen des Zwingers ausspricht. Und in der That, für die "Mercerien", für die Jahrmärkte, Karussells und andern Lustbarkeiten, in welchen der Hof mit einem durchsichtigen Inkognito spielte, gab der Zwinger einen geradezu idealen Schauplatz ab. Vollends in den Produkten der Porzellanmanufaktur fand der Rokokogeschmack die beste Verkörperung; das Material eignet sich ebensosehr zur Wiedergabe der puppenhaften Zierlichkeit der Figuren wie zu dem Gewundenen, Verschnörkelten der dekorativen Formen. Ist doch noch heutzutage das Rokoko der klassische Stil für die Porzellanplastik. Flüchtigkeit ist die Natur des Rokoko, flüchtig und kurz dauernd war auch das Kunstleben in Dresden. Seit der Mitte des vorigen Jahrhunderts trat die Stadt wieder in ein stilles Dunkel zurück; denn weder Mengs' Wirksamkeit noch Winckelmanns epochemachende Lehren übten hier größeren Einfluß.

Aus dem Kapitel über Dresden in der 24. Auflage von Baedekers Handbuch für Reisende "Nordost-Deutschland".

Baedekers "Nordost-Deutschland" (Fortsetzung)

Der Große Inselsberg (916 m), in älterer Namensform Emmsenberg oder Emselberg nach der an der Nordflanke des Berges entspringenden Emse genannt, ist der bekannteste und besuchteste Aussichtsgipfel des Thüringer Waldes (die höchste Erhebung ist der 982 m hohe Große Beerberg). Über die bewaldete Porphyrkuppe, die den Kamm um fast 200 m überragt und durch die tiefeingeschnittenen Täler allseitig stark aus der Umgebung herausgehoben ist, läuft der Rennsteig . . .
Die beiden Aussichtsgerüste auf dem Gipfel gewähren eine umfassende Rundsicht (im Sommer selten ganz klar, am besten noch bei Sonnenuntergang): im Nordosten die weiten Ackerfluren des Thüringer Beckens mit ihren zahlreichen Dörfern, den Türmen von Gotha und Erfurt und den Drei Gleichen, dahinter Harz und Kyffhäuser, die aber nur bei klarem Wetter sichtbar werden; im Südosten folgt das Auge der gewundenen Kammlinie des Thüringer Waldes, aus dessen Waldkulissen der Kickelhahn, der Schneekopf und der Große Beerberg hervortreten; im Süden erscheinen die Gleichberge bei Römhild und der Dolmar bei Meiningen; im Südwesten ragen über Brotterode die Kuppen der Rhön auf; im Nordwesten beherrscht die Wartburg das Blickfeld, links von ihr die fernen hessischen Berge mit dem Hohen Meißner.

Aus dem Kapitel über den Inselsberg in der dritten Auflage von Baedekers Handbuch für Reisende "Thüringen".

Baedekers "Thüringen" (1935)

Das Theater des neuen Zeitalters

Das Theater des neuen Zeitalters
Ward eröffnet, als auf die Bühne
Des zerstörten Berlin
Der Planwagen der Courage rollte.
Ein und ein halbes Jahr später
Im Demonstrationszug des 1. Mai
Zeigten die Mütter ihren Kindern
Die Weigel und
Lobten den Frieden.

Bertolt Brecht Deutscher Schriftsteller und Regisseur (1898 – 1956)

Wenn wir von der Gegenwart sprechen, können wir auf dem Gebiet der Literatur sofort mit zwei Namen beginnen, deren Träger pommerschen Ursprungs sind . . .
Der eine ist ein Vorpommer[1] und der andere ein Hinterpommer[1]. Wolfgang Koeppen wurde in Greifswald geboren und Uwe Johnson in Cammin. Der eine schreibt eine vorzügliche Prosa, und auch der andere schreibt eine vorzügliche Prosa, ja, ich vermute, daß der Stil des Uwe Johnson nur aus Hinterpommern, der des Wolfgang Koeppen aber nur aus Vorpommern heraus zu erklären ist. Ich gebe zu, die Unterschiede sind groß, aber sie beweisen die stilistische Spannweite Pommerns, obwohl der Weg von Cammin in Hinterpommern bis Greifswald in Vorpommern nicht einmal hundert Kilometer beträgt. Wer sich die Mühe macht, geht bei der Lektüre mit Uwe Johnson in Hinterpommern spazieren, ganz gleich, ob sein Roman in New York oder sonstwo spielt, und wer mit Wolfgang Koeppen in Rom herumläuft, sieht dieses Rom mit vorpommerschen Augen. Das eine wie das andere liegt nicht ohne weiteres auf der Hand. Es ist schwierig herauszufinden . . .
Ich weiß nicht, ob die literarische Arbeit dieser beiden Schriftsteller von einem anderen beeinflußt wurde, aber ich kann es mir nicht vorstellen. Auch Alfred Döblin wurde in Pommern geboren. Er ist Stettiner. Sein Roman "Berlin – Alexanderplatz" hat bis heute seine Wirkung auf die deutsche

Hans Werner Richter Deutscher Schriftsteller (geb. 1908)

[1] Während Vorpommern mit Greifswald heute einen Teil des neuen deutschen Bundeslandes Mecklenburg-Vorpommern bildet, gehört Hinterpommern seit dem Ende des Zweiten Weltkrieges zu Polen.

Das Land in Zitaten

Hans Werner Richter (Fortsetzung)

Literaturentwicklung nicht verloren. Dasselbe kann man nicht von Hans Fallada sagen, aber in den zwanziger Jahren waren seine Romane Bestseller. Man denke nur an "Wer einmal aus dem Blechnapf frißt". Fallada wurde in Greifswald geboren.

Aus Richters Werk "Deutschland – deine Pommern" (1970).

Stefan Heym Deutscher Schriftsteller (geb. 1913)

Ich möchte von Kalle und seinem Freund berichten. Kalle fährt einen Schaufelbagger in der Schwarzen Pumpe, einem jener neuen Industriekomplexe, wo sie Braunkohle im Tagebau gewinnen und daraus Gas und Elektroenergie machen. Sein Freund Bruno ist um zwei Köpfe kleiner.
Wir sitzen einander gegenüber im Speisewagen des Zugs nach Rostock. Kalle besteht darauf, meine Frau und mich zu ein, zwei, drei Wodkas einzuladen. Ja, er verdient gutes Geld; die Arbeit ist hart, ebenso wie das Leben in den Wohnbaracken, aber wenn er zum Urlaub in sein Heimatdorf in Mecklenburg fährt, ist er ein großer Mann. Er hat seinem Vater einen kleinen Trabant gekauft und seinem jungen Neffen einen teuren sowjetischen Wolga – die zwei sind seine ganze Familie. "Wenn der Zug in den Bahnhof einläuft", sagt er, "da wartet der Wolga auf mich, Sie werden's selber sehen." . . .
Kalle . . . beginnt von den Verbesserungen zu erzählen, die er an seinem Schaufelbagger gemacht hat, und von den Verbesserungen, die er für die Arbeit seiner Brigade vorgeschlagen hat – Verbesserungen, die allen Beteiligten mehr Geld bringen: ihm selber, den Mitgliedern seiner Brigade und der Schwarzen Pumpe. Bruno nickt zustimmend und fügt hinzu, daß Kalle Abendkurse besucht hat und daß er bald auf eine technische Hochschule geschickt werden wird, um sich für einen verantwortlichen Posten zu qualifizieren. Ich stoße meine Frau an: Hier ist einer von diesen positiven Helden aus der Arbeiterklasse, die zu gestalten die Schriftsteller des Landes ständig angehalten werden. "Sie sind natürlich in der Partei, Kalle", erkundige ich mich. Er blickt mich an. "Nein", sagt er.

Aus Heyms Buch "Wege und Umwege".

Anna Seghers Deutsche Schriftstellerin (1900 – 1983)

Wolf: Sie arbeiten augenblicklich an Erzählungen unter dem Titel "Die Kraft der Schwachen". Haben diese Erzählungen einen thematischen Mittelpunkt?
Seghers: Sie haben keinen Mittelpunkt, aber einen Zusammenhang, einen thematischen Zusammenhang. Es handelt sich um lauter unbekannte, einfache Menschen, sagen wir, ohne die geringste Spur von dem, was man Personenkult nennt. Menschen, die völlig lautlos etwas Wichtiges tun. Wenn ich nicht über sie schreiben würde, dann würde man nie das Geringste über sie erfahren.
Wolf: Sie sagten einmal, daß seit zweitausend Jahren die Kunst sehr wenig Grundstoffe hervorgebracht habe, die Abwandlungen aber seien vielfältig. Sehen Sie eigentlich neue, für unsere Gesellschaft bezeichnende Abwandlungen eben dieser Grundstoffe, die Sie für beschreibenswert halten?
Seghers: Ja, bei uns als Stoff schon. Das Verhältnis des Menschen zum Menschen, die menschliche Arbeit. Wir sind, glaube ich, erst am Anfang.

Aus einem Gespräch mit Christa Wolf in Seghers' Buch "Woher sie kommen, wohin sie gehen" (1980).

Christa Wolf Deutsche Schriftstellerin (geb. 1929)

Genau in diesem Augenblick trat unsere Tochter auf, und drüben schob der Ingenieur sein neues froschgrünes Auto zur Sonnabendwäsche aus der Garage. Was das Auto betrifft:
Niemand von uns hätte den traurigen Mut gehabt, dem Ingenieur zu sagen, daß sein Auto froschgrün ist, denn in den Wagenpapieren steht "lindgrün",

und daran hält er sich. Er hält sich überhaupt an Vorgedrucktes. Sie brauchen nur seinen Haarschnitt anzusehen, um die neuesten Empfehlungen der Zeitschrift "Ihre Frisur" zu kennen, und seine Wohnung, um zu wissen, was vor zwei Jahren in der "Innenarchitektur" für unerläßlich gehalten wurde. Er ist ein freundlicher, semmelblonder Mann, unser Ingenieur, er interessiert sich nicht für Politik, aber sieht hilflos aus, wenn wir den letzten Leitartikel fade nennen. Er läßt sich nie etwas anmerken, und wir lassen uns auch nie etwas anmerken, denn wir sind fest überzeugt, daß der semmelblonde Ingenieur mit seinem froschgrünen Auto dasselbe Recht hat, auf dieser Erde zu sein, wie wir mit unseren Pusteblumen und Himmelslandschaften und diesem und jenem etwas traurigen Buch. Wenn nur unsere dreizehnjährige Tochter, eben die, die gerade durch die Gartentür kommt, sich nicht in den Kopf gesetzt hätte, alles, was mit dem Ingenieur zusammenhängt, modern zu finden. Und wenn wir nicht wüßten, welch katastrophale Sprengkraft für sie in diesem Wort steckt.

Habt ihr gesehen, was für eine schicke Sonnenbrille er heute wieder aufhat, fragte sie im Näherkommen. Ich konnte durch einen Blick verhindern, daß der Vater die Sonnenbrille, die wir gar nicht beachtet hatten, unmöglich nannte, und wir sahen schweigend zu, wie sie über das Stückchen Wiese stakste und einen sehr langen Schatten warf, wie sie sich auf komplizierte Weise neben dem Aprikosenbäumchen niederließ und ihre Bluse glattzog, um uns klarzumachen, daß es kein Kind mehr war, was da vor uns saß.

Aus "Juninachmittag" in Wolfs Werk "Gesammelte Erzählungen" (1980). © by Luchterhand Literaturverlag, Frankfurt am Main.

Christa Wolf (Fortsetzung)

Nun war es März, und es gab sonnige Tage, es gab Wind und Staub und alles, was zum Vorfrühling gehörte. Die Loren der Hoch-Seilbahn gondelten über die Kiefernwipfel, als täten sie es aus eigener Kraft und nicht, weil ein unbeweglich scheinendes Seil sie zog. Verstaubt und dunkelbraun lag die Brikettfabrik im niedrigen Kiefernwald, schnaubte Ruß und Wasserdampf in die Umgebung, und ihre Pulse, die Pressen, pochten. Weiter im Wald, hinter den Klärteichen, wo das Schmieröl bunt aufblühte, vermischte sich das Pochen der Brikettpressen mit dem Klopfen der Spechte.

Ein Amselhahn sang seine Strophe, kennzeichnete sein Revier mit Tönen aus zitterndem Frühlicht und äugte zu den arbeitenden Männern hinüber. Alles war friedlich, bis mit eins der Dommel-Ton der Fabriksirene ertönte, er wogte zu ungewöhnlicher Zeit über den Wald hin und ließ nicht ab. Brannte ein Schacht? War Krieg ausgebrochen?

Das Telefon schnarrte. Der Amselhahn flog verschreckt davon. Die Sirene ging noch immer. Büdner preßte den verstaubten Telefonhörer ans Ohr und hörte es weit hinten in der Brikettfabrik sagen: "Stalin ist tot." Er gab die Nachricht im gleichen sachlichen Ton, wie sie er empfangen hatte, weiter: "Stalin ist tot", sagte er zu Zaroba und wußte nicht, wie er dabei aussehen sollte.

Zaroba konnte seine Ehrerbietung vor dem Tod nicht durch das Abnehmen einer Kopfbedeckung ausdrücken: er hatte beim Frühstücken seine Ledermütze sowieso abgesetzt und setzte sie deshalb wieder auf, ging zum Förderturm, klopfte ans Sprachrohr und gab die Meldung in den Schacht hinunter. Kleinermann ließ sich aus dem Schacht haspeln, winkte verhalten zu Büdner hinüber, machte sich hastig auf den Weg zur Brikettfabrik und ging sich Weisungen holen; durch die verrußten Scheiben war nicht zu erkennen, ob sein Eifer von Trauer gedämpft war.

Und der Dommel-Ton der Fabriksirene fuhr fort, über die Wälder zu hallen, und der Amselhahn gewöhnte sich an ihn. Er kam zurück, sang weiter und triumphierte über den technischen Trauerton. Büdner war blaß, und Zarobas Gesicht war, wie immer, ernst und nachdenklich. Über Stalins Tod sprachen sie nicht mehr.

Aus dem dritten Band von Strittmatters Roman "Der Wundertäter". © 1980 Aufbau-Verlag, Berlin und Weimar.

Erwin Strittmatter Deutscher Schriftsteller (geb. 1912)

Das Land in Zitaten

Marlies Menge
Deutsche
Publizistin
(geb. 1934)

Christa Rothenburger studiert Sport an der Deutschen Hochschule für Körperkultur aus Leipzig, Außenstelle Dresden. Doch nicht die Studentin soll uns interessieren, sondern die Olympiasiegerin von Sarajevo[1] im Eisschnellauf: ein schmales, zierliches Mädchen in dunkelblauer Cordhose mit heller Bluse, kleinen Sternen im Ohr, kurze Haare, graugrüne Augen im schmalen Gesicht. Sie stammt aus Weißwasser in der Lausitz, schon im Kindergarten hatte man sie fürs Eis ausgesucht. Als Sechsjährige lernte sie bei Dynamo Weißwasser das ABC des Schlittschuhlaufens und spielte Eishockey. Mit zehn wechselte sie zum Eisschnellauf über. Mit vierzehn kam sie nach Dresden, ins Internat der Kinder- und Jugendsportschule, ging bis zur zehnten Klasse zur Schule, wurde Wirtschaftskaufmann – und lief eis. Machte die Sonderreife und errang auf dem Eis dritte, vierte, sechste, zwölfte Plätze. Dann folgten Weltrekorde, schließlich das, worauf sie vermutlich Kindheit und Jugend hindurch hintrainiert hatte: der Olympiasieg. Glück in zweifacher Hinsicht, einmal daß sie es geschafft hat, zum anderen, daß nicht schon die Winterolympiade abgesagt worden war. Was sie dazu sagt, daß die DDR nicht nach Los Angeles gefahren ist? Ihre Antwort klingt wie aus einer DDR-Zeitung: "Ich finde die Entscheidung richtig. Es ist natürlich eine große Enttäuschung für die Sportler der DDR gewesen, aber man sollte die Olympiade nicht für politische Zwecke mißbrauchen."

Aus Menges Buch "Die Sachsen – das Staatsvolk der DDR" (1985).

[1] In der Umgebung der jugoslawischen Stadt Sarajevo (Bosnien-Herzegowina) wurden 1984 die XIV. Olympischen Winterspiele ausgetragen.

Routenvorschläge

Die folgenden Routenvorschläge sollen dem Autotouristen Anregungen zur Bereisung der neuen deutschen Bundesländer geben, ohne ihm die Freiheit der eigenen Planung und Streckenwahl zu nehmen.
Die vorgeschlagenen Touren sind bewußt unterschiedlich gewählten Themenkreisen zugeordnet und lassen sich auf der zum Buch gehörenden Reisekarte verfolgen.

Vorbemerkung

1. Bädertour am Ostseestrand

Streckenverlauf

Selmsdorf – Dassow – Grevesmühlen – Wismar – Neubukow – Ostseebad Rerik – Ostseebad Kühlungsborn – Bad Doberan – Ostseebad Nienhagen – Warnemünde – Markgrafenheide – Ostseebad Graal-Müritz – Klockenhagen – Ostseebad Dierhagen – Ostseebad Wustrow – Ostseebad Ahrenshoop – Ostseebad Prerow (Darß) – Ostseebad Zingst – Pruchten – Barth – Stralsund.
Rundfahrt auf der Insel Rügen: Stralsund – Rügendamm – Bergen – Ralswieck – Saßnitz – Schmale Heide – Ostseebad Binz – Ostseebad Sellin – Ostseebad Baabe – Ostseebad Göhren – Putbus – Garz – Stralsund.

Abstecher

Von Grevesmühlen zum Ostseebad Boltenhagen.
Von Wismar zur Insel Poel.
Von Kühlungsborn Mollifahrt über Heiligendamm nach Bad Doberan.
Von Warnemünde nach Rostock.
Von Stralsund Schiffsausflug zur Insel Hiddensee (ohne PKW!).
Von Saßnitz zur Stubbenkammer.
Von Binz zum Jagdschloß Granitz.
Von Göhren auf die Halbinsel Mönchgut.

2. Naturdenkmale in Mecklenburg

Streckenverlauf

Zarrentin – Schwerin – Güstrow – Krakow am See – Plau – Röbel – Mirow – Wesenberg – Neustrelitz – Neubrandenburg – Waren – Malchow – Güstrow.

Abstecher

Von Waren nach Ivenack.
Von Neubrandenburg zur Reuterstadt Stavenhagen.
Von Neustrelitz nach Fürstenberg (Ravensbrück) oder ins Feldberger Seengebiet (Carwitz).

3. Auf Fontanes Spuren durch die Mark Brandenburg

Streckenverlauf

Rheinsberg – Gransee – Lindow – Neuruppin – Fehrbellin – Kremmen – Oranienburg – Velten – Falkensee – Wustermark – Ketzin – Brandenburg – Lehnin – Glindow – Werder – Geltow – Potsdam.
Von Rheinsberg nach Zechlin oder zum Großen Stechlinsee.

Abstecher

4. Durch die Seenlandschaft im Südosten von Berlin

Streckenverlauf

Berlin – Königs Wusterhausen – Gräbendorf – Prieros – Storkow – Wendisch Rietz – Bad Saarow - Pieskow – Fürstenwalde – Hangelsberg – Grünheide – Herzfelde – Müncheberg – Waldsieversdorf – Buckow –

Routenvorschläge

Route 4
(Fortsetzung)

Strausberg – Rüdersdorf – Woltersdorf – Erkner – Neu Zittau – Gosen – Müggelheim – Berlin-Köpenick.

Abstecher

Wanderung von Gosen durch die Gosener Berge.
Von Köpenick zum Großen Müggelsee.

5. Spreewaldfahrt

Streckenverlauf

Lübbenau – Lübben – Birkenhainichen – Neu Lübbenau – Schlepzig – Lübben – Radensdorf – Neu Zauche – Straupitz – Byhleguhre – Burg – Leipe – Lehde – Lübbenau.

Abstecher

Von Radensdorf nach Alt Zauche.
Von Burg nach Cottbus.

6. Große Klösterrundfahrt

Streckenverlauf

Georgenthal – Paulinzella – Jena – Stadtroda – Naumburg – Schulpforte – Saubach – Kölleda – Bad Frankenhausen – Großlohra – Beuren – Kelbra – Nordhausen – Blankenburg (Michaelstein) – Magdeburg – Gardelegen – Neuendorf – Stendal – Pritzwalk – Stepenitz – Güstrow – Rühn – Bützow – Neukloster – Bad Doberan – Dargun – Demmin – Grimmen – Stralsund – Bergen (auf Rügen) – Greifswald (Eldena) – Neubrandenburg – Weisdin – Wanzka – Fürstenberg – Templin – Himmelpfort – Löwenberg – Eberswalde-Finow – Chorin – Frankfurt an der Oder – Eisenhüttenstadt – Neuzelle – Wilhelm-Pieck-Stadt Guben – Cottbus – Finsterwalde – Dobelug-Kirchhain – Bad Liebenwerda – Mühlberg – Riesa – Grimma – Bad Düben – Treuenbrietzen – Jüterbog – Golzow – Lehnin.

Abstecher

Von Saubach nach Roßleben.
Von Blankenburg nach Egeln.
Von Pritzwalk nach Heiligengrabe.
Von Stralsund Schiffsausflug zum Kloster Hiddensee (ohne PKW!).
Von Jüterbog zum Kloster Zinna.

7. Fachwerkstädte am und im Harz

Streckenverlauf

Worbis – Nordhausen – Ilfeld – Hasselfelde – Groß Stemmberg – Elbingerode – Wernigerode – Blankenburg (Burg Regenstein) – Quedlinburg – Bad Suderode – Gernrode – Harzgerode – Stolberg – Berga – Kelbra – Kyffhäuser – Bad Frankenhausen – Sondershausen – Nordhausen.

Abstecher

Von Hasselfelde zur Rappbodetalsperre.
Von Wernigerode nach Osterwieck oder nach Halberstadt.

8. Klassikerstätten in und um Weimar

Streckenverlauf

Weimar – Ettersburg – Oßmannstedt – Eckartsberga – Bad Bibra – Bad Lauchstädt – Merseburg – Weißenfels – Naumburg – Dornburg – Jena – Zeutsch – Großkochberg – Bad Blankenburg – Ilmenau – Stützerbach – Schleusingen – Kloster Veßra – Bauerbach.

9. Durch den Thüringer Wald

Streckenverlauf

Wartha – Eisenach – Etterwinden – Bad Salzungen – Schmalkalden – Wasungen – Meiningen – Zella-Mehlis – Suhl – Schleusingen – Hildburg-

hausen – Eisfeld – Sonneberg – Lauscha – Neuhaus am Rennsteig – Katzhütte – Großbreitenbach – Möhrenbach – Gehren – Langewiesen – Ilmenau – Arnstadt – Erfurt – Gotha (Thüringerwaldbahn) – Waltershausen –
Friedrichroda – Reinhardsbrunn – Eisenach.
Von Zella-Mehlis nach Oberhof.

Route 9
(Fortsetzung)

Abstecher

10. Burgenfahrt durchs obere Saaletal

Schleiz – Saaldorf – Saalburg – Bleilochtalsperre – Burgk – Ziegenrück –
Hohenwartetalsperre – Saalfeld – Bad Blankenburg – Rudolstadt.

Streckenverlauf

11. Durch die Täler des Vogtlandes

Reichenbach – Mylau – Netzschkau – Syrau – Plauen – Oelsnitz – Adorf
– Markneukirchen – Klingenthal – Tannenbergsthal – Falkenstein – Auer-
bach – Rodewisch – Treuen – Thoßfell – Helmsgrün – Herlasgrün – Rup-
pertsgrün – Jocketa – Plauen.

Streckenverlauf

12. Höhlen und Schaubergwerke im Erzgebirge

Freiberg – Flöha – Chemnitz – Stollberg – Aue – Schwarzenberg –
Johanngeorgenstadt – Kurort Oberwiesenthal – Annaberg-Buchholz –
Marienberg – Olbernhau – Kurort Seiffen – Rechenberg-Bienenmühle –
Altenberg – Kurort Kipsdorf – Dippoldiswalde – Ruppendorf – Klingen-
berg – Hilbersdorf – Freiberg.
Von Altenberg über Geising und Bärenstein nach Glashütte (Müglitztal).

Streckenverlauf

Abstecher

13. Durch die Sächsische Schweiz

Dresden – Heidenau – Pirna – Lohmen – Bastei – Rathewalde – Porsch-
dorf – Bad Schandau – Krippen – Papstdorf – Pfaffendorf – Königstein –
Pirna – Heidenau – Dresden.
Von Bad Schandau zum Lichtenhainer Wasserfall.

Streckenverlauf

Abstecher

14. Alte Städte entlang der Elbe

Dresden – Meißen – Riesa – Torgau – Lutherstadt Wittenberg – Coswig –
Roßlau – Magdeburg – Burg – Genthin – Jerichow – Tangermünde –
Havelberg.

Streckenverlauf

15. Durchs Zittauer Gebirge im Dreiländereck

Bautzen – Ebersbach – Zittau – Kurort Oybin – Jonsdorf – Waltersdorf –
Großschönau – Zittau.

Streckenverlauf

Reiseziele von A bis Z

Hinweis

Nach Wiedereinführung der Länder im Bereich der einstigen Deutschen Demokratischen Republik (DDR; s. Übersichtskarte S. 11), die mit geringen Abweichungen von 1945 bis 1949 in der Sowjetischen Besatzungszone (SBZ) Deutschlands bzw. von 1949 bis 1952 auch in der DDR bestanden haben, wird im folgenden der jeweilige Name des neuen Bundeslandes im Vorspann eines jeden Reisezieles nun an erster Stelle genannt. Da davon auszugehen ist, daß die inzwischen zwar überholte, jedoch über vier Jahrzehnte lang wirksam gewesene sozialistische Ordnung nicht von heute auf morgen gänzlich aus dem Bewußtsein verschwinden wird, folgt an zweiter Stelle der Hinweis auf jenen ehem. DDR-Bezirk, zu dem dieses Reiseziel nach der tiefgreifenden Verwaltungsreform von 1952 bis zum Jahre 1990 gehört hat (Übersichtskarte der früheren Bezirke s. S. 10).

Namen
im Wandel!

Im Zuge der politischen Neuorientierung kommt es im östlichen Teil Deutschlands, wo bis zur historischen 'Wende' des Jahres 1989 offiziell die Wertvorstellungen des sozialistischen DDR-Staates das öffentliche Leben beherrscht haben, zu Veränderungen nicht zuletzt auch bei Namen und Bezeichnungen von Städten (mit ihren Prädikaten), Orten und Gemeinden, vor allem aber von Straßen, Plätzen, Anlagen u.ä. sowie von öffentlichen Gebäuden und Einrichtungen.
Wenngleich sich die Baedeker-Redaktion bemüht hat, allen nur irgend greifbaren Umbenennungen Rechnung zu tragen, ist nicht auszuschließen, daß vor Ort bereits weitere Namensänderungen vorgenommen worden sind. Es muß zudem damit gerechnet werden, daß sich dieser Prozeß der Umwandlung noch eine gewisse Zeit fortsetzt.

Altenberg   E 6

Bundesland: Freistaat Sachsen
Bezirk (1952–1990): Dresden
Höhe: 750–905 m ü.d.M.
Einwohnerzahl: 3500

Die traditionsreiche Bergbaustadt Altenberg liegt am Fuße des Geisingberges im Osterzgebirge sowie an der Fernstraße von Dresden über Zinnwald nach Prag (E 55), nur 4 km entfernt von der deutsch-tschechoslowakischen Grenze. **Lage**

Die Umgebung der Stadt ist als schneesicheres Wintersportgebiet bekannt. Zahlreiche Einrichtungen für den Wintersport (Sprungschanze, Skilaufzentrum, Skischlepplift, Rennschlitten- und Bobbahn) und für die Erholung im Sommer (Strandbad, Campingplatz) machen Altenberg zu einem gern besuchten Touristenziel im östlichen → Erzgebirge. **Reiseziel**

Die wirtschaftliche Bedeutung der Stadt beruhte bisher – neben dem Fremdenverkehr – vorwiegend auf dem Zinnerzbergbau. **Bergbau**

Um 1440 entdeckte man die Altenberger Zinnlagerstätte. Im Jahre 1451 erhielt der Ort das Stadtrecht, 1502 wurde er Sitz eines kurfürstlichen Bergamtes. Obwohl Kriegsverwüstungen, Epidemien und Brandkatastrophen die kleine Stadt zeitweise stark erschütterten, konnte sich der Bergbau jahrhundertelang behaupten und stand in stetem Erzausbringen; **Geschichte**

◀ *Sächsische Schweiz: Blick von der Festung auf die Stadt Königstein und das Elbtal*

Geschichte
(Fortsetzung)

lediglich gegen Ende des 19. Jh.s. kam er infolge des Verfalls des Zinnpreises am Weltmarkt vorübergehend fast ganz zum Erliegen. Zu Beginn des 20. Jh.s bewirkten der aufkommende Tourismus und die Entwicklung des Wintersportes eine wirtschaftliche Belebung der Altenberger Region. Der Zinnerzbergbau wurde ab 1934 wieder stark aktiviert und nahm nach dem Zweiten Weltkrieg nochmals einen bedeutenden Aufschwung.

Sehenswertes in Altenberg

∗Pinge

Wahrzeichen von Altenberg und ein touristischer Anziehungspunkt ist die Pinge, ein Einsturztrichter, der 1620 durch den gleichzeitigen Einsturz zahlreicher einzelner Gruben entstanden ist. Seither vergrößerte sich dieses Bruchgebiet durch den weiteren untertägigen Abbau ständig und nimmt gegenwärtig eine Fläche von rund 12 ha ein.

Bergbaumuseum
(Schauanlage)

Beachtung verdient auch die Bergbau-Schauanlage. Eine über 400 Jahre alte Zinnwäsche (Pochwäsche) erläutert die Technik der Zinnerzaufbereitung in früherer Zeit. Zu sehen sind u. a. Pochwerke und ein Wasserheberad, ein Spitzkasten und Langstoßherde sowie die ständige Ausstellung "Das erzgebirgische Zinn in Natur, Geschichte und Technik"; wegen dringend notwendiger Rekonstruktionsmaßnahmen kann die maschinelle Einrichtung der Zinnwäsche jedoch bis auf weiteres nicht besichtigt werden. Neben der Zinnwäsche befindet sich der 1802 begonnene 'Neubeschert-Glück-Stollen'. Hier wird ein geschichtlicher Überblick über die gebräuchlichsten Altenberger Abbauverfahren gegeben und die Technologie der Auffahrung von Strecken gezeigt.

Postmeilensäule

Am Platz des Bergmanns stehen zwei restaurierte Sachzeugen sächsischer Verkehrsgeschichte: die Postmeilensäule von 1722 und der Stationsstein von 1860.

Umgebung von Altenberg

Galgenteiche

Die Galgenteiche an der Straße nach Rehefeld wurden einst als Wasserspeicher für den Bergbau angelegt. Durch Kunstgräben wird ihnen aus den oberen Höhenlagen Wasser zugeführt, so z. B. durch den Neugraben aus dem Georgenfelder Hochmoor.
Im Kleinen Galgenteich kann man heute baden.

Geisingberg

Der Geisingberg ist eine Basaltkuppe (824 m ü. d. M.); auf der Höhe eine Gaststätte und ein Aussichtsturm, von dem sich ein umfassender Blick auf das obere Osterzgebirge bietet.

Kahleberg

Vom Kahleberg, mit 905 m Meereshöhe die höchste Erhebung im Osterzgebirge, bietet sich eine schöne Aussicht auf Altenberg, die Galgenteiche und den Geisingberg.

Georgenfelder
Hochmoor

Das Georgenfelder Hochmoor, ein rund 11 ha großes, etwa 18 000 Jahre altes Moor, kann man auf einem Knüppeldamm durchqueren. Sonnentau, Trunkelsbeere, Moosbeere, Pfeifengras und andere seltene Pflanzen bestimmen das Landschaftsbild.

Schellerhau

In Schellerhau bildet der Botanische Garten mit ca. 2 000 für das Gebirge charakteristischen Pflanzen einen besonderen Anziehungspunkt.

Kurort Kipsdorf

Der Kurort Kipsdorf im Tal der Roten Weißeritz ist Endpunkt der 1882 vollendeten Schmalspurbahn von Freital-Hainsberg, ferner Ausgangspunkt für viele Wanderungen in die reizvolle Umgebung (Tellkoppe, Kurorte Bärenburg und Bärenfels).

Schloß Kuckuckstein in Liebstadt (s. S. 156)

In Schmiedeberg befindet sich eine der schönsten sächsischen Kirchen, ein Zentralbau von George Bähr (1666–1738), dem Baumeister der Dresdener Frauenkirche.

Umgebung (Fortsetzung), **Schmiedeberg**

Die Kreisstadt Dippoldiswalde (350 m ü. d. M.; 6500 Einw.), liegt im Tal der Roten Weißeritz oberhalb der Talsperre Malter (8,8 Mio. m³) und ist das wirtschaftliche Zentrum des Osterzgebirges.
Das wettinische Dippoldiswalde war vor 1218 planmäßig zur Stadt ausgebaut worden, der seit etwa 1250 belegte Silbererzbergbau (im 15. und 16. Jh. auf Kupfer- und Bleierz ausgedehnt) wurde 1864 eingestellt.
Beachtenswert sind die Nikolaikirche (urspr. 13. Jh.), das ehem. Schloß (1530–1550), das spätgotische Rathaus und die Stadtkirche (Ende 15. Jh.) sowie Renaissancebauten am Markt.

Dippoldiswalde

Nur wenige Kilometer nordöstlich von Altenberg liegen im freundlichen Müglitztal die einst als Grenzfestung errichtete Burg Lauenstein und der gleichnamige Ort.
Das Schloß und die Schloßapotheke, etliche Bürgerhäuser und der Falknerbrunnen sind Zeugen der mittelalterlichen Kleinstadt. Die Stadtkirche enthält bedeutende Werke der Plastik und Reliefkunst, u. a. von dem Pirnaer Steinbildner Michael Schwenke (1563–1610).

Lauenstein

Von Lauenstein über Bärenstein im Müglitztal abwärts gelangt man zu dem 1445 erstmals urkundlich erwähnten Städtchen Glashütte (330 m ü. d. M.; 3000 Einw.), das 1490 eine Bergordnung und 1506 Stadtrecht erhielt. Nach dem Niedergang des Bergbaues im 17./18. Jh. brachte die Ansiedlung von Uhrenindustrie im 19. Jh. neuen wirtschaftlichen Aufschwung. Glashütte profilierte sich zur deutschen 'Uhrmacherstadt': Ab 1845 fertigte A. Lange hier feinste Taschenuhren, die Weltbekanntheit erlangten; hinzu kam der Bau von Chronometern und anderen Spezialuhren. Der Glashütter J. Großmann (1829–1907) wurde erster Direktor der Uhrmacherschule

Glashütte

Altenberg,
Umgebung,
Glashütte
(Fortsetzung)

im westschweizerischen Uhrenzentrum Le Locle (Kanton Neuchâtel). Später hatte die Deutsche Uhrmacherschule ihren Sitz in Glashütte.
Nach dem Zweiten Weltkrieg kam zur traditionellen Herstellung von Uhren und feinmechanischen Geräten die Kartonagenindustrie.

Liebstadt

In Liebstadt, der ehemals kleinsten Stadt Sachsens, steht das bekannte Schloß Kuckuckstein (15.–19. Jh.; Abb. s. S. 155).

Altenburg   D/E 5

Bundesland: Thüringen
Bezirk (1952–1990): Leipzig
Höhe: 180–230 m ü.d.M.
Einwohnerzahl: 52500

Lage und
Bedeutung

Die Stadt Altenburg liegt rund 45 km südlich von ⟶ Leipzig. Die einst wegen ihrer Baudenkmäler und Kunstschätze berühmte Residenzstadt ist auch gegenwärtig – nicht zuletzt wegen ihres 'Skatgerichts' – als 'Skatstadt' international bekannt.

Wirtschaft

Als Hauptort des Pleißenlandes ist Altenburg heute Kreisstadt; aufgrund der Lage an der Südgrenze des ausgedehnten Borna-Altenburger Braunkohlenreviers sind hier zahlreiche Industriebetriebe entstanden.

Geschichte

Im Jahre 976 erstmals urkundlich erwähnt, entstand die Stadt im Schutze der Burg – als Marktsiedlung niedersächsischer Kaufleute am Ausgangspunkt wichtiger Handelsstraßen. Von den Stauferkaisern als Mittelpunkt des Pleißenlandes zur Reichsstadt erhoben, wurde die Burg Kaiserpfalz (mehrmals Residenz Kaiser Friedrichs I. Barbarossa). Als die Macht der Staufer nachließ, gelangte die Stadt 1328 endgültig in die Hand der Markgrafen von Meißen. Von 1603 bis 1672 und von 1826 bis 1918 war Altenburg Hauptstadt des Herzogtums Sachsen-Altenburg; seit 1952 zum einstigen DDR-Bezirk Leipzig gehörig, optierte man 1990 für Thüringen.

Schloß

Das Schloß steht auf einem Porphyrfelsen außerhalb des Stadtkerns. Eine geschwungene Auffahrt (1725) mit zwei Obelisken führt zum Triumphtor (1742–1744). Durch den Glockenturm betritt man den geräumigen Schloßhof; hier befindet sich eine Freilichtbühne (im Sommer Aufführungen des Landestheaters Altenburg). An der Stelle des Hausmannsturmes ein slawischer Rundwall aus der Zeit um 800. Die 'Flasche' (Mantelturm, einst Burgverlies) stammt aus dem 11. Jh., die Renaissancegalerie aus dem Jahre 1604. Sonst ist das Schloß im wesentlichen durch die Umbauten des 18. Jh.s geprägt.

Deckengemälde

Im Inneren des Schlosses verdienen der Festsaal mit dem Deckengemälde "Amor und Psyche" (K. Moosdorf) und der Bachsaal mit Deckengemälden zur wettinischen Geschichte Beachtung.

Schloßmuseum
*Spielkarten

Das Schloßmuseum besitzt eine umfangreiche Spielkartensammlung sowie eine Kartenmacherwerkstatt von 1600.

Schloßkirche

In der Schloßkirche (nach 1444) befindet sich eine Orgel von H. G. Trost (1738), auf der Johann Sebastian Bach im Jahre 1739 gespielt hat.

Schloßpark

Im Schloßpark, der im 19. Jh. nach Plänen von Peter Joseph Lenné zum Landschaftspark umgestaltet wurde, stehen das Teehaus und die Orangerie (1712).

Schloß und Schloßkirche in Altenburg   *Altenburger Spielkarte*

Am unteren Ende des Schloßparkes liegt das Lindenau-Museum (1873 bis 1875), im Stil der italienischen Renaissance errichtet. Dort werden verschiedene Sammlungen gezeigt: Abgüsse antiker Plastiken, Skulpturen des deutschen Mittelalters, der italienischen Renaissance und des Klassizismus, ferner griechische und etruskische Tongefäße, italienische Malerei des 13.–15. Jh.s sowie Gemälde, Graphiken und Plastiken aus dem 19. und 20. Jahrhundert.   *Lindenau-Museum

Im Schloßpark befindet sich ferner das naturkundliche Museum 'Mauritianum'.   Mauritianum

Altstadt

Unterhalb des Schlosses steht das 1869–1871 als Hoftheater errichtete Landestheater, ein viergeschossiger runder Neurenaissancebau.   Landestheater

Hinter dem Theater liegt der Brühl, der älteste Marktplatz von Altenburg. An seiner Südseite das Seckendorffsche Palais (1724/1725), ein barocker Bau. Gegenüber steht ein ehemaliges Regierungsgebäude (1604) mit der wohl schönsten Modeldecke (Stempelstuck) in Sachsen und Thüringen (restauriert).   Brühl

Auf dem Brühl der Skatbrunnen, das einzige Denkmal, das einem Kartenspiel gewidmet ist.   Skatbrunnen

Die spätgotische Bartholomäus- oder Stadtkirche hat eine romanische Krypta aus dem 12. Jahrhundert.   Bartholomäus-kirche

An dem großen Markt sieht man ansehnliche Bürgerhäuser. Beherrscht wird das Bild des Platzes vom Rathaus, einem bedeutenden Renaissancebau nach Plänen von N. Grohmann (1562–1564).   *Rathaus

Andere Stadtteile von Altenburg

Der Pohlhof (1631) ist das Geburtshaus von Bernhard von Lindenau (1779–1854), der das nach ihm benannte Museum (s. oben) gegründet hat.   Pohlhof

Altenburg

Rote Spitzen

Die 'Roten Spitzen', ein romanischer Ziegelbau mit einem spitzen und einem geschweiften Turm, sind Reste der Kirche eines Augustiner-Chorherrenstiftes aus dem 12. Jahrhundert. In dem Gebäude werden heute Sammlungen mittelalterlicher Holzschnitzkunst (14.–18. Jh.) gezeigt.

Volkspark

Einen Besuch lohnt der Volkspark mit Großem Teich und einem Inselzoo; dahinter am Talhang und auf der Höhe der Stadtwald mit dem Turm der Jugend.

Nikolaiviertel

Sehenswert ist auch das Nikolaiviertel, ein malerisches altes Stadtviertel mit dem Nikolaiturm (12. Jh.; Aussicht).

Windischleuba   D 5

Lage
7 km nördlich von Altenburg

In Windischleuba steht – an der Stelle einer ehemaligen Wasserburg (14.Jh.) – ein Schloß, das mehrfach umgebaut worden ist. Hier wohnte der Balladendichter Börries von Münchhausen (1874–1945).

Pleiße-Stausee Windischleuba

Nördlich der Ortschaft liegt der Pleiße-Stausee Windischleuba (165 ha). Er wurde als Rückhaltebecken für den Hochwasserschutz angelegt und dient darüber hinaus der Naherholung.

Pahnaer See

Rund 2 km nordöstlich von Windischleuba kommt man zum Pahnaer See, einem mit Grundwasser gefüllten ehemaligen Braunkohlentagebau, ebenfalls mit Erholungseinrichtungen.

Kohrener Land   D 5

Lage
ca. 20 km nordöstlich von Altenburg

Das Kohrener Land ist ein Erholungsgebiet mit kleinen Wäldern (Streitwald, Stöckigt) und bemerkenswerten Kulturstätten.

Kohren-Sahlis

In Kohren-Sahlis (974 erwähnt) gibt es ein Töpfermuseum, einen Töpferbrunnen (1928, von K. Feuerriegel; Abb. s. S. 159) und Reste einer ursprünglich slawischen Burganlage.

Rüdigsdorf

Im Ortsteil Rüdigsdorf eine Orangerie mit Musiksaal; sehenswert die Fresken "Amor und Psyche" von Moritz von Schwind (1838).
Am Lindenvorwerk ein Mühlenmuseum.

✳Gnandstein

In Gnandstein steht eine gut erhaltene Burg aus dem 10. Jh. (Museum) mit romanischem Palais, Bergfried (33 m), Zwinger, Kemenate und Wehranlagen; im Museum drei Altäre von P. Breuer (1502/1503).

Frohburg

In Frohburg befinden sich ein Schloß (16. Jh.) und ein Museum zur Geschichte der Postmeilensäulen.

Borna   D 5

Lage
18 km nördlich von Altenburg

An der Nordseite des Marktes der sächsischen Industriestadt Borna (139 m ü.d.M., 23000 Einw.; Braunkohlentagebau, Kraftwerke, Chemie; Gemüse- und Zwiebelanbau) steht die Stadtpfarrkirche St. Katharinen (15. Jh.; im Kern romanisch); im Inneren beachtenswert ist der spätgotische Schnitzaltar von Hans Witten (1511).
Wenige Gehminuten südöstlich vom Markt befindet sich die vor 1200 als Pfeilerbasilika erbaute Kunigundenkirche (1927 wiederhergestellt; romanische und spätgotische Wandmalereien).

Töpferbrunnen in Kohren-Sahlis

Das barocke Reichstor ('reiches Tor') von 1753 ist ein Rest der alten Stadt-befestigung. Im Heimatmuseum Exponate zur Ur-, Früh-, Stadt- und Kreis-geschichte.
Früher war Borna hauptsächlich wegen seiner Zwiebeln bekannt. Die sog. Borna-Krankheit (Hirn-Rückenmark-Entzündung) der Pferde und Schafe erhielt ihren Namen, nachdem eine erste solche Epidemie 1894 hier auf-getreten war.

Altenburg, Umgebung, Borna (Fortsetzung)

Altmark

C 4

Bundesland: Sachsen-Anhalt
Bezirk (1952–1990): Magdeburg

Die Altmark ist das Flachland zwischen der Niederung der mittleren → Elbe im Osten und Nordosten, dem Tal der Ohre mit dem Mittelland-kanal im Süden.

Lage

Der Oberflächengestalt nach ist die Altmark ein teils ebenes, teils flach-welliges Gebiet – mit Endmoränen (Hellberge bei Wiepke, 160 m ü.d.M.), Sandern (Colbitz-Letzlinger Heide, 139 m ü.d.M.) und ausgedehnten Niederungen (Wische, Drömling).

Oberflächengestalt

Der Name Altmark geht darauf zurück, daß dieses Gebiet als 'Nordmark' seit 965 eine Markgrafschaft zum Schutz des Herzogtums Sachsen bil-dete, von der aus die Askanier, besonders Albrecht der Bär, im 12. Jh. das Land östlich der Elbe, die spätere Mark Brandenburg, eroberten.

Geschichte

Die leichten sandigen Böden der Altmark werden land- und forstwirt-schaftlich genutzt. Feldfluren, mit Roggen und Kartoffeln bebaut, wech-

Land- und Forstwirtschaft

159

Altmark, Forst-
wirtschaft (Forts.)

seln mit Waldflächen ab. Große geschlossene Waldgebiete erstrecken sich im Südteil der Altmark, in der Colbitz-Letzlinger Heide.

Viehhaltung

Die Niederungen der Flußläufe, teils tiefer als diese gelegen, bilden nach ihrer Entwässerung die Grundlage für eine intensive Viehhaltung und Milchwirtschaft.

Bodenschätze

An Bodenschätzen bietet die Altmark neben Kiesen und Sanden für die Baustoffindustrie auch Erdgaslager, deren Nutzung in den letzten Jahren erheblich ausgeweitet wurde.

Reiseziele

Die bedeutendsten Städte der Altmark sind → Stendal, eine alte Hansestadt und ein wichtiger Verkehrsknotenpunkt, ferner → Salzwedel und → Tangermünde, sehenswert wegen ihrer mittelalterlichen Stadtanlagen, sowie Gardelegen (13 000 Einw.), die Stadt des berühmten altmärkischen Bieres 'Garley'. Im Heimatmuseum von Gardelegen gußeiserne Ofenplatten (17.–19. Jh.).

*Arendsee

Eine Fläche von rund 540 ha hat der Arendsee, die 'Perle der Altmark' (ganz im Norden). Er ist das am stärksten besuchte Erholungsgebiet in dieser sonst seenarmen Region. Während die waldreiche Landschaft ein reizvolles Urlaubsziel bildet, sind im Luftkurort Arendsee ein ehemaliges Benediktiner-Nonnenkloster mit romanischer Kirche und Fachwerkhäuser aus der ersten Hälfte des 19. Jahrhunderts sehenswert.

Reisewege

Man erreicht die Altmark über gute Anschlußstraßen von der Autobahn Berlin–Magdeburg–Braunschweig über Haldensleben (auf dem Markt das Standbild eines reitenden Roland; im Haldenslebener Forst eines der reichsten Großsteingräbergebiete Deutschlands) oder Wolmirstedt, von der F 5 über die Elbbrücke bei Wittenberge (→ Havelberg, Umgebung), aus östlicher Richtung über die Elbbrücke bei → Tangermünde oder von Hamburg entlang der Elbe durch das Wendland.

Anklam   B 6

Bundesland: Mecklenburg-Vorpommern
Bezirk (1952–1990): Neubrandenburg
Höhe: 5 m ü. d. M.
Einwohnerzahl: 20 000

Lage

Die alte Hafen- und Hansestadt Anklam liegt – 37 km südöstlich von → Greifswald – am Südufer der Peene – unweit ihrer Einmündung in den Peenestrom, der nordwärts zur Ostsee (→ Ostseeküste) verläuft.

Bedeutung

Die Stadt verdankt ihre Bedeutung der günstigen Verkehrslage zwischen der Ostsee und wichtigen norddeutschen Straßen und Wasserwegen.
In Anklam wurde Otto Lilienthal (1848–1896) geboren, ein Ingenieur, der aufgrund der Beobachtung des Vogelfluges Versuche mit selbstgebauten Hängegleitern machte und so zu den Pionieren der Luftfahrt gehört.

Geschichte

Im Jahre 1243 erstmals urkundlich erwähnt, wurde Anklam schon 1283 Mitglied der Hanse und entwickelte sich schnell zu einer blühenden Handelsstadt. Pest und Kriege forderten auch von dieser Stadt ihren Tribut. 1648 fiel sie an Schweden, 1720 gelangte sie zu Preußen; die Peene bildete bis 1815 die Grenze zwischen Preußen und Schweden. Mit zwei Eisengießereien und einer Zuckerfabrik entwickelte sich Anklam im 19. Jh. zu einem Industriestandort in rein agrarischer Umgebung. In den Kriegsjahren 1943 und 1945 wurde die Stadt durch Luftangriffe schwer beschädigt. Nach dem Wiederaufbau stellt Anklam ein regionales Zentrum am Unterlauf der Peene dar.

Sehenswertes

Da während des Zweiten Weltkrieges zahlreiche Bauten zerstört wurden, u.a. die berühmte Nikolaikirche, gibt es nur noch wenige Zeugen aus der Vergangenheit.

Die Stadt wird von der Marienkirche (13. Jh.) überragt, deren schöne gotische Wandmalereien erhalten geblieben sind.   ＊Marienkirche

Von den ehemaligen Wehranlagen ist noch der 20 m hohe Pulverturm (südlich vom Markt) zu sehen. Auf der Südseite des Marktes steht das 1982 geschaffene Lilienthal-Denkmal.   Pulverturm

Das Wahrzeichen der Stadt bildet das 32 m hohe Steintor aus dem 14. Jh., versehen mit Blendengliederung und Staffelgiebel.   Steintor

An der Ellbogenstraße (in der Nähe des Bahnhofes) befindet sich das Heimatmuseum 'Otto Lilienthal', in dem Geschichte und Entwicklung Anklams ebenso dargestellt werden wie das Leben und Wirken des großen Sohnes der Stadt (s. S. 160).   Heimatmuseum 'Otto Lilienthal'

Umgebung von Anklam

In der Ortschaft Relzow (gut 4 km nördlich) befindet sich der denkmalgeschützte Fachwerkbau 'Vierpott' mit Rohrdach und großem offenen Schornstein.   Relzow

Bei Murchin (3 km nordöstlich von Relzow) steht im 'Seeholz' ein Gedenkstein für die Truppen des preußischen Offiziers Ferdinand von Schill   Seeholz

Anklam: Lilienthal-Denkmal   *Annaberg-Buchholz: St.-Annen-Kirche*

Anklam, Umgeb., Seeholz (Forts.)	(† 1809), der den preußischen König zwingen wollte, in den Krieg Österreichs gegen Napoleon I. einzutreten.
Menzlin	Mit einem Boot kann man von Anklam auf der Peene zur Binnendüne Menzlin fahren; dort sind freigelegte Bootsgräber der Wikinger zu sehen.
Stolpe	Von Anklam 10 km westwärts gelangt man nach Stolpe, einem Ort an der Peene, mit altem Fährhaus, Schmiede und Dorfkirche sowie Überresten eines 1153 gegründeten Benediktinerklosters.
Quilow	In Quilow (13 km nordwestlich von Anklam) gibt es ein ehemaliges Wasserschloß; der mehrgeschossige Renaissancebau (16. Jh.) befindet sich allerdings in desolatem Zustand.
Spantekow	Rund 15 km südwestlich von Anklam liegt Spantekow. Sehenswert ist hier die als unregelmäßiges Viereck angelegte Wasserburg, ein Renaissancebau aus dem 16. Jh.; über dem Festungsportal ein Relief des Ritters Ulrich von Schwerin und seiner Gemahlin.

Annaberg-Buchholz   E 6

Bundesland: Freistaat Sachsen
Bezirk (1952–1990): Karl-Marx-Stadt
Höhe: 350–700 m ü.d.M.
Einwohnerzahl: 26200

Lage und Bedeutung	Annaberg-Buchholz, das wirtschaftliche und kulturelle Zentrum des Osterzgebirges (→ Erzgebirge), liegt – rund 30 km südlich von → Chemnitz – an den Talhängen der Sehma zwischen Schottenberg und Pöhlberg. Durch den Erzbergbau einst zu Reichtum gelangt, ist die Stadt heute ein wichtiger Industriestandort.
Geschichte	Nachdem man um 1492 am Schreckenberg Silbererz gefunden hatte, erhielt der Ort bereits 1497 das Stadtrecht; im Jahre 1501 wurde der Stadt durch kaiserlichen Wappenbrief der Name 'St. Annaberg' verliehen. In der folgenden Zeit entwickelte sie sich zu einer reichen Bergbaustadt. Eng verbunden mit dem Bergbau war die Tätigkeit des 'Rechenmeisters des deutschen Volkes' Adam Ries (Riese; 1492–1559), dessen zweites Rechenbuch in ganz Deutschland Verbreitung fand. Auch die erste gedruckte 'Annaberger Bergordnung' (1509) wurde über die Grenzen Sachsens hinaus bekannt.
	Nachdem die Silbererzförderung ihren Höhepunkt überschritten hatte, gewannen in der zweiten Hälfte des 16. Jh.s Erwerbszweige wie die Bortenwirkerei und Spitzenklöppelei regionale Bedeutung; noch heute ist dieser Industriezweig ein wichtiger Wirtschaftsfaktor für die Stadt. Eine ähnliche Entwicklung nahm das benachbarte Buchholz. 1945 wurden beide Städte zu Annaberg-Buchholz vereint.

Sehenswertes in Annaberg

*St.-Annen-Kirche	An der Großen Kirchgasse steht die spätgotische St.-Annen-Kirche (1499 bis 1525), die größte Hallenkirche Sachsens, erbaut aus erzgebirgischem Gneis. Beachtung verdienen der Bergaltar, mit Darstellungen der Bergleute im erzgebirgischen Silberbergbau (von Hans Hesse, 1521), die 'Schöne Tür' und der Taufstein (1515) von Hans Witten, sowie der Münzeraltar (1522) von Christoph Walter.
Lutherdenkmal	Am unteren Kirchplatz ein Lutherdenkmal.

Naturtheater Greifensteine (s. S. 164)

Chinesische Tempelglocke in Apolda (s. S. 164)

Gegenüber der Kirche befindet sich das Erzgebirgsmuseum (Große Kirch-gasse 16); dort werden Gegenstände und Dokumente zur Geschichte und Wirtschaft des Obererzgebirges und der Stadt gezeigt.

Erzgebirgs-museum

Am Markt stehen das Rathaus (1751 erneuert) und alte Bürgerhäuser; an der Münzergasse die 1502 erbaute Bergkirche.

Rathaus

An der Johannesgasse (Nr. 23) steht das Adam-Ries-Haus, das Wohnhaus des Rechenmeisters, der um 1523 im Annaberger Bergbau-, Münz- und Vermessungswesen tätig war.

Adam-Ries-Haus

Eine Gedenktafel für Eduard von Winterstein (Beginn seiner Theaterlauf-bahn) ist am Eduard-von-Winterstein-Theater angebracht.

Theater

Die beiden Postmeilensäulen am Wolkensteiner Tor und am Köselitzplatz stammen aus dem 18. Jahrhundert.

Postmeilensäulen

Sehenswertes in Buchholz

Im Stadtteil Buchholz verdient die 1504 begonnene und erst 1872–1877 vollendete Stadtkirche St. Katharinen einen Besuch.
Beachtenswert ist ferner der Fachwerkbau 'Stiefelmühle' an der Katha-rinenstraße.

Stadtkirche St. Katharinen

Pöhlberg

Von Annaberg-Buchholz gelangt man östlich zum Pöhlberg (831 m ü. d. M.; Gaststätte, Pöhlberghaus und Aussichtsturm); an der Pöhlbergauffahrt liegt ein Skigelände (760 m).
Hinzu kommen zwei weitere Skigelände: die Andreasabfahrt mit Skilift am ehemaligen Steinbruch (aufgeschlossene Basaltsäulen auf tertiären San-den, sogenannte 'Butterfässer') und ein Skigelände (760 m) mit Sprung-schanze.

Aussicht

Wintersport

Umgebung von Annaberg-Buchholz

*Frohnauer
Hammer

In Frohnau (nördlich von Buchholz) steht das Technische Museum 'Frohnauer Hammer', eine ehemalige Getreidemühle, die nach der Nutzung als Ölmühle von 1621 bis 1904 als Kupfer- und Eisenhammer diente.

*Greifensteine
(Abb. s. S. 163)

Nordwestlich von Annaberg-Buchholz ragt die als Kletterrevier bekannte Gruppe der Greifensteine (Kreuzfelsen, Gamsfelsen, Seekofel, Kleiner Brocken, Stülpnerwand und Turnerfelsen), Restfelsen eines ehemals mächtigen Granitmassivs, bis zu einer Höhe von 731 m ü.d.M. auf; Greifensteinmuseum, Naturtheater, Stülpner- und Ritterhöhle (alte Stollenmundlöcher). Die Gegend um die Greifensteine mit dem Ratsteich und dem Greifenbachstauweiher steht unter Landschaftsschutz.

Mauersberg
Großrückerswalde

In Mauersberg und Großrückerswalde an der Straße nach Marienberg gibt es schöne Wehrgangkirchen aus dem 15. Jahrhundert.

Apolda   D 4

Bundesland: Thüringen
Bezirk (1952–1990): Erfurt
Höhe: 175 m ü.d.M.
Einwohnerzahl: 28700

Lage und
Bedeutung

Die Stadt Apolda liegt am Ostrand des Thüringer Beckens, rund 30 km östlich von → Erfurt. Wirtschaftliche Bedeutung haben die Glockengießerei und die Herstellung von Strickwaren.

Geschichte

Die Bewohner des 1119 erstmals urkundlich genannten Ortes lebten jahrhundertelang von der Landwirtschaft. Im Jahre 1593 führte 'David, der Strickersmann' das Strumpfstricken ein, aus dem 1690 die mechanische Strumpfwirkerei hervorging. Sie begründete Apoldas wirtschaftlichen Aufstieg; Anfang des 18. Jh.s galt es als das größte Zentrum der Strumpfmanufaktur im deutschsprachigen Raum. Im Jahre 1722 folgte als zweiter bedeutender Wirtschaftszweig die Glockengießerei; noch heute ist Apolda Sitz der berühmten Glockengießerfamilie Schilling.

Glockengießerei

Die traditionsreiche, jetzt unter Denkmalschutz stehende Apoldaer Turmglockengießerei arbeitete noch bis in die jüngste Zeit (1972 enteignet, 1988 geschlossen) nach der im hohen Mittelalter entwickelten Technik des 'Mantelabhebeverfahrens'. 1923 wurde hier die größte deutsche Glocke, die 24 t schwere Petersglocke (c°) für den Kölner Dom, gegossen. Die bekanntesten Apoldaer Glocken nach 1945 waren für die Mahn- und Gedenkstätte Buchenwald auf dem Ettersberg bei Weimar sowie für das Leipziger Sportforum bestimmt.

Sehenswertes

Rathaus

Als zweigeschossiger Renaissancebau (1558/1559) erhebt sich am Markt das Rathaus.

*Glockenmuseum
(Abb. s. S. 163)

Im Glockenmuseum (Bahnhofstraße Nr. 41) wird die etwa dreitausendjährige Geschichte der Glocken dargestellt. Zu sehen sind orientalische, chinesische und frühe europäische sowie Apoldaer Glocken.

Wirker- und
Strickermuseum

Im Wirker- und Strickermuseum (ebenfalls Bahnhofstraße Nr. 41) wird die Entwicklung der Textilindustrie in Apolda bis zur Gegenwart dokumentiert; es zeigt Produktionsmethoden der Wirkerei und Strickerei.

Kapellendorf

In Kapellendorf steht eine Wasserburg (12.–16. Jh.), eines der stattlichsten und am besten erhaltenen Bauwerke dieser Art in Thüringen. Die fünfeckige Rundburg ist ein besonders schönes Beispiel einer gotischen Niederungsburg mit Wassergraben. Die Burg diente am 14. Oktober 1806 als Hauptquartier der preußischen Armee unter dem Fürsten von Hohenlohe (Gefechte bei Kapellendorf und Vierzehnheiligen; Niederlage der gegen Napoleon I. kämpfenden Truppen bei Jena und Auerstedt).

Lage
7 km südwestlich von Apolda

Auf dem nahen Sperlingsberg steht ein als Aussichtsturm gestaltetes Denkmal für die in der Schlacht gefallenen preußischen und sächsischen Soldaten.

Sperlingsberg

Oßmannstedt

In Oßmannstedt befindet sich in dem barocken Gutshaus, in welchem Christoph Martin Wieland (1733–1813), der bedeutende Schriftsteller und Wegbereiter der deutschen Klassik, mehrere Jahre lebte und arbeitete, eine Wieland-Gedenkstätte. Im großen Park nahe der Ilm die Grabstätte von Wieland, seiner Frau und Sophie v. Brentano.

Lage
8 km westlich von Apolda

Arnstadt

Bundesland: Thüringen
Bezirk (1952–1990): Erfurt
Höhe: 285 m ü.d.M.
Einwohnerzahl: 30000

Das geschichtsträchtige Arnstadt liegt rund 20 km südlich von ⟶ Erfurt und hat aufgrund seiner Lage den Beinamen 'Tor zum Thüringer Wald'. Es ist bekannt als Wirkungsort Johann Sebastian Bachs sowie durch seine reichen kulturhistorischen Sammlungen.

Lage und Bedeutung

Bereits 704 wurde Arnstadt urkundlich erwähnt. Auf dem Reichstag zu Arnstadt (954) mußte sich die aufständische Adelspartei des Königssohnes Luidolf (Ludolf) König Otto I. unterwerfen. Damit wurde die Opposition des Adels gegen die Königsmacht beendet. Nachdem Arnstadt 1266 das Stadtrecht erhalten hatte, entwickelte es sich im Mittelalter am Kreuzungspunkt wichtiger Handelsstraßen, die von Norden nach Süden und von Osten nach Westen führten, zu einem bedeutenden Umschlagplatz. Die Stadt war eine der fünf thüringischen Waidstädte.

Geschichte

Vom 14. bis ins 19. Jh. unterstand die Stadt der Herrschaft der Grafen und späteren Fürsten von Schwarzburg-Sondershausen. Nach der Zerschlagung des schwarzburgischen Bauernaufstandes (1525) mußte Arnstadt eine hohe Geldstrafe zahlen und auf alle Privilegien verzichten. Im 17. Jh. wirkten hier mehrere Generationen der Familie Bach (Caspar Bach, Heinrich Bach, Johann Christoph Bach). Johann Sebastian Bach war von 1703 bis 1707 Organist an der Neuen Kirche (heute Bachkirche). Der Dichter Willibald Alexis lebte annähernd zwei Jahrzehnte lang – bis zu seinem Tod im Jahre 1871 – in Arnstadt, wo auch der satirisch-surrealistische Zeichner und zeitkritische Graphiker A. Paul Weber (1893–1980) geboren wurde.

Die Stadt zählte lange Zeit zu den Notstandsgebieten Thüringens; Ende des 19. Jh.s setzte ein wirtschaftlicher Aufschwung ein (Wollmarkt, Solbad, verschiedene neue Industriezweige). Durch den Aufbau von Industrieanlagen hat sich Arnstadt in den letzten Jahrzehnten beträchtlich ausgedehnt, während man versuchte, die reizvolle Altstadt zu restaurieren.

Wirtschaft

Arnstadt

Sehenswertes

Rathaus	Am Markt steht das Rathaus (1581–1583), ein dreigeschossiger Renaissancebau, der nach niederländischem Vorbild errichtet wurde. An der Ostseite des Marktes Renaissancegalerien, Ende des 16. Jh.s als Tuchgaden erbaut.
*Bachgedenkstätte und Stadtmuseum	In der Nähe des Rathauses befindet sich im 'Haus zum Palmbaum' eine Bachgedenkstätte mit Gegenständen, die an das Schaffen Johann Sebastian Bachs in Arnstadt erinnern, ferner das Stadtmuseum.
Bachdenkmal	Ein modernes Bachdenkmal, 1985 von Bernd Göbel geschaffen, zeigt den Komponisten als jungen Mann.
*Bachkirche	Die Bachkirche (ehem. Neue Kirche), ein schlichter einschiffiger Bau, war die Wirkungsstätte des Organisten Johann Sebastian Bach; davor der Hopfenbrunnen von 1573.
*Liebfrauenkirche	Die Liebfrauenkirche (1180–1330; bis 1968 umfassend restauriert) ist nach dem Naumburger Dom das bedeutendste sakrale Baudenkmal Thüringens aus dem 13. Jahrhundert. Im Übergangsstil von der Romanik zur Gotik errichtet, besitzt sie zahlreiche Kunstgegenstände, u.a. einen spätgotischen Altar.
Papiermühle	Vor der Kirche die ehemalige Papiermühle (16. Jh., 1633 ausgebaut), ein besonders schöner Fachwerkbau mit 'Thüringer Leiter'. Oberhalb der Kirche Reste der Stadtmauer.
Ried	Das Ried wurde 1977 instand gesetzt, mit Riedtor und ehemaligen Brau- und Ausspannhöfen, u.a. 'Zum großen Christophorus'. Zwischen Riedtor und Neutor (15. Jh.) die Hohe Mauer, davor spätklassizistische Villen wie

Die Wachsenburg bei Arnstadt

die'Marlittvilla', ein Wohnhaus der Schriftstellerin Eugenie John (Künstlername 'Marlitt').

Am Schloßplatz steht der Neideckturm, der Rest eines prunkvollen Renaissanceschlosses, heute das Wahrzeichen der Stadt.

Das Neue Palais, ein Barockbau von 1728–1732 (heute Schloß- und Heimatmuseum), enthält die berühmte Puppensammlung 'Mon Plaisir' ('Mein Vergnügen') mit 400 Puppen in 84 Stuben. Sie wurde von Hofdamen und Handwerkern auf Empfehlung der Fürstin Augusta Dorothea geschaffen und schildert detailgetreu das Leben an einem deutschen Fürstenhof zu Anfang des 18. Jh.s, ferner die damaligen Arbeits-, Wohnund Lebensverhältnisse der Bevölkerung.
Zum ältesten und kunsthistorisch kostbarsten Besitz des Neuen Palais gehören elf Brüsseler Bildteppiche (Gobelins) der Renaissance, darunter die beiden 'Affenteppiche'. Sehenswert ist ferner eine Sammlungen ostasiatischer und Meißner Porzellane aus der ersten Hälfte des 18. Jh.s sowie Dorotheenthaler Fayencen. Im Südflügel befindet sich ein sehenswertes barockes Porzellankabinett.

Auf dem Alten Friedhof steht das Ehrenmal "Der Rufer" (Fritz Cremer, 1965), zum Gedenken an die 5000 Toten eines der berüchtigtsten Außenlager des NS-Konzentrationslagers Buchenwald im Jonastal bei Arnstadt; Ehrenfriedhof in Espenfeld sowie Gedenksteine in den Dörfern der Umgebung. An der Gottesackerkirche am Alten Friedhof sieht man eine Gedenktafel für 24 Angehörige der Familie Bach, die hier einst beigesetzt wurden.

Umgebung von Arnstadt

Nordwestlich der Stadt beiderseits der Autobahn (Frankfurt am Main) –Eisenach–Dresden in einem Landschaftsschutzgebiet das reizvolle Burgenensemble der Drei Gleichen: Mühlburg (704 urkundlich erwähnt), die wohl älteste Burganlage Thüringens (Ruine); die sagenumwobene Burg Gleichen (Ruine) und die historisch interessante Wachsenburg, heute ein stilvolles Hotel.
Bemerkenswerte Burgruinen sind ferner die Käfernburg bei Luisenthal, die Burg Liebenstein (im Kern romanisch) und Ehrenburg in Plaue (beträchtliche Reste).

Burgen
*Drei Gleichen

Wachsenburg

Käfernburg
Liebenstein
Ehrenburg

In Dornheim ließ sich 1707 Johann Sebastian Bach heimlich in der Dorfkirche trauen. Der Ort ist auch Geburtsstätte des bedeutenden Humanisten Crotus Rubeanus.
Nach der Völkerschlacht bei Leipzig berieten in Dornheim am 26. Oktober 1813 der König von Preußen, der Zar von Rußland und der Kaiser von Österreich das weitere Vorgehen gegen Kaiser Napoleon I.

Augustusburg

Bundesland: Freistaat Sachsen
Bezirk (1952–1990): Karl-Marx-Stadt
Höhe: 505 m ü.d.M.
Einwohnerzahl: 2400

Augustusburg liegt – 15 km östlich von → Chemnitz – im mittleren → Erzgebirge oberhalb des Zschopautales. Die kleine Stadt ist ein reizvoller Erholungsort und ein beliebtes Ausflugsziel. Besonders das auf einer Porphyrkuppe des Schellenberges erbaute Renaissanceschloß bildet einenAnziehungspunkt für Touristen.

Augustusburg

Standseilbahn

Vom Bahnhof Erdmannsdorf im Zschopautal führt eine Standseilbahn (1911) hinauf nach Augustusburg (Höhenunterschied 168 m, Streckenlänge 1200 m, Fahrzeit 8 Min.).

Geschichte

Das ehemalige Schellenberg, benannt nach einem Reichsministerialen von Schellenberg, entstand zusammen mit der Schellenburg in der zweiten Hälfte des 12. Jahrhunderts. 1324 fiel die Herrschaft an die Markgrafschaft Meißen. Der Ort erhielt jedoch erst 1564 das Stadtrecht. An der Stelle der durch Brand und Blitzschlag zerstörten Burg wurde 1568 unter der Herrschaft des sächsischen Kurfürsten August I. der Grundstein für das Schloß Augustusburg gelegt. Seit 1899 trägt die Stadt den Namen des Schlosses.

✳Schloß Augustusburg

Renaissanceschloß

Das Wahrzeichen der Stadt ist das viertürmige Renaissanceschloß (1568 bis 1572; heute Museen, Jugendherberge, Restaurant). Dieses mächtigste Schloß des erzgebirgischen Raumes wurde als Jagdsitz für August I. unter Leitung des Leipziger Baumeisters Hieronymus Lotter und später durch den Grafen von Linars errichtet.

Besonders sehenswert sind das Nord- und das Wappenportal sowie das Brunnenhaus mit einem 130,60 m tiefen Brunnen und hölzernem Göpelwerk.

Hasensaal

Von der Ausstattung der Wohn- und Festräume haben sich nur Reste erhalten. Im sogenannten Hasensaal sind der Bilderzyklus "Krieg der Hasen gegen die Stadt der Jäger und Hunde" (Motiv der verkehrten Welt) und das Wandgemälde im Venussaal, beide von H. Göding, bemerkenswert.

Schloß Augustusburg

Die Schloßkapelle (1572, nach Entwürfen von Erhard van der Meer), ein einschiffiger Raum mit Tonnengewölbe und an drei Seiten umlaufenden zwei- und dreigeschossigen Emporen, verfügt über einen aus Holz geschnitzten und vergoldeten Altar (vermutlich 1571 aus der Salzburger Werkstatt des W. Schreckenfuchs), ein Altargemälde, auf dem Kurfürst August mit Familie vor dem Gekreuzigten dargestellt ist (Lucas Cranach d. J.), sowie eine sehens- und hörenswerte barocke Orgel (G. Reukewitz, 1758).

Augustusburg (Fortsetzung) Schloßkapelle

Im Schloß Augustusburg sind das Museum für Jagdtier- und Vogelkunde des Erzgebirges und das Motorradmuseum untergebracht.
Neben reizvoller Aussicht bietet der Turm des Lindenhauses eine ständige Ausstellung zur Baugeschichte des Schlosses sowie wechselnde Kunstausstellungen.
Im Stallgebäude hinter dem Schloß ist eine Kutschensammlung zu sehen (u. a. Kutschen des Dresdener Königshofes).

Museen

Sehenswertes in der Stadt Augustusburg

In der Stadt sind mehrere Renaissanceportale erhalten. Eine städtebauliche Besonderheit sind die Heisten, terrassenartig vor den Häusern liegende Freitreppen und Vorgärten auf den Geländestufen.

Portale Heisten

Erwähnenswert ist auch die unterhalb des Schlosses gelegene spätklassizistische Stadtkirche (1840–1845), die Ende des 19. Jh.s nach einem Brand erneuert wurde.

Stadtkirche

Umgebung von Augustusburg

Im Tal der Flöha liegt die Hetzdorfer Schweiz; in den Orten Hohenfichte und Hennersdorf sind noch je eine der seltenen überdachten Holzbrücken zu sehen.

Hetzdorfer Schweiz

Wanderungen durch das Sternmühlental führen auf den Adelsberg (504 m ü. d. M.; Aussichtsturm).

Adelsberg

⟶ Reiseziele von A bis Z: Chemnitz

Chemnitz

Ballenstedt

D 4

Bundesland: Sachsen-Anhalt
Bezirk (1952–1990): Halle
Höhe: 225 m ü. d. M.
Einwohnerzahl: 8700

Ballenstedt, einstige kleine Residenz der Fürsten von Anhalt-Bernburg, liegt – 28 km südöstlich von ⟶ Halberstadt – am Nordostrand vom unteren ⟶ Harz. Mit seinen Sehenswürdigkeiten ist es heute ein gern besuchter Ferienort.

Lage und Bedeutung

Der Ort, urkundlich um 1030 das erste Mal erwähnt, war Stammsitz des Fürstengeschlechts der Askanier. Die Stadtrechte wurden ihm 1543 verliehen; von 1765 bis 1863 Residenz der Herzöge von Anhalt-Bernburg.

Geschichte

Nach dem Ende des Zweiten Weltkrieges wurde die planwirtschaftliche Industrialisierung (Gummi, Hydraulik-, Meß- und Elektrogeräte, Baustoffe; Fleischwaren; Schmuck) vorangetrieben.

Schloßbereich

Schloß

Hauptanziehungspunkt ist der Schloßberg mit dem Schloß (jetzt Ingenieurschule für Forstwirtschaft), eine barocke Dreiflügelanlage. Es steht an der Stelle eines ehemaligen Stiftes (11. Jh.), das 1123 in ein Benediktinerkloster umgewandelt wurde; dies wiederum hat man im 16./17. Jh. zum Schloß für die Fürsten von Anhalt umgebaut. Von der ehemaligen Klosterkirche sind noch der Westbau und Teile der Krypta im Nordflügel des Schlosses erhalten, außerdem Reste der romanischen Klausur im Westflügel.

Schloßtheater

An der großen Platzanlage das Schloßtheater (1788), Wirkungsstätte u. a. von Franz Liszt und Albert Lortzing.

Marstall
Heimatmuseum

Südlich unterhalb des Schlosses befindet sich der Marstall (1810); unweit davon, in einem beachtenswerten Mansardhaus, das Heimatmuseum. Dort sind u. a. Funde von der Burg Anhalt zu sehen, ferner ein Gedenkraum für den Maler und Schriftsteller Wilhelm von Kügelgen (geb. 1802 im russischen St. Petersburg, gest. 1867 in Ballenstedt) sowie eine Ausstellung bäuerlicher Haus- und Küchengeräte.

Friedenspark

Der Friedenspark (ehemals Schloßpark) erstreckt sich über 52 ha und ist bekannt durch seine eindrucksvollen Fontänen und Wasserspiele (endgültige Gestaltung durch P. J. Lenné, zweite Hälfte des 18. Jh.s).

Jagdschlößchen

In der Südwestecke des Parkes steht auf dem Röhrkopf das Jagdschlößchen aus dem Jahre 1770.

Altstadt

Sehenswert in der Altstadt sind zweigeschossige Fachwerkhäuser aus dem 17./18. Jh. und Reste der Stadtbefestigung (16. Jh.) mit Ober- und Unterturm sowie Marktturm.

Altes Rathaus

Unter den Fachwerkbauten ist besonders das Alte Rathaus bemerkenswert, ein schlichtes zweigeschossiges Haus (1683).

Oberhof

Der Oberhof (16. Jh.), eine Dreiflügelanlage aus der Renaissance, war einst Adelssitz.

Neues Rathaus

Das Neue Rathaus, 1905/1906 geschaffen, ist ein stattlicher Bau im Stil der Neorenaissance.

St. Nikolai

Die spätgotische Pfarrkirche St. Nikolai (15. Jh.) brannte 1498 bis auf den Turm ab und wurde später erneuert.

Kügelgen-Haus

Beachtung verdient ferner das Wohnhaus von Wilhelm v. Kügelgen an der Kügelgenstraße (Nr. 35 a), der durch seine Memoiren "Jugenderinnerungen eines alten Mannes" bekannt wurde, in denen er das höfische und bürgerliche Leben im damaligen Deutschland schildert.

Umgebung von Ballenstedt

Roseburg

Nordwestlich der Stadt erreicht man die Roseburg mit Überresten der bereits 964 erwähnten Anlage gleichen Namens und den vom Berliner Baumeister B. Sehring 1907–1925 angelegten kleinen Park mit mehreren Türmen und kleineren Anlagen – Wasserspielen, Brunnen und Brücken. Originalstücke aus verschiedenen Kunstepochen wurden in die Gestaltung miteinbezogen.

Im Park der Roseburg

In Ermsleben (F 185, 7 km nordöstlich von Ballenstedt) lohnt die Stadtkirche St. Sixtii – mit Resten der romanischen Turmanlage und vorwiegend gotischen und barocken Bauelementen – einen Besuch. Im Ortsteil Konradsburg befinden sich die Überreste der spätromanischen Benediktiner-Klosterkirche (Chor und Krypta).

Ballenstedt, Umgebung (Fortsetzung) **Ermsleben**

In Aschersleben (F 185; 14 km nordöstlich von Ballenstedt) sind große Teile der Stadtmauer mit Zwinger, Graben und Wehrtürmen erhalten, ebenso die Vorposten Westdorfer Warte und Staßfurter Warte. In der ehemaligen Freimaurerloge 'Zu den drei Kleeblättern' (Markt Nr. 21) ist das Heimatmuseum untergebracht. Von den schlichten Renaissance-Bürgerhäusern fallen einige durch ihre kunstvollen Erker auf (Krukmannsches Haus am Markt; Über den Steinen Nr. 5; Hohe Straße Nr. 7).

Aschersleben

⟶ Reiseziele von A bis Z: Gernrode

Gernrode

⟶ Reiseziele von A bis Z: Quedlinburg

Quedlinburg

Barth

A 5

Bundesland: Mecklenburg-Vorpommern
Bezirk (1952–1990): Rostock
Höhe: 0–5 m ü. d. M.
Einwohnerzahl: 12 000

Die kleine Stadt Barth, am gleichnamigen Bodden gelegen, ist das Tor zu den Ostseebädern auf den Halbinseln ⟶ Darß und Zingst. Die Wirtschaft und das Erwerbsleben der ehemaligen Hafen- und Handelsstadt werden heute von der Industrie und der Arbeit im Dienstleistungsbereich geprägt.

Lage und Bedeutung

Barth

Regionalflughafen

Seit Herbst 1990 wird der Barther Flugplatz wieder von (kleineren) Passagierflugzeugen im Linienverkehr (z. B. von Bremen) angeflogen; er dient als Regionalflughafen vor allem für die Hansestadt → Rostock (Zubringerdienst).

Geschichte

Die Anlage der Stadt erfolgte nach 1200 bei einer Burg der Fürsten von Rügen (erste Erwähnung 1225). Im Jahre 1226 kam es zur Verleihung des lübischen Stadtrechtes, Barth war jedoch nicht Mitglied der Hanse. Von 1316 bis 1325 hatte hier Witzlaff III. von Rügen, bekannt als Minnesänger, seinen Wohnsitz. Mit seinem Tod starben die Fürsten von Rügen aus, das Gebiet kam zu Pommern-Wolgast. Zeitweise war die Stadt Residenz von Mitgliedern des pommerschen Herzoghauses. Nach dem Dreißigjährigen Krieg fiel die Stadt an Schweden, 1815 an Preußen. Das Schloß diente 1710/1711 dem entthronten Polenkönig Stanislaw I. Leszczyński als Wohnsitz. Handel, Schiffahrt und Schiffbau erlebten Mitte des 19. Jh.s eine Blütezeit. So war Barth um 1877 Heimathafen für 172 Segelschiffe (zweitgrößter Segelschiffhafen Preußens). Die Dampfschiffahrt brachte hier das Ende für die Seereederei. Es entstanden einige kleinere Industriebetriebe. 1926 wurde Barth Kreisstadt, seit 1952 gehört die Stadt zum Kreis Ribnitz-Damgarten. Während des Zweiten Weltkrieges war Barth Standort eines Kriegsgefangenenlagers.

Sehenswertes

*Marienkirche

Als Wahrzeichen des Ortes gilt die Marienkirche. Der mächtige gotische Backsteinbau (erste Erwähnung 1314) wurde innen 1856 von F. A. Stüler restauriert. Der Turm dient seit Jahrhunderten der Schiffahrt als Orientierungspunkt. In einer bedeutenden kirchenwissenschaftlichen Sammlung wird eines der letzten Exemplare der 1588 in Barth gedruckten niederdeutschen Bibeln aufbewahrt.

Reste der
Stadtbefestigung

Von der ehemaligen Stadtbefestigung mit vier Tortürmen ist nur noch der Dammtorturm (14. Jh.), ein Backsteinbau mit kleinen Erkern am Dachabsatz, vorhanden. Der Fangelturm am Stadtwall (16. Jh.) diente zeitweilig als Gefängnis; heute ist hier eine astronomische Station der Oberschule untergebracht.

Ehemaliges Stift

Sehenswert ist auch das ehemalige Stift für adlige Fräulein an der Mauerstraße (jetzt Wohnungen). Die reizvolle barocke Anlage an der Stelle des ehemaligen schwedischen Schlosses wurde 1733 von dem schwedischen König Friedrich I. gestiftet.

Ehrenmal

An der Westseite des ehemaligen Stiftes befindet sich das Sowjetische Ehrenmal (R. Schmidt, 1967), ein Beton-Wandrelief mit zehn Figuren.

Markt

Auf dem Markt steht ein Springbrunnen mit drei bronzenen Fischen, das Wappen der Stadt.
Am Geburts- und Sterbehaus des Mechanikers und Erfinders der Kreisteilmaschine, F. A. Norbert (1806–1888), ist ein Gedenktafel angebracht.

Mahnmal

Im Süden der Stadt wurde 1965/1966 ein Mahnmal zum Gedenken an die im Außenlager Barth des ehemaligen NS-Konzentrationslagers Ravensbrück umgekommenen Menschen errichtet: ein Turm und vier Bronzetafeln, die der Bildhauer J. Jastram schuf.

Umgebung von Barth

Zingst

Über den Meiningenstrom gelangt man nach Zingst (13 km nördlich) – mit gutem Badestrand, dem Zingster Heimathaus und einer turmlosen Dorfkirche (E. A. Stüler, 1862).

Wenige Kilometer westlich von Zingst liegt am Prerower Strom das Ostseebad Prerow; sehenswert sind das Darßer Heimatmuseum, eine alte Seemannskirche (1726) und Seemannshäuser mit geschnitzten Türen.

Barth, Umgebung (Fortsetzung) Ostseebad **Prerow**

Südlich von Prerow – am Bodstedter Bodden – das Seefahrerdorf Wieck; Beachtung verdienen hier drei niederdeutsche Hallenhäuser und die Dorfgaststätte 'Alter Krug' (alter Schulzensitz und Gerichtsstätte).

Wieck

→ Reiseziele von A bis Z: Stralsund

Stralsund

Bautzen

Bundesland: Freistaat Sachsen
Bezirk (1952–1990): Dresden
Höhe: 219 m ü. d. M.
Einwohnerzahl: 51 000

Bautzen, sorbisch Budyšin, das über 1000 Jahre alte Zentrum der Oberlausitz (→ Lausitz, liegt – rund 50 km östlich von → Dresden – auf einem Granitplateau am Oberlauf der Spree.

Lage

Die eindrucksvolle Silhouette der vieltürmigen Stadt, vor allem zur Spree hin, bezeugt ihre reiche Vergangenheit. Bautzen ist ein kultureller Schwerpunkt der ethnischen Minderheit der Sorben (Wenden). Als wichtiger Industriestandort in Sachsen hat sich die Stadt hauptsächlich durch den Waggonbau einen Namen gemacht.
Traurige Bekanntheit hat Bautzen wegen seiner berüchtigten Haftanstalt (einst sächsisches Landesgefängnis) erlangt, in der u. a. viele politisch Verfolgte – in jüngerer Zeit des nationalsozialistischen Gewaltregimes und später des sozialistischen Staates der ehemaligen Deutschen Demokratischen Republik – eingekerkert waren.

Bedeutung

Anstelle des einstigen Stammeszentrums der slawischen Milzener und nach wechselvollen Kämpfen während der deutschen Ostexpansion als Grenzfeste (Ortenburg) der Markgrafen von Meißen errichtet, wird der Ort 1002 erstmals urkundlich erwähnt. Am Schnittpunkt bedeutender Handelsstraßen und an einem günstigen Spreeübergang gelegen, begann um 1200 die planmäßige Anlage der Stadt durch deutsche Kolonisten. Im Jahre 1213 erhielt Bautzen vom böhmischen König Ottokar II. das Recht, ein steinernes Rathaus zu bauen. Seiner raschen Entwicklung verdankte es die führende Stellung im Lausitzer Sechsstädtebund (1346–1815).
Seit 1067 mit kurzen Unterbrechungen zu Böhmen gehörig, gelangte Bautzen 1635 mit der gesamten Lausitz zum Kurfürstentum Sachsen, nachdem es im Dreißigjährigen Krieg schwer getroffen worden war. Mit der Strumpfwirkerei (17. Jh.) und der Tuchweberei (18. Jh.) entwickelten sich bescheidene Ansätze eines industriellen Aufschwungs, der im 19. Jh. durch weitere ähnliche Fabriken noch verstärkt wurde.

Geschichte

Kulturell bedeutungsvoll wurde die Herausbildung und Organisation eines eigenständigen Kultur- und Vereinslebens der Sorben (Wenden), u. a. durch die Gründung der wissenschaftlichen Vereinigung 'Maćica Serbska' (1847), einer sorbischen Buchhandlung (1850) und einer sorbischen Buchdruckerei (1875). Bautzen ist Sitz der 'Domowina', des 1912 in Hoyerswerda gegründeten Interessenverbandes der Sorben.

Sorben (vgl. S. 135)

Hauptmarkt und Seitenstraßen

Traditioneller Mittelpunkt der Stadt ist der Hauptmarkt, auf den sieben Straßen und Gassen münden. Im Norden des Platzes steht das unter Ein-

Rathaus

Bautzen

Stadtplan

Achtung!
Im Zuge der politischen Neuorientierung sind weitere Umbenennungen zu erwarten.

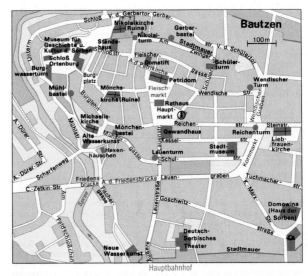

Hauptbahnhof

Rathaus
(Fortsetzung)

beziehung gotischer Bauteile 1729–1732 barock aufgeführte dreistöckige Rathaus. Die Ost- und die Westseite des Platzes zieren Patrizierhäuser (Nr. 6, 7, und 8).

Gewandhaus

An der Ecke Hauptmarkt / Innere Lauenstraße sieht man das Gewandhaus, einen Bau im Stil der Neurenaissance (1882/1883; Ratskeller von 1472).

Reichenstraße

An den vom Hauptmarkt ausgehenden Gassen stehen stattliche barocke Bürgerbauten, vor allem entlang der Reichenstraße (z. B. Nr. 4, 5 und 12).

Reichenturm

Der um 1,44 m von der Senkrechten abweichende Reichenturm (1490 bis 1492) ist mit einem Barockaufsatz und einer Laterne (1715–1718) versehen; er trägt ein Denkmal Kaiser Rudolphs II. (1577).

Museum für Stadtgeschichte

Unweit südlich des Reichenturms befindet sich am Kornmarkt (Nr. 1) das Museum für Stadtgeschichte.

Innere Lauenstraße

Sehenswerte Bürgerhäuser findet man auch an der Inneren Lauenstraße (Nr. 2, 6, 8 und 10).

Lauenturm

An der Inneren Lauenstraße steht ebenfalls ein Turm, der Lauenturm (1400–1403), mit einer Barockhaube und einer Laterne von 1739.

Fleischmarkt

Hinter dem Rathaus beginnt der Fleischmarkt; dort steht das Denkmal des sächsischen Kurfürsten Johann Georg I. (1865); an der Ostseite bemerkenswerte Renaissance- (Nr. 2 und 4) und Barockwohnhäuser.

*Dom St. Peter

Überragt wird der Fleischmarkt vom Dom St. Peter (Petridom), einer gotischen, dreischiffigen Hallenkirche (1213–1497) mit fast 85 m hohem Turm. Der Dom, heute Konkathedrale des Bistums Dresden-Meißen, ist sowohl baugeschichtlich als auch kulturgeschichtlich bemerkenswert: Mit seinem in der Längsachse seltsam geknickten Grundriß dient er seit 1524 sowohl Katholiken als auch Protestanten als Gotteshaus (Simultankirche). Im katholischen Teil (Chor) ist vor allem der Hochaltar (1722–1724, G. Fossati) mit dem Altarbild (Petrus empfängt den Schlüssel, von G.A. Pellegrini), den Sandsteinplastiken des Permoser-Schülers B. Thomae und dem lebensgroßen Kruzifix (1714, B. Permoser) sehenswert. Im protestantischen Teil verdienen die Fürstenloge (1673/1674) und der Altaraufsatz (1644) Beachtung.

Dom St. Peter (Fortsetzung)

Das Domstift ist eine barocke, hufeisenförmige Anlage (1683) mit dem domstiftlichen Wappen über dem Hauptportal (1755).

Domstift

Burgstadt

Die Straße An der Petrikirche und die Schloßstraße (mit dem ehem. Ständehaus von 1668 und der Schloßapotheke von 1699) führen in den ältesten Stadtteil, der – im Unterschied zu der geplanten Anlage um den Hauptmarkt – in Bautzens Frühzeit unregelmäßig im Schutze der Ortenburg gewachsen war.

Am Rande der Burgstadt steht die Ruine der Mönchskirche (um 1300; 1598 ausgebrannt), der letzte Bauzeuge des ehemaligen Klosters.

Mönchskirche

Ortenburg

Die über 1000jährige Ortenburg, einst Sitz der königlichen Verwalter der Oberlausitz, macht infolge starker Zerstörungen im Dreißigjährigen Krieg und mehrerer Umbauten architektonisch einen wenig geschlossenen Eindruck.

Aus der Zeit des spätgotischen Umbaus ist der Schloßturm (1486) am Nordostzugang erhalten. Den Turm schmückt ein Sitzbild des ungarischen Königs Matthias Corvinus (die Lausitz war 1469–1490 eine Provinz des Ungarnreiches).

Schloßturm

Alte Wasserkunst an der Spree, Michaeliskirche und Petridom

Schloß

Ebenfalls auf einen spätgotischen Baukörper geht das mächtige Hauptgebäude (Schloß) zurück; Mitte des 17. Jh.s verändert, kamen die drei Renaissancegiebel im Jahre 1698 hinzu. Im ersten Obergeschoß liegt der Audienzsaal mit ausgezeichnetem figürlichem Deckenstuck (1662; Vietti, Comotan).

Museum
der Sorben

In einem der Ortenburggebäude ist heute das Museum für Geschichte und Kultur der Sorben untergebracht.

Entlang der alten Stadtbefestigungen

Mehrere Bautzener Architekturdenkmäler kann man auch auf dem reizvollen Spaziergang entlang der alten Stadtbefestigungen, die zur Spreeseite hin fast durchgängig erhalten sind, kennenlernen.
Dazu gehören im Norden der Schülerturm (vor 1515), die Gerberbastei (1503; heute Jugendherberge), der Nikolaiturm (vor 1522) und die Ruine der im Dreißigjährigen Krieg (1620 und 1634) durch Beschuß abgebrannten Nikolaikirche (1444).

*Alte Wasserkunst

Auf dem Oster-Reymann-Weg (von der Ausfallpforte der Ortenburg an) liegt das Wehrgemäuer der Ortenburg (Burgwasserturm mit Fronfeste, vermutlich 10. Jh.).
Vorbei an der Mühlbastei (um 1480) und durch das Mühltor (1606 neu erbaut) gelangt man auf den Wendischen Kirchhof mit der Michaeliskirche der evangelischen Sorben (1498 vollendet) und zu dem Wahrzeichen Bautzens, der sog. Alten Wasserkunst (heute Technisches Museum), die dem Schutz und mit ihrem Schöpfwerk zugleich der Wasserversorgung der mittelalterlichen Stadt diente (1588, W. Röhrscheidt d. Ä.).

Neue Wasserkunst

Jenseits der Spreebrücke (1908/1909), die 1946–1949 als Friedensbrücke wiederaufgebaut worden ist, erreicht man durch die Fischergasse südostwärts die Neue Wasserkunst (1606–1610, W. Röhrscheidt d. J.).

Einrichtungen der Sorben (vgl. S. 135)

Deutsch-
Sorbisches
Volkstheater

Unweit östlich der Neuen Wasserkunst steht bei den Schilleranlagen das 1975 errichtete Gebäudes des Deutsch-Sorbischen Volkstheaters, der einzigen zweisprachigen Bühne im östlichen Teil Deutschlands.

Ernst-Thälmann-
Denkmal

In der Nähe befindet sich ein Ernst-Thälmann-Denkmal (1960, W. Förster) zum Gedenken an Thälmanns Zeit der Inhaftierung in Bautzen.

Haus der Sorben
('Domowina')

Am Postplatz steht das 1956 eingeweihte Haus der Sorben (Serbski Dom), in dem auch der Vorstand des sorbischen Interessenverbandes 'Domowina' seinen Sitz hat.

Umgebung von Bautzen

Spreetalsperre

Ein beliebtes Naherholungszentrum nordöstlich der Stadt ist die Bautzener Spreetalsperre mit diversen Freizeiteinrichtungen am östlichen Ufer.

*Saurierpark
Kleinwelka

In Großwelka (5 km nordwestlich von Bautzen) hat Franz Gruß 1978 damit begonnen, Großplastiken von Sauriern in seinem Gartengrundstück aufzustellen und eine Hobby-Urtierschau zu zeigen, die viele Besucher anzog. Da das Grußsche Gründstück für eine Erweiterung zu klein war, wurde dann in einem Teil des Kleinwelkaer Parkes der 'Saurierpark Kleinwelka' eingerichtet, eine wissenschaftlich fundierte, anschauliche Darstellung zahlreicher Saurier in Lebensgröße ('Urzoo').

In Wilthen (ca. 10 km südlich von Bautzen), bekannt wegen einer großen Weinbrennerei, findet man alte Lausitzer Umgebindehäuser um die Kirche und das ehem. Gut. Vom nahen Mönchswalder Berg bietet sich eine umfassende Aussicht über das Bautzener Land und die Oberlausitz.

Wilthen

In Neukirch (15 km südwestlich von Bautzen) gibt es ein Töpferhandwerk-museum. Der Ort ist Ausgangspunkt für die Besteigung des Valtenberges, mit 588 m ü. d. M. die höchste Erhebung des Lausitzer Berglandes.

Neukirch
Valtenberg

Schirgiswalde (15 km südlich von Bautzen), die 'Perle der Oberlausitz', ist ein beliebter Ferienort mit sehenswerter barocker Pfarrkirche (1739–1741; reiche Innenausstattung), klassizistischem Rathaus (1818), zwei Lauben-häusern am Markt sowie einigen Umgebindehäusern; im ehemaligen Domstiftlichen Herrenhaus (St.-Pius-Haus) handbedruckte Tapeten aus dem 19. Jahrhundert.

Schirgiswalde

In Gaußig (10 km südwestlich von Bautzen) verdient das zu Beginn des 18. Jh.s erbaute und im 19. Jh. umgestaltete Schloß mit historischem Land-schaftspark (Rhododendron- und Azaleenbestände) einen Besuch.

Gaußig

Sehenswert sind in Bischofswerda (18 km südwestlich von Bautzen) das klassizistische Rathaus (1818) mit Freitreppe und die St. Marienkirche (urspr. gotisch, 1815/1816 klassizistisch umgebaut; jetzt Christuskirche) sowie zahlreiche klassizistische Bürgerhäuser. In der Begräbniskirche (Spätrenaissance, 1650; jetzt Kreuzkirche) ein überlebensgroßes Sand-steinkruzifix (um 1535) und eine Kanzel mit figürlichen Reliefs.

Bischofswerda

In Rammenau (4 km nordwestlich von Bischofswerda), dem Geburtsort des großen deutschen Philosophen Johann Gottlieb Fichte (1762–1814), steht eines der schönsten Barockschlösser Sachsens (1721–1735, J. Chr. Knöffel); Fichte-Gedenkstätte, Konzerte, Schloßgaststätte.

Rammenau
*Barockschloß

Schloß Rammenau bei Bischofswerda

Repräsentative Hauptstadt des geeinten Deutschland
Bundesland: Berlin
Höhe: 35–50 m ü. d. M.
Einwohnerzahl: 3,41 Mio.

Nach der friedlichen Herbstrevolution des Jahres 1989 in der damaligen Deutschen Demokratischen Republik, vor allem aber nach der Öffnung der einstigen DDR-Grenzen in Berlin sowie zur Bundesrepublik Deutschland am 9. November 1989 wachsen die beiden über vier Jahrzehnte lang zwangsweise getrennten Teile der Weltstadt Berlin wieder zusammen. Seit dem 3. Oktober 1990, dem Tag der deutschen Einheit, ist das nun nicht mehr geteilte Berlin wieder Deutschlands Hauptstadt.
Vorbemerkung

Im Rahmen dieses Reiseführers ist die Beschreibung von ganz Berlin bewußt knapp gehalten; sie beschränkt sich auf die Hauptsehenswürdigkeiten. Ausführlichere Informationen liefert der in der Reihe 'Baedekers Allianz-Reiseführer' erscheinende Stadtführer "Berlin".
Hinweis

ALLGEMEINES

Berlin, die repräsentative Hauptstadt des geeinten Deutschland – über den Sitz von Regierung und Parlament muß noch entschieden werden –, liegt im Warschau-Berliner Urstromtal, eingebettet zwischen den Hochflächen des Barnim (im Norden) und des Teltow (im Süden), an der schiffbaren Spree, die im Stadtbezirk Spandau in die Havel mündet. Die alte und neue deutsche Metropole Berlin ist als Stadtstaat ein deutsches Bundesland, Brennpunkt des politischen, kulturellen und wirtschaftlichen Lebens und die bedeutendste Industriestadt Deutschlands.
Berlin zeigt das Flair einer pulsierenden Weltstadt. Die Deutsche Oper Berlin und die Deutsche Staatsoper genießen – wie auch die Berliner Philharmoniker – Weltruf. Die bedeutenden Museen in Dahlem, Charlottenburg, Tiergarten und auf der Museumsinsel besitzen internationalen Rang. Die Berliner Filmfestspiele, die Deutsche Funkausstellung und die Grüne Woche in den Messehallen sowie Sportwettkämpfe im Olympiastadion sind nur die wichtigsten der zahlreichen Großveranstaltungen.
Lage und
**Bedeutung

Berlin hat drei Universitäten (Freie Universität, Technische Universität und Humboldt-Universität) und zahlreiche weitere Hochschulen (u. a. Hochschule der Künste) und Forschungsinstitute (u. a. das Hahn-Meitner-Institut für Kernforschung und fünf Institute der Max-Planck-Gesellschaft). Die Stadt ist darüber hinaus Sitz eines evangelischen und eines katholischen Bischofs.
Kultur und
Bildungswesen

Das Wirtschaftsleben ruht auf den traditionellen Säulen Elektroindustrie (u. a. Siemens, AEG, IBM), Bekleidungsindustrie und Maschinenbau (u. a. Borsig). Namhaft sind auch die chemische Industrie, die Nahrungsmittelindustrie sowie das graphische Gewerbe. Seine Tradition als Messestadt hat Berlin mit dem Ausstellungsgelände (ca. 90 000 m² überdachte Fläche) und dem Internationalen Congress-Centrum am Funkturm erneuert. 'Berliner Chic' ist zum internationalen Qualitätsbegriff für Berlin als Modezentrum geworden.
Wirtschaft

Ursprung Berlins waren die beiden Fischerdörfer Cölln und Berlin, die sich 1307 vereinigten. 1443 legte der Hohenzollerngraf Friedrich II. den Grundstein zum Bau eines festen Schlosses. Berlin wurde zur Residenz des
Geschichte

◀ *Kaiser-Wilhelm-Gedächtniskirche*

Berlin

Verwaltungs-
gliederung

Landesgrenze
Bezirksgrenzen
Einstiger Verlauf der 'Berliner Mauer'
zwischen Berlin (West) und Berlin (Ost)

Geschichte
(Fortsetzung)

Landesherrn. Nach dem Dreißigjährigen Krieg hatte die Stadt nur noch 5000 Einwohner. Die zielbewußte Regierung des Großen Kurfürsten (1610 bis 1688) brachte der Stadt und der Mark Brandenburg einen neuen Aufschwung. Berlin wurde zur Festung ausgebaut und erfuhr im Westen durch die Städte Friedrichswerder und Dorotheenstadt die ersten planmäßigen Erweiterungen, die dann der Sohn des Großen Kurfürsten, Preußens erster König Friedrich I., noch um die Friedrichstadt vermehrte. 1709 wurden alle fünf Städte zur Haupt- und Residenzstadt Berlin vereinigt. Unter Friedrich dem Großen wurde Berlin zur Stadt der Manufakturen und zur führenden Industriestadt Preußens. Zahlreiche repräsentative Bauten (Forum Fridericianum) verschönten das Stadtbild. Die 1810 von Wilhelm von Humboldt gegründete Universität machte die Hauptstadt Preußens zu einem Zentrum geistigen Lebens. Zugleich wurde die Stadt Hauptsitz der Industrie und in der zweiten Hälfte des 19. Jh.s zum Knotenpunkt des europäischen Eisenbahnverkehrs und zur Handelsmetropole Deutschlands. 1871 avancierte Berlin zur Hauptstadt des neugegründeten deutschen Kaiserreichs. Nach dem Ersten Weltkrieg entstand durch den Zusammenschluß Berlins mit sieben umliegenden bisher selbständigen Städten, 59 Landgemeinden und 27 Gutsbezirken die neue Stadtgemeinde Groß-Berlin. Diese hatte vor dem Ausbruch des Zweiten Weltkrieges, welcher der Stadt verheerende Zerstörungen und schmerzliche Verluste an Menschenleben brachte, 4,3 Millionen Einwohner. 1945 wurde auf der Konferenz von Jalta ein Viermächtestatus für Berlin beschlossen. Differenzen zwischen den Besatzungsmächten führten 1948 (sowjetische Blockade) zu einer Spaltung der Stadt – 1949 wurde der sowjetische Stadtsektor (Ost-Berlin) ungeachtet des für ganz Berlin geltenden Viermächtestatus zur 'Hauptstadt der DDR' erklärt, die Westsektoren besaßen fortan als Berlin (West) einen politischen Sonderstatus im Rahmen der Bundesrepublik Deutschland –, welche durch die Errichtung der 'Berliner Mauer' (Baubeginn am 13. August 1961) noch vertieft wurde.

1989

Erst am 9. November 1989 wurde die Mauer durchlässig, nachdem die politische Führung der damaligen DDR ihren Bürgern überraschend gestattet hatte, nach Westberlin wie auch in die Bundesrepublik Deutschland zu reisen. Innerhalb weniger Stunden machten Hunderttausende von dieser Möglichkeit Gebrauch und strömten in den Westteil der Stadt; neue Grenzübergänge wurden geöffnet und die Grenzkontrollen auf ein Minimum beschränkt.

Die Öffnung der Berliner Mauer am 22. Dezember zu beiden Seiten des Brandenburger Tores beendete nach 28 Jahren symbolisch die Teilung Berlins; die feierliche Eröffnung wurde von Bundeskanzler Helmut Kohl und dem seinerzeitigen DDR-Ministerpräsidenten Hans Modrow auf dem Pariser Platz besiegelt.

Gemäß einer neuen Reiseverordnung bestand ab 24. Dezember freier Reiseverkehr zwischen den beiden deutschen Staaten ohne Einreisevisum und Zwangsumtausch.

Im Laufe des Jahres 1990 wurde die 'Berliner Mauer' – bis auf wenige als Mahnmal vorgesehene Teilstücke – abgerissen. In Berlin waren ab 1. Januar alle innerstädtischen Übergänge mit Ausnahme des 'Checkpoint Charlie' für Westberliner wie für Bürgerinnen und Bürger der Bundesrepublik Deutschland passierbar. Als Ergebnis der DDR-Kommunalwahlen vom 6. Mai löste eine Große Koalition, die von der SPD der DDR geführt wurde, den alten Magistrat von Ost-Berlin ab. Neuer (und letzter) Oberbürgermeister von Ost-Berlin wurde Tino Schwierzina. Seit Juni wurden die nach dem Mauerbau unterbrochenen S- und U-Bahn-Linien wieder befahren und 'Geisterbahnhöfe' wieder geöffnet.

Seit dem 20. Juni haben die Berliner Bundestagsabgeordneten volles Stimmrecht im Deutschen Bundestag. Senat und Magistrat von Berlin trafen sich am 12. Juni zu ihrer ersten gemeinsamen Sitzung.

Am 1. Juli trat die Währungs-, Wirtschafts- und Sozialunion zwischen der Bundesrepublik Deutschland und der Deutschen Demokratischen Republik in Kraft. Im selben Monat wurde auf dem Potsdamer Platz vor 300 000 Zuschauern die Rockoper "The Wall" aufgeführt.

Am 5. August landete auf dem Flughafen Berlin-Schönefeld erstmals seit 1945 wieder ein Flugzeug der Deutschen Lufthansa, das 200 sowjetische Kinder aus der Gegend von Tschernobyl nach einem Ferienaufenthalt in der DDR wieder nach Hause zurückbrachte.

Im Palais Unter den Linden wurde am 31. August der Einigungsvertrag zwischen den beiden deutschen Staaten geschlossen.

Am 12. September unterzeichneten in Moskau die Außenminister der Bundesrepublik Deutschland, der Deutschen Demokratischen Republik, Frankreichs, Großbritanniens, der Sowjetunion und der Vereinigten Staaten von Amerika den Schlußvertrag der sogenannten 'Zwei + Vier-Verhandlungen'. Dabei wurde bekanntgegeben, daß die Siegermächte des Zweiten Weltkrieges mit sofortiger Wirkung ihre besonderen Rechte in Bezug auf Deutschland als Ganzes und auf Berlin aufgeben. In ganz Berlin endeten damit de facto die Sonderrechte der Siegermächte. In der Nacht vom 2. auf den 3. Oktober fand zur Wiedervereinigung Deutschlands ein großes Volksfest rund um das Brandenburger Tor statt. Am Tag darauf trat das aus Volkskammer und Bundestag gebildete gesamtdeutsche Parlament im Reichstagsgebäude zusammen.

Am 2. Dezember wurden zum ersten Mal seit 1932 wieder freie Wahlen in ganz Berlin und ganz Deutschland abgehalten.

Stadtbeschreibung siehe Seite 184

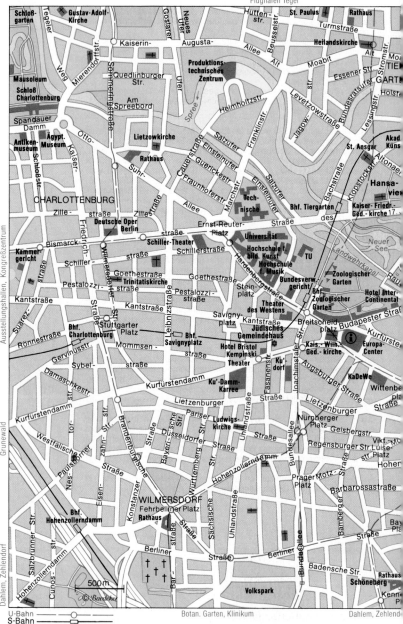

Berlin

Übersichtsplan der westlichen Innenstadt

Flughafen Tegel

U-Bahn
S-Bahn

Olympiastadion, Funkturm, Ausstellungshallen, Kongreßzentrum

Grunewald

Dahlem, Zehlendorf

Botan. Garten, Klinikum

Dahlem, Zehlend

© Baedeker

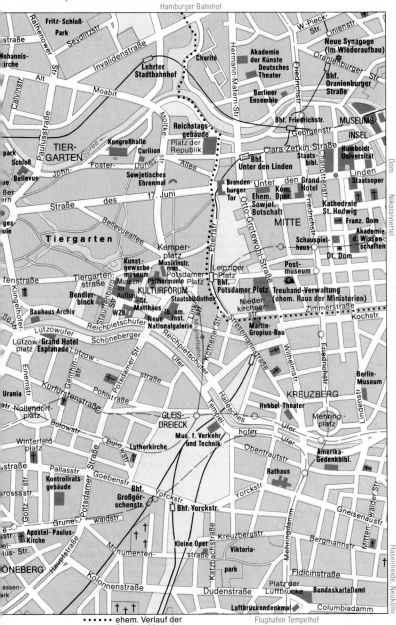

•••••• ehem. Verlauf der 'Berliner Mauer'

Achtung! Im Zuge der politischen Neuorientierung sind weitere Namensänderungen zu erwarten.

SEHENSWERTES IN GANZ BERLIN

Hinweis   Übersichtsplan der westlichen Innenstadt s. S. 182/183
             Übersichtsplan der östlichen Innenstadt s. S. 200/201

Bezirk Charlottenburg
✳Gedächtniskirche

Im Osten des Bezirkes Charlottenburg steht am verkehrsreichen Breitscheidplatz als Wahrzeichen des Berliner Westens die Turmruine der neuromanischen Kaiser-Wilhelm-Gedächtniskirche (1891–1895), daneben ihr
nach Plänen von E. Eiermann 1959–1961 errichteter achteckiger, flach
gedeckter Neubau.

Europa-Center   Östlich das 1963–1965 erbaute Europa-Center, ein Geschäftskomplex mit
22geschossigem Hochhaus (86 m; Ladenstraßen, Restaurants, Plane-
tarium, Wasseruhr, Dachbad, Spielkasino u. a.).

Tauentzien   Hier beginnen zwei große Geschäftsstraßen: die lädenreiche Tauentzien-
Wittenbergplatz   straße führt südöstlich zum Wittenbergplatz mit dem großen KaDeWe
('Kaufhaus des Westens'; bemerkenswerte Lebensmittelabteilung); öst-
Urania   lich, an der Kleiststraße (Nr. 13), die 'Urania' mit Vortrags- und Ausstel-
Postmuseum   lungsräumen sowie dem Berliner Postmuseum (ein zweites Postmuseum
befindet sich im Ostteil der Stadt; s. S. 202).

✳Kurfürstendamm

Der nach Westen führende 3,5 km lange Kurfürstendamm, dessen Bebauung nach schweren Kriegsschäden wieder weitgehend geschlossen ist,
zieht mit seinen Geschäften, Restaurants und Cafés sowie zahlreichen
Kinos und Theatern den Fremden an; Nr. 227 das Berliner Panoptikum.

✳Zoo   Nördlich vom Breitscheidplatz die Kunsthalle und an der Budapester
Straße der Zoologische Garten mit etwa 10 900 Tieren und Aquarium.

Hochschulviertel

Die Hardenbergstraße führt von der Gedächtniskirche nordwestlich am
Bahnhof Zoo vorbei in das ausgedehnte Hochschulviertel. Hier liegen die
Technische Universität (TU) und die Hochschule der Künste. Am nordöst-
Ernst-Reuter-Platz   lichen Ende der Hardenbergstraße der raumgreifende Ernst-Reuter-Platz
(Wasserspiele). Nahebei am Anfang der Bismarckallee das 1950–1951
erbaute Schillertheater; westlich davon die 1961 eröffnete Deutsche Oper
Berlin.

✳Schloß Charlottenburg

Im Herzen von Charlottenburg liegt das Charlottenburger Schloß, ein langgestreckter Baukörper aus dem 17. und 18. Jh. (wiederhergestellt); im
Ehrenhof vor dem überkuppelten Mittelbau das Reiterstandbild des Großen Kurfürsten, 1697–1700 von Schlüter und Jacobi geschaffen; im Mittelbau des Schlosses (Nehring- und Eosanderbau) historische Räume.

✳Galerie der   Im Ostflügel (Knobelsdorff-Flügel; davor Denkmal Friedrichs I., Schlüter
Romantik   1698, Abguß) im Erdgeschoß die Galerie der Romantik (Abteilung der
Neuen Nationalgalerie) mit Gemälden des 19. Jh.s, im Obergeschoß ehem.
Wohnräume Friedrichs d.Gr. und die "Goldene Galerie".

Schloß Charlottenburg

Im Langhansbau befindet sich das Museum für Vor- und Frühgeschichte. Im Schloßpark steht das Mausoleum für die Königin Luise († 1810) und ihren Gemahl König Friedrich Wilhelm III. († 1840), wo auch Kaiser Wilhelm I. († 1888) mit seiner Gemahlin Kaiserin Augusta († 1890) ruht. Die Marmorbildwerke schufen Ch. Rauch und E. Encke. Im Belvedere eine Sammlung 'Berliner Porzellan' (Königliche Porzellanmanufaktur, KPM).

Museum für Vor- und Frühgeschichte

Gegenüber vom Schloß Charlottenburg der sog. Stülerbau (1850): im Westbau die Westberliner Antikensammlung, im Ostbau, auf der anderen Seite der Schloßstraße, die Ägyptische Abteilung der Staatlichen Museen (u. a. die weltberühmte Kalksteinbüste der Nofretete, um 1360 v. Chr.).

Antikensammlung
٭Ägyptische Abteilung der Staatlichen Museen

Hauptgebäude (Stülerbau)   **Ägyptisches Museum**

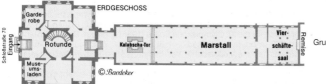

Grundriß

STÜLERBAU
(Erd- und Mittelgeschoß):
Kunsthistorische Exponate

MARSTALL:
Kulturhistorische Sammlung
(Lebensweise und Bräuche)

VIERSCHÄFTESAAL:
Totenkult
REMISE: Vortragsraum

Westend

Im Stadtteil Westend, der zu Charlottenburg gehört, erstreckt sich das Messe- und Ausstellungsgelände, das mit seinen Hallen und Pavillons der Schauplatz aller großen Berliner Ausstellungen ist.

Messegelände

Internationales Congress-Centrum

Charlottenburg, Westend (Forts.) Funkturm	Ein Wahrzeichen Berlins ist der 138 m (mit Antenne 150 m) hohe Funkturm (volkstümlich 'Langer Lulatsch'; Aussichtsrestaurant in 55 m, Aussichtsplattform in 125 m Höhe; Fahrstuhl), der 1924–1926 zur Funkausstellung errichtet wurde; an seinem Fuß das Deutsche Rundfunkmuseum.
*ICC	Am Messedamm liegt das mächtige, 1979 fertiggestellte Internationale Congress-Centrum (ICC; 20 300 Plätze).
Avus Deutschlandhalle	Nahebei südöstlich das Nordende der 1921 angelegten Avus (Automobil-Verkehrs- und Übungsstraße) sowie die Deutschlandhalle.

*Olympiastadion

Nordwestlich vom Theodor-Heuss-Platz liegt das Olympiastadion, eine der größten und schönsten Sportanlagen Europas, nach Plänen von Werner March für die XI. Olympischen Spiele (1936) angelegt. Das 300 m lange und 230 m breite ovale Stadion faßt ca. 90 000 Zuschauer. Unmittelbar nordwestlich die vielbesuchte Waldbühne (25 000 Plätze; Freilichtveranstaltungen).

Waldbühne

Südlich des Olympiastadions, am Heilsberger Dreieck, erhebt sich das 17 geschossige Corbusierhaus (1957; Wohnungen).

Corbusierhaus

Bezirk Tiergarten

Großer Stern

*Siegessäule

Im nördlich angrenzenden Bezirk Tiergarten liegt der gleichnamige Park, eine schöne Anlage. Von Westen nach Osten durchzieht ihn die Straße des 17. Juni mit dem Großen Stern, auf dem die 67 m hohe Siegessäule für die Feldzüge 1864, 1866 und 1870/1871 steht (von der Plattform gute Rundsicht).

Olympiastadion

Im Nordteil des Parkes der als Englischer Garten angelegte Bellevuepark mit dem Schloß Bellevue, dem Berliner Amtssitz des deutschen Bundespräsidenten.

Tiergarten (Fortsetzung) Bellevuepark

Westlich an den Bellevuepark anschließend das 1955–1957 von führenden Architekten der Welt (u. a. Aalto, Düttmann, Eiermann, Gropius, Niemeyer) als Musterwohnstadt erbaute Hansaviertel mit interessanten Beispielen modernen Kirchenbaus, u. a. Kaiser-Friedrich-Gedächtniskirche und St.-Ansgar-Kirche.

Hansaviertel

Südlich der Tiergartenstraße befindet sich am Herkulesufer das Bauhaus-Archiv (Museum für Gestaltung; Ausstellungen).

Bauhaus-Archiv

Kulturforum

Am Südostrand des Tiergartens beim Kemperplatz das Kulturforum mit der Philharmonie (1960–1963, von H. Scharoun) und dem Musikinstrumenten- sowie dem Kunstgewerbemuseum.

*Philharmonie (Abb. s. S. 188)

Unweit südlich, an der Potsdamer Straße (Nr. 50), die Neue Nationalgalerie (1965–1968, von L. Mies van der Rohe; Gemälde und Skulpturen des 19. und 20. Jh.s); gegenüber die Staatsbibliothek (1978; ca. 3 Mio. Schriften) und das Ibero-Amerikanische Institut (1976).

*Neue Nationalgalerie

Unweit westlich befindet sich die Gedenkstätte Deutscher Widerstand (Bendlerblock).

Bendlerblock

Am Ostende der Straße des 17. Juni links das Sowjetische Ehrenmal (1945). Nahebei das Brandenburger Tor (s. S. 193), unmittelbar jenseits der einstigen Grenze nach Ostberlin.

Sowjetisches Ehrenmal

Berlin

Philharmonie

Kongreßhalle

Reichstagsgebäude

Am Platz der Republik liegt das ehem. Reichstagsgebäude, 1884–1894 von Paul Wallot im Stil der italienischen Hochrenaissance erbaut, nach starker Zerstörung bis 1969 neu ausgebaut.

Tiergarten (Fortsetzung)

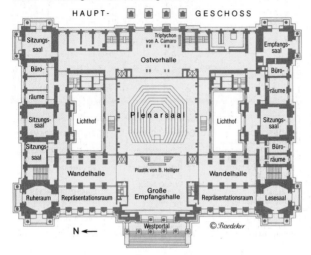

Grundriß

Westlich vom Platz der Republik die Kongreßhalle (volkstümlich 'Schwangere Auster', 1957; Einsturz des Daches 1980 und Wiederherstellung 1987); nahebei der Glockenspielturm 'Carillon'.

Kongreßhalle

Bezirk Kreuzberg

Südöstlich vom Kemperplatz der Bezirk Kreuzberg, der kleinste, aber am dichtesten bevölkerte Westberliner Bezirk (u. a. ca. 42 000 Türken), mit zahlreichen Eckkneipen sowie vielen alternativen Betrieben.

An der Stresemannstraße steht der 1877–1881 in Renaissanceformen errichtete Martin-Gropiusbau mit der Berlinischen Galerie (Gemälde, Graphik, Skulpturen seit dem 19. Jh.).

Gropiusbau

In den 1987 freigelegten Kellerräumen eines Nebengebäudes der einstigen Gestapo-Zentrale (östlich vom Gropiusbau) informiert die Ausstellung 'Topographie des Terrors' über die Bedeutung des sog. Prinz-Albrecht-Geländes während der nationalsozialistischen Gewaltherrschaft.

'Topographie des Terrors'

An der Trebbiner Straße das Museum für Verkehr und Technik (Industrielle Revolution, Schienen- und Straßenverkehr, Luftfahrt, Haushalts- und Fertigungstechnik, Druck u. v. a.; großes Freigelände).

✳Museum für Verkehr und Technik

Weiter östlich, an der Lindenstraße, ist im Gebäude des ehemaligen Alten Kammergerichts (1734/1735) das Berlin-Museum zu finden; es zeigt die kultur- und stadtgeschichtliche Entwicklung seit der Mitte des 17. Jh.s (Gemälde, Graphik, Kunstgewerbe und Wohnkultur, Spielzeug). Für die neunziger Jahre ist eine Zusammenführung mit dem Märkischen Museum (s. S. 209) vorgesehen.
Geschoßgrundrisse des Berlin-Museums s. S. 190.

Berlin-Museum

Kreuzberg,
Berlin-Museum
(Fortsetzung)
Geschoß-
grundrisse

Ehemaliges Altes Kammergerichtsgebäude an der Lindenstraße   **Berlin-Museum**
(1734/35 von Ph. Gerlach errichtet, 1967–69 wiederaufgebaut)

A Eingangshalle   B Garderobe   © *Baedeker*   C Treppenhaus   00 Toiletten

ERDGESCHOSS
Große Halle: Geschichte der
Berliner Mauer mit zwei
Graffiti-Mauerteilen
1 Berlin und Potsdam,
16. – 18. Jh.
2 Stadtmodell,
Stadtpläne,
Stadtansichten bis
Ende d. 18. Jh.s
3 vorübergehend
unzugänglich
4 Kunst- und
Kunsthandwerk
zur Zeit Friedrichs
des Großen
5 Chodowiecki-Kabinett
6 Literarisches und
geistiges Leben
im 18. Jh.
7 Berliner Weißbierstube
8 Berliner Fayencen,
Porzellan, Silber,
Potsdamer und
Zechliner Gläser,
u. a. Kunstgewerbe
d. 18. Jh.s
9 Gemälde und Möbel
d. 18. Jh.s
10 Judaica

OBERGESCHOSS
11 Berliner
Eisenkunstguß
im 19. Jh.
12 Berliner Porzellan
d. 19. Jh.s
13 Berliner Silber
d. 19. Jh.s
14 Textilkunst
d. 18. u. 19. Jh.s,
Posamen-
tierwerkstatt Wagner
15 Berliner Porträtgalerie
19. Jh.
16a Nationalsozialismus,
Zweiter Weltkrieg,
Nachkriegszeit bis zur
Gegenwart
16b Berlin 1806 – 1815
17 Berliner Stadtbilder,
politische und
wirtschaftliche
Entwicklung
1815 – 1871
18 Berliner Wohnkultur
19 von 1800 – 1918
21 Politische Geschichte
1871 – 1914,
kleinbürgerliche
Wohnküche

22a Akademische Malerei
1871 – 1914
22b Malerei der Secession
u. Expressionisten
23 Weimarer Republik

DACHGESCHOSS
(oben nicht dargestellt)
Berliner Mode
vom 18. Jh. bis
zur Gegenwart,
Spielzeug u.
Puppenhäuser,
Intarsien-Werkstatt,
Dauerausstellung „Firma
Gustav Meyer"
Kaiserpanorama
(Stereofotografie)

TREPPENHAUS
C Berlin und Umgebung
1790 – 1850 (1. Podest)
Genremalerei (2. Podest)
Porzellane mit
Ansichten Berlins
um 1830 (3. Podest)
Wechselausstellung für
Grafik (4. Podest)

Bezirk Tempelhof

Flughafen
Tempelhof

Südlich an Kreuzberg schließt sich der Bezirk Tempelhof an. Das weite
Tempelhofer Feld war seit dem 18. Jh. Paradeplatz der Berliner Garnison
und 1923–1974 als Flugfeld Tempelhof der Zentralflughafen von Berlin; bis
1990 wurde er von der US-amerikanischen Schutzmacht genutzt.

Luftbrücken-
denkmal

Vor dem großen Flughafengebäude das 1951 von Prof. Ludwig errichtete
Luftbrückendenkmal ('Hungerkralle'), das in seinem dreiteiligen Bogen die
'Luftbrücke' der westlichen Alliierten zur Versorgung der Stadt während
der sowjetischen Blockade (28.6.1948–11.5.1949; 'Rosinenbomber') ver-
sinnbildlicht.
Ein Pendant des Denkmals befindet sich beim Frankfurter Rhein-Main-
Flughafen nahe der Autobahn.

Hasenheide

Nördlich vom Flughafen Tempelhof erstreckt sich der Volkspark Hasenheide mit Naturtheater und dem Trümmerberg 'Rixdorfer Höhe'.

Bezirke Schöneberg und Steglitz

Südöstlich von Charlottenburg liegen die Stadtteile Schöneberg und Steg- | Schloßstraße
litz mit belebten Geschäftsstraßen wie der Schloßstraße. Das Schöne- | Schöneberger
berger Rathaus am J.-F.-Kennedy-Platz diente als Amtssitz des Regieren- | Rathaus
den Bürgermeisters; im Turm seit 1950 die von den USA gestiftete Frei-
heitsglocke.

In Steglitz zwei neue markante Bauwerke: der Steglitzer Turm (nördl. | Steglitzer Kreisel
Schloßstraße; Restaur.) und der umstrittene Steglitzer Kreisel (südl.
Schloßstraße).

Unweit südwestlich vom Steglitzer Kreisel der 42 ha große Botanische | *Botanischer
Garten (Victoria-Regia-Haus, Tropenhäuser, Flora-Gebirgsbogen) mit dem | Garten
Botanischen Museum.

Östlich von Steglitzer Kreisel und Stadtautobahn erhebt sich der 'Insula- | Sternwarte
ner' genannte Schutt- und Trümmerberg, der seit 1963 die Wilhelm-Foer-
ster-Sternwarte (mit Planetarium) trägt.

Bezirk Zehlendorf
**Museen in Dahlem

Zum Bezirk Zehlendorf gehört der Stadtteil Dahlem mit Auditorium Maxi- | Geschoß-
mum der Freien Universität Berlin, Instituten der Max-Planck-Gesellschaft | grundrisse
und den Museen in Dahlem: Gemäldegalerie (weltberühmte Meisterwerke, | s. S. 192
u. a. 26 Gemälde Rembrandts), Skulpturenabteilung, Kupferstichkabinett,
Museum für Völkerkunde, Museum für Indische Kunst und Museum für
Ostasiatische Kunst.

Bootshafen am Wannsee

Zehlendorf,
Museen
in Dahlem
(Fortsetzung)
Geschoß-
grundrisse

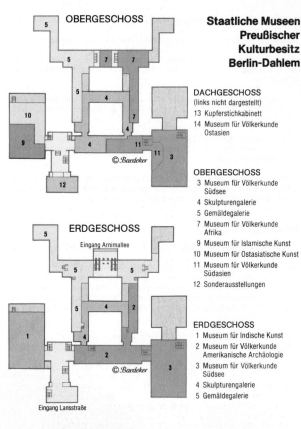

Staatliche Museen
Preußischer
Kulturbesitz
Berlin-Dahlem

OBERGESCHOSS

DACHGESCHOSS
(links nicht dargestellt)
13 Kupferstichkabinett
14 Museum für Völkerkunde
Ostasien

OBERGESCHOSS
3 Museum für Völkerkunde
Südsee
4 Skulpturengalerie
5 Gemäldegalerie
7 Museum für Völkerkunde
Afrika
9 Museum für Islamische Kunst
10 Museum für Ostasiatische Kunst
11 Museum für Völkerkunde
Südasien
12 Sonderausstellungen

ERDGESCHOSS
Eingang Arnimallee

ERDGESCHOSS
1 Museum für Indische Kunst
2 Museum für Völkerkunde
Amerikanische Archäologie
3 Museum für Völkerkunde
Südsee
4 Skulpturengalerie
5 Gemäldegalerie

Eingang Lansstraße

UNTERGESCHOSS

UNTERGESCHOSS
A Vortragsraum
B Junior-Museum
C Cafeteria
D Blinden-Museum

© Baedeker

*Wannsee

Abbildung
s. S. 191

Der Stadtteil Zehlendorf zieht sich mit hübschen Landhaussiedlungen am
Schlachtensee und Nikolassee entlang zur Havel, die hier als große Aus-
buchtung den Wannsee bildet, das beliebte Wassersportparadies der
Berliner.

*Pfaueninsel

Einer der reizvollsten Punkte des Berliner Havelgebietes ist die 1500 m
lange Pfaueninsel mit einem 1794 im Stil einer Ruine erbauten Schloß und
schönem englischem Park.
Die ursprünglich verwilderte Inselvegetation wurde von Peter Joseph
Lenné in die Parkanlage integriert (noch immer seltene Gewächse).

Östlich vom Wannsee und dem Autobahnknoten 'Zehlendorfer Kleeblatt' liegt das Museumsdorf Düppel, die Rekonstruktion einer mittelalterlichen Siedlung.

Grunewald

Weite grüne Lunge Westberlins ist der 3149 ha große Grunewald mit Grunewaldsee, Krummer Lanke, Schlachtensee, Hundekehlensee und Teufelssee; hier entstand nach dem Zweiten Weltkrieg aus Trümmerschutt der 115 m hohe Teufelsberg, die höchste Erhebung im Westen Berlins.
Das Jagdschloß Grunewald, 1542 als Renaissancebau errichtet, erhielt seine heutige Gestalt im 18. Jh. (Jagdmuseum, Gemäldesammlung).

Bezirk Tegel

Nördlichster der Havelseen ist der 408 ha große Tegeler See. Das klassizistische Schloß Tegel schuf 1821–1823 Schinkel für Wilhelm von Humboldt durch Umbau eines ehem. Jagdschlosses (Erinnerungen an den Gelehrten und Staatsmann; im Park das Humboldtsche Familiengrab). Das Anwesen ist nicht zugänglich.

Der Flughafen Tegel mit sechseckigem Flugsteigring löste 1976 den alten Zentralflughafen Tempelhof (s. S. 190) als Zivilflughafen ab.

Bezirk Mitte

**Unter den Linden

Die etwa 1400 m lange und 60 m breite berühmte Straße Unter den Linden verbindet den Pariser Platz mit dem ehem. Lustgarten (Marx-Engels-Platz).

Direkt östlich am Tiergarten (s. S. 186) befindet sich jenseits der einstigen Grenze zwischen West- und Ost-Berlin der Pariser Platz. Hier steht das Brandenburger Tor, das Wahrzeichen der Stadt und das neue Symbol des geeinten Deutschland. Es wurde 1788–1791 von C.G. Langhans nach Motiven der Propyläen in Athen errichtet, die seitlichen Säulenhallen 1868 von J.H. Strack angebaut. Das Tor wird bekrönt von einer 6 m hohen Quadriga der Siegesgöttin Viktoria (Original 1793 nach einem Modell von Schadow in Kupfer getrieben). Nach der Niederlage Preußens gegen Frankreich war sie 1806 auf Befehl Napoleons nach Paris transportiert worden, kehrte nach den Befreiungskriegen nach Berlin zurück und wurde unter dem Jubel der Bevölkerung wieder an ihren Platz verbracht. Nach Beseitigung der im Zweiten Weltkrieg entstandenen Schäden am Brandenburger Tor wurde 1958 die neu getriebene Quadriga aufgestellt (ein Pferdekopf des Originals im Märkischen Museum; S. 209).

Südlich vom Brandenburger Tor, entlang der Wilhelmstraße (heute Otto-Grotewohl-Straße) und ihrer Seitenstraßen, erstreckt sich das einstige Regierungsviertel aus Berlins Zeit als Reichshauptstadt (1871–1945). Von der einstigen Bebauung, die ursprünglich im 18. Jh. und der Gründerzeit entstand und während des Dritten Reichs bombastisch erweitert wurde, ist bis auf den mächtigen Baukörper des ehemaligen Reichsluftfahrtministeriums nichts mehr erhalten (vgl. S. 189).

An der nordwärts abzweigenden Schadowstraße befindet sich das 1805 erbaute Wohnhaus des klassizistischen Bildhauers J.G. Schadow (1764 bis 1850). Die Fassade (1851; H. Schievelbein) ist mit plastischem Schmuck verziert.

Brandenburger Tor am 10. November 1989

Komische Oper

Weiter östlich, Ecke Friedrichstraße und Behrenstraße, steht die Komische Oper, seit 1947 Wirkungsstätte von Walter Felsenstein (1901–1975).

Lindencorso
Altes Palais

Am 'Lindencorso' (Büro- und Gastronomiegebäude; 1965) vorbei erreicht man das Alte Palais (1834–1836; C.F. Langhans) und das einstige Gouverneurshaus (1721; G.C. Unger) an der Stelle des zerstörten ehem. Niederländischen Palais.

Kommode

Benachbart ist die gleichfalls von Unger erbaute Alte Bibliothek ('Kommode', 1774–1788; nach Zerstörung im Zweiten Weltkrieg wiederaufgebaut),

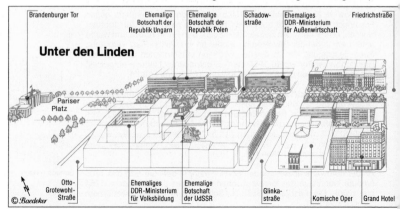

Reiterdenkmal Friedrichs des Großen   *Standbild des Freiherrn vom und zum Stein*

eine Kopie des Entwurfes von J. B. Fischer von Erlach für den Michaeler-trakt der Wiener Hofburg.

Kommode
(Fortsetzung)

An der Ecke Charlottenstraße steht die Deutsche Staatsbibliothek (1903 bis 1914; E. v. Ihne) mit repräsentativem Eingangshof. Die bedeutende wissenschaftliche Bibliothek verfügt über rund 5,5 Mio. Bücher, Hand-schriften, Partituren, Stiche und Karten.

Deutsche
Staatsbibliothek

Auf der Mittelpromenade, am Ende der Baumbepflanzung, erhebt sich das Reiterdenkmal Friedrichs II. von Chr. D. Rauch (1851). Das 13,50 m hohe

*Reiterdenkmal
Friedrichs II.

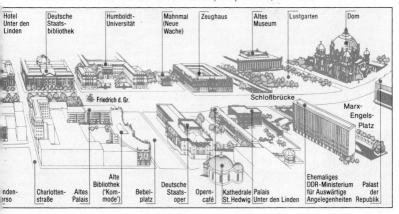

195

Standbild, das lange Zeit im Park von Sanssouci stand, wurde 1980 wieder an seinen angestammten Platz verbracht. Es zeigt den König im Krönungsmantel mit Dreispitz, Krückstock und in Stulpenstiefeln, auf seinem Lieblingspferd "Condé" reitend. Auf vier Tafeln am unteren Sockel sind Namen berühmter Zeitgenossen aufgeführt, im mittleren Teil Feldherren in Lebensgröße dargestellt. Den oberen Teil schmücken Reliefs mit Szenen aus dem Leben Friedrichs.

Unter den Linden, Reiterdenkmal Friedrichs II. (Fortsetzung)

Das Gebäude der Humboldt-Universität wurde 1748–1753 von J. Boumann d. Ä. als Palais für Prinz Heinrich, den Bruder Friedrichs II., errichtet. Auf die Initiative Wilhelm von Humboldts (1767–1835) wurde es 1809 als Hochschule eingerichtet; erster Rektor war J. G. Fichte. Zu den Gelehrten der Universität zählten G. W. F. Hegel, F. D. Schleiermacher, die Gebrüder Grimm, H. Helmholtz, M. Planck, A. Einstein, C. F. v. Graefe, R. Virchow, R. Koch und F. Sauerbruch. Seit 1946 trägt die Alma Mater den Namen 'Humboldt-Universität'.

Humboldt-Universität

Die Neue Wache (1816–1818; K. F. Schinkel) wurde nach dem Muster eines römischen Kastells gestaltet; das Giebelrelief (1842) stammt von A. Kiß. Seit 1960 ist das Gebäude Mahnmal für die Opfer des Faschismus und Militarismus.
Hinter der Neuen Wache steht das 1825–1827 errichtete Gebäude der 1791 von C. F. Fasch gegründeten und noch bestehenden Sing-Akademie zu Berlin, jetzt vom Maxim-Gorki-Theater genutzt.

*Neue Wache

Die Deutsche Staatsoper, gegenüber der 'Kommode', wurde als erster Bau des 'Forum Fridericianum' 1741–1743 durch G. W. von Knobelsdorff errichtet und nach dem Brand von 1843 durch K. F. Langhans in veränderter Form erneuert; das Giebelrelief (1844) schuf E. Rietschel. 1945 war das Opernhaus vollständig zerstört, jedoch bereits 1955 wiedereröffnet und 1986 umfassend restauriert. Der Fußboden des Apollosaales ist mit Marmorintarsien ausgeschmückt.

*Deutsche Staatsoper

Südlich der Oper steht die St.-Hedwigs-Kathedrale (1747–1773; nach J. L. Legeay von J. G. Büring und J. Boumann), ein nach Zerstörung im Zweiten Weltkrieg wiedererrichteter Zentralbau nach dem Muster des römischen Pantheon. Ihren Namen erhielt die Kirche nach der hl. Hedwig (1174 bis 1243), der Schutzpatronin Schlesiens. Als im Siebenjährigen Krieg Schlesien erobert wurde, gelangten zum ersten Mal größere Gebiete mit katholischer Bevölkerung an Preußen.

*St.-Hedwigs-Kathedrale

Im ehemaligen Prinzessinnenpalais (1733–1737; F.W. Dietrichs) befindet sich heute das Operncafé. In der davorliegenden Grünanlage stehen vier Denkmäler (1822–1826 und 1853–1855; C. D. Rauch und Schüler) mit überlebensgroßen Statuen der bedeutenden preußischen Generale der Befreiungskriege: Scharnhorst, Blücher, Yorck und Gneisenau.

Prinzessinnenpalais

Das Palais Unter den Linden (1732; P. Gerlach) ist ein als Kronprinzenpalais errichteter Barockbau, der 1968/1969 wiederaufgebaut und erweitert wurde. Vor dem Palais steht das Denkmal des preußischen Reformers Freiherr vom und zum Stein (1875; H. Schievelbein). An der Rückfront des Palais die einstige Schinkel-Klause (1969–1972) mit eingebautem Portal der von Schinkel errichteten Bauakademie.

Palais Unter den Linden

Das älteste Bauwerk Unter den Linden ist das Zeughaus (1695–1706; J.A. Nering, A. Schlüter, J. de Bodt), einer der schönsten deutschen Barockbauten. Hier wird derzeit das Deutsche Historische Museum eingerichtet. Im Innenhof an den Fenstersimsen Schlüters berühmte "Köpfe sterbender Krieger". Vor dem Gebäude die allegorischen Gestalten der Pyrotechnik, Arithmetik, Geometrie und Mechanik.

*Zeughaus

◀ *Panorama mit Nikolaikirche, Marienkirche, Rotem Rathaus und Fernsehturm*

Schloßbrücke

Beim Zeughaus führt die alte Schloßbrücke (Marx-Engels-Brücke) über einen Arm der Spree zum ehem. Lustgarten (Marx-Engels-Platz) und Marx-Engels-Forum (s. S. 208). Auf ihren Strebepfeilern stehen die acht Skulpturengruppen aus weißem Marmor, die 1845–1857 nach Entwürfen Schinkels geschaffen wurden.

Friedrichstraße und Umgebung

Die rund 3,5 km lange Friedrichstraße, einst eine der belebtesten Straßen Berlins, verläuft rechtwinklig zur Straße Unter den Linden. Sie verbindet das Oranienburger Tor im Norden mit dem Straßenknotenpunkt am Halleschen Tor im Süden. Von 1961 bis 1990 wurde sie an der Zimmerstraße von der Berliner Mauer durchtrennt, an der sich hier der legendäre Ausländerübergang 'Checkpoint Charlie' befand.

Die nachstehend genannten Sehenswürdigkeiten befinden sich im und nahe dem nördlich der Prachtstraße Unter den Linden verlaufenden Abschnitt der Friedrichstraße.

Metropol-Theater

In dem ehemaligen Admiralspalast (1910, H. Schweitzer und A. Diepenbrock) hat seit 1955 das Metropol-Theater sein Domizil, ebenso das Kabarett "Die Distel".

Theater am Schiffbauerdamm

Am Bertolt-Brecht-Platz befindet sich das bekannte 'Theater am Schiffbauerdamm' (1891/1892, H. Seeling), seit dem Jahre 1954 Sitz des 'Berliner Ensembles' ('BE'), Wirkungsstätte von Bertolt Brecht und Helene Weigel.

Friedrichstadtpalast

Jenseits der Weidendammer Brücke (1895/1896; schönes schmiedeeisernes Geländer), die über die Spree führt, steht rechts das Gebäude des neuen Friedrichstadtpalastes (1984 eröffnet), eines Varieté- und Revuetheaters von internationalem Rang mit allen Raffinessen moderner Bühnentechnik; davor ein Denkmal für die Unterhaltungskünstlerin Claire Waldoff (1884–1957).

*Dorotheenstädtischer Friedhof

An der Chausseestraße (im Anschluß an die Friedrichstraße) erstreckt sich der Dorotheenstädtische Friedhof (seit 1762) mit den Grabstätten berühmter Persönlichkeiten, darunter J.G. Fichte, G.W.F. Hegel, C.W. Hufeland, C.D. Rauch, G. Schadow, K.F. Schinkel, A. Stüler, H. Mann, A. Zweig, J. Heartfield, H. Eisler, B. Brecht und H. Weigel, J.R. Becher, A. Seghers.

Französischer Friedhof

Daneben liegt der Französische Friedhof mit Grabstätten u.a. des Kupferstechers Daniel Chodowiecki und des Schauspielers Ludwig Devrient.

Brecht-Haus

Im Brecht-Haus an der Chausseestraße (Nr. 125), der letzten Wohnstätte Bertolt Brechts und Helene Weigels, befindet sich seit 1978 das Bertolt-Brecht-Zentrum mit den Archiven Bertolt Brechts und Helene Weigels, den original gestalteten Wohn- und Arbeitsräumen der Künstler, Räumen für Vorträge, Lesungen und andere Veranstaltungen, einer Buchhandlung und dem 'Brecht-Keller' (Gaststätte).

*Museum für Naturkunde

An der Invalidenstraße (Nr. 34) besitzt das Museum für Naturkunde (seit 1810), das zugleich Forschungs- und Bildungsstätte ist, Sammlungen zur Erd- und Lebensgeschichte, eine sehenswerte Mineraliensammlung sowie eine Sammlung von Riesensaurierskeletten.

Potsdamer Platz und Leipziger Straße

Der Potsdamer Platz, 1741 von Friedrich Wilhelm I. angelegt, war vor dem Zweiten Weltkrieg der verkehrsreichste Platz Europas und das verkehrstechnische Bindeglied zwischen dem Osten und dem Westen der Stadt. Mit dem Bau der 'Berliner Mauer' wurde er zum Niemandsland zwischen

Schloßbrücke

Revuetheater Friedrichstadtpalast

Stadion der Weltjugend

Lehrter Stadtbahnhof

Museum für Naturkunde

Invalidenstraße

Schlegel- str.

Tieckstraße

Novalisstr.

Brosigstraße

Gartenstraße

Zille-Park

Stadtbad Mitte

Straße

Linien-

Brecht-Haus

F. d. Dorotheen-städt. + Französ. Gemeinde

Wilhelm-

Pieck-

straße

Große Hamburger Straße

Gipsstraße

Platz vor dem Neuen Tor

Hannoversche Straße

Linien-

straße

Augustraße

Augustraße

Sophienstraße

Charité

Hermann-

Akademie der Künste

Oranienburger

Neue Synagoge (im Wiederaufbau)

Krausnickstr.

Sophien-kirche

MITTE

Friedrichstraße

Johannisstr.

Bhf. Oranienburger Straße

Straße

Bhf. Marx-Engels-Platz

Deutsches Theater

Kammer-spiele

Schumannstr.

Albrechtstr.

Friedrichstadt-palast

Ziegel-

straße

Monbijou-park

Bode-museum

Reinhardt-

Marienstraße

Berliner Ensemble

Am Kupfergraben

MUSEUMS-INSEL

Nationalgalerie

Pergamon-museum

Burgstr.

Straße

Schiffbauerdamm

Metropol-Theater

Distel

Geschw.-Scholl-Straße

Naues Museum (Teilruine)

Bodestr.

Palasthot

Reichstagsufer

Bhf. Friedrichstraße

Georgen-

Internationales Handelszentrum

Spree

Zetkin-

Str.

Maxim-Gorki-Theater

Universitätsstr.

Humboldt-Universität

Altes Museum

Marx-

Dom

Karl-

Reichs-tagsge-bäude

Clara-

Otto-

Robert-Koch-Museum

Bhf. Unter den Linden

Hotel Metropol

Deutsche Staats-bibliothek

Mahn-mal

Schloß-brücke

Zeughaus

Marx-

Palast der Republik

Engels-

Siegessäule

Brandenburger Tor

Akademie d. Päd. Wiss.

Ehem. Sowjet. Botschaft

Grand Hotel

Behren-

Unter

Universitäts-bibliothek

den

Gr.

Ehem. DDR-Deutsche Außenmin.

Linden

Fr.d.

Deutsche Staatsoper

Oberwallstr.

Schinkel-museum

Werderstr.

Platz

Marsta-Ribbe-hau

Ehem. Staatsratsgebäu

Tiergarten

Ebertstraße

Grotewohl-

Komische Oper

Glinka-

Mauerstraße

Französische

Otto-

Nuschke-

Franz. St. Dom

Kathedrale St. Hedwig

W.-

Pl. d. Aka-demie

Straße

Akademie der Wissenschaften

Charlottenstr.

Ehem. ZK-Gebäude

Jungfern-brücke

Kurstraße

Spindler-brunnen

Spree

Hochschule für Musik

Schau-spielhaus

Haus d. sowjet. Wiss. u. Kultur

Mohren-

Friedrich-

Mauer-

Dt. Dom

Domhotel

Kronenstr.

straße

Spittel-kolonnade

Sprite-mark

Voßstraße

Leipziger

Straße

Internationale Musikbibliothek

Leipziger Straße

straße

Lindenstraße

Komman-dantenstr.

Bhf. Potsdamer Platz

Leipziger

Platz

Leipziger

Dresemanstr.

Postmuseum

Krausen-

straße

Reinhold-

Huhn-

Straße

Oranienstraße

Pots-damer Platz

Treuhand-Verwaltung (ehem. Haus der Ministerien)

Zimmerstraße

Bundes-druckere

Niederkirchnerstraße

Kochstraße

KREUZBERG

Martin-Gropius-Bau

•••••• ehem. Verlauf der 'Berliner Mauer'

Achtung! Im Zuge der politischen Neuorientierun

Friedrich-Ludwig-Jahn-Sportpark Zeiss-Großplanetarium Ernst-Thälmann-Park

PRENZLAUER

BERG

Herz-Jesu-Kirche

St.-Katharinen-Stift

Wilhelm-straße

Pieck-straße

Strausberger Str.

Prenzlauer Str.

Greifswalder Str.

Bötzow-Str.

Prenzlauer Berg

Am Friedenshain

Märchen-brunnen

Volks-park

Linienstraße

Weydingerstr.

Volksbühne

Straße

Mollstraße

Keibelstraße

Beimler-straße

Antikriegs-museum

Höchste Str.

Barnim-straße

Wein-

Hallenbad

Friedrichstraße

Friedrichs-hain

Dkm. f. d. Spanien-kämpfer

Alte Schönhauser Str.

Max-Beer-Straße

Almstadtstraße

Münzstraße

Straße

Mollstraße

Hochstraße

Liebknecht-

Haus des Reisens

Hans-

Beroliastraße

Lenin-platz

Leninallee

Lenindenkmal

Warenhaus Zentrum

Alexanderplatz

Haus der Gesundheit

Karl-

Palisadenstr.

Bhf. Alexanderplatz

Fernsehturm

Haus des Lehrers

Marx-

Weydemeyerstr.

Straße

Marienkirche

Kongreßhalle

Jacoby-

Allee

Straße

Neptun-brunnen

Rathausstraße

Rathauspassage

Alexander-

Magiststr.

Straße

Blumenstraße

Strausberger Platz

Blumenstr.

Marx-Engels-Forum

Gericht

Grunerstraße

Klosterkirche (Ruine)

Rotes Rathaus

Haus der Jungen Talente

Voltairestr.

Magazinstr.

Schillingstraße

Neue

FRIEDRICHS-HAIN

Lichtenberger

Singerstraße

Singerstraße

Nikolaikirche

NIKOLAI-VIERTEL

Molken-markt

Ephraim-Palais

Stadtbibliothek

Hand-werks-museum

Stralauer

Ehem. Ministerrat

Parochialkirche

Straße

Mühlen-

damm

Fischer-insel

Insel-brücke

Zilledenkmal

Fischerinsel

Otto-Nagel-Haus

Wallstraße

Neue Roß-Str.

Wallstraße

Märkisches Ufer

Bhf. Jannowitz-brücke

Märkisches Museum

Bärenzwinger

Brückenstraße

Ohmstr.

Holzmarktstraße

Schwimmbad

Lange-str.

Andreas-str.

Köpenicker

Straße

Köpenicker

Michaelkirchstraße

Bau-ausstellung

Neue Jakobstraße

Alte Jakobstraße

Neue Grün-str.

Sebastianstraße

Annenstraße

Heinrich-Heine-Straße

S-Schmidtstraße

Spree

Hauptbahnhof (Ostbahnhof)

Straße

St.-Michael-Kirche

Annenkirche

Melchiorstraße

Brommentdamm

250 m

© Baedeker

ind weitere Namensänderungen zu erwarten.

U-Bahn
S-Bahn

Volkspark Prenzlauer Berg, Sportforum Berlin
Sport- und Erholungszentrum

Tierpark

Flughafen Schönefeld
Treptower Park

Ehemaliges Schauspielhaus und Französischer Dom am Gendarmenmarkt

Potsdamer Platz und Leipziger Straße (Fortsetzung)

zwei Mauerlinien, durch welche erreicht werden sollte, daß niemand durch das Labyrinth unterirdischer Gänge, die zu Hitlers 'Führerbunker' gehört hatten, in den Westen gelangen sollte. Zusammen mit dem anschließenden Leipziger Platz soll der Potsdamer Platz künftig wieder zum Mittelpunkt Berlins werden.

Postmuseum

Das Gebäude des zweiten der Berliner Postmuseen (vgl. S. 184), des ehemaligen Postmuseums der DDR, befindet sich an der Kreuzung der Leipziger Straße und der Mauerstraße. Es wurde 1872 als Reichspostministerium gegründet und befindet sich derzeit in umfassender Neugestaltung (nur geringe Teile der Sammlungen zugänglich).

Spindlerbrunnen Spittelkolonnaden

An der Gertraudenbrücke beim östlichen Ende der Leipziger Straße der Spindlerbrunnen (1891) und die Spittelkolonnaden (1979 restauriert).

*Gendarmenmarkt (Platz der Akademie)

Nördlich der Leipziger Straße liegt der zu DDR-Zeiten in 'Platz der Akademie' umbenannte Gendarmenmarkt, einer der schönsten Plätze der Stadt. Er trägt seinen ursprünglichen Namen 'Gendarmenmarkt', weil hier von 1736 bis 1782 ein Regiment der Gendarmen Ställe hatte.
Im Jahre 1988 wurde auf dem Platz das von R. Begas geschaffene Schillerdenkmal (1868 vollendet und 1871 in Anwesenheit Kaiser Wilhelms I. enthüllt) wiederaufgestellt. Die 3 m hohe Statue des Dichters, ein Werk aus Carraramarmor, steht auf einem hohen, aus einer Brunnenschale aufsteigenden Sockel. Die vier Frauengestalten auf der Brunnenschale symbolisieren die Lyrik, die Dramatik, die Geschichte und die Philosophie.

Ehemaliges Schauspielhaus

Den langgestreckten großen Platz beherrscht das ehemalige Schauspielhaus (1818–1821, K. F. Schinkel). Im Herbst 1984 wurde das äußerlich originalgetreu wiederhergestellte Gebäude als Konzerthaus wiedereröffnet. Der klassizistisch ausgeführte Große Saal faßt etwa 1200 Personen; im Kammermusiksaal haben 350 bis 450 Personen Platz.

An der Südwestseite des Platzes erhebt sich der Deutsche Dom, 1701–1708 für die reformierte lutherische Gemeinde errichtet. Die Kuppel (von K. v. Gontard) krönt eine 7 m hohe vergoldete Skulptur. Nach endgültiger Wiederherstellung soll der Dom als Kunstmuseum eingerichtet werden.

Als Gegenstück zum Deutschen Dom wurde auf der Nordseite des Gendarmenmarktes der Französische Dom errichtet, die Kirche der französisch-reformierten Gemeinde. Er besteht aus der Friedrichstadtkirche und dem, wie auch bei dem Deutschen Dom, nachträglich angefügten Kuppelturm (ebenfalls von K. v. Gontard)
Im Hauptgeschoß des Kuppelturmes befindet sich das Hugenotten-Museum mit Ausstellungen zur Geschichte der Hugenotten in Frankreich und in Preußen.

Vom Platz der Akademie (Gendarmenmarkt) gelangt man nordostwärts, der Französischen Straße und der Werderstraße folgend, zur Friedrichwerderschen Kirche. Die zweitürmige Kirche an der Nordwestseite des Werderschen Marktes, im 19. Jh. nach Plänen von Karl Friedrich Schinkel erbaut, wurde im Zweiten Weltkrieg stark beschädigt.
Nach der Wiederherstellung (1987 beendet) dient die Kirche, ein Saalbau mit Sterngewölben, heute als Schinkelmuseum: Leben und Werk des bedeutenden Baumeisters Karl Friedrich Schinkel (1781–1841) werden dort dokumentiert.

Südlich jenseits der Werderstraße ist das Gebäude des einstigen Zentralkomitees der Sozialistischen Einheitspartei Deutschlands (ZK der SED) zu sehen (früher Reichshauptbank; 1934–1938, H. Wolff).

✲✲Museumsinsel

Vom Alten Museum bis zum Zusammenfluß von Spree und Kupfergraben erstreckt sich die weltbekannte Museumsinsel. Im Jahre 1841 durch königliche Order zu einem 'der Kunst und der Altertumswissenschaft geweihten Bezirk' bestimmt, wurde sie ab 1843 ausgebaut. Die Gestaltung der Museumsinsel fand mit dem Bau des Pergamonmuseums von 1909 bis 1930 ihren Abschluß.
Es ist vorgesehen, die Museumsinsel wieder so zu organisieren, wie sie bis zum Zweiten Weltkrieg bestanden hat, wozu der Wiederaufbau des Neuen Museums eine wichtige Voraussetzung schaffen wird.

Neben der Ruine des Neuen Museums erhebt sich das Gebäude der Nationalgalerie mit einer hohen Vortreppe. Es wurde ursprünglich als Festhalle von J. H. Strack (1866–1876, nach Entwürfen von F. A. Stüler) errichtet und diente seit 1876 als Museum zeitgenössischer Kunst. Aus dem reichhaltigen Sammlungsbestand entfernten die Nationalsozialisten rund 300 moderne Werke, die sie als 'entartete Kunst' bezeichneten, und verkauften sie ins Ausland; etwa 900 Bilder wurden im Zweiten Weltkrieg ein Raub der Flammen.
Zu sehen sind heute vorwiegend Gemälde und Plastiken deutscher Meister aus dem 19. Jh. und vom Anfang des 20. Jh.s (vor allem Berliner Künstler) sowie Werke französischer Impressionisten.

Das Pergamonmuseum beherbergt mehrere bedeutende Sammlungen: die Antikensammlung und das Vorderasiatische Museum (Hauptgeschoß), das Islamische Museum und die Ostasiatische Sammlung (Obergeschoß), ferner das Museum für Volkskunde (Sockelgeschoß).
Der Bau eines solchen Museums wurde erforderlich, nachdem mehrere Archäologen, vor allem Schliemann, Dörpfeld und Humann, von umfangreichen Ausgrabungen in Vorderasien und Ägypten so einmalige Schätze nach Deutschland brachten wie das Markttor von Milet (um 165 n. Chr.),

Museumsinsel,
Pergamonmuseum
(Fortsetzung)

den Pergamonaltar (180–160 v. Chr.) oder die babylonische Prozessionsstraße. Im Jahre 1983 wurde eine neue zentrale Eingangshalle geschaffen.
Die Skulpturensammlung besitzt wertvolle Stücke der Antike, griechische
und römische Plastiken. Beachtung verdient vor allem der rekonstruierte
Altar von Pergamon, eines der sieben Weltwunder der Antike. Er wurde um
180 bis 160 v. Chr. als Weihegeschenk an Zeus und Athene (sie war die
Schutzgöttin der Stadt Pergamon in Kleinasien) geschaffen und im Jahre
1902 nach Berlin gebracht (Rückführung von türkischer Seite gefordert).
Zu erwähnen sind auch wertvolle Stücke hellenistischer Baukunst aus
Priene, Magnesia und Milet (römisches Markttor, 165 v. Chr.) sowie aus
frühgriechischer Zeti die Skulpturen aus Milet, Samos, Naxos und Attika.
Das Vorderasiatische Museum verfügt über bedeutende Denkmäler der

Geschoß-
grundrisse

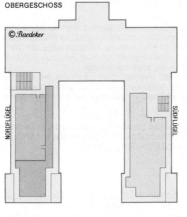

OBERGESCHOSS

Islamisches Museum
Prunkfassade des Wüstenschlosses
Mschatta (Jordanien; 8. Jh.)
Funde aus Ktesiphon und Samarra
Gebetsnische aus der Maidan-
Moschee in Kaschan (1226)
Aleppo-Zimmer
Teppiche, Miniaturen,
Schnitzereien

Ostasiatische Sammlung
Chinesische Sammlung: Keramik,
Bronzen, Email-, Jade- und Lack-
arbeiten, Seidenwebereien, Stickereien,
Tuschmalereien
Japanische Sammlung: Keramik,
Porzellan, Lackarbeiten, Farbholz-
schnitte, Schwertstichblätter,
Kultfiguren

Antikensammlung　　　　Islamisches Museum

Vorderasiatisches Museum　　Ostasiatische Sammlung

Pergamonmuseum

HAUPTGESCHOSS

Antikensammlung
Skulpturen: Griechische Plastik des
6.-4. Jh.s v. Chr.: hellenistische und
römische Kopien griechischer Werke des
5.-4. Jh.s v. Chr.; griechische Plastik
der hellenistischen Zeit und römische
Kopien griechischer Originale; römische
Kunst

M　Münzausstellung
V　Treppe ins Sockelgeschoß:
　　Museum für Volkskunde
　　Sonderausstellung 'Großstadt-
　　proletariat'

Vorderasiatisches Museum
Abgüsse hethitischer Reliefs
Altertümer der Hethiter, Churriter
und Aramäer
Funde aus Sumer, Akkad, Uruk, Babylon,
Persien (Susa, Persepolis)
Ischtartor und Prozessionsstraße
aus Babylon (erbaut unter Nebukad-
nezar II., 604 - 562 v. Chr.)
Funde aus Assur (Wandreliefs aus dem
Palast Assurnasipals II., 9. Jh. v. Chr.;
Wasserbecken)
Keilschrifturkunden; Urartäische Funde;
Stelensammlung

Pergamonaltar

neubabylonischen Baukunst. Gezeigt werden u. a. eindrucksvolle Objekte aus der Zeit Nebukadnezars II. (603–562 v. Chr.), so das Ischtar-Tor, die Prozessionsstraße und Teile der Kronsaalfassade aus Babylon. Altvorderasiatische Monumentalarchitekturen sind auch die Stiftmosaikwand (um 3000 v. Chr.) und die Backsteinfassade (etwa 1415 v. Chr.) aus dem Eanna-Heiligtum in Uruk; eindrucksvoll das Riesenvogelstandbild vom Tel Halaf (um 900 v. Chr.), ferner die Siegesstele des Asarhaddon von Assyrien (680–669 v. Chr.) und das große Löwentor der Burg von Sendschirli.

Das wertvollste Stück des Islamischen Museums ist die Fassade des Wüstenschlosses Mschatta in Jordanien (8. Jh.), ein Geschenk des türkischen Sultans Abdul Hamid an Kaiser Wilhelm II. Außerdem werden in dem Museum das Aleppo-Zimmer vom Beginn des 17. Jh.s, eine Gebetsnische aus der Maidan-Moschee in Kaschan, persische und indische Miniaturen sowie Teppiche und Schnitzereien gezeigt.

Das Bodemuseum (1897–1904, Ernst von Ihne), ein neubarocker Bau, liegt im Norden der Museumsinsel. Es ist aus dem 1904 eröffneten ehemaligen Kaiser-Friedrich-Museum hervorgegangen. 1956 wurde es zu Ehren seines Begründers Wilhelm von Bode (1845–1929), der von 1872 bis 1929 Leiter dieser Sammlung war, umbenannt.

Das Bodemuseum beherbergt mehrere Sammlungen: das Ägyptische Museum (Exponate zur ägyptischen Geschichte von der Vorzeit bis zur griechisch-römischen Epoche), die Papyrussammlung (rund 30 000 Papyri), die Frühchristlich-byzantinische Sammlung (Ikonen, koptische Kunst, Grabstelen und Keramik), die Skulpturensammlung, die Gemäldegalerie, das Museum für Ur- und Frühgeschichte und das Münzkabinett.

In dem Raum 'Totenwesen' des Ägyptischen Museums gewinnt man einen Eindruck vom Totenkult der Ägypter (Särge, Sarkophage). Besonderheiten sind die Röntgenbilder von Mumien einer Frau, eines Ibis (hl. Vogel der ägyptischen Göttin Isis), einer Katze sowie eines Schakals, außerdem Mumien und Grabbeigaben. Die aus diesem Haus im Zweiten Weltkrieg

Museumsinsel, Pergamonmuseum (Fortsetzung)

*Bodemuseum

205

Museumsinsel,
Bodemuseum
(Fortsetzung)
Geschoß-
grundrisse

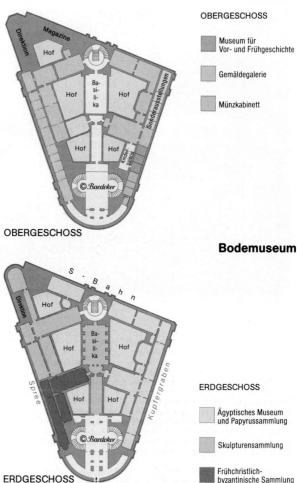

OBERGESCHOSS

Museum für
Vor- und Frühgeschichte

Gemäldegalerie

Münzkabinett

OBERGESCHOSS

Bodemuseum

ERDGESCHOSS

Ägyptisches Museum
und Papyrussammlung

Skulpturensammlung

Frühchristlich-
byzantinische Sammlung

ERDGESCHOSS   Eingang
Monbijoubrücke

Sammlungen
(Fortsetzung)

ausgelagerte Kalksteinbüste der Königin Nofretete befindet sich im Ägyptischen Museum von Charlottenburg (s. S. 185), soll aber nach Umgestaltung des Bodemuseums wieder hierher zurückkehren.

Die Papyrussammlung besitzt neben ägyptischen und griechischen Schriftdokumenten auch lateinische, hebräische, aramäische, persische, syrische, nubische und äthiopische Texte.

Die Skulpturensammlung zeigt schwerpunktmäßig Architekturplastik deutscher Länder, der Niederlande, aus Venedig und Florenz (von der Romanik bis zum Frühklassizismus). Weitere Sammlungsgebiete sind deutsche und niederländische Plastiken. Zu den zahlreichen Werken der Spätgotik zählen der Kanzelträger von Anton Pilgram aus der Stiftskirche zu Öhringen (15. Jh.) und ein Antwerpener Schnitzaltar (16. Jh.).

Berliner Dom, Schloßbrücke, Fernsehturm und Palast der Republik

Die Gemäldegalerie im Obergeschoß gibt einen Überblick über die kunst-historische Entwicklung vom 15. bis zum 18. Jh. in Deutschland, in Italien und in den Niederlanden. Sie umfaßt auch Beispiele der englischen und französischen Malerei des 17. und 18. Jahrhunderts.

Museumsinsel, Bodemuseum (Fortsetzung)

Altes Museum und Berliner Dom

Am Lustgarten steht das Alte Museum, Schinkels bedeutendste städte-bauliche Leistung (1824–1830), ein klassizistisches Gebäude mit Vorhalle. Eine große Freitreppe mit Bronzeskulpturen führt zu der Vorhalle hinauf, die von 18 ionischen Säulen getragen wird. Im Alten Museum sind ver-schiedene Sammlungen der Staatlichen Museen zu Berlin untergebracht, u.a. das Kupferstichkabinett und die Sammlung der Zeichnungen. Vor dem Museum steht eine monumentale Granitschale (Durchmesser 6,90 m, Gewicht 76 t), geschliffen aus einem Teil des berühmten Markgrafensteins, eines gewaltigen Findlings aus den Rauenschen Bergen bei Bad Saarow-Pieskow.

*Altes Museum

Granitschale

Der Berliner Dom steht südöstlich vom Alten Museum an der Spree. Er wurde 1894–1905 nach Plänen von J. Raschdorff an Stelle einer früheren Domkirche (1750; 1817–1822 von K. F. Schinkel vollständig umgebaut) im Stil des Neubarock neu errichtet. Das Bauwerk von 114 m Höhe erlitt im Zweiten Weltkrieg schwere Schäden. Das Äußere wurde wiederherge-stellt, die Innenrenovierung steht vor dem Abschluß.

*Dom

Marx-Engels-Platz und Marx-Engels-Forum

Auf dem Areal des heutigen Marx-Engels-Platzes stand früher das große Berliner Stadtschloß (1707–1713, E. v. Göthe), das im Zweiten Weltkrieg

Marx-Engels-Platz
(Fortsetzung)

ausgebrannt war und dessen Ruine man 1950 sprengte und abtrug, um unter Einbeziehung des Lustgartens einen weiten, leeren Platz für Demonstrationen und Aufmärsche zu schaffen. Vom Schloß ist nur noch das Portal IV erhalten, das heute in das ehem. Staatsratsgebäude (s. unten) an der Südseite des Platzes eingefügt ist.

Palast
der Republik

Den kahlen Marx-Engels-Platz beherrscht der ehem. Palast der Republik (1973–1976, H. Graffunder mit Kollektiv), bis 1990 Sitz der Volkskammer, Versammlungs- und Kulturstätte. Der raumgreifende Baukörper wurde im Sommer 1990 wegen gravierender Baumängel geschlossen. Es wird diskutiert, den Bau abzureißen und eventuell das Stadtschloß wiederaufzubauen.

Marx-Engels-
Forum

Am Marx-Engels-Forum, jenseits des Palastes der Republik, wurde im Jahre 1986 eine Anlage eingeweiht, die aus dem Marx-Engels-Denkmal (L. Engelhardt), zwei Bronzerelieftafeln, acht Edelstahlstelen (mit eingebrannten Fotos aus der Geschichte des Klassenkampfes) und einer fünfteiligen Marmorwand (symbolische Darstellung der Ausbeutung; von W. Stötzer) besteht.

Den Marx-Engels-Platz begrenzt an seiner Südostseite das Gebäude des ehemaligen Staatsrates (1962–1964, R. Korn, H. Bogatzky). In die moderne Fassade wurde das Portal IV des Lustgartenflügels des einstigen Berliner Stadtschlosses eingefügt. Vom Balkon dieses Portales hatte Karl Liebknecht am 9. November 1918 die deutsche sozialistische Republik ausgerufen.

Marstall

Südöstlich vom Marx-Engels-Platz kommt man zum Alten Marstall (1665–1670, M. M. Smids), einem Frühbarockbau, der durch den Neuen Marstall (1896–1902, E. v. Ihne) verdeckt wird. Im Neuen Marstall finden Ausstellungen statt.

*Ribbeckhaus

An den Alten Marstall schließt sich das Ribbeckhaus an (Breite Straße Nr. 35), ein viergiebeliges Gebäude. Es wurde 1624 für die bei Theodor Fontane vorkommende gleichnamige märkische Adelsfamilie erbaut und ist das einzig erhaltene Renaissancehaus Berlins.

Berliner
Stadtbibliothek

Neben dem Ribbeckhaus befindet sich die Berliner Stadtbibliothek (1964 bis 1966, H. Mehlan, E. Kussat, G. Lehrmann). Sie hat einen sehenswerten Portalflügel, der auf 117 Stahlplatten Varianten des Buchstaben A zeigt (1967, F. Kühn).

Nicolaihaus

An der Brüderstraße (Nr. 13), die parallel zur Breiten Straße verläuft, steht das Nicolaihaus (1710), das einstige Wohnhaus des bedeutenden Verlegers, Schriftstellers und Kritikers Christoph Friedrich Nicolai (1733 bis 1811).
Das Haus hat ein reich geschnitztes Treppengeländer; im Innenhof eine umlaufende Galerie.

Sperlingsgasse

Die Sperlingsgasse, die auch in diesem Stadtviertel liegt, ist durch Wilhelm Raabes "Chronik der Sperlingsgasse" (1856) bekannt geworden.

An der Friedrichsgracht und an der Gertraudenbrücke trifft man auf ein Stück restauriertes Alt-Berlin mit 'Alt Cöllner Schankstuben' sowie mit Schmuck- und Kunstgewerbeläden.

Fischerinsel

An dieses altertümliche Viertel schließt nordostwärts die Fischerinsel mit sechs Punkthochhäusern an.

Jungfernbrücke

Von der Fischerinsel führt die Jungfernbrücke (1789), die letzte von einst neun Zugbrücken, südostwärts über den Kupfergraben zum Märkischen Ufer.

Märkisches Ufer

Die Straße 'Märkisches Ufer' verläuft am Südufer der Spree östlich der Fischerinsel.
Dieses Gebiet wurde erst gegen Ende des 17. Jh.s für Wohnzwecke erschlossen.

Spreeufer

Am Märkischen Ufer (Nr. 10–12) steht das Ermeler-Haus, das 1966 von der Breiten Straße hierher versetzt wurde. Das bürgerliche Stadtpalais, das später restauriert und im Rokokostil umgebaut wurde, gehörte von 1824 bis 1918 der Familie des Tabakhändlers Ferdinand Ermeler.

Ermeler-Haus

Märkisches Ufer Nr. 16 und 18 sind zwei Häuser aus dem 18. Jh., die seit dem Jahre 1973 als Erinnerungsstätte an den Maler Otto Nagel (1894 bis 1967) eingerichtet wurden.

Otto-Nagel-Haus

Der Köllnische Park südlich vom Märkischen Ufer ist durch seine historischen Funde, Reliefs und Skulpturen sowie durch das Bronzedenkmal (H. Drake) für den Berliner Milieukünstler Heinrich Zille ein anziehender Erholungsort.
Der Bärenzwinger mit den Wappentieren Berlins lockt ebenfalls die Besucher an.

Köllnischer Park

Das Märkische Museum wurde im Jahre 1874 auf Anregung von R. Virchow und E. Friedel gegründet, das Gebäude in Anlehnung an märkische Backsteinarchitektur (Wittstock, Brandenburg) 1899–1908 von L. Hoffmann errichtet.
Das Museum zeigt Sammlungen zur Geschichte Berlins und des Berliner Raumes, zum Kunstschaffen sowie zur Theater- und Literaturgeschichte. Die Ausstellung mit Automatophonen (mechanischen Musikinstrumenten) ist mit regelmäßigen Vorführungen verbunden.

*Märkisches Museum

Märkisches Museum und Bärenzwinger

*Nikolaiviertel

Alt-Berliner Milieu-Insel

Zwischen dem Roten Rathaus und dem Spreeufer im Süden erstreckt sich das Nikolaiviertel, das in jüngster Zeit entstanden ist. Es handelt sich hierbei um die östliche Hälfte der Doppelstadt Cölln – Berlin an der Stelle der ältesten Siedlungsstätte.

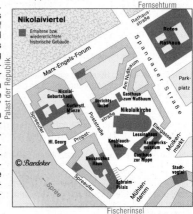

Beim Aufbau dieses Viertels hat man auf Geschlossenheit und Kleinteiligkeit gesetzt. Es wurde jedoch nur wenig alte Bausubstanz wiederhergestellt; vielmehr entstand eine auf dem Reißbrett entworfene 'Alt-Berliner Milieu-Insel' mit etlichen historischen Bauteilen, die sich früher z.T. andernorts befanden. Dazu gehören bekannte historische Gebäude wie das Lessinghaus, die Gerichtslaube des mittelalterlichen Rathauses und die Gaststätte 'Zum Nußbaum'.

Nikolaikirche

Die Nikolaikirche, im Zweiten Weltkrieg stark beschädigt, wurde in den achtziger Jahren wiederaufgebaut. Bei Ausgrabungen an der spätgotischen Kirche (14./15. Jh.) fanden sich Reste einer romanischen Basilika (13. Jh.) als Vorgängerkirche und darunter noch ein guterhaltenes Gräberfeld aus dem 12. Jahrhundert.

Die Kirche war bereits 1817 von F. W. Langerhans im Inneren neu gestaltet worden. Von 1657 bis 1666 wirkte hier Paul Gerhardt, der Dichter evangelischer Kirchenlieder, als Geistlicher. Der spitze Doppelturm der Kirche ist das Wahrzeichen des Nikolaiviertels. Heute bildet die Kirche eine Zweigstelle des Märkischen Museums und dient als Konzert- und Ausstellungsraum (mittelalterliche Handelsstadt; sakrale Plastiken und Kunsthandwerk des Mittelalters).

Knoblauch-Haus

Das sog. Knoblauch-Haus an der Poststraße (Nr. 25), ein Bürgerhaus aus dem 18. Jh., wurde wiederhergestellt. In dem Rokokogebäude, das sich 170 Jahre im Besitz der wohlhabenden Familie Knoblauch befand, wird jetzt eine Ausstellung zur Familiengeschichte gezeigt.

*Ephraim-Palais

Nahe der Mühlendammbrücke wurde das 1935 aus verkehrstechnischen Gründen abgetragene Ephraim-Palais (benannt nach dem ersten Besitzer, Nathan Veitel Heine Ephraim, Münzpächter Friedrichs d. Gr.) unweit von seinem ursprünglichen Standort bis 1987 wiederaufgebaut. Dieses Bürgerpalais in feinem Rokokostil galt einst als 'schönste Ecke Berlins'.

Drachentöter

Auf einem kleinen Platz nahe dem Spreeufer steht der bronzene 'Drachentöter'('St. Georg mit dem Drachen kämpfend'; 1856, A. Kiß), der seit 1865 im Ersten Hof des Stadtschlosses aufgestellt war und nach dem Zweiten Weltkrieg in den Volkspark Friedrichshain gekommen war.

Handwerksmuseum

Am Mühlendamm befindet sich das interessante Handwerksmuseum (ebenfalls eine Zweigstelle des Märkischen Museums; Berliner Handwerk vom 13. bis zum 19. Jh.).

Berliner Münze

Auf der Straßenseite gegenüber dem Handwerksmuseum stehen das ehemalige Palais Schwerin und die Berliner Münze.

Nikolaikirche

Gaststätte 'Zum Nußbaum'

Lessinghaus

Drachentöter

Alexanderplatz und südlich angrenzendes Gebiet

*Alexanderplatz

Der Alexanderplatz (vulgo 'Alex'), 1805 zu Ehren Zar Alexanders I. von Rußland benannt, wurde mehrfach umgestaltet, zuletzt im Jahre 1968. Gemäß der Funktion als Verkehrsknotenpunkt und Einkaufszentrum sind hier viele öffentliche Gebäude zu finden.

Man hat die Straßenführung in der modernen Innenstadt so angelegt, daß wichtige Verbindungsstraßen den Alexanderplatz lediglich berühren; der Fahrzeugverkehr wird durch einen Tunnel geleitet. Die Straßenbahn ist aus dem Platzbereich, der heute Fußgängerzone ist, herausgenommen.

*Fernsehturm

Der weithin sichtbare Fernsehturm, mit 365 m der höchste Deutschlands, steht südwestlich vom Alexanderplatz; zwei Schnellaufzüge fahren zu der Aussichtsplattform (in 207 m Höhe); im Tele-Café stehen Stühle und Tische auf einem Drehring, der sich einmal pro Stunde um seine Achse dreht.

Brunnen der Völkerfreundschaft

In der Mitte des Alexanderplatzes steht der Brunnen der Völkerfreundschaft (1969), geschaffen von W. Womacka, eine spiralenförmige Komposition von 17 wassertragenden Kupferschalen. Der Pflasterbelag des inneren Platzraumes führt diese Spirale bis zum äußeren Bepflanzungsring fort.

Urania-Weltzeituhr

Ein beliebter Treffpunkt am 'Alex' ist die Urania-Weltzeituhr. Sie befindet sich an der Stelle, wo früher das bekannte Denkmal der Berolina von Emil Hundrieser stand.

Bauten am Alexanderplatz

Die ältesten Gebäude am Alexanderplatz sind das Berolinahaus und das Alexanderhaus (1928–1930, P. Behrens). Aus der jüngeren Bauphase stammen u. a. das große Warenhaus 'Zentrum' (1967–1970, nach Entwürfen von J. Kaiser und G. Kuhnert) und das 39stöckige Hotel 'Stadt Berlin' (1967–1970; R. Korn, H. Scharlipp und H.E. Bogatzky).

Weltzeituhr auf dem Alexanderplatz

An der südöstlichen Ecke des Platzes stehen das Haus des Lehrers (1961–1964; H. Henselmann, B. Geyer, J. Streitparth; 125 m langer und 7 m hoher Bildfries) und die Kongreßhalle.

Bauten am Alexanderplatz (Fortsetzung)

Die Rathausstraße wurde zu einem Fußgängerboulevard umgestaltet; man findet dort Passagen und Innenhöfe im Ladenbereich.

Rathausstraße

Das neue Berliner Rathaus (auch Rotes Rathaus wegen seiner roten Backsteine) wurde als dreigeschossige Neurenaissance-Mehrflügelanlage mit 74 m hohem Turm errichtet (1861–1869, H. F. Waesemann). Auf dem umlaufenden Terrakottafries berichtet die 'Steinerne Chronik' aus der Geschichte Berlins (Geyer, Schweinitz und Calandrelli). Vor dem Rathaus stehen die Plastiken "Trümmerfrau" und "Aufbauhelfer" (F. Cremer); sie erinnern an die Enttrümmerungsarbeiten in den Nachkriegsjahren.
Etwas abseits vom Rathaus in der Klosterstraße das barocke Palais Podewils (1701–1704, J. de Bodt).

Rotes Rathaus

In der Nähe vom Palais Podewils verdient die Parochialkirche (1695–1703, J.A. Nering und M. Grünberg) Beachtung.

Parochialkirche

In der Littenstraße befindet sich das Stadtgericht Berlin-Mitte (1896–1905, O. Schmalz und R. Mönnich) mit sehenswertem Jugendstil-Treppenhaus.

Gericht

Die Ruine der Franziskaner-Klosterkirche wird seit 1973 für Ausstellungen genutzt.
Zur Waisenstraße hin findet sich noch ein Stück alter Berliner Stadtmauer mit der Altberliner Gaststätte 'Zur letzten Instanz'.

Klosterkirche (Ruine)

Die Freifläche zwischen dem Fernsehturm, dem Rathaus, der Marienkirche und der Spandauer Straße ist mit der großen Freitreppe am Fernsehturm, den vorgelagerten Terrassen, den Wasserspielen und den parkartigen

Neptunbrunnen

Rotes Rathaus – nun wieder Rathaus für ganz Berlin

Marienkirche und Fernsehturm   *Röbel-Epitaph in der Marienkirche*

Bezirk Mitte,
Neptunbrunnen
(Fortsetzung)

Grünanlagen ein Rastplatz im Großstadtgetriebe. Den Abschluß bildet der Neptunbrunnen (1891, R. Begas), der ursprünglich zwischen dem Stadtschloß und dem Marstall stand. Er zeigt den auf einer Muschelschale thronenden Neptun, umgeben von vier Frauengestalten, welche die vier seinerzeit größten deutschen Flüsse – Rhein, Elbe, Oder und Weichsel – verkörpern.

*Marienkirche

In die Gestaltung des Platzes einbezogen ist die älteste erhaltene Kirche, die Marienkirche. Der gotische Backsteinhallenbau (1270 begonnen, 1380 erweitert) hat einen Turmhelm, der 1789/1790 nach einem Entwurf von C.G. Langhans geschaffen wurde; in der Turmhalle das Freskogemälde "Totentanz" mit niederdeutschen Versen (1484). Zu der reichen Innenausstattung der Kirche gehören neben einer barocken Alabasterkanzel (1703, A. Schlüter) eine Bronzetaufe und ein spätgotischer Flügelaltar.

Bezirk Friedrichshain

Volkspark

Märchenbrunnen

Der Volkspark Friedrichshain ist eine der größten Parkanlagen der Innenstadt, ab 1846 an den Hängen vom 'Mühlenberg' nach Entwürfen von P.J. Lenné angelegt, mit dem neubarocken Märchenbrunnen (1913, L. Hoffmann), Gedenkstätten und dem Friedhof der Märzgefallenen.

Bezirk Prenzlauer Berg

Jüdischer Friedhof

Im Stadtbezirk Prenzlauer Berg liegt an der Schönhauser Allee der Jüdische Friedhof (1827); dort befinden sich u.a. die Grabstätten von Leopold Ullstein († 1899) und Max Liebermann († 1935).
Am ehemaligen Wohnsitz von Käthe Kollwitz (Kollwitzstr. Nr. 25) wurde eine Kopie ihrer Plastik "Die Mutter" aufgestellt.

Husemannstraße

Die Husemannstraße wurde im Stil der Wilhelminischen Zeit restauriert. Man findet dort historisch hergerichtete (aber normal betriebene) Läden. In dem Hause Nr. 12 wird in der Ausstellung "Berliner Arbeiterleben um 1900" Not und Elend des Proletariats in der 'größten Mietskaserne der Welt' dokumentiert; das Museum ist eine Abteilung des Märkischen Museums (s. S. 209). Im Hause Nr. 8 ein interessantes Friseurmuseum. ❋Husemannstraße

Einen Anziehungspunkt bildet auch das Zeiss-Großplanetarium nordöstlich vom Ernst-Thälmann-Park (S-Bahnhof Prenzlauer Allee). Sein Kennzeichen ist der 30 m hohe silberglänzende Kuppelbau. Im Planetarium gibt es auch ein Sonnenteleskop. ❋Planetarium

Bezirk Pankow

Das Schloß Niederschönhausen (1704, E. v. Göthe) besitzt einen 1764 als Rokoko-Lustgarten angelegten Schloßpark, den J.P. Lenné später zu einer englischen Parklandschaft mit seltenen Bäumen umgestaltet hat. Schloß Niederschönhausen

Der Bürgerpark (1856–1864) ist ein beliebtes Erholungsgebiet mit einer Gaststätte. In dem Park befinden sich Plastiken von F. Cremer und G. Seitz sowie ein Denkmal für den tschechischen Schriftsteller Julius Fučík. Bürgerpark
An den Bürgerpark schließt sich der Volkspark Schönholzer Heide an; dort steht ein Ehrenmal für die 1945 gefallenen sowjetischen Soldaten. Volkspark

Im Ernst-Busch-Haus (Leonhard-Frank-Straße Nr. 11) wurde eine Gedenkstätte für den Sänger und Schauspieler Ernst Busch eingerichtet, der auch als Interpret linker Songs hervortrat. Ernst-Busch-Haus

Die Arnold-Zweig-Gedenkstätte (Homeyerstr. 13) in den Räumen von Zweigs letzter Wohnung erinnert an den bekannten Schriftsteller. Arnold-Zweig-Gedenkstätte

215

Pankow
(Fortsetzung)
Ortsteil Buch

Im Ortsteil Buch liegen die medizinischen Einrichtungen des Klinikums Buch. Sehenswert ist die barocke Schloßkirche (1731–1736), geschaffen von F. W. Dietrichs, welche die Form eines lateinischen Kreuzes hat.

Bezirk Lichtenberg

*Tierpark Berlin

Auf dem Gelände des Friedrichsfelder Schloßparkes (Lenné) befindet sich der 1955 eröffnete, 160 ha große Tierpark. Der Tierbestand beläuft sich auf etwa 1000 Arten. Das beachtenswerte Alfred-Brehm-Haus mit der Tropenhalle bildet das Domizil der Großkatzen. Sehenswert sind u. a. auch das Bärenschaufenster und die Pinguinanlage.

Schloß
Friedrichsfelde

Das Barockschloß Friedrichsfelde (um 1719, M. Böhme), ein schöner Bau am Eingang des Parkes, wurde umfassend restauriert.

Bezirk Treptow

*Treptower Park

In Treptow wurde 1876–1882 der Treptower Park als Erholungsstätte für den Berliner Osten im Stil eines englischen Landschaftsgartens angelegt; er ist eine Schöpfung des ersten Berliner städtischen Gartenbaudirektors Gustav Meyer. Im Jahre 1896 fand im Treptower Park die 'Große Berliner Gewerbeausstellung' statt.

Sowjetisches
Ehrenmal

Im Treptower Park befindet sich das monumentale Sowjetische Ehrenmal (1947–1949), die zentrale Gedenkstätte für die 1945 bei den Kämpfen um Berlin ge fallenen Sowjetsoldaten. Den Mittelpunkt der Anlage bildet ein Ehrenhügel, der das zylindrische Mausoleum mit dem Hauptmonument des Sowjetsoldaten trägt. Es ist eine 11,60 m hohe Soldatenfigur, die ein deutsches Kind auf dem Arm trägt. Die andere Hand hält ein gesenktes Schwert, welches das Hakenkreuz zerschlagen hat. Über eine Treppe gelangt man in einen Kuppelsaal, der sich unter dem 70 t schweren Denkmal befindet.

Archenhold-
Sternwarte

Im Südostteil des Parkes liegt an dem Straßenstück Alt-Treptow die Archenhold-Sternwarte. Sie wurde 1896 anläßlich der im Treptower Park veranstalteten Berliner Gewerbeausstellung erbaut und 1908/1909 nach Plänen der Baumeister Konrad Reimer und Friedrich Körte erneuert. Die Hauptattraktion der Volkssternwarte bildet das 21 m lange Riesenfernrohr. Seit dem Jahre 1970 ist hier eine Forschungsabteilung für die Geschichte der Astronomie eingerichtet (Zeiss-Planetarium; Führungen).

Kosmonautenhain

Im Hain der Kosmonauten erinnern Denkmäler an den ersten bemannten Raumflug des Sowjetrussen Juri Gagarin am 12. April 1961 und den ersten Raumflug des DDR-Kosmonauten Sigmund Jähn (1978).

Zenner

Die Gaststätte 'Zenner' wurde bereits 1821/1822 als 'Neues Gartenhaus an der Spree' erbaut (später mehrfach verändert). Von hier bis zur Anlegestelle der 'Weißen Flotte' erstreckt sich eine Grünanlage mit einem Rosengarten.

Plänterwald

Im Plänterwald, der sich südlich an den Treptower Park anschließt, liegt der vielbesuchte gleichnamige Kulturpark (mit Achterbahn, Riesenrad u. v. a.).

Altglienicke

Im Ortsteil Altglienicke liegt eine Gartenvorstadt (Akazien- und Gartenstadtweg), die sogenannte Tuschkasten-Siedlung (1913/1914, B. Taut) mit expressionistischer Farbgebung.

Schloß Köpenick

Strandleben am Müggelsee

Bezirk Köpenick

Rathaus

Das Rathaus des Stadtbezirkes wurde durch den legendären 'Hauptmann von Köpenick', den Schuhmacher Wilhelm Voigt, weithin bekannt.

✳Schloß
(Abb. s. S. 217)

Auf der Schloßinsel steht das Köpenicker Schloß (1647–1685, R. v. Langerfeld), ein barocker Bau mit reicher Innenausstattung. Hier hat das Kunstgewerbemuseum, im Jahre 1867 als erstes seiner Art in Deutschland gegründet, seinen Sitz. Ausgestellt sind Meisterwerke des europäischen Kunsthandwerks aus über tausend Jahren.

✳Müggelsee

Müggelsee und Müggelberge sind zu allen Jahreszeiten beliebte Ausflugsziele. Neben dem Müggelturm und dem Spreetunnel ist das Strandbad Müggelsee in den Sommermonaten ein Besuchermagnet.

Altes Wasserwerk
Friedrichshagen

Das Schöpfhaus B des alten Wasserwerkes Friedrichshagen (Müggelseedamm Nr. 307) ist als Museum eingerichtet; hier wird über die Wasserversorgung Berlins vom Mittelalter bis zur Neuzeit berichtet.

Umgebung von Berlin

Potsdam → Reiseziele von A bis Z: Potsdam

Havelland → Reiseziele von A bis Z: Havelland

Neuruppin → Reiseziele von A bis Z: Neuruppin

Oranienburg → Reiseziele von A bis Z: Oranienburg

Steintor in Bernau (s. S. 219)

In Bernau (22 km nordöstlich vom Berliner Stadtzentrum) sind gut erhaltene Reste der Stadtmauer (mit Wiekhäusern), der Pulverturm, der Hungerturm und das Steintor (jetzt Heimatmuseum) zu sehen. In der Kirche St. Marien, einer spätgotischen Backstein-Hallenkirche, verdienen ein spätgotischer Hochaltar mit sechs Flügeln, eine Triumphkreuzgruppe und ein Sakramentshaus Beachtung.

⟶ Reiseziele von A bis Z: Eberswalde-Finow, Chorin **Kloster Chorin**

⟶ Reiseziele von A bis Z: Märkische Schweiz **Märkische Schweiz**

⟶ Reiseziele von A bis Z: Spreewald **Spreewald**

Bernburg   D 4

Bundesland: Sachsen-Anhalt
Bezirk (1952–1990): Halle
Höhe: 85 m ü. d. M.
Einwohnerzahl: 40 000

Die von der Saale (⟶ Saaletal) durchflossene Stadt Bernburg, einstige Residenz der Fürsten und Herzöge von Anhalt-Bernburg, liegt rund 30 km nördlich von ⟶ Halle (Saale). Die planwirtschaftlich zu einem Industriestandort entwickelte Stadt wird dennoch wegen ihrer interessanten Baudenkmäler gern besucht.

Lage und Bedeutung

Als Burg bereits 961 erwähnt, wurde sie ab 1138 als askanische Burg ausgebaut. In ihrem Schutz entwickelten sich drei unabhängige Siedlungen, von denen die Altstadt und die Neustadt 1278 das Stadtrecht erhielten, die Bergstadt dagegen erst um 1450. Von 1251 bis 1765 war das Schloß Residenz der Fürsten und späteren Herzöge von Anhalt-Bernburg. Erst 1825 vereinigte sich die Bergstadt mit der bereits seit 1561 zusammengeschlossenen Alt- und Neustadt.

Geschichte

Sehenswertes

Wahrzeichen der Stadt ist das an der Saale gelegene Schloß (Renaissance, 1538–1570) mit einem reichen Barockportal als Haupteingang, dem 'Blauen Turm', dem romanischen Bergfried ('Eulenspiegelturm'; Aussichtsturm) und Renaissancebauten (Langhaus von A. Günter und N. Hoffmann).
Im Schloß ist das Kreismuseum untergebracht; Beachtung verdient u. a. die technikgeschichtliche Sammlung 'Von Mühlen und Müllern'.
Im Schloßbereich befindet sich das klassizistische ehemalige Hoftheater (1826/1827, J. A. P. Bunge), heute Carl-Maria-von-Weber-Theater, mit benachbarten Kavaliershäusern.
In der Schloßkirche St. Ägidien (barock mit romanischen Teilen, 1752) die dreigeschossige Fürstengruft mit barocken Prunksärgen.

✳Schloß

Kreismuseum

Theater

Schloßkirche
St. Ägidien

Von den Wohnhäusern, meist aus der Zeit der Renaissance und des Barock, sind besonders bemerkenswert am Marktplatz: das einstige Regierungsgebäude (Nr. 28; 1746) und ein spätgotisches Haus (Nr. 21) mit Sitznischenportal (um 1530); ferner an der Breiten Straße die ehemalige fürstliche Kanzlei (Nr. 25; um 1600), ein Fachwerkbau (Nr. 103; 1550) und ein spätbarocker Bau (Nr. 115; 1775) mit reicher Fassade.

Bemerkenswerte
Häuser

Von der einstigen Stadtbefestigung ist die Mauer um Altstadt und Neustadt (15.–17. Jh.) fast vollständig erhalten, jedoch nur wenige Turmbauten (Nienburger Torturm mit Renaissancegiebel und Hasenturm).

Stadtmauer

Bernburg (Forts.) Augustinerkloster	In die Stadtmauer einbezogen ist das in der Neustadt gelegene Augustinerkloster (um 1300).
Kirchen	Bedeutende sakrale Bauwerke sind die dreischiffige Pfarrkirche St. Marien (13. Jh.) mit reichskulptiertem Chor (um 1420), die unvollendete spätgotische Hallenkirche St. Nicolai mit Teilen einer frühgotischen Basilika, im Stadtteil Dröbel die kreuzförmige Kirche (1827–1829, J. A. P. Bunge) mit Turm und Kuppelhaube, ferner die Pfarrkirche St. Stephan (12. Jh.), ein einschiffiger romanischer Bau mit Flachdecke im Ortsteil Waldau.
Neustädter Brücke	Die Neustädter Brücke, ein technisches Denkmal mit mehreren Bögen und Strompfeilern, wurde 1787 erneuert.
Krumbholz	An der Saale liegt das Naherholungsgebiet 'Krumbholz' (Tierpark, Indianerdorf, Märchengarten, Kleineisenbahn); Ausflugsfahrten auf der Saale.

Umgebung von Bernburg

Nienburg	In Nienburg (5 km nordöstlich, an der Mündung der Bode in die Saale) steht eine ehemalige Benediktinerklosterkirche, begonnen als Basilika (1242) und vollendet als Hallenkirche (nach 1282), ein Hauptwerk der deutschen Hochgotik, mit spätromanischer Monatssäule (figürliche Darstellung der zwölf Monate), einem Gemälde von L. Cranach d. J. (1570) und etlichen Grabsteinen (14. Jh.).
Plötzkau	In Plötzkau (8 km südlich von Bernburg) befindet sich ein fürstliches Renaissanceschloß (1566–1573), angelegt auf dem Grundriß einer mittelalterlichen Burg, mit 21 Zwerchhäusern und vier Hauptgiebeln.
Calbe	In Calbe (13 km nordöstlich von Bernburg) sind sehenswert: Renaissance- und Barockwohnhäuser am Markt sowie die Pfarrkirche St. Stephan, eine spätgotische Hallenkirche (15. Jh.) mit Backstein-Vorhalle, zwei niedrigen Türmen, spätgotischem Flügelaltar, Kanzel und Taufstein (1561/1562, U. Hachenberg). Der Innenraum der Laurentiuskirche (12. Jh.) wurde 1964/1965 modern gestaltet.
Hecklingen	Die Klosterkirche von Hecklingen (19 km nordwestlich von Bernburg, bei Staßfurt) ist eine romanische Basilika (1160–1176) mit mächtigem Westwerk, Stützenwechsel im Langhaus und bemerkenswerten Kapitellen. Die 14 Engelsfiguren an den Langhauswänden (um 1230) sind ungewöhnlich, besonders der byzantinisierende Stil der Gewänder.
Köthen	→ Reiseziele von A bis Z: Köthen

Blankenburg (Harz) D 3

Bundesland: Sachsen-Anhalt
Bezirk (1952–1990): Magdeburg
Höhe: 198–337 m ü. d. M.
Einwohnerzahl: 19 000

Lage und Bedeutung	Die Stadt Blankenburg liegt – 17 km südwestlich von → Halberstadt – am Nordrand des Harzes, eingebettet zwischen → Harz, Regenstein und Teufelsmauer. Aufgrund der klimatisch günstigen Lage und wegen des dortigen Rheumabades wurde sie zu einem Kur- und Erholungsort.
Geschichte	Die Stadt entstand um 1200 unterhalb der Burg. Sie wurde zur Residenz eines Grafengeschlechtes; mit dessen Aussterben fiel der Ort 1599 an das

Herzogtum Braunschweig-Wolfenbüttel. Von 1707 bis 1731 'reichsunmittelbares Fürstentum', gehörte Blankenburg danach wieder zu Braunschweig. Von 1796 bis 1798 bot der Ort dem späteren französischen König Ludwig XVIII. und rund einhundert adeligen Franzosen Asyl.

Anfang des 18. Jh.s kam es zu einem Aufschwung von Bergbau und Hüttenwesen; ab 1800 entwickelte sich der Fremdenverkehr.

In neuer Zeit sind in Blankenburg verschiedene Industrieneubauten, ein Sportforum und das Wohngebiet Regenstein entstanden.

Geschichte
(Fortsetzung)

Sehenswertes

Hoch über der Stadt erhebt sich das Große Schloß (1705–1718, H. Korb), ein bedeutender Barockbau, errichtet unter Verwendung mittelalterlicher Teile und eines Renaissanceflügels.

Großes Schloß

In der Nähe des Großen Schlosses haben sich Reste der alten Stadtbefestigung erhalten.

Befestigungsreste

Am Fuße des Burgberges steht das Kleine Schloß (heute Heimatmuseum), einst zu einem 1718 bezeugten Lustgarten gehörig; der ursprünglich barocke Fachwerkbau wurde 1777 erneuert. In dem sehenswerten Terrassengarten ist ein Nachguß des Braunschweiger Löwen aufgestellt.

Kleines Schloß
(Heimatmuseum)
Terrassengarten
(Braunschweiger
Löwe)

Unterhalb des Schlosses steht die Pfarrkirche St. Bartholomäus, eine dreischiffige Hallenkirche (1585; ursprünglich romanisch) mit interessanter Ausstattung (Altarwand, Triumphkreuz) und Grabmälern (15.–17. Jh.).

Pfarrkirche
St. Bartholomäus

Bemerkenswert ist auch das Rathaus, ein zweigeschossiger Renaissancebau, um 1546 unter Verwendung gotischer Reste errichtet, mit Treppenturm und Ziergiebel. Links vom Eingang hängt eine blankenburgische eiserne 'Elle', die das einst rege Marktleben bezeugt.

Rathaus

Ruine der Burg Regenstein (s. S. 222)

Umgebung von Blankenburg

Kloster Michaelstein	Lohnend ist ein Ausflug zum ehemaligen Zisterzienserkloster Michaelstein (1147) am Harzrand (3 km westlich), wo regelmäßig Musikveranstaltungen stattfinden. Erhalten sind der Kapitelsaal und das Refektorium, ferner frühgotische Kreuzgänge und der Westflügel der Klausur sowie das schlichte Torhaus.
*Burgruine Regenstein (Abb. s. S. 221)	Die Burg Regenstein (2 km nördlich; Ruine) entstand im 12.–14. Jh. unter Verwendung älterer Teile. Sie wurde nach 1671 zur Festung ausgebaut, 1758 geschleift. Teile eines runden Bergfrieds, verschiedene in den Felsen gehauene Räume sowie Reste von Kasematten aus dem 18. Jahrhundert sind erhalten.
Teufelsmauer	Unweit östlich von Blankenburg befindet sich die sogenannte Teufelsmauer, eine 4 km lange Serie von Sandsteinklippen (Naturdenkmal), eines der ältesten deutschen Naturschutzgebiete (seit 1852). Die Teufelsmauer ist durch Wanderwege erschlossen und dient als Klettergebiet.
Tropfsteinhöhlen	⟶ Reiseziele von A bis Z: Rübeland
Wernigerode	⟶ Reiseziele von A bis Z: Wernigerode
Thale	⟶ Reiseziele von A bis Z: Thale (Harz)
Quedlinburg	⟶ Reiseziele von A bis Z: Quedlinburg
Gernrode	⟶ Reiseziele von A bis Z: Gernrode

Bad Blankenburg   E 4

	Bundesland: Thüringen Bezirk (1952–1990): Gera Höhe: 220 m ü. d. M. Einwohnerzahl: 8500
Lage	Am Eingang zum anmutigen ⟶ Schwarzatal liegt – rund 40 km südwestlich von ⟶ Gera – Bad Blankenburg, umgeben von hohen Bergen und dichten Wäldern, ein gern besuchter Kur- und Erholungsort.
Geschichte	In der zweiten Hälfte des 13. Jh.s erstmals urkundlich erwähnt, war die Stadt bis zum Ende des 18. Jh.s ein Zentrum des Kupfer- und Silberbergbaues. Seit 1840 setzte die Entwicklung zum Kurort ein. Von 1837 bis 1839 wirkte hier der pädagogische Reformer Friedrich Fröbel (1782–1852), der am 28. Juni 1840 den ersten deutschen Kindergarten gründete. Durch den Ausbau des Kur- und Erholungswesens sowie die Ansiedlung neuer Industrien außerhalb der Stadt verdoppelte sich nach 1945 die Einwohnerzahl.

Sehenswertes

Rathaus	Am Markt steht das im 15. Jh. erbaute Rathaus mit dem 'Hungermännchen' (eingemauerter Gedenkstein), dem alten Schwarzburger Wappen und einer Gedenktafel für Friedrich Fröbel. In der Stadt gibt es mehrere weitere Fröbelgedenkstätten, darunter das
Fröbelmuseum	Fröbelmuseum. Die in Stein gehauenen Spielgaben für Kinder – Kugel, Würfel und Zylinder – erinnern an Fröbels Verdienste um die Vorschulerziehung.

Herausragend ist die Burgruine Greifenstein, einst einer der gewaltigsten Herrensitze im östlichen Teil Deutschlands, Residenz der Grafen von Schwarzburg bis ins 14. Jahrhundert. Die große Burg verlor ihre Bedeutung, als die Feuerwaffen aufkamen. In der zweiten Hälfte des 19. Jh.s begann man, sie zu restaurieren. Umfangreiche Rekonstruktionsmaßnahmen wurden seit 1978 durchgeführt.
Bemerkenswert ist der Rittersaal.

Bad Blankenburg (Fortsetzung)
*Burgruine Greifenstein

Rittersaal

Umgebung von Bad Blankenburg

Am mittleren Flußlauf der Schwarza liegt im schönsten Abschnitt vom → Schwarzatal der Ort Schwarzburg (10 km südwestlich), einstmals Sitz des einflußreichen thüringischen Grafengeschlechtes. Das gleichnamige Schloß (seit 1940 Ruine, Kaisersaal wiederhergestellt) erhebt sich majestätisch auf einem zum Fluß steil abfallenden Bergsporn.

*Schwarzburg

Gleichfalls im Schwarzatal erstreckt sich der Ferienort Sitzendorf (2 km süwestlich von Schwarzburg), in dem 1760 H. G. Macheleid als erster nach Böttger und unabhängig von diesem erfolgreiche Versuche zur Porzellanherstellung machte.

Sitzendorf

In Oberweißbach (6km südlich von Sitzendorf) beherbergt das Haus, in dem der Pädagoge Friedrich Fröbel (s. Geschichte von Bad Blankenburg) geboren wurde, ein weiteres ihm gewidmetes Museum. Vom Fröbelturm bietet sich ein umfassender Rundblick ins Schwarzatal.

Oberweißbach

Sehr abwechslungsreich ist eine Fahrt mit der zwischen Obstfelderschmiede im Schwarzatal und Oberweißbach auf der Höhe verkehrenden Oberweißbacher Bergbahn, einer der steilsten Seilzugbahnen der Erde (Steigung 1:4).

*Bergbahn

→ Reiseziele von A bis Z: Saalfeld

Saalfeld

→ Reiseziele von A bis Z: Rudolstadt

Rudolstadt

Bodetal   D 3/4

Bundesland: Sachsen-Anhalt
Bezirke (1952–1990): Magdeburg und Halle

Die Bode ist mit 169 km Länge einer der bedeutendste der aus dem → Harz kommenden Flüsse. Ihr Quellgebiet sind die Hochmoore des niederschlagsreichen Oberharzes (1000–1600 mm/Jahr) mit seiner lang andauernden Schneedecke (durchschnittlich 160 Tage im Jahr). Unterhalb des Brockens entspringen die Kalte und die Warme Bode, weiter südlich die Rappbode. Ab Wendefurth zur Bode vereint, durchfließt sie die Städte → Thale, → Quedlinburg, Oschersleben und Staßfurt und mündet bei Nienburg in die Saale (→ Saaletal).

Quellgebiet und Verlauf der Bode

*Landschaftsbild

Das Bodetal ist durch die tertiäre Heraushebung des Harzes als Horstgebirge tief und mit steilen Wänden in das Gestein eingeschnitten. Verwitterung und eiszeitliches Bodenfließen haben Blockmeere, Klippen und Massen von Talschutt hinterlassen. Besonders eindrucksvoll ist der Einschnitt des Bodetales unmittelbar am dicht bewaldeten nördlichen Harzrand bei Thale.

Geologische Beschaffenheit

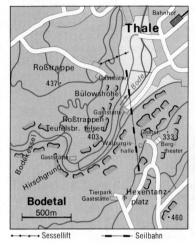

●—●—● Sessellift ━━━ Seilbahn *Bodetal an der Roßtrappe*

*Roßtrappe und
*Hexentanzplatz

Um 300 m überragen die Felsen der sagenumwobenen Roßtrappe und des Hexentanzplatzes den Hirschgrund. Rund 200 m tief blickt man vom Weißen Hirsch bei Treseburg in den Talkessel der in den Strudellöchern und Blockpackungen wild schäumenden Bode.

Talsperren

Zur Trinkwasserversorgung des niederschlagsarmen, im Regenschatten des Gebirges liegenden östlichen Harzvorlandes, insbesondere der industriellen Ballungsräume um Halle (Saale), Leipzig und Magdeburg, gleichzeitig aber auch als Hochwasserschutz und zur Energiegewinnung dienen die Bodetalsperren.

Im Jahre 1959 wurde das Kernstück des Bodesystems, die Rappbodetalsperre, in Betrieb genommen. 450 m lang und 106 m hoch ist die Staumauer, über welche die Straße nach Rübeland hinwegführt. Der aufgestaute See umfaßt 390 ha mit 109,1 Mio. m³ Wasser. Zusammen mit den Vorsperren Rappbode und Hassel, der Überleitungssperre zwischen Bode und Rappbode, dem Hochwasserschutzbecken im Tal der Kalten Bode und insbesondere der Talsperre Wendefurth, die als Unterbecken für ein Pumpspeicherkraftwerk mit 80 Megawatt Leistung dient, speichert das Bodewerk insgesamt 134 Mio. m³ Wasser. Damit können nahezu 2 Mio. Menschen mit Trinkwasser versorgt werden.

*Tropfsteinhöhlen

Eine besondere Sehenswürdigkeit des Bodetales sind die Tropfsteinhöhlen von ⟶ Rübeland, kilometerlange Hohlräume im verkarsteten Elbingeröder Kalkkomplex (u. a. Baumannshöhle und Hermannshöhle).

Brandenburg (Stadt) C 5

Bundesland: Brandenburg
Bezirk (1952–1990): Potsdam
Höhe: 31 m ü. d. M.
Einwohnerzahl: 95 000

Lage

Die Stadt Brandenburg, einst Bischofssitz und bedeutender Fernhandelsplatz, liegt – rund 50 km südwestlich von ⟶ Berlin – an der unteren Havel, umgeben von den Havelseen Beetzsee, ⟶ Plauer See und Breitlingsee.

Als Hauptstadt der Markgrafschaft Brandenburg zu wirtschaftlicher Blüte Bedeutung gelangt, verlor die Stadt durch den Aufstieg der kurfürstlichen Residenzstadt Berlin ihre führende Stellung. Als Industriestandort (großes Stahl- und Walzwerk; Neubau eines Druckmaschinenwerkes geplant) ist Brandenburg ein wirtschaftlicher und kultureller Mittelpunkt im → Havelland.

Brandenburg war bis zur Mitte des 12. Jh.s Hauptfeste der slawischen Geschichte Heveller. Unter König Heinrich I. 928/929 erstmalig erorbert, zeitweilig Sitz des 948 gegründeten Bistums, blieb die Burg bis 1157 heftig umkämpft. Auf drei Inseln entstanden drei Siedlungskerne: der Dom- und Bischofssitz, die altstädtische Siedlung, die neustädtische Kaufmannssiedlung. Der Ausbau der deutschen Landesherrschaft in der Mark Brandenburg führte dann zum Aufblühen der Stadt Brandenburg, die hauptstädtische Bedeutung erlangte. Unter der Herrschaft der Hohenzollern, besonders in der Periode des Absolutismus, verkam Brandenburg zu einer unbedeutenden Landstadt. 1715 vereinigten sich Alt- und Neustadt. Die unbedeutende Garnisonsstadt gewann erst wieder an Gewicht durch die einsetzende Industrialisierung, vor allem in der Fahrzeug- und metallverarbeitenden Industrie und durch das Stahl- und Walzwerk (1913). Ab 1933/1934 bestand in Brandenburg eines der ersten nationalsozialistischen Konzentrationslager. Das Zuchthaus Brandenburg-Görden war ein berüchtigter Kerker und Hinrichtungsort (Gedenkstätte); auch während der Zeit der sozialistischen Parteidiktatur war diese Strafanstalt gefürchtet und behielt ihren makabren Ruf.

Dominsel

Der Dom St. Peter und Paul (1165 begonnen) auf der Dominsel ist eine *Dom romanische Basilika mit erheblichen gotischen Veränderungen. In der Krypta (1235) befindet sich seit 1953 die Gedächtnisstätte für die im Zweiten Weltkrieg ermordeten Christen.

Dom St. Peter und Paul

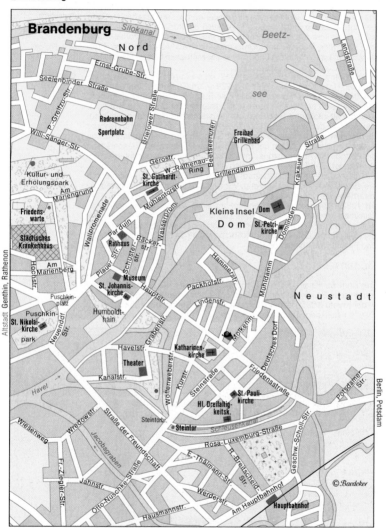

Brandenburg

Nord

Beetz-

see

Silokanal

Ernst-Grube-Str.

Seelenbinder Straße

Radrennbahn

Sportplatz

Willi-Sänger-Str.

Briefower Straße

Beetzenufer

Freibad
Grillenbad

Straße

Gerostr.

W.-Rathenau-Ring

Grillendamm

Krakauer

St. Gotthardt-kirche

Mühlenorstr.

Wasserprom.

Kultur- und
Erholungspark

Am
Mariengrund

Friedens-warte

Kleins Insel / Dom

Städtisches
Krankenhaus

Wallpromenade

Am
Marienberg

Paulduin

Rathaus

Bäcker-str.

Hochstr.

Plauer Str.

Schuster-str.

Museum

St. Johannis-kirche

Hauptstr.

Puschkin-platz

Humboldt-hain

Puschkin-park

St. Nikolai-kirche

Neuendtr. Str.

Havelstr.

Theater

Kanalstr.

Havel

Wiesenweg

Wredowstr.

Straße der Freundschaft

Jacobsgraben

Fr.-Ziegler-Str.

Jahnstr.

Otto-Nuschke-Straße

Hausmannstr.

Steintorbr.

Steintor

Wolfenweberstr.

Kurstr.

Steinstraße

Katharinen-kirche

HI. Dreifaltig-keitsk.

St. Pauli-Kirche

Friedensstraße

Deutsches Dorf

Neustadt

Packhofstr.

Lindenstr.

Hammerstr.

Dom

St. Petri-kirche

Domlinden

Mühldamm

Schleusenkanal

Rosa-Luxemburg-Straße

E.-Thälmann-Str.

R.-Breitscheid-Str.

Werderstr.

Am Hauptbahnhof

Hauptbahnhof

Geschw.-Scholl-Str.

Potsdamer Str.

Berlin, Potsdam

Altstadt Genthin, Rathenon

© Baedeker

Achtung! Im Zuge der politischen Neuorientierung sind weitere Namensänderungen zu erwarten.

Dom
(Fortsetzung)
Inneres

Die 'bunte' Kapelle ist mit spätromanischer Ausmalung erhalten. Von der reichen Ausstattung des Domes sind die Glasmalereien (13. Jh.), das romanische Kruzifix, der Böhmische Altar (14. Jh., direkter Einfluß böhmischer Tafelmalerei), der Lehniner Altar (1518 gestiftet), der Marienaltar (um 1430), die Wagner-Orgel und die Leuchterengel (1441) besonders sehenswert, außerdem verschiedene Grabsteine von Bischöfen und Domherren sowie Epitaphe.

In den teilweise erhaltenen Klausurgebäuden befinden sich der Kreuzgang und das Domarchiv mit wertvollen Handschriften.

Dom (Fortsetzung)

In den Klausurgebäuden ferner das Dommuseum mit beachtlichen mittelalterlichen geistlichen Gewändern und dem Brandenburger Hungertuch (um 1290).
Vor dem Dom liegt der Burghof mit den Domkurien.

Dommuseum

Am Burgweg die gotische Petrikapelle, seit 1320 Pfarrkirche der Domgemeinde, 1520 mit Zellengewölben versehen; im Vorgängerbau soll 1150 der slawische König Pribislaw-Heinrich beigesetzt worden sein.

Petrikapelle

Altstadt

Westlich der Dominsel liegt am Havelufer die Altstadt.
Besonders sehenswert ist das Altstädtische Rathaus (1470), ein spätgotischer zweigeschossiger Backsteinbau mit Staffelgiebel, Turm und Portal mit reichem Backstein-Maßwerk; am Nordostgiebel sieht man ein großes Spitzbogenportal.

＊Altstädtisches Rathaus

Vor dem Rathaus steht seit 1946 eine über 5 m große Rolandsfigur (1474), ursprünglich vor dem Rathaus der Neustadt (1945 zerstört).

Roland
(Abb. s. S. 228)

Neben dem Rathaus das Ordonnanzhaus (13.–15. Jh.).

Ordonnanzhaus

Nördlich vom Rathaus steht die Pfarrkirche St. Gotthardt (12. Jh., spätgotische Backsteinhalle aus dem 15. Jh., barocke Turmhaube von 1767), das älteste Bauwerk der Stadt.
Von der Ausstattung sind bemerkenswert die romanische Bronzetaufe (13. Jh.), die spätgotische Triumphkreuzgruppe (15. Jh.), Gobelins (um 1463, Darstellung einer Einhornjagd), gotische Schnitzfiguren, ein Renaissancealtar (1559) und Epitaphe (16. und 18. Jh.).

Pfarrkirche St. Gotthart

Die ehemalige Alte Schule (1552) am Gotthardtkirchplatz (Nr. 5) ist das älteste Schulhaus Brandenburgs (heute Kindergalerie).

Alte Schule

Das Museum der Stadt im Freyhaus (Hauptstraße Nr. 96), einem Barockbau (1723) mit bemerkenswertem Treppenhaus, besitzt neben Darstellungen der Stadtgeschichte eine bedeutende Sammlung europäischer Graphik (16.–20. Jh.) mit fast vollständigem Werk D. Chodowieckis.

Stadtmuseum

Im Süden der Altstadt die Ruine der Pfarrkirche St. Johannis, ein frühgotischer Backsteinbau (13. Jh., seit 1945 Ruine, 1951 in Teilen wiederhergestellt) mit Rundfenster (Nordportal) und schlankem Glockenturm (1500).

Pfarrkirche St. Johannis

Von der mittelalterlichen Stadtbefestigung bestehen noch Teile der Stadtmauer, der Rathenower Torturm mit Spitzbogenblenden, der Plauer Torturm mit durchbrochenem Zierkranz, der Mühltorturm und der Steintorturm, ferner die Wasserpromenade und die Annenpromenade.

Reste der Stadtbefestigung

Am Walther-Rathenau-Platz (Nr. 1) steht die ehemalige Saldria (Bischofshof; heute Oberschule). Das Renaissanceportal (1563) vom Gebäude Steinstraße Nr. 57 wurde 1891 angefügt. Das Jugendstil-Wohnhaus (1901; Plauer Straße Nr. 6) ist heute Bürogebäude.

Häuser

Südwestlich der Altstadt steht die Nikolaikirche, eine spätromanische Backsteinbasilika (1170–1230; 1945 beschädigt).

Nikolaikirche

An der Hauptstraße steht vor der Sparkasse der Fritze-Bollmann-Brunnen als Denkmal für das Brandenburger Original 'Fritze Bollmann', dessen Anglermoritat noch heute bekannt ist.

Fritze-Bollmann-Brunnen

Roland am Altstädtischen Rathaus

Katharinenkirche

Neustadt

°Pfarrkirche
St. Katharinen

Südlich der Dominsel erstreckt sich die Neustadt. Im Zentrum die Pfarrkirche St. Katharinen (1395–1401), hervorragendes Werk der Backsteingotik und Hauptwerk von Hinrich Brunsberg, eine dreischiffige gewölbte Hallenkirche des Reichen Stils; hervorzuheben ist der Giebel der Fronleichnams- oder Marienkapelle an der Nordseite.

Im Inneren sind sehenswert ein spätgotischer Doppelflügelaltar (1474), der Hedwigsaltar (1457, Südkapelle), die Taufe (1440, Nordkapelle), die Kanzel (1668) und viele Epitaphe.

Gymnasium

In der Nähe der Pfarrkirche steht das ehemalige Gymnasium (1797), ein dreigeschossiger Barockbau mit Wappenkartusche vor dem Mansardendach; schon 1386 wird an dieser Stelle eine Kirchschule erwähnt.

Klosterkirche St. Pauli

Vom ehemaligen Dominikanerkloster (1286; 1535 reformiert) ist seit 1945 nur noch die Klosterkirche St. Pauli als Ruine erhalten.

Bürgerbauten

Interessante Bürgerbauten des 18. Jh.s sind: Steinstraße Nr. 21, Neustädtischer Markt Nr. 7 und 11, Gorrenberg Nr. 14, Kleine Münzstraße Nr. 6, Kurstraße Nr. 7.

Marienberg

Auf dem 69 m hohen Marienberg liegt der Park Marienberg. Hier verehrten die germanischen Semnonen die Göttin Freia. Im 11. und 12. Jh. bestand hier auch ein slawisches Triglawheiligtum. 1220 wurde eine prächtige Marienkirche mit wundertätigem Marienbild errichtet. Im Dreißigjährigen Krieg zerstört, wurde die Ruine 1772 abgetragen.

Ehrenmal

Heute besteht hier eine Parkanlage mit vielen Freizeiteinrichtungen und einem Ehrenmal für die während des Zweiten Weltkrieges im ehemaligen Zuchthaus Brandenburg-Görden hingerichteten Widerstandskämpfer.

Umgebung der Stadt Brandenburg

Auf dem Beetzsee (im Norden der Stadt) befindet sich eine internationale Regattastrecke (1969). **Beetzsee**

Im Brandenburger Ortsteil Plaue (F 1, 10 km westlich am → Plauer See) gibt es ein barockes Schloß (1711–1716), heute Schule, und eine spätromanische Backsteinkirche mit gotischen Wandgemälden (15. Jh.) und einer Renaissancekanzel. **Plaue**

In Ketzür (10 km nordöstlich von Brandenburg) steht eine frühgotische Dorfkirche (14.–18. Jh.) mit sehenswerter Ausmalung (17. Jh.) und einem bemerkenswerten Epitaph (1611–1613, H. v. Brösicke). **Ketzür**

Das bekannte Kloster Lehnin (20 km südöstlich von Brandenburg) war die erste Zisterzienserniederlassung in der Mark Brandenburg, als Hauskloster der Askanier von Markgraf Otto I. 1180 gegründet. Die Klosterkirche St. Marien, eine frühgotische Pfeilerbasilika, wurde 1190 begonnen (Weihe 1262) und gilt als eines der ältesten und bedeutendsten Beispiele norddeutscher Backsteinarchitektur. Vom Kloster erhalten sind die Klausur, das Königshaus, das Kornhaus, das Falkonierhaus und die Klostermauer mit dreipfortigem Tor. ***Kloster Lehnin**

In Rathenow (F 102, 32 km nordwestlich von Brandenburg) ist die romanische Stadtkirche (bis 1517 erneuert) sehenswert – mit spätgotischem Flügelaltar und Denkmal des Kurfürsten Friedrich Wilhelm (1738, J.G. Glume), einer Standfigur in römischer Imperatorentracht. Im Heimatmuseum (Rhinower Straße Nr. 12b) u.a. Exponate zur Geschichte der optischen Industrie in Rathenow. **Rathenow**

→ Reiseziele von A bis Z: Havelland **Havelland**

Kloster Lehnin

Chemnitz   E 5

Bundesland: Freistaat Sachsen
Bezirk (1952–1990): Karl-Marx-Stadt
Höhe: 300 m ü. d. M.
Einwohnerzahl: 300 000

Lage und Bedeutung

Die sächsische Industriestadt Chemnitz, von 1953 bis 1990 Karl-Marx-Stadt genannt, liegt im Erzgebirgischen Becken (→ Erzgebirge) – in einem weiten Talkessel des Flusses Chemnitz. Von einem bedeutenden Zentrum der Textilproduktion des Kurfürstentums Sachsen (16. Jh.) entwickelte sich Chemnitz im 19. Jh. zur sächsischen Industriemetropole mit dem Maschinenbau als Schwerpunkt (in jüngerer Zeit u. a. Kfz-Motoren).

Geschichte

Als freie Reichsstadt entstand Chemnitz aus einer Kaufmannsniederlassung an der Stelle, wo alte Handelswege die Chemnitz überquerten. Bereits 1136/1137 hatte Kaiser Lothar hier ein Benediktinerkloster gestiftet. Das Jahr 1165 gilt als Gründungsjahr der Siedlung. 1357 erhielt Chemnitz das Bleichprivileg, das die Stadt zu einem Mittelpunkt der Leinenweberei und des Leinenhandels werden ließ. Im 16. Jh. wurde Baumwolle verarbeitet, deren Produkte in viele Länder gingen. Schließlich wirkte sich auch der erzgebirgische Bergbau auf den wirtschaftlichen Aufschwung der Stadt aus. Schon im 15. Jh. arbeiteten hier ein Kupferhammer und eine Saigerhütte (Trennung verschiedener Metalle). Ende des 16. Jh.s war Chemnitz das Zentrum der Textilproduktion in Sachsen. Von den Folgen des Dreißigjährigen Krieges erholte sich die Stadt nur langsam. Die seit 1728 entwickelte Strumpfwirkerei wurde nach und nach zu einem wichtigen Industriezweig der Stadt; um die Wende vom 18. zum 19. Jh. vollzog sich in der Textilherstellung der Übergang zur industriellen Produktion. Nach 1800 stieg Chemnitz zum Hauptort des Maschinenbaus in Sachsen auf. Im Jahre 1932 erfolgte die Gründung der 'Auto Union' (Wanderer + Zschopauer Motorenwerke + Horch + Audi). Am 10. Mai 1953 wurde der historische Name der Stadt durch die Bezeichnung 'Karl-Marx-Stadt' (Bezirksstadt) ersetzt und nach einer Volksbefragung im Frühjahr 1990 wiedereingeführt. Nach schweren Zerstörungen im Zweiten Weltkrieg erfolgte der Wiederaufbau der Stadt gemäß sozialistischen Vorstellungen.

Innere Stadt

*Roter Turm

Das alte Chemnitz besaß nur noch wenige Baudenkmale aus früheren Jahrhunderten. Diese wurden nach dem Zweiten Weltkrieg wiedererrichtet; so der Rote Turm (Unterteil aus dem 12. Jh.) mit dem Café 'Roter Turm' und Steinplastiken in den Anlagen.

Neues Rathaus

Vom Roten Turm sind es nur wenige Schritte zum Markt und dem Neuen Rathaus (1907–1911), das innen mit schöner Jugendstilarbeit (P. Perks, M. Klinger, R. König u. a.) ausgestaltet ist; im Rathausturm ein Glockenspiel mit 48 Glocken.

*Altes Rathaus

Unmittelbar an das Neue Rathaus schließt das Alte Rathaus (1498; urspr. spätgotisch) an, 1945 gänzlich zerstört und in den Nachkriegsjahren wiederaufgebaut; in der Mitte der Marktfront der Turm mit reichem Renaissanceportal (1559), im Westteil Rekonstruktion der früheren Ratsherrenstube mit spätgotischem Gewölbe (jetzt Trausaal). An der Rückseite der Hohe Turm, wahrscheinlich eine stadtburgartige Eigenbefestigung des 13. Jh.s, im 14. Jh. dem Rathausbau angegliedert und mehrfach verändert.

Stadtkirche St. Jakobi

Am Markt steht auch die Stadtkirche St. Jakobi (um 1165 gegründet), eine dreischiffige spätgotische Hallenkirche, mehrfach restauriert (Jugendstil-Westfassade; Taufstein, 17. Jh.).

Achtung!
Im Zuge der politischen Neuorientierung sind weitere Namensänderungen zu erwarten.

Chemnitz

Winklerstraße · Hechlerstr. · Salzstraße · E.-Mehner-Str. · Nordstraße · Eckstraße · Müllerstr. · Zollnerstr. · Ferdinandstr.

Ludwigstraße · Schloß-kirche · Schloßberg-museum · Müllerstr. · Hauboldstraße · Mühlenstraße · Brühl · Elisenstr.

Bergstraße · Salzstraße · Schloß-teich · Promenadenstr. · Norddstr. · Chemnitz · Hermannstr. · Puppen-theater · Schülerstraße

Leipziger Straße · Mittelstraße · Schloßteichstr. · Arndt-pl. · Maxstraße · Georgstraße · Karl-Liebknecht-Str. · Bibliothek · Autobushof · Hauptbahnhof

Matthesstr. · Bergstraße · Terassen-brunnen · E.-Schmidt-Str. · Ausstellungs-hallen · Schloßstr. · Rochlitzer Str. · Schüler-platz · Färber-str. · Technische Universität

H.-Just-Str. · Promenadenstr. · Stadt-bad · Mühlenstraße · Petri-kirche · Theater-pl. · Opernhaus · Königstraße · Bahnhof-str.

Kurt-Berthel-Str. · Luxor-Palast · Festplatz · An der Markthalle · H.-Just-Str. · Forum · Postraße

Henriettenstraße · Fabrikstraße · Straße · Marx-Monument · Stadthalle · Behörden · Theaterstraße · Waisenstr.

Kaßbergstr. · Kaßberg-auffr. · E.-Thälmann-Str. · K.-Marx-Platz · Roter Turm · Pl. d. 8. Mai

Weststraße · Pleck- · Dr.-Richard-Sorge-Str. · Jakobi-kirche · Rathaus · Augustusburger Str.

Dreieinig-keits-kirche · Kaßbergstraße · Wieland-str. · Markt · Johannis-kirche · Thaerstr.

E.-Rosenow-Str. · Kurt-Berthel-Str. · Wilhelm- · Chemnitz · Poststraße · Juri-Gagarin-Straße

Joh.-R.-Becher-Str. · F.-Heckert-Pl. · Moritzstraße · Park der Opfer des Faschismus

Zwickauer Straße · Annenstraße · Brauhausstr. · Wiesenstr. · Schauspiel-haus

Bhf. Ch.-Mitte · Stollberger · Schadestr. · Annaberger Straße · F.-Reuter-Str. · C.-Zetkin-Str. · Rembrandt-str.

Neefestraße · Blumen-str. · Ritterstr.

500 m · Kapellen- · G.-Freytag-Str.

© Baedeker · Görrestr. · Bhf. Ch.-Süd

Zwickau · Stollberg · Annaberg-Buchholz · Zschopau · Augustusburg · Frankenberg

231

Chemnitz

Wandelhalle im Neuen Rathaus

Siegertsches Haus
Schräg gegenüber dem Rathaus das Siegertsche Haus mit der einzigen noch erhaltenen Barockfassade (1741), heute 'Café am Markt'.
An den Markt schließt sich der Fußgängerbereich 'Rosenhof' an.

Stadthalle
Unweit nördlich vom Roten Turm befinden sich – umgeben von Grünanlagen mit Wasserspielen – die Stadthalle und das Hotel 'Kongreß'; nordöstlich gegenüber das Karl-Marx-Monument (überdimensionaler Marx-Kopf und 12,40 m hohe Schriftwand; 1971, L. Kerbel).

Theaterplatz
Baukünstlerisch bedeutend ist das Ensemble am Theaterplatz mit Opernhaus (1906–1909), neuromanischer Kirche, Hotel 'Chemnitzer Hof' und dem Museumsgebäude.

Museum
Das Museum beherbergt die Städtischen Kunstsammlungen; gezeigt werden u. a. bekannte Werke des Expressionismus und des Impressionismus.

*Sterzeleanum ('versteinerter Wald')
Eine geologische Sammlung von Weltruf ist das Sterzeleanum, etwa 250 Millionen Jahre alte verkieselte Baumstämme. Dieser 'versteinerte Wald' ist zum einen Teil am Theaterplatz, zum anderen im Museumsgebäude aufgestellt und erläutert.

Schloßberg

Schloßkirche
Berühmt sind die Bauten auf dem Schloßberg. Die ehemalige Benediktinerklosterkirche St. Maria (Schloßkirche; 1136 gegründet), eine spätgotische dreischiffige Hallenkirche, ist ausgeschmückt mit spätgotischen Malereien; ferner bemerkenswert die 'Geißelsäule' (H. Witten) und das Hauptportal (spätgotisches Astwerk, F. Maidburg und H. Witten).
Vom ehemaligen Klostergebäude sind nur noch Teile erhalten. Das hier untergebrachte Schloßbergmuseum hat u.a. eine stadt- und kulturgeschichtliche Sammlung.

Versteinerter Wald am Theaterplatz

Ebersdorf

Sehenswert ist auch die Stiftskirche Unser Lieben Frauen (15. Jh.) im Ortsteil Ebersdorf (ca. 20 Autominuten). Die Kirche, um 1400 als dörfliche
Wehranlage entstanden, war im 15. Jh. Wallfahrtskirche und ist mit hervorragenden Bildhauerarbeiten ausgestattet (Flügelhochaltar, 1513).

Stiftskirche

Küchwaldpark und Tierpark

Im Küchwaldpark gibt es ein Kosmonautenzentrum, eine Parkeisenbahn,
eine Freilichtbühne und eine Eissporthalle.
Ein weiterer Anziehungspunkt ist der Tierpark an der Pelzmühle.

Freizeit- und
Sportstätten

Niederrabenstein

Im Ortsteil Niederrabenstein sind die Rabensteiner Felsendome sehenswert, ein früheres Kalkbergwerk mit domähnlichen Hohlräumen, prachtvollen Kalkkristallen und Teichen. Erhalten sind ferner der Kalkofen und
das Brennmeisterhaus.

Rabensteiner
Felsendome

Oberrabenstein

In Oberrabenstein stehen noch Überreste einer Burg (Palas und Bergfried);
in den Räumen sind barocke Plastiken, ferner Waffen und bäuerliche
Gebrauchsgegenstände ausgestellt.

Burgreste

Sehenswertes in der Umgebung von Chemnitz siehe nächste Seite

Umgebung von Chemnitz

Lichtenwalde

In Lichtenwalde (F 169, 10 km nordöstlich) sind sehenswert das barocke Schloß (1722–1726; jetzt Bildungsstätte), die Schloßkapelle aus dem 15. Jh. und der barocke Schloßpark (1730–1737) mit Pavillons, Skulpturen und Wasserkünsten.

Hainichen

In Hainichen (F 169, 22 km nordöstlich von Chemnitz) lohnt das Heimatmuseum einen Besuch; es zeigt eine Sammlung über Leben und Werk des hier 1715 geborenen Dichters Chr. F. Gellert. In der Pfarrkirche ein bemerkenswerter spätgotischer Flügelaltar.

*Burg Kriebstein

Von Chemnitz nordwärts über Mittweida (19 km) gelangt man zu der bei Kriebethal auf steilem Felsen über der unweit südlich aufgestauten Zschopau (Kriebsteiner Talsperre) aufragenden Burg Kriebstein, einem bedeutenden Zeugen spätgotischen Burgenbaues in Deutschland. Die 1384 erstmals urkundlich erwähnte Burg wurde gegen Ende des 15. Jh.s in ihrer heutigen Form und Ausdehnung von dem bekannten Baumeister Arnold von Westfalen gestaltet.

Das Burgmuseum informiert über Burgarchitektur und Wohnkultur des Adels. Besichtigt werden können u. a. die Gotische Halle, das gotische Schatzgewölbe (Wandmalereien), die Kapelle mit vollständiger Ausmalung aus der Zeit um 1410, der Rittersaal, das Jagdzimmer und Stilzimmer von der Gotik bis zur Neugotik. Allmonatlich finden Burgkonzerte statt.

Wechselburg

In Wechselburg (30 km nordwestlich von Chemnitz) am rechten Ufer der Zwickauer Mulde verdient neben der barocken Pfarrkirche St. Otto (1730–1737) und dem einstigen Schloß der Grafen von Schönburg-Glauchau, einem schlichten Barockbau auf romanischen Grundmauern, vor allem die katholische ehem. Schloßkirche höchste Aufmerksamkeit.

Burg Kriebstein

Hierbei handelt es sich um die Kirche des vor 1168 gegründeten und 1543 aufgelösten Augustinerchorherrenstiftes Zschillen, einen zwischen 1160 und 1180 entstandenen romanischen Bau (Teilweihe 1168), dessen Inneres im 15. Jh. und 1683/1684 umgestaltet worden ist (mehrfach restauriert). Die dreischiffige Pfeilerbasilika ist gotisch eingewölbt.

Chemnitz, Umgebung, Wechselburg (Fortsetzung)

Das Innere enthält hervorragende Bildwerke vom spätromanischen Lettner (1230–1235; ca. 1683 abgebrochen), die nun in der Kirche verteilt sind: figurenreiche Triumphkreuzgruppe über dem Hauptaltar; reliefgezierte Kanzel aus Rochlitzer Stein; einstige Lettnerbühne im Chor; alttestamentliche Figuren vor den östlichen Vierungspfeilern. Im Mittelschiff befindet sich das Grabmal (um 1235) des Stifterpaares Dedo von Groitzsch (†1190) und seiner Gemahlin Mechthild (†1189).

**Romanische Bildwerke in der Stiftskirche

In Hohenstein-Ernstthal (20 km westlich von Chemnitz) – bekannt durch den nahen 'Sachsenring', eine 1927 eröffnete, 8,618 km lange Motorradrennstrecke – gibt es eine barocke Kirche (1756/1757) und alte Bürgerhäuser (Fachwerkhäuser und Weberhäuser). Aufmerksamkeit verdienen ferner die Karl-May-Gedenkstätte und das Stadtmuseum mit Dokumenten zur Geschichte des Hohensteiner Erzbergbaus und zwei Weberstuben aus dem 19. Jahrhundert.

Hohenstein-Ernstthal
Sachsenring

Interessant sind die Kelleranlagen: Die Tiefkeller um den Markt sind meistens aus dem Inneren der Häuser über die Kellertreppe und den Hauskeller zu erreichen. Von dort führt ein geneigter 'Kellerhals' (im Regelfall mit Ziegeln ausgewölbt) in den Tiefkeller, der aus einem durchschnittlich 10–20 m langen Hauptkeller und mehreren Nebengängen besteht.

1844 war im Bereich von Lugau und Oelsnitz (28 km südwestlich von Chemnitz, Autobahn bis zum Abzweig 'Hartenstein') ein über 120 m mächtiges Steinkohlenflöz erschlossen und die Förderung (hauptsächlich für die Chemnitzer Industrie) begonnen worden, den man erst in den siebziger Jahren des 20. Jh.s einstellte, nachdem die Lagerstätten erschöpft waren.

Lugau–Oelsnitzer Steinkohlerevier

In den Schachtgebäuden bei einem weithin sichtbaren, restaurierten Fördertum wurde 1986 das seither vielbesuchte Oelsnitzer Bergbaumuseum eingerichtet. In einem naturgetreu nachgebildeten Schacht wird über die schwere Arbeit der Bergleute und das über und unter Tage eingesetzte Arbeitsgerät informiert; die große, 18000 PS leistende Dampfmaschine der früheren Schachtanlage ist noch funktionsfähig. Das Museum berichtet ausführlich über die sächsische Bergbaugeschichte, speziell über den Bergbau auf Steinkohle in dieser Gegend. In nächster Nähe befindet sich die Museumsgaststätte "Glück auf".

*Bergbaumuseum Oelsnitz

⟶ Reiseziele von A bis Z: Augustusburg

Augustusburg

⟶ Reiseziele von A bis Z: Zschopau

Zschopau

Cottbus   D 7

Bundesland: Brandenburg
Bezirk (1952–1990): Cottbus
Höhe: 64 m ü.d.M.
Einwohnerzahl: 130000

Cottbus, sorbisch Chośebuz, liegt im südöstlichen Teil des Landes Brandenburg an der Spree und bildet das Tor zum ⟶ Spreewald. Die Stadt ist das wirtschaftliche und kulturelle Zentrum der Niederlausitz (⟶ Lausitz) mit Hochschulen und großen Neubaugebieten.

Lage und Bedeutung

Der Name der Stadt Cottbus (früher Kottbus geschrieben) ist Bestandteil eines bekannten Zungenbrechers. Man spreche möglichst rasch:
"Der Cottbuser Postkutscher putzt den Cottbuser Postkutschkasten."

Zungenbrecher

Cottbus

Im Jahre 1156 erstmals urkundlich erwähnt, hatte Cottbus bald eine planmäßige, gitterförmige Stadtanlage. An der Kreuzung wichtiger Fernhandelsstraßen entwickelte es sich dann zu einem bedeutenden Handels- und Herstellungsort. Tuchmacher und Leineweber erhielten Zunftrecht. Die mit einer Ziegelmauer befestigte Stadt kam 1445 zu Brandenburg. Im Dreißigjährigen Krieg wurde sie durch kaiserliche, schwedische und sächsische Truppen geplündert und verwüstet. Durch die Ansiedlung von Pfälzern und Hugenotten in einer französischen Kolonie (1701) wurden Handwerk und Wirtschaft wieder belebt (Einführung der Seidenspinnerei, Strumpfwirkerei und Tabakfabrikation). 1807 kam die Stadt zu Sachsen, 1815 zusammen mit der Niederlausitz zu Preußen. Mit der Mechanisierung setzte zu Beginn des 19. Jh.s eine sprunghafte Entwicklung der Textilindustrie ein. Nach schweren Kriegszerstörungen wurde Cottbus im Jahre 1952 'Bezirksstadt' und entwickelte sich zur Großstadt.

Sehenswertes in der Stadt

Altmarkt

Am Altmarkt kreuzten sich die alten Fernhandelsstraßen, er war der ideale Platz für die Kaufleute. Nach dem Stadtbrand von 1671 wurden die Häuser im sächsischen Barock errichtet. Heute steht der Altmarkt unter Denkmalschutz. Hervorzuheben sind die Häuser Nr. 21 und Nr. 22 (mit Fleischerscharren; Weinstube) sowie die 1586 gegründete Löwenapotheke, heute Niederlausitzer Apothekenmuseum.

Oberkirche

Östlich vom Altmarkt erhebt sich die Oberkirche, eine dreischiffige Backsteinhallenkirche mit dem vom Torgauer Meister A. Schultze geschaffenen Renaissancealtar.

Wendische Kirche

Nördlich vom Altmarkt liegt die Wendische Kirche (ehem. Franziskanerklosterkirche). Hier wurde für die sorbische Bevölkerung der Umgebung in sorbischer Sprache gepredigt.

Altmarkt mit Oberkirche

Achtung!
Im Zuge der politischen Neuorientierung sind weitere Namensänderungen zu erwarten.

Cottbus

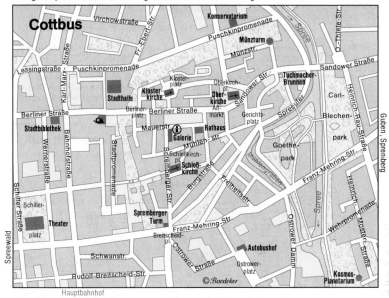

In südlicher Richtung schließt sich die zu einer Fußgängerzone umgestaltete Spremberger Straße an.

Spremberger Straße

Die barocke Schloßkirche wurde 1707–1714 von Hugenotten errichtet.

Schloßkirche

Am Südende der Straße erhebt sich als Wahrzeichen der Spremberger Turm, Überrest der einstigen Befestigungsanlagen. Seine Zinnenkrone erhielt er nach Plänen von Karl Friedrich Schinkel.

Spremberger Turm

Im Hause Spremberger Straße Nr. 1 sind die Staatlichen Kunstsammlungen Cottbus untergebracht; gezeigt werdie moderne und zeitgenössische Kunst aus den Bereichen Photographie, Malerei, Graphik und Plastik.

Staatliche Kunstsammlungen Cottbus

Westlich vom Spremberger Turm beginnt am Warenhaus das neue Stadtzentrum. Durch die Verbindung alter Stadtmauerreste mit modernen öffentlichen Einrichtungen wurde eine Ladenstraße geschaffen; sie endet am Berliner Platz, der vom Hotel 'Lausitz' und der Stadthalle (1975) begrenzt wird.

Neues Stadtzentrum

Sehenswert ist das im Jugendstil erbaute Stadttheater (1908, B. Sehring; bis 1986 renoviert) auf dem Schillerplatz.

∗Stadttheater

Parkanlagen

Zur Erholung bieten sich die zahlreichen Parks und Grünanlagen entlang der Spree an.

Östlich vom Altmarkt beginnt an der Sandower Brücke (in der Nähe der Münzturm und der Tuchmacherbrunnen) der Carl-Blechen-Park mit Freilichtbühne und Denkmal für den aus Cottbus stammenden Maler Carl Blechen (1798–1840).

Carl-Blechen-Park

Es folgt der Goethe-Park mit dem Amtsteich und einem Schwanengehege. An der Gaststätte 'Kleines Spreewehr' vorbei gelangt man zu dem Raum-

Goethe-Park

237

Cottbus

Goethe-Park
(Fortsetzung)

Elias-Park

flugplanetarium 'Juri Gagarin'. Es wurde als erstes seiner Art am 26. April 1974 eröffnet.
Im südlich gelegenen Elias-Park verkehrt eine Parkeisenbahn.

Tierpark

Lohnend ist auch ein Besuch im Tierpark, der zu den größten seiner Art (bes. Wasservögel) im östlichen Teil Deutschlands gehört.

*Branitzer Park

Ein vollendetes Meisterwerk deutscher Gartenbaukunst ist der 1846 begonnene Branitzer Park, ein Werk des Fürsten Hermann von Pückler-Muskau (1785–1871). Besondere Beachtung verdienen die in Europa einmalige Landpyramide und die Seepyramide, das Grab des Fürsten.

Lageplan

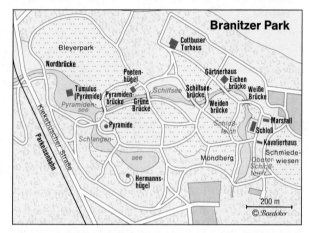

Schloß Branitz

Das Schloß Branitz schließt den Park nach Osten hin ab. Der Barockbau (1772) wurde um 1850 von G. Semper umgestaltet. Das im Schloß eingerichtete Museum besitzt eine sehenswerte Sammlung von Zeichnungen und Gemälden des Cottbuser Malers Carl Blechen sowie sehenswerte Ausstellungen zur Geschichte der Stadt.
Im ehemaligen Marstall ist eine naturwissenschaftliche Abteilung (Geologie, Tiere und Pflanzen, Braunkohlenbergbau) zu besichtigen.
Die im englischen Gartenstil von G. Semper erbaute Parkschmiede ist nach umfangreicher Rekonstruktion 1986 als technische Schauanlage eröffnet worden.

Umgebung von Cottbus

*Spreewehrmühle

Ein beliebtes Ausflugsziel an der Spree nördlich der Stadt ist die Spreewehrmühle, die einzige noch ganz funktionsfähige, unterschlächtig angetriebene Flußmühle im östlichen Teil Deutschlands (seit 1986 Technisches Denkmal; dreimal wöchentlich Vorführungen). Sie wurde 1801 zur Herstellung von Mehl, Graupen oder Schrot aus Roggen erbaut und bald durch einen Ausschank ergänzt, der sich dann zu einer beliebten Ausflugsgaststätte entwickelte.

Peitz

In Peitz (F 97, 10 km nördlich von Cottbus) sind die ehemalige Festung, das klassizistische Rathaus (1804) und das Hüttenwerk mit dem Hüttenmuseum (Raseneisenerzgewinnung) sehenswerte Ziele. Ebenso interessant ist das Fischerdorf bei der 'Karpfenernte' im Herbst (Peitzer Teichgebiet).

Schloß Branitz in Cottbus

Die Industriestadt Forst an der Neiße (F 122, 24 km östlich von Cottbus), die hier die deutsch-polnische Grenze bildet (Grenzbahnhof; am östlichen Ufer der polnische Ort Zasieki, einst Stadtteil von Forst), besitzt auf der Wehrinsel einen nach dem Zweiten Weltkrieg neugestalteten Rosengarten.

Cottbus, Umgebung (Fortsetzung) Forst

In Bad Muskau (F 115, 39 km südöstlich von Cottbus) an der Neiße (östlicher Ortsteil heute polnisch) gibt es einen weiträumigen Landschaftspark, wie der Branitzer Park (vgl. S. 238) eine Schöpfung des Fürsten Hermann von Pückler-Muskau. Das aus dem 16. Jh. stammende Schloß wurde 1863–1866 erstmals umgebaut und 1945 schwer beschädigt; sein Wiederaufbau ist seit langem geplant. Im Oberpark die Ruine der Bergkirche, ein ursprünglich gotischer Feldsteinbau aus dem 13. Jahrhundert.

Bad Muskau

In dem Bad Muskau westlich benachbarten Kromlau gibt es einen um 1850 nach den Vorbildern von Muskau und Branitz angelegten ausgedehnten Landschaftspark mit Schloß (1845) und Kavalierhaus.

Kromlau

⟶ Reiseziele von A bis Z: Spreewald

Spreewald

Darß (Halbinselkette Fischland – Darß – Zingst)

A 5

Bundesland: Mecklenburg-Vorpommern
Bezirk (1952–1990): Rostock

Am 12. September 1990 hat die letzte amtierende Regierung der damaligen Deutschen Demokratischen Republik beschlossen, die Halbinselkette Fischland – Darß – Zingst sowie die Insel ⟶ Hiddensee samt den dazugehörigen Boddenflächen als 'Nationalpark Boddenlandschaft' (805 km²) unter strengen Natur- und Landschaftsschutz zu stellen.

Nationalpark Boddenlandschaft

Darß

Ostseestrandpartie am Westrand vom Darß

∗Darß

Der Darß, ein urwüchsiges und wildreiches, 6000 ha großes, einst schwer zugängliches Waldgebiet mit kilometerlangem Sandstrand, bildet den mittleren Teil der heutigen, an der Ostsee (→ Ostseeküste) gelegenen Halbinselkette Fischland–Darß–Zingst. Früher waren alle drei Teile voneinander getrennte Inseln, das Fischland bis in historische Zeiten hinein, der Darß bis ins 15. Jh., der Zingst bis 1874, als man den Prerowstrom durch einen Deich abriegelte. Auch heute noch besteht ein großer Reiz dieser Landschaft darin, beobachten zu können, wie durch das Meer Land vergeht und entsteht.

Fischland

Das Fischland, der westlichste Teil der Halbinsel, ist ein bis zu 18 m ü. d. M. hoher Moränenrücken, dessen Kliff, das Hohe Ufer (zwischen den Ostseebädern Wustrow und Ahrenshoop), seit Jahrhunderten von Brandung und Sturmfluten angegriffen und jährlich über einen halben Meter zurückverlegt wird. Ebenso lange trägt die Küstenströmung dieses Material nordostwärts und lagert es wieder ab: als Dünenfächer am Altdarß mit seinem bis 7 m hohen alten Meeressteilufer, als Strandwall- und Dünenlandschaft auf dem Neudarß, an der Landspitze von Darßer Ort und in Gestalt der Bernsteininsel, die erst in den letzten Jahren landfest wurde.

Zingst

Neues Land entsteht ständig auch auf dem Bock, östlich von der Halbinsel Zingst. Hielte der Mensch nicht durch ständiges Baggern die westliche Zufahrt nach Stralsund offen, so wäre vielleicht schon eine feste Verbindung mit dem Gellen, der Südspitze der Insel Hiddensee, entstanden.

∗Erholungsgebiet

Fischland, Darß und Zingst sind wie die gesamte nordmecklenburgische Boddenlandschaft ein vielbesuchtes Erholungsgebiet, zugänglich über die F 105 von → Rostock bzw. Ribnitz-Damgarten oder von → Stralsund bzw. → Barth.
Eine durchgehende Küstenstraße verbindet alle Badeorte miteinander, von denen jeder sein eigenes Gepräge hat.

Allen offiziellen landschaftsschützerischen Beteuerungen zum Trotz wurden am Darß während der Zeit der sozialistischen Deutschen Demokratischen Republik – streng abgeschirmt von der Öffentlichkeit – für die Spitzen von Partei und Staat luxuriöse Ferienvillen errichtet und für die einstige Nationale Volksmarine ein geheimer Militärhafen gebaut.
Ausgerechnet das Zingster Naturdenkmal 'Hohe Düne' (28 m hoch) wird seit Jahrzehnten als Schießplatz für militärische Übungen benutzt.

Darß
(Fortsetzung)
Mißstände

Wustrow, das auf die slawische Besiedlung zurückgehende Kirchdorf des früher mecklenburgischen Fischlandes, wird durch die Tradition seiner Schiffahrt bestimmt (seit 1846 Seefahrtschule).

Wustrow

Ahrenshoop hat den Anstoß zu seiner Entwicklung zum Badeort einer Malerkolonie zu verdanken; auch heute ist ein vielseitiges kulturelles Leben für den Ort kennzeichnend. Born und Wieck sind alte Fischerdörfer.

Ahrenshoop

Prerow empfängt seine Reize durch Weiträumigkeit und die Verbindung von Wald, Wiese und Wasser. Es besitzt zugleich eine bedeutende Schiffahrtstradition (Seemannskirche von 1726–1728).

Prerow

Zingst schließlich ist sowohl ein Badeort als auch Agrarzentrum.

Zingst (Ort)

Dessau D 5

Bundesland: Sachsen-Anhalt
Bezirk (1952–1990): Halle
Höhe: 61 m ü.d.M.
Einwohnerzahl: 103800

Dessau, die einstige Hauptstadt des Freistaates Anhalt, liegt unweit der Mündung der Mulde in die → Elbe. Die vom anhaltischen Hof angeregten kulturellen Aktivitäten ließen Dessau zu einem bedeutenden Kulturzentrum werden. Hier hatte von 1925 bis zu seiner Schließung 1932 das Bauhaus, die berühmteste Gestaltungsschule des 20. Jh.s, seine Wirkungsstätte. Im Zweiten Weltkrieg zu 85% zerstört, wurde Dessau nach planmäßigem Wiederaufbau ein bedeutendes Kulturzentrum und ein wichtiger Industriestandort im Mittelelbegebiet.

Lage und
Bedeutung

Erstmals 1213 urkundlich als Siedlung und 1298 als Stadt erwähnt, war sie von 1471 bis 1918 Residenz askanischer Fürsten von Anhalt-Dessau, von 1918 bis 1945 Hauptstadt des Freistaates Anhalt. 1774 gründete der Hamburger Pädagoge Johann Bernhard Basedow (1724–1790) in Dessau das Philanthropinum als 'Schule der Menschenfreunde'. Seit 1860 war Dessau Elbhafen für die Leipziger Wirtschaft. 1892 entstanden hier die Junkers-Werke, die zwischen den beiden Weltkriegen zu einem bedeutenden Unternehmen im deutschen Flugzeugbau wurden.

Geschichte

**Bauhaus

Als eines der bedeutendsten Architekturdenkmale des 20. Jh.s genießt das Bauhaus (1925/1926, W. Gropius) internationalen Ruf. Bis 1932 war es Hochschule für Gestaltung aller künstlerischen Disziplinen. Seit 1977 ist das Bauhaus mit internationalen Architektur-, Grafik-, Stadtgeschichte- und Design-Ausstellungen ein bedeutendes kulturelles Zentrum der Stadt und Spielstätte ('theater im bauhaus') des Landestheaters Dessau. Äußere Prunkstücke sind die 1400 m² große freihängende Glas-Vorhangfassade, die Bauhaus-Brücke und der Gebäudeeingang. Von 1976 bis 1979 originalgetreu restauriert wurden auch die Aula mit Bühne, die Mensa, das Vestibül sowie der Ausstellungs- und Vortragsraum.

Berühmtes Architekturdenkmal: Bauhaus in Dessau

*Bauhaus-
Siedlung

Die Bauhaus-Siedlung (1926–1928, Walter Gropius) mit 316 Wohnhäuser im Vorort Törten sollte die Idee der Mechanisierung des Bauens verwirklichen: Das Stahlhaus (1926, G. Muche und R. Paulick) steht auf Stahlstützen und ist mit einer Stahlblechaußenhaut umhüllt; die fünf Laubenganghäuser (1930, H. Meyer), dreigeschossig mit je 21 Wohnungen, besitzen Treppenhäuser, die über Laubengänge zu den Wohnungen führen; die Meisterhäuser (1926–1928, W. Gropius) an der Ebertallee sind Dokumente der neuen architektonischen Sachlichkeit.

Sehenswertes im Stadtzentrum

Museum für
Naturkunde

Das Gebäude des Museums für Naturkunde und Vorgeschichte (1746 bis 1750) ist eine Nachbildung des Hospitals Santo Spirito in Rom. Sein kantiger Turm (1847) ist 40 m hoch. Ausgestellt sind reichhaltige Sammlungen der Geologie, Mineralogie, Botanik, Paläontologie und Zoologie. Die ur- und frühgeschichtlichen Funde stammen aus den Kreisen Dessau, Roßlau und Köthen; beachtenswert sind auch die Fotos zur Stadtgeschichte.

Kirche St. Georg

Im Stil des holländischen Barock ist die Kirche St. Georg (1712–1717) erbaut, zu deren Schöpfern auch Carlo Ignazio Pozzi gehört. Eindrucksvoll sind der dreigeschossige Zwiebelturm und das Mansardendach auf elliptischem Grund.

Kirche
St. Peter und Paul

Die neugotische katholische Kirche St. Peter und Paul (1854–1857) von Vincenz Statz ist ein roter Backsteinbau mit Kreuzgewölbe und schönen Altären. Die Kirche gilt als erste reguläre katholische Kirche der Stadt.

Stadtbibliothek

In der Stadtbibliothek (1793–1795, F. W. v. Erdmannsdorff) befinden sich – als Sondersammlungen – vier wertvolle Bibliotheken (15.–19. Jh.) mit über 30000 Büchern, Schriften, Inkunabeln, Wiegen- und Frühdrucken, ferner Nachlässe von Dichtern, Komponisten und Philanthropen aus dem 18. und 19. Jahrhunderts.

Im Stadtzentrum wie auch im Stadtpark stehen Denkmäler, u.a. für den Dichter Wilhelm Müller, den Philosophen Moses Mendelssohn, den Komponisten Friedrich Schneider und den Verfasser des 'Sachsenspiegels', Eike von Repkow, ferner die Plastik "Zentaur" von Reinhold Begas.

Georgengarten

Im Georgengarten (um 1780, J.F. Eyserbeck), einem englischen Garten mit optischen Achsen, lassen sich Antike und Klassizismus entdecken (Tempel, künstliche Ruinen, Säulen, Statuen).

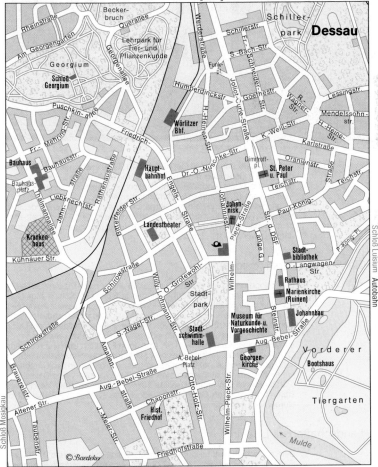

Achtung! Im Zuge der politischen Neuorientierung sind weitere Namensänderungen zu erwarten.

Schloß Georgium im Dessauer Georgengarten

Schloß Georgium:
*Gemäldegalerie

Im klassizistischen Schloß Georgium (1781, F. W. v. Erdmannsdorff) befindet sich die Gemäldegalerie. Neben Bildern von A. Dürer, L. Cranach d. Ä. und A. Tischbein sind Werke holländischer, flämischer und deutscher Malerei vom 12. bis zum 20. Jahrhundert zu sehen.

Lehrpark

Im angrenzenden Park, einem Lehrpark für Tier- und Pflanzenkunde, sind fast 500 Tiere 110 verschiedener Arten beheimatet. 125 Gehölzarten bestimmen das Profil des Parkes (16 ha), der im 19. Jh. von August Hooff angelegt worden ist.

*Schloß und Park Mosigkau

Schloß

Ein Kleinod deutscher Architektur des 18. Jh.s – nach Plänen von Georg Wenzeslaus von Knobelsdorff – ist das spätbarocke Schloß Mosigkau (rund 9 km südwestlich; seit 1951 Museum). In 24 Schauräumen (Möbel, Spiegel, Porzellane u.a.) sind holländische, flämische und deutsche Gemälde des 17./18. Jh.s (u.a. von Rubens, Pesne, Jordaens, van Dyck, Moreelse, Fyt) sowie Kunsthandwerk des 17./18. Jh.s zu sehen.

Park

Im Mosigkauer Park (1755–1757, Christoph Friedrich Brose und Johann Gottfried Schoch; im französischen Stil mit japanischen Partien) gibt es seltene (auch exotische) Gewächse und einen Irrgarten. In den Orangerien finden Sommerausstellungen statt. Das Denkmal des ‘Alten Dessauers’ (Fürst Leopold von Anhalt-Dessau, 1676–1747) im Ehrenhof des Parkes stammt von Johann Gottfried Schadow. Das japanische Teehäuschen wurde 1775 gebaut.

*Landschaftspark Luisium

Der Landschaftspark Luisium ist ein intimer englischer Garten (1780, J. F. Eyserbeck) mit Schloß (1774–1777, F. W. v. Erdmannsdorff) im italienischen Villenstil. Sein Schmuck besteht u. a. aus Torbogen, Säulenhallen, Tempeln, Statuen, Denkmälern, Grotten, einer chinesischen Brücke und einer Orangerie; es gibt dort eine Gaststätte.

Umgebung von Dessau

Die 6 km nördlich von Dessau am rechten Ufer der ⟶ Elbe (Straßenbrücke) bei der Mündung der Rossel gelegene industriereiche Kreisstadt Roßlau (62 m ü. d. M., 15000 Einw.; Eisenbahnknotenpunkt) ist mit ihrem Flußhafen (Schiffswerft) über die Gegend hinaus u. a. durch die regelmäßig von hier gemachten Wasserstandsmeldungen der Mittelelbe bekannt.
Die im Jahre 1382 erstmals urkundlich erwähnte Stadt entstand bei einer seit 1215 bezeugten Burg. Das ägyptisch-dorische Friedhofsportal (1822) und das Innungsbrauhaus (1826) schuf Gottfried Bandhauer. Die Stadtkirche am quadratischen Markt ist ein Bau im neugotischen Stil. An einem Haus der Südstraße (Nr. 15) befindet sich eine Gedenktafel für den aus Roßlau gebürtigen Architekten Richard Paulick (1903–1979).

Roßlau

Thießen (16 km nordöstlich von Dessau) besitzt einen wasserbetriebenen Kupferhammer (um 1600; Technisches Denkmal und Museum).

Thießen

In Serno (28 km nordöstlich von Dessau) befindet sich ein in Europa einmaliges technisch-musikalisches Wunderwerk, das Stabgeläut (um 1830, G. Sachsenberg) mit drei 12–36 Pfund schweren und im Winkel von 68° gebogenen Dreiband-Stahlstäben.

Serno
*Stabgeläut

Die rund 20 km nordwestlich von Dessau gelegene Kreisstadt Zerbst (70 m ü. d. M., 30000 Einw.; Werkzeugmaschinenbau, Konservenfabriken) von 1603 bis 1793 Residenz des Fürstentums Anhalt-Zerbst, besitzt – trotz starker Zerstörung im Zweiten Weltkrieg (1945) – noch die fast vollständig erhaltene Stadtmauer aus dem 14. und 15. Jahrhundert (4 km lang, bis 7 m hoch) mit fachwerkgedecktem Wehrgang und drei Stadttoren.
Wertvolle Werke (Fayencen, Wiegendrucke, Handschriften, Cranach-Bibel von 1541) sind in der als Museum eingerichteten einstigen frühgotischen Klosterkirche (1252) ausgestellt. Die Trinitatiskirche (1683–1696) von Cornelis Ryckwaert ist im Stil des holländischen Barock gehalten; im Innenraum befinden sich schöne Plastiken von Giovanni Simonetti.
Sophie Friederike Auguste, die 1729 in Stettin geborene Tochter des Fürsten Christian August von Anhalt-Zerbst, wurde 1762 als Katharina II., die Große, Zarin (Kaiserin) von Rußland (†1796 in Zarskoje Selo, heute Puschkin).
Das Umland der Stadt Zerbst, die man früher gern als das 'Rothenburg Mitteldeutschlands' apostrophiert hat, ist bekannt für den Anbau von Spargel.

Zerbst

*Stadtmauer

In Jeßnitz (20 km südlich von Dessau) steht das Geburtshaus des Dichters Hermann Conradi (1862–1890, in Würzburg gestorben); Gedenktafel.
In Altjeßnitz (am rechten Ufer der Mulde) befindet sich ein um 1750 angelegter großer Irrgarten.

Jeßnitz

Altjeßnitz

In Gräfenhainichen (23 km südöstlich von Dessau), der Geburtsstadt des bedeutendsten evangelischen Liederdichters, Paul Gerhardt (1607–1676), lohnen die säulengeschmückte klassizistische Paul-Gerhardt-Kapelle (1844) und das Paul-Gerhardt-Haus (1907–1909) mit dem Paul-Gerhardt-Denkmal (F. Pfannenschmidt) einen Besuch. Ferner bemerkenswert sind eine sächsische Postmeilensäule (16. Jh.) sowie das Johann-Gottfried-Galle-Denkmal (1977, W. Richter) für den Astronomen J. G. Galle, der 1846 den Planeten Neptun entdeckt hat.

Gräfenhainichen

⟶ Reiseziele von A bis Z: Wörlitz

Wörlitzer Park

Bad Doberan   A 4

Bundesland: Mecklenburg-Vorpommern
Bezirk (1952–1990): Rostock
Höhe: 50 m ü.d.M.
Einwohnerzahl: 12000

Lage und Bedeutung

Bad Doberan, die einstige Sommerresidenz des Mecklenburger Hofes, liegt im Norden des Landes – knapp 15 km westlich von → Rostock. Der Ort ist berühmt wegen seines im Ostseeraum einmaligen Münsters.
Als erstes deutsches Seebad wurde der heutige Ortsteil Heiligendamm angelegt.

Geschichte

Im Jahre 1171 gründeten Zisterziensermönche in Althof nahe dem slawischen Ort Doberan ein Kloster. Es wurde 1179 zerstört und 1186 in Doberan neu errichtet. Nach einem Brand des ersten Gotteshauses entstand an diesem Platz eine hochgotische Klosterkirche. 1552 kam es zur Aufhebung des Klosters und zur Bildung des Amtes Doberan. Durch den mecklenburgischen Herzog Friedrich Franz I. zum herzoglichen Familie bestimmt, entwickelte sich Doberan in Verbindung mit Heiligendamm zu einem Erholungsort der 'vornehmen' Gesellschaft.
Im Jahre 1825 wurde das Eisenmoorbad gegründet. Die Verleihung der Stadtrechte erfolgte 1879. Bekannt wurde der Ort auch durch die erste Pferderennbahn (1807) auf dem europäischen Kontinent nach englischem Vorbild. Im Jahre 1921 wurde Doberan zum Bad erhoben. Seit 1952 ist Bad Doberan Kreisstadt.

Sehenswertes

✻Münster

Das Wahrzeichen von Bad Doberan ist die in den Jahren 1294 bis 1368 entstandene Zisterzienserklosterkirche, ein gotischer Backsteinbau, bekannt auch als Doberaner Münster – eines der schönsten sakralen Bauwerke im östlichen deutschen Ostseeraum (bis 1984 gründlich restauriert).

Grundriß

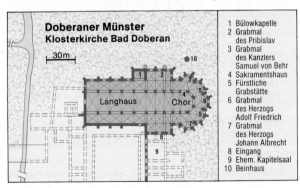

Doberaner Münster
Klosterkirche Bad Doberan

├ 30m ┤

Langhaus   Chor

1 Bülowkapelle
2 Grabmal des Pribislav
3 Grabmal des Kanzlers Samuel von Behr
4 Sakramentshaus
5 Fürstliche Grabstätte
6 Grabmal des Herzogs Adolf Friedrich
7 Grabmal des Herzogs Johann Albrecht
8 Eingang
9 Ehem. Kapitelsaal
10 Beinhaus

Im Münsterinneren gibt es eine reiche Ausstattung, u.a. das 11,60 m hohe Sakramentshaus, eine Marienleuchte, ein riesiges Triumphkreuz, wertvolle Altäre und Holzfiguren, Grabsteine sowie Grabkapellen.

Ehemalige Klostergebäude

Von den ehemaligen Klostergebäuden sind noch weitgehend erhalten: das Beinhaus (13. Jh.), das Kornhaus (um 1270) und das Brauhaus (um 1290).

Doberaner Münster ▶

Bad Doberan
(Fortsetzung)
Kamp

Mittelpunkt der klassizistischen Bebauung der Stadt ist der Kamp, ein Park im englischen Stil, u. a. mit dem Salongebäude (1801/1802, T. Severin), dem ehem. Großen Palais (1806–1810, T. Severin) und dem einstigen Logierhaus (1793, Seydewitz; heute Hotel). Die beiden chinesischen Pavillons im Kamp sind die einzigen Chinoiserien in Mecklenburg (1808/1809 bzw. 1810–1813; heute Café bzw. Ausstellungspavillon).

Gedenkstätte
für Ehm Welk

Für den Dichter Ehm Welk (1884–1966), der auf dem Waldfriedhof beigesetzt ist, wurde 1979 eine Gedenkstätte eingerichtet.

Umgebung von Bad Doberan

Ostseebad
Kühlungsborn

Zu dem bekannten Ostseebad Kühlungsborn (14 km nordwestlich; Meerwasserschwimmhalle) gelangt man am besten mit der Kleinbahn 'Molli'.

**Hansestadt
Rostock**

⟶ Reiseziele von A bis Z: Rostock

Dresden   D 6

Hauptstadt des Bundeslandes Freistaat Sachsen
Bezirk (1952–1990): Dresden
Höhe: 120 m ü. d. M.
Einwohnerzahl: 520 000

Hinweis

Die im Rahmen dieses Reiseführers gegebene Darstellung von Dresden ist bewußt knapp gehalten, da in der Reihe 'Baedekers Allianz-Reiseführer' ein ausführlicher Stadtband "Dresden" vorliegt.

✳Lage

Dresden, das weltberühmte 'Elbflorenz', liegt in einem weiten Talkessel der oberen ⟶ Elbe, der sich zwischen ⟶ Pirna und ⟶ Meißen über 40 km ausdehnt, eingebettet zwischen den Ausläufern des Osterzgebirges (⟶ Erzgebirge), dem Steilabfall der Lausitzer Granitplatte und dem Elbsandsteingebirge (⟶ Sächsische Schweiz).
Die landschaftliche Schönheit, die besondere Klimagunst und die Lage an wichtigen Handelsstraßen haben Dresden zu allen Zeiten zu einer besonders bevorzugten Stadt gemacht.

Bedeutung

Dresdens Berühmtheit gründet sich auf die reichen Kunstsammlungen – die Gemäldegalerie, das Grüne Gewölbe und das Kupferstichkabinett – wie auch auf die eindrucksvollen Baudenkmäler der Stadt. Während die Schloßanlage zu den bedeutendsten Renaissancebauwerken Dresdens gehört, sind der berühmte Zwinger und die katholische Hofkirche Teil der barocken Stadtanlage. Durch Gottfried Sempers Wirken traten bedeutende Bauten im Stadtzentrum hinzu wie die Gemäldegalerie und die Semperoper. Dresden ist auch eine Stadt der international anerkannten Forschung und Wissenschaft mit einer der größten Technischen Universitäten in Mitteleuropa, ein Zentrum der traditionellen Kulturpflege und des künstlerischen Schaffens der Gegenwart.
Als bedeutende Industriestadt und Zentrum des Ballungsgebietes 'Oberes Elbtal' ist Dresden der Standort elektrotechnischer und elektronischer Betriebe, des Maschinenbaus, der polygraphischen Industrie, der Nahrungs- und Genußmittelindustrie und der Arzneimittelproduktion.

Geschichte

Im Schutze der Burg auf dem Taschenberg, an einem bedeutenden Elbübergang gelegen, wird der 1206 erstmals erwähnte Ort 1216 als 'civitas' bezeichnet. 1275 ist die Elbbrücke bezeugt, die Dresden mit dem rechtselbischen Altendresden (1403 Stadtrecht, heute Neustadt) verband. Im Jahre 1485 zur Residenz der wettinischen Herzöge geworden, begann

Altstädter Elbufer

Geschichte
(Fortsetzung)

1530 der Ausbau der Burg zum Renaissanceschloß und der Stadt zu einer repräsentativen Residenzstadt. Unter Kurfürst Friedrich August I. (August der Starke) und seinem Sohn Friedrich August II. erlebt die Stadt das 'Augustäische Zeitalter' (1694 bis 1783), und sie wird zu einer der schönsten barocken deutschen Residenzstädte (Zwinger, Taschenbergpalais, Augustusbrücke, Frauenkirche, Hofkirche).

Das 1685 niedergebrannte Altendresden wurde als 'Neue Stadt bey Dresden' neu aufgebaut (Japanisches Palais, Dreikönigskirche). In diese Zeit fällt auch der Neu- oder Umbau zahlreicher Schlösser und die Anlage von Parks und Gärten in der Umgebung, darüber hinaus die Tätigkeit des Goldschmiedes J.M. Dinglinger, des Orgelbauers Gottfried Silbermann und die Erfindung des europäischen Porzellans durch J. F. Böttger sowie der Ausbau der Dresdner Kunstsammlungen (Gemäldegalerie, Grünes Gewölbe sowie Porzellan- und Antikensammlung), an der J.J. Winckelmann seine zur Wiederentdeckung der griechischen Antike führende Kunstauffassung ausbilden konnte. Als im Siebenjährigen Krieg preußische Truppen die Stadt beschießen, wird wertvolle Bausubstanz vernichtet. Lebendiges Geistesleben in bürgerlichen Kreisen ließ Dresden dann um die Wende zum 19. Jh. zu einem Mittelpunkt der deutschen Romantik werden.

Im Jahre 1813 errang Napoleon I. in der Schlacht bei Dresden seinen letzten Sieg auf deutschem Boden. 1828 wurde die Technische Bildungsanstalt (Vorläuferin der Technischen Universität) gegründet.

Carl Maria von Weber wirkte von 1817 bis 1826 und Richard Wagner von 1842 bis 1849 in der Stadt.

Die industrielle Entwicklung Dresdens setzte mit Beginn der Elbedampfschiffahrt (1837) und mit der Eröffnung der ersten deutschen Ferneisenbahn Leipzig–Dresden (1839) ein.

Dem Charakter der Residenzstadt entsprechend wurden die Fabriken in den Außenbezirken und Nachbargemeinden angesiedelt. Nach dem Jahre 1871 veränderte sich das Gesicht der Stadt durch zahlreiche Bauten

Dresden

Geschichte (Fortsetzung)

(zweite Semperoper, Johanneum, Albertinum, Kunstakademie u.a.). Seit 1909 entstand die Gartenstadt Hellerau.

Zerstörung im Zweiten Weltkrieg

Die vielbewunderte Kunst- und Barockstadt, militärisch unbedeutend und von Flüchtlingen überfüllt, traf in der Nacht vom 13. zum 14. Februar 1945 ein infernalisches Bombardement britischer und US-amerikanischer Flugzeuge und vernichtete sie weitgehend. Mindestens 35 000 Tote und rund 18 Mio. m³ Schutt auf einer Fläche von etwa 15 km² waren die Bilanz der Bombennacht. Viele der berühmten Bauten zieren das Stadtbild heute wieder oder werden wiederaufgebaut. Rings um die Bauten von einst sind neuzeitliche Gebäudeensembles zweifelhafter Qualität getreten.

Nach der sinnlosen Zerstörung Dresdens begannen im Jahre 1951 der Wiederaufbau der Innenstadt und aufwendige, bis heute fortdauernde Restaurierungsarbeiten.

Sächsische Landeshauptstadt

Nach dem Beitritt der einstigen Deutschen Demokratischen Republik zur Bundesrepublik Deutschland und der Wiedereinführung der Länder anstelle der von 1952 bis 1990 herrschenden Verwaltungsgliederung in Bezirke ist die einstige 'Bezirksstadt' nun Landeshauptstadt des neu gegründeten Freistaates Sachsen.

Stadtbeschreibung

Stadtplan s. S. 255

✳✳Zwinger

Weltberühmtes Bauwerk

Ein in der Welt einzigartiges Meisterwerk höfischen Barocks und Dresdens berühmtestes Baudenkmal ist der Zwinger, in dem sich überschwengliche Gestaltungslust und Klarheit des Entwurfs aufs glücklichste vereinen.

▼ *Dresdener Zwinger*

Man betritt die Anlage am besten über den alten Zwingergraben – im Rücken das Schauspielhaus (Großes Haus; 1912/1913) – durch das Kronentor.

Das kürzlich prächtig restaurierte Tor mit der polnischen Königskrone obenauf zieren Symbole des sächsisch-polnischen Herrscherhauses Augusts des Starken an der Fassade; dieser ließ die gesamte Anlage von 1710 bis 1732 von M.D. Pöppelmann zur Verherrlichung seiner Macht entwerfen und ausführen.

Dem Gedanken Augusts des Starken und der Genialität derer, die den Zwinger ins Werk setzten, entspringt die vielfältige Formenpracht: die majestätische, 36 Achsen zählende Langgalerie an der Südseite, die vier sich spiegelbildlich ergänzenden Pavillons an der West- und Ostseite, der Wallpavillon im Scheitel der gegen Westen auswärts schwingenden Bogengalerie, in seiner musikalischen Leichtigkeit das Kleinod des Zwingers, und das Nymphenbad mit den verspielten Wasserkünsten und den mythologischen Frauengestalten aus der Werkstatt B. Permosers, eines der größten Bildhauer des Barock, der Pöppelmann während der Arbeiten zur Seite stand.

Die Pavillons und Galerien wurden nach schweren Kriegszerstörungen bis zum Jahre 1964 wiederhergestellt, sind jedoch durch Luftverschmutzung in ihrem Aussehen wieder erheblich beeinträchtigt (Figurenschmuck z.T. völlig schwarz und zerbröckelt). Heute werden in den Pavillons und in den Galerien erneut kostbare Kunstschätze aufbewahrt.

In der Langgalerie neben dem Kronentor (auf der Seite zum Postplatz) befindet sich der Eingang zur Porzellansammlung, einer der größten überhaupt, mit früher chinesischer Keramik und chinesischem Porzellan aus der Blütezeit, den berühmt-berüchtigten 'Dragonervasen', Böttger-Stein-

Innenhof mit Blick auf den Glockenspielpavillon ▼

Zwinger
(Fortsetzung)
Grundriß

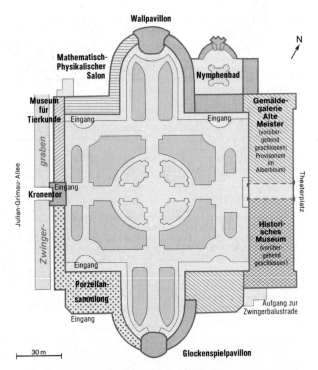

Im Bild: Wallpavillon, Mathematisch-Physikalischer Salon, Nymphenbad, Museum für Tierkunde, Eingang, Eingang, Gemäldegalerie Alte Meister (vorübergehend geschlossen; Provisorium im Albertinum), graben, Julian-Grimau-Allee, Theaterplatz, Eingang, Kronentor, Zwinger-, Historisches Museum (vorübergehend geschlossen!), Eingang, Porzellansammlung, Aufgang zur Zwingerbalustrade, Eingang, 30 m, Glockenspielpavillon, N

Porzellan-
sammlung
(Fortsetzung)

zeug sowie einer einmaligen Schau Meißner Porzellane. An der Innenseite des sich anschließenden Glockenspielpavillons ist ein Glockenspiel mit 40 Porzellanglocken, ebenfalls aus der Meißener Manufaktur, zu sehen.

*Mathematisch-
Physikalischer
Salon

Im Mathematisch-Physikalischen Salon des westlichen Eckpavillons befinden sich naturwissenschaftliche Instrumente des 13. bis 19. Jh.s, darunter Globen, geodätische Apparaturen und eine Uhrensammlung.

Museum für
Tierkunde

In der Nordwesthälfte der südwestlichen Langgalerie ist eine Ausstellung des Museums für Tierkunde zu sehen; der übrige Teil der Sammlung befindet sich im Fasanenschlößchen bei Schloß Moritzburg (s. S. 274). In der Langgalerie des Zwingers ferner die ständige Ausstellung 'Das Tier in der Kunstgeschichte'.

**Gemäldegalerie
Alte Meister
(vorübergehend
geschlossen!)

Im Norden, an der bis Mitte des 19. Jh.s offenen Seite des Zwingers, liegt die sich gut in das Ensemble einfügende Gemäldegalerie (1847–1854), eine Bauschöpfung G. Sempers, dem die architektonische Ausgestaltung der Stadt im 19. Jh. wesentlich zu danken ist. Im Jahre 1945 schwer getroffen, steht das Bauwerk seit 1956 (Ostflügel) bzw. 1960 (Westflügel) wieder einer der glänzendsten Bildersammlungen der Welt zur Verfügung, der 'Gemäldegalerie Alte Meister'. Sie präsentiert in teils einmaliger Geschlossenheit Werke der flämischen und holländischan Malerei des 15. und 17. Jh.s (van Eyck, Rubens, Hals, Rembrandt, van Delft u.a.), der deutschen Malerei des 16.–18. Jh.s (Dürer, Holbein, Cranach, Graff, Tischbein u.a.), der spanischen und französischen Malerei des 17. und 18. Jh.s (Velázquez, Murillo; Poussin u.a.) und – als Glanzpunkt der Kollektion – der

italienischen Malerei des 15.–18. Jh.s, vornehmlich aus der Renaissance (Raffael: "Sixtinische Madonna"; Giorgione: "Schlummernde Venus"; Tizian: "Zinsgroschen"; Botticelli, Correggio, Carracci, Reni, Tintoretto und andere Meister).
Zwinger, Gemäldegalerie Alte Meister (Fortsetzung)

Zur Zeit wird die Gemäldegalerie Alte Meister renoviert und ist daher bis auf weiteres geschlossen. Etwa 200 bedeutende Werke sind in der 'Gemäldegalerie Neue Meister' im Albertinum (s. S. 262) ausgestellt.

Im Nordostflügel des Zwingers befindet sich außerdem das Historische Museum, eine der seltenen Prunkwaffensammlungen, mit Fernwaffen des 16.–18. Jh.s, Blankwaffen des 15.–18. Jh.s, Jagdwaffen und Geräten des 16. und 18. Jh.s, Harnischen (u. a. dem prächtigen, 1562–1564 gefertigten Prunkharnisch des Kurfürsten Christian II.), Helmen und Schilden des 16. und 17. Jh.s und dem Ornat, den August der Starke bei der Krönung zum polnischen König (1697) trug. Auch das Historische Museum ist vorübergehend wegen Renovierung geschlossen.
*Historisches Museum

*Theaterplatz

Jenseits des Portikus der Gemäldegalerie öffnet sich der Theaterplatz, einer der schönsten deutschen Plätze. Im Zentrum steht das Reiterstandbild König Johanns (1883, Schilling), der sich als Danteforscher und Danteübersetzer einen Namen machte (Philalethes).

Die Semperoper zur Linken, das zweite von Semper etwa an gleicher Stelle projektierte Hoftheater (das erste war 1869 abgebrannt) beherrscht die Westseite des Platzes. Wie die Gemäldegalerie greift sie Bauformen der italienischen Hochrenaissance auf und war von ihrer Fertigstellung im Jahre 1878 bis zum Ende des Zweiten Weltkrieges die repräsentativste Bühne der Stadt. Unter weitgehender Wahrung der historischen Form hat man das Opernhaus 1977–1985 rekonstruiert. Am 13. Februar 1985 mit der Aufführung der Oper "Der Freischütz" (C. M. v. Weber) wiedereröffnet, dient es heute erneut als Spielstätte des Dresdner Musiktheaters.
**Semperoper (Staatsoper)

Der zweigeschossige Arkadenbau in Form eines Bogens mit Seitenflügeln wird durch die Exedra mit der bronzenen Quadriga von Johannes Schilling
Äußeres

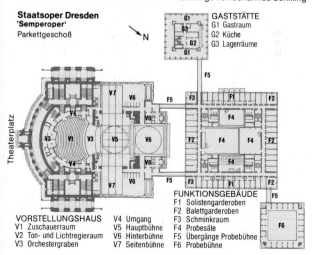

Staatsoper Dresden 'Semperoper'
Parkettgeschoß
Grundriß

N

GASTSTÄTTE
G1 Gastraum
G2 Küche
G3 Lagerräume

FUNKTIONSGEBÄUDE
F1 Solistengarderoben
F2 Balettgarderoben
F3 Schminkraum
F4 Probesäle
F5 Übergänge Probebühne
F6 Probebühne

Theaterplatz

VORSTELLUNGSHAUS
V1 Zuschauerraum
V2 Ton- und Lichtregieraum
V3 Orchestergraben
V4 Umgang
V5 Hauptbühne
V6 Hinterbühne
V7 Seitenbühne

Semperoper am Theaterplatz

Semperoper, Äußeres (Fortsetzung)	besonders betont. Das dritte Stockwerk ist zurückgesetzt und leitet zu dem hohen Bühnenhaus über. Der Bau ist ein Meisterwerk des 19. Jahrhunderts. In ihm führte Gottfried Semper seine Idee von der Einheit von Form und Zweck zu hoher Blüte. Semper entwarf auch die gesamte Innengestaltung und fertigte die Prospekte für die Ausmalung an, die erhalten blieben und bei der Rekonstruktion zur Verfügung standen.

In den Seitennischen der Fassade befinden sich Skulpturen der Dichter Shakespeare (links unten), Sophokles (links oben), Molière (rechts unten) und Euripides (rechts oben). Auf den Seitenflügeln stehen Skulpturen bekannter Dramen- und Operngestalten. Den Eingang der Oper flankieren Skulpturen von Goethe (links) und Schiller (rechts), beide geschaffen von Ernst Rietschel.

Inneres	Der Zuschauerraum ist, wie die Foyers, in seiner festlich-heiteren Gestaltung wiedererstanden. Zugunsten besserer Sichtverhältnisse wurde auf den ursprünglich fünften Rang verzichtet. Viel gerühmt war die Akustik im alten Semperbau – sie ist es wieder im neu entstandenen. Der Vorhang von Ferdinand Keller mit der auf hohem Throne sitzenden "Phantasie" ist ein künstlerisches Meisterwerk der Nachschöpfung.
Altstädter Wache	In der Südostecke des Platzes befindet sich die Altstädter Wache, ein von Schinkel in Anlehnung an die Berliner Wache entworfener Bau (1830/1831). Hier befindet sich die Vorverkaufskasse für Oper, Operette und Schauspiel in Dresden.
Westflügel vom ehemaligen Residenzschloß	Auf der gegenüberliegenden Straßenseite erstreckt sich der Westflügel des im Wiederaufbau befindlichen ehemaligen Residenzschlosses (Informationsschau), ein weitläufiger, im wesentlichen auf die Mitte des 16. Jh.s zurückgehender Komplex; die Pläne zur Umgestaltung, oft erwogen, gelangten 1883–1901 im Stil der Neurenaissance vergleichsweise bescheiden zur Ausführung.

Achtung!
Im Zuge der politischen Neuorientierung sind weitere Namensänderungen zu erwarten.

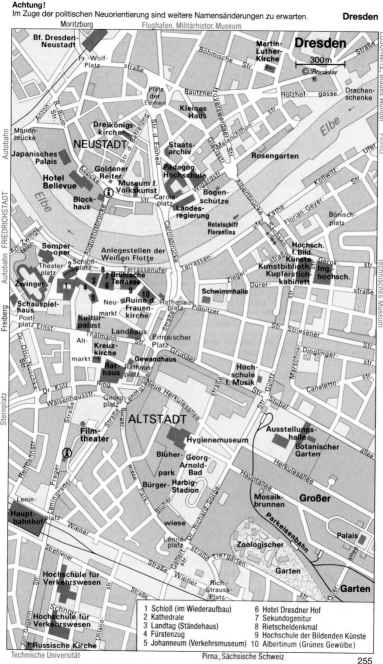

1 Schloß (im Wiederaufbau)
2 Kathedrale
3 Landtag (Ständehaus)
4 Fürstenzug
5 Johanneum (Verkehrsmuseum)
6 Hotel Dresdner Hof
7 Sekundogenitur
8 Rietscheldenkmal
9 Hochschule der Bildenden Künste
10 Albertinum (Grünes Gewölbe)

Taschenbergpalais

Wiedererrichtet wird auch das barocke Taschenbergpalais (1707–1711, Pöppelmann; Seitenflügel 1756 und 1763). Vor dem Palais steht der 1925 hierher gebrachte neugotische Cholerabrunnen (1843, G. Semper).

Einstige Sophienkirche

Beim Luftbombardement 1945 zerstört und später gänzlich abgetragen ist der Bau der Domkirche, die auf dem heute freien Gelände südwestlich vom Taschenbergpalais stand. Sie war eher unter dem Namen Sophienkirche (nach der Kurfürstin Sophie) bekannt; ursprünglich 1351 als Franzikanerkirche aufgeführt und 1421 erweitert, war sie 1737 für den evangelisch-lutherischen Hofgottesdienst eingerichtet (Evangelische Hofkirche, vgl. Kathedrale) und 1864–1868 im neugotischen Stil überarbeitet worden; in der Krypta befanden sich sieben Särge protestantischer Wettiner Fürsten und Fürstinnen.

*Kathedrale (ehemalige Katholische Hofkirche)

Bedeutung

Einen weiteren architektonischen Akzent am Theaterplatz setzt die ehemalige Katholische Hofkirche (einstige Evangelische Hofkirche = Sophienkirche s. oben), die größte Kirche Sachsens. Im Jahre 1980 wurde sie durch vatikanisches Dekret zur Kathedrale Sanctissimae Trinitatis des Bistums Dresden/Meißen erhoben.

Baugeschichte

Im Jahre 1738 wurde mit dem Bau der Kirche im Stil des italienischen Hochbarock begonnen. Dem Willen des Kurfürsten folgend, bestimmte man den Brückenkopf der Augustusbrücke und damit die den Elbraum beherrschende Stelle als Standort. Den Auftrag erhielt der römische Architekt Gaetano Chiaveri. Nach dessen Weggang (1743) führten Sebastian Wetzel u. a. den Bau weiter. Die im Rohbau fertige Kirche erhielt 1751 ihre Weihe; erst 1755 war sie vollendet.

Schäden im Zweiten Weltkrieg

Bei dem verheerenden Bombardement des Jahres 1945 brannte das Innere gänzlich aus, das Gewölbe stürzte größtenteils ein; auch die Umfas-

Grundriß

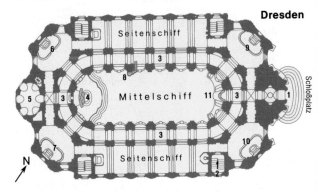

Dresden

Schloßplatz

Kathedrale Sanctissimae Trinitatis des Bistums Dresden / Meißen

Ehemalige Katholische Hofkirche

1 Haupteingang (geschlossen)
2 Seiteneingang (Zugang)
3 Zweigeschossiger Prozessionsumgang
4 Hochaltar mit Gemälde
  "Christi Himmelfahrt" von A. R. Mengs (1751)
5 Sakristei
6 Kreuzkapelle

7 Sakramentskapelle
8 Kanzel von B. Permoser (1722)
9 Gedächtniskapelle
  (früher Nepomukkapelle)
10 Bennokapelle
11 Silbermannorgel (urspr. von 1753)
Grufträume unter dem Chor

Ehemalige Katholische Hofkirche am Theaterplatz (links König Johann zu Pferde)

sungsmauern wurden teilweise stark beschädigt. Lediglich der Turm blieb unversehrt. Die Kirche wurde nach dem Zweiten Weltkrieg restauriert.

Kathedrale (Fortsetzung)

Bemerkenswert sind der 85,50 m hohe Turm, die 78 Statuen in den Außennischen und auf den Balustraden, die Prozessionsumgänge im Inneren, Permosers prachtvoll geschnitzte Kanzel (1722), das Altarbild "Christi Himmelfahrt" (1750/1751, Mengs) und die Silbermannorgel (1750–1753), das schönste und letzte Werk des Meisters (im Zweiten Weltkrieg ausgelagert).
In vier Grufträumen sind die Sarkophage sächsischer Könige und Prinzen katholischen Glaubens aufgestellt. In einer Urne, die auf einer Konsole ruht, befindet sich das Herz Augusts des Starken, dessen Leib im Krakauer Dom, weitere Innereien in der Warschauer Kapuzinerkirche beigesetzt wurden.

Ausstattung

Die Nepomukkapelle, heute mit einer Pietà und einem Altar aus Meißner Porzellan von Friedrich Press ausgestattet, erhielt im Jahre 1973 eine neue Funktion als 'Gedächtniskapelle für die Opfer des 13. Februar 1945 und aller ungerechten Gewalt'.

Nepomukkapelle

Die ebenfalls wiederaufgebaute Gaststätte 'Italienisches Dörfchen' von 1912/1913 (Erlwein) am Elbufer bezeichnet den Platz, an dem die Unterkünfte der zum Bau des Gotteshauses verpflichteten Handwerker (überwiegend Italiener) und später zahlreicher Bedienstete des Hofes standen.

Italienisches Dörfchen

Östlich der Kathedrale liegt der Schloßplatz.
Von der Elbe her mündet die Augustusbrücke (1275 erstmals erwähnt).

Schloßplatz Augustusbrücke

Vom Brückenkopf zur Linken die im Jahre 1814 angelegte Freitreppe (Figurengruppen "Vier Tageszeiten"; 1869, Schilling) der Brühlschen Terrasse (s. S. 261) und das Landtagsgebäude (1901–1907; ehem. Ständehaus).

Landtagsgebäude

Schloß und angrenzende Bauten

Von der Augustusbrücke im Vorblick sieht man das Georgentor des ehe- ❋Georgentor
maligen Residenzschlosses, das 1945 vernichtet wurde und dessen
Wiederaufbau im Gange ist (Informationsschau im Westflügel). In seiner
jetzigen Gestalt stammt das Tor von 1900/1901. Von 1964 bis 1969 wurde
das Georgentor als erster Komplex des Schlosses wiederaufgebaut; an
der Westseite ist ein Renaissanceportal aus dem ersten Bau eingefügt.
Den plastischen Schmuck, u.a. die Reiterfigur des Herzogs Georg, fertigte
Christian Behrens.

In der links abgehenden Augustusstraße – an der Außenseite des Langen ❋Fürstenzug
Ganges am Stallhof – befindet sich der berühmte, 101 m lange Fürstenzug, eine alle Herrscher des Hauses Wettin darstellende Porzellankachel-
malerei. Anläßlich der 100-Jahr-Feier des Fürstenhauses Wettin schuf
Wilhelm Walther 1870–1876 das heutige Bild in Sgraffitotechnik. In der
Porzellanmanufaktur Meißen wurde dieses Wandbild auf 24 000 Porzellan-
fliesen übertragen (1907) und fugenlos an der 957 m² großen Fläche angebracht. In den Jahren 1979 und 1980 ist der Fürstenzug gereinigt und
restauriert worden. Dargestellt sind Herrscher des Hauses Wettin –
Markgrafen, Herzöge, Kurfürsten und Könige – sowie Personen aus Kunst
und Wissenschaft. Der Maler Ludwig Richter, die Bildhauer Ernst Julius
Hähnel und Johannes Schilling beschließen den Zug.

Der restaurierte Lange Gang (1586–1591, P. Buchner) verbindet den Langer Gang
Georgenbau des Schlosses mit dem Johanneum (s. unten). Während an
der Außenseite der Fürstenzug angebracht wurde, bilden 22 geöffnete
toskanischen Rundbogenarkaden die Innenseite. Es sind Schöpfungen
der Renaissance, die sich im voraugustinischen Dresden so vielgestaltig
dokumentiert hatte. Vor dem Langen Gang befinden sich der Stallhof, die
Ringstechbahn sowie die Pferdetränke und die Pferdeschwemme.

Gleichen Alters wie der Lange Gang ist das ehemalige Stallgebäude (im 18. Ehemaliges
Stallgebäude
und 19. Jh. Umbauten, 1729 kam die große Freitreppe hinzu; 1722–1856
war es Gemäldegalerie), das heutige Johanneum am Neumarkt, seit 1956 Johanneum
(Verkehrsmuseum)
Verkehrsmuseum. Das Museum gliedert sich in mehrere Abteilungen:
Eisenbahnverkehr, Städtischer Nahverkehr, Kraftverkehr, Schiffahrt, Luft-
verkehr und die Sonderabteilung 'Geschichte des Fahrrads'.
Links neben der Schauseite des Gebäudes befindet sich die Schöne Schöne Pforte
Pforte (nicht restauriert), eine der vollkommensten Schöpfungen der
Renaissance (vor 1555); sie ist ein ursprünglich für die Schloßkapelle
geschaffenes Sandsteinportal. Vor dem Johanneum der Friedensbrunnen
('Türkenbrunnen') von 1650. Türkenbrunnen

Ruine der Frauenkirche

Der Neumarkt war bis zum Februar 1945 die wohl malerischste Platz- Neumarkt
anlage der Barockstadt. Auf der weiten Fläche steht heute allein die
Ruine der Frauenkirche (1726–1743). Mit ihrer berühmten, 95 m hohen
Steinkuppel war sie einst Deutschlands bedeutendster protestantischer
Kirchenbau und das Wahrzeichen Dresdens.

Seit dem 11. Jh. bestand an dieser Stelle die erste Kirche 'Unserer lieben Geschichte der
Frauenkirche
Frauen', die 1726 abgebrochen werden mußte. Noch im gleichen Jahr
wurde nach Plänen George Bährs mit dem Neubau begonnen, an dem
neben Bähr Johann Gottfried Fehre und Johann Georg Schmid entscheidend mitwirkten. Erst 1738 wurde das monumentale Bauwerk vollendet. In
der Architektur der Frauenkirche waren hochbarocke mit frühen Formen
des aufkommenden Klassizismus verschmolzen. Der Zentralbau auf

◀ *Georgentor*

Frauenkirche Dresden
Architekt: George Bähr
Bauzeit: 1726–1743
Einsturz: 15. Februar 1945
Ruine als Mahnmal belassen: bis 1989
Sicherungsmaßnahmen: ab 1990
Für den Wiederaufbau wird gesammelt.

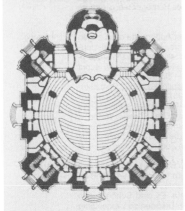

Historischer Grundriß in Schildkrötenform

Außenansicht vor der Zerstörung

Heutiges Ruinendenkmal

einem quadratischen Grundriß erreichte eine Höhe von 95 m und hatte einen Kuppeldurchmesser von 23,50 m. Im Siebenjährigen Krieg hielt die Kirche einer dreitägigen Kanonade durch preußische Truppen stand. Von 1938 bis 1942 wurden umfassende Erhaltungsarbeiten durchgeführt. Im Innern ausgebrannt, sank die Frauenkirche erst am Mittag des 14. Februar, als die Innenstadt schon in Trümmern lag, in sich zusammen.

Ruine der
Frauenkirche,
Geschichte
(Fortsetzung)

Das Innere der Kirche entsprach den Erfordernissen des protestantischen Gottesdienstes. Die Predigt als Hauptfunktion forderte eine Zusammenfassung der Gemeinde im Zentralraum. Altar, Kanzel und Orgel sollten zum Kanzelaltar vereinigt werden, doch ließ dies die Akustik des Raumes nicht zu. Den Altarraum hatten von 1733 bis 1739 Joh. Chr. Feige d. Ä. und B. Thomas mit barockem Altarwerk ausgestattet. Das Gestühl war ein Meisterwerk der Zimmermannskunst. Die Kuppel hatte der Venezianer Joh. B. Grone ausgemalt. Die Orgel stammte von G. Silbermann.

Einstiges
Kircheninneres

Die Ruine der Frauenkirche ist bislang Mahnmal für die Opfer des Bombenkrieges. Eine Bronzeplatte an der Ruine trägt die Inschrift "Die Frauenkirche in Dresden · im Februar 1945 zerstört durch angloamerikanische Bomber · erbaut von George Bähr · 1726–1743 · Ihre Ruine erinnert an Zehntausende Tote und mahnt die Lebenden zum Kampf gegen imperialistische Barbarei · für Frieden und Glück der Menschheit."
Nach der politischen 'Wende' des Jahres 1989 hat sich eine Initiative formiert, die sich um Spendengelder für den Wiederaafbau der Frauenkirche bemüht.

Ruinenmahnmal

Vor der Kirchenruine steht ein Denkmal für den Reformator Martin Luther (von E. Rietschel und A. v. Donndorf, 1885).

Lutherdenkmal

*Brühlsche Terrasse

Die Brühlsche Terrasse, der vielgepriesene 'Balkon Europas', erschließt sich am günstigsten von der Freitreppe am Schloßplatz. Graf Heinrich von Brühl (1700–1763), ein Vertrauter Friedrich Augusts II. (Augusts III.), seit 1733 Generaldirektor der Kunstsammlungen, erhielt das Gelände auf der ehemaligen Festungsmauer als Geschenk. Er ließ es 1738 in einen Lustgarten umwandeln und dort mehrere Bauten errichten, von denen aber keiner erhalten ist.
1814 wurde die Brühlsche Terrasse für die Öffentlichkeit freigegeben. Damals wurde auch die großzügige Treppenanlage geschaffen, für die 1863–1868 J. Schilling die Skulpturengruppen der vier Tageszeiten schuf (1908 durch Bronzegüsse ersetzt).

Von der ursprünglichen Anlage Brühls sind noch der Delphinbrunnen (1747–1749, Pierre Coudray) in der Grünanlage auf dem Ostvorsprung der Terrasse ('Brühlscher Garten') und das ihn umgebende schmiedeeiserne Geländer (um 1745) erhalten.

Delphinbrunnen

In jüngster Zeit neu erstanden ist das Gebäude der Alten Akademie, das einst die prinzliche Sekundogeniturbibliothek enthielt und deshalb kurz 'Sekundogenitur' genannt wird. Das gut restaurierte Gebäude ist südwärts mit dem neuen Stadthotel 'Dresdner Hof' am Neumarkt verbunden (Durchgang) und enthält ein stilvoll eingerichtetes Café-Restaurant.
Bei archäologischen Untersuchungen hat man auf der Terrasse ein flaches Wasserzierbecken wiederentdeckt und neu hergerichtet.

Sekundogenitur

Der Bildhauer Ernst Rietschel (1804–1861) wurde 1832 als Professor an die Dresdener Kunstakademie berufen. In Dresden sind von ihm einige Skulpturen erhalten, u.a. die Figuren Goethes und Schillers an der Semperoper. An der Stelle, wo sich auf der Brühlschen Terrasse Rietschels Atelier befand, errichtete ihm sein Schüler J. Schilling ein Denkmal (1876).

Rietscheldenkmal

Brühlsche Terrasse (Fortsetzung) Hochschule für Bildende Künste	Im Zentrum der Brühlschen Terrasse stehen die Gebäude der Hochschule der Bildenden Künste, die 1891–1894 für die Königlich-Sächsische Kunstakademie und für den Sächsischen Kunstverein errichtet wurden. Beide sind ein einheitlicher Bau, der 1945 stark zerstört war. Der interessanteste Teil der Anlage ist die Glaskuppel (1890–1894, K. Lipsius) mit der Figur der Nike von Robert Henze (wiederhergestellt).
Moritzmonument	An der nordöstlichen Ecke der Terrassenmauer befindet sich das Moritzmonument, heute das älteste Denkmal Dresdens. Kurfürst August ließ das Renaissancedenkmal für seinen 1553 in der Schlacht bei Sievershausen gefallenen Bruder Moritz errichten (1956 restauriert).
Kasematten	Im Baukörper der Terrasse gibt es noch alte Kasematten. Einige von ihnen dienten dem Erfinder des europäischen Porzellans, J. F. Böttger, 1707 zur Unterbringung seiner 'Schmelzküche' (Denkmal).
Schiffsanleger	Unterhalb der Brühlschen Terrasse befinden sich am Elbufer (Terrassenufer) die Anlegestellen für die Ausflugsschiffe der 'Weißen Flotte.'

✳✳Albertinum

Sammlungen von Weltruf birgt das Albertinum. Es wurde 1884–1887 von Carl Adolf Canzler unter Einbeziehung von Baugliedern des Zeughauses (1559–1563) als Museums- und Archivbau errichtet. Seinen Namen erhielt es nach dem damals regierenden sächsischen König Albert.

✳✳Gemäldegalerie Neue Meister	Über reiche Bestände verfügt die 'Gemäldegalerie Neue Meister' im Obergeschoß des Albertinums (Eingang vom Brühlschen Garten). Die Sammlung wurde im Jahre 1931 als selbständiges Museum von der Gemäldegalerie abgetrennt.

Raffaels "Sixtinische Madonna"

Chalzedonschale im Grünen Gewölbe

Neumarkt

D 12	Bücher		14	15		F	19	20	21	22		00	
	13											23	
			E	16	17								
11	10			18								24	

Albertinum Dresden
Gemäldegalerie Neue Meister
Gemäldegalerie Alte Meister
(provisorische Aufstellung)
OBERGESCHOSS

| 8 | 9 C | | | | | | | | | | 25 | |
| 7 | 6 | | | | | | | | | | 26 | Café |

B

| 5 | 4 | 3 | 2 | 1 | | 30 | 29 | 28 | 27 A |

Eingang
Brühlscher Garten

☐ Neue Meister ☐ Alte Meister

1–4 Niederländische Malerei des 17. Jh.s
    (1–3: Rubens und Rembrandt)
5 Altniederländische und deutsche Malerei
    des 15.–16. Jh.s (van Eyck, Cranach)
6, 9, 10 Bürgerlicher Realismus und Romantik
    (9: Caspar David Friedrich)
7, 8, 11 geschlossen
12 Französische Malerei des 19. Jh.s
    (Degas, Gauguin, Monet, Manet)
13, 14 Münchener Malerei des späten 19. Jh.s
15 Jugendstilmalerei
16–18 Deutsche Impressionisten
    und Expressionisten

19 Proletarisch-revolutionäre Malerei
    zwischen den Weltkriegen
20 - 23 Malerei der DDR und
    Malerei aus anderen z. T.
    ehemals sozialistischen Ländern
24 Spanische Malerei des 17. Jh.s
    (Velázquez, Murillo)
25 Französische Malerei
    des 17. Jh.s
26 Italienische Malerei
    des 16. und 17. Jh.s
27–30 Italienische Malerei
    des 15./16. Jh.s (29: Tizian)

BERÜHMTE GEMÄLDE
A Raffael: **"Sixtinische Madonna"**
B Canaletto II. (Bernardo Bellotto):
   Dresden-Ansichten

C Caspar David Friedrich: "Kreuz im Gebirge"
D Edgar Degas: "Tänzerinnen"
E Gustav Klimt: "Birkenwald"
F Otto Dix: Triptychon "Krieg"

Gezeigt werden in der Galerie Bilder der Romantik, des Biedermeier und des bürgerlichen Realismus, Werke der französischen, polnischen, rumänischen, ungarischen und belgischen Malkunst des 19. Jh.s, deutsche Impressionisten und Expressionisten, ferner auch Werke der proletarisch-revolutionären Kunst in Deutschland und der zeitgenössischen Gegenwartskunst. Von den Nationalsozialisten als 'entartete' Kunst diffamiert, wurden u. a. die Bilder des Expressionismus und des Kubismus aus dem Museum entfernt und teilweise ins Ausland verkauft. Andere Kunstwerke verbrannten am 13. Februar 1945. Die entstandenen Lücken konnten durch Neuerwerbungen verringert werden.
Derzeit sind in der Gemäldegalerie Neue Meister auch 200 der bedeutendsten Werke der Gemäldegalerie Alte Meister ausgestellt (vgl. S. 252/253).

Gemäldegalerie
Neue Meister
(Fortsetzung)

Provisorische
Ausstellung der
Gemäldegalerie
Alte Meister

Im Albertinum befindet sich ferner (im Zwischengeschoß) das in Europa einzigartige Grüne Gewölbe (Eingang Georg-Treu-Platz), begründet von August dem Starken und nach seiner einstigen Heimstatt, den 'Grünen Gewölben' des Schlosses, benannt. Die Sammlung umfaßt aus der kurfürstlichen Schatzkammer stammende Stücke: Gefäße, Geräte, Schmuck und Plastik (14.–18. Jh.), gefertigt aus Gold, Silber, Edelsteinen und Elfenbein. Besonders prächtig wirken das goldene Kaffeeservice für August den Starken (1701) und der "Hofstaat von Delhi am Geburtstag des Großmoguls Aureng Zeb" mit über hundert goldenen, farbig emaillierten Figuren, geschaffen von den Gebrüden Dinglinger (1701–1708). Fast unglaublich erscheint die Verschiedenartigkeit der Trinkgefäße, Schmuckkästen, Spiegel, Uhren und anderer Gegenstände.

**Grünes
Gewölbe

Dresden

Albertinum
(Fortsetzung)
Skulpturen-
sammlung

Die Skulpturensammlung hat ihren Sitz im Untergeschoß des Albertinums (Eingang Georg-Treu-Platz). Sie umfaßt sehenswerte altägyptische und vorderasiatische Kunst, darüber hinaus eine Antikenabteilung mit griechischen, römischen sowie etruskischen Skulpturen. Seit der Jahrhundertwende ergänzt man die Sammlung durch zeitgenössische Plastiken. Eine Auswahl von Werken des 19. und 20. Jh.s ist der Gemäldegalerie Neue Meister zugeordnet.

Münzkabinett

Im Albertinum befindet sich darüber hinaus das Münzkabinett (Eingang Georg-Treu-Platz). Sein Bestand umfaßt über 200 000 Münzen (nur ein kleiner Teil ausgestellt), Medaillen, Münz- und Medaillenstempel, Siegelabdrücke und Petschafte, u. a. alle sächsischen Münzen und Medaillen.

Ehemalige
Hofgärtnerei

Vor dem Hauptzugang des Albertinums steht der schlichte Barockbau (um 1750) der früheren Hofgärtnerei (heute teilweise von der Reformierten Gemeinde Dresdens genutzt).

Gedenkstele

In der Nähe des Albertinums befindet sich an der Stelle, an der die 1938 niedergebrannte Synagoge (1838–1840, G. Semper) stand, eine Gedenkstele.

Kurländer Palais
('Tonne')

Südlich des Albertinums sieht man am Tzschirnerplatz das Kurländer Palais (1729), ein Werk des Dresdener Rokokobaumeisters Knöffel. Der Wiederaufbau des im Zweiten Weltkrieg zerstörten Palais ist geplant. Im Keller befindet sich der Jazzklub 'Tonne'.

*Kupferstich-
kabinett

Das Kupferstichkabinett der Staatlichen Kunstsammlungen Dresden ist, östlich vom Albertinum, in einem Haus an der Güntzstraße (Nr. 34) untergebracht. Zu seinem Bestand gehören etwa 180 000 graphische Blätter und Folgen, ferner 25 000 Zeichnungen (einschließlich Aquarellen und Pastellen) europäischer Künstler (seit dem 15. Jh.).

Eliasfriedhof

In der Nähe des Kupferstichkabinetts liegt der Eliasfriedhof, der älteste erhaltene Friedhof der Stadt (1680–1876), mit mehreren barocken und klassizistischen Grabdenkmälern.

Ost-West-Achse zwischen Pirnaischem Platz und Altmarkt

Pirnaischer Platz

Am verkehrsreichen Pirnaischen Platz beginnt mit der Ernst-Thälmann-Straße (hier früher die Johannstraße), der als Geschäfts- und Demonstrationsstraße von 1954 bis 1957 gestalteten 'Ost-West-Magistrale', der Bereich des neu aufgebauten Zentrums der Altstadt.

*Landhaus
(Museum)

Rechter Hand steht als sehenswertes Baudenkmal das wiederhergestellte ehemalige Landhaus (1770–1776, F.A. Krubsacius), ein Bau im Stil des Frühklassizismus. Beachtung verdient die doppelläufige Rokokotreppe. Das Gebäude beherbergt heute dem Museum für Geschichte der Stadt Dresden.

Kulturpalast

Ebenfalls zur Rechten folgt dann der im Jahre 1969 eingeweihte Kulturpalast, ein moderner Mehrzweckbau für kulturelle Veranstaltungen, in dem u. a. die Dresdener Philharmonie konzertiert.

Altmarkt

Der Altmarkt ist der zentrale Platz der Stadt seit dem 13. Jh. (1945 zerstört). Seinen festlich-repräsentativen Charakter verdankt er dem Rückgriff auf typische Dresdner Barockformen beim Neuaufbau (Grundsteinlegung 1953). In den Untergeschossen der beiden Baublöcke auf der Ost- und Westseite hat man Verkaufssalons und Restaurants eingerichtet.

*Kreuzkirche

Ein weiterer historischer Bauzeuge ist die Kreuzkirche (frühes 13. Jh.), die älteste Kirche innerhalb der Stadtmauern, in gegenwärtiger Gestalt 1764

Ostseite des Altmarktes mit dem Haus Altmarkt und der Kreuzkirche

bis 1792 nach Totalzerstörung im Siebenjährigen Krieg (1760) barock neu aufgeführt (Schmidt, Exner). So alt wie die Kirche (mit großem Geläut) ist ihr weltbekannter Kreuzchor.

Kreuzkirche (Fortsetzung)

Östlich der Kreuzkirche steht das mächtige Neue Rathaus (1905–1910). Es wird überragt von seinem 100 m hohen Turm mit dem 'Goldenen Mann'; in 86 m Höhe ein Aussichtsrundgang (vorübergehend unzugänglich).

Neues Rathaus

Alt-Dresdner Atmosphäre ist auch in den Durchgängen, den Höfen und Gäßchen des neuen Viertels nördlich vom Rathaus nachempfunden. Hier steht das wiederhergestellte barock-klassizistische Gewandhaus (1768 bis 1770, J.F. Knöbel; heute Hotel) mit dem barocken Dinglingerbrunnen an der Rückseite; in der Weißen Gasse der Gänsediebbrunnen (19. Jh.).

Gewandhaus

Prager Straße

Südlich vom Altmarkt nimmt beim Rundbau-Filmtheater die 1965–1978 als weite Fußgängerpromenade mit Wasserspielen, Plastiken und Grünanlagen gestaltete Prager Straße, vor ihrer totalen Zerstörung im Februar 1945 *die* Dresdener Einkaufsstraße mit dichter städtischer Bebauung, ihren Anfang. Der Abschnitt zwischen Altmarkt und Rundkino wird derzeit neu bebaut.

Rundbau-Filmtheater

Zeugnisse der jüngsten Entwicklung sind die Übernahme des Warenhauses 'Centrum' durch den Karstadt-Konzern, die Einrichtung von Bankfilialen und ein 'Vietnamesenmarkt'.

Neue Zeichen

Vier elf- bis 16geschossige Hotels ('Bastei', 'Königstein', 'Lilienstein' und 'Newa'), Wohnhochhäuser, Restaurants und Ladenpavillons bilden heute die aufgelockerte Bebauung.

Hotels

Dresden

Prager Straße
(Fortsetzung)

An der Prager Straße (Nr. 10/11) befindet sich das Hauptbüro der 'Dresden-Information' (Auskünfte und Prospekte über die Stadt und ihre Umgebung, Zimmervermittlung, Stadtrundfahrten, Souvenirverkauf etc.)

Hauptbahnhof

Die Prager Straße führt südwärts zu dem 1898 eröffneten Hauptbahnhof, mit dessen gründlicher Sanierung jüngst begonnen wurde (Wiederherstellung der Wandbemalung mit Wappen sächsischer Städte in der Kuppelhalle geplant).

Friedrichstadt

Ehemaliges
Palais Marcolini

Westlich der Altstadt steht in der Friedrichstadt, ab 1730 auf Geheiß Augusts des Starken planvoll ausgebaut, das 1746 errichtete barocke ehem. Palais Marcolini (im 19. und 20. Jh. mehrfach verändert, heute Krankenhaus; kein Zutritt) mit z.T. originaler Innendekoration. Im 'Chinesischen Zimmer' verhandelten 1813 Napoleon und Metternich; den Ostflügel bewohnte in den Jahren 1847–1849 der Komponist Richard Wagner.

*Neptunbrunnen

Im Garten (Besichtigung auf Anfrage an der Krankenhauspforte) ist der 1741–1744 von Mattielli nach einem Entwurf von Longuelune aus Sandstein geformte Neptunbrunnen (1741–1744), die reichste barocke Brunnenanlage in Dresden, beachtenswert.

Innerer
Katholischer
Friedhof

Dem Krankenhaus nördlich gegenüber liegt der Innere (Alte) Katholische Friedhof (seit 1720). Dort befinden sich zahlreiche Grabmale und Grabstätten bedeutender Persönlichkeiten (Carl Maria v. Weber, B. Permoser, P. Coudray, G. v. Kügelgen, F. v. Schlegel, J.G. Chevalier de Saxe).

Matthäuskirche

Gegenüber der Nordwestecke des Krankenhauses steht die Matthäuskirche (1728–1730) mit der Gruft ihres Erbauers, Matthäus Daniel Pöppelmann (1662–1736); eine Gedenktafel an der Kirche erinnert an den Baumeister.

Großes
Ostragehege

Den Elbbogen im Norden der Friedrichstadt erfüllt das Große Ostragehege mit dem ausgedehnten, ursprünglich 1906–1910 von Erlwein erbauten Schlachthof, einem Hafenbecken und verschiedenen Sportstätten.
Auf einer Freifläche ist neuerdings ein großes Zirkuszelt aufgebaut, das Domizil der Mammutdiskothek 'Music Circus Sachsen', vor dem abends eine riesige Laserlichtsäule aufstrahlt.

Sehenswertes im Osten

*Hygienemuseum

Südöstlich der Altstadt liegt der Lingnerplatz, benannt nach dem aus Magdeburg gebürtigen Industriellen Karl August Lingner (1861–1916), Förderer der medizinischen Volksaufklärung und Erfinder des bekannten Mundwassers 'Odol' (samt Flaschendesign). Am Lingnerplatz (Nr. 1) befindet sich der Monumentalbau des 1928–1930 errichteten Hygienemuseums (für medizinische Aufklärung und Erziehung zu gesunder Lebensweise) mit ständiger Ausstellung (u. a. der weltbekannte, 1930 erstmals gezeigte 'Gläserne Mensch').

*Großer Garten

Vor der Schauseite des Museums beginnt die Hauptallee des seit 1676 im französischen Stil angelegten Großen Gartens mit dem Palais (1678 bis 1683, J.G. Starcke), der ersten und gleich einer der imposantesten Barockschöpfungen in Kursachsen. Im Umkreis stehen sog. Kavaliershäuschen und barocke Skulpturengruppen.

*Zoo und
Botanischer
Garten

In der weitläufigen Parkanlage gibt es ein Freilichttheater, Restaurants, eine Parkeisenbahn und einen Zoologischen Garten (1861 gegründet) mit rund 450 verschiedenen Tierarten sowie einen Botanischen Garten.

Prager Straße mit Rundbau-Filmtheater

Untere Prager Straße und Hauptbahnhof

Dresden

Im Stadtteil Strehlen – südlich vom Großen Garten – steht die zweitürmige Christuskirche (1903–1905), das formenreinste Jugendstilbauwerk in Dresden.

Im Stadtteil Blasewitz – in einiger Entfernung vom Großen Garten nahe der Elbbrücke 'Blaues Wunder' (s. S. 270) – lohnt das Technische Museum (Reinhold-Becker-Straße Nr. 5) einen Besuch. Seine wichtigsten Sammlungen gelten den folgenden Gebieten: Elektronik und Mikroelektronik, Rechentechnik und elektronische Datenverarbeitung, Feingerätebau und Fotografie.
Auch Spieldosen, Grammophone und das 'Guckkastenkino' von einst sind Exponate.

Technische Universität

Südlich der Altstadt liegt der Komplex der Technischen Universität, die aus der 1828 eröffneten 'Technischen Bildungsanstalt' entstanden war und sich nach 1900 zu einem eigenen Viertel ausdehnte.

Einer der zahlreichen Institutsbauten am Salvador-Allende-Platz ist der Georg-Schumann-Bau, das ehemalige Landgericht; dort befindet sich eine Gedenkstätte für die über zweitausend Antifaschisten, die hier von den Nationalsozialisten hingerichtet wurden.

An der Juri-Gagarin-Straße steht die Russisch-orthodoxe Kirche, ein Bau mit Zwiebeltürmen (1872–1874); im Inneren der Kirche sind über 200 Jahre alte russische Ikonen zu sehen.

Neustadt

Auch in der inneren Neustadt auf dem rechten Ufer der Elbe, die zum Stadtzentrum gehört und durch das Bombeninferno mit betroffen war, gibt es mehrere bemerkenswerte Bauten:

Am Brückenkopf der Augustusbrücke, auf dem Neustädter Markt (Zweigstelle der 'Dresden-Information'), befindet sich das Standbild Augusts des Starken, der Goldene Reiter (1736).
Es zeigt August den Starken in der Haltung eines Caesaren; im römischen Schuppenpanzer posiert er auf kurbettierendem Roß (1956 neue Ölvergoldung des Denkmals).

Zur Linken das wiederaufgebaute barocke Blockhaus (Longuelune); es wurde im Jahre 1755 als Neustädter Wache vollendet.

Zur Rechten, jetzt ein wenig hinter neu Entstandenem verborgen, sieht man den Jägerhof (1568–1613), ein Renaissancegebäude, heute Sitz des Museums für Volkskunst.
Gezeigt werden vorwiegend Stücke aus der Lausitz, dem Erzgebirge und dem Vogtland.

Nordwestwärts, an der Köpckestraße, steht das in den Jahren 1982–1985 – unter Einbeziehung von Barockbauten – errichtete Hotel Bellevue (darin die Spielbank 'Casino Dresden').

Unweit nordwestlich vom Hotel Bellevue steht das vierflügelige Japanische Palais (1727–1737 unter der Oberbauleitung Pöppelmanns spätbarock-klassizistisch erweitert) mit auffällig reichen Chinoiserien. Das Gebäude wurde ursprünglich errichtet, um die Porzellane Augusts des Starken auszustellen; heute birgt es die Studiensammlungen des Landesmuseums für Vorgeschichte und des Museums für Völkerkunde.

Russisch-orthodoxe Kirche

Goldener Reiter

Straße der Befreiung
(Neustädter Hauptstraße)

In nördlicher Verlängerung des Neustädter Marktes verläuft die von neuen und alten Bauten gesäumte Straße der Befreiung, die frühere Neustädter Hauptstraße, eine sich mit ihren Geschäften und Restaurants, Plastiken und schönen Bäumen freundlich darbietende Promenade (kraftverkehrsfreier Fußgängerbereich). An der linken Seite (Nr. 13–19) barocke Bürgerhäuser aus dem 18. Jahrhundert. — *Fußgängerbereich*

Im Haus Nr. 13 verlebte Wilhelm v. Kügelgen (1802–1867), Maler und Verfasser des Memoirenbuches "Jugenderinnerungen eines alten Mannes", Kindheit und Jugend; heute ist es Sitz des 'Museums zur Dresdner Frühromantik'. — *Museum der Frühromantik*

Nordwärts kommt man zur Dreikönigskirche (1732–1739, Pöppelmann und Bähr). Sie brannte im Februar 1945 völlig aus und befindet sich noch im fortgeschrittenen Wiederaufbau. — *Dreikönigskirche*

In diesem Stadtviertel, vor allem an der Rähnitzgasse, blieb das einzige geschlossene Wohnensemble bürgerlich-sächsischer Barockarchitektur Dresdens erhalten. — *Barockes Wohnensemble*

Im Norden der Neustadt (Nordstraße Nr. 28) liegt die Gedenkstätte für den polnischen Schriftsteller Józef Ignacy Kraszewski; er wohnte dort in den Jahren 1879–1885. — *Kraszewski-Gedenkstätte*

Am Dr.-Kurt-Fischer-Platz (Nr. 3) hat das Militärhistorische Museum seinen Sitz (Exponate zur deutschen Militärgeschichte; Zinnfigurensammlung). — *Militärhistorisches Museum*

Blick auf den Loschwitzer Elbhang (links ein Stück Blaues Wunder)

Neustadt
(Fortsetzung)
Buchmuseum

An der Marienallee (Nr. 12) befindet sich die Sächsische Landesbibliothek (ca. 2 Mio. Bände), zu der ein Buchmuseum gehört. Dieses präsentiert kostbare Ausgaben des Buchdrucks seit dem 16. Jh. und zeigt die Entwicklung der Buchdruckerkunst bis zur Gegenwart. Zu den besonderen Kostbarkeiten gehört eine der drei noch existierenden altindianischen Maya-Handschriften.

Loschwitz und Weißer Hirsch

Loschwitzer
Elbschlösser

Sehenswert sind die drei Loschwitzer Elbschlösser: das spätklassizistische Schloß Albrechtsberg (1850–1854, A. Lohse; jetzt 'Palast der Kinder'), das Lingner-Schloß (urspr. die spätklassizistische Villa Stockhausen, nach 1850; später der Wohnsitz des Industriellen K.A. Lingner, vgl. Deutsches Hygienemuseum) und das neugotische Schloß Eckberg (1859 bis 1861, Ch. F. Arnold).

*Elbbrücke
'Blaues Wunder'

Zwischen den Außenbezirken Blasewitz und Loschwitz wird die Elbe von der Brücke 'Blaues Wunder' (Loschwitzer Brücke) überquert, einer Stahl-Hängekonstruktion (1891–1893; Spannweite 141,50 m), die zur Zeit ihrer Entstehung Aufsehen erregte; das farbliche Attribut erhielt sie wegen ihres ursprünglich blauen Anstriches.

Bergbahnen

Auf die Loschwitzer Elbhänge führt vom Körnerplatz eine 547 m lange Standseilbahn (1895; eine der ältesten Europas) bis zum Villenviertel 'Weißer Hirsch'; bei der Bergstation liegt die Gaststätte 'Luisenhof', der 'Balkon Dresdens'.
Die ebenfalls vom Körnerplatz ausgehende, 260 m lange Schwebeseilbahn (1898–1900; die älteste ihrer Art überhaupt) überwindet den Höhenunterschied von 84 m bis zur Aussichtsplattform auf der Loschwitzhöhe. Diese Personenschwebebahn befindet sich seit 1985 in Generalüber-

holung und bleibt bis zur Fertigstellung der Rekonstruktionsarbeiten außer Betrieb.

Nahe dem Zugang der zuvor genannten Schwebeseilbahn befindet sich an der Pillnitzer Landstraße die Ruine der 1705–1708 von George Bähr und Johann Christian Fehre d. Ä. erbauten Loschwitzer Kirche. Der Wiederaufbau des 1945 ausgebrannten achteckigen Barocksaalbaues – nach dem Bährschen Vorbild mit Eckquaderung, Mansarddach und Dachreiter – ist geplant.

An der Collenbuschstraße (Nr. 4) befindet sich eine Martin-Andersen-Nexö-Gedenkstätte; dort verbrachte der dänische Schriftsteller seine letzten Lebensjahre (1952–1954). Zu besichtigen sind sein Arbeitszimmer und eine Ausstellung über das Leben und Schaffen des Arbeiterschriftstellers.

Beachtung verdient auch das Schillerhaus (Schillerstraße Nr. 19), das ehemalige Gartenhaus der Familie Körner (Gedenktafel am Haus Körnerweg Nr. 6); Schiller arbeitete dort 1785–1787 u. a. an dem Schauspiel "Don Carlos".

Wachwitz

Weiter elbaufwärts steht in Wachwitz der 252 m hohe Fernsehturm (Turmcafé und Aussichtsplattform); von oben bietet sich eine ausgezeichnete Fernsicht bis Meißen, ins Elbsandsteingebirge, zum Osterzgebirge und zum Lausitzer Bergland.

Hosterwitz

In Hosterwitz sind die Fischerkirche Maria am Wasser (urspr. spätromanisch, 1774 barock umgebaut) und die Carl-Maria-von-Weber-Gedächtnisstätte (Dresdner Straße Nr. 44), die im Sommerhäuschen des Komponisten eingerichtet wurde, von Interesse.

*Pillnitz

Die Schlösser und der Schloßpark von Pillnitz (auch mit der 'Weißen Flotte' erreichbar; Abfahrt Terrassenufer) sind ein Kleinod unter den in der Zeit Augusts des Starken geschaffenen Anlagen. Bis 1918 waren sie Lustschloß und Sommerresidenz der sächsischen Fürsten. Am Elbufer steht das Wasserpalais, landeinwärts – wie sein Spiegelbild – das Bergpalais (1722–1724, M. D. Pöppelmann, Z. Longuelune). Beide sind geschaffen im Stil des formenklaren, an Chinoiserien reichen Spätbarock. In den Seitenflügeln (1788–1791, C. T. Weinlig, Exner) wie auch im Neuen Palais (1818–1826, C. F. Schuricht) ist der barocke Bauplan fortgeführt. Dem Stil des Klassizismus verpflichtet sind die Architekturformen am Fliederhof und an der Schloßwache.

Das Museum für Kunsthandwerk im Bergpalais ist Teil der Dresdener Kunstsammlungen. Schwerpunkte sind künstlerisch herausragende Möbel, Musikinstrumente und Gläser, Zinn, holländische und französische Fayencen, Steingut und Textilien. Beachtung verdienen auch das 'Weinling-Zimmer' (um 1800) und die Ausstellung 'Industrieform des 19. und 20. Jahrhunderts'.

Gegenüber dem Wasserpalais befindet sich die letzte in diesem Flußabschnitt erhaltene Elbinsel. Um die reiche Tier- und Pflanzenwelt zu schützen, wurde die Insel zum Naturschutzgebiet erklärt und das Betreten grundsätzlich verboten.

Pillnitz
(Fortsetzung)
Lageplan

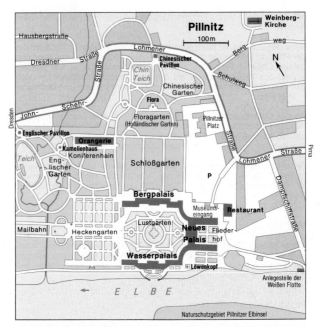

Schloßpark

Nördlich und westlich der Schlösser erstreckt sich der schöne, nach dem Prinzip eines englischen Gartens angelegte Schloßpark. Zum Bild dieses Parkes gehören eine Orangerie (um 1730), ein Englischer Pavillon (1789), ein Chinesischer Pavillon (1804), ferner eine berühmte, über 200jährige japanische Kamelie (Kamelienhaus).

Weinbergkirche

Nordöstlich des Parkes steht die von M.D. Pöppelmann geschaffene Weinbergkirche (1723–1727). Das Abendmahlrelief von J.G. Kretzschmar (1648) wurde aus der abgetragenen Kapelle des Dresdner Renaissanceschlosses hier eingebaut.

Dresdner Heide

Die Dresdner Heide ist ein etwa 50 km² großes geschlossenes Waldstück im nordöstlichen Stadtbereich. Das beliebte Naherholungsgebiet wird von kleinen Wasserläufen durchzogen. Der 'Saugarten' bildet das Zentrum der Heide (markierte Wanderwege).

Umgebung von Dresden

Radebeul
*Karl-May-
Museum

Museum
Hoflößnitz

In Radebeul, nordwestlich an Dresden anschließend und in schöner Umgebung gelegen (Weinbauhänge im Landschaftsschutzgebiet Lößnitz), ist das Karl-May-Museum (Karl-May-Straße Nr. 5) sehenswert. Gezeigt werden eine Ausstellung zum Gedächtnis an Karl May und die bedeutendste Sammlung von Kulturgut nordamerikanischer Indianer in Europa.
Das Heimatmuseum Haus Hoflößnitz (Lößnitzgrundstraße Nr. 16) befindet sich in einem Renaissancebau von 1650.

Dresden-Pillnitz: Bergpalais

Radebeul, Karl-May-Museum: Villa Bärenfett

...und Indianer im Stammesschmuck

Dresden

Radebeul
(Fortsetzung)
Schmalspurbahn

Eine Schmalspurbahn (1884) verbindet Radebeul mit Radeburg, dem Geburtsort des 'urberlinischen' sozialkritischen Zeichners Heinrich Zille (1858–1929); an seinem Geburtshaus befindet sich eine Gedenktafel.

Meißen

→ Reiseziele von A bis Z: Meißen

Moritzburg
*Schloß

Rund 14 km nordwestlich von Dresden liegt inmitten eines Landschaftsschutzgebietes das berühmte Schloß Moritzburg. Das kurfürstliche Jagd- und Lustschloß erstrahlt in den Farben des sächsischen Barock: Ocker und Weiß. 1542–1544 ließ Herzog Moritz (später Kurfürst) auf einer Granitkuppe in der Sumpfniederung des Friedewaldes ein Jagdhaus bauen, das allmählich zum Jagdschloß erweitert wurde. Unter August dem Starken errichteten 1723–1736 Z. Longuelune, M. D. Pöppelmann und J. C. Knöffel das Schloß in der heutigen Form. Das alte Schloß und die Schloßkapelle (1661–1671) wurden in das Bauwerk einbezogen. Berühmte Bildhauer wie B. Permoser, J. C. Kirchner und B. Thomae schufen die heiter-barocken Balustradenstatuen der Auffahrt und der Schloßterrasse. An der Gestaltung der Innenräume, deren Barockausstattung bis heute nahezu unverändert und vollständig erhalten ist (Tapeten, Möbel, Malerei u. a.) waren der Hofmaler Louis de Silvestre, der Innenarchitekt Raymond Leplat und der Tapetengestalter Pierre Mercier wesentlich beteiligt. Herausragend sind die Gemälde von L. Cranach d. J. und A. Thiele; Beachtung verdient vor allem der Schmerzensmann von B. Permoser in der Kapelle (derzeit in Restaurierung).

*Barockmuseum

Das Barockmuseum im Schloß zeigt eine Sammlung auserlesenen Kunsthandwerks (16.–18. Jh.), Sänften, Kutschen, Porzellan, Möbel, Tapeten u. a. Umfangreich und von seltener Schönheit ist die Jagdtrophäen- und Geweihsammlung.

Lageplan

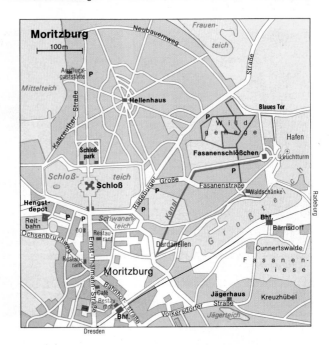

Moritzburg: einst Jagdschloß, heute Barockmuseum

An ihrem Lebensabend (1944) zog die von den Nationalsozialisten mit Berufsverbot belegte und verfolgte Malerin, Grafikerin und Bildhauerin Käthe Kollwitz (1867–1945) nach Moritzburg. Am 22. April 1945 verstarb sie in ihrem Haus, dem 'Rüdenhof'.

Moritzburg (Fortsetzung) Käthe-Kollwitz-Gedenkstätte

In den unteren Räumen des Schlosses wurde ihr zu Ehren eine Gedenkstätte mit einer kleinen Werksammlung eingerichtet und am Käthe-Kollwitz-Platz ein Gedenkstein aufgestellt.

Durch den Park gelangt man in östlicher Richtung zum Fasanenschlößchen. Friedrich August III. ließ von J.D.Schade und J.G. Hauptmann 1769–1782 dieses zierliche Schlößchen im Rokokostil mit Chinoiserien erbauen und einrichten. Zeitweilig nutzte er es als Sommerwohnsitz. In den mit Stuckdecken und Rokoko-Tapeten geschmückten Innenräumen zeigt das Dresdener Museum für Tierkunde eine Sammlung zur heimischen Vogelwelt.

Fasanenschlößchen

Das Gebiet um das Schloß wurde wegen seines Reichtums an seltenen Pflanzen und der vielfältigen Vogelwelt zum Landschaftsschutzgebiet erklärt. Sumpf-, Wasser-, Greif- und Singvögel der verschiedensten Arten leben hier auf relativ kleiner Fläche.

Teichgebiet

Das 40 ha umfassende Wildgehege geht ebenfalls auf die Zeit Augusts des Starken zurück. Hier leben in großen Gehegen Muffel-, Rot-, Dam- und Schwarzwild. In Kleingehegen befinden sich Marder, Füchse, Fasane und Beizvögel.

Wildgehege

Im Jahre 1828 wurde in Moritzburg ein Hengstdepot gegründet mit dem Ziel, Halb- und Kaltblüter (Zugpferde) zu züchten. Heute werden hauptsächlich Halbblüter für den Reitsport gezüchtet.
Zu den Hengstparaden kommen alljährlich im Herbst bis zu 50 000 Besucher.

Hengstdepot

Dresden

Moritzburg (Forts.)
Historische
Gaststätten

Neben der originellen 'Räuberhütte' gibt es in Moritzburg zwei weitere historische Gaststätten: die um 1770 als Hegerhaus erbaute 'Waldschänke' (Hotel) und 'Adams Gasthof' (seit 1765).

Tharandter Wald

→ Reiseziele von A bis Z: Tharandter Wald

Großsedlitz
Barockgarten

In Großsedlitz (16 km südöstlich von Dresden) befindet sich auf einem Hügel oberhalb der Elbe einer der vollkommensten sächsischen Barockgärten. In den Jahren 1719–1726 wurde der Barockgarten Großsedlitz im Auftrag von Graf Wackerbarth nach französischem Vorbild als Lustgarten in räumlichem Anschluß an eines seiner Schlösser angelegt. Nachdem

Lageplan

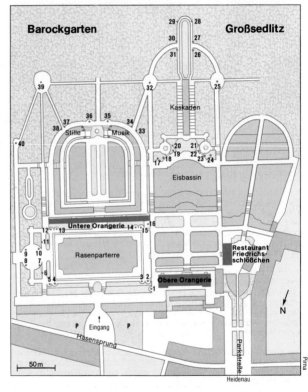

SKULPTUREN		
1 Andromeda	17 Keyx und Halkyone	29 Feuer und Wasser
2–5, Göttin der Früchte	18 Meleagros und Atalante	30 Asien
12–15 (Pomona) und der	19 Apollo und Daphne	31 Europa
Blumen (Flora)	20 Narkissos und Echo	32 Rhea (Kybele)
6 Venus (Aphrodite)	21 Orpheus und Eurydike	33 Herbst
7 Victoria (Nike)	22 Pan und Syrinx	34 Sommer
8 Fischfang	23 Amor und Psyche	35 Juno (Hera)
9 Diana (Artemis)	24 Bacchus und Ariadne	36 Jupiter (Zeus)
10 Hygieia	25 Juno (Hera)	37 Frühling
11 Adonis	26 Amerika	38 Winter
16 Melpomene	27 Afrika	39 Herkules (Herakles)
	28 Luft und Erde	40 Merkur (Hermes)

August der Starke 1723 den Besitz erworben hatte, erhielt die Anlage unter Beteiligung der damals besten Baumeister Dresdens, M.D. Pöppelmann, Z. Longuelune und J.C. Knöffel, bis 1726 ihre vollendete barocke Gestalt. Von den 360 Skulpturen sind nur 52 erhalten geblieben; einen großen Teil zerstörten 1756 preußische Truppen.

Dresden, Umgebung, Großsedlitz, Barockgarten (Fortsetzung)

Im Siebenjährigen Krieg und 1813 war der Garten umkämpft. Danach verwahrloste er bis zum Jahre 1846. Die Restaurierung der noch vorhandenen Skulpturen, der Freitreppe und der Orangerie erfolgte 1861. In den Jahren 1872–1874 wurde das alte Schloß durch einen weit kleineren Bau ersetzt, in dem sich seit 1970 eine Gaststätte befindet. Eine erste umfassende Restaurierung erfolgte nach 1960; dabei wurde das Tor mit dem Delphinbrunnen (etwa 1780) von der Hofseite des Dresdener Landhauses eingefügt.

Von besonderer Schönheit ist die 'Stille Musik', die sich gegenüber der etwa 100 m langen Orangerie befindet, eine barocke Treppenanlage mit geschwungenen Balustraden und Puttengruppen in bewegter Formensprache. Es gilt heute als gesichert, daß sie von Pöppelmann entworfen wurde.

Stille Musik

In den Sommermonaten finden seit Jahren Feste und Tanzaufführungen in dieser außergewöhnlichen Naturkulisse statt.

⟶ Reiseziele von A bis Z: Pirna

Pirna

⟶ Reiseziele von A bis Z: Sächsische Schweiz

Elbsandstein-gebirge

⟶ Reiseziele von A bis Z: Erzgebirge bzw. Altenberg

Osterzgebirge

Dübener Heide

D 5

Bundesländer: Freistaat Sachsen und Sachsen-Anhalt
Bezirke (1952–1990): Leipzig und Halle

Die Dübener Heide erstreckt sich – nordöstlich von ⟶ Leipzig – zwischen der unteren Mulde und der mittleren ⟶ Elbe und ist ein von vielen Bewohnern des industriellen Ballungsraumes um Leipzig, Dessau und die Lutherstadt Wittenberg gern besuchtes Erholungsgebiet. Kiefern- und Mischwaldbestände nehmen dieses glazial geformte sandige Hügelland ein. Altmoräne (Hoher Gieck, 191 m ü.d.M.) und Sanderflächen wechseln miteinander ab. Ganz vereinzelt durchragt Porphyr die glazialen Bildungen, z.B. bei Muldenstein und Burgkemnitz.

Lage und Landschaftsbild

Hauptort ist Bad ⟶ Schmiedeberg. Am Westrand der Dübener Heide entwickelte sich der Muldestausee, ein ehemaliger Braunkohlentagebau, zu einem Naherholungsgebiet.

Eberswalde-Finow

C 6

Bundesland: Brandenburg
Bezirk (1952–1990): Frankfurt
Höhe: 30 m ü.d.M.
Einwohnerzahl: 55000

Die Stadt Eberswalde-Finow liegt – rund 30 km nordöstlich von ⟶ Berlin – im Eberswalder Urstromtal. Sie ist bekannt als Forschungszentrum der Forstwissenschaften und als Produzent von Hafenkrananlagen. Wirtschaftlich bedeutend sind des weiteren das Walzwerk Finow und der Schlachtbetrieb Eberswalde.

Lage und Bedeutung

Geschichte	Die Gunst der Lage im Finowtal – der frühe Siedlungsplatz ist belegt durch den 'Goldschatz von Eberswalde' der Lausitzer Kultur – bewirkte in Eberswalde und Finow eine ähnliche Entwicklung. 1254 erhielt Eberswalde Stadtrecht, Finow wurde 1294 erstmals urkundlich erwähnt. Das sich seit dem 16. Jh. entwickelnde metallverarbeitende Gewerbe begründete den Ruf des Ortes auf technischem Gebiet. 1620 wurde der erste Finowkanal eröffnet, nach den Zerstörungen im Dreißigjährigen Krieg baute man ihn erneut aus (1743–1746). Im Jahre 1935 erhielt Finow das Stadtrecht. Die schon wirtschaftlich und baulich verbundenen Orte Eberswalde und Finow sind seit dem 22. 3. 1970 zu einer Stadt vereinigt.

Sehenswertes

Pfarrkirche St. Maria Magdalena	Die Pfarrkirche St. Maria Magdalena, ein frühgotischer Backsteinbau (Anfang 14. Jh.) mit schönen Kreuzrippengewölben (1874–1876 umgebaut) besitzt drei Portale mit figürlichem Schmuck, einen bronzenen Taufkessel (13. Jh.) und einen mehrteiligen Altaraufsatz von 1606.
Kleine Konzerthalle	Die Kleine Konzerthalle (ehem. Spitalkapelle St. Georg, Backsteinbau des 13. Jh.s, 1973 restauriert) wird für musikalische Veranstaltungen genutzt.
Heimatmuseum	Im Heimatmuseum (Kirchstr. 8) sind Ausstellungen zur Stadtgeschichte und Metallverarbeitung zu sehen.
Adler-Apotheke	Die Adler-Apotheke (Steinstr. 3), befindet sich im ehemaligen Ritterhaus, einem mittelalterlichen Fachwerkhaus.
Löwenbrunnen	Den siebzehn Zentner schweren Löwenbrunnen (1836, Eisenguß) hat C. D. Rauch gestaltet.
Barbaraglocke	Vor der Stadtmauer befindet sich in der Goethestraße die Barbaraglocke (1518 von H. van Kampen gegossen; Münzabdrücke). Sie ist 1888 und 1909 gesprungen.
Forstbotanischer Garten	Im Forstbotanischen Garten (Schwappachweg), der vor über 100 Jahren angelegt wurde, sind auf einer Fläche von etwa 27 ha über 1000 in- und ausländische Gehölzarten sowie botanische Sondergärten zu sehen.
*Tierpark	In der Nähe der 1958 entstandene Tierpark (An der Schwärze), der sich gut in die Landschaft einfügt.
Alte Forstakademie	Die Alte Forstakademie (Schicklerstraße Nr. 3) wurde im Jahre 1830 von Berlin hierher verlegt.
Reste der Stadtmauer	Reste der im 16. Jh. erbauten, ehemals 6 m hohen Stadtmauer sind an der Goethestraße und an der Nagelstraße erhalten.
Denkmal	Im Hans-Ammon-Park steht ein Denkmal, das an die Opfer des Nationalsozialismus erinnert.

**Klosterruine von Chorin   C 6

Lage 9 km nördlich von Eberswalde-Finow	Herrlich gelegen im Landschaftsschutzgebiet 'Choriner Endmoränenbogen' (Teil des Biospärenreservates 'Schorfheide–Chorin') ist der Ort Chorin (F 2) mit der Klosterruine. Im Jahre 1258 legten Zisterziensermönche auf einem Werder im Parsteiner See das Kloster Mariensee an, das 1273 nach Chorin verlegt wurde. Am Amtssee entstand die Klosteranlage. 1542 aufgelöst, wurde das Kloster kurfürstliches Amt. Im Dreißigjährigen

Klosterruine von Chorin ▶

Klosterruine von
Chorin
(Fortsetzung)

Krieg mehrfach geplündert und in Brand gesteckt, diente es im 17. Jh. der Steingewinnung. Anfang des 19. Jh.s wurden dann unter K.F. Schinkel erste Konservierungsmaßnahmen durchgeführt; nach 1954 umfassende Restaurierungsarbeiten. Die Klostergebäude werden für kulturelle Veranstaltungen genutzt; besonders beliebt sind die Sinfoniekonzerte während des 'Choriner Musiksommers'. Die Klosterruine ist noch heute das bedeutendste Beispiel norddeutscher Backsteingotik in der Mark Brandenburg.

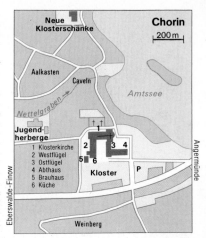

Chorin

1 Klosterkirche
2 Westflügel
3 Ostflügel
4 Abthaus
5 Brauhaus
6 Küche

Plagefenn

Das Plagefenn (11 km östlich von Chorin), Erlenbrüche und Hochmoor mit ausgeprägten Pflanzengesellschaften und seltenen Moorpflanzen, ist auf einem Knüppeldamm begehbar.

Bad Freienwalde   C 7

Lage
17 km östlich
von Eberswalde-
Finow

An dem Abfall der Barnimplatte zum Oderbruch hin liegt Bad Freienwalde (F 167), ein Moorbad und Kurort. Mineralquellen werden dort seit 1684, Schwefel-Eisen-Moore seit 1840 für Kuren genutzt und machten Bad Freienwalde (seit 1924 Bad) als Rheuma-Kurort bekannt. Die ehemaligen Bade- und Gästehäuser entwarfen im 18./19. Jh. so berühmte Berliner Baumeister wie Schlüter, Langhans und Schinkel.

*Oderland-
museum

Einen Besuch lohnt das Oderlandmuseum (Uchtenhagenstr. 2) im ehemaligen Freihaus (1560), das eine Barockfassade hat. Das Schloß (jetzt Kreiskulturhaus), ein klassizistischer Bau (1798/1799) von David Gilly, wurde 1837 und 1909 umgebaut. Hier wohnte von 1909 bis 1922 Walther Rathenau. Im Landschaftspark (1820, Lenné) steht ein Teehäuschen (1795, Langhans). Die Pfarrkirche St. Nikolaus, ein frühgotischer Granitbau, 1453 umgebaut in Backstein, ist ausgestattet mit einem spätgotischen Taufstein, einem Altaraufsatz und einer Kanzel von 1623. Die barocke Fachwerkkirche St. Georg (17. Jh., 1973 restauriert) hat einen bemerkenswerten Kanzelaltar (1698), ein Werk der Schlüter-Schule.

*Schiffshebewerk bei Niederfinow   C 6

Lage
11 km östlich
von Eberswalde-
Finow

Bekannt ist das Schiffshebewerk bei Niederfinow (F 167). Schon zeitig wurde versucht, den Höhenunterschied zwischen Havel und Oder mittels Schleusen zu überwinden. Waren es beim 1746 ausgebauten Finowkanal 17 Schleusen, so entstand beim Oder-Havel-Kanal (1906–1914) eine vierstufige Schleusentreppe von je 9 m. Von 1927 bis 1934 wurde daneben das Schiffshebewerk errichtet, das den gesamten Höhenunterschied von 36 m auf einmal überwindet.
Wegen schlechter Baugrundverhältnisse konnte das Schiffshebewerk nicht direkt am Hang erbaut werden. Es ist durch eine 157 m lange Kanalbrücke mit dem Oder-Havel-Kanal verbunden.

Bekanntes technisches Denkmal: Schiffshebewerk bei Niederfinow

Oderberg

C 7

In Oderberg wurde 1231 ein Prämonstratenserkloster gegründet. Während der Blütezeit der Hanse entwickelte sich Oderberg, durch die Lage am Kreuzungspunkt von Land- und Wasserstraßen begünstigt, zu einem wichtigen Umschlagplatz, verlor aber an Bedeutung, als die 'via regia' (Königsstraße) auf Betreiben des Klosters Chorin nicht mehr über Oderberg geführt wurde. Im Dreißigjährigen Krieg völlig zerstört, sank Oderberg zu einem bedeutungslosen Ort herab und büßte nach dem Bau der Neuen Oder (1747–1753) noch die wenigen verbliebenen Einkünfte ein. In abwechslungsreicher Landschaft mit herrlichen Wäldern und Seen gelegen, ist Oderberg heute ein gernbesuchtes Ausflugsziel. Von der Burg Bärenkasten (1355–1373 erbaut, 1754 geschleift) sind noch die Mauern des Kastells erhalten. Im Heimatmuseum wird die Geschichte der Binnenschiffahrt im Odergebiet dargestellt.

Lage
10 km nordöstlich
von Eberswalde-
Finow

Eckartsberga

D 4

Bundesland: Sachsen-Anhalt
Bezirk (1952–1990): Halle
Höhe: 243 m ü.d.M.
Einwohnerzahl: 2000

Die kleine Stadt Eckartsberga liegt – rund 15 km westlich von ⟶ Naumburg – an den Ausläufern der Finne. Sie verdankt ihre Entstehung und Bedeutung der einst reichen Veste Eckartsburg, einer der auch heute noch markanten Burgruinen des thüringisch-sächsischen Raumes. In ihrem Angesicht dichtete Goethe 1813 die Ballade "Der getreue Eckart".

Lage

Eckartsberga

Geschichte

Obwohl schon 998 als Burg gegründet, wurde dem Ort erst 1288 das Stadtrecht verliehen. Durch seine beherrschende Lage an der 'Via Regia' (Königsstraße), die von Frankfurt am Main über Leipzig weiter nach Polen und Rußland führte, erlangte Eckartsberga besondere Bedeutung.

Sehenswertes

*Eckartsburg

Die Stadt wird von der stattlichen Ruine der Eckartsburg überragt, einer weiträumigen, im Kern romanischen Anlage, die zu den bedeutendsten Denkmälern im Kreis Naumburg zählt. Im späten 15. Jh. verfiel sie. Vom Wohnturm bietet sich ein herrlicher Blick. In einem Teil des Turmes befindet sich ein Zinnfigurendiorama der Schlacht vom 14. Oktober 1806, die mit einer schweren Niederlage des preußischen Heeres endete.

Goethe-Stein

Vor der Burg ein Goethe-Stein, der an einen Besuch des Dichterfürsten erinnert.

Sühnekreuze
Brandsäule

Im Ort sieht man mehrere Sühnekreuze und eine Brandsäule am Platz der Hexenverbrennung von 1562.

Gustav-Adolf-
Gedenkstein

Ein Gustav-Adolf-Gedenkstein steht auf der Höhe des Sachsenberges, wo der schwedische König den letzten Feldgottesdienst vor der für ihn so verhängnisvollen Schlacht bei Lützen (→ Weißenfels, Umgebung) hielt (die Schweden siegten, doch Gustav II. Adolf fiel).

Umgebung von Eckartsberga

Auerstedt
(Schlachtfeld)

Unweit südöstlich von Eckartsberga erstreckt sich das Schlachtfeld von Auerstedt, wo die preußische Armee unter dem Oberbefehl des damals 70jährigen Herzogs Karl von Braunschweig (52 000 Mann) am 14. Oktober 1806 von der wesentlich schwächeren französischen Armee des Marschalls Louis Nicolas Davout (33 000 Mann) vernichtend geschlagen wurde. Das Schlachtfeld erreicht man von Eckartsberga über die F 87 sowie Taugwitz und Hassenhausen. Hier steht auf dem Friedhof ein 1906 errichtetes Denkmal (ein weiteres vor Hassenhausen) für den damals schwer verwundeten preußischen Oberbefehlshaber; ihm waren beide Augen durchschossen worden, so daß er die Truppen nicht mehr anführen konnte und die Armee sich auflöste.

Bad Sulza

Von Eckartsberga gelangt man über Reisdorf und Auerstedt nach Bad Sulza (9 km südöstlich). Der Ort ist seit 1064 Stadt und ebenso lange mit der Salzgewinnung verbunden. Seit 1847 Solbad, verfügt der Ort mit dem ehemaligen Salinenkomplex über ein sehenswertes technisches Denkmal spätmittelalterlicher Salzförderung; bis 1966 wurde hier noch auf vorindustrielle Weise Salz gefördert. Beachtung verdienen das Museum und der Kurpark des Solbades mit Trinkhalle, ferner die Stadtkirche und das Rathaus.

Apolda

→ Reiseziele von A bis Z: Apolda

Buttstädt

Von Eckartsberga gelangt man zunächst in nordwestlicher Richtung über Herrengossersstedt nach Buttstädt (12 km westlich von Eckartsberga, einer alten, durch ihre Pferde- und Ochsenmärkte bekannten kleinen Stadt. Bemerkenswert sind die spätgotische Hallenkirche (nach einem Brand bis 1728 barock erneuert; Innenausstattung von F. D. Minetti aus Florenz (erste Hälfte des 18. Jh.s). Aus der Zeit der Spätgotik und der Renaissance stammt auch das Rathaus, mit reichen Giebeln, Portalen und Erkern. Auf dem alten Friedhof (1603) findet man Renaissancehallen und Grabdenkmäler (17.–19. Jh.). Im Vogthaus ein Heimatmuseum (u. a. Thüringer Bauernstube).

Von Buttstädt führt der Weg (7 km) nordwärts nach Rastenberg, am Südwestrand der Finne, mit Resten der Stadtmauer und zwei Wehrtürmen sowie der Ruine der Raspenburg. Die eisenhaltigen Heilquellen, 1646 entdeckt, ließen Rastenberg fast 300 Jahre zu einem bekannten Bade- und Kurort werden, bevor sie 1936 endgültig versiegten. Das einzige Patrizierhaus der Stadt, das Raspehaus, wurde im Jahre 1641 vom weimarischen Amtmann T. Raspe erbaut. An der Baderstraße (Nr. 31) das Geburtshaus des Vaters von Carl Zeiss (Gedenktafel). Im Klubhaus der Urlauber eine kleine Carl-Zeiss-Gedenkstätte.

Eckartsberga, Umgebung (Fortsetzung) **Rastenberg**

Die historisch bedeutende Ortschaft Memleben mit der einstigen Pfalz der sächsischen Kaiser und einem 975 von Kaiser Otto II. gestifteten Benediktinerkloster (seit dem 17. Jh. verfallen) liegt an der Unstrut, 22 km nordwestlich von Eckartsberga. Die Klosterkirche (heute Ruine) war nach dem Magdeburger Dom der größte Bau des 10. Jh.s im Osten des ottonischen Reiches. Die Kaiserpfalz – Sterbeort des ersten deutschen Königs, Heinrichs I. († 936), und Kaiser Ottos I. († 973) – wird südöstlich vom Kloster vermutet.

Memleben

⟶ Reiseziele von A bis Z: Naumburg, Umgebung

Rudelsburg

⟶ Reiseziele von A bis Z: Naumburg, Umgebung (Schulpforte)

Kloster Pforta

⟶ Reiseziele von A bis Z: Naumburg

Naumburg

Eichsfeld   D 3

Bundesländer: Thüringen und Niedersachsen
Bezirk (1952–1990): Erfurt (Oberes Eichsfeld)

Das Eichsfeld ist die niederschlagsreiche, klimatisch rauhe Landschaft zwischen dem Nordwestrand des Thüringer Beckens und dem Südrand vom ⟶ Harz. Durch die Täler von Wipper und Leine wird das Eichsfeld, dessen Bevölkerung überwiegend katholischen Glaubens ist, in das Obere Eichsfeld (im Süden) und das Untere Eichsfeld (im Norden) gegliedert.

Lage und Gebiet

Landschaftlich eindrucksvoll ist im Oberen Eichsfeld – mit dem thüringischen ⟶ Heiligenstadt als Hauptort – vor allem der bewaldete Höhenzug des Dün (450–520 m ü. d. M.) südlich der Linie Heiligenstadt – Leinefelde – Bleicherode mit seiner steilen Muschelkalkschichtstufe, die sich nach Osten hin in der Hainleite (463 m ü. d. M.) südlich von Sondershausen (⟶ Nordhausen, Umgebung) fortsetzt.

Oberes Eichsfeld

Im Unteren Eichsfeld – mit der niedersächsischen Fachwerkstadt Duderstadt als Schwerpunkt – herrscht der Buntsandstein vor, auf dem die nach Süden geneigten Muschelkalkschollen des Ohmgebirges (533 m ü. d. M.) nördlich von Worbis und der Bleicheroder Berge (445 m ü. d. M.) als Zeugenberge aufsitzen.

Unteres Eichsfeld

Die Bezeichnung 'Eichsfeld' war bereits gegen Ende des 9. Jh.s in Gebrauch. Über Jahrhunderte gehörte diese Region zum Erzbistum Mainz mit Heiligenstadt als Sitz des kurmainzischen Statthalters; 1342 kaufte es das Untere Eichsfeld, welches seit 1334 als Pfand der Herzöge von Braunschweig-Grubenhagen in seinem Besitz war. Während der Gegenreformation setzten die hier tätigen Jesuiten die Beibehaltung des katholischen Bekenntnisses durch. Im Jahre 1803 kam das gesamte Eichsfeld durch den Reichsdeputationshauptschluß zu Preußen, 1807 nach dem Tilsiter Frieden zum Harz-Departement des französischen Königreiches Westfalen. Nach dem Wiener Kongreß (1815) wurde das Obere Eichsfeld Preußen, das Untere Eichsfeld Hannover zugeschlagen.

Geschichte

Eichsfeld,
Geschichte
(Fortsetzung)

Von 1952 bis 1990 verlief zwischen beiden Teilen die hermetisch abgeriegelte Grenzlinie (Eiserner Vorhang) zwischen der einstigen Deutschen Demokratischen Republik und der damaligen Bundesrepublik Deutschland, nach der deutschen Einigung am 3. Oktober 1990 die Landesgrenze zwischen Thüringen und Niedersachsen.

Wirtschaft

In der Vergangenheit war das Eichsfeld lange Zeit eine wirtschaftlich rückständige Region, ein Notstandsgebiet, in dem die Menschen durch Heimarbeit (für Textil- und Tabakbetriebe) sowie als Wanderarbeiter ihren Lebensunterhalt verdienten. Um die Wende vom 19. zum 20. Jh. setzte in Bischofferode der Kalisalzbergbau ein.
Der 1959 in der ehemaligen DDR beschlossene 'Eichsfeldplan' sollte die wirtschaftliche Struktur im Oberen Eichsfeld verbessern: In Leinefelde entstand z. B. Textilindustrie (Baumwollspinnerei), in Deuna ein großes Zementwerk; hinzu kam die Zigarrenherstellung.
Im klimatisch mehr begünstigten und fruchtbareren Unteren Eichsfeld ('Goldene Mark' um Duderstadt) werden Getreide und Tabak angebaut sowie Bergbau auf Kalisalz betrieben.

Eisenach E 3

Bundesland: Thüringen
Bezirk (1952–1990): Erfurt
Höhe: 215 m ü. d. M.
Einwohnerzahl: 50 000

Lage und
Bedeutung

Die Wartburgstadt Eisenach, einst Residenz der thüringischen Landgrafen, liegt am Nordwestrand vom → Thüringer Wald – unterhalb des Wartberges und der ihn krönenden, sagenumwobenen Wartburg. Glanzvolle Namen sind mit der Stadt und der Burg verbunden: so u. a. Walther von der Vogelweide und Wolfram von Eschenbach, Martin Luther, Johann Sebastian Bach, Richard Wagner, Franz Liszt oder Fritz Reuter.

Geschichte

Vermutlich im Zusammenhang mit dem Bau der Wartburg angelegt, wird Eisenach urkundlich 1150 als 'Isinacha' erstmals erwähnt. Im Schutz der Burg entwickelte sich der Ort bald zum politischen und auch geistigen Zentrum der neuen, weiträumigen Landgrafschaft Thüringen. Als sich 1525 große Teile der Bürgerschaft am Bauernkrieg beteiligten, besetzten fürstliche Heere die Stadt (Hinrichtung von 17 Bauernführern). 1572 wurde die Stadt Residenz des Herzogtums Sachsen-Eisenach, bis sie 1741 zu Sachsen-Weimar kam. Auf dem Eisenacher Kongreß (7.–9. August 1869) begründeten August Bebel und Wilhelm Liebknecht die Sozialdemokratische Arbeiterpartei (SDAP; 'Eisenacher').

Wirtschaft

Um die Mitte des 19. Jahrhunderts wurde der Ort an das thüringische Eisenbahnnetz angeschlossen. Seit 1898 werden in Eisenach Automobile hergestellt (z. B. BMW 'Dixi'), und bis heute bestimmt der Kraftfahrzeugbau das Wirtschaftsleben der Stadt: bisher Fertigung des Typs 'Wartburg' im Automobilwerk Eisenach (AWE), neuerdings Kfz-Montage für die Adam Opel AG; Errichtung eines neuen Opelwerkes Ende 1990 vereinbart.

Altstadt

Markt

Das Herzstück der Altstadt ist der Markt (Mittwochmarkt des Mittelalters) mit vielen beachtenswerten Bauten.

Schloß
mit Thüringer
Museum

Auffallend ist an der Nordseite das barocke Stadtschloß (1742–1751) mit nüchtern wirkender Fassade. Im linken Schloßflügel befindet sich das Thüringer Museum; zu sehen sind Thüringer Fayencen und Porzellan des

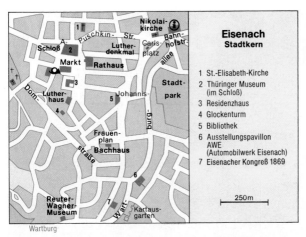

Achtung!
Im Zuge der
politischen
Neuorientierung
sind weitere
Umbenennungen
zu erwarten.

Map labels:

Nikolai-kirche · Puschkin-Str · Bahn-hofstr · 1
Eisenach **Stadtkern**
Schloß 2 · Luther-denkmal · Carls-platz · allee
Markt · **Rathaus**
† · Stadt-park
3 · Johannis-
Luther-haus · 5
4 · burg
Frauen-plan
straße · **Bachhaus**
Dom...
6
Reuter-Wagner-Museum · 7 · Wart... · Kartaus-garten

250m

Wartburg

1 St.-Elisabeth-Kirche
2 Thüringer Museum (im Schloß)
3 Residenzhaus
4 Glockenturm
5 Bibliothek
6 Ausstellungspavillon AWE (Automobilwerk Eisenach)
7 Eisenacher Kongreß 1869

18./19. Jh.s, Erzeugnisse der Thüringer Glashütten aus mehreren Jahrhunderten, ferner eine Gemäldegalerie (vor allem altdeutsche Meister). Gedenktafeln erinnern an Charlotte von Stein sowie Luise von Göchhausen, beide Töchter der Stadt; die zuletzt Genannte hat Goethes "Urfaust" aufgeschrieben und ihn damit der Nachwelt erhalten. → *Thüringer Museum (Fortsetzung)*

Das Rathaus, ein im Kern spätgotischer Bau mit Beifügung von Renaissance-Elementen und schiefem Turm, wurde nach 1945 sorgsam restauriert; im Untergeschoß befinden sich Reliefs und Zierrat des Renaissancemeisters H. Leonhardt. → *Rathaus*

Gleichfalls am Markt steht die Pfarrkirche St. Georg, eine Hallenkirche mit reicher Innenausstattung (u. a. Grabsteine Thüringer Landgrafen). In dieser Kirche predigte Martin Luther am 2. Mai 1521, obwohl er bereits unter Reichsacht stand. Am 23. März 1685 wurde Johann Sebastian Bach hier getauft. St. Georg ist häufig Aufführungsort von Bachs Werken. → *Pfarrkirche St. Georg*

Hinter der Kirche die schmiedeeisernen Gestalten Henner und Frieder, zwei Eisenacher Originale, die beim Volksfest 'Sommergewinn' (Sonnabend vor Lätare) eine große Rolle spielen. → *Henner und Frieder*

Vor dem Westportal der Kirche steht ein alter Marktbrunnen mit St. Georg, dem Schutzpatron Eisenachs (1549, H. Leonhardt). Zwischen dem Marktbrunnen und der Hauptpost sieht man im dunklen Pflaster ein helles Kreuz; es erinnert an die blutige Rache der Fürsten im Jahre 1525, als der Landgraf von Hessen mehrere Bauernführer enthaupten ließ. → *Marktbrunnen*

Das Residenzhaus am Markt hat einen spätgotischen Westflügel; am Nordflügel ein Renaissanceportal. → *Residenzhaus*

Am Lutherplatz (Nr. 8) steht das reizvolle Lutherhaus (ehem. Cottasches Haus), das nach einem Bombenschaden (1944) wieder stilvoll restauriert wurde. Das Haus ist heute eine Luthergedenkstätte mit historischen Lutherstübchen sowie seltenen Bibel- und anderen geistlichen Drucken der Lutherzeit. → *Lutherhaus*

Am Predigerplatz die Predigerkirche (Dominikaner) mit einer Sammlung sakraler Skulpturen (Thüringer Holzschnitzerschule, 12.–16. Jh). → *Predigerkirche*

An der Georgenstraße die Hospitalkirche St. Annen, laut Inschrift im Jahre 1226 von der hl. Elisabeth gegründet. → *Hospitalkirche*

Bachhaus von der Gartenseite

Hellgrevenhof	Ecke Georgenstraße und Schiffsplatz der Hellgrevenhof, wohl das älteste Gebäude der Stadt. Der Sage nach nahmen der Zauberer Klingsor und Heinrich von Ofterdingen darin Quartier, nachdem sie auf dem Mantel des Zauberers von Ungarn nach Eisenach geflogen waren.
*Bachhaus	Am Frauenplan (Nr. 21) befindet sich das schlichte Bachhaus; gezeigt wird eine eindrucksvolle Sammlung über Leben und Schaffen der Familie Bach, speziell Johann Sebastian Bachs; ferner eine Ausstellung historischer Musikinstrumente.
Bach-Denkmal	Auf dem Platz ein Bach-Denkmal von Donndorf.
Nikolaikirche	Die Nikolaikirche im Osten der Stadt ist eine Flachdeckenbasilika und ein schönes Denkmal romanischer Baukunst (12. Jh.; 1867–1869 umfassend restauriert).
Nikolaitor	Südlich vor der Kirche die Stadtmauer mit spätromanischem Nikolaitor (um 1200), dem ältesten erhaltenen Stadttor Thüringens. Neben der Kirche ein Denkmal von Hugo Lederer für die im Ersten Weltkrieg gefallenen deutschen Ärzte.
Lutherdenkmal	Auf dem Carlsplatz (Sonnabendmarkt des Mittelalters) steht das Lutherdenkmal (1895, A. v. Donndorf).

Sehenswertes im Süden

*Gedenkstätte der Arbeiterbewegung	Die Gedenkstätte der deutschen Arbeiterbewegung 'Eisenacher Kongreß 1869' (ehem. Gasthaus 'Zum Löwen', Friedrich-Engels-Straße Nr. 57) erinnert an die Gründung der Sozialdemokratischen Arbeiterpartei und ihre weitere Geschichte.

Fritz-Reuter-&-Richard-Wagner-Museum

Außerhalb der Altstadt (Reuterweg Nr. 2) erreicht man das Fritz-Reuter-&-Richard-Wagner-Museum, die Wohn- und Sterbestätte des niederdeutschen Dichters Fritz Reuter (1863–1874). Neben Memorial- und Schauräumen gibt es dort eine Richard-Wagner-Bibliothek, die nach Bayreuth umfangreichste und wertvollste. Zahlreich sind die Dokumente über Leben und Werk beider Persönlichkeiten.

Fritz-Reuter-&-Richard-Wagner-Museum

An der Kreuzung Friedrich-Engels-Straße und Wartburgallee erinnert das Carl-Alexander-Denkmal (1909, von H. Hosäus) an den Erneuerer der Wartburg.

Carl-Alexander-Denkmal

An der Wartburgallee bildet der Automobil-Ausstellungspavillon des in Eisenach ansässigen Automobilwerkes einen besonderen Anziehungspunkt (u. a. seltene Oldtimermodelle).

✻Automobil-Ausstellungspavillon

Auf der Göpelskuppe steht das Burschenschaftsdenkmal (1902, W. Kreis), errichtet zur Erinnerung an das Wartburgfest von 1817, eine Zusammenkunft von etwa 500 Abgesandten deutscher Universitäten; die Studenten (Burschenschafter) protestierten gegen Restauration und Kleinstaaterei.

Burschenschaftsdenkmal

✻✻Wartburg

Eine der historisch interessantesten deutschen Burganlagen ist die auf dem Wartberg thronende Wartburg, die der Sage nach 1067 von Ludwig dem Springer gegründet wurde. Der Bedeutung der Landgrafschaft entsprechend war die Burg bald nicht mehr nur ein Wehrbau, sondern ein Wohn-, Regierungs- und Repräsentationsbau. Dort wurde auch der Wettstreit zwischen den Minnesängern des Hochmittelalters, darunter Wolfram von Eschenbach, Heinrich von Ofterdingen, Heinrich von Veldecke und Walter von der Vogelweide, ausgetragen; ihr 'Sängerkrieg' ist Thema von Richard Wagners "Tannhäuser".

Sage und Geschichte

Eisenach

Hl. Elisabeth

Im Jahre 1235 wurde die Landgräfin Elisabeth, eine ungarische Königstochter, die auf der Wartburg begonnen hatte, sich der Armen und Kranken anzunehmen, heilig gesprochen.

Martin Luther

Martin Luther lebte 1521/1522 als 'Junker Jörg' unter kurfürstlichem Schutz auf der Burg, wo er das Neue Testament aus dem griechischen Urtext übersetzte und damit einen entscheidenden Beitrag zur Herausbildung der deutschen Schriftsprache leistete.

Anlage

Die weiträumige Anlage aus verschiedenen Bauzeiten, gruppiert um zwei Höfe, verfiel im 16. Jh. und wurde in der zweiten Hälfte des 19. Jh.s nach Plänen des Architekten und Kunstwissenschaftlers Hugo v. Ritgens wiederhergestellt; seit 1952 umfangreiche Sicherungs- und Restaurierungsmaßnahmen, die umfassendsten von 1978 bis 1983. Betreten wird die Wartburg über den einzigen Zugang, die im Norden gelegene Zugbrücke; Torhaus.

Erster Burghof

Nach dem Passieren mehrerer Torbögen (Pfeilerteile z. T. romanisch und gotisch) wird der erste Burghof mit restaurierten Fachwerkbauten des 15. und 16. Jh.s erreicht (Wehrgänge, Ritterhaus, Vogtei mit Nürnberger Erker). Eine imposante Gruppe (Torhalle, Dirnitz, Neue Kemenate und Bergfried) grenzt den ersten Hof vom zweiten ab. Die Gebäude wurden im neuromanischen und neugotischen Stil geschaffen.

Zweiter Burghof

Der einst dichter bebaute zweite Burghof – mit dem Gadem, der Zisterne, dem Südturm (13. Jh.) und dem spätromanischen Palas (Landgrafenhaus) – ist der älteste und wertvollste Teil der gesamten Burganlage.

✳Palas

Im Palas ('Landgrafenhaus') befinden sich der romanische, kreuzgewölbte Rittersaal, die südliche Kemenate und der Speisesaal (vorzügliche Adlerkapitelle der Säulen). Gleichgeartet ist die Elisabeth-Kemenate (das Mosaik mit Szenen aus dem Leben der hl. Elisabeth entstand 1902–1906). Die schlichte Kapelle wurde um 1320 nachträglich in den Palas eingefügt. Im ersten Obergeschoß die Elisabeth-Galerie mit Fresken Moritz von Schwinds, ferner der Sängersaal und das Landgrafenzimmer. Der Festsaal umfaßt das gesamte zweite Obergeschoß; reiche historisierende Dekoration aus dem 19. Jahrhundert.
Die Sandsteinfassade des Palas ist durch drei Reihen zierlicher Bogenfenster gegliedert; im 19. Jh. ergänzt sind der Treppenvorbau und das Badehaus ('Ritterbad'; jüngst restauriert).

Wartburg — 25 m

Restaurant Hotel — P Eselstation — Eisenach — Steinweg — Zugbrücke — Torhaus — Schanze — Ritterhaus — Vogtei mit Lutherstube — Nürnberger Erker — Nesselgrund — Brunnen — Margarethen- gang — Erster Burghof — Elisabethengang — Dirnitz — Luthererker — Torhalle — Neue Kemenate — Berchfrit — Burg- garten — Zweiter Burghof — Palas — Gadem — Zisterne — sog. Ritterbad — Südturm — südl. Ringmauer

Wartburg auf dem Wartberg über Eisenach

Im Anschluß an den spätromanischen Palas gelangt man in die Museums- Neue Kemenate
räume der Neuen Kemenate sowie der Dirnitz. Zu besichtigen sind hervor- Dirnitz
ragende Kunstwerke aus den Sammlungen der Wartburg: spätgotische
Wandteppiche, Gemälde von Lucas Cranach d. Ä., Skulpturen aus der
Werkstatt Tilman Riemenschneiders und ein geschnitzter Schrank nach
Entwürfen Albrecht Dürers; ferner eine Ausstellung zur Geschichte der
Burg.
Sehenswert sind auch das Pirckheimerstübchen (15. Jh.) und das Schwei-
zerzimmer (17. Jh.).

Über den westlichen Wehrgang gelangt man, vorbei am Eseltreiber- Lutherstube
stübchen, zur Lutherstube (in der Einrichtung fast unverändert, wiederum
Werke von Lucas Cranach d. Ä.).

Am Fußweg zur Wartburg die besonders bei Kindern beliebte Eselstation; Eselstation
Reitmöglichkeit für einen Teil der Wegstrecke.

Umgebung von Eisenach

Östlich der Stadt liegen die weißen Kalksteinfelsen der Hörselberge mit Hörselberge
seltener Flora.
Der Große Hörselberg (484 m ü. d. M.) ist einer der sagenumwobenen
Berge Deutschlands; in ihm haben – der Legende nach – Wotan und Tannhäuser, Frau Holle und Frau Venus (als Doppelgestalt) ihr Domizil, und in
sturmerfüllten Spätherbstnächten soll hier der getreue Eckehart als Warner
unterwegs sein, um den Wanderer vor dem 'Wilden Heer' oder der 'Wilden
Jagd' zu warnen. Vom Plateau des Hörselberges bietet sich eine schöne
Aussicht. In der Nähe die Venus- und Tannhäuserhöhle sowie das Jesus-
brünnlein.

Eisenach,
Umgebung
(Fortsetzung)
Drachenschlucht

Unterhalb der Wartburg befindet sich die etwa 200 m lange Drachen-schlucht. Die engen Felswände sind bis zu 10 m hoch und bilden bizarre Formen. Vom Gasthaus 'Hohe Sonne' am → Rennsteig hat man einen schönen Blick zur Wartburg.

Wilhelmsthal

Das anheimelnde Wald- und Wiesenidyll Wilhelmsthal (F 19, 7 km südlich von Eisenach) besitzt eine weiträumige Schloßanlage (1712–1719 erbaut; 1741 durch G.H. Krohne verändert). Die ehemals barocke Gartenanlage wurde um 1800 in einen Landschaftspark umgestaltet.

Marksuhl

In Marksuhl (F 84, 15 km südwestlich von Eisenach) steht das ehemalige Schloß (Renaissance) mit einem reichgeschmückten Einfahrtstor. Die Pfarrkirche ist ein einschiffiger Barockbau.

Mihla

Sehenswert ist in Mihla (13 km nördlich von Eisenach) das Rote Schloß (Renaissance), mit massivem Erdgeschoß und zwei Fachwerkober-geschossen, reichem Portal und drei Erkern sowie Rittersaal mit Stuck-dekorationen (1631). Das Graue Schloß (zweigeschossiger Renaissance-bau) hat je drei Giebel und einen Turm an den Längsseiten. In der Dorf-kirche, einem einschiffigen Barockbau von 1711, sieht man eine Schrank-nische und einen Flügelaltar aus dem 15. Jahrhundert.

Eisenberg E 4

Bundesland: Thüringen
Bezirk (1952–1990): Gera
Höhe: 275–300 m ü.d.M.
Einwohnerzahl: 13000

Lage und
Bedeutung

Die thüringische Kreisstadt Eisenberg liegt – rund 20 km nordwestlich von → Gera – auf einer Buntsandsteinplatte zwischen Saale (→ Saaletal) und Weißer Elster (→ Elstertal). Sie ist ein Industriestandort (u.a. Klavierbau, Möbel- und Porzellanherstellung) und ein attraktiver Erholungsort am nördlichen Rand des Holzlandes; insbesondere das Mühltal wird viel besucht.

Geschichte

Erstmals 1171 urkundlich erwähnt, erhielt Eisenberg 1274 Stadtrecht. Als Teil Kursachsens kam der Ort 1485 an die Ernestiner und war 1680–1707 Residenz des Herzogs Christian von Sachsen-Eisenberg. Bis 1918 ge-hörte die Stadt dann zu Sachsen-Altenburg. Seit 1952 ist Eisenberg Kreis-stadt.

Sehenswertes

Rathaus

Ein reizvolles Ensemble bietet der alte Stadtkern mit Rathaus (1579; 1593 erweitert), einem dreigeschossigen Renaissancebau mit zwei Türmen und zwei reich verzierten Rundbogenportalen.

Pfarrkirche
St. Peter

Um den rechteckigen Marktplatz gruppieren sich weiterhin die einschiffige spätgotische Pfarrkirche St. Peter (1494; 1880 umgebaut), die Superinten-dentur (1580), ein dreigeschossiger Renaissancebau und Bürgerhäuser des 16.–18. Jahrhunderts.

Mohrenbrunnen

Auf dem Hinteren Markt steht der Mohrenbrunnen (Standbild von 1727) an der Stelle der einstigen Pferdeschwemme.

Schloß
Christianenburg

Besondere Anziehungspunkte sind das Schloß Christianenburg (heute Landratsamt), eine dreigeschossige barocke Anlage (1678–1682) mit gro-ßem Portal am Hauptbau, und die Schloßkirche (1680–1692); die zuletzt

genannte besitzt an drei Seiten umlaufende Emporen, reiche Stuckdekorationen sowie Wand- und Deckengemälde italienischer Künstler. Sehenswert ist auch der Schloßgarten (1683; Bogengarten).

Umgebung von Eisenberg

Wanderwege führen von Eisenberg im Tal der Rauda aufwärts, das wegen
seiner früher zahlreichen Sägemühlen den Namen 'Mühltal' erhielt. Der
Waldreichtum dieser Region (Nadelbäume), des sogenannten Holzlandes,
begünstigte die Entwicklung holzverarbeitender Betriebe.

Mühltal

In Bürgel (F 7, 12 km südwestlich von Eisenberg) befindet sich ein Kera-
mikmuseum (Töpfergasse Nr. 14). Dort wird die Entwicklung der Töpfer-
stadt und ihre über 300jährige Tradition gezeigt (historischer Brennofen).
Im benachbarten Thalbürgel verdient die Benediktinerklosterkirche (1133),
eine dreischiffige romanische Pfeilerbasilika, Erwähnung. Nach Aufhebung des Klosters verfiel die Anlage seit dem Jahre 1526; von 1863 bis
1890 erfolgte eine aufwendige historisierende Rekonstruktion.

Bürgel

Thalbürgel

Bad Klosterlausnitz (8 km südlich von Eisenberg) ist ein Erholungsort mit
Kuranlagen. Im Ort sieht man die Kirche des ehemaligen Augustinerchor-
frauenstiftes (1132 gegründet; Verfall seit dem 16. Jh.). Sie wurde 1863 bis
1890 unter Verwendung originaler Teile in stilreinen romanischen Formen
auf altem Grundriß neu errichtet (A. F. von Quast). Auf dem Marktplatz
finden an Pfingsten die Holzlandfestspiele statt.

**Bad
Klosterlausnitz**

Das Teufelstal liegt nahe dem Hermsdorfer Autobahnkreuz. Es gibt dort
noch alte Buchenbestände. Mit einer Weite von 138 m, einer Länge von
253 m und 61 m Höhe führt Europas größte Einbogen-Spannbetonbrücke
(1936) die Autobahn Erfurt–Dresden über das Teufelstal hinweg.

✳Teufelstal

⟶ Reiseziele von A bis Z: Gera

Gera

⟶ Reiseziele von A bis Z: Zeitz

Zeitz

Eisenhüttenstadt

C 7

Bundesland: Brandenburg
Bezirk (1952–1990): Frankfurt
Höhe: 40 m ü.d.M.
Einwohnerzahl 48000

Eisenhüttenstadt liegt rund 20 km südlich von ⟶ Frankfurt (Oder) an der
Einmündung des Oder-Spree-Kanals in die Oder (deutsch-polnische
Grenze). Es ist Standort des 1951 in Betrieb genommenen 'Eisenhüttenkombinates Ost'; zu diesem gehören sechs Hochöfen und ein Kraftwerk,
ferner ein Konverterstahlwerk.

Lage

Westlich der alten Fischer-, Korbmacher- und Schifferstadt Fürstenberg
an der Oder, die an der Mündung des im Jahre 1891 eröffneten Oder-
Spree-Kanals in die Oder lag (seit 1961 ein Stadtteil von Eisenhüttenstadt)
wurde am 1. Januar 1951 der Grundstein für den ersten Hochofen gelegt,
am 19. Februar 1951 der für die ersten Wohnbauten. Bereits am 19. September 1951 wurde der erste Hochofen angeblasen, zum Jahresende war
der zweite fertiggestellt.

Geschichte

In der jungen, an Rohstoffen und Metallurgiekapazitäten armen einstigen
Deutschen Demokratischen Republik war der Bau dieses Werkes für die

Bedeutung

Bedeutung (Fortsetzung)

industrielle Entwicklung von besonderer Bedeutung. Aufgrund der günstigen Verkehrslage und der Standortbedingungen konnten sowjetisches Eisenerz, polnische Steinkohle, Kalk-Zuschlagstoffe aus Rüdersdorf sowie ausreichend Kühlwasser bereitgestellt werden.

Altstadt

Hallenkirche

Am hohen Oderufer steht im Stadtteil Fürstenberg die gotische Hallenkirche (um 1400), deren Äußeres nach Kriegszerstörungen wiederhergestellt worden ist.

Städtisches Museum

In der Nähe der Kirche liegt das Städtische Museum (Löwenstr. 4). Man erhält dort einen Überblick über die Geschichte der Stadt, das Handwerk, die Entwicklung der Eisenmetallurgie sowie das künstlerische Schaffen der Gegenwart.

Feuerwehr museum

An der Fellertstraße (Ecke Heinrich-Pritzsche-Straße) befindet sich das Feuerwehrmuseum mit über 500 Exponaten.

Neues Stadtzentrum

Rathaus

Theater

Zum Zentrum der neuen Stadt wurde die Leninallee (Umbenennung wahrscheinlich) mit dem Rathaus (im Foyer ein Modell der Stadt und dem 'Friedrich-Wolf-Theater'.

Ehrenmal

Unweit östlich erinnert das Ehrenmal 'Obelisk' an die während des Zweiten Weltkrieges bei Kämpfen an der Oder gefallenen sowjetischen Soldaten.

Erholungsgebiete

Diehloer Höhen

Im Südwesten erblickt man von den Diehloer Höhen das Panorama der Stadt. Hier wurde ein Naherholungsgebiet mit Rosengarten, Freilichtbühne, Sprungschanze und Skilift geschaffen.

'Insel'

Von Bedeutung für die Bevölkerung ist ebenso das Sport- und Erholungsgebiet 'Insel' (zwischen altem und neuem Oder-Spree-Kanal), das als schön gestalteter Park (Schwimmhalle, Wildgehege und Minigolfanlage) und mit einer ständigen Ausstellung von Werken zeitgenössischer bildender Kunst den Besuchern Erholung und Entspannung bietet.

Umgebung von Eisenhüttenstadt

Neuzelle
**Barockkirche
(Abb. s. S. 72)

In Neuzelle (F 112, 9 km südlich) steht die barocke Klosterkirche des ehemaligen Zisterzienserstiftes mit reicher, prächtiger Ausstattung sowie zahlreichen Klostergebäuden.

Schlaube- und Ölsetal

Beliebte Ausflugsziele sind das Schlaubetal und das Ölsetal (F 246, 10 km westlich von Eisenhüttenstadt) mit vielfältiger Flora und Fauna.

Beeskow

In Beeskow (30 km westlich von Eisenhüttenstadt) an der Spree sind die Altstadt mit der Stadtmauer (Dicker Turm) und das Biologische Heimatmuseum in der Beeskower Burg sehenswert.

Guben

In der Industriestadt Guben (F 112, 25 km südlich von Eisenhüttenstadt) an der Oder (Straßenbrücke und Eisenbahnbrücke), die hier die deutsch-polnische Grenze markiert, erinnert eine Gedenkstätte an den hier geborenen ersten Präsidenten der einstigen Deutschen Demokratischen

Deckenmalerei in der ehemaligen Stiftskirche Neuzelle

Republik, Wilhelm Pieck (1876–1960), dem zu Ehren Guben bis 1990 offiziell 'Wilhelm-Pieck-Stadt' hieß.
Die rechts der Neiße gelegenen Stadtteile von Guben wurden 1945 zu Polen geschlagen und bilden seither die polnische Stadt Gubin.

Eisenhüttenstadt, Umgebung, Guben (Fortsetzung)

⟶ Reiseziele von A bis Z: Frankfurt an der Oder

Frankfurt (Oder)

Lutherstadt Eisleben

D 4

Bundesland: Sachsen-Anhalt
Bezirk (1952–1990): Halle
Höhe: 118 m ü. d. M.
Einwohnerzahl: 27 000

Die Lutherstadt Eisleben, 34 km westlich von ⟶ Halle (Saale) bzw. im Süden des östlichen Harzvorlandes (⟶ Harz) gelegen, die traditionsreiche Stadt des Kupferschieferbergbaus, ist Geburts- und Sterbeort des großen deutschen Reformators Martin Luther (1483–1546), dessen Namen sie seit 1946 offiziell trägt.

Lage

Bereits als 'villa Eslebo' im sogenannten Hersfelder Zehntverzeichnis (810) erwähnt, entstand die Stadt an der Kreuzung alter Heer- und Handelsstraßen. 993 erste urkundliche Erwähnung des Markt-, Münz- und Zollrechtes; 1180 wird Eisleben erstmals urkundlich als Stadt bezeichnet.
Das Geschlecht der Grafen von Mansfeld wurde Herr der Stadt. Der Kupferschieferbergbau prägte ihre Entwicklung, und noch heute zeugen die riesigen Halden vom einstigen Bergbau. Ihm verdankt die erste Fachschule zur Ausbildung von Steigern und Bergingenieuren, 1798 in Eisleben gegründet, ihr Entstehen (heute Ingenieurschule).

Geschichte

Luthers Geburtshaus

In Luthers Sterbehaus

Sehenswertes

Rathaus	An der Westseite des durch seine Geschlossenheit beeindruckenden Marktes steht das spätgotische Rathaus (1509–1530); an der nördlichen Langseite eine doppelläufige Freitreppe.
Lutherdenkmal	Vor dem Rathaus steht ein Lutherdenkmal (1882, R. Siemering).
*Marktkirche	Die Marktkirche St. Andreas ist eine dreischiffige Hallenkirche (15. Jh.) mit reicher Innenausstattung (Sarkophage Mansfelder Grafen, Lutherkanzel). Im späteren Anbau des Glockenturmes befindet sich eine Gedenkbibliothek (Lutherbibeln, "Sachsenspiegel" u. v. a.)
Stadtschlösser	Die ehemaligen Stadtschlösser der Mansfelder Grafen (15.–17. Jh.) am Markt dienen heute teilweise Verwaltungszwecken.
Sterbehaus Luthers	Nur wenige Schritte vom Markt entfernt liegt am Andreaskirchplatz (Nr. 7) das als Gedenkstätte zugängliche Sterbehaus Luthers.
Heimatmuseum	An der Vikariatsgasse lohnt das Heimatmuseum einen Besuch; hier wird über die Geschichte der Stadt und des heimischen Bergbaues berichtet.
*Luthers Geburtshaus	In Luthers Geburtshaus (Lutherstraße Nr. 16) werden Leben und Werk des Reformators anhand von Dokumenten veranschaulicht.
Naturkundemuseum	Beim Luther-Geburtshaus befindet sich das Naturkundemuseum mit Sammlungen und Exponaten zu Geologie, Wirtschaft, Flora und Fauna des Eislebener Landes.
Lenindenkmal	Das Lenindenkmal (1927, Maniser) vor dem Hotel 'Goldener Stern' am August-Bebel-Plan wurde 1943 aus Puschkino bei Leningrad zum Ein-

schmelzen nach Eisleben gebracht, jedoch vor der Zerstörung bewahrt und nach dem Zweiten Weltkrieg hier aufgestellt.

Weitere bemerkenswerte Kirchenbauten Eislebens sind die Nikolaikirche (15. Jh.; Ruine), die Annenkirche (16./17. Jh.; ursprünglich Pfarrkirche der Neustadt) und die Pfarrkirche St. Petri und Pauli (15./16. Jh.; Luthers Taufkirche) mit spätgotischem Annenaltar (um 1500).

Umgebung von Eisleben

Der Süße See (10 km östlich) entstand als Einbruchsee im Zechsteingebiet; er ist 5 km lang und z.T. bis 1 km breit; Naherholungsgebiet mit Badestrand, Gaststätte im ehemaligen Elbdampfer "Königstein".
Seeburg liegt am Ostufer des Süßen Sees; dort gibt es ein Schloß der Mansfelder Grafen (15.–17. Jh.).

In Oberwiederstedt (15 km nördlich von Eisleben) befindet sich auf dem Gelände eines in der Reformationszeit säkularisierten Augustinerinnenklosters (Kirche 13.–16. Jh.) das Geburtshaus des Dichters Novalis (= Freiherr G.Ph. Friedrich von Hardenberg, 1772–1801), ein Renaissanceschloß mit schönem Treppenturm (um 1551), das seit 1988 restauriert und zu einem Kulturzentrum mit Novalis-Museum ausgebaut wird.

Das Schloß in Mansfeld (15 km nordwestlich von Eisleben) war Stammsitz der Mansfelder Grafen; heute ist es ein kirchliches Heim. Die Gesamtanlage umfaßt drei Renaissanceschlösser, die Schloßkirche (15. Jh.; Flügelaltar aus der Cranach-Werkstatt, 1520) und ausgedehnte Befestigungsanlagen.

⟶ Reiseziele von A bis Z: Sangerhausen

Elbe   B–E 1–7

Bundesländer: Freistaat Sachsen, Sachsen-Anhalt, Brandenburg, Mecklenburg-Vorpommern (ferner am Unterlauf Niedersachsen, Hamburg und Schleswig-Holstein)
Bezirke (1952–1990): Dresden, Cottbus, Leipzig, Halle, Magdeburg und Schwerin

Mitteleuropäischer Strom und internationale Wasserstraße

Die insgesamt 1165 km lange Elbe (Name germanischen Ursprungs; lateinisch 'Albis', tschechisch 'Labe'), einer der Hauptströme Mitteleuropas, entspringt auf dem Kamm des Riesengebirges (Krkonoše; 'Elbbrunnen' auf 1384 m ü.d.M.; mehrere andere Quellbäche) in der Tschechoslowakei (nahe der tschechoslowakisch-polnischen Grenze), durchfließt – derzeit schiffbar für Wasserfahrzeuge mit max. 1000 t Tragfähigkeit ab Chvaletice, ca. 1995 ab Pardubitz/Pardubice – in einem weiten Bogen das Böhmische Becken, nimmt die Iser (Jizera) und nördlich von Prag (Praha) bei Melnik (Mělník) die Moldau (Vltava) sowie die Eger (Ohře) auf, durchbricht ab Lobositz (Lovosice) das Böhmische Mittelgebirge und gelangt im reizvollen Elbsandsteingebirge (⟶ Sächsische Schweiz) unweit von Bad ⟶ Schandau auf deutsches Gebiet (Beginn der deutschen Elbkilometrierung).

Die Elbe strömt dann nordwestwärts durch die Dresdener Elbtalweitung und tritt bei Riesa in das Norddeutsche Tiefland ein. Streckenteilen alter

Elbe

Verlauf in
Deutschland
(Fortsetzung)

Elbe und Elbsandsteingebirge an der böhmisch-sächsischen Grenze

**Oberelbe
Mittelelbe**

Urstromtäler folgend, berührt sie einige der fruchtbarsten Regionen Deutschlands (Leipziger Tieflandsbucht, Magdeburger Börde), durchquert aber nach Norden auch zunehmend weite Heidegebiete und Grundmoränenplatten (⟶ Altmark, Prignitz, Lüneburger Heide).

Größere rechte Nebenflüsse der Elbe im Mittelabschnitt sind die Schwarze Elster, die Havel (mit der dieser in Berlin zufließenden Spree), die Elde und die Löcknitz; linke Nebenflüsse sind Mulde und Saale, die Sachsen und Thüringen entwässern, sowie Ohre, Tanger, Aland, Jeetze und Seeve.

Als bedeutende Elbstädte seien hier⟶ Pirna, das 'Elbflorenz' ⟶ Dresden, ⟶ Meißen, Riesa (⟶ Meißen, Umgebung), ⟶ Torgau, die Lutherstadt ⟶ Wittenberg, ⟶ Dessau (eigentlich an der Mulde, jedoch unweit ihrer Mündung in die Elbe), ⟶ Magdeburg, ⟶ Tangermünde, Wittenberge (⟶ Havelberg, Umgebung), Dömitz (⟶ Ludwigslust, Umgebung), Boizenburg und Lauenburg genannt.

**Einst Teil der
innerdeutschen
Grenzlinie**

Während der jahrzehntelangen Teilung Deutschlands galt der knapp 97 km lange Elbabschnitt zwischen Schnackenburg und Lauenburg als Grenze zwischen der alten Bundesrepublik Deutschland und der damaligen Deutschen Demokratischen Republik, wobei ihr genauer Verlauf – in der Strommitte oder am einstigen DDR-Ufer – immer umstritten war.

**Norderelbe
und Süderelbe
in Hamburg**

Auf Hamburger Stadtgebiet – gut 25 km unterhalb der für die Wasserstandsregulierung wichtigen Elbstaustufe bei Geesthacht – teilt sich der Elbstrom an der Bunthäuser Spitze in Norderelbe und Süderelbe (mit dem Köhlbrand), welche die Elbinsel Wilhelmsburg umschließen; Bille und Alster münden verschleust in die Norderelbe.

Von großer verkehrstechnischer Bedeutung sind in Hamburg die Straßen- und Eisenbahnbrücken über Norder- und Süderelbe sowie die beiden Elbtunnel.

Unterelbe

Unterhalb vom Hamburger Hafen beginnt der rund 110 km lange Mündungstrichter der Unterelbe, der sich von etwa 500 m Breite in Hamburg –

vorbei an Stade (an der Schwinge, unweit ihrer Mündung in die Elbe) – bis auf 15 km bei Cuxhaven weitet und dort in die Deutsche Bucht der Nordsee übergeht. Der Unterelbe fließen von rechts Pinnau, Krückau und Stör sowie von links Este, Lühe, Schwinge und Oste zu.

Unterelbe
(Fortsetzung)

Über den Nord-Ostsee-Kanal und den Elbe-Lübeck-Kanal hat die Elbe Verbindung mit der Ostsee (→ Ostseeküste), über den Elbe-Seitenkanal und den Mittellandkanal mit dem Rhein (Ruhrgebiet), über die Elde-Müritz-Wasserstraße mit dem mecklenburgischen Seengebiet (→ Mecklenburger Seen) sowie über die Havel (→ Havelland), den Pareyer Verbindungskanal und den Elbe-Havel-Kanal mit dem Wasserstraßennetz im Raum → Berlin und damit mit der Oder.

Kanalanbindungen

Ökologie und Umweltschutz

Noch in ihrem Ursprungsland, der Tschechoslowakei, muß die Elbe mit der Moldau die Abwässer der Großstadt Prag aufnehmen und wird dann zunehmend belastet durch die weitgehend ungeklärten Immissionen aus den Industrierevieren in Nordwestböhmen (über die Eger), zwischen Pirna, Dresden und Riesa, um Dessau (über die Mulde), Halle – Leipzig (über die Saale) und Magdeburg sowie aus den Großräumen Berlin (über die Havel) und Hamburg. Über 90% der gesamten Abwasserfracht, welche die Elbe befördern muß, stammt aus dem Gebiet der einstigen Deutschen Demokratischen Republik bzw. aus der Tschechoslowakei.
Was elbabwärts fließt, kommt zum ersten Mal im Hamburger Hafen zur Ruhe. Begünstigt durch die Tide wirken die Hafenbecken wie die Absetzbecken einer Kläranlage. Hier setzen sich die Schwebstoffe ab, und der schadstoffhaltige Schlick muß zur Sicherstellung einer ausreichenden Fahrwassertiefe regelmäßig ausgebaggert werden. Auf diese Weise werden in Hamburg große Mengen an Schadstoffen aus der Elbe entfernt.

Abwasserlast
der Elbe

Industriesilhouette von Riesa

Im weiteren Verlauf der Unterelbe zwischen Hamburg und der Elbmündung bei Cuxhaven werden allerdings von diversen Chemie- und Metallwerken wieder Industrieabwässer in den Fluß geleitet; hinzu kommt eine starke Wärmebelastung durch die Wiedereinleitung erhitzten Kühlwassers aus den Kernkraftwerken Krümmel (bei Geesthacht), Stade, Brokdorf und Brunsbüttel.

**Internationale
Kommission zum
Schutz der Elbe**

Die am 8. Oktober 1990 zwischen Deutschland, der Tschechoslowakei und der Europäischen Gemeinschaft (EG) vertraglich vereinbarte 'Internationale Kommission zum Schutz der Elbe' (mit Sitz in Magdeburg) will sich für die systematische Sanierung des Stromes einsetzen.

Flora und Fauna in den Auen der Mittelelbe

Gebiets-
bestimmung

Das Mittelelbegebiet – unterhalb der alten sächsisch-preußischen Grenze beim Elbkilometer 121 (Gaitzschhäuser, zwischen Riesa und Torgau) – ist bis auf wenige Ausnahmen eine typische Auenlandschaft.

Auenlandschaft

Besonders in den Bereichen der Überflutungsgebiete des Flusses befinden sich oft kleinere Weidenheger als Reste der ursprünglichen Weichholzauen. Die früher weit verbreiteten Auewälder (Hartholzauen) sind nur noch vereinzelt vorhanden, so etwa im unteren Flußabschnitt zwischen Schnackenburg und Lauenburg; hier reicht die Waldkante bisweilen bis ans Flußufer.

Außerdeichs gelegene Flächen bedecken geschützte fruchtbare Ackersteppen. An einigen Stellen finden sich Dünen, die mit schütterem Kiefernwald und Magerrasen bestanden sind. Auch zahlreiche Altarme (= ehemalige Mäanderbögen der Elbe), Vorlandseen, Flurrinnen und Kolke geben als ständige oder temporäre Gewässer im Vordeichbereich der Elbaue ihr Gepräge.

Vegetationsformen

Unmittelbar am Strom haben sich spezielle Vegetationsformen herausgebildet, da dieses Gebiet regelmäßig vom Elbhochwasser überflutet wird und somit landwirtschaftlich nicht nutzbar ist. Eine üppige Pflanzenwelt in Form von Gräsern, Schilfen und Nesseln bieten der Tierwelt in dieser Uferzone ein echtes Eldorado, zumal der Zugang durch den Menschen kaum mehr möglich ist.

Vogelparadies

Vor allem die Vögel finden in den Elbauen einen fast idealen Lebensraum; für fast 130 Vogelarten bestehen optimale Brutbedingungen. Am häufigsten sind Graureiher, Schwäne, Bussarde, Milane, Möven und zunehmend Störche zu sehen. Eine besonders starke Zunahme ist in den letzten Jahren bei den Graureihern zu verzeichnen, die oft in Kolonien auftreten und ganze Buhnenfelder besetzen. Auch der Weißstorch wird in der Elbaue immer häufiger beobachtet; er findet mit den Feldmäusern der Elbwiesen und den Fröschen der Nebengewässer eine sehr gute Futtergrundlage vor. Allein im Elbgebiet um die Lutherstadt Wittenberg wurden 1989 über 540 Brutpaare gezählt. Der Schwarzstorch ist vereinzelt im Naturschutzgebiet und Biosphärenreservat 'Steckby-Lödderitzer Forst' (Elb-km 275–321) anzutreffen. Aber auch Kraniche und Kormorane brüten hin und wieder an der Elbe. Bei den zahlreichen Entenarten dominieren die Stockenten und die Tafelenten sowie die Bläßhühner. Insgesamt etwa 110 Vogelarten überwintern links und rechts der Mittelelbe.

Fische

Die Elbe zählt immer noch zu den fischreichsten Gewässern in Deutschland, wenngleich die Sichttiefe des Wassers heute allenfalls 10 cm beträgt. Im Jahre 1907 betrug sie noch 60–100 cm; die Schiffer nahmen das Elbwasser damals zum Kochen!
Vor Zeiten war der Elblauf durch Privilegien oder Pachtverhältnisse an Fischmeister vergeben, die den gefangenen Fisch an die Uferanwohner verkauften und von dem erzielten Gewinn lebten. Heutzutage wird im

eigentlichen Strom kein gewerbsmäßiger Fischfang mehr betrieben, bestenfalls noch in den hochwassergeschützten Nebenarmen. Die am Flußufer noch häufig anzutreffenden Angler betreiben den Fischfang in erster Linie als Sport.

Die in der Elbe am häufigsten vorkommenden Fische sind Blei, Plötze, Barsch, Aal, Hecht, Gründling und Zwergwels, seltener Schlei, Güster, Rotfeder, Döbel und Aland.

Karpfen werden in der Elbe jetzt nicht mehr gefangen, jedoch fühlt sich der aus China stammende und fälschlicherweise als Amurkarpfen bezeichnete Graskarpfen hier recht wohl. Wie der Name vermuten läßt, ernähren sich diese Fische von Wasserpflanzen, sind aber wegen der zu geringen Wassertemperatur der Elbe hierin nicht fortpflanzungsfähig.

In früheren Zeiten war die Elbe auch Wanderweg anadromer Laichwanderer, also von Fischarten, die zwar überwiegend im Meer leben, jedoch in den Oberläufen der Flüsse ablaichen (Stör, Lachs, Meerforelle u. a.). Einer der größten Störe wurde 1907 in der Elbe gefangen; er hatte eine Länge von 3,05 m und einen Brustumfang von 1 m.

Durch das Verschlammen und Verschwinden der Kies- und Sandbänke und die zunehmende Abwasserlast ist diese Funktion gänzlich zum Erliegen gekommen. Die verstärkte Industrieansiedlung und die immer intensiver betriebene Fischerei, die auch vor dem rücksichtslosen Fang der Störe auf ihren Laichzügen nicht zurückschreckte, führten zu einer drastischen Verminderung der Fischbestände.

Durch die hohe Belastung des Flußwassers mit Chemikalien können sich Krebstiere in der Elbe nicht behaupten, sieht man von den krebsähnlichen Wollhandkrabben ab. Bis in die fünfziger Jahre des 20. Jahrhunderts galten diese Tiere besonders für die Elbfischer als echte Plage. Danach verschwanden sie schlagartig als Opfer des ansteigenden Phenolgehaltes des Elbwassers. Seit etwa zehn Jahren werden Wollhandkrabben, die übrigens ihre Heimat in Ostasien haben, in Einzelexemplaren jedoch wieder in der oberen Mittelelbe beobachtet; unlängst sichtete man ganze Schwärme in der Mündungszone der Elde-Müritz-Wasserstraße bei Dömitz, und bei der Geesthachter Schleuse kann man diese Tiere mit etwas Glück beobachten oder gar als Souvenir fangen.

Große Aufmerksamkeit galt in der jüngsten Vergangenheit der Biberpopulation am Elbstrom, wobei beachtliche Erfolge zu verzeichnen waren. Diese Bemühungen führten dazu, daß nicht wenige Elbbiber in andere Landschaftsgebiete umgesetzt bzw. veräußert wurden. Die teilweise Übervölkerung der Elbufer mit Bibern hat zur Folge, daß einige dieser Pelztiere ins Hinterland ausweichen und dort vor allem Jungbäume vernichten sowie durch Anstauen von kleineren Bächen das Umfeld verändern, wobei sie teilweise wahre Ingenieurleistungen vollbringen. Die Anzahl der Biberpaare zwischen den Elbstädten Torgau und Magdeburg wird gegenwärtig auf etwa 200 geschätzt.

Die Betrachtung von Flora und Fauna entlang der Elbe sollte für jedermann Signal genug sein, dem Natur- und Umweltschutz in Zukunft größte Aufmerksamkeit und Zuwendung zu schenken, damit dieser Fluß neben der Funktion als wichtige Schiffahrtsstraße die Existenzgrundlage für Pflanzen und Tiere, im weitesten Sinne aber auch für den Menschen behält bzw. zurückgewinnt.

Im September 1990 wurde eine Fläche von 430 km^2 als 'Biosphärenreservat Mittlere Elbe' unter strengen Natur- und Landschaftsschutz gestellt.

⁕Elbtal in Mitteldeutschland

Das mittlere Elbtal umfaßt das cañonförmige Tal im Elbsandsteingebirge, (⟶ Sächsische Schweiz), die Talweitung bei Dresden und die Talniederung zwischen Riesa und Lauenburg.

Elbe

Oberes Elbtal
❋❋Sächsische
Schweiz

Das Obere Elbtal, die 40 km lange und 4–7 km breite Dresdener Elbtalweitung reicht von → Pirna flußabwärts über den dichtbevölkerten industriellen Ballungsraum → Dresden bis nach → Meißen; sie wird nach Norden durch die Lausitzer Granitplatte scharf begrenzt und steigt nach Süden sanft zum → Erzgebirge hin an. Die dortige Klimagunst gestattet intensiven Garten-, Obst- und Weinbau.

Elbniederung

Die einzelnen Abschnitte der Elbniederung unterhalb von Riesa sind meist ebene, von alluvialen Ablagerungen bedeckte und für die Viehwirtschaft genutzte Talauen mit eingestreuten, teilweise von Dünen besetzten Talsandflächen.
Die Elbe ist zum Schutz der Niederungen vor Hochwässern eingedeicht; hinter den Deichen finden sich vielfach Altwässer. An den Rändern der Elbniederung gibt es ausgedehnte, mit Kiefernwald bestandene Dünenflächen und auch vereinzelt Mischwälder.

❋Wörlitzer
Kulturlandschaft

Eine Kostbarkeit der europäischen Gartenarchitektur ist die Wörlitzer Kulturlandschaft (→ Wörlitz) am linken Ufer der Elbe oberhalb der Muldemündung bei → Dessau.

Elbmarschen

Unterhalb von Wittenberge (→ Havelberg, Umgebung beginnen die Elbmarschen, ein Gebiet, das teils unter dem Meeresniveau liegt und durch das Flußhochwasser gefährdet ist.

Weiße Flotte

Für die Touristen bilden alte Schaufelraddampfer sowie die modernen Motorschiffe und Tragflächenboote der 'Weißen Flotte' eine willkommene Gelegenheit, die landschaftlichen Schönheiten und Anziehungspunkte von der Elbe her zu erleben.

❋Elbe-
Kreuzfahrten

Mit Beginn der Sommersaison 1991 sollen komfortable Kabinenschiffe (u.a. der KD · Köln-Düsseldorfer Deutsche Rheinschiffahrt) die Mittelelbe zwi-

Elbtal zwischen Bad Schandau und Meißen

schen Hamburg bzw. Lauenburg und Dresden bzw. Bad Schandau befahren (mit Landausflügen zu ufernahen und entfernteren sehenswerten
Zielen).

Elbe,
Kreuzfahrten
(Fortsetzung)

Elstertal D/E 4/5

Bundesländer: Freistaat Sachsen, Thüringen und Sachsen-Anhalt
Bezirke (1952–1990): Karl-Marx-Stadt, Gera, Halle und Leipzig

Die Weiße Elster, der 247 km lange rechte Seitenfluß der Saale (→ Saaletal), entspringt am Westrand des Elstergebirges – im Grenzgebiet zwischen Deutschland und der Tschechoslowakei. Sie sammelt in ihrem
Oberlauf in mehr als 450 m ü. d. M. zunächst eine Vielzahl von Zuflüssen
aus dem oberen → Vogtland. Bei Wünschendorf, der 'Pforte zum Vogtland', tritt die Weiße Elster auf 200 m Meereshöhe aus dem Mittelgebirge
heraus, durchquert dessen Vorland zwischen Gera und Zeitz und durchfließt dann die Leipziger Tieflandsbucht, bis sie oberhalb von Halle in die
Saale mündet. Bei Leipzig machte der Braunkohlentagebau Flußbettverla-
gerungen notwendig.
Quelle und Verlauf
der Elster

Im oberen Elstertal wechseln – in Abhängigkeit von der geologischen
Beschaffenheit des jeweiligen Gebietes – enge und breitere Talstrecken
miteinander ab. Während von Bad Elster bis Oelsnitz, dem Zentrum der
vogtländischen Teppichweberei, Eisenbahn und Straße im Tal der Weißen
Elster nebeneinander Platz haben, verengt sich dieses unterhalb der Staumauer der Talsperre Pirk am Elsterknie von Weischlitz zum ersten Mal sehr
stark. Zu beiden Seiten des Tales stehen an dieser Stelle steile Diabasfels-
wände an.
Talsperre Pirk

Der bekannteste und auch schönste Engtalabschnitt des Elstertales ist
das Landschaftsschutzgebiet 'Steinicht' zwischen Plauen und Elsterberg.
Dort erheben sich Diabasfelsen beiderseits des Elstertales 60 bis 70 m
hoch.
Landschafts-
schutzgebiet
'Steinicht'

Dieser mit Laubmischwald bestandene Talabschnitt bildet zusammen mit
der nahegelegenen Talsperre Pöhl ein Erholungsgebiet mit abwechslungsreicher Landschaft.
Talsperre Pöhl

Unterhalb der Einmündung der in der Talsperre Pöhl zu einem großen See
(4,5 km^2) aufgestauten Trieb führt die 1846–1851 erbaute, 69 m hohe und
283 m lange zweistöckige Elstertalbrücke die Eisenbahn Dresden – Plauen
über das Elstertal hinweg.
*Elstertalbrücke

Die Elstertalbrücke wird als technisches Denkmal, das noch voll funktionsfähig ist, in ihren Ausmaßen jedoch von der berühmten Göltzschtalbrücke
(→ Greiz, Umgebung) übertroffen, welche die Göltzsch bei Mylau – 5 km
vor ihrer Mündung in die Weiße Elster oberhalb von Greiz – überquert.
**Göltzschtal-
brücke

Erfurt D/E 4

Hauptstadt des Bundeslandes Thüringen
Bezirk (1952–1990): Erfurt
Höhe: 243 m ü. d. M.
Einwohnerzahl: 216000

Die über 1200 Jahre alte, einst mächtige Handels- und Universitätsstadt
Erfurt liegt in einem weiten Talbogen des Flusses Gera im Süden des
fruchtbaren Thüringer Beckens. Sie war Stätte von Synoden und Reichs-
Lage und
Bedeutung

Panorama von Erfurt (links die Kaufmannskirche, rechts Dom und Severikirche)

**Bedeutung
(Fortsetzung)**

tagen, Schauplatz des napoleonischen Fürstenkongresses und Stadt der ersten Gartenbauausstellung (1838). Heute ist die Stadt, in der es Hoch- und Fachschulen gibt, das industrielle, kulturelle und administrative Zentrum des neuen Bundeslandes Thüringen (Landeshauptstadt).

Wirtschaft

Werke der metallverarbeitenden Industrie und der Leichtindustrie bestimmen das Wirtschaftsleben der Stadt. Die Internationale Gartenbauausstellung ('iga') ist alljährlich Anziehungspunkt für mehrere hunderttausend Besucher.

Geschichte

Im Jahre 742 von Bonifatius als Bistum Erfurt gegründet, jedoch kurze Zeit darauf schon im Bistum Mainz aufgegangen, tritt der Ort 805 als Grenzhandelsplatz des Frankenreiches mit den Slawen in die Geschichte ein. Die Furt an der Gera und die Lage am bedeutenden Handelsweg der 'via regia' (Königsstraße; vom Rhein nach Rußland) begünstigten die Entwicklung des alten 'Erphesfurt' zu einer herausragenden deutschen Handelsmetropole. Das 14. und 15. Jh. brachte Erfurts Blütezeit. Ausgedehnter Handel, vor allem mit dem im Mittelalter begehrten pflanzlichen Färbemittel Waid (blau), sowie systematischer Landerwerb ließen den Ort eine der reichsten und mächtigsten deutschen Städte werden. Ausdruck dieses neuen Selbstbewußtseins war die 1392 eröffnete Universität, die auf die Initiative der Bürger ins Leben gerufen wurde, nach Prag die zweitgrößte Hochschule Mitteleuropas (1816 durch Preußen geschlossen). An ihr studierte Martin Luther 1501–1505, ehe er ins Augustinerkloster eintrat (Priesterweihe 1507). Die Verlagerung des Welthandels, die Bevorzugung der Stadt Leipzig und der zunehmende Import des billigen Indigo unterminierten Erfurts Rolle als Handelsplatz. Im Jahre 1664 wurde die Stadt von den Mainzer Oberherren gewaltsam unterworfen.
Im 18. Jh. begründete der Feld- und Gartenbau wieder einen allmählichen Aufschwung. Große Verdienste erwarb sich dabei Christian Reichert (1685–1775, Denkmal am Flutgraben), der der Samenzucht und den

Anbaumethoden für ganz Deutschland neue Wege erschloß. Anfang des 19. Jh.s war der Gartenbau bereits ein führender Wirtschaftszweig.

Im letzten Drittel des 18. Jh.s war die Stadt dank der Aufgeschlossenheit des Mainzer Koadjutors Karl Theodor Freiherr von Dalberg häufig Treffpunkt hervorragender Vertreter des deutschen Geisteslebens (Goethe, Schiller, Herder, W. v. Humboldt u. a.); auch das Wirtschaftsleben begann sich wieder zu entwickeln. 1802 wurde die Stadt preußisch, 1806 vorübergehend französisch. Auf dem Erfurter Fürstentag 1808 demonstrierte Napoleon I. dem russischen Zaren Alexander I. seine Macht. 1815 fiel Erfurt endgültig an Preußen. Während der Volkserhebung von 1848 kam es in der Stadt zu Barrikadenkämpfen. 1850 tagte in Erfurt das Unionsparlament. 1891 hielt die deutsche Sozialdemokratie ihren 'Erfurter Parteitag' ab, der das 'Erfurter Programm' beschloß.

Im Zuge der Reichsgründung 1871 wurden die Festungsmauern und Wälle geschleift (1873), eine stürmische industrielle Entwicklung setzte ein. 1906 hatte die Stadt bereits 100 000 Einwohner (1871: 48 000).

Von 1952 bis 1990 war Erfurt Hauptstadt ('Bezirksstadt') des gleichnamigen Bezirkes; seit der Wiedereinführung der Länder auf dem Gebiet der einstigen Deutschen Demokratischen Republik ist es Landeshauptstadt von Thüringen. Die Erfurter Universitätstradition soll neu belebt werden; es ist geplant, den Lehrbetrieb bis spätestens 1992 – 600 Jahre nach Gründung der alten Alma Mater – wiederaufzunehmen.

Domberg und Petersberg

Erfurts reizvolle Altstadt ist trotz vereinzelter Bombenschäden während des Zweiten Weltkrieges im wesentlichen erhalten geblieben. Inzwischen wurden auch großzügige Restaurierungsarbeiten vorgenommen. Beherrschendes Wahrzeichen bildet das mittelalterliche Kirchenensemble von Dom und Severikirche auf dem Domberg im Herzen der Stadt.

Dom und Severikirche auf dem Domberg

Erfurter Dom: Blick ins Innere und...   *...Lichterträger "Wolfram"*

*Dom

Der Dom (katholisch) wurde 742 gegründet, 1154 als romanische Basilika errichtet; an diese fügte man 1349–1370 den hochgotischen Chor an, der auf einer künstlichen Erweiterung des Domhügels nach Osten durch Substruktionen (Kavaten) ruht. 1455–1465 erfolgte der Hallenneubau; ein riesiges Walmdach überspannte die drei Kirchenschiffe. Es wurde 1967–1969 in seiner ursprünglichen Gestalt restauriert.

Im Mittelturm der drei Domtürme, die im Mittelalter hohe Helme ähnlich der Severikirche besaßen und im 19. Jh. erst die heutigen Spitzen erhielten, die "Mater Gloriosa", eine der größten Glocken der Welt, ihres Wohlklanges wegen weithin berühmt.

Überwältigend ist der farbenprächtige Eindruck der 15 hohen Glasfenster des Chores, ein eindrucksvolles Zeugnis mittelalterlicher Glasmalerei, in Umfang und Geschlossenheit eine einmalige Kostbarkeit auf deutschem Boden. Im Dom eine Fülle von Kunstschätzan, darunter der prachtvolle barocke Hochaltar, das kunstvolle Chorgestühl aus dem 14. Jh., die Stuckmadonna, der "Wolfram" (beide um 1160) und der Grabstein des Grafen von Gleichen mit seinen beiden Frauen (Mitte des 13. Jh.s).

*Severikirche

Die Severikirche (katholisch) ist eine fünfschiffige frühgotische Hallenkirche (1121 urkundlich genannt) mit reicher Ausstattung (Sarkophag des hl. Severus, 15 m hoher Taufstein, Meisterwerke der Erfurter Plastik).

Graden

Zwischen beiden Kirchen eine 70 Stufen zählende Freitreppe ('Graden'), die zu Dom und Severikirche führt.

Peterskirche

Gegenüber dem Domberg erhebt sich der Petersberg, ursprünglich Sitz des Petersklosters (1060; 1103–1147 neu errichtet, 1813 bei Beschießung der Zitadelle Petersberg ausgebrannt). Die Peterskirche zählt als dreischiffige romanische Pfeilerbasilika zu den ersten monumentalen Bauten der Hirsauer Schule auf Thüringer Boden. Auf dem Petersberg sind noch große Teile der ehemaligen Zitadelle erhalten (1664–1707); vom Plateau bietet sich eine schöne Aussicht auf Erfurt.

Am Domplatz stehen hübsche alte Häuser, die die Beschießung von 1813 überstanden haben: 'Grüne Apotheke' (18. Jh.) und 'Zur Hohen Lilie', eine der besten baukünstlerischen Leistungen der Renaissance in Erfurt (1964–1969 stilvoll restauriert). *Domplatz

An der Ostseite mündet die Marktstraße in den Domplatz ein; sie war einst Teil der 'Königsstraße' des Mittelalters und früher bevorzugter Sitz der städtischen Händler und Krämer.

Innere Stadt

Die Marktstraße führt zum Fischmarkt, wo sich die Ost-West- mit der Nord-Süd-Handelsstraße kreuzte. Auf dem Fischmarkt steht ein Roland von 1591; an der Westseite das Haus 'Zum Roten Ochsen' (1562), ebenso ein reichgeschmückter Renaissancebau wie an der Nordseite das Haus 'Zum Breiten Herd'. Fischmarkt

Der imposanteste Bau am Fischmarkt ist das neugotische Rathaus (1869–1871) mit Gemälden zur Erfurter sowie Thüringer Geschichte und Sagenwelt; reich ausgestatteter Festsaal. *Rathaus

Vom Rathaus sind es nur wenige Schritte zu der berühmten Krämerbrücke, die im Zuge der alten Ost-West-Handelsstraße lag und an der Gerafurt *Krämerbrücke

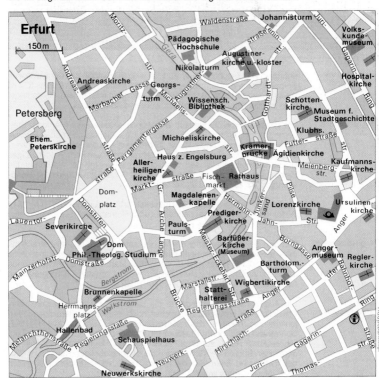

Achtung!
Im Zuge der politischen Neuorientierung sind weitere Namensänderungen zu erwarten.

Krämerbrücke (Rückseite)

Krämerbrücke (Fortsetzung)
entstand (1117 genannt; die Furt ist wieder sichtbar gemacht worden). Beiderseits als Brückenstraße mit Häusern bebaut (einst waren es 62), ist sie eine der interessantesten Anlagen der Stadt (restauriert). Heute findet man hier Geschäfte für Kunsthandwerk und Antiquitäten.

Michaelisstraße
Vor der Krämerbrücke verläuft die Michaelisstraße, deren Anfang 'Steinerne Chronik Erfurts' genannt wird, mit traditionsreichen alten Bürgerhäusern. Auf dem Grundstück Nr. 39 befinden sich die alte Erfurter Universität (1392–1816), die auf berühmte Lehrer verweisen konnte. Im heutigen Hause Nr. 39 ist die Wissenschaftliche Bibliothek mit der weltberühmten Sammlung 'Amploniana' (535 Bände mit 4000 Einzelwerken an Handschriften des 15. Jh. und älterer Zeit).

Engelsburg
In der Allerheiligenstraße die Humanistenstätte 'Engelsburg', um 1511 Wirkungsort des hochgeachteten Erfurter Humanistenkreises um Crotus Rubeanus und Ulrich von Hutten.

Augustinerkloster
Von dort gelangt man über die Michaelisstraße zur Augustinerstraße mit dem bekannten Augustinerkloster (seit 1277) und der Augustinerkirche (1290–1350). Hier verbrachte der junge Martin Luther entscheidende Jahre seines Lebens (Klosterzelle). Erhalten ist von den Ordensgebäuden noch der schöne Comthureihof (1570–1593).

Museum für Stadtgeschichte
Die Augustinerstraße mündet in die Leninstraße (Umbenennung wahrscheinlich) mit im Ostteil zahlreichen noch erhaltenen ehemaligen Waidjunkersitzen, darunter das reichverzierte Haus 'Zum Stockfisch' (1607, Spätrenaissance; heute Museum für Stadtgeschichte, dem Haus 'Zum Mohrenkopf' (1607, schönes Fachwerk), dem Haus 'Zur Mühlhaue' mit deutlichen Spuren der Gotik sowie dem hochgiebeligen Haus 'Zum Grünen Sittich und Gekrönten Hecht' (vor 1600) mit eindrucksvollem Fachwerk. Alle Gebäude wurden 1969–1973 restauriert.

In den ehemaligen Kongreßsälen an der Futterstraße befindet sich die Gedenkstätte der Arbeiterbewegung 'Erfurter Parteitag 1891', die an die Annahme des Erfurter Programms erinnert. In diesem Gebäude (heutige Gestalt 1831/1832) traf sich während des Fürstenkongresses 1808 Kaiser Napoleon I. mit Zar Alexander I. sowie anderen Königen und Fürsten zu festlichen Theateraufführungen.

Gedenkstätte der Arbeiterbewegung

Weiter südwärts kommt man zur Kaufmannskirche (reiche Innenausstattung Erfurter Renaissancemeister). In dieser Kirche wurden die Eltern des Komponisten Johann Sebastian Bach getraut.

Kaufmannskirche

*Anger

Der Anger, eine der ältesten Straßen der Stadt, ist vollständig restauriert und bildet einen Boulevard mit zahlreichen Geschäften und Gaststätten.

Einkaufsstraße

Ecke Anger und Trommsdorfstraße steht das Ursulinenkloster; reiche Ausstattungsstücke in der nicht zugänglichen Klausur.

Ursulinenkloster

Im Hause Nr. 6 wohnte 1808 Zar Alexander I. von Rußland. Im Hause 'Zum Schwarzen Löwen' (Nr. 11), während des Dreißigjährigen Krieges Residenz des schwedischen Statthalters, erhielt Königin Marie-Eleonore die Nachricht vom Tode ihres Gemahls Gustav II. Adolf von Schweden in der Schlacht bei Lützen (1632).

Anger Nr. 6 und 11

Ecke Anger und Bahnhofstraße der einstige kurmainzische Packhof, ein reichverzierter Barockbau; heute befindet sich dort das Angermuseum mit bedeutenden Kunstsammlungen.

Packhof (Angermuseum)

Geht man am Anger weiter, so kommt man zum Bartholomäusturm, Turmstumpf (12. Jh.) der Familienkirche der einflußreichen Thüringer Grafen von Gleichen, die hier ihre Stadtwohnung besaßen. Im Turm befindet sich seit 1979 ein großes Glockenspiel mit 60 Glocken aus der Apoldaer Glockengießerei (Konzerte).

Bartholomäusturm

Auf der gegenüberliegenden Straßenseite das Haus 'Zum großen Schwantreiber und Paradies' (Anger Nr. 28/29); einige Häuser weiter das Dacherödensche Haus (Nr. 37/38) mit dem schönsten Renaissanceportal der Stadt (16. Jh.).
Zur Goethezeit trafen sich hier Vertreter des geistigen Lebens, darunter Goethe, Schiller, Dalberg und Wilhelm von Humboldt, der sich mit der geistvollen Carolina von Dacheröden verlobte.

Anger Nr. 28/29

Anger Nr. 37/38

Am Monumentalbrunnen von 1889/1890 und der Wigbertikirche (1210), der ehemaligen Hofkirche der Mainzer Statthalter, vorüber führt der Weg zur damaligen Statthalterei (Verwaltungssitz), dem monumentalsten profanen Gebäude der Altstadt. Es wurde 1711–1720 aus zwei älteren Patrizierhäusern errichtet und hat prachtvollen Renaissanceschmuck sowie eine schöne Barockfassade.
Im 200 m² großen Festsaal fand 1808 die denkwürdige Begegnung Goethes mit Napoleon I. statt (Napoleon beim Anblick des Dichters: "Voilà, un homme!"). Im daneben befindlichen Geleitshaus der Herzöge von Sachsen-Weimar (Regierungsstraße Nr. 72) wohnte der Dichter während seiner häufigen Besuche in der Stadt.

Statthalterei

In die Regierungsstraße mündet, von rechts kommend, die Straße 'Lange Brücke'. Im Eckhaus befand sich einst der Gasthof 'Zum Schlehendorn', wo Friedrich Schiller bei seinen Besuchen gerne abstieg. Eine Wohnung hatte der Dichter dann später in der Langen Brücke Nr. 36, im Haus 'Zum Bürgerstreit'. Hier arbeitete er im Jahre 1791 an seinem Buch "Geschichte des Dreißigjährigen Krieges".

Schillerstätten

Kirchen

Turmreiche Stadt

Von den einstmals etwa 36 Pfarrkirchen und Kapellen sowie 15 Klöstern und Stiften, die der Stadt den Beinamen 'die Turmreiche' einbrachten, sind einige besonders erwähnenswert.

Barfüßerkirche

Die im Zweiten Weltkrieg teilzerstörte Barfüßerkirche (älteste Glasfenster Erfurts, 13. Jh.; meisterliche Grabplastiken; im Chor Orgelkonzerte) an der Barfüßerstraße beherbergt heute ein Museum für mittelalterliche Kunst.

Predigerkirche

Die Predigerkirche in der Predigerstraße verfügt neben dem Dom und den Museen der Stadt über die reichsten Kunstschätze.
Bemerkenswert ist in der Predigerstraße ferner das Haus 'Zum Güldenen Heer' (Nr. 7), eines der seltenen Rokokogebäude der Stadt.

Brunnenkapelle

Die Brunnenkapelle am Fischersand ist heute Seminarkapelle der in Erfurt ansässigen Philosophisch-Theologischen Fakultät und ihr Oratorium.

Neuwerkskirche

Die Neuwerkskirche an der Neuwerkstraße hat eine ungewöhnlich reiche barocke Innenausstattung, darunter die sogenannte Neuwerksmadonna.

Lorenzkirche

Die Lorenzkirche steht nahe der Hermann-Jahn-Straße; hier fand zum ersten Mal in der Erfurter Grabplastik die deutsche Sprache Verwendung.

Reglerkirche

Die Reglerkirche an der Bahnhofstraße besitzt den größten Schnitzaltar, der in Erfurt geschaffen wurde (1450–1460).

Schottenkirche

Die Schottenkirche in der Schottenstraße, die in ihrer hetuigen Gestalt wohl älteste Kirche Erfurts (vor 1150), ist eines der wenigen erhaltenen romanischen Bauwerke der Stadt.

Museum für Volkskunde

Sehenswert ist auch der Bestand des Museums für Volkskunde, das im Großen Herrenhaus des ehemaligen Hospitals untergebracht ist. Dort werden u. a. Dokumente zur Geschichte der Stadt Erfurt gezeigt.

*Internationale Gartenbauausstellung (iga)

Einen Besuch lohnt die Internationale Gartenbauausstellung ('iga') auf dem Gelände der früheren Cyriaksburg, einer mittelalterlichen Befestigungsanlage im Süden Erfurts. Auf 100 ha Fläche finden dort alljährlich zahlreiche Schauen statt.

Gartenbau-museum

Auf dem 'iga'-Gelände befindet sich ein Gartenbaumuseum, das auch an die erste Gartenbauausstellung im Jahre 1838 erinnert.

Auf dem Gelände der 'iga' gibt es ferner eine Sternwarte (häufig Sonderausstellungen) und einen Aussichtsturm, beide in ehemaligen Festungstürmen. Zwischen den Türmen sieht man eine alte Waidmühle. Sie erinnert an Erfurts Glanzzeit im Mittelalter.

Erfurt, iga
(Fortsetzung)
Sternwarte
Aussichtsturm

Steigerwald

Erfurts größtes Naherholungsgebiet ist der Steigerwald (über 20 km Wanderwege; zahlreiche Gaststätten).

Thüringer Zoopark

Im Norden Erfurts liegt auf dem Roten Berg der Thüringer Zoopark. Es gibt dort etwa 1100 Tiere, darunter die seltenen Affenarten der Guerezas, Nilgirilanguren, Hulmans und Kleideraffen.

Seltene
Affenarten

Umgebung von Erfurt

Zu den schönsten thüringischen Rokokobauten wird das südwestlich von Erfurt gelegene Schloß Molsdorf gerechnet, 1736–1745 durch Reichsgraf von Gotter als Lustschloß errichtet (umfassende Restaurierung), heute Museum und Gaststätte. Schöne Parkanlage aus dem Jahre 1826.

*Schloß Molsdorf

→ Reiseziele von A bis Z: Gotha

Gotha

→ Reiseziele von A bis Z: Weimar

Weimar

→ Reiseziele von A bis Z: Arnstadt

Arnstadt

→ Reiseziele von A bis Z: Thüringer Wald

Thüringer Wald

Erzgebirge

E 5–7

Bundesland: Freistaat Sachsen
Bezirke (1952–1990): Karl-Marx-Stadt und Dresden

Das Erzgebirge erstreckt sich im mittleren Südosten Deutschlands. Es ist eine etwa 130 km lange und 40 km breite, von Südwesten nach Nordosten streichende Pultscholle zwischen Elstergebirge und Elbsandsteingebirge, aufgebaut vorwiegend aus Graniten, Gneisen, Glimmerschiefern und Porphyren. Das Gebirge steigt aus dem lößbedeckten Mittelsächsischen Hügelland mit 350–450 m ü.d.M. nach Südosten langsam auf 800–900 m ü.d.M. an und fällt jenseits der auf seinem Kamm verlaufenden Grenze zur Tschechoslowakei, der jahrhundertealten historischen Grenze zwischen Sachsen und Böhmen, steil zum Graben der Eger (Ohře) ab.

Lage und Gebiet

Der höchste Berg des Erzgebirges, der Klínovec (Keilberg; 1244 m ü.d.M.), liegt bereits auf dem Gebiet der Tschechoslowakei. Der ihm benachbarte Fichtelberg ist mit seinen 1214 m Höhe der höchste Gipfel im östlichen Teil Deutschlands.

*Fichtelberg

Immerhin 1019 m ü.d.M erreicht der Auersberg bei Johanngeorgenstadt, die zweithöchste Erhebung des sächsischen Erzgebirges.
Weitere herausragende Höhen sind vor allem die tafelähnlichen Einzelberge im mittleren Erzgebirge wie der Bärenstein (898 m ü.d.M.), der Pöhlberg (832 m ü.d.M.) und der Scheibenberg (805 m ü.d.M.), deren

*Auersberg

Auersberg
(Fortsetzung)

Basaltdecken die Gneis- oder Glimmerschieferkegel vor Abtragung schützen.

Geologische
Gliederung

Das Erzgebirge wird aus geologischen und morphologischen Gründen in mehrere Teillandschaften gegliedert. Das Tal der Flöha markiert die Grenze zwischen dem West- und dem Osterzgebirge. Im Westerzgebirge sind die Täler tief eingeschnitten, ändern wiederholt ihre Richtung, und die Gesteine wechseln häufig. Im Osterzgebirge – mit Ausnahme der gegen das Elbtal gerichteten östlichen Abdachung – folgen die Flüsse der Abdachung der hier ausgedehnteren Hochflächen nach Nordwesten.

Bodennutzung

Auch zwischen unterem und oberem Erzgebirge lassen sich Unterschiede erkennen. Während im unteren Erzgebirge die landwirtschaftlich genutzten Rodungsflächen überwiegen, nimmt in den höheren Lagen der Anteil des Waldes zu; es treten dort größere zusammenhängende Waldgebiete, zum Teil reine Fichtenforste, auf. Die jährlichen Niederschläge steigen von 700 mm in den niedrigeren Lagen auf über 1000 mm in der Kammregion (am Fichtelberg über 1200 mm) an. Hier hält sich auch der Schnee sehr lange und bietet günstige Voraussetzungen für den Wintersport.

Bodenschätze

Das Erzgebirge trägt seinen Namen nach den zahlreichen Edel- und Buntmetallerzen, die in den kristallinen Gesteinen dieses Gebirgszuges enthalten sind. Dieser Erzreichtum bildete die Grundlage für die wirtschaftliche Erschließung und Entwicklung des Erzgebirges. Parallel mit der mittelalterlichen Rodung der Gebirgswälder durch Bauern und der ackerbaulichen Nutzung der gerodeten Flächen in Form von breitstreifigen Waldhufen von Siedlungen aus, die sich kilometerlang in den Tälern entlangziehen, ging die Ausbeutung der Erzlagerstätten und die Gewinnung der verschiedenen Metalle, insbesondere des Silbers, durch einwandernde Bergleute und die Anlage bedeutender Bergstädte.

Bergstädte

Bereits im 12. Jh. war ⟶ Freiberg ein Mittelpunkt des Silbererzbergbaus. Im 15. Jh. entstanden als Bergstädte u.a. ⟶ Schneeberg im westlichen und Annaberg (⟶ Annaberg-Buchholz) im oberen Erzgebirge. Der Erzbergbau hat bis zur Gegenwart an verschiedenen Stellen des Erzgebirges seine Bedeutung behalten.

Industrialisierung

Nach einer um 1600 einsetzenden Zeit wirtschaftlicher Stagnation führte die Entwicklung im 19. Jh. zu einer durchgreifenden Industrialisierung des Erzgebirges. Metallverarbeitung und Maschinenbau, Holzwaren- und Papierherstellung, vor allem jedoch die Textilindustrie blühten auf.
Die Industrialisierung trug dazu bei, daß Teile des Erzgebirges und seines Vorlandes zu den industriellen Schwerpunkten Deutschlands wurden. Aufgrund dieser Entwicklung ist das Erzgebirge auch heute noch ein industriereiches Gebirgsland. Hier liegen so bedeutende Industriestädte wie ⟶ Chemnitz, ⟶ Zwickau, ⟶ Freiberg, Aue und etliche andere.

Reiseziele im westlichen Erzgebirge

Das westliche Erzgebirge bietet zahlreiche lohnende Reiseziele sowie anziehende Naherholungsgebiete und Ferienzentren. Dazu gehören die nahe ⟶ Chemnitz am Rande des Zschopautales gelegene, im 16. Jh. als Jagdsitz der sächsischen Kurfürsten erbaute ⟶ Augustusburg ebenso wie die Motorradrennstrecke 'Sachsenring' bei Hohenstein-Ernstthal (⟶ Chemnitz, Umgebung), der Ort ⟶ Schneeberg mit seinem bergbaulichen Lehrpfad, der Aussichtsturm auf dem waldbedeckten Auersberg, das 1496 planmäßig angelegte Annaberg (⟶ Annaberg-Buchholz) mit seiner monumentalen spätgotischen St.-Annen-Kirche und dem Frohnauer Hammer als technischem Denkmal der Eisenverarbeitung sowie der Kurort ⟶ Seiffen, das Zentrum der sächsischen Spielwarenindustrie, mit dem Erzgebirgischen Spielzeugmuseum.

Winter im Erzgebirge

Zu den Erholungsgebieten, die besonders im Sommer aufgesucht werden, zählen nicht zuletzt die zahlreichen Talsperren, die im Erzgebirge zur Trink- und Brauchwassergewinnung angelegt worden sind, z.B. die Flöha-Talsperren, die Rauschenbachtalsperre und die Sosa-Talsperre.

Talsperren (Erholungsstätten für den Sommer)

Unter den Wintersportzentren muß der Fichtelberg mit dem Kurort → Oberwiesenthal an erster Stelle genannt werden. Der Fichtelberg mit seinem Aussichtsturm, einer großen Berggaststätte und einer Wetterwarte ist durch eine Schwebebahn mit Oberwiesenthal, der höchstgelegenen Stadt im östlichen Deutschland, verbunden. Hier sind alle Voraussetzungen für die individuelle aktive Erholung gegeben.

Wintersport

Reiseziele im östlichen Erzgebirge

Auch das östliche Erzgebirge ist ein zu allen Jahreszeiten vielbesuchtes Erholungsgebiet, da es günstige Voraussetzungen für viele Arten der Erholung bietet. Im Gottleubatal sind Berggießhübel (seit 1722 Badebetrieb) als Kneippkurbad und Bad Gottleuba als Stahl- und Moorbad (seit 1861) bekannt. Am Nordrand des Landschaftsschutzgebietes 'Obere Freiberger Mulde' befindet sich in Frauenstein die Ruine einer der bedeutendsten sächsischen Burgen. Andere Burgen und Burgruinen stehen am Müglitztal: Dohna, Weesenstein, Bärenstein und Lauenstein.
Die Flüsse des Osterzgebirges sind in zahlreichen Talsperren gestaut, um Trink- und Brauchwasser zu speichern und vor Hochwasser zu schützen. Kleine malerische Städte, langgestreckte Waldhufendörfer in den Tälern, von denen aus sich die Feldfluren die flachen Bergrücken hinaufziehen, eingestreute Waldstücke auf den Kämmen und ein engmaschiges Straßen- und Wegenetz zwischen den Siedlungen mit ihren Rastmöglichkeiten – das alles bietet dem Wanderer gute Gelegenheiten für eine vielfältige Erholung.

311

Hauptanziehungspunkte für viele Touristen und Urlauber im oberen Ost-erzgebirge sind: die Bergstädte ⟶ Altenberg und Geising mit ihren Berg-bau-Schauanlagen; die 824 m hohe Basaltkuppe des Geisingberges, wo um 1440 die Zinnförderung begann; die Streusiedlung Zinnwald-Georgen-feld auf dem Erzgebirgskamm; der Kahleberg als die höchste Erhebung des Osterzgebirges (905 m ü. d. M.) mit seinem unter Naturschutz stehen-den Blockmeer sowie das Georgenfelder Hochmoor, ein Krummholzhoch-moor in Kammlage, ebenfalls unter Naturschutz.

Das Gebiet um die Stadt Altenberg bietet gute Voraussetzungen für den Wintersport.

Fläming C/D 5/6

Bundesländer: Brandenburg, Sachsen-Anhalt und Freistaat Sachsen
Bezirke (1952–1990): Potsdam, Halle und Cottbus

**Lage
und Gebiet**

Der Fläming, benannt nach flämischen Kolonisten, die hier im 12. Jh. an-gesiedelt wurden, bildet den mittleren Teil des Südlichen Landrückens, der – im Süden des Großraumes ⟶ Berlin – von der ⟶ Altmark im Nord-westen bis zum Lausitzer Höhenzug (⟶ Lausitz) im Südosten reicht. Im Norden wird der über 100 km lange und 30 bis 50 km breite Fläming durch das Baruther Urstromtal begrenzt, im Westen und Süden durch die Täler der ⟶ Elbe und Schwarzen Elster, im Osten durch das Tal der Dahme.

Hinweis

Die Autobahn Berliner Ring – Hermsdorfer Kreuz quert den Fläming auf dem Abschnitt zwischen Niemegk und Coswig. Nördlich von Niemegk ist der landschaftliche Gegensatz zwischen dem von ausgedehnten Wiesen-flächen eingenommenen Baruther Urstromtal und dem schnell auf 200 m ü. d. M. ansteigenden bewaldeten Hohen Fläming besonders eindrucks-voll.

Landschaftsbild

Der westliche Teil des Fläming, der Hohe Fläming, erreicht im Hagelberg 201 m ü. d. M., der östliche Teil, der Niedere Fläming, hat im Golmberg mit 178 m ü. d. M. seine höchste Erhebung. Im Fläming wechseln hügelige Endmoränenlandschaften mit welligen Grundmoränengebieten und ebe-nen Sanderflächen ab. Weithin ist der Fläming mit Kiefernwäldern be-standen. Buchenmischwald bedeckt nur die zentralen Teile. Zahlreiche Trockentäler, sogenannte Rummeln, die unter anderen klimatischen Bedingungen entstanden sind und gegenwärtig nur selten Wasser führen, beleben das Landschaftsbild.

Reiseziele im Hohen Fläming

**Belzig
Wiesenburg**

Sehenswerte Reiseziele im Hohen Fläming sind neben dem Hagelberg mit einem Denkmal, das einem siegreichen Gefecht der verbündeten Truppen gegen Napoleon im Jahre 1813 gewidmet ist, die Städte Belzig und Wiesenburg. Belzig bietet mit dem aus dem 13. Jh. stammenden, 33 m hohen Bergfried der Burg Eisenhardt eine gute Aussicht. Wiesenburg ist wegen des Artenreichtums der Gehölze in seinem Schloßpark besuchens-wert. In der Nähe liegt auch die Burg Rabenstein.

Reiseziele im Niederen Fläming

**Luckenwalde
*Kloster Zinna
Jüterbog**

Im Niederen Fläming – zwischen den verträumten Städten Luckenwalde und Jüterbog – verdient früheres Zisterzienserkloster Zinna einen Besuch. Die in diesem 1170 gestifteten Kloster bei Restaurierungsarbeiten frei-gelegten Fresken werden zu den schönsten gotischen Wandmalereien im östlichen Teil Deutschlands gerechnet.

Luckenwalde: Markttor und Johanniskirche

Jüterbog: Türme der Nikolaikirche

Kloster Zinna

Fläming,
Reiseziele im
Niederen Fläming
(Fortsetzung)
Lutherstadt
Wittenberg

Bedeutendster Anziehungspunkt am Südrand des Fläming ist die Luther-stadt → Wittenberg. Die heutige Stadt ist ein herausragendes Zentrum der chemischen Industrie. Nicht nur in Wittenberg selbst, sondern vor allem in den elbabwärts anschließenden Orten Piesteritz und Coswig gibt es Großbetriebe der Stickstoff-, Düngemittel-, Schwefelsäure- und Gummi-erzeugung.

Bad Frankenhausen   D 4

Bundesland: Thüringen
Bezirk (1952–1990): Halle
Höhe: 132 m ü.d.M.
Einwohnerzahl: 10000

Lage und
Bedeutung

Am Fuße des sagenumwobenen Kyffhäusergebirges (→ Kyffhäuser) liegt – 60 km nördlich von → Erfurt – in der breiten Talsenke der Kleinen Wipper ('Diamantene Aue') die Stadt Bad Frankenhausen. Das Solbad, ein mildes Klima sowie die waldreiche Umgebung machen den Kurort heute zu einem Anziehungspunkt für Erholungssuchende.

Geschichte

Schon im 10. Jh. waren die Salzpfannen der einstigen fränkischen Sied-lung in Betrieb, doch erst im 12. Jh. begann sich die eigentliche Stadt zu entwickeln. Sie ging 1340 aus dem Besitz der Grafen von Beichlingen in den des Hauses Schwarzburg über.
Auf dem Weißen Berg nördlich von Frankenhausen kam es während des Deutschen Bauernkrieges am 15. Mai 1525 zu der Schlacht zwischen einem Bauernheer unter Führung von Thomas Müntzer und dem vereinig-ten hessisch-braunschweigischen Heer der Fürsten unter Landgraf Philipp von Hessen. Das befestigte Lager der Bauern wurde umzingelt und ange-griffen. Die Söldner der Fürsten nahmen etwa 600 Personen des Bauern-heeres gefangen, darunter Thomas Müntzer. Neben mehreren tausend Bauern fanden damals zahlreiche Frankenhäuser Bürger den Tod.
Durch das traditionelle Salzsieden gelangte der Ort bald wieder zu Wohl-stand. Als die Salzgewinnung Ende des 19. Jh.s an Bedeutung verlor, begann man die Solequellen zu Heilzwecken einzusetzen.

Sehenswertes

*Schloß
(Museum)

Das barocke Schloß (nach 1689; 1973–1975 umfassend rekonstruiert), an der Stelle der Unterburg errichtet, beherbergt das Kreisheimatmuseum. Dort sind viele schöne Objekte zur Stadt- und Regionalgeschichte ausge-stellt; bemerkenswerte Darstellungen zur Geschichte des Bauernkrieges und der Frankenhäuser Schlacht (Zinnfigurendiorama).

Kloster

An der Südwestecke der Stadt steht das ehemalige Zisterziensernonnen-kloster (gestiftet 1215), das 1710 zu einem dreischiffigen Barockbau umgestaltet wurde. Es hat eine reiche Innenausstattung, darunter eine große Barockorgel.

Rathaus

Das Rathaus, im Kern spätgotisch (1444), wurde um 1840 in vereinfachter Form erneuert.

Kirchen

Weitere Sehenswürdigkeiten sind die Altstädter Kirche (12. Jh., roma-nisch), die Oberkirche (romanische Teile) mit schiefem Turm und die Unter-kirche, ein Barockbau (1691–1704) mit reicher Innenausstattung und schönen Grabsteinen.

Stadtbefestigung

Große Teile der Stadtbefestigung sind noch erhalten. Das kleine Kastell, um 1300 zum Schutze der Solequellen angelegt und um 1700 für einen

Panorama Bad Frankenhausen (Ausschnitt)

Hausmann ('Hausmannturm') erneuert, beherbergt heute den Allgemeinen Deutschen Motorsport-Verband (ADMV).

Stadtbefestigung (Fortsetzung)

Bemerkenswert sind mehrere Bürgerhäuser aus der Blütezeit des Salzhandels, darunter die Angerapotheke, die Schwanendrogerie und das Haus Klosterstraße Nr. 14.

Bürgerhäuser

Oberhalb von Bad Frankenhausen, nahe beim sogenannten Schlachtberg, wo 1525 der letzte Kampf begann, steht der 1973–1975 errichtete mächtige Rundbau für das 'Panorama Bad Frankenhausen'. Im Inneren befindet sich ein monumentales Panorama-Wandbild (14 × 125 m, 1722 m²), das – ursprünglich als "Bauernkriegspanorama" der 'frühbürgerlichen Revolution in Deutschland' gewidmet – an den Deutschen Bauernkrieg und seinen Anführer, Thomas Müntzer, erinnert. Geschaffen wurde die eindrucksvolle Darstellung – schier unüberschaubar viele Allegorien, Fabeln, Gleichnisse und historische Visionen mit etwa 3000 Figuren und der letzten tragischen Schlacht des Bauernkrieges im Mittelpunkt – von dem Leipziger Maler Werner Tübke und einigen Gehilfen (1989 vollendet).

*Panorama Bad Frankenhausen

Umgebung von Bad Frankenhausen

Von Bad Frankenhausen gelangt man nordostwärts über die Kreisstadt Artern (9 km) nach Allstedt (22 km). Dort wirkte Thomas Müntzer 1523/1524 als Prediger und gründete unter Beteiligung von Mansfelder Bergleuten den Allstedter Bund, eine Truppe, die Müntzer bei der Ausführung seiner Pläne unterstützen sollte. Im Schloß, einer weiträumigen Anlage der Spätgotik und Renaissance (bis 1975 umfassend rekonstruiert), hielt Müntzer im Juli 1524 vor Herzog Johann von Sachsen und dessen Sohn, Kurprinz Johann Friedrich, seine 'Fürstenpredigt'. Er betonte darin, daß

Allstedt

315

Bad Franken-
hausen,
Umgebung,
Allstedt
(Fortsetzung)

"die Herren (das selbst) machen, daß ihnen der arme Mann feind wird". In dem Schloß befindet sich eine Gedenkstätte. Eine weitere Gedenkstätte in der ehemaligen Pfarrkirche St. Wigberti (romanisch; spätgotischer Chor), in der Müntzer aufrüttelnde Predigten hielt, zu denen die Menschen von weither kamen.
Im Rathaus (spätgotisch/Renaissance) ein bemerkenswerter Sitzungssaal mit reicher Ausstattung.

Heldrungen

In Heldrungen (13 km südöstlich von Bad Frankenhausen) ist die eindrucksvolle Anlage der ehemaligen Wasserburg sehenswert. Sie wurde Anfang des 16. Jh.s zur Festung erweitert und ist heute Thomas-Müntzer-Gedenkstätte. Müntzer war nach seiner Gefangennahme, auf einen Karren gefesselt, nach Heldrungen gebracht und als 'Beutepfennig' seinem Todfeind, Ernst von Mansfeld, ausgeliefert worden. Letzterer wollte ihn – unter Einsatz der Folter – zwingen, seine Lehre zu widerrufen. Am 27. Mai 1525 wurde Müntzer in ⟶ Mühlhausen hingerichtet.
Die im Jahre 1645 zerstörte Festung Heldrungen ist 1664–1668 im Stil der italienisch-französischen Festungsbaukunst neu errichtet und seit 1974 umfassend restauriert worden.

Kyffhäuser

⟶ Reiseziele von A bis Z: Kyffhäuser

Sondershausen

⟶ Reiseziele von A bis Z: Nordhausen, Umgebung

Nordhausen

⟶ Reiseziele von A bis Z: Nordhausen

Sangerhausen

⟶ Reiseziele von A bis Z: Sangerhausen

Frankfurt an der Oder   C 7

Bundesland: Brandenburg
Bezirk (1952–1990): Frankfurt
Höhe: 22 m ü. d. M.
Einwohnerzahl: 87 000

**Lage und
Bedeutung**

Die 80 km (Luftlinie) ostsüdöstlich von ⟶ Berlin gelegene Stadt Frankfurt an der Oder ist das wirtschaftliche und kulturelle Zentrum des Oderraumes sowie die bedeutendste deutsche Grenzstadt zu Polen (Straßenbrücke, Autobahnbrücke, Eisenbahnbrücke über die Oder). Neben den wenigen nach den katastrophalen Zerstörungen (90%) des Zweiten Weltkrieges erhaltenen Zeugnissen der alten Messe- und Universitätsstadt sind auch einige neu errichtete bemerkenswert.

Geschichte

Bereits als germanischer Siedlungsplatz bis zur Völkerwanderung belegt, entwickelte sich mit der slawischen Besiedlung seit dem 7. Jh. am Oderübergang ein militärischer Vorposten (Lebus). Die 1226 von deutschen Kaufleuten südlich am Oderufer gegründete Nikolaisiedlung wurde mit der Verleihung der Stadtrechte (1253) erweitert (Rathaus, Marienkirche) und erhielt die Erlaubnis zum Bau einer Brücke. Am Kreuzungspunkt wichtiger Fernhandelsstraßen wurde sie zu einer reichen Handels- und Hansestadt (nachweisbar seit 1368).
Aus den traditionellen Jahrmärkten entwickelte sich die 'Frankfurter Messe' mit internationalem Charakter. Ihre beherrschende Stellung unter den Städten der Mark Brandenburg verdankt Frankfurt auch der Gründung der ersten Landesuniversität (1506). Universität und Stadt wurden zu einem angesehenen wissenschaftlichen und kulturellen Mittelpunkt der Region. Berühmte Lehrer und Studenten waren Thomas Müntzer, Ulrich von Hutten, Hieronymus Schurff (Luthers Rechtsbeistand auf dem Reichstag zu Worms), der sorbische Lehrer Jan Rak (ein Freund von Nikolaus Kopernikus), Alexander von Humboldt und Wilhelm von Humboldt sowie Heinrich

von Kleist. Bis 1696 gab es an der Frankfurter Universität ein sorbisches Seminar.

Von Bedeutung war auch die Entwicklung des Buchdrucks in Frankfurt. Bis zum 19. Jh. nahm der hebräisch-jüdische Buchdruck eine besondere Stellung ein (1697–1699 Druck des ersten Talmuds in Deutschland).

Durch politische, militärische und wirtschaftliche Krisen stagnierte Frankfurts Entwicklung. Als Garnisonsstadt spielte die Stadt im 18. Jh. eine Rolle. Nach den Steinschen Reformen wurde Frankfurt 1814 Hauptstadt des neu gebildeten Regierungsbezirkes Frankfurt (1811 Verlegung der Universität nach Breslau) und entwickelte sich zu einer Beamtenstadt.

Die einstige Frankfurter Dammvorstadt am rechten Ufer der Oder wurde 1945 zu Polen geschlagen und erhielt den Namen Słubice.

Von 1952 bis 1990 war Frankfurt Hauptstadt ('Bezirksstadt') des gleichnamigen Bezirkes. Nach dem Beitritt der einstigen Deutschen Demokratischen Republik zur Bundesrepublik Deutschland wird erwogen, die alte Frankfurter Universitätstradition neu zu beleben.

Geschichte
(Fortsetzung)

Achtung!
Im Zuge der politischen Neuorientierung sind weitere Umbenennungen zu erwarten.

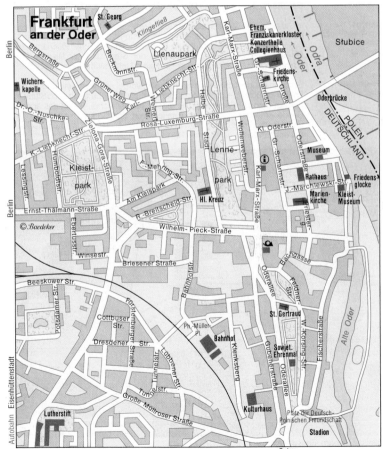

Sehenswertes

*Rathaus
Das Rathaus am ehemaligen Marktplatz im Stil der norddeutschen Back-steingotik (nach 1253) mit seinem imposanten südlichen und nördlichen Schmuckgiebel bezeugt den Reichtum der einstigen Hansestadt.

Galerie
Junge Kunst
Die 'Galerie Junge Kunst' in der Rathaushalle (mit fast 8 000 Werken zeit-genössischer Malerei, Graphik und Plastik), die ehemalige Gerichtshalle dient als Zusatzraum für Sonderausstellungen; historischer Ratskeller.

*Kleist-Museum
Im Kleist-Museum an der Faberstraße (Nr. 7) – zwischen Rathaus und Oderufer – gibt eine Ausstellung einen Überblick über Leben, Werk und Wirkung des am Ort geborenen Dichters Heinrich von Kleist (1777–1811).

Friedensglocke
Die Friedensglocke (1953) erinnert an die Unterzeichnung des Vertrages über die Festlegung der Oder-Neiße-Linie als Grenze zwischen der einsti-gen Deutschen Demokratischen Republik und der damaligen Volksrepu-blik Polen am 6. Juli 1950 in Zgorzelec, dem einst zu → Görlitz gehören-den Stadtteil am östlichen Ufer der Görlitzer (Lausitzer) Neiße.

Museum 'Viadrina'
(vorübergehend
geschlossen)
Im ehemaligen 'Junkerhaus' an der Carl-Philipp-Emanuel-Bach-Straße (Nr. 11), einem der wenigen erhaltenen historischen Gebäude der Stadt, befindet sich heute das Museum 'Viadrina' (= lateinischer Flußname der Oder) mit Exponaten zur Geschichte der Stadt und der Region. Das Eingangsportal ist eine Kopie des früheren Universitätseinganges.

Friedenskirche
Über die neugestaltete Oderpromenade, vorbei am alten Kran und an der Friedensbrücke (deutsch-polnischer Straßengrenzübergang nach Slubice) gelangt man zur Friedenskirche (ehem. Nikolaikirche). Sie ist das älteste Baudenkmal der Stadt (13. Jh.); sehenswert sind die Kreuzrippengewölbe und der Chor mit romanischen Bauelementen. Die Türme im neugotischen Stil entstanden in den Jahren 1881–1893.

Kleist-Museum (Fassadenfront)

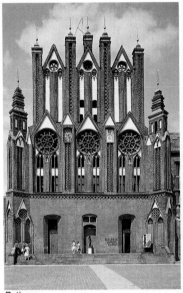

Rathaus

Konzerthalle

Mit ihrer hervorragenden Akustik ist die Konzerthalle 'Carl Philipp Emanuel Bach' (ehem. Franziskanerklosterkirche) seit dem Jahre 1967 eine beliebte Musizierstätte. Der Innenraum der frühgotischen Hallenkirche hat Netz- und Sterngewölbe. Der Westgiebel ist mit reichem gotischem Maßwerk geschmückt; im Ostgiebel Spitzbogenblenden. Zur Ausstattung gehört auch eine Orgel der Frankfurter Orgelbaufirma Sauer. ＊Konzerthalle

Im neuen Anbau der Konzerthalle befindet sich das Musikkabinett mit Ausstellungen über Leben und Werk von Carl Philipp Emanuel Bach (1734–1738 Student in Frankfurt/Oder und Kantor an der Marienkirche) sowie einer Musikinstrumentenabteilung (Vorführung historischer Instrumente). Musikkabinett

Das an die Konzerthalle anschließende, spätbarocke Collegienhaus beherbergt das Stadtarchiv (mit der ältesten vorhandenen Urkunde von 1287). Collegienhaus

Beliebtes Einkaufszentrum der Stadt ist die modern gestaltete Große Scharrnstraße mit dem Zentralen Platz (Brunnenanlage, Brunnencafé und Hotel 'Stadt Frankfurt'). Große Scharrnstraße

Ebenso reizvoll ist ein Spaziergang durch die Grün- und Parkanlagen der Stadt, die sich als grüner Gürtel vom nördlichen Linaupark (Freilichtbühne) über den Lenné-Park auf den ehemaligen Wallanlagen (mit modernen Plastiken) bis zur Parkanlage an der Oderallee (Gertraudenplatz, Anger) erstrecken. Parkanlagen

Auf dem ehemaligen Friedhof der Gertraudenkirche befinden sich wertvolle Grabdenkmäler, u. a. für Ewald von Kleist († 1759 in Frankfurt/Oder). Gegenüber erinnert ein Bronzedenkmal an den großen Sohn der Stadt, den Dichter Heinrich von Kleist. Grabdenkmäler

319

Frankfurt a. d. Oder (Fortsetzung) St. Gertraud	Anstelle einer älteren Kirche wurde 1876–1878 St. Gertraud als neugotische dreischiffige Backsteinkirche errichtet. Im Inneren sind wertvolle Ausstattungsstücke aus der zerstörten Marienkirche zu sehen.
Ehrenmal	Südlich der Kirche erinnert ein Ehrenmal an sowjetische Soldaten, die hier in der Endphase des Zweiten Weltkrieges gefallen sind.
Gubener Vorstadt	In der Gubener Vorstadt sind das spätklassizistische Kettenhaus und das barocke Türmchenhaus sehenswert.

Umgebung von Frankfurt an der Oder

Schiffsfahrten	Bei einer Schiffsfahrt (ab Oderpromenade bzw. Friedensglocke) auf der Oder kann man die Umgebung – etwa → Eisenhüttenstadt, Ratzdorf, Lebus, Niederfinow oder → Eberswalde-Finow – kennenlernen.
Lossow	Im südlichen Frankfurter Ortsteil Lossow sind die 'Steile Wand' am 'Frankfurter Oderpaß' und der 'Lossower Burgwall' sehenswert.
Helenesee	Südwestlich von Lossow liegt das Erholungsgebiet Helenesee. Hier wurde ein ehemaliger Braunkohlentagebau zu einem Freizeitgelände – Helenesee und Katjasee – umgestaltet.
Seelow	Rund 28 km nordwestlich (F 167) von Frankfurt an der Oder liegt Seelow. Die 'Gedenkstätte der Befreiung' auf den Seelower Höhen erinnert an die schweren Kämpfe, die gegen Ende des Zweiten Weltkrieges an der Oder stattfanden (Militärhistorisches Museum).
Märkische Schweiz	→ Reiseziele von A bis Z: Märkische Schweiz

Freiberg (Sachsen)   E 6

	Bundesland: Freistaat Sachsen Bezirk (1952–1990): Karl-Marx-Stadt Höhe: 416 m ü. d. M. Einwohnerzahl: 50 000
Lage und Bedeutung	Freiberg, bekannt als erste freie Bergstadt Deutschlands, liegt – rund 30 km östlich von → Chemnitz – am Fuße des Osterzgebirges (→ Erzgebirge) auf einer Hochfläche oberhalb der Freiberger Mulde. Die einst bevölkerungsreichste Stadt der Markgrafschaft Meißen war durch ihren Silberbergbau Quelle des Reichtums der sächsischen Herrscher.
Bergakademie	Als Standort der ältesten bergbautechnischen Hochschule (Bergakademie) überhaupt ist die heutige Industriestadt Freiberg ein Zentrum montanwissenschaftlicher Lehre und Forschung.
Geschichte	Nach Silberfunden in dem jungen Dorf Christiansdorf (1168) errichteten Harzer Bergleute die 'Sächsstadt'. Weitere drei Siedlungen wurden später mit ihr durch eine Mauer zusammengeschlossen. Die dadurch gebildete Stadt entwickelte sich schnell zum wirtschaftlichen Mittelpunkt, zur bedeutenden Münzstätte und zum wichtigen Fernhandelsplatz. Bedeutende Baudenkmale und Kunstwerke entstanden in der Stadt. Die 1765 gegründete Bergakademie zählte so berühmte Persönlichkeiten wie Alexander von Humboldt, Novalis, Theodor Körner oder Michail Wassiljewitsch Lomonossow zu ihren Schülern. Nach einem letzten Höhepunkt der Silber-

Kanzeln im Freiberger Dom ▸

Freiberg

Stadtplan

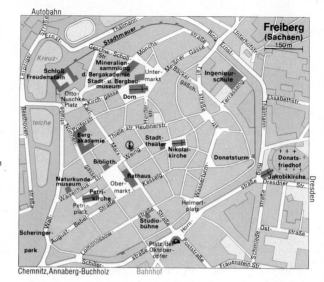

Geschichte (Fortsetzung)

produktion im 19. Jh. wurde 1913 der Silberbergbau eingestellt. Nach 1945 wurde der Erzbergbau (Blei-, Zink-, Zinngewinnung) wieder verstärkt betrieben (bis 1969) und das Hüttenwesen entwickelt.

Sehenswertes

Fußgängerzonen

Der gesamte Freiberger Altstadtbereich steht wegen seiner Geschlossenheit und der recht gut erhaltenen Bauten unter Denkmalschutz. In den Fußgängerzonen findet man neben historischen Architekturdetails – Gebäude, Schlußsteine, Portale und Reliefs – auch neuere Schöpfungen, darunter Brunnen und Handwerkerzunftzeichen.

*Dom

**Goldene Pforte
*Kanzeln
*Orgel

Ein besonderer Anziehungspunkt ist am Untermarkt der Dom, eine spätgotische Hallenkirche (1484–1501) mit Resten des früheren romanischen Baus und der berühmten 'Goldenen Pforte' (um 1230). Der Freiberger Dom besitzt eine reiche Innenausstattung: die 'Tulpenkanzel' (von Hans Witten, 1508–1510), die Bergmannskanzel (1638) und eine Silbermannorgel, die älteste und größte der noch erhaltenen sächsischen Silbermannorgeln (1711–1714).

Domherrenhof (Bergbaumuseum)

Am Untermarkt steht auch der Domherrenhof (1484), ein Patrizierhaus der Spätgotik, einst Türmerwohnung, jetzt Stadt- und Bergbaumuseum.

Mineraliensammlung

Ferner empfiehlt es sich, die Mineraliensammlung der Bergakademie (Brennhausgasse Nr. 14) anzusehen.

Schloß Freudenstein

Baukünstlerisch interessant ist das nahe dem Kreuzteich gelegene Schloß Freudenstein, ein Renaissancebau aus dem 16. Jahrhundert.
In der Stadt gibt es darüber hinaus zahlreiche Renaissance- und Barockbauten.

*Obermarkt

Am Obermarkt verdienen das spätgotische Rathaus (1470–1474, mehrfach umgebaut) mit der Lorenzkapelle, der Renaissancebau vom ehemaligen Kaufhaus (Obermarkt Nr. 16; 1545/1546), ferner das Schönlebehaus

(Obermarkt Nr. 1), ein großes, dreigeschossiges Patrizierhaus (Anfang des 16. Jh.s), besondere Beachtung. Das Haus Obermarkt Nr. 17 hat das künstlerisch bedeutendste Portal der Frührenaissance in Freiberg (1530).

Freiberg, Obermarkt (Fortsetzung)

Die Petrikirche, eine dreischiffige spätgotische Hallenkirche (1404–1440), ist – ebenso wie die neugotische Jakobikirche (1890–1892) – mit einer Silbermannorgel (1716/1717) ausgestattet.
Bemerkenswert ist auch die Nikolaikirche (14./15. Jh.), eine dreischiffige spätgotische Hallenkirche mit wertvoller Innenausstattung.

Kirchen

Im Naturkundemuseum (Waisenhausstraße Nr. 10), das nicht weit von der Petrikirche entfernt ist, wird u. a. der Einfluß des Bergbaus auf die Landschaft gezeigt.
Als Denkmäler der Bergbaugeschichte sind die Lehrgrube 'Alte Elisabeth' (um 1850), der ehemalige Abrahamsschacht (um 1840) und das Freiberger Hammerwerk (um 1600) sehenswert.

Naturkunde-museum

Umgebung von Freiberg

An der Straße nach Brand-Erbisdorf (F 101, 7 km südlich) stehen drei Kreuze. Im Ort selbst ist das Huthaus zum Reußen (1837) sehenswert; in der spätgotischen Pfarrkirche ein lebensgroßer Bergmann (1585), geschaffen von S. Lorentz. Südöstlich der Stadt der Erzenglerteich, ein zur Wasserversorgung des Freiberger Bergbaues künstlich angelegter Teich.

Brand-Erbisdorf

In Frauenstein (etwa 20 km südöstlich von Freiberg) sieht man noch die Reste der Burg (1728 abgebrannt), u. a. mit Nordturm ('Dicker Merten'), Südturm und Ruinen des Palas. Unterhalb der Burg das Renaissance-schloß (1585–1588, H. Irmisch); Museum.
Einen Besuch lohnt das Heimatmuseum mit einer Sammlung über Leben und Werk des berühmten Orgelbauers Gottfried Silbermann (geb. 1683 in Kleinbobritzsch bei Frauenstein, † 1753 in Dresden).

Frauenstein

Fürstenberg (Havel)   B 6

Bundesland: Brandenburg
Bezirk (1952–1990): Potsdam
Höhe: 57 m ü. d. M.
Einwohnerzahl: 6000

Die kleine Stadt Fürstenberg an der Havel liegt am Südrand vom ⟶ Neu-strelitzer Seengebiet auf drei Inseln zwischen Röblinsee, Baalensee und Schwedtsee an der Havel. Als Ferienort in wald- und seenreicher Umge-bung wird es gern besucht.
Im Ortsteil Ravensbrück erinnert eine Gedenkstätte an die Opfer des größten Frauenkonzentrationslagers des nationalsozialistischen Gewalt-regimes.

Lage und Bedeutung

Im Jahre 1278 erstmals urkundlich und 1318 als Stadt erwähnt, wechselte Fürstenberg vielfach den Besitzer; Krieg und Brände vernichteten es mehrmals. An der Grenze zwischen Preußen und Mecklenburg war die Stadt ein bedeutender Umschlagplatz für landwirtschaftliche Produkte aus Mecklenburg und bekannt durch ihren 'Buttermarkt'; hier wurden die Preise für ganz Mecklenburg und Preußen ausgehandelt. Um 1900 erfolgte der Ausbau der Stadt nach Süden. Bis 1950 gehörte Fürstenberg zum Land Mecklenburg, danach zum Kreis Templin im Land Brandenburg; seit 1952 zählt es zum Kreis Gransee (im einstigen DDR-Bezirk Potsdam), der seit 1990 Teil des neuen Bundeslandes Brandenburg ist.

Geschichte

Fürstenberg

Sehenswertes

Alte Burg

Ältestes Bauwerk der Stadt ist die Alte Burg; von ursprünglich vier Flügeln sind noch drei erhalten.

Schloß

Das Schloß (1741–1752; heute Krankenhaus) präsentiert sich als massiver barocker Putzbau in Hufeisenform mit einer Eingangstür aus schwerem Eichenholz und mit Rokoko-Ornamenten.

Stadtkirche

Die Stadtkirche wurde 1845–1848 nach dem Entwurf von F.W. Buttel im neubyzantinischen Stil erbaut; über dem Altar befindet sich ein sieben Meter hoher Batikteppich.

Klassizistische Bauten

Das Stadtbild wird weithin von Bauten geprägt, die nach 1800 im klassizistischen Stil errichtet worden sind.

Ravensbrück

*Gedenkstätte

Im Fürstenberger Ortsteil Ravensbrück befindet sich seit 1959 eine Gedenkstätte für die in den Jahren 1939–1945 hierher und in zahlreiche Nebenlager verschleppten rund 132000 Frauen und Kinder aus vielen europäischen Ländern. Tausende von Häftlingen gingen aufgrund der Arbeits- und Lebensbedingungen zugrunde, wurden ermordet oder in Vernichtungslager abtransportiert.

Die Gedenkstätte, 1955–1959 nach Entwürfen eines Architektenkollektivs unter L. Deiters errichtet, schmücken Bronzeplastiken von W. Lammert und F. Cremer.

Museum und Gedenkräume

In der ehemaligen Kommandantur befindet sich heute ein 'Museum des antifaschistischen Widerstandskampfes'; der frühere Zellenbau beherbergt die 'Gedenkräume der Länder'.

Gedenkstätte Ravensbrück

Umgebung von Fürstenberg

In Himmelpfort (5 km östlich) ist die ehemalige Klosterkirche sehenswert, ein gotischer Backsteinbau (14. Jh.; im Westteil Ruine, der Ostteil 1663 in vereinfachter Form als Dorfkirche ausgebaut), ferner das ehemalige Brauhaus, ein spätgotischer Backsteinbau mit Blendengiebel.

Himmelpfort

In Lychen (13 km nordöstlich von Fürstenberg) sind Teile der Stadtmauer, das Stargarder Tor und die Ruine des Fürstenberger Tores erhalten. Die Pfarrkirche St. Johannes ist ein frühgotischer Granitbau mit Backsteinteilen und Glasgemälden in den Sakristeifenstern (11. Jh.).

Lychen

Auch in Gransee (F 96, 23 km südlich von Fürstenberg) gibt es sehenswerte Bauten: die Pfarrkirche St. Martin (15. Jh.; 1961–1965 restauriert) mit wertvollen Ausstattungsstücken, eine teilweise erhaltene Stadtbefestigung (14./15. Jh.), die Spitalkirche St. Spiritus (14. Jh., heute Museum), das Luisendenkmal von 1811 (nach Schinkel, Berliner Eisenguß) und Reste des Franziskanerklosters.

Gransee

⟶ Reiseziele von A bis Z: Neustrelitz

Neustrelitz

Gera

E 5

Bundesland: Thüringen
Bezirk (1952–1990): Gera
Höhe: 204 m ü. d. M.
Einwohnerzahl: 131 000

Die ostthüringische Stadt Gera liegt – 20 km östlich vom Hermsdorfer Autobahnkreuz – am Mittellauf der Weißen Elster (⟶ Elstertal) und am Schnittpunkt wichtiger Verkehrswege.

Lage

Die frühere Tuchmacher- und Gerbereistadt ist heute Großstadt und ein bedeutendes Zentrum des Bergbaus, des Maschinenbaus, der Textil- und Bekleidungsindustrie, der Lebensmittelindustrie sowie der Elektronik.

Bedeutung

Bereits 995 urkundlich erwähnt, erhielt der Ort erst im 13. Jh. Stadtrecht. Die Burg wurde Anfang des 13. Jh.s Sitz einer sich nach Gera nennenden Linie der Vögte von Weida, die ihre Herrschaft 1358 von den Wettinern zu Lehen nehmen mußten. Von 1547 bis 1806 stand Gera unter böhmischer Lehnsherrschaft. Seit 1564 residierte hier die Linie der jüngeren Reuß, seit 1673 als Reichsgrafen und von 1806 bis 1918 als Fürsten. Von 1918 bis 1920 war Gera Hauptstadt des Freistaates Reuß, der dann zu Thüringen kam. Gerberei, Bierbrauerei und besonders die Tuchmacherei waren traditionelle Wirtschaftszweige, deren Blüte im 18. Jh. die heute noch erhaltenen Bürgerhäuser jener Zeit bezeugen; sie entstanden überwiegend nach dem großen Stadtbrand von 1780.
Im Jahre 1945 zerstörte ein schwerer Luftangriff große Teile dar Stadt. Die bedeutenden Bauten der Altstadt wurden rekonstruiert; darüber hinaus sind neue Wohnviertel entstanden.

Geschichte

Sehenswertes

Der Markt von Gera gehört durch die Geschlossenheit der Bebauung zu den schönsten Marktplätzen Thüringens.

*Markt

Sehr bemerkenswert ist das Rathaus aus dem 15. Jh., nach Zerstörung 1573–1576 wiedererrichtet, mit einem barockem Mansarddach, dem

*Rathaus

Gera

Rathaus (Fortsetzung)

Hauptportal am Turm mit Verzierungen und den drei Nebenportalen.

Stadtapotheke

Weiterhin beachtenswert am Markt ist die Stadtapotheke (16. Jh.) mit rundem reichgeschmücktem Renaissanceerker.

Simsonbrunnen

Auf dem Marktplatz steht der von C. Junghans geschaffene Simsonbrunnen (1685/1686)

Ehemaliges Regierungsgebäude

Vom Rathaus sind es nur wenige Schritte zum ehemaligen Regierungsgebäude, einem dreigeschossigen Barockbau (1720–1722), nach Brand von 1780 wiederhergestellt unter Verwendung von Teilen aus dem 16. Jh. (Nordflügel); viergeschossiger Mittelteil mit Pilastergliederung und einem Giebeldreieck.

Simsonbrunnen vor dem Rathaus

Museum für Geschichte

Unweit vom ehemaligen Regierungsgebäude steht das ehemalige Zucht- und Waisenhaus, ein dreigeschossiger Barockbau von 1732–1738 (mehrfach restauriert), heute Museum für Geschichte.

Das Museum vermittelt einen Überblick über die Geschichte der Stadt von den Anfängen bis zur Gegenwart. Die Schwerpunkte sind Frühgeschichte, Handwerk, Porzellan, Stadtbildentwicklung, Geschichte der örtlichen Arbeiterbewegung.

Salvatorkirche

In der Nähe des Rathauses befindet sich auch die Salvatorkirche, ein dreischiffiger Barockbau (1717–1720) mit bemalter Flachdecke; in den Seitenschiffen doppelte Emporen mit bemerkenswerter Ausstattung (um 1900).

Museum für Naturkunde im Schreiberschen Haus

Neben der Kirche steht das Schreibersche Haus, ein dreigeschossiger Barockbau (1687/1688) mit reichem Barocksaal. Es beherbergt heute das Museum für Naturkunde mit Sammlungen über Leben und Werk der fünf ostthüringischen Ornithologen Brehm (Vater und Sohn), Liebe, Hennicke und Engelmann.

Trinitatiskirche, Pfarrkirche St. Marien

An Baudenkmälern der Gotik sind bemerkenswert die Trinitatiskirche, ein einschiffiger, im Kern gotischer Bau (14. Jh.) mit dreigeschossigem geschlossenen Chor (ausgemalte Flachdecke); ferner die Pfarrkirche St. Marien, ein einschiffiger spätgotischer Bau (um 1400).

Bürgerhäuser

Einige der schönsten Bürgerhäuser der Stadt sind das Ferbersche Haus (Greizer Straße Nr. 37/39; Museum für Kunsthandwerk), das Haus J. Buttermann (18. Jh) mit Figurenportal, das barocke Bürgerhaus am Steinweg Nr. 15 sowie das Schreibersche Haus (s. oben).

＊Theater

Das im Jugendstil errichtete Theater (1902), in dem heute die Bühnen der Stadt Gera untergebracht sind, mit einem Theater- und einem Konzertsaal, war einst Wirkungsstätte des Schauspielers Hans Otto.

Einen besonderen Anziehungspunkt bildet die nordwestlich vom Stadtkern gelegene Orangerie, eine halbkreisförmige Barockanlage aus den Jahren 1729–1732.

Als Kunstausstellungszentrum beherbergt die Orangerie die Kunstgalerie Gera und die ständige Ausstellung von Werken des in Untermhaus (heute ein Stadtteil von Gera) geborenen Malers und Graphikers Otto Dix (1891 bis 1969; bedeutender Vertreter der Neuen Sachlichkeit).

Umgebung von Gera

In Wünschendorf (10 km südlich) sind die im Kern frühromanische Veitskirche und eine überdachte Holzbrücke (1786) beachtenswert; im Ortsteil Mildenfurth die Klosterkirche (1193), die nach 1617 zu einem Jagdschloß umgebaut wurde (Reste der alten Basilika vorhanden).

In Weida (F 92, 13 km südlich von Gera) lohnt Schloß Osterburg (im Kern romanisch) mit mächtigem Bergfried, Schloßwache und Heimatmuseum einen Besuch. Sehenswert sind ferner das Renaissance-Rathaus, auf dem ehemaligen Friedhof (1564) die Pestkanzel (1608), ein Renaissanceportal (1580) und Grabdenkmäler (17./18. Jh.).

In Bad Köstritz (F 7, 5 km nordwestlich von Gera) findet man einen Landschaftspark (1804) und eine Heinrich-Schütz-Gedenkstätte für den hier geborenen großen Musiker (1585–1672).

⟶ Reiseziel von A bois Z: Eisenberg

Gernrode (Harz) D 4

Bundesland: Sachsen-Anhalt
Bezirk (1952–1990): Halle
Höhe: 230 m ü.d.M.
Einwohnerzahl: 5000

Die nur 7 km südlich von ⟶ Quedlinburg gelegene, alte anhaltische Stadt Gernrode ist ein Luftkurort (staatlich anerkannter, klimatischer Erholungsort) am Nordrande des zum Unterharz (⟶ Harz) gehörenden Ramberg-massivs. Abgesehen von seiner reizvollen Hanglage am Fuße des aussichtsreichen Stubenberges ist die Stadt, in der u. a. Holzwaren hergestellt werden, wegen ihrer kultur- und baugeschichtlich höchst bedeutsamen ehemaligen Stiftskirche berühmt.

Zwischen Gernrode und dem 12 km weiter südlich gelegenen Harzgerode verkehrt die bekannte 'Selketalbahn' (⟶ Selketal), eine noch heute dampflokbetriebene Schmalspureisenbahn.

Gernrode entstand als Weiler des im Jahre 961 von dem Markgrafen Gero gegründeten Chorfrauenstiftes St. Cyriakus und erhielt gegen Ende des 12. Jh.s Marktrecht sowie wahrscheinlich 1539 das Stadtrecht. Im nahen Gebirge wurde seit dem frühen Mittelalter Bergbau auf Silber, Kupfer und Zinn betrieben. Bis 1610 besaß das zur Reichsabtei erhobene Stift die Landeshoheit über Gernrode; danach fiel sie an die Fürsten von Anhalt (seit 1709 Anhalt-Bernburg). Seit dem späten 19. Jahrhundert dehnte sich die Stadt im Zuge der Entwicklung zum Luftkurort nach Westen und Nordosten aus. Von 1952 bis 1990 zum seinerzeitigen DDR-Bezirk Halle geschlagen, gehört das vom Kreis Quedlinburg verwaltete Gernrode nun zum neuen Bundesland Sachsen-Anhalt.

Ehemalige ** Stiftskirche St. Cyriakus (Abb. s. S. 63)

Reichsstift Gernrode

Markgraf Gero gründete 961 auf dem Gelände seiner in den Grundlinien noch nachweisbaren Burg ein Dominikanerinnenkloster, das gegen Ende des 10. Jh.s Reichsunmittelbarkeit erhielt und neben jenen von Quedlinburg, Gandersheim und Essen zu den vornehmsten Stiften des Reiches gehörte. Im Zuge der Reformation wurde das Kloster nach 1521 in ein freiweltliches protestantisches Damenstift umgewandelt (gegen Ende des 16. Jh.s aufgelöst), die Stiftskirche diente fortan als evangelische Pfarrkirche.

Bau der Stiftskirche

Die einstige Stiftskirche St. Cyriakus, eine kreuzförmige, dreischiffige und doppelchörige Flachdeckenbasilika gilt als einer der bedeutendsten romanischen Sakralbauten der ottonischen Zeit. Man vermutet den Baubeginn bereits im Jahre 959, vollendet wurde die erste Kirche mit dem Ostchor, zwei kleinen Apsiden und den beiden runden Westtürmen sicherlich noch im 10. Jh.; die erste Weihe fand im Jahre 963 statt, für 965 ist die Bestattung des Markgrafen Gero in der Kirche bezeugt.

In der ersten Hälfte des 12. Jh.s wurde ein erweiternder Umbau vorgenommen: Westwerk mit hohem Mittelteil, großer Apsis und Hallenkrypta; dennoch ist der Gesamtcharakter einer Basilika des 10. Jh.s bewahrt. Grundlegende Restaurierungen erfolgten in den Jahren 1858–1872 (mit Ergänzungen und Hinzufügungen, u.a. Gestühl, Kanzel, Orgel und Ambonen; Ausmalung der Apsiden) sowie 1907–1910 (Abbruch und Neuaufbau der Rundtürme); seit 1965 fanden erneut Renovierungsarbeiten statt (Inneres der Ostkrypta).

Grundriß

Ehemalige Stiftskirche St. Cyriakus in Gernrode

1 Heiliges Grab
  a Vorkammer
  b Grabkammer
2 Grabmal des Markgrafen Gero
3 Romanischer Taufstein
4 Rundtürme des Westwerkes

Am Kirchengrundriß fällt die deutliche Achsenverschiebung (besonders der Querachsen) auf, die man auf Veränderungen des Untergrundes im Laufe der Jahrhunderte zurückführt.

*Kircheninneres

Das Innere der Emporenbasilika mit einfachem Stützenwechsel – im Tympanon des Hauptportales der Nordseite ein Lebensbaum mit Löwen und Drachen (um 1170) – ist bestimmt von den steilen Proportionen des Langhauses und vielseitiger Gliederung der Seitenwände. Die Stützenkapitelle tragen reichen ornamentalen und figürlichen Schmuck.

**Heiliges Grab

Von besonderer Bedeutung ist das Heilige Grab – bestehend aus einer Vorkammer und einer Hauptkammer –, das um 1050–1075 unter den beiden östlichen Jochen des südlichen Seitenschiffes eingefügt wurde (im 12. Jh. umgebaut; 1926–1929 und 1954 restauriert). Es handelt sich hierbei um das älteste erhaltene Beispiel einer architektonischen Nachbildung des Heiligen Grabes (Christi) in Jerusalem. Im Inneren der Grabkammer befinden sich ein Sarkophag (rechts vom Eingang), zwei Grabengel und eine Bischofsfigur, alle drei aus Stuck.

Ein hervorragendes Werk der romanischen Plastik ist der ebenfalls aus Stuck gefertigte Reliefschmuck (Osterprogramm) an den Außenwänden: an der nördlichen der auferstandene Christus (links) und Maria Magdalena (rechts), an der westlichen in der Mitte eine weibliche Figur, in den Ecken

Johannes der Täufer (links) und Moses (rechts), ferner apokalyptische Tiere und ornamentale Reliefs. Gernrode, Heiliges Grab (Forts.)

Vor dem Westchor steht ein romanischer Taufstein aus der zweiten Hälfte des 12. Jh.s, eine ländliche Arbeit aus Alsleben; an der Wandung mehrere Christusdarstellungen, Maria, Johannes der Evangelist und Engel. Taufstein

In der Vierung (vor dem Aufgang zum Ostchor) befindet sich das spätgotische Steingrabmal (Tumba von 1519) für den Kirchenstifter Markgraf Gero (†965). *Grabmal des Markgrafen Gero

Im Kircheninneren des weiteren bemerkenswert sind ein Tafelbild des Markgrafen Gero in archaisierender Tracht (um 1510) sowie verschiedene Äbtissinnengrabsteine (14.–16. Jh.). Gero-Bildnis Äbtissinnengrabsteine

Erwähnung verdient eine schöne Glocke (Ende 13. Jh.) mit vier Reliefs (u. a. Cyriakus) und einer Inschrift in gotischen Unzialen. Glocke

Von den einstigen Stiftsgebäuden – im Stiftshof ein großes Marmorbecken; innen an der Westwand ein Drachenrelief des 11./12. Jh.s – ist lediglich der im Süden an die Stiftskirche angebaute, zweigeschossige spätromanische Nordflügel des Kreuzganges (um 1200; stark restauriert) mit Kreuzgratgewölbe und reichen Kapitellen im Erdgeschoß erhalten. Kreuzgang

Weitere Sehenswürdigkeiten in Gernrode

Den Mittelpunkt der an Fachwerkbauten (meist aus dem 17./18. Jh.) reichen Stadt bildet der dreieckige Marktplatz mit dem schlichten Rathaus (ursprünglich von 1665; Anfang des 20. Jh.s erneuert). Marktplatz Rathaus

An der Marktstraße stehen einige klassizistische Putzbauten (z. B. Nr. 17 und 23). Marktstraße

Von der westlich vom Rathaus befindlichen früheren Pfarrkirche St. Stephanus, deren Langhaus 1847 zu einem Schulgebäude umgebaut wurde, ist der ursprünglich wohl spätromanische Westturm (mit barocker Haube) erhalten. Die Küsterei (2. Hälfte 16. Jh.) hat Fachwerk über einem gemauerten Erdgeschoß. St. Stephanus

Umgebung von Gernrode

Von der Höhe des im Süden der Stadt ansteigenden Stubenberges (281 m ü. d. M.; Fußweg in ca. 15 Min.) bietet sich eine der lohnendsten Aussichten auf dieser Seite des Harzes. *Aussicht vom Stubenberg

Die rund 3 km außerhalb von Gernrode gelegene Bückemühle, eine ehemalige Wassermühle am Bückeberg, ist als Ausflugsgaststätte eingerichtet. Bückemühle

⟶ Reiseziele von A bis Z: Quedlinburg **Quedlinburg**

⟶ Reiseziele von A bis Z: Thale (Harz) **Thale**

⟶ Reiseziele von A bis Z: Ballenstedt **Ballenstedt**

Görlitz D 7

Bundesland: Freistaat Sachsen
Bezirk (1952–1990): Dresden
Höhe: 221 m ü. d. M.
Einwohnerzahl: 80000

Görlitz, sorbisch Zhorjelc, einst Hauptstadt der Lausitz, liegt – genau auf dem 15. Grad östlicher Länge – am linken Ufer der Görlitzer oder Lausitzer Lage und Bedeutung

Görlitz

Lage und
Bedeutung
(Fortsetzung)

Neiße (Straßenbrücke; alter Eisenbahnviadukt), die heute hier die deutsch-
polnische Grenze im Zuge der Oder-Neiße-Linie bildet.

Die Stadt ist Sitz eines evangelischen Bischofs sowie eines Apostolischen
Administrators und beherbergt eine Ingenieurschule.

Waggon- und Maschinenbau sowie die Herstellung elektronischer und
optischer Geräte sind die wichtigsten Bereiche der örtlichen Industrie.

Trotz wohlgemeinter Versuche, das geschlossene Bauensemble der Altstadt nach Kräften zu sanieren, befindet sich der Stadtkern derzeit bereichsweise in lamentablem Zustand.

Geschichte

Am Kreuzungspunkt wichtiger Handelsstraßen gelegen, entwickelte sich
das 1071 erstmals urkundlich genannte Dorf Gorelic an dem wichtigen
Neißeübergang rasch zu einer bedeutenden Siedlung (mit Nikolaikirche),
der im 13. Jh. eine planmäßige Erweiterung mit regelmäßigem Grundriß
und langgestrecktem Obermarkt folgte. Nach starker Befestigung, Verleihung zahlreicher Rechte und Privilegien und der Ausbildung der bürgerlichen Selbstverwaltung spielte die Stadt ab 1346 eine führende Rolle im
Oberlausitzer Sechsstädtebund. Trotz wechselnder Herrschaften verdankt
Görlitz seinen Reichtum, der sich in großartigen Bauten der Gotik und
Renaissance repräsentiert, der langen Zugehörigkeit der Lausitz zum
Königreich Böhmen. Zu wirtschaftlicher Macht gelangt, war es eine
Pflegestätte des Humanismus. Der bedeutende Görlitzer Jacob Böhme
(1575–1624, Schuhmacher, Naturphilosoph und Mystiker) gilt als einer der
frühen geistigen Wegbereiter der klassischen deutschen Philosophie.

Vom Dreißigjährigen Krieg schwer heimgesucht, wurde Görlitz 1635
Kursachsen zugeschlagen, konnte aber seine einstige Bedeutung nie wieder erlangen. 1815 kam die Stadt nach dem Wiener Kongreß zu Preußen.
Mit der ersten Tuchfabrik (1816) begann die Industrialisierung, die durch
den Anschluß an das sächsische und preußische Eisenbahnnetz (1847)
beschleunigt wurde.

Achtung!
Im Zuge der
politischen
Neuorientierung
sind weitere
Umbenennungen
zu erwarten.

Am Ende des verheerenden Zweiten Weltkrieges wurden die am Ostufer
der Neiße gelegene Teile der Stadt unter polnische Verwaltung gestellt
(Zgorzelec). Am 6. Juli 1950 anerkannte die einstige Deutsche Demokratische Republik die Oder-Neiße-Linie als Staatsgrenze zur damaligen
Volksrepublik Polen; der Vertrag wurde in der fortan polnischen Nachbarstadt Zgorzelec (1990: ca. 40000 Einw.) unterzeichnet.

*Altes Bürgerhaus
mit renovierter Fassade*

Obermarkt

Neuerdings gibt es Tendenzen, an die historische Zugehörigkeit von Görlitz zu Niederschlesien zu erinnern und in diesem Sinne Kontakte auf regionaler Ebene mit der deutschen Minderheit jenseits der Oder in Polen zu knüpfen.

Geschichte Fortsetzung)

Postplatz und Demianiplatz

Die Straßenzüge und Bauten um den Postplatz im heutigen Stadt- und Geschäftszentrum stammen vorwiegend aus dem späten 19. Jahrhundert. Nur die Frauenkirche ist eine Schöpfung der Spätgotik (1459–1486). Daneben befindet sich das Warenhaus 'Centrum', ein original erhaltenes Großkaufhaus vom Beginn dieses Jahrhunderts (1912/1913).

Frauenkirche
*Warenhaus 'Centrum'

Unweit des Warenhauses steht der Dicke Turm (vor 1305) mit dem 1477 in Sandstein gehauenen Stadtwappen (1433 verliehen). Links, geziert von einem spätgotischen Statuenzyklus, die Annenkapelle (1508–1512).

Dicker Turm

Unweit nördlich, am Demianiplatz, das massige Rondell des Kaisertrutzes (1490; Stadtgeschichtliche Abteilung der Städtischen Kunstsammlungen) und der schöne Reichenbacher Turm (vor 1376; 1485 Oberbau, 1782 Barockhaube; Museumsabteilung) mit den Wappen des Lausitzer Sechsstädtebundes, dessen Mitglied Görlitz war.

*Kaisertrutz

Obermarkt

Östlich von Kaisertrutz und Reichenbacher Turm liegt der Obermarkt. An der Nordseite ist besonders bemerkenswert die üppige figürlich-plastische Stuckverzierung am Kolossalpilaster des Barockhauses Nr. 29 (von 1718).

Barockhaus

Görlitz

Dreifaltigkeits- kirche	Gegenüber steht die gotische Dreifaltigkeitskirche (Chor 1371–1381, Langhaus 15. Jh.). Unter den spätgotischen Ausstattungsstücken sind beachtenswert das Mönchsgestühl (1484), die Grablegungsgruppe (1492), der "Christus in der Rast" (um 1500), der Wandaltar der "Goldenen Maria" (um 1511) und der hochbarocke Altaraufsatz (1713).
Brüderstraße	Den westlichen Ausgang des Obermarktes, die Brüderstraße, flankieren in eindrucksvoller Geschlossenheit Renaissance- und Barockbauten.
Schönhof	Rechter Hand, etwas vorspringend, der 'Schönhof' (Nr. 8) mit reicher Pilastergliederung am Eckerker; er gilt als ältestes deutsches Renaissance-Bürgerhaus (W. Roskopf d. Ä., 1526).

*Untermarkt

Mittelalterlicher Stadtkern	Spätgotische, Renaissance- und Barockhäuser geben auch dem Untermarkt, der das Herz des mittelalterlichen Görlitz war, das Gepräge. Mehrere der Grundstücke dokumentieren die originale Innenarchitektur eines Großkaufmannshauses aus der wirtschaftlichen Blütezeit der Stadt zwischen 1480 und 1547 (Nr. 2, 3, 4, 5, 22). Zu den Kulturdenkmälern dieses bedeutenden Bauensembles zählen ferner an der Ostseite die spätgotischen Langen Läuben, die einstigen Tuchhallen, und der Braune Hirsch (Barock), im 17. Jh. geistiger Mittelpunkt der Stadt; an der Nordseite die frühere Ratsapotheke (1550) mit doppelter Sonnenuhr, das Haus Nr. 22, dessen spätgotisches Portal seines akustischen Effekts wegen im Volksmund 'Flüsterbogen' heißt, und der Renaissancebau Nr. 23 (von 1536).
Lange Läuben Brauner Hirsch Ratsapotheke	
Flüsterbogen	
*Rathaus	Den Westen des Untermarktes begrenzt das in mehreren Bauetappen gewachsene Rathaus; letzte Ergänzung ist das Neue Rathaus von 1902/1903. Kunsthistorisch am bedeutendsten ist der südliche, älteste Baukörper (vor 1378) mit W. Roskopfs berühmter Rathaustreppe von 1537 (Justitiasäule 1591, Hauswappen des Ungarnkönigs und zeitweiligen Besitzers der Lausitz, Matthias Corvinus, 1488) und dem von zwei Kunstuhren (1584) gezierten Turm.
Zeile	An der Stelle des ersten Rathauses (13. Jh.) gliedert die Renaissance-Barock-Baugruppe der 'Zeile' den Untermarkt in einen nördlichen und einen südlichen Teil.
Städtische Kunstsammlungen	Bemerkenswerte Bauten weisen auch die alten Straßenzüge östlich vom Untermarkt auf. Hier befindet sich u. a. das Museum der Städtischen Kunstsammlungen (Neißstraße Nr. 30) mit prächtigem Barockportal (1726 bis 1729).
Biblisches Haus	Das Biblische Haus (Neißstraße 29) von 1570 mit Reliefszenen aus dem Alten und Neuen Testament ist eines der bedeutendsten der deutschen Renaissance; das interessanteste unter den Görlitzer Häusern der Frührenaissance (1528, W. Roskopf d. Ä.) befindet sich an der Peterstraße (Nr. 8).

Pfarrkirche St. Peter und Paul

	Im Nordosten der Altstadt steht die Pfarrkirche St. Peter und Paul, der spätgotische (1423–1497) Nachfahre einer spätromanischen Basilika (um 1230). Die Renaissance fügte dieser gewaltigsten mittelalterlichen Bauleistung in Görlitz u. a. die seitlichen Portalvorhallen hinzu, die Neugotik 1889–1891 die beiden Türme.
*St.-Georg-Krypta	Die Hallenkrypta St. Georg gilt als schönster spätgotischer Raum der Oberlausitz.
Waidhaus	Nahebei das wehrhafte Waidhaus oder Renthaus, der älteste Profanbau der Stadt, und der kompakte Vogtshof (heute Internat) am Steilabfall zur Neiße, Anfang des 19. Jh.s an der Stelle der einstigen Burg erbaut.

Figurenbrunnen am Postplatz   *'Flüsterbogen' am Untermarkt*

Nikolaivorstadt

Nördlich der Altstadt, jenseits von Nikolaiturm (vor 1348) und Nikolai-   Nikolaiturm
graben, erstreckt sich die Nikolaivorstadt.   Nikolaigraben
Auf diesem ältesten städtischen Siedlungsterrain befinden sich die Niko-   Nikolaikirche
laikirche (jetziger Bau 1452–1520) und der Nikolaifriedhof; neben zahl-   Nikolaifriedhof
reichen barocken Grüften und Grabdenkmälern liegt hier auch das Grab
des Philosophen Jacob Böhme († 1624).

Im Westen der Nikolaivorstadt befindet sich das kunsthistorisch bedeu-   Heiliges Grab
tende Heilige Grab (1481–1504). Die Architektur, Plastik und – erstmals in
Europa – gestaltete Landschaft vereinende Anlage ist eine Kopie des Heiligen Grabes (Christi) von Jerusalem und symbolisiert die Stätten der
Passion Christi.

Sehenswertes im Süden

Südlich der Altstadt sind sehenswert der Stadtpark (mit Meridianstein: 15°   Stadtpark
östlicher Länge), der im Jugendstil aufgeführte monumentale Bau der   Stadthalle
Stadthalle (1910), der 475 m lange und 35 m hohe Neißeviadukt (1844 bis   Neißeviadukt
1847 als Eisenbahnbrücke erbaut), der Schellergrund (Freizeitpark mit   Schellergrund
Oldtimer-Eisenbahn) und der Tierpark.   Tierpark

Umgebung von Görlitz

Ein beliebtes Ausflugsziel im Südwesten der Stadt ist die Landeskrone   *Landeskrone
(420 m ü. d. M.) mit Aussichtsturm, Berggaststätte und Theodor-Körner-
Denkmal.

Görlitz, Umgebung
(Fortsetzung)
Reichenbach

In Reichenbach (F 6, 13 km westlich von Görlitz) sind die spätgotische Pfarrkirche St. Johannis (vermutlich 15. Jh.), mit Altaraufsatz (1685) und Kanzel (1688), sowie die Kapelle St. Anna (um 1500) beachtenswert.

Lausitz

→ Reiseziele von A bis Z: Lausitz

Gotha   E 3

Bundesland: Thüringen
Bezirk (1952–1990): Erfurt
Höhe: 270 m ü. d. M.
Einwohnerzahl: 57 500

Lage und
Bedeutung

Gotha, einst Residenzstadt und heute Kreisstadt, liegt im nördlichen Vorland vom → Thüringer Wald zwischen → Eisenach und → Erfurt. Eine der ältesten Siedlungen Thüringens und im Mittelalter durch den Handel mit Waid und Getreide zu Wohlstand gelangt, wurde die Stadt Wirkungsstätte hervorragender Humanisten und Pädagogen sowie des 'Vaters der deutschen Schauspielkunst' Conrad Ekhof (1720–1778). Sie war Tagungsort des Vereinigungsparteitages der Sozialdemokratischen Arbeiterpartei ('Eisenacher') und des Allgemeinen Deutschen Arbeitervereins (1875). Heute ist die Stadt ein Industriestandort. Als Bildungs- und Kulturzentrum birgt sie zahlreiche Denkmäler und Sehenswürdigkeiten.

Geschichte

Gotha wird schon 775 urkundlich erwähnt, spielt als Stadt aber erst unter den Thüringer Landgrafen im 13. Jh. eine Rolle. Im 15./16. Jh. erlebte der Ort eine wirtschaftliche Blüte durch ausgedehnten Getreide-, Waid- und Holzhandel. Während der Grumbachschen Händel im 16. Jh. wurde die Burg Grimmenstein erobert und geschleift. Seit 1640 war Gotha Residenzstadt des Herzogtums Sachsen-Gotha.
Die Verleger J. und F. Ch. Perthes machten den Ort zu ihrer Wirkungsstätte. Justus Perthes 'Geographische Anstalt' leistete Entscheidendes für die Entwicklung der europäischen Kartographie; die großen Atlanten erlangten bald Weltruhm. E. W. Arnoldi gründete 1818 die erste deutsche Handelsschule und die ersten Versicherungsanstalten (1821 Feuerversicherung, 1827 Lebensversicherung).

Im Jahre 1875 vereinigten sich die beiden Arbeiterorganisationen der 'Eisenacher' und der 'Lassalleaner' zur Sozialistischen Arbeiterpartei Deutschlands, die im ganzen Reich verfolgt wurde (Sozialistengesetz). Das allerdings eher sozialdemokratische Parteiprogramm galt bis 1891. Im Jahre 1917 erfolgte hier die Gründung der Unabhängigen Sozialdemokratischen Partei Deutschlands (USPD), die sich gegen die Fortsetzung des Krieges wandte und während der Revolutionszeit 1918/1919 für die Räterepublik eintrat.

*Schloß Friedenstein

Das Stadtbild wird beherrscht von dem imposanten Schloß Friedenstein (Frühbarock, 1643–1654), einer weiträumigen Dreiflügelanlage (100 m bzw. 140 m Flügellänge) mit schöner Barock-, Rokoko- und klassistischer Ausstattung. Das in den letzten Jahren aufwendig restaurierte Schloß entstand an Stelle der Festung Grimmenstein und wurde richtungweisend für spätere Schloßbauten nicht nur des Thüringer Raumes.

*Schloßtheater

Die Anlage beherbergt die Schloßkirche (Gruft mit Prunksärgen Gothaer Herrscher) und das Schloßtheater (Ekhof-Theater, originalgetreue Bühnenkulisse von 1683), das älteste im östlichen Teil Deutschlands erhaltene Barocktheater.

Schloß Friedenstein

Rathaus

Gotha

Stadtplan

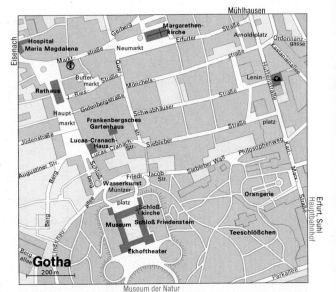

Museum der Natur

Achtung!
Im Zuge der politischen Neuorientierung sind weitere Umbenennungen zu erwarten.

Schloßmuseum	Das Schloßmuseum besitzt reiche Kunstschätze (u. a. "Gothaer Liebespaar", das weltbekannte erste deutsche Doppelbildnis; niederländischer Meister), ein Kupferstichkabinett (ca. 35 000 Blätter), ein Münzkabinett (ca. 100 000 Exponate), die Antiken- und die China-Sammlung.
Bibliothek	In der ebenfalls im Schloß untergebrachten Forschungsbibliothek befinden sich über 500 000 Bände, dazu etwa 5500 europäische sowie 3300 orientalische Handschriften; sie ist damit eine der bedeutendsten Sammlungen in Deutschland.
Volkskunde-museum	Ferner beherbergt Schloß Friedenstein das Museum für Regionalgeschichte und Volkskunde (Trachten, Musikinstrumente, Waffen u. a.).
＊Kartographisches Museum	Im ehemaligen Pagenhaus entstand 1985 ein Kartographisches Museum, das die berühmte kartographische Tradition der Stadt veranschaulicht.
Museum der Natur	Südlich des Schlosses erreicht man das Museum der Natur, erbaut im Stil der französischen Neorenaissance als erster Museumszweckbau in Deutschland.
Landschaftspark	In der Umgebung des Schlosses liegt der Landschaftspark von 1770. Von der Frontseite des Friedensteins bietet sich ein schöner Blick auf die Stadt. Rechts das wuchtige Denkmal für Ernst I., links davon die 'Wasserkunst' als künstlerische Fassung des im 14. Jh. angelegten Leinakanals (1892, Neubarock; Gedenktafel).

Sehenswertes im Stadtzentrum

＊Rathaus am Hauptmarkt	Mittelpunkt des in den letzten Jahren restaurierten Hauptmarktes ist das freistehende Rathaus, im besten Renaissancestil geschaffen (1567–1577), ursprünglich Kaufhaus, danach Residenz, seit 1665 Sitz des Rates der Stadt; reizvoll der barocke Schellenbrunnen. Beiderseits des Marktes sieht man hübsche alte Bürgerhäuser.

An der Ostseite des Hauptmarktes steht das aus dem 18. Jh. stammende Lucas-Cranach-Haus mit älterem Portal (Gedenktafel). Ebenfalls am Hauptmarkt das Geburtshaus von E. W. Arnoldi.

Lucas-Cranach-Haus

Am nahen Brühl steht das bekannte Hospital Maria Magdalenae, im 18. Jh. an Stelle eines früheren, wohl von der hl. Elisabeth von Thüringen errichteten Hospitals erbaut; figurengekröntes barockes Portal.

Hospital Maria Magdalenae

Am Klosterplatz stehen das Augustinerkloster und die Augustinerkirche (reiche Ausstattung, darunter Fürstenloge, Barockkanzel, gotisches Relief); im malerischen Kreuzgang Grabsteine bekannter Persönlichkeiten.

Augustinerkirche

Am Neumarkt steht die Margaretenkirche, als spätgotische Hallenkirche errichtet, im 17. und 18. Jh. barock umgebaut und nach schweren Schäden im Zweiten Weltkrieg wiedererrichtet; der Turm ist 65 m hoch.

Margaretenkirche

Im ehemaligen 'Tivoli' an der Straße der Pariser Kommune befindet sich die Gedenkstätte 'Gothaer Parteitag 1875'; der Kongreßsaal wurde in der ursprünglichen Form wiederhergestellt.

Gedenkstätte 'Gothaer Parteitag'

Auf dem Hauptfriedhof ein Krematorium von 1878 (erstes seiner Art in Europa) sowie eine stilvolle Urnenkolonnade; u. a. die Urne der Friedensnobelpreisträgerin (1905) Bertha von Suttner ("Die Waffen nieder!").

Hauptfriedhof

Im Ortsteil Siebleben steht das ehemalige Wohnhaus von Gustav Freytag, in dem der Schriftsteller von 1851 bis 1879 lebte.

Wohnhaus von Gustav Freytag in Siebleben

Umgebung von Gotha

Lohnend sind Ausflüge zum Großen Inselsberg (916 m ü. d. M.) im → Thüringer Wald (Naturschutzgebiet); herrliche Ausblicke.

*Großer Inselsberg

In Waltershausen (14 km südwestlich von Gotha), der alten thüringischen Puppenstadt, ist Schloß Tenneberg (1176 genannt; Vierflügelanlage aus dem 16. Jh.) mit Heimatmuseum (u. a. zur Geschichte der Puppenherstellung in Waltershausen) beachtenswert. Am Markt steht die Gotteshilfkirche, ein großer barocker Zentralbau (1719–1723).

Waltershausen

Im Waltershausener Ortsteil Schnepfental ist die Schule (ehem. Erziehungsanstalt von Ch. G. Salzmann) mit klassizistischer Reithalle (1784 bis 1793) sehenswert; dort befindet sich auch eine Gedenkstätte für Johann Christoph Friedrich Guts Muths (geb. 1759 in Quedlinburg, gest. 1839 in Ibenhain bei Waltershausen), den philanthropischen Wegbereiter des Turnsportes (alter Turnplatz mit rekonstruierten Turngeräten).

Schnepfental

In Friedrichroda (17 km südwestlich von Gotha) befindet sich Schloß Reinhardsbrunn (Hotel) mit großem Landschaftspark sowie neugotisch Schloß (1827–1835) und prunkvoller neuromanischer Schloßkirche (1857 bis 1874).

Friedrichroda

Unweit von Friedrichroda befindet sich die Marienglashöhle mit seltenen farblosen Kristallen (Besichtigung möglich).

*Marienglashöhle

In Ohrdruf (15 km südlich von Gotha), wo 723 der 'Apostel der Deutschen' Bonifatius seine Heidenmission in Thüringen mit der Gründung der Zelle St. Michael begann, steht Schloß Ehrenstein (1550–1590), ein Renaissancebau mit reichem Portal und mächtigem Turm (seit 1976 in Restaurierung); es war einst Residenz der Grafen von Gleichen. Im Heimatmuseum werden u. a. Bahrtücher und Gothaer Hauben gezeigt; sehenswerter Rokokosaal.

Ohrdruf

Ein Technisches Denkmal ist der Tobiashammer. Seinen Namen leitet er von seinem ersten Besitzer, Tobias Albrecht, ab, der bereits 1482 das Was-

*Tobiashammer

ser des Flusses Ohra als Energiequelle für sein Hammerwerk nutzte, in dem Kupfererze aus dem Gebiet um Mansfeld verarbeitet wurden; 1850 wurde der Betrieb durch den Bau eines Blechwalzwerkes mit einem Wärmeofen erheblich erweitert. Bis 1977 wurden hier Schalen, Stangen und Kessel hergestellt. Nach der Stillegung des Werkes konnten die Anlagen vor dem Abbruch bewahrt werden; 1982 setzte man den Kupferhammer als 'Traditionsobjekt industrieller Archäologie' wieder in Betrieb. Im Hammerhaus (hammer- und Walzwerk) existiert noch ein funktionsfähiges mit Wasserkraft betriebenes Pochwerk (Balkengerüst mit beweglichen Holzstempeln zum Zerkleinern von Altkupfer und Schlacke). In der früheren Villa des Unternehmers ist ein Museum eingerichtet, im Magazingebäude die Hammerschenke.

Georgenthal

In Georgenthal (17 km südlich von Gotha) befinden sich Reste eines ehemaligen Zisterzienserklosters (gegründet 1155, errichtet nach 1186). Im spätgotischen Kornhaus ein Heimatmuseum. Nordwestlich der Klosteranlage steht ein Renaissanceschloß. In der spätromanischen Dorfkirche ein reicher Orgelprospekt (18 Jh.).

Bad Langensalza

Bad Langensalza (18 km nördlich von Gotha) ist Kreisstadt und hat ein Schwefelbad (seit 1812). Sehenswert ist die Altstadt mit restaurierten Bürgerhäusern (Fassadenschmuck, geschnitzte Portale). Das Klopstockhaus an der Schloßstraße erinnert an den Aufenthalt des Dichters des "Messias" (1748–1750). Bad Langensalza ist Geburtsort des Arztes Christoph Wilhelm Hufeland (1762–1836). Am Markt das barocke Rathaus (1742–1752) und der Marktbrunnen (1582). Beachtung verdienen auch die spätgotische Kirche St. Bonifatius (14./15. Jh.) sowie die spätgotische Bergkirche St. Stephan (1394 gegründet) mit reicher Ausstattung. Das barocke Friederikenschlößchen (1749/1750) dient als Klubhaus. Von der alten Stadtbefestigung (12.–14. Jh.) sind 17 Türme und das 'Klagetor' erhalten. Heimatmuseum.

Arnstadt

⟶ Reiseziele von A bis Z: Arnstadt

Erfurt

⟶ Reiseziele von A bis Z: Erfurt

Greifswald

Bundesland: Mecklenburg-Vorpommern
Bezirk (1952–1990): Rostock
Höhe: 6 m ü.d.M.
Einwohnerzahl: 68000

Lage und
Bedeutung

Die alte Hansestadt Greifswald liegt in Vorpommern, 5 km westlich der Mündung des Ryck in den Greifswalder Bodden, ein Nebenmeer der Ostsee (⟶ Ostseeküste). Jahrhundertelang hat die Stadt eine bedeutende Rolle im Seehandel gespielt. Sie war Wirkungsstätte des deutschen Patrioten Ernst Moritz Arndt und des romantischen Malers Caspar David Friedrich. Das historische Stadtbild von Greifswald wurde vor den Zerstörungen des Zweiten Weltkrieges durch den mutigen Entschluß des damaligen Stadtkommandanten Oberst Rudolf Petershagen zur kampflosen Übergabe der Stadt bewahrt.
Heute ist Greifswald ein Mittelpunkt des kulturellen Lebens in der östlichen deutschen Ostseeküstenregion. Während der sozialistischen Ära der einstigen Deutschen Demokratischen Republik war die Wirtschaftsstruktur durch den Bau des Kernkraftwerkes Nord 'Bruno Leuschner'; bei dem nahen Ostseebad Lubmin), das Ende 1990 aus Sicherheitsgründen stillgelegt wurde, sowie von Betrieben der Nachrichtenelektronik, der Bau-, Bekleidungs- und Nahrungsmittelindustrie geprägt.
Wenngleich man versucht hat, die vom Zweiten Weltkrieg verschonte histo-

Stadtpanorama   *Rathaus am Markt*

rische Altstadt zu erhalten, macht sie heute einen insgesamt traurigen Eindruck; doch gibt es Anzeichen für die dringend notwendige Sanierung.
Bedeutung (Fortsetzung)

In der Nähe einer nach 1193 erwähnten Salzquelle bildete sich im zweiten Viertel des 13. Jh.s um die Marienkirche eine Handwerker- und Kaufmannssiedlung. 1241 erhielten die Mönche des 1199 gegründeten Zisterzienserklosters Eldena für ihre Siedlung das Marktrecht. 1248 wird das 'oppidum grifeswald' namentlich erwähnt. 1249 kam Greifswald in den Besitz der Herzöge von Pommern, die der Stadt 1250 das Lübische Stadtrecht verliehen. 1264 wurde die ab 1255 entstandene Neustadt um die Jakobikirche mit der Altstadt vereinigt. 1278 trat Greifswald dem Städtebund der Hanse bei. 1456 gründete der Bürgermeister Heinrich Rubenow die Universität, an der Wissenschaftler von Weltruf studierten bzw. lehrten: Ernst Moritz Arndt und Ulrich von Hutten, die Chirurgen Theodor Billroth und Ferdinand Sauerbruch.
Nach dem Dreißigjährigen Krieg kam die Stadt Greifswald zu Schweden (Schwedisch Pommern), 1815 wurde sie preußisch. Für viele Jahrzehnte war dann die Entwicklung auf die Universität hin orientiert.
Nach dem Zweiten Weltkrieg führte die planmäßige Entwicklung der Industrie zu umfangreichen Stadterweiterungen im Osten und Südosten.
Geschichte

Sehenswertes

Mittelpunkt des alten Stadtkerns ist der Markt mit dem mittelalterlichen Rathaus (14. Jh., ursprünglich ein gotischer Backsteinbau), 1738–1750 nach einer Feuersbrunst wiederaufgebaut (im 19. Jh. und 1936 verändert), und Bürgerhäusern im Stil der norddeutschen Backsteingotik.
*Markt Rathaus

Die meisten der vom Markt ausgehenden Straßen sind als kraftverkehrsfreier Bereich den Fußgängern vorbehalten, die Zufahrtsstraßen in schlechtem Zustand.
Fußgängerbereich

An der nahen Theodor-Pyl-Straße das Wohnhaus des Guardians (Vorsteher) des ehemaligen Franziskanerklosters (14. Jh.), jetzt Museum, u. a. mit Gedenkstätten für Ernst Moritz Arndt und Caspar David Friedrich.
Museum

Das älteste der Greifswalder Gotteshäuser ist die St.-Marien-Kirche (14. Jh.), ein Bau von gewaltiger Raumwirkung und mit ihrer kreuzrippengewölbten Backsteinhalle ein für Vorpommern typischer Bau; Anfang des 15. Jh.s wurde die Annenkapelle an der Südseite errichtet.
St.-Marien-Kirche

St.-Marien-Kirche (Fortsetzung)	Im Kircheninneren befinden sich u. a. zwei eindrucksvolle Kunstwerke: die Kanzel (1587; wertvolle Intarsienarbeit) und ein Gedenkstein (15. Jh.) für den 1462 ermordeten Bürgermeister Heinrich Rubenow.
＊Dom St. Nikolai	Der Dom St. Nikolai (urspr. 13. Jh.; im 14. Jh. nach Osten erweitert und umgebaut; 1980–1989 gründlich restauriert), ein gotischer Backsteinbau, beherrscht mit seiner geschweiften Barockhaube die Silhouette der Innenstadt. Bemerkenswert sind im Dominneren spätgotische Gemälde (Maria mit sieben betenden Professoren), gestiftet 1460 von Heinrich Rubenow, sowie mittelalterliche Wandmalereien (1420–1450).
Jakobikirche	Die Jakobikirche (13. Jh.) wurde zur dreischiffigen gotischen Backstein-Hallenkirche (14. Jh.) umgestaltet; sie hat ein Kreuzrippengewölbe.
Universität	Am Rubenowplatz liegt das im Barockstil errichtete Gebäude der Ernst-Moritz-Arndt-Universität (1747–1750); davor das Denkmal für den Universitätsgründer Heinrich Rubenow (1856, nach Entwurf von F. A. Stüler).
＊St. Spiritus	An der Ostseite des Rubenowplatzes liegt das Gebäudeensemble von St. Spiritus (13. Jh.). Dieses einstige Hospital ist bald nach der Stadtrechtsverleihung als Stiftung für alte, arme und kranke Bürger entstanden.
Stadtmauer	Die teilweise noch vorhandenen Stadtbefestigungsanlagen sind hauptsächlich während der Wallensteinschen Besetzung (1627–1631) errichtet worden.
Fangelturm	Ein Teil der Stadtmauer ist der Fangelturm aus dem 17. Jh. an der Hafenstraße.

Eldena

＊Ruine der Klosterkirche Hilda	Im Greifswalder Vorort Eldena steht die Ruine des ehemaligen Zisterzienserklosters Hilda (1199 gegründet), dessen kolonisatorischem Wirken die Stadt und viele Orte der Umgebung ihr Entstehen verdanken. Nach der Reformation 1535 aufgelöst, diente es den pommerschen Herzögen als Quartier, bis es 1634 der Universität geschenkt wurde. 1637 von schwedischen Truppen geplündert, verfiel das Kloster zusehends, bis es schließlich von den schwedischen Militärbehörden als Steinbruch weiter mißbraucht wurde. Erst durch die Gemälde Caspar David Friedrichs und aufgrund der romantischen Kunstanschauung stellte man ab 1828 die Ruine unter Denkmalschutz und leitete Maßnahmen zu ihrer Erhaltung ein. Hin und wieder finden hier kulturelle Veranstaltungen (u. a. Jazzkonzerte) statt.

Wieck

＊Klappbrücke	Im benachbarten Ortsteil Wieck an der Mündung des Ryck in das Dänische Wiek ist die hölzerne Klappbrücke (1887) – nach holländischem Vorbild – Anziehungspunkt für Touristen; dies gilt ebenso für den Leuchtturm sowie die alten Fischer- und Kapitänshäuser (teilweise mit Reet gedeckt).

Umgebung von Greifswald

Lubmin	Am Greifswalder Bodden liegt das Ostseebad Lubmin (20 km nordöstlich); in der Nähe befindet sich das Kernkraftwerk Nord, dessen Betrieb allerdings Ende 1990 stillgelegt wurde.

Ruine der Klosterkirche Hilda in Eldena ▶

Greifswald, Umgebung, Lubmin (Fortsetzung)	In Lubmin und in den Gemeinden der Umgebung – besonders in Freest und Kröslin (an der Mündung des Peenestromes in das Spandower-Hagener Wiek, gegenüber von Peenemünde auf der Ostseeinsel → Usedom) werden Teppiche geknüpft.
Ludwigsburg	In Ludwigsburg (10 km südwestlich von Lubmin) ist ein Renaissance-schloß (16. Jh.) bemerkenswert; östlich davon eine Kapelle (1708).
Grimmen	In der Kreisstadt Grimmen (Landstraße von Greifswald westwärts bis Poggendorf, 18 km, dann noch 8 km auf der F 194) sind das Rathaus aus dem 14. Jh. und die gotische Stadtkirche St. Marien mit Rats- und Zunftgestühl (16. Jh.) sehenswert; Tierpark mit etwa 300 Tieren (ca. 90 Arten).
Insel Usedom	→ Reiseziele von A bis Z: Usedom
Stralsund	→ Reiseziele von A bis Z: Stralsund
Insel Rügen	→ Reiseziele von A bis Z: Rügen

Greiz   E 5

Bundesland: Thüringen
Bezirk (1952–1990): Gera
Höhe: 250–476 m ü. d. M.
Einwohnerzahl: 34 000

Lage und Bedeutung	Die Stadt Greiz liegt – 33 km südlich von → Gera – in einem langgestreckten Becken des schmalen Waldtales der Weißen Elster (→ Elstertal). Der Ort im nördlichen → Vogtland wird von waldreichen Höhenzügen und Berghängen umrahmt. Die ehemalige Residenzstadt des kleinen Fürstentums Reuß wird im Volksmund auch als 'Perle des Vogtlands' bezeichnet. Greiz ist ein Hauptort der ostthüringischen Textilindustrie mit Woll- und Seidenwebereien sowie ein Standort der chemischen Industrie.
Geschichte	Die Siedlung war ursprünglich slawisch; die vermutlich im 12. Jh. gegründete deutsche Burgsiedlung findet 1209 Erwähnung. Durch die Erbteilung des Greizer Gebietes von 1449 wurde die 1359 erstmals urkundlich belegte Stadt unter die Herrschaften Ober- und Unter-Greiz mehrfach aufgeteilt. 1768 wurden beide Teile vereinigt; Greiz war bis 1918 die Hauptstadt des Fürstentums Reuß (ältere Linie). Lausitzer Tuchmacher verhalfen der Stadt zu einem guten Ruf als Textilstadt, die bereits früh für ferne Märkte lieferte.

Sehenswertes

*Oberes Schloß	Das Stadtbild wird beherrscht vom Schloßberg mit dem Oberen Schloß (im Kern mittelalterlich, nach Brand 1540 wiedererrichtet, im 18. Jh. weiter ausgebaut), einer unregelmäßigen Mehrflügelanlage über fast elliptischem Grundriß; zahlreiche Ziergiebel am Ostflügel. Beachtung verdienen Reste der Renaissance-Ausstattung sowie mehrere Säle und Zimmer mit Barock- und Rokokodekor.
Unteres Schloß	Rechts der Elster erstreckt sich die Altstadt mit dem Unteren Schloß (Kernanlage 16. Jh.; nach Brand 1802–1809 klassizistisch erneuert); aus dieser Zeit stammen noch einige Ausstattungsstücke. Der Anbau mit Turm entstand 1885/1886 (heute Heimatmuseum).
Hauptwache	Baukünstlerisch interessant ist auch die klassizistische Hauptwache, die 1817–1819 erbaut wurde (heute Sitz des Fremdenverkehrsamtes).

Sommerpalais

Sehenswert ist im Greizer Park, der um 1650 als kleiner barocker Lust-   ※Sommerpalais
garten begonnen und um 1800 in einen Landschaftspark nach englischem   (Sammlungen)
Muster umgewandelt wurde, das Sommerpalais (1779–1789), ein zweiein-
halbgeschossiger frühklassizistischer Bau. In seinen Räumen befinden
sich die Kunstsammlungen des Greizer Satiricums (Karikaturen, satirische
Pressezeichnungen von Hogarth und Daumier bis zur Gegenwart) sowie
die Bücher- und Kupferstichsammlung (englische Schabkunstblätter,
Kupferstiche und Holzdrucke). Aus der fürstlichen Bibliothek hervorgegangen, umfaßt die Bibliothek heute rund 24 000 Bände, vorwiegend
Werke der französischen Aufklärung und der Goethezeit.

Sehenswert ist auch die dreischiffige Stadtkirche St. Marien (nach Brand   ※Stadtkirche
1802 wiedererrichtet), die eine klassizistische Ausstattung hat.   St. Marien

Inmitten der Stadt erfüllt wieder der alte Röhrenbrunnen seine Funktion;   Röhrenbrunnen
eine etwa drei Kilometer lange Holzleitung verbindet ihn mit den Quellen
am Stadtrand. Dem Wasser wurden einst Heilkräfte zugesprochen.

Umgebung von Greiz

Ein lohnendes Ausflugsziel ist das Naherholungszentrum Waldhaus (4 km   Waldhaus
mit Autobus über Greiz-Pohlitz) mit Tiergehege, Landeskulturkabinett,
Naturlehrpfad und Gaststätte.

Im sächsischen Mylau (8 km südöstlich von Greiz) – einst bekannt für seine   **Mylau**
Stoffdrucke – verdient die Burg (jetzt Rathaus und Museum) Erwähnung.
Diese stattliche, im Kern vom Ende des 12. Jh.s stammende, unter Kaiser
Karl IV. umgebaute und gegen Ende des 19. Jh.s restaurierte (dabei
Umbau des Palas zum Rathaus) Baugruppe liegt auf einer freien Anhöhe;

▲ *Göltzschtalbrücke*

Greiz, Umgebung, Mylau (Forts.)	1907/1908 Neubau des südwestlichen Gebäudekomplexes im äußeren Hof. In der Mylauer Pfarrkirche befindet sich eine Silbermann-Orgel (1731).
**Göltzschtal- brücke	Im Westen von Mylau überspannt die berühmte Göltzschtalbrücke, eine der größten, aus Ziegelsteinen erbauten Bogenbrücken, die Göltzsch, einen Zufluß der Weißen Elster. Hierbei handelt es sich um ein technisches Denkmal aus der Frühzeit des Eisenbahnbaues: Die in den Jahren 1846–1851 von den Ingenieuren A. Schubert und R. Wilke errichtete Brücke ist insgesamt 574 m lang und 78 m hoch, hat bis zu vier Etagen und 81 Bögen.
Hohenleuben	In Hohenleuben (etwa 15 km nordwestlich von Greiz) steht die Burgruine Reichenfels, in deren Wirtschaftshof sich ein Heimatmuseum befindet. Die Pfarrkirche ist ein klassizistischer Bau (1786 begonnen, 1851 vollendet).
Zeulenroda	In Zeulenroda (F 94, 17 km westlich von Greiz) gibt es ein klassizistisches Rathaus (1825–1828), die Pfarrkirche zur Heiligen Dreieinigkeit, einen klassizistischen Bau (1819/1820) mit dreigeschossigen Emporen, und nahezu einheitliche klassizistische Bürgerhäuser am Markt.
Talsperren	Westlich der Stadt liegt die Talsperre Zeulenroda, nördlich die Waida-Talsperre.

Güstrow B 5

Bundesland: Mecklenburg-Vorpommern
Bezirk (1952–1990): Schwerin
Höhe: 8 m ü. d. M.
Einwohnerzahl: 39 000

Lage und Bedeutung	Güstrow, die einstige Residenz der Herzöge von Mecklenburg-Güstrow, liegt – rund 40 km südlich von → Rostock – im Tal der Nebel. Mit Dom, Schloß und Ernst-Barlach-Gedenkstätte sowie zahlreichen Baudenkmälern der Altstadt bietet die Stadt Sehenswürdigkeiten von hohem Rang. Mit mehreren Betrieben hauptsächlich der Nahrungs- und Konsumgüter-

industrie ist Güstrow ein wirtschaftliches Regionalzentrum. Weiterreichende Funktionen haben die Bildungs-, Forschungs- und Kulturstätten der Stadt.

Lage und
Bedeutung
(Fortsetzung)

Nördlich des Domes (gestiftet 1226) planvoll angelegt und 1228 erstmals als Stadt bezeugt, ging Güstrow rasch seiner wirtschaftlichen Blüte entgegen (14./15. Jh.; Tuchproduktion, Wollhandel und Bierbrauerei). Mit Unterbrechungen war es mehrfach Residenzstadt – ein Umstand, der das wirtschaftliche und geistig-kulturelle Leben sowie den kunstvollen Ausbau der Stadt nachhaltig beeinflußte –, zuletzt (1621–1695) der Linie von Mecklenburg-Güstrow, 1628–1630 des zum Herzog beider Mecklenburg erhobenen A. v. Wallenstein. Kriegsnöte behinderten bis ins ausgehende 18. Jh. die städtische Entwicklung.

Geschichte

Zentrale Gewerbeausstellungen und Sitzungen des Hof- und Landgerichts (seit 1708) sowie der Anschluß an das Bahn- und Schiffsverkehrsnetz führten im 19. Jh. zu einem neuen Aufschwung, der bald auch eine bescheidene Holz- und Eisenindustrie heimisch werden ließ.

Im Jahre 1910 wählte der Bildhauer, Graphiker und Dichter Ernst Barlach Güstrow zu seiner Heimat und schuf hier, von den Nationalsozialisten verfemt und in seinen Arbeitsmöglichkeiten eingeschränkt, bis zu seinem Tode (1938) Bildwerke, die in ergreifender Weise Klage und Trostbedürftigkeit des Menschen bezeugen.

Sehenswertes in Güstrow

Im Süden der Stadt steht am Franz-Parr-Platz das Schloß (begonnen 1558–1566 unter F. Parr, Nordflügel 1587–1589 unter Ph. Brandin, Ostflügel bis 1598), der bedeutendste norddeutsche Renaissancebau, mit vielfältiger Gliederung der Stadtfront und reich dekorierten Innenräumen (Stuckdecken, Deckenmalereien).

*Schloß

Seit seiner umfassenden Instandsetzung (1964–1972) ist das Schloß kulturelles Zentrum von Güstrow: Schloßmuseum (Malerei, Plastik und Kunsthandwerk deutscher, italienischer und niederländischer Meister des 16. Jh., Sammlung antiker Gefäßkeramik), Stadt- und Kreisbibliothek, Konzertsaal; Renaissancegarten.

Güstrow

Heilig-Geist-Kapelle	Nordöstlich vom Schloß sieht man den schlichten gotischen Backsteinbau der Heilig-Geist-Kapelle (14. Jh.; 1863 stark verändert).
Theater	Nordwestlich der Kirche steht das Ernst-Barlach-Theater, das älteste Theater Mecklenburgs (Klassizismus, 1828/1829).
Stadtmuseum	Am Franz-Parr-Platz (Nr. 7) ist in einem Barockbau, der im 17. Jh. errichtet wurde, das Stadtmuseum untergebracht (Regional- und Stadtgeschichte, Kunsthandwerk.
*Dom	Im Südwesten der Stadt erhebt sich der gotische Dom St. Maria, St. Johannes Evangelista und St. Cäcilia (1226–1335, spätere Zusätze). Zu den äußerst bemerkenswerten Ausstattungsstücken zählen der spätgotische Hochaltar mit Tafelbildern aus der Passion Christi (um 1500), die "Güstrower Domapostel" des Lübecker Meisters C. Berg (um 1530), das Kruzifix (um 1370), die Epitaphe für Herzog Ulrich III. und seine Gemahlin sowie die Genealogie des Hauses Mecklenburg (1585–1599, Ph. Brandin).
*Barlach-Skulptur	In der Nordhalle Barlachs Bronzeskulptur "Der Schwebende" (urspr. von 1926/1927; 1944 zu Rüstungszwecken eingeschmolzen; Neuguß 1952).
Domplatz	Am Domplatz stehen beachtenswerte Renaissance-Wohnhäuser (Nr. 14, 15/16 und 18) aus dem 16./17. Jahrhundert.
Rathaus	Die Domstraße führt zum Markt, der mit dem Umbau des noch ins 16. Jh. zurückreichenden Rathauses (1797/1798) einen recht einheitlichen klassizistischen Charakter erhielt.
Pfarrkirche St. Marien	Auch die Stadtpfarrkirche St. Marien (im wesentlichen 1503–1522) wurde im 19. Jh. umgestaltet. Beachtenswert ist ihr spätgotischer Flügelaltar (Borman-Altar, 1522).
**Barlach-Werke in der Gertrudenkapelle	Die Gertrudenkapelle (um 1430) nordwestlich der Altstadt ist heute Ernst-Barlach-Gedenkstätte. Sie birgt bedeutende und charakteristische Werke des Bildhauers, so u. a. "Wanderer im Wind", "Der Apostel", "Der Zweifler", "Gefesselte Hexe" und "Mutter Erde".
*Barlach-Atelier	Ernst Barlachs 1931 bezogenes Atelierhaus (Heidberg Nr. 15) mit dem größten Teil des künstlerischen Nachlasses (über 100 Plastiken, ferner Zeichnungen, Druckgraphiken, Bücher) wurde als museale Gedenkstätte neu gestaltet und ist seit 1978 für Besucher zugänglich.

Umgebung von Güstrow

Reinshagen-Gremmelin	In Reinshagen-Gremmelin (13 km östlich, nahe dem Autobahnanschluß Güstrow) findet man Bauten, wie sie in Mecklenburg für Dörfer, die zu großen Gütern gehörten, typisch waren: Reinshagen mit Dorfkirche (13. Jh.), Wassermühle (17.–20. Jh.) und Ausspanne (17. Jh.); Gremmelin mit Gutshäusern (18. und 20. Jh.) und Landarbeiterkaten (um 1800). Seit der sozialistischen Bodenreform nach 1945 traten neue Siedlungselemente hinzu.
Mecklenburgische Schweiz	⟶ Reiseziele von A bis Z: Mecklenburgische Schweiz
Bützow	In Bützow (etwa 12 km nordwestlich von Güstrow) sind die frühgotische Backsteinkirche (mit spätgotischem Flügelaltar und Renaissancekanzel, 1617) und das neugotische Rathaus (1846–1848) sehenswert.
Groß Raden	Etwa 3,5 km nördlich der Kreisstadt Sternberg (F 4, 26 km südwestlich von Güstrow) liegt das zu Sternberg eingemeindete Dorf Groß Raden (1256 als 'Radim' bezeugt); unweit nordöstlich gelangt man zu einem altslawischen

Güstrow: Barlach-Atelier

Tempelort (im Norden des Gebietes der Warnower, eines Teilstammes der Obotriten), dessen Burgwall und Siedlungsgelände sich auf einer flachen Halbinsel am 'Binnensee' befinden, der früher mit dem Großen Sternberger See verbunden war. Der Burgwall ist erstmals 1842 erwähnt, intensive Forschungsgrabungen wurden jedoch erst 1973–1980, im wesentlichen unter Leitung des Archäologen Ewald Schuldt (1914–1987) durchgeführt.

Güstrow, Umgebung, Groß Raden (Fortsetzung)

Das von Ewald Schuldt gegründete, noch im Aufbau befindliche Archäologische Freilichtmuseum Groß Raden umfaßt bereits ein Museumshaus mit Schautafeln, Modellen und interessanten Exponaten sowie die rekonstruierte Burg mit der Zugangsbrücke; des weiteren sollen u.a. Flechtwand- und Blockhäuser, Tempel und Schmiede wiedererrichtet werden.

Archäologisches Freilichtmuseum

⟶ Reiseziele von A bis Z: Schwerin

⟶ Reiseziele von A bis Z: Mecklenburger Seen

⟶ Reiseziele von A bis Z: Rostock

Landeshauptstadt Schwerin
Mecklenburgische Seen
Hansestadt Rostock

Halberstadt

D 4

Bundesland: Sachsen-Anhalt
Bezirk (1952–1990): Magdeburg
Höhe: 125 m ü.d.M.
Einwohnerzahl: 47000

Halberstadt, die mittelalterliche Bischofsstadt, liegt – rund 40 km südwestlich von ⟶ Magdeburg – an der Holtemme und ist heute Mittelpunkt des nördlichen Harzvorlandes, bekannt wegen seiner Baudenkmäler. Als

Lage und Bedeutung

Bedeutung
(Fortsetzung)

'Tor zum ⟶ Harz' ist Halberstadt ein wichtiger Verkehrsknotenpunkt und wirtschaftliches Regionalzentrum.

Geschichte

Nach Verlegung des um 780/781 gegründeten Missionsstiftes von Seligenstadt, dem heutigen Osterwieck, nach Halberstadt ist dort der Bischofssitz bereits für das Jahr 827 urkundlich belegt und eine Siedlung an der Furt der Holtemme nachweisbar. 1108 erstmals als Stadt bezeichnet, erhält die Siedlung 1184 Goslarer Stadtrecht und tritt 1387 der Hanse bei. 1486 muß sich die Stadt dem Bischof unterwerfen. Die Angliederung an Brandenburg-Preußen erfolgte 1648. In der zweiten Hälfte des 18. Jh.s erlangte Halberstadt eine Zeit geistig-kultureller Blüte durch den Kreis um den Dichter Johann Wilhelm Ludwig Gleim (1719–1803).
Noch im April 1945, also kurz vor dem Ende des Zweiten Weltkrieges, wurde Halberstadt durch Luftbombardements zu gut vier Fünfteln zerstört. Im Zuge des langwierigen Wiederaufbaus sind zwar bedeutende Bauten rekonstruiert worden; erhaltene einfachere Bausubstanz verfällt jedoch zusehends.

Sehenswertes

*Dom

Wahrzeichen der Stadt ist der Dom St. Stephanus, ein gotischer Bau als dreischiffige Basilika mit Querschiff (Baubeginn 1239; Schlußweihe 1491). Zu den bemerkenswertesten deutschen Bauten der Gotik wird die Westfassade mit zwei hohen gotischen Türmen gerechnet.
Von der Ausstattung des Domes sind besonders hervorzuheben die Glasmalereien auf etwa 450 Scheiben der Kirchenfenster, die romanische fünffigurige Triumphkreuzgruppe sowie zahlreiche Grabdenkmäler.

**Domschatz

Der obere Kreuzgang beherbergt den berühmten Domschatz, eine reiche Sammlung liturgischer Gewänder und Geräte, Bildteppiche und Plastiken.

Dompropstei

Die Dompropstei wurde als Renaissancebau (1592–1611) vom ersten protestantischen Bischof Halberstadts errichtet.

Domkurie
(Städtisches
Museum)

Neben dem Dom befindet sich die ehemalige Spiegelsche Domkurie (Domplatz Nr. 36), ein 1782 vollendeter Barockbau; heute ist dort das Städtische Museum untergebracht. Es besitzt Sammlungen zur Ur- und Frühgeschichte, sakrale Holzplastiken, Möbel, mittelalterliche Keramik und Zinn, ferner Dokumente über die Arbeiterbewegung und zur jüngeren Geschichte.

*Liebfrauenkirche

An der Westseite des Domplatzes steht die Liebfrauenkirche, eine romanische Basilika (12. Jh.) mit Querschiff; wertvolles Stuckrelief an den Chorschranken.

Petershof

Nördlich der Liebfrauenkirche liegt der Petershof, die einstige Bischofsresidenz, mit Resten der Renaissance-Architektur.

Heineanum

Am Domplatz (Nr. 37) befindet sich das Heineanum, ein Museum für Vogelkunde. Mitte des 19. Jh.s von Ferdinand Heine begründet, war es damals eine der größten und artenreichsten Privatsammlungen Europas. Es beherbergt heute mehr als 22000 Exponate, darunter mehr als 16000 Vogelpräparate und 5000 Gelege sowie eine reichhaltige ornithologische Fachbibliothek.

*Gleimhaus

Das Gleimhaus (Domplatz Nr. 31) ist ein dem Leben und Werk des Dichters Johann Wilhelm Ludwig Gleim (†1803 in Halberstadt) gewidmetes Gedenkmuseum mit einer Bibliothek von 20000 Bänden, 15000 Graphiken und 10000 Originalhandschriften sowie Porträts von Zeitgenossen.

Kirchen außerhalb
des Dombezirkes

Sehenswerte sakrale Bauwerke außerhalb des Dombezirkes sind: die Marktkirche St. Martini, eine dreischiffige gotische Hallenkirche (13. Jh.;

Dom: Apostelteppich (Detail) im Domschatz ...　　*... und Blick ins Mittelschiff der Basilika*

Gleimhaus am Domplatz

Kirchen außerhalb des Dombezirkes (Fortsetzung)	an der Westseite des Gebäudes eine Rolandsfigur von (1433); die Pfarrkirche St. Katharinen (ehem. Dominikanerklosterkirche), eine dreischiffige gotische Hallenkirche (nach 1300); die 1945 zerstörte Franziskanerklosterkirche St. Andreas, eine ursprünglich dreischiffige gotische Hallenkirche (nach 1300; heute einschiffig ohne Säulen).
Friedensmahnmal	Die Ruine der Französisch-Reformierten Kirche (1713–1718) ist als ein Friedensmahnmal erhalten.
Vogtei	In der nördlich des Dombezirkes gelegenen sog. Vogtei gibt es noch etliche Fachwerkhäuser, die allerdings weitgehend verfallen sind.
Museum für Wohnkultur	In der Vogtei Nr. 48 hat man das Museum 'Bürgerliche Wohnkultur um 1900' eingerichtet.

Umgebung von Halberstadt

Jagdhaus Spiegelsberge	Südlich der Stadt steht das Jagdhaus Spiegelsberge (jetzt Gaststätte), ein Barockbau (1769–1782); im Keller befindet sich das 'Große Weinfaß' (aus dem Gröninger Schloß) mit 132760 l Fassungsvermögen, gefertigt 1594 von M. Werner, dem Erbauer des Heidelberger Fasses. Parkanlage mit dem Mausoleum des Freiherrn von Spiegel, vielen Grotten, zwei Aussichtstürmen und einem Tiergehege.
Langenstein	Bei Langenstein (F 81, 7 km südwestlich von Halberstadt) befindet sich die Gedenkstätte Zwieberge für 8000 ermordete Häftlinge eines Außenlagers des NS-Konzentrationslagers Buchenwald (bei → Weimar).
Huy ＊Huysburg	Rund 10 km nordwestlich von Halberstadt liegt der Huy (= Höhe), ein rund 20 km langer, bewaldeter Höhenzug aus Muschelkalk. Die Huysburg südlich von Dingelstedt, ehemals ein Benediktinerkloster (heute Priesterseminar), ist teilweise erhalten. Die frühere Klosterkirche (katholisch) ist eine der bedeutendsten romanischen Kirchen im Umkreis des Harzes (um 1121 geweiht). Der Westbau, die Dächer und Giebel sind als gotische Bauteile angefügt. Sehenswert ist die barocke Innenausstattung, u.a. der Hochaltar (1777 bis 1786) mit einem Gemälde (Stratmann aus Paderborn), zwei Nebenaltäre (1793, Hinse aus Hildesheim), die Kanzel (um 1730) und der Taufstein (Ende 17. Jh.); ferner Grabdenkmäler aus dem 14. und 18. Jahrhundert.
Osterwieck	Das etwa 27 km nordwestlich von Halberstadt gelegene, im 8. Jh. als Seligenstadt im Harzvorland gegründete Osterwieck hat sich sein mittelalterliches Ortsbild mit zahlreichen Fachwerkbauten aus dem 16. und 17. Jh. bewahrt. Die Stephanskirche hat ein romanisches Westwerk, während Langhaus und Chor im Stil der Spätgotik geschaffen sind.
Dedeleben	Bei Dedeleben (29 km nordwestlich von Halberstadt) steht die Westerburg, die am besten erhaltene Wasserburganlage des Nordharzgebietes, mit einer gotischen Kernburg und eindrucksvollen Gräben und Wällen.
Hamersleben ＊Stiftskirche	In Hamersleben (24 km nördlich von Halberstadt) befindet sich mit der dortigen katholischen Stiftskirche einer der bedeutendsten Bauten der Hochromanik im östlichen Teil Deutschlands. Die dreischiffige, flachgedeckte Säulenbasilika (1111/1112 begonnen) mit besonders schönen Würfelkapitellen enthält Chorschranken mit figürlichem Schmuck (um 1200), eines der ältesten romanischen Altarziborien auf deutschem Boden (auf Säulen ruhender, baldachinartiger Überbau; frühes 13. Jh.), Reste spätgotischer Fresken und gute Barockausstattungsstücke. Ferner sind Teile des spätgotischen Kreuzganges (Ende 15. Jh.) erhalten; die Klostergebäude wurden um die Mitte des 18. Jh.s erneuert.

In Gröningen (F 81, 13 km nordöstlich von Halberstadt) gibt es noch geringe Reste des Schlosses (1586); im Kloster die Klosterkirche St. Veit des ehemaligen Benediktinerklosters (936 gegr.), ursprünglich eine dreischiffige Flachdeckenbasilika (12. Jh.) mit Gewölbemalereien und romanischem Taufstein.

Halberstadt, Umgebung (Fortsetzung) Gröningen

Kroppenstedt (F 81, 20 km nordöstlich von Halberstadt) hat ein spätgotisches Rathaus; gegenüber steht ein Freikreuz von 1651. Die Pfarrkirche St. Martin ist eine vierschiffige Hallenkirche mit Holzdecke (spätgotisch); an der Nordseite zwei Renaissanceportale (1611 bzw. 1616).

Kroppenstedt

In Wegeleben (12 km östlich von Halberstadt) sind eine dreischiffige frühgotische Basilika mit Querschiff (um 1300) und das Rathaus mit Freitreppe und Uhr (Renaissance, 1592; Umbau 1711) sehenswert.

Wegeleben

⟶ Reiseziele von A bis Z: Wernigerode

Wernigerode

⟶ Reiseziele von A bis Z: Quedlinburg

Quedlinburg

⟶ Reiseziele von A bis Z: Harz

Auf den **Brocken**

Halle an der Saale   D 4/5

Bundesland: Sachsen-Anhalt
Bezirk (1952–1990): Halle
Höhe: 76–136 m ü. d. M.
Einwohnerzahl: 330000

Die über tausendjährige Stadt Halle liegt an der unteren Saale (⟶ Saaletal), unterhalb der Mündung der Weißen Elster (⟶ Elstertal), am Westrand der fruchtbaren, braunkohlenreichen Leipziger Tieflandsbucht.

Lage

Als Geburtsstadt Georg Friedrich Händels, als Universitätsstadt und Sitz der Deutschen Akademie der Naturforscher 'Leopoldina' ist Halle ein kulturelles und wissenschaftliches Zentrum in Mitteldeutschland.
Aufgrund der Salzgewinnung entwickelte sich Halle früh zu einem Handelsplatz. Mit dem Aufkommen des Braunkohleabbaus, der chemischen Industrie sowie des Maschinen- und Fahrzeugbaus wurde es zu einer bedeutenden Industriestadt und einem wichtigen Verkehrsknotenpunkt.

Bedeutung

Die erstmals im Jahre 806 genannte Siedlung wurde zur Erschließung der Salzquellen und an wichtigen Handelswegen an einem Saaleübergang errichtet. Durch den Salzhandel gelangte die Stadt bald zu Reichtum. Seit 961 zum Erzbistum Magdeburg gehörend, gelang es der Bürgerschaft erst 1541, im Zuge der Reformation, die Macht der Erzbischöfe abzuschütteln. 1680 kam Halle zu Preußen. Die 1694 gegründete Universität wurde im 17./18. Jahrhundert zu einem Hauptort der Aufklärung und des Pietismus; Hauptvertreter dieser beiden Strömungen waren der Jurist Chr. Thomasius, der Philosoph Chr. Wolff, der Theologe und Pädagoge A. H. Francke und der Mediziner Fr. Hoffmann; 1804–1806 war hier der evangelische Theologe F. D. E. Schleiermacher Professor und Universitätsprediger.

Geschichte

In der zweiten Hälfte des 19. Jh.s entwickelte sich Halle zur Industriestadt; schon 1840 war die Stadt an das Eisenbahnnetz angeschlossen worden. Im Jahre 1890 fand hier das erste Parteitag der SPD nach der Aufhebung des Sozialistengesetzes statt. Von den Bombenangriffen des Zweiten Weltkrieges wurde die Stadt nur wenig betroffen. Aus dem heute zu Halle eingemeindeten Reideburg stammt der liberale Politiker H.-D. Genscher (geb. 1927), der 1952 in die Bundesrepublik Deutschland übersiedelte und seit 1974 als ihr erfolgreicher Außenminister wirkt.

Halle an der Saale

Geschichte
(Fortsetzung)

Im Jahre 1963 beschloß man, in unmittelbarer Nachbarschaft von Halle für die Chemiearbeiter der nahen Buna-Werke (Schkopau) und der Leuna-Werke die Wohnstadt Halle-Neustadt mit etwa 33 000 Wohnungen zu errichten, der 1967 (91 800 Einw.) sogar eigenes Stadtrecht zuerkannt, 1990 jedoch zu Halle eingemeindet wurde.

Von 1952 bis 1990 war Halle Hauptstadt ('Bezirksstadt') des gleichnamigen DDR-Bezirkes. Nach der Wiedereinführung der Länder auf dem Gebiet der einstigen Deutschen Demokratischen Republik bewarb sich Halle um die Hauptstadtfunktion des neuen Bundeslandes Sachsen-Anhalt, die letztlich jedoch der Stadt → Magdeburg übertragen wurde.

Altstadt

Mittelalterlicher
Stadtgrundriß

Das Hallenser Stadtzentrum, dessen mittelalterlicher Grundriß weitgehend erhalten ist, befindet sich bereichsweise in Restaurierung bzw. Neugestaltung.

Fußgängerzone

Am Verkehrsknoten unweit nordwestlich vom Hauptbahnhof beginnt die Fußgängerzone, welche sich durch die Leipziger Straße (Gründerzeitfassaden, Jugendstildekor) in das altstädtische Zentrum erstreckt.

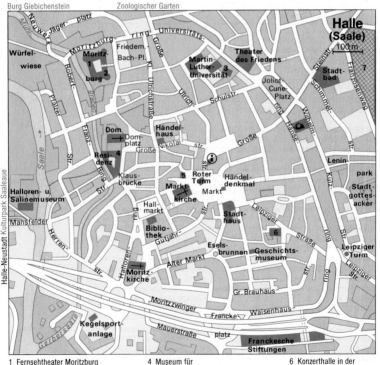

1 Fernsehtheater Moritzburg
2 Staatliche Galerie Moritzburg
3 Robertinum
   (Archäologisches Museum)
4 Museum für
   Mitteldeutsche Erdgeschichte
   (Geiseltalmuseum)
5 Galerie Marktschlößchen
6 Konzerthalle in der
   ehemaligen Ulrichskirche
7 Kliniken der
   Martin-Luther-Universität

Achtung! Im Zuge der politischen Neuorientierung sind weitere Namensänderungen zu erwarten.

Historische Tracht der Halloren   *Marktkirche, Händeldenkmal und Roter Turm*

An der Kreuzung mit dem Hansering steht der Leipziger Turm (15. Jh.), ein Rest der ehemaligen Stadtbefestigung.   Leipziger Turm

Die ehemalige Ulrichskirche (1319–1341), ein zweischiffiger Hallenbau, ist seit 1976 Konzerthalle.   Ehemalige
Ulrichskirche

Die Leipziger Straße mündet auf den geräumigen und eindrucksvollen Marktplatz mit seinen fünf Türmen.   *Marktplatz

Auf dem Platz der Rote Turm (1418–1506), ein freistehender Glockenturm (84 m); er war einst Ausdruck des Selbstbehauptungswillens des städtischen Bürgertums. Die Umbauung aus Stahl und Glas (1976) wird für Ausstellungen genutzt. Am Turm sieht man die steinerne Kopie (1719) eines hölzernen Rolands von 1250.   *Roter Turm

Auf dem Marktplatz steht ferner das bekannte Händeldenkmal (1859, H. Heidel).   Händeldenkmal

Die viertürmige Marktkirche St. Marien, seit 1529 an Stelle zweier romanischer Vorgängerkirchen errichtet, ist eine dreischiffige spätgotische Hallenkirche ohne Chor. In der Kirche predigte Martin Luther, auf der Orgel spielte Georg Friedrich Händel.   *Marktkirche
St. Marien

An der Ostseite des Marktes steht der Ratshof (1928–1930), an der Südseite das Stadthaus (1891–1894), ein Pseudorenaissancebau. An der Westseite, etwas zurückgesetzt, das Marktschlößchen, ein Ausstellungen dienender Spätrenaissancebau.   Ratshof
Stadthaus
Marktschlößchen

Südlich vom Markt (Große Märkerstraße Nr. 10) befindet sich das Geschichtsmuseum der Stadt Halle; es wurde in dem ehemaligen Wohnhaus des Philosophen Chr. Wolff eingerichtet.   Geschichtsmuseum

Auf dem Alten Markt, einer der ältesten Platzanlagen der Stadt, steht ein Jugendstilbrunnen (1906); Brunnenplastik "Der Esel, der auf Rosen geht".   Alter Markt

Vom Alten Markt sind es nur wenige Schritte zur Moritzkirche (1388–1511), einer dreischiffigen spätgotischen Hallenkirche; sie ist ausgestattet mit Plastiken des Konrad von Einbeck.   Moritzkirche

*Franckesche
Stiftungen

Am südöstlichen Innenstadtrand liegen am Franckeplatz die Francke-schen Stiftungen, ein auf Veranlassung des Pietisten A.H. Francke als Armenhaus und Waisenschule nach 1698 errichteter Gebäudekomplex (Francke-Denkmal von Ch.D. Rauch, 1829).
Im Hinblick auf die dringend notwendige Sanierung der Bauten sowie die Wiederbelebung des Franckeschen Stiftungswerkes ist jüngst ein Zusammenwirken mit der berühmten Herzog-August-Bibliothek in Wolfenbüttel und der Volkswagen-Stiftung in Aussicht genommen worden.

*Händelhaus

Unweit nordwestlich vom Markt (Große Nikolaistraße Nr. 5) steht das Händelhaus, Geburtshaus des Komponisten (geb. 1685) und Museum.

Hallmarkt

Unmittelbar westlich grenzt an den Marktplatz der alte Hallmarkt, ein 1866–1890 an der Stelle ehem. Salzgewinnungsstätten angelegter Platz.

Halloren- und
Salinenmuseum

Vom Hallmarkt lohnt ein Abstecher zum Halloren- und Salinenmuseum auf der Salinenhalbinsel an der Mansfelder Straße. Gezeigt werden die Salzgewinnung in einer Siedepfanne und das Brauchtum der Halloren genannten Salinenarbeiter. Monatlich findet jeweils an einem Sonntag ein Schausieden statt, wobei auch der Silberschatz der Halloren gezeigt wird.

Dom

Nordwestlich vom Markt – durch die Große Klausstraße zur Domstraße und zum Domplatz – steht der Hallenser Dom (mit Rundgiebeln), eine ursprünglich frühgotische Hallenkirche (1280–1330), die mehrmals baulich verändert und durch die Residenz (1531–1537) ergänzt wurde.

Geiseltalmuseum

Am Domplatz befindet sich das Geiseltalmuseum; dort werden die in der Braunkohle des nahen Geiseltales gefundenen Fossilien gezeigt.

*Moritzburg

Mühlgasse und Schloßberg führen hinauf zur Moritzburg, 1484–1503 als Zwingburg der Erzbischöfe von Magdeburg gegen die Hallenser Bürgerschaft errichtet, an einem Saalearm gelegen und an den Stadtmauerring angelehnt; sie ist auf drei Landseiten von Gräben umgeben. Während des Dreißigjährigen Krieges (1637) brannte sie aus.

Galerie Moritzburg

Anfang des 20. Jh.s wurde die Burg als Museum neu errichtet – in Anlehnung an das ehemalige Talamtsgebäude der Halloren am Hallmarkt. Heute hat hier die Galerie Moritzburg ihren Sitz; gezeigt wird in erster Linie deutsche Malerei des 19. und 20. Jahrhunderts.

Fernsehtheater

Im Burgkeller befindet sich das Fernsehtheater (1964/1965) mit 60 Plätzen zur Aufzeichnung von Fernsehspielen.

Landestheater

Geht man von der Moritzburg ostwärts, so erreicht man am Universitätsring das Landestheater (1884–1886 nach Plänen von H. Seeling; Neuaufbau 1948–1951).

Universität

Gegenüber dem Theater liegt das Universitätsforum mit dem klassizistischen Hauptgebäude (1832–1834) der Martin-Luther-Universität.

Archäologisches
Museum

Im Nachbargebäude, dem Robertinum (1889–1891), ist das archäologische Museum der Universität (u.a. Teile der Sammlung Schliemann) untergebracht (Besichtigung nach Voranmeldung).

Stadtgottesacker

Am östlichen Rande des Stadtkernes liegt am Martinsberg der 1558 bis 1594 entstandene Stadtgottesacker (Zugang beim giebelgezierten Turm an der Gottesackerstraße), eine der baugeschichtlich bedeutendsten Begräbnisstätten, die nach dem Vorbild des berühmten Camposanto im toskanischen Pisa errichtet worden sind; sein Schöpfer war der Steinmetz

Inneres der Marktkirche

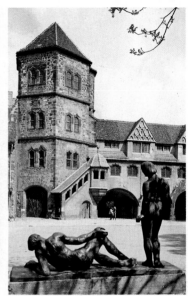
Innenhof der Moritzburg

und Ratsbaumeister Nikolaus (Nickel) Hofmann, ein Hauptvertreter der deutschen Hochrenaissance. Die einst großartige Monumentalanlage mit kastellartigen Außenmauern und durch Pfeilerarkaden gegliederten Gruftreihen wurde im Zweiten Weltkrieg teilweise zerstört und ist seither zu einer gespenstischen Ruinenlandschaft verkommen.

Stadtgottesacker (Fortsetzung)

Kulturpark Saaleaue

Im westlichen Stadtbereich liegt das Erholungsgebiet Kulturpark Saaleaue; auf der Peißnitzinsel Ausstellungshallen, eine Freilichtbühne, eine Parkeisenbahn, ein Raumflugplanetarium, Sportstätten (Eissporthalle) und Spielplätze.

*Burg Giebichenstein

Weiter saaleabwärts steht die Burg Giebichenstein, seit 961 Residenz der Erzbischöfe von Magdeburg.

Teile der Oberburg, die im Dreißigjährigen Krieg zerstört wurde, sind als Ruine erhalten geblieben (1960/1961 wissenschaftliche Grabungen; nach jüngsten Sicherungsarbeiten wieder zugänglich).

Oberburg

Die Unterburg ist Sitz der Hochschule für Kunst und Design.

Unterburg

Unterhalb der Burg liegt die Abfahrtsstelle der Personenfahrgastschiffe. Diese fahren saaleabwärts in Richtung Trotha – Wettin – Bernburg, saaleaufwärts zur Rabeninsel (geplant bis Röpzig).

Personenschiffahrt

Nördlich der Burg Giebichenstein liegt der Zoologische Garten (Eingang Reilstraße). Vom Aussichtsturm auf dem Reilsberg bietet sich ein weiter Blick auf die Stadt und ihre Umgebung.

Zoologischer Garten

355

Saalebrücke mit Burg Giebichenstein

Landesmuseum für Vorgeschichte	Südöstlich der Burg lohnt das Landesmuseum für Vorgeschichte (Richard-Wagner-Straße) einen Besuch; es ist untergebracht in einem Jugendstilbau (1913/1914, W. Kreis).

Dölauer Heide

Stadtforst Halle	Nordwestlich vom Stadtgebiet liegt die auch als Stadtforst Halle bezeichnete Dölauer Heide, ein 765 ha großes Landschaftsschutzgebiet mit zwei Naturschutzgebieten, das mit seinen Landschaftsformen (120–130 m ü.d.M.) zum östlichen Harzvorland überleitet (vorherrschend Kiefernwald). Zu sehen sind jungsteinzeitliche Hügelgräber und Reste einer befestigten Steinzeitsiedlung. Auf dem Kolkberg steht ein Aussichtsturm.
Dölau	In der Kirche von Dölau befindet sich ein spätgotischer Flügelaltar (um 1500).

Umgebung von Halle (Saale)

Wettin	In Wettin (16 km nordwestlich) steht eine 961 erstmals genannte Burg (Stammburg der Wettiner). Der Burgkomplex ist wegen seiner Lage und Größe (500 m lang) noch heute beeindruckend, doch die alte Bausubstanz ist weitgehend verschwunden. Die Burg beherbergt eine Spezialschule für Schäfer und ist Besuchern nicht zugänglich.
Petersberg	In Petersberg (12 km nördlich von Halle/Saale) steht auf dem das ringums flache Land weithin überragenden Petersberg (250 m ü.d.M.) die markante Stiftskirche eines nach 1124 angelegten Augustinerklosters, das bis 1538 bestand. Die dreischiffige, kreuzförmige Basilika, brannte 1565 ab,

wurde 1853 nahezu originalgetreu wiederaufgabaut und seit 1958 restauriert.

Halle (Saale),
Umgebung,
Petersberg
(Fortsetzung)

Auf dem Berg, einer Porphyrkuppe (Landschaftsschutzgebiet), befinden sich auch ein 73 m hoher Richtfunkturm, ein Freibad (in einem ehem. Steinbruch) und ein Tiergehege.

In Landsberg (F 100, 20 km nordöstlich von Halle/Saale) erhebt sich auf einer Porphyrkuppe eine vollständig erhaltene Doppelkapelle (um 1170) als Rest der ehemaligen Burg der Markgrafen von Landsberg. Die Doppelkapelle war ursprünglich zweigeschossig; das dritte Geschoß wurde im 15. Jh. zu Wohnzwecken ergänzt (1860/1861 und 1928–1930 restauriert).

Landsberg

→ Reiseziele von A bis Z: Leipzig

**Messestadt
Leipzig**

→ Reiseziele von A bis Z: Merseburg

Merseburg

→ Reiseziele von A bis Z: Lauchstädt, Bad

Bad Lauchstädt

→ Reiseziele von A bis Z: Eisleben, Lutherstadt

**Lutherstadt
Eisleben**

Harz

D 3

Bundesländer: Sachsen-Anhalt und Thüringen (Unterharz) sowie Niedersachsen (Oberharz)
Bezirke (1952–1990): Magdeburg, Halle und Erfurt (Unterharz)

Die im Rahmen dieses Reiseführers gemachten Angaben beschränken sich im wesentlichen auf den ehemals zum Gebiet der einstigen Deutschen Demokratischen Republik gehörenden Unterharz. Der im deutschen

Hinweis

Bodetal im Harz

Harz

Hinweis (Fortsetzung)

Bundesland Niedersachsen gelegene Oberharz ist in dem parallel in der Reihe 'Baedekers Allianz-Reiseführer' erscheinenden Titel "Deutschland · West" beschrieben.

Lage und Gebiet

Der von Nordwesten nach Südosten streichende Harz (man spricht daher von dieser Streichrichtung als der 'herzynischen'), das nördlichste deutsche Mittelgebirge, hebt sich als ein 90 km langes und 30 km breites, ursprünglich schwer überschreitbares, auch jetzt noch in seinen höheren Teilen weithin bewaldetes Horstgebirge mit deutlichen Rändern aus seinem nördlichen und südlichen Vorland heraus. Nur von Osten steigt der Harz langsamer über mehrere stufenförmig angeordnete, im Unterharz teils landwirtschaftlich genutzte, teils mit Buchenwäldern bestandene Verebnungsflächen zum niederschlagsreichen (1000 bis 1600 mm/Jahr), stärker zertalten und von Nadelwald bedeckten Oberharz an.

Nationalpark Hochharz

Am 12. September 1990 hat die letzte amtierende Regierung der damaligen Deutschen Demokratischen Republik beschlossen, eine Harzfläche von 59 km^2 mit dem Brocken sowie den umliegenden Fichtenwäldern und Hochmooren als 'Nationalpark Hochharz' unter strengsten Landschafts- und Naturschutz zu stellen.

Naturpark Harz

Auf westlicher Seite besteht seit 1960 der 950 km^2 große 'Naturpark Harz', der das gesamte Gebiet des Oberharzes umfaßt.

Sagenumwobenes Gebirge

Durch seine dichten Nadel- und Buchenwälder, tief eingeschnittenen Täler und besonders im Norden steilen Ränder war der Harz einst lange Zeit schwer zugänglich. Seine Wildnis spiegelt sich in zahlreichen Volkssagen (z. B. 'Walpurgisnacht' mit dem Brockengipfel als Tanzplatz der Hexen) wider, und eine Harzreise war noch zu Zeiten Goethes und Heines ("Harzreise", 1826) ein aufregendes Erlebnis.

*Brocken

Name und Höhe

Der über die Baumgrenze in die Krüppelholz- und Mattenzone hinausragende Brocken (einst 'Brackenberg'; außerhalb des Harzes volkstümlich 'Blocksberg' genannt) ist mit 1142 m Meereshöhe nach dem Fichtelberg (1214 m ü. d. M.) im → Erzgebirge die zweithöchste Erhebung der deutschen Mittelgebirge.

Geologische Merkmale

Der Brocken bildet einen großen, von der Ilse, der Ecker und der Kalten Bode umflossenen Granitstock mit einigen Ausläufern, dem Kleinen Brocken (1019 m ü. d. M.) im Norden, der Heinrichshöhe (1044 m ü. d. M.) im Südosten und dem Königsberg (1034 m ü. d. M.) im Südwesten. Die Granitkuppe hat das darunterliegende Schiefergestein und die Grauwacken durchstoßen und wurde nach der im Tertiär erfolgten Heraushebung des Gebirges wie das Granitmassiv des Ramberges (582 m ü. d. M.) durch die abtragenden Kräfte freigelegt.

Vegetation

Auf der abgerundeten Kuppe, die von Granitblöcken und zu Grus verwittertem Granit ('Hexensand') bedeckt ist, gedeihen nur die Krummholzkiefer (pinus pumilio) und Gräser, Flechten und Moose; auf den fast bis zum Gipfel reichenden Hochmooren finden sich einzelne Vertreter der nordischen Pflanzenwelt, wie das Isländisches Moos ('Brockenmoos'), die Zwergbirke, die weiße Alpenanemone ('Brockenanemone') und verschiedene Bärlappgewächse.

Neue Biotope

In dem bereits seit 1937 unter Naturschutz stehenden weiteren Brockengebiet haben sich während der langen Zeit der unfreiwilligen Abgeschlossenheit nach dem Zweiten Weltkrieg auf dem 'Todesstreifen' Biotope mit raren Pflanzengruppen wie Moosen, Zwergsträuchern, Teufelsklaue oder Siebenstern – in den Hochmooren des Brockenfeldes u. a. mit Sonnentau,

Wollgras, Glockenheide oder Trunkelbeeren – entwickelt, für deren Erhaltung sich engagierte Naturschützer einsetzen.

Brocken
(Fortsetzung)

Als Wind- und Regenfang ist der Brockengipfel fast stets von steifem Wind überweht.

Rauhe Witterung

Im Durchschnitt steigt die Temperatur mittags im Juli nicht über 13 °C, im Februar (hier dem kältesten Monat) auf – 3 °C; sie sinkt nachts im Juli auf 7 °C, im Februar auf – 7 °C ab.
Das Jahresmittel der Niederschläge liegt bei 1 640 mm. An über 230 Tagen im Jahr regnet es; an mehr als 270 Tagen herrscht Nebel, der an 135 Tagen auch tagsüber anhält. Ein freier Sonnenaufgang ist selten.
Der erste Schnee fällt auf dem Brocken bereits gegen Ende Oktober, der letzte u. U. noch Mitte Mai; während über 140 Tagen trägt der Gipfel eine Schneedecke. Von besonderem Reiz sind im Winter die verschneiten oder mit Rauhreif bedeckten Bäume, die oft wunderliche Gestalten annehmen.

Nach dem Zweiten Weltkrieg verfestigte sich die in etwa zwischen Oberharz und Unterharz verlaufende Zonengrenze (britische Besatzungszone Deutschlands im Westen, sowjetische Besatzungszone – einschließlich des Brockens – im Osten) zur innerdeutschen Grenze zwischen der damaligen Bundesrepublik Deutschland und der einstigen Deutschen Demokratischen Republik, die nach dem Mauerbau in Berlin (13. August 1961) hermetisch geschlossen, mit Sperranlagen befestigt und somit praktisch unüberwindlich wurde; seither gehörte der grenznah gelegene Bereich um den Brocken zum absoluten Sperrgebiet, das bis zur politischen 'Wende' des Jahres 1989 von Privatpersonen nicht betreten werden durfte. Auf der kahlen Brockenkuppe, wo schon 1938/1939 ein Fernsehsendeturm aufgestellt worden war, ließ der Staatssicherheitsdienst der sozialistischen DDR einen 'Horchposten des Warschauer Paktes' mit aufwendigen Spionageeinrichtungen, v. a. zur Überwachung des westlichen Funkverkehrs, erstellen.

Zu DDR-Zeiten
absolutes
Sperrgebiet

Auf den Brocken

Seit der überraschenden Öffnung der innerdeutschen Grenzen am 9. November 1989 und nach dem sukzessiven Abbau der vielen Sperrbefestigungen und Grenzzäune ist der Brocken wieder für jedermann zugänglich. Während der Sommersaison des Jahres 1990 ist es zu einer wahrhaften 'Völkerwanderung' von Besuchern aus allen Teilen Deutschlands gekommen, um den Gipfel nach jahrzehntelanger Zwangssperrung wieder zu besteigen. Der Ansturm war so gewaltig, daß Naturschützer zu Recht die trotz der Lenkung der Wandererströme auf streng vorgeschriebenen Wegen teils entstandenen Schäden beklagen.

Massenansturm
seit 1990

Wenngleich die Besteigung des Brockens von verschiedenen ringsum gelegenen Ausgangspunkten und auf mehr oder weniger langen Wanderwegen unterschiedlichen Schwierigkeitsgrades möglich ist – etwa auf dem klassischen 'Goetheweg' vom westlich unterhalb gelegenen Torfhaus – Goethe bestieg von hier 'des gefürchteten Gipfels schneebehangenen Scheitel' ("Harzreise im Winter") zuerst am 10. Dezember 1777 (dann wieder 1783 und 1784) –, so wird die Bergtour heute vorzugsweise von dem altbekannten, sich am südöstlichen Bergfuß auf einer Berglehne über dem Tal der Kalten Bode mehr als 2 km lang hinziehenden Oberharzer Höhenkurort und Wintersportplatz Schierke (580–685 m ü. d. M.; zahlreiche alte Hotels, in DDR-Zeiten zu Gewerkschaftserholungsheimen umfunktioniert, manche bereits wieder umgetauft und als Hotels in Betrieb), begonnen.

Anstieg von
Schierke

In der Umgebung von Schierke, das vier Jahrzehnte lang im Grenzsperrgebiet lag und für den gewöhnlichen Publikumsverkehr unzugänglich war, bilden seltsam verwitterte Granitfelsen wie die 'Feuersteinklippen' (761 m ü. d. M.; 20 Min. nördlich), die in Goethes "Faust" (Walpurgisnacht) vor-

Granitklippen

Schierke,
Granitklippen
(Fortsetzung)

kommenden 'Schnarcher' am Barenberg (696 m ü. d. M.; 30 Min. südlich),
der 'Ahrensklint' (Klint = Klippe; 822 m ü. d. M., 40 Min. nördlich) und die
'Hohneklippen' (80 Min. nordöstlich) natürliche Aussichtswarten.

Brockenstraße

Der Anstieg von Schierke kann nur zu Fuß (festes Schuhwerk und wär-
mende Kleidung auch im Sommer dringend angeraten) oder auf einem
der neuerdings eingesetzten Kremserwagen erfolgen, da die 11 km lange
Brockenstraße für den allgemeinen Motorkraftverkehr gesperrt und nur
Ver- bzw. Entsorgungsfahrzeugen vorbehalten ist. Sie beginnt am oberen
Ortsende und führt südwestwärts zunächst mäßig bergan (schöner
Rückblick), nach 2 km in einer Rechtskehre stärker ansteigend, stets durch
Wald, und in einer weiteren Kehre über das Schwarze Schluftwasser;

Brockenbahn

kurz darauf kreuzt man die Schienen der stillgelegten Brockenbahn, einer
schmalspurigen Stichstrecke der Harzquerbahn (s. nachstehend; zu DDR-
Zeiten als 'Kolonnenweg' für die Grenztruppen mit Zementplatten belegt),
die sich von Schierke, zuletzt spiralförmig zum Gipfel hinaufwindet und
deren Wiederinbetriebnahme (mit nostalgischen Dampflokomotiven) zwar
geplant ist, von Naturschützern jedoch abgelehnt wird, und gelangt in

Brockenbett
Heinrichshöhe

Windungen zum Brockenbett (910 m ü. d. M.; 7 km von Schierke); hier
scharf links und im Bogen wieder stärker bergauf, unterhalb der Heinrichshöhe hin. Jenseits eines zweiten Bahnüberganges (1028 m ü. d. M.)
erreicht man nach einer Steilkehre die Brockengipfelfläche.

Brockengipfel

Türme, Masten
und Kuppeln

Das kahle Plateau auf der Brockenhöhe bestimmen die geheimnisvoll
anmutende Bauten aus der jüngsten Vergangenheit: Türme, moscheen-
artige Kuppelbauten, Parabolantennen ('Schüsseln'), Radarschirme und
Sendemasten (von den beiden weiß-rot gestrichenen werden Fernseh-
programme ausgestrahlt).

Wolkenhäuschen

Der Brocken ist urkundlich zuerst um 1400 erwähnt, aber erst seit der Mitte
des 16. Jh.s besucht. Die erste Schutzhütte auf dem Gipfel, das 'Wolkenhäuschen', ein kleiner, niedriger Steinbau von 1736, ist in seiner ursprünglichen Form erhalten (1777 Goethe-Besuch); es befindet sich neben dem
1938/1938 von der damaligen Deutschen Reichspost errichteten Fernsehsendeturm, einem 52 m hohen Holzbau, und wurde im Herbst 1990 wieder
eingeweiht.

Brockenhaus
in Trümmern

Im Jahre 1743 wurde eine bescheidene, nur im Sommer für die Torfarbeiter
bewirtschaftete Unterkunftsstätte auf der Heinrichshöhe (s. Anstieg von
Schierke) errichtet, die 1799 abbrannte. Seit 1800 stand auf dem Brockengipfel ein Gasthaus, das mehrfach erneuert und erweitert wurde; dieses
alte 'Brockenhaus', bis in die vierziger Jahre des 20. Jh.s ein vielbesuchter
Gasthof, liegt heute in Trümmern.

Brockenbahnhof

Im Original bewahrt hingegen und nun der populärste Punkt ist das Bahn-
hofsgebäude 'Brocken' der Brockenbahn (s. Anstieg von Schierke), drei
Gehminuten östlich vom einstigen Brockenhaus; hier ist provisorisch eine
Gaststätte eingerichtet.

**Fernsicht

Schier unvergleichlich ist die weite Aussicht vom Brockengipfel ('Riesen-
panorama', etwa 130 km im Umkreis), sofern es die Wetterlage zuläßt.
Bei günstiger Beleuchtung sind nicht nur der Harz ringsum, der → Kyffhäuser und die vielfältig gestaffelten Höhen Thüringens und Sachsens
zu sehen, sondern auch die Türme von → Magdeburg, → Halle (Saale),
→ Erfurt, Kassel, Braunschweig und Hannover zu erkennen.

Brockengespenst

Das 'Brockengespenst', welches mitunter bei tiefstehender Sonne zu beobachten ist, sind riesenhaft erscheinende Schatten von den auf dem
Gipfel stehenden Gebäuden und Menschen auf einer nahe am Brocken
aufsteigenden Nebelwand.

Harzquerbahn

| 3 km |

Wernigerode 234 m
60,5 km

Wernigerode Westerntor 238 m — 59,5 km

Wernigerode Kirchstraße 256 m
Wernigerode Hasserode 280 m — 58,0 km
56,2 km

Steinerne Renne 311 m
54,6 km

min. Kurvenradius
60 m

Holtemme

Braune Wasser

Zillierbach

Drei Annen Hohne 540 m
46,4 km

Tunnellänge 70 m

Strecke mit der max.
Steigung 1:30

Schierke

Kalte Bode

Steinbach

Elend 509 m
41,6 km

Spielbach

höchste Stelle 557 m

Kl. Allerbach

Sorge 486 m
34,2 km

Warme Bode

Benneckenstein 530 m
29,8 km

Rappbode

Rappbode

Dammbach

Tiefer Bach

Tiefenbachmühle 411 m
19,5 km

Hasselfelde

Eisfelder Talmühle 352 m
17,3 km

Bere

Netzkater 309 m — 14,0 km

Brandesbach

Ilfeld 254 m 10,7 km

Bere

Zorge

7,0 km — Niedersachswerfen Ost
213 m

Salza

4,7 km — Nordhausen-Krimderode
198 m

Zorge

2,2 km — Nordhausen Altentor
189 m

0,0 km — Nordhausen Nord 184 m

Helme

Mehrere große, wunderlich geformte Granitblöcke unweit südlich vom ehemaligen Brokkenhaus haben eigene Namen, u. a. die 'Hexenschüssel' (auch 'Hexenwaschbecken'), der 'Hexenaltar' oder die 'Teufelskanzel'. Der altgermanische Mythos von der Befreiung des Lichtgottes aus den Banden des Winters und dem Wolkenritt der Walküren wurde in christlicher Zeit zum Ritt der Hexen und ihren Zusammenkünften mit dem Teufel in der Walpurgisnacht (Hexentanz; vom 30. April zum 1. Mai) auf dem Blocksberg (Brocken). Goethe hat diesem Volksglauben im ersten Teil seines Nationaldramas "Faust" eine klassische Darstellung gegeben.

Hexenmythos

Die Tradition der früher alljährlich auf dem Brocken abgehaltenen Walpurgisfeiern (am ersten Sonnabend im Mai), Sonnwendfeiern (um den 21. Juni) und Silvesterfeiern (zum Jahreswechsel) wird vermutlich wiederaufgenommen.

Traditionelle Brockenfeiern

Unterharz

In seinem östlichen Teil ist der Harz durch Straßen recht gut erschlossen. Seine dunklen Wälder, seine tief eingeschnittenen Täler, die steil aufragenden Klippen, malerisch gelegene Dörfer und Städte, die zahlreichen Stauseen, z. B. die Rappbode-Talsperre (→ Bodetal), und nicht zuletzt zahlreiche Höhlen wie jene bei → Rübeland verleihen dem Harz einen hohen Erlebniswert als Erholungsgebiet.

*Urlaubsregion

Die alten Landstraßen führten im Norden und Süden am östlichen Harz vorbei. An seinen Rändern entwickelten sich auf der Grundlage von Bergbau, Gewerbe und Handel zahlreiche kleine und mittlere Städte, die wie Ilsenburg, → Wernigerode, → Blankenburg, → Thale, → Gernrode → Ballenstedt am Nordrand sowie → Nordhausen, → San-

Siedlungen

Havelberg

Harz, Unterharz Siedlungen (Fortsetzung)

gerhausen, Mansfeld und die Lutherstadt → Eisleben am Südrand teils wegen ihrer alten Bauten, teils wegen der landschaftlichen Schönheit ihrer Umgebung oder als reizvolle Ausgangspunkte für Harzwanderungen besucht werden.

⁎Harzquerbahn (Streckenplan s. S. 361)

Nur ein einziger alter Weg querte den Harz zwischen Wernigerode und Nordhausen von Norden nach Süden. Ihm folgend wurde 1899 die Harzquerbahn, eine der längsten und bedeutendsten noch immer befahrenen Schmalspurbahnen Deutschlands, in Betrieb genommen. Nachdem die 'Harzquerbahn' bislang der Deutschen Reichsbahn zugeordnet war, hat sie als 'Harzer Schmalspurbahn' seit Mitte 1990 eine eigene Betriebsleitung. Der Oberbau soll saniert und die traditionsreichen Lokomotiven samt Waggons wieder instandgesetzt werden.

Vorland des Unterharzes

Östliches Harzvorland

Das östliche Harzvorland ist ein Teil des agrarisch genutzten Schwarzerdegebietes mit zusammenhängender Lößdecke. Neben der Zertalung durch die Saale (→ Saaletal) und ihre Nebenflüsse spielten bei der Formung des Reliefs Auslaugungen des Zechsteinuntergrundes und daraus folgende Einsenkungen eine Rolle, so im Bereich der Mansfelder Seen.
Die mächtigen kegelförmigen Halden am Westrand der Mansfelder Mulde zeugen von dem viele Jahrhunderte lang betriebenen Kupferschieferbergbau, dem dieses Gebiet seine wirtschaftliche Bedeutung verdankt.

Nördliches Harzvorland

Das nördliche Harzvorland ist ebenfalls ein Teil der Lößzone, die dem Nordrand der Mittelgebirgsschwelle vorgelagert ist, hier der Magdeburger Börde. Im Lee des Harzes macht sich eine deutliche Abnahme der Niederschläge bemerkbar, so bei → Halberstadt auf weniger als 500 mm im Jahr. Föhnartige Erscheinungen wie geringe Bewölkung, längere Sonnenscheindauer und frühzeitiger Frühlingseinzug erhöhen die Gunst des nördlichen Harzrandes und seines unmittelbaren Vorlandes für die Erholung.
In der Aufrichtungszone, die den nördlichen Harzrand begleitet und durch den häufigen Wechsel harter und toniger, steilgestellter oder gar überkippter Gesteinsschichten gekennzeichnet ist, fallen schmale und steil geböschte Rücken sowie Schichtrippen besonders ins Auge.
Touristische Anziehungspunkte im nördlichen Harzvorland sind die Stadt → Quedlinburg mit ihren Baudenkmälern und Zeugnissen der deutschen Geschichte und die alte Bischofsstadt → Halberstadt mit ihrem berühmten Domschatz.

Havelberg C 5

Bundesland: Sachsen-Anhalt
Bezirk (1952–1990): Magdeburg
Höhe: 25 m ü.d.M.
Einwohnerzahl: 10000

Lage und Bedeutung

Die von der hier verschleusten Havel (14 km vor ihrer Mündung in die → Elbe) umflossene alte Stadt Havelberg liegt – 35 km nördlich von → Tangermünde – am Südrand der Moränenlandschaft Prignitz (Priegnitz) und wird von der weithin sichtbaren Domkirche überragt. Das Wirtschaftsleben ist bestimmt von Betrieben zur Fertigung von Textilien und Möbeln sowie zur Reparatur von Wasserfahrzeugen.

Geschichte

Bei einer zur Sicherung des Havelüberganges im frühen 10. Jahrhundert angelegten deutschen Burg entstand die Siedlung Havelberg, die im

12. Jh. zur Stadt erhoben wurde. Das im Zuge der deutschen Ostexpansion im Jahre 948 gegründete Bistum Havelberg bestand bis 1548. Im 17. Jahrhundert galt Havelberg als wichtige Festung.

Domberg

Mariendom in Havelberg

Auf dem die Stadt überragenden Domberg erhebt sich die mächtige, ursprünglich romanische Domkirche St. Marien (1170 geweiht), eine dreischiffige Basilika mit massivem Westwerk, die nach einem Brand ab 1279 gotisch umgebaut und 1330 vollendet wurde. In dem reich ausgestatteten Kircheninneren (Kreuzrippengewölbe) sind besonders bemerkenswert die spätgotischen Glasmalereien (14./15. Jh.) sowie die Bauplastik: Reliefplatten am Lettner und an den Chorschranken (um 1370), drei Sandstein-

*Mariendom

leuchter (13. Jh.); ferner das Chorgestühl (um 1400), die gotischen Triumphkreuze (13. Jh.), der Hochaltar (1700), die Kanzel (1693), der Taufstein (1587), die Orgel (1777) und das Hochgrab des Bischofs Johann von Wöpelitz (1401; Figur aus Alabaster).
An das südliche Seitenschiff wurde 1508 die Annenkapelle angebaut.
Vom Rande des Domvorplatzes bietet sich eine weite Aussicht über Teile der Stadt und die Havelniederung.

*Aussicht

Südlich an den Dom schließen die Gebäude des einstigen Prämonstratenserstiftes an: der spätromanische Konventsbau (Ostflügel) aus der zweiten Hälfte des 12. Jh.s (später umgebaut) sowie der Refekturbau (Südflügel) und der Kreuzgang, beide frühgotisch (13. Jh.).

Stiftsgebäude

Im ehemaligen Kreuzgang ist das besuchenswerte Prignitz-Museum untergebracht. Es informiert anschaulich über die Ur- und Frühgeschichte der Prignitz (= Moränenregion zwischen Elde, Dosse, Elbe und Mecklenburgischer Seenplatte), die Geschichte des Bistums und der Stadt Havelberg sowie über die Baugeschichte des Mariendoms, ferner über Schifffahrt und Schiffbau; außerdem ist bürgerliches und bäuerliches Haus- und Arbeitsgerät ausgestellt.

*Prignitz-Museum

Alle Kuriengebäude der ehemals sieben Präbenden sind erhalten; besonders beachtenswert sind die barocke ehemalige Dechanei (1748; südöstlich vom Domchor), die ehemalige Dompropstei (ursprünglich spätgotisch, später mehrfach umgebaut; nördlich vom Domchor) und die ehemalige Domschule (1803–1815, klassizistisch; westlich vom Dom).

Dumkurien

Bemerkenswertes in der Stadt Havelberg

Am Fuße des Domberges steht die St.-Anna-Kapelle, ein spätgotischer Zentralbau (über achteckigem Grundriß) aus dem 15. Jahrhundert. Die Stadtpfarrkirche St. Laurentius ist eine dreischiffige spätgotische Hallen-

Kirchen

Havelberg,
Kirchen
(Fortsetzung)

kirche, die anstelle eines früheren Sakralbaues wohl in der ersten Hälfte des 15. Jh.s erbaut wurde.

Die Kapelle des St.-Spiritus-Hospitals am Ende der Sandauer Straße stammt aus der Zeit der Spätgotik (um 1400) und wurde später zu Wohnzwecken umgebaut.

Bürgerhäuser

Erwähnenswert sind einige Bürgerhäuser aus der Barockzeit und der Epoche des Klassizismus.

Umgebung von Havelberg

Wittenberge

Die Industriestadt Wittenberge (28 m ü. d. M., 34 000 Einw.; Zellstoffproduktion, Nähmaschinenbau; Märkische Ölwerke) liegt 18 km nordwestlich von Havelberg am rechten Ufer der ⟶ Elbe, der hier von Norden die Stepenitz zufließt. Der Wittenberger Elbhafen hat Bedeutung als Schutzhafen bei Hochwasser und Eisgang sowie als Koppelstelle für die Schubschiffahrt, ferner als Umschlagplatz (Eisenbahnknoten; Reichsbahn-Ausbesserungswerk) für die Ostseehafenstädte Wismar und Rostock.

Havelland

⟶ Reiseziele von A bis Z: Havelland

Kyritz

⟶ Reiseziele von A bis Z: Kyritz

Altmark

⟶ Reiseziele von A bis Z: Altmark

Havelland C 5/6

Bundesland: Brandenburg
Bezirk (1952–1990): Potsdam

Lage und Gebiet

Als Havelland wird das im Osten, Süden und Westen von der Havel, im Norden vom Rhin begrenzte Gebiet bezeichnet. Moorige Niederungen wie das Havelländische Luch, überschwemmungsgefährdete Talsandflächen wie oberhalb der Stadt ⟶ Brandenburg, Binnendünenfelder wie im Kremmener Forst, inselhafte Grundmoränenflächen wie die Nauener Platte oder das Rhinower Ländchen und isolierte Endmoränenkuppen wie der Wietkiekenberg bei Ferch (126 m ü. d. M.) bestimmen das Landschaftsbild des Havellandes.

Mittlere Havel

Reizvoll ist vor allem der mittlere Abschnitt der 343 km langen, auf einer Strecke von 228 km schiffbaren, in der Mecklenburgischen Seenplatte (⟶ Mecklenburger Seen) nahe ⟶ Neustrelitz entspringenden Havel. Im Mittellauf erweitert sich der Fluß zwischen ⟶ Potsdam und Plaue zu zahlreichen langgestreckten, gewundenen Seen: Schwielowsee, Trebelsee, Beetzsee (⟶ Brandenburg) und ⟶ Plauer See sind die bekanntesten.

Havelseen

Das Gebiet der Havelseen bildet ein besonders abwechslungsreiches, kleinräumiges Gefüge von flachen Niederungen, Flußstrecken, Seen, Grund- und Endmoränen. So entstehen auf kleinstem Raum reizvolle Landschaftsbilder, die man am besten vom Wasser aus genießen kann.

Wassersport

Die Havel mit ihren Seen zeigt sich hier als ein wahres Paradies der Wassersportler. Die Regattastrecke auf dem Beetzsee ist eine bekannte Wettkampfstätte.

Kanäle

Vielseitig ist die wirtschaftliche Nutzung des Havellandes. Die Havel selbst ist eine vielbefahrene Wasserstraße. Zahlreiche verschleuste Kanäle verkürzen den gewundenen natürlichen Flußlauf. Über das Kanalsystem

Charakteristisches Landschaftsbild im Havelland

ist die Havel nach Westen mit der Elbe und dem Mittellandkanal, nach Osten mit der Oder verbunden.

Havelland,
Kanäle (Forts.)

Die Talflanken und die hügeligen Moränengebiete bilden wegen ihrer günstigen mikroklimatischen Verhältnisse ein ausgedehntes Obstanbaugebiet. Zentrum des havelländischen Obstreviers ist Werder (⟶ Potsdam, Umgebung), eine Inselstadt, die in jedem Frühjahr zum Baumblütenfest einlädt.

Obstanbau

Auf den ebenen Platten überwiegt der Ackerbau. In den Niederungen wird eine intensive Grünlandwirtschaft zur Futtergewinnung für große Milchviehanlagen betrieben. Die Binnendünengebiete tragen Kiefernwälder, die Endmoränen Mischwald.

Landwirtschaft

Von den Städten an der mittleren Havel müssen vor allem ⟶ Potsdam, Werder und ⟶ Brandenburg genannt werden, von denen an der unteren Havel Plaue, Premnitz, Rathenow und ⟶ Havelberg. Die meisten von ihnen sind Industriestädte, besitzen jedoch auch zahlreiche Sehenswürdigkeiten.

Reiseziele

Heiligenstadt D 3

Bundesland: Thüringen
Bezirk (1952–1990): Erfurt
Höhe: 250–300 m ü. d. M.
Einwohnerzahl: 16 000

Das über tausendjährige Heiligenstadt, offziell 'Heilbad Heiligenstadt', liegt im ⟶ Eichsfeld – 33 km nordwestlich von ⟶ Mühlhausen bzw. 22 km

Lage

Heiligenstadt

Lage
(Fortsetzung)

südwestlich von Duderstadt – am Nordwestrand des Thüringer Beckens, zu Füßen von Iberg und Dün im Leinetal.

Bedeutung

Über Jahrhunderte Hauptstadt des zum Erzbistum Mainz gehörenden Eichsfeldes hat Heiligenstadt sehenswerte Zeugnisse seiner Geschichte bewahrt. Es ist der Geburtsort des berühmten, späteren Würzburger Holzschnitzers Tilman Riemenschneider (um 1460 bis 1531) sowie Arbeits- und Schaffensstätte des Dichters Theodor Storm (1817–1888).

Während das Eichsfeld und seine Hauptstadt in der Vergangenheit keine nennenswerte Industrie aufzuweisen hatten, wurden nach dem Zweiten Weltkrieg in dieser Gegend Betriebe zur Herstellung von Bekleidung und Kurzwaren angesiedelt.

Geschichte

Die legendenumwobene Gründung des St.-Martin-Stiftes war Ausgangspunkt für die Entwicklung einer dörflichen Siedlung im 8. oder 9. Jh., die nahe der Kreuzung der uralten Ost-West-Völkerstraße sowie der Nord-Süd-Handelswege schnell an Bedeutung gewann. 973 ist Heiligenstadt das erste Mal urkundlich erwähnt. Durch Schenkung an den Kurfürsten von Mainz gekommen, wurde es Ausgangspunkt der auf Thüringen gerichteten Territorialpolitik des Erzbistums Mainz. Der 1227 zur Stadt ernannte Ort wurde mit einer Stadtmauer und drei Toren befestigt.

Nach dem Bauernkrieg und der Reformation begann der Mainzer Erzbischof auf der Grundlage das Augsburger Religionsfriedens (1555), die lutherisch reformierten Bewohner des Eichsfeldes zum 'alten' Glauben zurückzuführen. Neben verstärktem Mysterien- und Heiligenkult ('Heiligenstädter Leidensprozession') wurde diese Rekatholisierung vor allem von den seit 1575 in Heiligenstadt ansässigen Jesuitenkolleg getragen. Durch den Reichsdeputationshauptschluß im Jahre 1803 zu Preußen gekommen, war die Stadt nach dem Frieden von Tilsit (1807) Sitz des Harz-Departements im französischen Königreich Westfalen. Nach dem Wiener Kongreß gelangte Heiligenstadt wieder zu Preußen (1816).

Der als Jude geborene Heinrich Heine ließ sich 1825 in Heiligenstadt christlich taufen ("Der Taufzettel ist das Entréebillett zur europäischen Kultur.").

Das 1929 eingerichtete Kneippbad hat sich in jüngerer Zeit zu einer viel besuchten Kureinrichtung für Erkrankungen des Herz-Kreislauf-Systems entwickelt.

Sehenswertes

*Stiftskirche St. Martin

Von der einst starken Stadtbefestigung sind noch große Teile der Mauer erhalten. Ältestes Bauwerk und Ausgangspunkt für die Ortsgründung ist die ehemalige Stiftskirche St. Martin (Bergkirche, dreischiffige gotische Basilika, 1304 begonnen, 1487 vollendet) mit gotischem Bronzetaufkessel und Pulthalter (Chorknabe); im Tympanon des Nordportals der hl. Martin zu Pferde (um 1350).

Schloß

Das Schloß (Friedensplatz Nr. 8) ist ein Barockbau (1736–1738); es wurde von C. Heinemann geschaffen.

*Propsteikirche St. Marien

Die Propsteikirche St. Marien (auch Altstädter Kirche oder Liebfrauenkirche genannt) besitzt als dreischiffige gotische Hallenkirche (2. Hälfte des 14. Jh.s) zwei achteckige Türme; im Inneren schöne Madonna (1414) und Bronzetaufkessel (1492) sowie Wandmalerei (1507).

Dem Nordportal gegenüber steht die Friedhofskapelle St. Annen, ein frühgotischer Zentralbau (nach 1300) über oktogonalem Grundriß mit achtseitiger Steinpyramide und Laterne.

Vor der Kirche sieht man einen Pietà-Bildstock (Stubenstraße).

Eichsfelder Heimatmuseum

In der Nähe befindet sich das ehemalige Jesuitenkolleg (Kollegiengasse Nr. 10), ein Barockbau mit reichem Hauptportal (1739/1740, C. Heinemann). Hier ist heute das Eichsfelder Heimatmuseum untergebracht; es besitzt Ausstellungsstücke zur Geschichte der Stadt und der Region sowie eine Vogelsammlung.

Die Pfarrkirche St. Ägidien (in der Neustadt; nach 1333) hat eine reiche Innenausstattung, darunter ein Altaraufsatz (1638), ein gotischer Bronzetaufkessel und ein schöner Flügelaltar (15. Jh.); das Chorgestühl stammt aus dem 17. Jahrhundert.
Neben der Kirche die sehenswerte Maria-Hilf-Kapelle von 1405.

Von der Ägidienkirche sind es nur wenige Schritte zum Neuen Rathaus (1739, barock; später verändert); davor auf dem Markt der Neptunbrunnen (um 1736).
Gegenüber das Gebäude des Kreisgerichtes (Wilhelmstraße), in dem Theodor Storm von 1856 bis 1864 als Kreisrichter wirkte. Während dieser Jahre entstanden elf seiner Novellen.

Neben guterhaltenen Fachwerkhäusern im hier seltenen fränkischen Stil ('Mainzer Haus' am Kasseler Tor; darin das Literaturmuseum 'Theodor Storm') haben vor allem die kleinen Gassen (Windische Gasse, Am Judenhof, Klausberg) ihre verträumte Kleinstadtidylle bewahrt. Höhepunkt ist an jedem zweiten Pfingsttag im Jahr die 'Heimensteiner Kirmes', geprägt durch jahrhundertealte Bräuche und streng bewahrte Traditionen.

Außerhalb der alten Stadt (Rinne Nr.17) steht die Gerharduskirche (1928, moderner Barock) mit einem Redemptoristenkloster. Seine Mönche gehören ebenso zum Stadtbild wie die Ordensschwestern des St.-Vincenz-Krankenhauses oder die Heiligenstädter Schulschwestern.

Im Leinetal, am Fuße der Stadtmauer, liegt der Heinrich-Heine-Park mit dem Kneipp-Bad und dem ältesten in Deutschland zur Erinnerung an die Befreiungskriege (1813) gesetzten Denkmal (1815 errichtet).

Umgebung von Heiligenstadt

Ein gern besuchtes Ausflugsziel in der Nähe der Stadt ist der Iberg (= Eibenberg, hier noch heute bedeutender Eibenbestand) mit dem Iberghaus (Gaststätte).

Auf dem Birkenweg am Fuße des Ibergs oberhalb der Stadt gelangt man in das Ausflugsgebiet Neun Brunnen mit Gaststätte, Freiterrasse, Musikpavillon, Streichelzoo und Kinderspielplatz.

Vom Geisleder Tor kommt man ostwärts zur Schönen Aussicht auf dem Dün, dessen Plateau die Stadt um 200 m überragt. Sein 15 m hohes Kreuz wird nach altem Brauch in der Karfreitagsnacht beleuchtet.

Bequem zu erreichen ist die Stadt Worbis (19 km nordöstlich von Heiligenstadt). Dort gibt es zahlreiche restaurierte Wohnhäuser im Fachwerkstil (16.–18. Jh.). Sehenswert ist das ehemalige Franziskanerkloster von 1667, einer der schönsten Sakralbauten dieser Gegend. Die frühbarocke Antoniuskirche (1670–1677 nach Plänen von A. Petrini) besitzt eine reiche Innenausstatung.

In Dingelstädt (15 km südöstlich von Heiligenstadt) ist neben vielen alten Fachwerkhäusern die Kleine Kirche ('Maria im Busch') von 1688 bemerkenswert; sie wurde unter Verwendung spätgotischer Teile errichtet. In der neuromanischen Franziskanerklosterkirche (1889/1890) auf dem Kerbschen Berg (Wallfahrtsstätte; 1752 geweihter Kreuzweg) sind die spätgotischen Schnitzfiguren bemerkenswert.

Heiligenstadt,
Umgebung,
Dingelstädt
(Fortsetzung)
*Burgruine
Hanstein
*Burg Ludwigstein

Oberhalb der Ortschaft Bornhagen (18 km westlich von Heiligenstadt), unmittelbar an der thüringisch-hessischen Landesgrenze (zu DDR-Zeiten absolutes Sperrgebiet) liegt die große Ruine der 1308–1314 errichteten Burg Hanstein (385 m ü. d. M.), die stolzeste Ruine des Werratales und heute wieder ein beliebtes Wanderziel – mit dem unweit südwestlich aufragenden Gegenstück, der aussichtsreichen Burg Ludwigstein (236 m ü. d. M., Jugendherberge; 1415 von Landgraf Ludwig I. von Hessen als Trutzfeste gegen die kurmainzische Burg Hanstein erbaut), über dem linken Ufer der Werra beim hessischen Werlshausen (berühmter 'Zweiburgenblick').

Hiddensee   A 6

Bundesland: Mecklenburg-Vorpommern
Bezirk (1952–1990): Rostock

Lage und
Ausmaße

Die Ostseeinsel Hiddensee, der Insel ⟶ Rügen westlich wie ein Wellenbrecher vorgelagert, ist in Nord-Süd-Richtung 17 km lang, aber mit einer Fläche von 18,6 km² Fläche nur wenig mehr als 1 km breit, an der schmalsten Stelle lediglich 125 m. Bei dem Inselort Kloster im Norden steht ein Leuchtturm. Offen den nördlichen und westlichen Winden ausgesetzt, ist Hiddensee besonders sturmflutgefährdet.

**Nationalpark
Bodden-
landschaft**

Am 12. September 1990 hat die letzte amtierende Regierung der damaligen Deutschen Demokratischen Republik beschlossen, die Insel Hiddensee sowie die Halbinselkette Fischland–Darß–Zingst (⟶ Darß) samt den dazugehörigen Boddenflächen als 'Nationalpark Boddenlandschaft' (805 km²) unter strengen Natur- und Landschaftsschutz zu stellen.

*Urlaubsinsel

Jahrhundertelang waren Fischerei und ein wenig Landwirtschaft die einzige Lebensgrundlage der Inselbewohner. Nach 1880 wurde Hiddensee von Künstlern 'entdeckt' und entwickelte sich zum Badeparadies. Die Insel – auch heute noch eine echte Insel, nur mit dem Schiff von Stralsund oder der Insel Rügen aus erreichbar und freigehalten vom Autoverkehr – ermöglicht durch ihren breiten, sandigen Strand ein vielfältiges Badeleben sowie ausgedehnte Wanderungen.

Kein
Kraftverkehr!

Nordteil der Insel

Den Nordteil der Insel bildet der pleistozäne Stauchmoränenklotz des Dornbusch (3,5 km²); er erreicht im Bakenberg, der den Leuchtturm trägt, 72 m ü. d. M. Der Swantiberg ist 62 m hoch. Nachdem Wallensteinsche Truppen im Dreißigjährigen Krieg (1628) den Dornbuschwald vollständig niedergebrannt hatten, ist er bis heute erst teilweise wieder aufgeforstet worden. Gegen Westen schützen ein Steinwall und eine Schutzmauer den Dornbusch vor der Abtragung durch das Meer. Die toten Kliffs dahinter tragen dichtes Buschwerk aus Sanddorn und Holunder.

*Rundblick
vom Dornbusch

Vom Dornbusch bietet sich ein schöner Rundblick auf die Bodden und Hügelzüge der Insel Rügen, die fernen Kirchtürme von ⟶ Stralsund und ⟶ Barth, bis zum Leuchtturm von Darßer Ort (⟶ Darß) und – bei günstiger Sicht – bis zu der Steilküste der dänischen Insel Mön.

Unterland

Südwärts schließt an den Dornbusch das 15 km lange, in den letzten 8000 Jahren aus Strandwällen aufgebaute und verdünte Hiddenseer Flachland an, das in der Dünenlandschaft des Gellen ausläuft. Teilweise – so im Bereich der Orte Kloster und Vitte – ist dieses Hiddenseer 'Unterland' durch ein in jüngster Zeit erbautes starkes Küstendeckwerk vor Sturmfluten gesichert.

Naturschutzgebiet
Dünenheide

Das Naturschutzgebiet 'Dünenheide' bewahrt ein Stück der einzigartigen Küstenheidevegetation der Insel vor den Eingriffen des Menschen.

Hiddenseer Küstenpartie

Der nördlichste Ort der Insel Hiddensee, Kloster, geht auf eine 1297 erfolgte Klostergründung auf der damals in dänischem Besitz befindlichen Insel zurück. Von diesem Kloster ist jedoch nur noch ein Torbogen erhalten. Auf dem Friedhof von Kloster hat der Dichter Gerhart Hauptmann (1862–1946) seine letzte Ruhestätte gefunden; zu Lebzeiten verbrachte er seine Ferien oft auf Hiddensee.

Hiddensee
(Fortsetzung)
Kloster (Ort)

Grab des Schriftstellers Gerhart Hauptmann

Der Name der größten Siedlung der Insel, Vitte, ist von einem hansischen Heringsanlandeplatz ('Vitt') abgeleitet, von denen es im Mittelalter mehrere entlang der Ostseeküste gab.

Vitte

Neuendorf, der südlichste Ort auf Hiddensee, ist erst um 1700 entstanden, bietet aber mit seinen hell gestrichenen Häusern inmitten grüner Rasenflächen das reizvollste Siedlungsbild der Insel, die zu Recht den Beinamen 'Dat soete Länneken' trägt.

Neuendorf

Hoyerswerda   D 7

Bundesland: Freistaat Sachsen
Bezirk (1952–1990): Cottbus
Höhe: 116 m ü. d. M.
Einwohnerzahl: 69 000

Die Lausitzer Stadt Hoyerswerda, sorbisch Wojerecy, liegt – rund 50 km südlich von → Cottbus – in einer Flußniederung der Schwarzen Elster. Die früher unbedeutende Kleinstadt vergrößerte sich zu Zeiten der sozialistischen Deutschen Demokratischen Republik im Zuge der planmäßigen Entwicklung der Kohle- und Energiewirtschaft dieses Raumes erheblich, wobei sich ihre einstige Einwohnerzahl verzehnfachte.

Lage und Bedeutung

Hoyerswerda

Geschichte

Seit dem 13. Jh. in einer Urkunde über die Teilung der Oberlausitz genannt, erteilte Kaiser Karl IV. dem nach einem Grafen Hoyer benannten Ort im Jahre 1371 das Recht auf "einen rechten und gewöhnlichen Landmarkt". Städtische Privilegien erhielt der Ort erst 1423. Doch hatte das auf die Entwicklung Hoyerswerdas wenig Einfluß. Auch als die Stadt im Gefolge des Dreißigjährigen Krieges sächsisch und vom Dresdener Hof regiert wurde, prägten weiterhin Ackerbürger und Handwerker ihr Leben.

Im 19. Jh. setzte dann ein Wandel ein: In unmittelbarer Nähe wurden Braunkohlenlager erschlossen, Industriebetriebe entstanden. Viele Menschen fanden in den neuen Gruben bei Zeißholz, Wiednitz, Laubusch und Werminghoff (heute Knappenrode) Arbeit.

Sorben
(vgl. S. 135)

Im Jahre 1912 gründeten patriotische Sorben in dem Städtchen, das inmitten des sorbischen Sprachgebietes lag, die 'Domowina' (in der sorbischen Sprache ein poetischer Name für 'Heimatbewegung'), eine Dachorganisation zur Abwehr der sich verschärfenden Unterdrückung der Sorben durch die Deutschen. Noch kurz vor dem Ende des Zweiten Weltkrieges erklärten die nationalsozialistischen Machthaber Hoyerswerda zur 'Festung'; eine weitgehende Zerstörung war die Folge.

Im Jahre 1955 begann ein neuer Abschnitt in der Entwicklung von Hoyerswerda. In Verbindung mit der Errichtung des Gaskombinates Schwarze Pumpe (sorbisch Čorna Plumpa), wurde der Grundstein für eine moderne Neustadt gelegt. 1990 entschied sich der Kreis Hoyerswerda für die zukünftige Zugehörigkeit zum Bundesland Sachsen.

Sehenswertes

Rathaus

Beachtung verdient das Rathaus, im Jahre 1429 erbaut und 1680 im Stil der Renaissance erneuert. Über dem Rundbogenportal sind farbenfrohe Wappen angebracht.

Schloß

Das dreigeschossige Schloß, ein Renaissancebau (im 13. Jh. erwähnt), wurde wiederholt umgestaltet (heute Museum). Vor dem Schloß ist eine alte sächsische Postmeilensäule von 1732 aufgestellt.

Amtshaus

Im Amtshaus, einem zweigeschossigen Barockbau von 1702, war Gotthold Ephraim Lessing als junger Mann oft zu Gast.
An der Langestraße befinden sich mehrere für den Ort typische Ackerbürgerhäuser aus dem 19. Jahrhundert.

Gründungshaus
der Domowina

Am Markt steht das ehemalige Gesellschaftshaus, in dem am 13. Oktober 1912 die sorbische Dachorgansiation 'Domowina' gegründet worden ist.

Kirchen

Die 1945 weitgehend zerstörte, ursprünglich spätgotische dreischiffige Pfarrkirche (16. Jh.) wurde bis 1985 wiederhergestellt.
Die einschiffige barocke Kreuzkirche stammt aus dem 18. Jahrhundert.

Umgebung von Hoyerswerda

*Knappensee

Lohnend ist ein Ausflug zu dem Naherholungsgebiet Knappensee (7 km südöstlich). Der 300 ha große See entstand aus der ehemaligen Grube Werminghoff; es gibt dort Strände und Campingplätze.

Senftenberg

Einen Besuch lohnt auch der Ort Senftenberg (sorbisch Zly Komorow; 26 km nordwestlich von Hoyerswerda), eine alte Bergarbeiterstadt, die stromabwärts an der Schwarzen Elster liegt. Senftenberg ist ein industrielles Zentrum im Südosten des Landes Brandenburg (Braunkohleförderung, Synthesewerk Schwarzheide u. a.).
Sehenswert ist das Schloß (15./16. Jh.) mit dem Kreismuseum (Kunstsammlung 'Lausitz'); im Schloßpark findet man schöne alte Bäume. Auf

Senftenberger See in der Lausitz

dem Schloßhof steht die Plastik "Der Bettler" von Ernst Barlach. Die Gebäude der Oberschule und der Berufsschule (B. Taut) sind im Stil der Bauhaus-Architektur errichtet.

Hoyerswerda, Umgebung, Senftenberg (Fortsetzung)

Mit der Einrichtung des Erholungsgebietes 'Senftenberger Seen' (1780 ha, davon 300 ha Naturschutzgebiet; etliche Strände) sollte die Möglichkeit zur Rekultivierung von Tagebau-Restlöchern unter Beweis gestellt werden.

*Senftenberger Seen

⟶ Reiseziele von A bis Z: Cottbus

Cottbus

⟶ Reiseziele von A bis Z: Kamenz

Kamenz

⟶ Reiseziele von A bis Z: Lausitz

Lausitz

Ilmenau

E 3

Bundesland: Thüringen
Bezirk (1952–1990): Suhl
Höhe: 540 m ü.d.M.
Einwohnerzahl: 32000

Ilmenau, eine von bewaldeten Bergen umgebene Stadt, liegt – rund 20 km von ⟶ Suhl entfernt – am Nordostrand vom ⟶ Thüringer Wald. In den letzten Jahrzehnten hat sich der Ort zu einer bedeutenden Industrie- und Hochschulstadt entwickelt und seine einstige Vergangenheit als industrielles Notstandsgebiet vergessen lassen.

Lage und Bedeutung

Erstmals 1273 urkundlich erwähnt, wurde die Entwicklung des Ortes, der den Grafen von Käfernburg gehörte, lange durch Kupfer- und Silberberg-

Geschichte

Ilmenau

bau bestimmt. Dabei wirkte sich die günstige Lage an der alten Handelsstraße Magdeburg – Erfurt – Nürnberg vorteilhaft aus. Im Jahre 1343 gelangte Ilmenau an die Grafen von Henneberg, 1661 in den Besitz des Herzogtums Sachsen-Weimar. Mitte des 18. Jh.s ging die Blütezeit des Ilmenauer Bergbaus zu Ende. Durch den großen Stadtbrand von 1752 und den
Siebenjährigen Krieg verarmte die Bevölkerung. Sie wandte sich wiederholt gegen die Herrschaft der Henneberger Grafen, aber auch während der
Zugehörigkeit zum Herzogtum Sachsen-Weimar gegen ungetreue Stadtväter ('Ilmenauer Empörung' 1767/1768). Eng verbunden sind die Jahre
seit 1776 mit dem Namen Goethes, der als weimarischer Minister oft in
Ilmenau weilte, sich um Wirtschaft und Verwaltung sorgte, naturwissen-
schaftlichen Studien nachging und hier mehrere seiner Werke verfaßte.
Der Versuch, den Ilmenauer Bergbau wiederzubeleben, war Anlaß für
Goethes geologische Studien einschließlich der Harzreisen. Es gelang
ihm zwar, neue Arbeitsplätze zu schaffen; auf die Dauer erwies sich die
Kupfergrube jedoch als unwirtschaftlich.
Nach 1830 wurde Ilmenau Kurort; der Kur- und Badebetrieb erreichte um
die Wende vom 19. zum 20. Jahrhundert seinen Höhepunkt.
Zu wichtigen Branchen entwickelten sich im 18. und 19. Jh. die Glas- und
Porzellanherstellung, die noch heute das Wirtschaftsleben der Stadt be-
stimmen, wobei die einheimische Industrie eng mit der hier 1953 gegründeten Technischen Hochschule zusammenarbeitet.

Sehenswertes

*Goethe-
Gedenkstätte

Goethes Leben und Wirken in und um Ilmenau ist auf vielfältige Weise
dokumentiert. Im Amtshaus am Markt, einem schlichten Barockbau von
1756, befindet sich eine Goethe-Gedenkstätte (Arbeits- und Wohnraum
des Dichters mit historischem Mobiliar).
Ferner werden dort in einem Heimatmuseum Porzellan sowie Objekte zur
Geschichte des Silber- und Kupferbergbaus gezeigt.

Rathaus

Das zweigeschossige Rathaus hat ein Renaissanceportal; an der Schauseite ein prächtiges Wappen der Henneberger Grafen. Auf dem Marktplatz
steht der Hennebrunnen (um 1752).

Stadtkirche

Die nahegelegene Stadtkirche ist ein einschiffiger Renaissancebau (1603),
der im 18. Jh. nach einem Brand neu errichtet wurde.

Ilmenauer
Friedhof

Auf dem Ilmenauer Friedhof befinden sich Grabdenkmäler der Goethezeit,
darunter am Eingang das Grab der Schauspielerin Corona Schröter, der
bekannten Schauspielerin und Sängerin am weimarischen Theater; sie war
die erste Darstellerin der Goetheschen Iphigenie.

Zechenhaus

Als ältestes Ilmenauer Haus gilt das Zechenhaus an der Sturmheide, seit
1691 Sitz des Ilmenauer Bergamtes.

Goethe-Gedenkstätten bei Ilmenau

Wanderweg
'Auf Goethes
Spuren'

Sehr zu empfehlen ist der gut markierte Wanderweg 'Auf Goethes Spuren'.
Er führt von Ilmenau über Gabelbach nach Stützerbach und berührt dabei
alle wesentlichen Erinnerungsstätten. Er kann in insgesamt 18 km Länge
oder auch in Teilabschnitten bewältigt werden; allenthalben sind Erläu-
terungstafeln angebracht (Goethes Namenskürzel 'G' dient zur Orientierung).

*Goethe-
Gedenkstätte
Jagdhaus
Gabelbach

Das Jagdhaus Gabelbach war ein häufiger Aufenthaltsort Goethes. Zu
sehen sind historische Räume, die Goethe bewohnte, wenn der Herzog zur
Jagd ging, sowie Dokumente, Zeichnungen und andere Erinnerungs-
stücke. In den ehemaligen Wohnräumen des Herzogs hat man ein kleines

Museum zu Goethes naturwissenschaftlichen Studien im Thüringer Wald eingerichtet.

Nördlich vom Jagdhaus kommt man zu dem 'Goethehäuschen auf dem Kickelhahn' (hier schrieb Goethe am 6. September 1780: "Über allen Gipfeln ist Ruh' . . ."); auf dem Kickelhahn (861 m ü.d.M.) steht ein Aussichtsturm (Rundblick).

*Goethehäuschen auf dem Kickelhahn

Mit Goethes Namen verbunden ist auch der 1 km vom Kickelhahnturm entfernte Große Hermannstein, in dessen Felsenhöhle der Dichter sich gerne aufhielt und zeichnete.

Großer Hermannstein

Auf dem Schwalbenstein, einem aussichtsreichen Felsen in der Nähe des Schöffenhauses, schrieb Goethe 1779 an einem einzigen Tag den vierten Akt der "Iphigenie" nieder.

Schwalbenstein

Umgebung von Ilmenau

Im heute vielbesuchten Ferienort Manebach (4 km westlich) weilte Goethe oft im Hause des Kantors (Goethestraße Nr. 13, Gedenktafel).

Manebach

Im jetzigen Ferienort und Kneippbad Stützerbach (8 km südwestlich von Ilmenau), wo seinerzeit Conrad Röntgen erste Versuche zur Entwicklung der Röntgenröhre unternahm, erinnert noch das Goethehaus (ehemals Gundelachsches Haus, Kneippstraße Nr. 18) an die Besuche des Dichters. In dem Haus ist auch eine interessante Ausstellung zur Geschichte der Glasherstellung zu sehen (mit Demonstration).
Sehenswert ist in Stützerbach auch die Kirche, ein einschiffiger Barockbau aus dem 18. Jahrhundert; sie hat eine gewölbte Holzdecke und einen Westturm mit geschweifter Haube.

Stützerbach

In der Gemeinde Oehrenstock (7 km südwestlich von Ilmenau) gibt es ein kleines Bergbaumuseum, wo der Besucher Wissenswertes über den Ilmenauer Bergbau erfährt.

Oehrenstock

In der weiteren Umgebung (26 km östlich von Ilmenau) empfiehlt sich ein Besuch der eindrucksvollen Kirchenruine des ehemaligen Benediktinerklosters Paulinzella (gestiftet von Paulina, begonnen 1112, geweiht 1124). Sie ist eines der berühmtesten romanischen Baudenkmäler in Deutschland und bezeugt auf eindrucksvolle Weise die Hirsauer Schule des Kirchenbaus, die gegen Ende des 11. Jh.s von Süddeutschland ihren Ausgang nahm (1965–1969 umfassende Restaurierung).

Paulinzella
*Ruine der Klosterkirche

→ Reiseziele von A bis Z: Suhl

Suhl

→ Reiseziele von A bis Z: Oberhof

Oberhof

→ Reiseziele von A bis Z: Thüringer Wald

Thüringer Wald

Jena

Bundesland: Thüringen
Bezirk (1952–1990): Gera
Höhe: 160 m ü.d.M.
Einwohnerzahl: 103000

Jena, die einst als 'Stapelplatz des Wissens' gerühmte Universitätsstadt und bedeutende Entwicklungsstätte der Philosophie in Deutschland, liegt

Lage und Bedeutung

Jena

– umsäumt von einer teils bewaldeten Hochfläche mit steilen Muschel-kalkhängen – in einem Talkessel der mittleren Saale (→ Saaletal). Im 19. und 20. Jh. wurde Jena durch die feinmechanisch-optische Industrie welt-bekannt.

Geschichte

Eine Siedlung 'Jani' ist um 830–850 erstmals urkundlich erwähnt; 1230 wurde sie zur Stadt erhoben. Zur Reformationszeit war Jena ein Brenn-punkt der protestantischen Bewegung (1524 Luther, 1548 Universitäts-gründung). Der Dreißigjährige Krieg hatte für die Stadt katastrophale Folgen. Trotz des Verfalls des winzigen Fürstentums als Folge der Klein-staaterei (1672–1690) erlebte die Jenaer Universität eine erste Blütezeit (Weigel) und stieg in der Epoche der Aufklärung zu einer der führenden deutschen Hochschulen auf. Im Jahre 1741 kam Jena an das Herzogtum Sachsen-Weimar-Eisenach. Von der Französischen Revolution bis zur Gründung des Deutschen Reiches (1871) blieb Jena ein bedeutendes gei-stiges Zentrum. Goethe setzte sich als Minister für die Förderung von Kunst und Wissenschaft ein. In die Zeit der Klassik fiel die Geburtsstunde der deutschen idealistischen Philosophie (Fichte, Schelling, Hegel, Hufe-land, Feuerbach); 1789 wurde Schiller an die Universität berufen. Hier versammelte sich dann auch der Kreis der Jenaer Frühromantik um Caro-line Schlegel, die Brüder Schlegel, Novalis, Tieck, Brentano und Hölderlin.

Nach der Schlacht bei Jena und Auerstedt (1806) wurde die Jenaer Uni-versität zum Zentrum des antinapoleonischen Befreiungskampfes. Am 12. Juni 1815 wurde in der 'Grünen Tanne' die 'Jenaer Burschenschaft' gegründet, die 1817 in Verbindung mit anderen deutschen Universitäten mit dem 'Wartburgfest' eine Demonstration gegen Despotie, Kleinstaaterei und absolutistische Restaurationspolitik durchführte. Im Hochgefühl des Wartburgfestes schufen am 19. Oktober 1818 in Jena Abgesandte aus 14 deutschen Universitäten die gesamtdeutsche 'Allgemeine Deutsche Burschenschaft', die sich bald zunehmender Verfolgung gegenübersah. Als 1819 der Jenaer Student Sand den Weimarer Dichter Kotzebue ermordete, begann auf der Grundlage der 'Karlsbader Beschlüsse' die Verfolgung von Demokraten und Republikanern.
Auf dem Gipfel der industriellen Revolution in Deutschland schuf der Physiker und Mathematiker Ernst Abbe (geb. 1840 in Eisenach, später Student und Privatdozent in Jena) die wissenschaftliche Grundlage für die feinmechanisch-optische Industrie. Bereits 1846 hatte der Mechaniker Carl Zeiss seine 'Mechanische Werkstatt' in Jena eingerichtet, in der Abbe seit 1866 den Mikroskopbau rationalisierte, zahlreiche neue Werkzeuge und Vorrichtungen entwickelte sowie die theoretischen Grundlagen des neuen Industriezweiges ausarbeitete. Zusammen mit dem Chemiker und Glastechniker Otto Schott schuf Zeiss die für die neuen Instrumente erforderlichen optischen Gläser. 1880 begann die Produktion in der ersten Zeiss-Fabrik. 1884 erfolgte die Gründung des Glastechnischen Laborato-riums Schott, des ersten Vorläufers der Jenaer Carl-Zeiss-Werke. Jena ist heute ein Zentrum des wissenschaftlichen Gerätebaues.

Innere Stadt

✻Marktplatz

Der Marktplatz steht als letztes erhalten gebliebenes städtebauliches Ensemble der Altstadt, die im Zweiten Weltkrieg durch Luftbombarde-ments größtenteils zerstört wurde, unter Denkmalschutz.

Rathaus
(Abb. s. S. 377)

An seiner Südwestseite sieht man das spätgotische Rathaus, ein Doppel-haus mit zwei Walmdächern; am Turm befindet sich eine hübsche Kunst-uhr mit dem Figurenspiel des 'Schnapphans' von Jena.

Alte Göhre
(Stadtmuseum)

Als gotisches Gebäude erhebt sich am Markt die 'Alte Göhre', ein Bauwerk mit auffälliger Giebelstellung an der Nordseite. Das restaurierte Haus ist Sitz des über reiche Betände verfügenden Stadtmuseums (Geschichte der

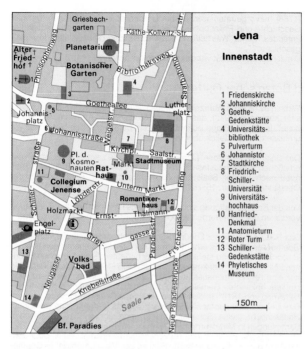

Jena
Innenstadt

1 Friedenskirche
2 Johanniskirche
3 Goethe-
  Gedenkstätte
4 Universitäts-
  bibliothek
5 Pulverturm
6 Johannistor
7 Stadtmuseum
8 Friedrich-
  Schiller-
  Universität
9 Universitäts-
  hochhaus
10 Hanfried-
  Denkmal
11 Anatomieturm
12 Roter Turm
13 Schiller-
  Gedenkstätte
14 Phyletisches
  Museum

150m

Achtung!
Im Zuge des
politischen
Neuorientierung
sind weitere
Umbenennungen
zu erwarten.

Stadt und der Universität, sakrale mittelalterliche Kunst, volkskundliche Sammlungen).
Ebenfalls am Markt ist als gotischer Rest der spitzbogige Zugang des Gasthauses 'Zur Sonne' (15. Jh.) erhalten.

Alte Göhre
(Fortsetzung)

In der Mitte des Marktes steht das Hanfried-Denkmal, dem Gründer der Universität, Johann Friedrich ('Hanfried') dem Großmütigen (1503–1553), gewidmet (1858, F. Drake; 1972 restauriert).

Hanfried-Denkmal
(Abb. s. S. 377)

Die Stadtkirche St. Michael, eine stattliche Hallenkirche nördlich vom Markt, bestimmte bis zum Bau des Universitätshochhauses das Stadtbild. Mit ihren Stilelementen steht sie in Beziehung zu Böhmen, Oberschlesien und Süddeutschland (nach Kriegseinwirkung umfassend restauriert). Bemerkenswert unter den Ausstattungsstücken aus mittelalterlicher Zeit sind die hölzerne Statue des hl. Michael, eines der ältesten Holzbildwerke Thüringens, und die Bronzegrabplatte Martin Luthers, die ursprünglich für Wittenberg gedacht war.

Stadtkirche
St. Michael

Besondere kulturhistorische Bedeutung hat das ehemalige Dominikaner-kloster und spätere Collegium Jenense, rund drei Jahrhunderte lang die 'Erste Universität' der Stadt, bis die Alma Mater in die Goetheallee verlegt wurde. Kulturgeschichtlich nennenswert ist die erhalten gebliebene Karzerzelle mit Inschriften und Wandbildern hier einsitzender studentischer 'Sünder'. Am Collegium Jenense wirkten so bekannte Denker wie Weigel, Hegel, Fichte, Schelling und Schiller.

*Collegium
Jenense

Im Jahre 1789 wurde Friedrich (von) Schiller, der bereits durch historische Dramen und seine "Geschichte des Abfalls der vereinigten Niederlande"

Schiller als
Professor in Jena

375

<table>
<tr><td>Schiller als
Professor in Jena
(Fortsetzung)</td><td>(1788) hervorgetreten war, an die Universität in Jena berufen, um hier Geschichte und Philosophie zu lehren. Seine Antrittsvorlesung stellte er unter das Thema "Was heißt und zu welchem Ende studiert man Universalgeschichte?".
Die Jenaer Universität wurde nach Schiller benannt.</td></tr>
</table>

Universität und Botanischer Garten

Universitätsturmhaus	Weithin sichtbares Wahrzeichen Jenas ist heute das 120 m hohe Universitätshochhaus (1972), das vielfältige Studien- und Arbeitsmöglichkeiten bietet. In der 26. Etage befindet sich ein Café; von oben bietet sich ein umfassender Rundblick über die Stadt.
Bürgerhäuser	Das Gasthaus 'Zur Rose' (Johannisstraße Nr. 13) zeigt eine der letzten gut erhaltenen Bürgerhausfassaden der Stadt. Schöne Bürgerhäuser gibt es auch noch an der Saalstraße (Nr. 5: Trebitzsches Haus) und an der Oberlauengasse (Nr. 16: Haus im Sack).
Reste der Stadtbefestigung	Von der Stadtbefestigung sind verschiedene Reste vorhanden; Beachtung verdienen der Pulverturm, das Johannistor und der sog. Anatomieturm.
Friedrich-Schiller Universität	Das Hauptgebäude der Friedrich-Schiller-Universität befindet sich an der Goetheallee (Nr. 1). Es erhebt sich an der Stelle des ehemaligen herzoglichen Schlosses und steht als einer der bedeutendsten deutschen Hochschulbauten unter Denkmalschutz; das 1905–1908 errichtete Gebäude hat eine reiche Innenausstattung. In der Aula befinden sich Ferdinand Hodlers bekanntes Gemälde "Auszug deutscher Studenten in den Freiheitskrieg von 1813", in den Fluren zahlreiche Gelehrtenporträts. Das Universitätshauptgebäude beherbergt das umfangreiche Herbarium Haussknecht (keine Schausammlung), eine der größten botanischen Sammlungen in Mitteleuropa.
Denkmäler	Vor dem Gebäude steht das Burschenschaftsdenkmal von A. Donndorf, 1883 auf dem Eichplatz enthüllt, 1950 an der 'Via triumphalis' (= Goetheallee) aufgestellt, dieser wohl einmaligen Ehrenallee mit zahlreichen Denkmälern berühmter Persönlichkeiten.
Zweite Universität	Ein markantes Gebäude an der Goetheallee (Nr. 23) ist der imposante Barockbau der 'Zweiten Universität', bis 1908 das Hauptgebäude.
Frommannsches Haus	An der Goetheallee (Nr. 18) steht auch das Frommannsche Haus, zur Zeit Goethes Treffpunkt der Vertreter des deutschen Geisteslebens (Goethe: "Was in Deutschland Namen hat, hat dort gern verkehrt.").
Botanischer Garten	An der Goetheallee liegt – auf dem Gelände des früheren fürstlichen Lustgartens – der Botanische Garten. Dort findet man 12 000 Pflanzen aus allen Erdteilen, ein Alpinum mit 2 000 Arten, ferner eine Arboretum mit etwa 800 Laub- und Nadelholzarten.
Goethe-Gedenkstätte	Im ehemaligen Inspektorhaus des Botanischen Gartens (Goetheallee Nr. 26), in dem Goethe 1817–1822 mehrfach gewohnt hat, befindet sich eine Goethe-Gedenkstätte (Informationen über Goethes Persönlichkeit sowie sein Wirken in und für Jena).
Novalishaus	Schräg gegenüber das Haus, in dem Novalis während seiner Jenenser Studienzeit 1790/1791 wohnte (kleine Gedenktafel).
*Zeiss-Planetarium	Von der Goethe-Gedenkstätte sind es nur wenige Schritte zu dem berühmten Zeiss-Planetarium, dem ältesten noch erhaltenen der Welt (Kuppelbau von 1926, unter Denkmalschutz). Nach umfassender Rekonstruktion (1983–1985) ist das Planetarium heute u. a. mit einem computergesteuerten Projektionsgerät ausgestattet.

Rathaus und Hanfried-Denkmal   *Universitätsturmhaus*

Auf dem Alten Friedhof (Philosophenweg) an der Friedenskirche befinden sich die Grabstätten bedeutender Persönlichkeiten, u. a. von Carl Zeiss.   Alter Friedhof

Weitere Sehenswürdigkeiten in Jena

Am Carl-Zeiss-Platz im Südwesten der Stadt lohnt das Optische Museum (1965) einen Besuch. Es besitzt etwa 12000 wertvolle historische und neuzeitliche Exponate aus den Forschungsbereichen Optik und Feinmechanik. Ein besonderer Anziehungspunkt ist das Modell der Multispektralkamera MKF 6 (wichtiger Bestandteil der Weltraumforschung).   ✻Optisches Museum

Auf dem Carl-Zeiss-Platz steht das tempelartige Ernst-Abbe-Denkmal (1911, H. van de Velde, Meunier und Klinger).   Ernst-Abbe-Denkmal
Den Platz beherrscht das Volkshaus (Nr. 15), das 1901–1903 auf Initiative Ernst Abbes errichtet wurde.   Volkshaus

Neben dem Roten Turm steht das einstige Wohnhaus Fichtes, heute Gedenkstätte der deutschen Frühromantik (im Mittelpunkt Persönlichkeiten des Jenaer Frühromantikerkreises, u. a. der junge Schelling, Caroline Schlegel, die Brüder Schlegel, Tieck, Novalis).   ✻Gedenkstätte der deutschen Frühromantik
In den oberen Etagen des Gebäudes befindet sich die Jenaer Kunstsammlung des Städtischen Musums (15.–20. Jh.).

Das ehemalige Sommerhaus Schillers 'vor der Stadt an der Leutra' ist die einzige im Zweiten Weltkrieg erhalten gebliebene Schillerstätte (Schillergäßchen Nr. 2). Hier arbeitete der Dichter an "Wallenstein" und "Maria Stuart" und vollendete die "Jungfrau von Orléans".   Schiller-Gedenkstätte

Neben den genannten Gedenkstätten gibt es im Süden der Stadt noch weitere Sehenswürdigkeiten: an der Berggasse (Nr. 7) das Ernst-Haeckel-   Museen

Museen (Fortsetzung)	Haus mit musealer Einrichtung; vor dem Neutor (Nr. 1) das Phyletische Museum (mit jüngst rekonstruierter Jugendstilfassade); an der Kahlaischen Straße (Nr. 1) die bekannte Hilprechtsammlung, u.a. mit Keilschrifttafeln und dem ältesten Stadtplan der Erde.

Schillerkirche

Jena-Ost	An der Charlottenstraße im Stadtteil Jena-Ost – jenseits der Saale – erreicht man die Schillerkirche, einst Dorfkirche im ehemaligen Wenigenjena; dort ließen sich am 22. Februar 1790 der Dichter Friedrich Schiller und Charlotte von Lengefeld trauen.

Aussichtspunkte in Jena

Landgrafen	Den schönsten Blick über die Stadt und das Saaletal hat man vom Berg 'Landgrafen' (Aussichtsturm).
Fuchsturm	Auf dem 'Hausberg' oberhalb des Ortsteils Ziegenhain steht der Fuchsturm, ein Überrest der einstigen Burg Kirchberg, einer der Hausbergburgen.
Jenzig	Reizvoll ist auch die Aussicht vom Jenzig, dem Jenaer 'Rigi'.

Umgebung von Jena

Kahla	In Kahla (F 88, 16 km südlich) ist die Stadtbefestigung sehenswert, so im Südwesten ein doppelter Mauerzug.
＊Leuchtenburg	Oberhalb des Ortes steht die weithin sichtbare Leuchtenburg (mit Heimatmuseum, u.a. zur Geschichte der Jagd, und Jugendherberge).
Hummelshain	Hummelshain (7 km südöstlich von Kahla) war einst bevorzugtes Jagdrevier der Altenburger Herzöge; die Jagd- und Pirschanlage Rieseneck ist die größte in Thüringen erhaltene dieser Art aus dem 17./18. Jahrhundert.
Cospeda	Im 'Grünen Baum zur Nachtigall' in Cospeda (4 km nordwestlich von Jena) befindet sich eine museale Gedenkstätte, die an die berühmte Schlacht bei Jena und Auerstedt am 14. Oktober 1806 erinnert (Diorama der Schlacht, Waffen, Uniformen).
Vierzehnheiligen	Vierzehnheiligen (ca. 8 km nordwestlich von Jena) ist eines der 'Schlachtfelddörfer', wo Napoleon I. 1806 die preußische Armee vernichtend schlug (Denkmal).
Dornburg ＊Schlösser	Dornburg (F 88, 12 km nordöstlich von Jena) am Steilufer der Saale ist mit seinen auf schroffen Muschelkalkfelsen errichteten drei Schlössern sowie den gepflegten Parkanlagen ein beliebtes Ausflugsziel.

Rokokoschloß Dornburg

Im 10. Jh. als wehrhafte Burganlage an der Grenze zum sorbischen Gebiet angelegt, gelangte der Ort nach mehrfachem Besitzwechsel 1691 an das Herzogtum Sachsen-Weimar. Später sind die Schlösser vor allem durch Goethes Aufenthalte bekannt geworden:
Das nördliche Alte Schloß (1521) hat noch romanische Reste. In dem südlichen Renaissanceschloß (1539), dem sog. Goetheschloß, wohnte Goethe ab 1828 längere Zeit (Goethezimmer, 1960 eingerichtet). Zwischen beiden Schlössern liegt das Rokokoschlößchen (1736–1747) mit einer terrassenartiger Gartenanlage, in dem Goethe bei seinen Besuchen gern Quartier nahm.

Jena, Umgebung, Dornburger Schlösser (Fortsetzung)

Kamenz

D 7

Bundesland: Freistaat Sachsen
Bezirk (1952–1990): Dresden
Höhe: 198 m ü. d. M.
Einwohnerzahl: 18500

Die kleine Kreisstadt Kamenz, sorbisch Kamjénc, liegt in der westlichen Oberlausitz (→ Lausitz) unterhalb vom Hutberg an der Schwarzen Elster. Hier wurde Gotthold Ephraim Lessing, der große deutsche Dichter der Aufklärung, am 22. Januar 1729 geboren.

Lage und Bedeutung

In etwa einem Drittel der Gemeinden des Kreises Kamenz überwiegt die sorbische Bevölkerung; viele, meist katholische Frauen und Mädchen tragen hier an Sonn- und Feiertagen noch die typische Tracht.

Sorben (vgl. S. 135)

Der seit dem Jahre 1225 dokumentierte Ort entstand auf der Flur einer westslawischen Ansiedlung. Die Lage an der 'Hohen Straße' förderte

Geschichte

Lessingmuseum in Kamenz

die Entwicklung des heimischen Tuchmacher- und Töpferhandwerkes. Geschichte (Fortsetzung)
Kamenz trat 1346 dem Lausitzer Sechsstädtebund bei, dessen Auflösung
(1547) der mächtig gewordenen Stadt einen schweren Rückschlag versetzte. Um die Mitte des 19. Jh.s erlangte die Gewinnung und Verarbeitung
von Granit und Grauwacke eine wirtschaftstragende Bedeutung.

Sehenswertes in Kamenz

Am Markt steht das Rathaus, nach dem letzten verheerenden Stadtbrand   Rathaus
von 1842 im Stil der italienischen Renaissance wiederaufgebaut.

Der Andreasbrunnen (1570), eine kunstvolle Sandsteinarbeit mit dem   Andreasbrunnen
Standbild der Justitia, ist einer der wenigen erhaltenen Bauzeugen der
Renaissance in Kamenz.

In den südlich vom Rathaus befindlichen Fleischbänken (spätklassizi-   Fleischbänke
stisch, 19. Jh.) boten die Fleischer bis zum Anfang dieses Jahrhunderts
ihre Ware an.

Von der Renaissance geprägt ist auch das Malzhaus in der vom Markt   Malzhaus
nordwestwärts abgehenden Zwingerstraße (Nr. 7), deren Ausgang der aus
dem 16. Jh. stammende Basteiturm flankiert, ein Rest der 1835 nieder-
gelegten Stadtbefestigung.

An der die Zwingerstraße kreuzenden Pulsnitzer Straße ist im Ponickau-   *Museum der
Haus (Nr. 16), einem alten Bürgerhaus mit 1745 vorgesetzter Barock-   Westlausitz
fassade, das Museum der Westlausitz untergebracht (u. a. große Samm-
lung zur Ur- und Frühgeschichte sowie besonders zur Geologie).
Weiter südlich steht der Rote Turm (15. Jh.), ein Fragment des Pulsnitzer   Roter Turm
Stadttores.

Auf einem 35 m hohen Grauwackefelsen ragt als bedeutendster Sakralbau   *Hauptkirche
der Stadt die Hauptkirche St. Marien empor, um 1400–1480 aus boden-   St. Marien
ständigem Granit errichtet; spätgotisch auch das feine sandsteinerne
Maßwerk der Fenster. Die bemerkenswertesten Ausstattungsstücke sind
der Marienaltar (reich verziertes Holzschnitzwerk, 15. Jh.), ferner der
Michaelisaltar (1498) und die Kreuzigungsgruppe, geschaffen um 1500. Im
Vorraum sieht man die die Grabsteine der Eltern und eines Großvaters von
G. E. Lessing.

Gleich neben der Marienkirche steht die 1358 gestiftete Katechismus-   Katechismuskirche
kirche, das wohl älteste Kamenzer Bauwerk, einst ein Glied der Stadtbefestigung (Schießscharten im Obergeschoß).

Jenseits der Friedhofsumfassung bezeichnet am Lessinggäßchen eine   Lessinggäßchen
Gedenktafel die Stätte des 1842 abgebrannten Pfarrhauses, des Geburtshauses von G. E. Lessing.

Zu Lessings 200. Geburtstag ist der Grundstein gelegt worden für das   *Lessingmuseum
1931 eröffnete Lessingmuseum (Lessingplatz Nr. 1–3). Die repräsentative
Gedenk- und Bildungsstätte veranschaulicht Leben, Werk und Wirken des
Dichters (Lessingbibliothek).

Gegenüber vom Lessingmuseum steht die dreischiffige spätgotische   Klosterkirche
Klosterkirche (1493–1499) des ehem. Franziskanerklosters St. Annen mit
Annen-, Franziskus-, Heilands- und Marienaltar (zwischen 1510 und 1520
gefertigte wertvolle Holzschnitzwerke). Beim Wiederaufbau nach dem
Brand des Klosters entstand der Dachreiter nach Plänen von Gottfried
Semper.

◀ *Osterreiten der Sorben in Panschwitz-Kuckau*

Kamenz (Fortsetzung) Mönchsmauer	Die Mönchsmauer an der Nord- und Ostseite ist, da man das Kloster außerhalb des Stadtwalles angelegt hatte, ein Rest des alten Verteidigungsringes.
St.-Just-Kirche	In der gotischen St.-Just-Kirche (1377) sind ein gotischer Wandgemäldezyklus (um 1380) und ein spätgotischer Flügelaltar bemerkenswert.

Hutberg

*Aussicht	Vom Aussichtsturm auf dem Hutberg (240 m ü. d. M.) bietet sich ein umfassender Blick auf die 'Lessingstadt' und die Westlausitzer Landschaft. Besonders lohnend ist ein Besuch der Parkanlagen auf dem Hutberg während der Rhododendronblüte.

Umgebung von Kamenz

Panschwitz-Kuckau	In Panschwitz-Kuckau (8 km südöstlich) steht das Kloster Marienstern (gegründet 1248) mit einer dreischiffigen Hallenkirche (14. Jh.; Westfassade barock umgestaltet); im Inneren reiche Ausstattung (z. T. von Prager Künstlern; u. a. Vesperbild, 13. Jh.). Erwähnenswert sind ferner die Klausur, das Äbtissinnenhaus, der Neue Konvent und mehrere barocke Denkmäler. In der Čišinski-Oberschule ist eine Gedenkstätte für den sorbischen Volksdichter Jakub Bart, genannt Ćišinski (1856–1909) eingerichtet. Alljährlich veranstalten die Sorben in Panschwitz-Kuckau ihr traditionellen Osterreiten (Abb. s. S. 380).
Rosenthal	In Rosenthal (10 km östlich von Kamenz) verdient die barocke Wallfahrtskirche (1778), mit achteckiger barocker Brunnenkapelle (1766) und Administratur (1755), Beachtung.
Pulsnitz	In Pulsnitz (12 km südwestlich von Kamenz), der berühmten 'Pfefferkuchenstadt', dem Geburtsort des Bildhauers Ernst Rietschel (1804 bis 1861), gibt es verschiedene Sehenswürdigkeiten: die Pfarrkirche St. Nikolai (urspr. spätgotisch, nach Brand bis 1745 wiederaufgebaut) mit Sakristei (jetzt Rietschel-Gedächtnis-Kapelle), das Renaissance-Rathaus (1555; davor Rietschel-Denkmal) und die Sternwarte mit einer bedeutenden Meteoritensammlung. Denkmalgeschützt sind das Färbereihaus der Blaudruckerei, der letzten ihrer Art in Sachsen (Bachstraße), das alte Brennhaus der Töpferei Jürgel (nach 1742) und der Perfert, ein befestigter bäuerlicher Speicher aus der Zeit der Hussiteneinfälle (um 1420).
Königsbrück	In Königsbrück (16 km westlich von Kamenz) gibt es ein barockes Schloß (jetzt Heilstätte) und eine barocke Pfarrkirche (begonnen 1682).
Bautzen	→ Reiseziele von A bis Z: Bautzen
Landeshauptstadt Dresden	→ Reiseziele von A bis Z: Dresden

Klingenthal   E 5

	Bundesland: Freistaat Sachsen Bezirk (1952–1990): Karl-Marx-Stadt Höhe: 530–935 m ü. d. M. Einwohnerzahl: 13400
Lage	Die sächsische Stadt Klingenthal liegt unmittelbar an der deutsch-tschechoslowakischen Grenze im waldreichen oberen → Vogtland, am Fuße des Aschberges (936 m ü. d. M.).

Blick auf Klingenthal im oberen Vogtland

Die Stadt im 'Musikwinkel' des Vogtlandes ist bekannt wegen des Musik-instrumentenbaus sowie als Ferienort (Heimattierpark) und Wintersport-zentrum.

Bedeutung

Durch die Entwicklung des Bergbaus und seiner Nebenbetriebe entstand im 16. Jh. in den Wäldern bei Schöneck um den Höllhammer eine gewer-befleißige Siedlung, die seit 1604 unter dem Namen Klingenthal (nach dem Besitzer Klinger) erscheint. Sie hatte stets eine dörfliche Verfassung und wurde erst 1834 als Marktflecken bezeichnet.
Zum Bergbau auf Kupfer, Zinn und Eisen kam – durch böhmische Exulan-ten – 1659 der Geigenbau; später trat die 1829 begonnene Herstellung von Mund- und Ziehharmonikas in den Vordergrund. Ende des 19. Jh.s begann die industrielle Fertigung von Musikinstrumenten. Klingenthal erhielt 1919 Stadtrecht.
Im Jahre 1950 wurden die Nachbargemeinden Brunndöbra und Sachsen-berg-Georgenthal eingemeindet. Unweit der heutigen Mittelstadt entstand ein Neubaugebiet.

Geschichte

Sehenswertes in Klingenthal

Im Schwerpunkt der langgestreckten Stadt steht die Pfarrkirche 'Zum Friedensfürsten' (1736/1737), ein barocker Zentralbau über achteckigem Grundriß mit umlaufenden dreigeschossigen Emporen, hohem kuppel-artigen, dreifach gestuftem und geschweiftem Dach (Laterne) sowie Kanzelaltar aus der Entstehungszeit.
Nach der Zerstörung der Dresdener Frauenkirche ist sie die größte ihrer Art in Sachsen.

✳Pfarrkirche

Vor dem Kulturhaus steht als ein lokales Wahrzeichen die aus Stein geschaffene Skulptur "Der Akkordeonspieler".

Skulptur

Umgebung von Klingenthal

Markneukirchen ⟶ Reiseziele von A bis Z: Markneukirchen

Plauen ⟶ Reiseziele von A bis Z: Plauen

Vogtland ⟶ Reiseziele von A bis Z: Vogtland

Königstein   E 7

Bundesland: Freistaat Sachsen
Bezirk (1952–1990): Dresden
Höhe: 128 m ü.d.M.
Einwohnerzahl: 3600

Lage und Bedeutung

Der beliebte Fremdenverkehrsort Königstein liegt am linken Ufer der oberen ⟶ Elbe, zu beiden Seiten der ihr hier zufließenden Biela und unterhalb des Königsteins (361 m ü.d.M.), eines bewaldeten Tafelberges des Elbsandsteingebirges (⟶ Sächsische Schweiz), mit der bekannten, einst mächtigsten Festungsanlage in Deutschland.

Geschichte

Wahrscheinlich um 1200 wurde auf dem Sandsteintafelberg eine erstmals 1241 erwähnte Burg der Könige von Böhmen errichtet; sie kam 1408 zur Markgrafschaft Meißen und wurde seit dem 16. Jh. zur stärksten sächsischen Landesfestung ausgebaut, die nie erobert werden konnte.

Als Staatsgefangene waren hier u.a. inhaftiert: Kanzler Krell (1591–1601), Johann Friedrich Böttger (1706/1707), Michail Alexandrowitsch Bakunin

Festung Königstein über der Elbe

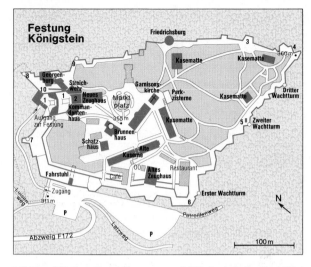

Festung Königstein

1 Eingang mit Ravelin und Zugbrücke
2 Torhaus
3 Standort der zerstörten Blitzeiche
4 Ostspitze der Festung (Königsnase)
5 Pestkasematte
6 Südspitze der Festung (Zobels Ecke)
7 Das Horn mit Seigerturm
8 Georgenbatterie
9 Hungerturm (Rößchen)
10 Abstieg von der Festung

Geschichte
(Fortsetzung)

(1849/1850), August Bebel (1874), Frank Wedekind (1899), Thomas Theodor Heine (1899) und Fritz Heckert (1919/1920).
Unterhalb der Burg entstand wahrscheinlich im 13. Jh. das erstmals 1379 genannte Städtchen. Das Steinbrechen, die Elbschiffahrt und der Eisenkunstguß wurden schon im Mittelalter betrieben; im 18. Jh. waren die Samtweberei und die Bierbrauerei von Bedeutung.

Von 1901 bis 1904 fuhr in Königstein der erste O-Bus der Welt (Oberleitungshaken noch vorhanden).

O-Bus

✳Festung Königstein

Vom Ort Königstein führt eine Fahrstraße südöstlich aufwärts bis zum Parkplatz am Fuße des bewaldeten Königsteins; von dort gelangt man zu Fuß steil bergan zur Festung.

Zufahrt

Wahrzeichen von Königstein ist die 9,5 ha große Festungsanlage (1700 m Umfang), die weithin sichtbar den Ort überragt. Ein Rundgang entlang der Brustwehr bietet prächtige Ausblicke über das Elbsandsteingebirge und führt fast an allen wichtigen Bauwerken der Festung vorbei.

✳✳Aussicht
(Abb. s. S. 152)

Sehenswerte Objekte auf der Festung Königstein sind u.a. der Haupteingang (nach 1590); das Brunnenhaus (1735) mit 152,50 m tiefem Brunnen; das Alte Zeughaus (1594), in seinem Erdgeschoß eine Halle mit Kreuzgratgewölben und mächtigen Rundsäulen; das Gardehaus (Alte Kaserne, 1598); die Christiansburg, später Friedrichsburg (1589; 1721 verändert), ein zweigeschossiges Lusthaus; die Georgenburg, darin ehemalige Wohn- und Arbeitsräume von J.F. Böttger; die Magdalenenburg (1622/1623); das Neue Zeughaus (1631), darin der Johannessaal, drei-

Sehenswertes

Königstein, Festung (Fortsetzung)	schiffig mit Kreuzgratgewölben; ferner die Garnisonskirche mit Resten aus dem 13. Jahrhundert.
Museen	Im Alten Zeughaus auf der Festung sind unter anderem sächsische Geschütze (15.–18. Jh.) zu besichtigen.
	Im Neuen Zeughaus befindet sich eine sehenswerte Sammlung moderner Waffen.
	Wechelnde Ausstellungen bietet das Schatzhaus.

Sehenswertes im Ort Königstein

Stadtkirche	In der kleinen Stadt Königstein ist die Stadtpfarrkirche bemerkenswert; sie wurde im Barockstil errichtet (1720–1724; nach Brand 1810–1823 wieder aufgebaut) und hat eine klassizistische Innenausstattung.
	Am Aufgang zum Kirchplatz sind Hochwassermarken zu sehen.
Musikerarchiv	Gedenktafeln an mehreren Häusern sowie Denkmäler erinnern an die berühmten Söhne der Stadt, u. a. die Komponisten Julius Otto, Georg und Camillo Schumann, deren Erbe das Königsteiner Musikerarchiv lebendig hält.
Postmeilensäule	Im Ort steht eine Postmeilensäule von 1727.

Umgebung von Königstein

*Lilienstein	Der Lilienstein (415 m ü. d. M.) liegt unweit von Königstein jenseits der Elbe (Personenfähre) und ist nur zu Fuß zu erreichen. Vom Plateau bietet sich eine schöne Aussicht. Beachtenswert sind die Reste einer mittelalterlichen Burganlage (Gaststätte).
*Pfaffenstein	Der Pfaffenstein (427 m ü. d. M.) liegt südöstlich vom Königstein und ist einer der interessantesten 'Steine' der Sächsischen Schweiz – mit markanten Verwitterungsformen und Felsbildungen (u. a. die bekannte 'Barbarine'). An der Berggaststätte Erläuterungstafel zu einer bronzezeitlichen Siedlung.
Bielatal	Reizvoll ist auch das Bielatal, im Süden von Königstein gelegen, mit mehreren schönen Felspartien.
Bad Schandau	→ Reiseziele von A bis Z: Schandau, Bad
Elbsandsteingebirge	→ Reiseziele von A bis Z: Sächsische Schweiz
Pirna	→ Reiseziele von A bis Z: Pirna
Landeshauptstadt Dresden	→ Reiseziele von A bis Z: Dresden

Köthen   D 4

	Bundesland: Sachsen-Anhalt
	Bezirk (1952–1990): Halle
	Höhe: 75 m ü. d. M.
	Einwohnerzahl: 34 500
Lage	Köthen, die einstige Residenzstadt des Fürstentums Anhalt-Köthen, liegt in einer flachwelligen lößbedeckten Ebene, dem Köthener Ackerland, rund 30 km nördlich von → Halle (Saale).

Als kulturelles und wissenschaftliches Zentrum wie auch als Wirkungs-stätte von Johann Sebastian Bach ist die Stadt ein sehr beliebtes Touri-stenziel.

Erstmals 1115 als Siedlung und 1313 als Stadt urkundlich erwähnt, war Köthen Residenz askanischer Fürsten und 1603–1847 Residenz der Linie Anhalt-Köthen. Hier wirkte die 'Fruchtbringende Gesellschaft' (ab 1629), die erste deutsche Vereinigung zur Pflege der Sprache. Johann Sebastian Bach war von 1717 bis 1723 in Köthen als Hofkapellmeister tätig; hier entstanden seine bedeutenden Instrumentalwerke. 1784 wurde ein Leh-rerseminar gegründet (später Pägagogische Hochschule). Von 1821 bis 1835 praktizierte in Köthen der Begründer der Homöopathie, Samuel Hahnemann, erstmals nach den Grundsätzen seiner Lehre. 1897 wurde das Polytechnikum (später Ingenieurhochschule) gegründet.

Sehenswertes

Das älteste Bauwerk und Wahrzeichen der Stadt, deren mittelalterliche Befestigung (um 1560) z. T. erhalten blieb, ist die spätgotische Marktkirche St. Jacob (1400; fertiggestellt Ende des 16. Jh.); ihre beiden Türme (75 m) wurden um 1897 umgebaut.

Das Rathaus, im Stil der Neurenaissance, liegt zwischen Markt und Holz-markt. Am Holzmarkt (Nr. 6) steht ein restauriertes Fachwerkhaus mit schönem Portal (um 1600).

Das von 1547 bis 1608 erbaute Renaissanceschloß beherbergt im Nord-flügel, dem Ferdinandsbau (1823 von G. Bandhauer angefügt), das Nau-mann-Museum, das nach dem Zoologen Johann Friedrich Naumann (1780–1857), dem Begründer der wissenschaftlichen Vogelkunde in Deutschland, benannt ist.
Es gilt als einziges aus dem Biedermeier original erhaltenes ornithologi-sches Museum (1978/1979 restauriert); gezeigt werden Vogelsammlungen und Aquarelle von J. F. Naumann.

Im Ludwigsbau des Schlosses (1823) ist die Wirkungsstätte J. S. Bachs zu sehen. Eine Bach-Gedenkstätte befindet sich im Historischen Museum an der Museumsgasse.

In der Krypta der neuklassizistischen katholischen Kirche St. Marien (1827, G. Bandhauer; Grundriß in Form eines griechischen Kreuzes) befindet sich eine 'Gedenkstätte für die Opfer der ungerechten Gewalt'.

Die Kirche St. Agnus (1694–1698), erbaut im Stil des holländischen Ba-rock, ist mit Gemälden aus der Werkstatt von Lucas Cranach und von Antoine Pesne ausgestattet.

Den Boulevard der Schalaunischen Straße zieren Bürgerhäuser (1870 bis 1900) verschiedener Stilrichtungen.

Der aus der 1884 angelegten 'Cöthener Fasanerie' hervorgegangene Tier-park (heute mit rund 150 Arten) gilt als einer der ersten in Deutschland.

Umgebung von Köthen

In Aken (F 187 a, 13 km nordöstlich) ist das Rathaus (1490; 1609 vergrö-ßert) ein architektonisch interessanter Bau; es hat einen Ziergiebel aus Backstein (15. Jh.). Die dreischiffige Nikolaikirche (Basilika) stammt aus dem 12. Jahrhundert.

Köthen,
Umgebung
(Fortsetzung)
Gröbzig

In Gröbzig (14 km südwestlich von Köthen) befindet sich eine Synagoge (1796), einer der wenigen 1938 nicht zerstörten israelitischen Sakralbauten. Sie ist heute ein Museum mit wertvollen Sammlungen jüdischer Kultgeräte und kulturgeschichtlicher Gegenstände.

Bernburg

⟶ Reiseziele von A bis Z: Bernburg

Dessau

⟶ Reiseziele von A bis Z: Dessau

Krakow am See   B 5

Bundesland: Mecklenburg-Vorpommern
Bezirk (1952–1990): Schwerin
Höhe: 60 m ü. d. M.
Einwohnerzahl: 3500

Lage

Der kleine Kurort Krakow liegt am buchten- und inselreichen Krakower See in wald- und seenreicher Umgebung. Urlauber und Touristen schätzen dieses Erholungsgebiet im Kreise ⟶ Güstrow wegen seines günstigen Klimas und der reinen Luft.

Geschichte

In der Nähe einer slawischen Burg und im Anschluß an ein slawisches Dorf entstand wahrscheinlich vor 1200 ein deutsches Dorf, das sich im 13. Jh. unter der Herrschaft der mecklenburgischen Fürsten von Werle zu einer 1298 als 'Oppidum' bezeichneten Stadt entwickelte. Im Mittelalter gab es einen Fernhandel auf der Straße von Rostock in den Berliner Raum. Nach einer wirtschaftlichen und politischen Bedeutung im 14. und 15. Jh. wurde der Ort mit dem Niedergang des norddeutschen Handels (16. Jh.) zu einer Ackerbürgerstadt. Der Stadtbrand von 1759 führte zur fast völligen Vernichtung Krakows. Ende des 19. Jh.s kam es zu einer bescheidenen Industrialisierung.
Im Jahre 1956 erhielt die Stadt das Prädikat 'Kurort'.

Sehenswertes in Krakow

Stadtkirche

Die Stadtkirche (ursprüngliche Anlage von 1230) ist ein langgestreckter rechteckiger Backsteinbau; der jetzige Bau datiert von 1762. Bemerkenswert von der Innenausstattung sind der Altaraufsatz (1705), die Kanzel (1705) und an der Nordwand eine Empore (1744) mit Wappenschmuck.

Jüdischer Friedhof

Beachtung verdienen der Jüdische Friedhof, der hier erhalten blieb, und der Turnergedenkstein bei der Turnhalle (einst Synagoge).

Umgebung von Krakow

*Aussicht

Äußerst reizvoll ist ein Blick von den Höhen um die Stadt auf die freundliche Seenlandschaft.

Krakower See

Der Krakower See hat eine Fläche von 15,9 km². Eines der schönsten Naturschutzgebiete in Mecklenburg bildet die Region des 'Krakower Obersee' (Vogelbrutstätte; für den Sportbootverkehr gesperrt). Der Untersee ist Landschaftsschutzgebiet.

Gräber und
Steinsetzungen

In der Umgebung von Krakow gibt es zahlreiche Hünengräber (Serrahn, Marienhof u. v. a.), Hügelgräber (Kuchelmiß, Serrahn, Charlottenthal, Groß Tessin, Klein Tessin) und germanische 'Steintänze' (= ringförmige Steinsetzungen; z. B. bei Bellin und auf Lindwerder).

⟶ Reiseziele von A bis Z: Plauer See

⟶ Reiseziele von A bis Z: Güstrow

⟶ Reiseziele von A bis Z: Mecklenburgische Schweiz

Kyffhäuser

D 4

Bundesland: Thüringen
Bezirk (1952–1990): Halle

Das Kyffhäusergebirge ist nur 19 km lang und 7 km breit. Es erhebt sich als kleines Ebenbild des ⟶ Harzes hoch über die Auslaugungszonen der von der Helme durchflossenen Goldenen Aue vor dem südlichen Harzrand, einer fruchtbaren, seit Jahrhunderten dicht besiedelten und ackerbaulich genutzten Senke, und des Frankenhäuser Tales, das auch 'Diamantene Aue' genannt wird, die beide in die Niederung der Unstrut (⟶ Unstruttal) übergehen.

Lage und Gebiet

Als Pultscholle ist der Kyffhäuser, wie dieses Gebirge kurz genannt wird, im Norden wesentlich stärker herausgehoben als im Süden. Im Kulpenberg, der einen 94 m hohen Richtfunkturm (mit Turmcafé) trägt, erreicht es 477 m ü.d.M. Während an seinem steilen Nordrand kristalline Gesteine des Grundgebirges hervortreten, von Sandsteinen und Konglomeraten überlagert werden, bestimmen an seinem Südrand verkarstete Zechstein-ablagerungen das Landschaftsbild.

Kulpenberg

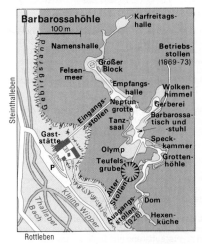

Sehenswert ist im südlichen Teil besonders die Barbarossahöhle bei Rottleben, eine Gipshöhle mit weiten Hohlräumen, Grotten und Seen; sie wurde 1865 entdeckt.
Im Namen der Barbarossahöhle klingt die auf den Kyffhäuser übertragene Sage vom Kaiser Rotbart oder Barbarossa an, die sich ursprünglich auf den gebildeten und toleranten Stauferkaiser Friedrich II. bezog, im 16. Jh. aber auf den 1190 während eines Kreuzzuges verstorbenen Friedrich I. übertragen wurde, als Herzog von Schwaben 1152 deutscher König und 1155

*Barbarossahöhle

Kaiser wurde und die Zentralgewalt des Reiches gegenüber den Territorialfürsten zu stärken suchte. Beide ließen ihr Werk unvollendet zurück. Die Sehnsucht der Menschen nach Gerechtigkeit richtete sich auf sie. Der Sage nach soll Kaiser Barbarossa im Kyffhäuser in einem unterirdischen Schlosse schlafen, dereinst wiederkehren und bessere Zeiten bringen. Es heißt, er werde alle 1000 Jahre von einem Raben geweckt.

Nach der Gründung des Deutschen Reiches (1871) wurde von 1890 bis 1896 über den Ruinen der alten Reichsburg Kyffhausen auf dem Kyff-

Kyffhäuserdenkmal

Kyffhäuser

Kyffhäuserdenkmal ...   *... mit Kaiser Barbarossa*

Kyffhäuser-
denkmal
(Fortsetzung)

häuserburgberg in 457 m ü. d. M. – oberhalb der 972 erstmalig erwähnten
Kaiserpfalz Tilleda, deren Schutz die Burg Kyffhausen einst gedient hatte
– ein 81 m hohes Denkmal errichtet. Der Entwurf stammt von dem Architekten Bruno Schmitz, der auch das Völkerschlachtdenkmal in Leipzig entwarf. Von diesem Denkmal hat man einen weiten Blick über das Kyffhäusergebirge und die Goldene Aue hinweg auf den Harz oder – in südlicher Richtung – über das Thüringer Becken.

Burg Kyffhausen

Zu besichtigen sind die ausgegrabenen Teile der Burg Kyffhausen mit dem
176 m tiefen Burgbrunnen sowie ein Museum.

Umgebung vom Kyffhäuser

Göllingen

In einem markanten Bogen der Wipper am Höhenzug der Hainleite liegt
das urige Dorf Göllingen (gut 3 km südwestlich von Rottleben). In der Ortsmitte befinden sich die Reste eines Benediktinerklosters aus dem 11. Jahrhundert.
Von der spätromanischen Klosterkirche vollständig erhalten ist der ungewöhnlich große Glockenturm (um 1200; zwei achteckige Etagen) mit dem
Westwerk samt Empore und Krypta; auffallend und zugleich rätselhaft sind
die maurisch-byzantinischen Bauanklänge.

Ruine Arensburg

Unweit von Seega (3 km südöstlich von Göllingen) befindet sich nahe dem
Durchbruch der Wipper durch die Hainleite die Ruine der aus dem 12. Jh.
stammenden Arensburg.

**Bad
Frankenhausen**

→ Reiseziele von A bis Z: Frankenhausen, Bad

Sondershausen

→ Reiseziele von A bis Z: Nordhausen, Umgebung

Kyritz

Bundesland: Brandenburg
Bezirk (1952–1990): Potsdam
Höhe: 34 m ü. d. M.
Einwohnerzahl: 10 000

Die Stadt Kyritz liegt – 30 km nordnordöstlich von → Havelberg – an der Jäglitz, westlich der Kyritzer Seenkette im nordwestlichen Teil des neuen Bundeslandes Brandenburg. Durch Anstauen dreier kleinerer Seen ist dort ein 236 ha großes Speicherbecken entstanden, das der Bewässerung, dem Hochwasserschutz und der Erholung dient (1979 fertiggestellt). Damit wurde Kyritz zu einem Urlauberziel in der Ostprignitz.

Lage und Bedeutung

Der Ort Kyritz erhielt im Jahre 1237 das Stendaler Stadtrecht und wurde 1358 Mitglied der Hanse. Nach dem Dreißigjährigen Krieg verlor die Stadt ihre wirtschaftliche Bedeutung.

Geschichte

Am 2. September 1945 verkündete der damalige Vorsitzende der Kommunistischen Partei Deutschlands (KPD), Wilhelm Pieck, im Saal des heutigen Hotels 'Zum Prignitzer' die sog. Bodenreform für die Sowjetische Besatzungszone Deutschlands, deren Hauptmerkmal die entschädigungslose Enteignung allen Grundbesitzes über 100 ha Fläche war.

Sehenswertes

Die Pfarrkirche St. Marien (zweite Hälfte des 15. Jh.s) ist ein Backsteinbau mit hohem Feldsteinsockel (1708–1714 im Barockstil umgestaltet); Im Inneren bemerkenswert sind der Taufstein aus dem 16. Jh. und die Kanzel von 1714.

Pfarrkirche St. Marien

Am alten Markt steht das Rathaus (1879), ein reizvoller Backsteinbau in Kastellform mit einem Uhrturm; auf dem Marktplatz die Friedenseiche (1814).

Rathaus

Trotz zahlreicher Brände sind einige Fachwerkhäuser (17. Jh.) mit Balkeninschriften und Schnitzwerk erhalten, so an der Johann-Sebastian-Bach-Straße (Nr. 36) und an der Bahnhofstraße (Nr. 44; von 1699); ferner Traufenhäuser aus dem 18. Jahrhundert.

⁕Fachwerkhäuser

Von der mittelalterlichen Stadtmauer existieren noch Reste an der Ostseite der Stadt; an der Straße 'An der Mauer' ein halbrundes Wiekhaus.

Wiekhaus

Umgebung von Kyritz

In Wusterhausen (F 5, 8 km südöstlich) verdient die St.-Peter-und-Paul-Kirche mit schönen Fresken und gotischem Torbogen zwischen den Pfarrhäusern Beachtung; ferner alte Fachwerkhäuser mit geschnitztem Gebälk und Rokokotor.

Wusterhausen

In Neustadt an der Dosse (14 km südlich von Kyritz, F 5 bis Bückwitz, dann F 102 westwärts) sind die Pfarrkirche, ein barocker Zentralbau (1673 bis 1696) in Form eines griechischen Kreuzes sowie die spätbarocken Verwaltungsbauten des Hengstdepots und des ehemaligen Gestütes erwähnenswert.

Neustadt

An der F 102, etwa auf halbem Wege zwischen Bückwitz und Neustadt, liegt das Dorf Kampehl mit einer seltsamen Sehenswürdigkeit: In der

Kampehl

Kyritz, Umgebung, Kampehl (Forts.) Gruftkapelle der Kirche ruht der mumienhafte Leichnam des Ritters von Kahlbutz († 1703), über dessen Leben und Sterben es viele Legenden gibt.

Havelberg → Reiseziele von A bis Z: Havelberg

Neuruppin → Reiseziele von A bis Z: Neuruppin

Bad Lauchstädt   D 4

Bundesland: Sachsen-Anhalt
Bezirk (1952–1990): Halle
Höhe: 117 m ü.d.M.
Einwohnerzahl: 4000

Lage und Bedeutung

Die kleine Stadt Bad Lauchstädt liegt – westlich von → Merseburg – an der Laucha, einem linken Zufluß der Saale (→ Saaletal). Im Rahmen der deutschen Kulturgeschichte sind das Goethe-Theater und die Kuranlagen von Interesse.

Geschichte

Bereits im Hersfelder Zehntverzeichnis (9. Jh.) wurde die Stadt erwähnt, 1341 'Lochstete' genannt. Seine Glanzzeit erlebte Lauchstädt nach der Entdeckung von Heilquellen durch F. Hoffmann aus Halle um 1700. Nachdem der Ort zunächst ein Treffpunkt des Adels geworden und die Kuranlagen entstanden waren, übten Ende des 18. bis Anfang des 19. Jh.s die Aufführungen der Weimarer Hofschauspielergruppe in dem unter Goethes Leitung errichteten Sommertheater eine starke Anziehungskraft aus.

Sehenswertes

*Goethe-Theater

Das 1966–1968 restaurierte Goethe-Theater (1802, H. Gentz) ist der einzige in Mitteleuropa existierende Theaterbau des Klassizismus mit einer voll funktionsfähigen hölzernen spätbarocken Bühnenmaschinerie. In den Sommermonaten finden Aufführungen von kleinen Opern, Singspielen und Schauspielen statt.

Kuranlagen

In den Kuranlagen liegen der ehemalige Mühlteich, der Herzogspavillon (1735, wohl von J.M. Hoppenhaupt), der Quellpavillon und der Bade- oder Duschpavillon (1776), der Kursaal (Ausmalung nach Entwürfen von K.F. Schinkel 1823 durch G.A. Pellicia) und die Kolonnaden (hölzerner Wandelgang mit Architekturmalerei und eingebauten Krämerbuden, 1775–1787).

Ehem. Schloß
Stadtkirche
Amtshaus

Am ehemaligen Schloß ist noch ein schöner Frührenaissance-Erker erhalten. Nahebei befinden sich die Stadtkirche (17. Jh.) und das ehemalige Amtshaus (17. Jh.).

Rathaus

Das kleine Rathaus am Markt, ein schlichter Barockbau von 1678, zeigt über dem Portal das Stadtwappen.

Umgebung von Bad Lauchstädt

Mücheln

In Mücheln (14 km südlich) gibt es ein Renaissancerathaus (1571) mit Treppenturm, rundem Erker und zwei Portalen. An den Emporen der gotischen Pfarrkirche (1892 erneuert) Bilder aller Geiseltalkirchen.

Merseburg → Reiseziele von A bis Z: Merseburg
Halle (Saale) → Reiseziele von A bis Z: Halle an der Saale
Querfurt → Reiseziele von A bis Z: Querfurt

Lausitz   D/E 6/7

Bundesländer: Brandenburg und Freistaat Sachsen
Bezirke (1952–1990): Cottbus und Dresden

Der Name Lausitz, sorbisch Lusica, bezeichnet historische Landschaften **Lage und Gebiet**
zwischen mittlerer Oder und mittlerer Elbe im Flußgebiet von oberer Spree
und Neiße. Zunächst bezog er sich nur auf das von den slawischen Lusi-
zern bewohnte Gebiet, die Niederlausitz, die im 12. Jh. an die wettinischen
Markgrafen von Meißen kam. Später wurde der Name als Oberlausitz auch
für das frühere Siedlungsgebiet der slawischen Milzener um ⟶ Bautzen
(Budyšin) und ⟶ Görlitz (Zhorjelc) gebraucht, in dem sich im 14. Jh. der
mächtige Lausitzer Sechsstädtebund gebildet hatte.
Geographisch ist die Niederlausitz ein Teil des norddeutschen Tieflandes,
verwaltungsmäßig gehört sie heute zum Bundesland Brandenburg, während die Oberlausitz bereits der Mittelgebirgsschwelle zuzurechnen ist und
vom Freistaat Sachsen verwaltet wird. In jüngster Zeit sind Initiativen zu
beobachten, die auf die historische Zugehörigkeit der Oberlausitz zu
Niederschlesien hinweisen und grenzübergreifend regionsbetonte Kontakte zur deutschen Minderheit in Polen anstreben.   **Sorben**
In der Lausitz wohnen heute als ethnische Minderheit etwa 60 000 Sorben. **(vgl. S. 135)**

Niederlausitz

Das Landschaftsbild der Niederlausitz wird vom Lausitzer Höhenzug, auch **Landschaft**
Lausitzer Grenzwall genannt, mit seinen ausgedehnten Altmoränen, von
Sanderflächen, die weithin Kiefernwälder tragen, und Strecken von
Urstromtälern bestimmt. Die höchsten Teile des Lausitzer Höhenzuges
erreichen westlich von Senftenberg nahezu 180 m über dem Meer.

Die Niederlausitz ist wirtschaftlich gesehen heute ein Gebiet mit ausge- **Wirtschaft**
dehntem Braunkohlenbergbau und einer Braunkohle veredelnden und ver-
arbeitenden Industrie. Die größte Rolle spielen die Energiegewinnung aus
Braunkohle in Großkraftwerken und die Gaserzeugung. Diese Industrie,
konzentriert im Raum Lauchhammer, ⟶ Hoyerswerda, Schwarze Pumpe
und Boxberg, ist wesentlich wichtiger geworden als die traditionelle
Tuchindustrie in ⟶ Cottbus, Forst und Guben (⟶ Eisenhüttenstadt, Umgebung), obwohl auch diese besonders in Cottbus eine bedeutende
Weiterentwicklung erfahren hat. Gleiches gilt für die Glasindustrie in
Weißwasser.
In ausgekohlten Tagebauen sind nach ihrer Auffüllung durch Grundwasser
Naherholungsgebiete entstanden (Knappensee und Senftenberger Seen-
landschaft).

Oberlausitz

Die Oberlausitz wird geprägt durch lößbedeckte Gefilde mit intensiver **Landschaft**
Agrarwirtschaft, durch Verebnungen und lange Bergrücken auf dem Granit
der Lausitzer Platte, in den höheren Lagen bewaldet, durch flache Talun-
gen mit langgestreckten, stark industrialisierten Dörfern. Die höchste
Erhebung im Lausitzer Bergland ist der Valtenberg mit 589 m Meereshöhe.

In der Oberlausitz herrschte in der Vergangenheit eine in Heimarbeit betrie- **Wirtschaft**
bene Leinenweberei vor. Davon beeinflußt wurde das Siedlungsbild: die
zweigeschossigen Umgebindehäuser mit Ständerkonstruktion, welche die
Holzstube des Erdgeschosses umgibt und das Obergeschoß trägt.

Wichtigste Städte der Oberlausitz und zugleich touristische Anziehungs- **Reiseziele**
punkte sind ⟶ Görlitz, ⟶ Bautzen, ⟶ Kamenz, ⟶ Löbau und ⟶ Zittau.

Leipzig D 5

Bundesland: Freistaat Sachsen
Bezirk (1952–1990): Leipzig
Höhe: 118 m ü. d. M.
Einwohnerzahl: 556000

Hinweis

Die im Rahmen dieses Reiseführers gegebene Darstellung der Stadt Leipzig ist bewußt knapp gehalten und beschränkt sich auf die Hauptsehenswürdigkeiten. Detaillierte Informationen liefert der in der Reihe 'Baedekers Stadtführer' erscheinende Band "Leipzig".

Allgemeines

Lage und Bedeutung

Die altberühmte Messestadt Leipzig liegt am Zusammenfluß von Pleiße und Weißer Elster (→ Elstertal) in der Leipziger Tieflandsbucht. An bedeutenden Handelswegen situiert, entwickelte sich die Stadt nach Erteilung des Messeprivilegs schnell zu einem wichtigen Handelsplatz, der nach → Dresden die bedeutendste sächsische Großstadt wurde.

Buchstadt

Ebenso wichtig wurde Leipzig für Kunst, Kultur und Wissenschaft. Von seiner Bedeutung als Buchstadt – einst die Zentralstätte des deutschen Buch und Bibliothekswesens – zeugen noch immer zahlreiche, z. T. traditionsreiche Verlage, einmalige Bibliotheken wie die Deutsche Bücherei und die Deutsche Zentralbücherei für Blinde, die Internationalen Buchkunstausstellungen und die jährlichen Austellungen der schönsten Bücher des Jahres, die Hochschule für Graphik und Buchkunst sowie leistungsfähige graphische Großbetriebe.

Musikstadt

Der ausgezeichnete Ruf als Musikstadt gründet sich auf das Gewandhausorchester, den Thomanerchor, das Rundfunksinfonieorchester, die Hochschule für Musik 'Felix Mendelssohn-Bartholdy' und die Musikverlage.

Wissenschaft und Bildung

Wissenschaft und Bildung finden ihren Ausdruck sowohl in der altehrwürdigen Leipziger Universität ('Alma Mater Lipsiensis'; seit 1953 'Karl-Marx-Universität'), als auch in einer Vielzahl anderer Hoch- und Fachschulen, darunter die Deutsche Hochschule für Körperkultur und Sport.

Rauchwaren (Felle, Pelze)

Seit dem 17./18. Jh. ist der Brühl als Sitz der Rauchwarenverarbeitung und des Rauchwarenhandels weltbekannt.

Industrie

Für den bedeutenden Industriestandort sind vor allem der Chemieanlagenbau, der Schwermaschinenbau, der Landmaschinenbau und der polygraphische Maschinenbau bestimmend.

Braunkohlentagebaue

Leipzig liegt inmitten der braunkohlenreichen Leipziger Tieflandsbucht. Die Braunkohletagebaue reichen im Süden bis unmittelbar an das Stadtgebiet bzw. an das der benachbarten Kleinstadt Markkleeberg heran. Im Norden wurden neue Tagebaue in Richtung Delitzsch erschlossen.

Stadtgeschichte

Anfänge und Entfaltung

Im 7. Jh. bestand auf Leipziger Boden bereits eine slawische Siedlung, 'Lipzi' (Lindenort). Deutsche Fürsten gründeten die 1015 erstmals erwähnte Burg 'Urbs Lipzi', in deren Schutz sich an der Kreuzung der bedeutenden Königsstraße (Via Regia) und der Reichsstraße (Via Imperii) eine Kaufmanns- und Handwerkersiedlung entwickelte. Markgraf Otto von

Universitätshochhaus mit dem Mägdebrunnen ▶

Leipzig

Stadtgeschichte
(Fortsetzung)

Meißen verlieh Leipzig um 1165 das Stadtrecht. Die Rolle des Handels- und Messeplatzes wurde durch die Verleihung des Messeprivilegs Kaiser Maximilians I. (1497) für einen Umkreis von 15 Meilen gefestigt. Im Dreißig-jährigen Krieg kam es in der Leipziger Umgebung zu drei großen Schlach-ten bei Breitenfeld (1631 und 1642) und Lützen (1632). Leipzig nahm neben der sächsischen Residenzstadt Dresden eine Sonderstellung ein; denn durch die Messe war es die wirtschaftliche Hauptstadt. Im 18. Jh. entfal-teten sich Buchhandel, Buchdruck, Theater, Universität und Musikleben.

Völkerschlacht
bei Leipzig

Vom 16. bis zum 19. Oktober 1813 wurde mit der Völkerschlacht bei Leip-zig, in der die 306 000 Soldaten der verbündeten Truppen Preußens, Öster-reichs, Rußlands und Schwedens den 190 000 Angehörigen der Armeen Napoleons I. gegenüberstanden, eine für die europäische Entwicklung im 19. Jh. entscheidende Schlacht geschlagen.

19. Jahrhundert

Im Vormärz (1830) war Leipzig ein Mittelpunkt des Liberalismus (R. Blum, R. Wagner). 1839 fuhr die erste deutsche Ferneisenbahn von Leipzig nach Dresden.
In der zweiten Hälfte des 19. Jh.s vollzog sich rasch die Entwicklung zur Industriestadt. Nach der Gründung des Deutschen Reiches (1871) wurde Leipzig Sitz des Reichsgerichtes (1879–1945) als Revisionsinstanz in Zivil- und Strafsachen.

20. Jahrhundert

Im Zweiten Weltkrieg wurden große Teile der Leipziger Innenstadt durch Luftbombardements zerstört; so 1943 auch das Gebäude des 1872 von Koblenz in die 'Stadt des deutschen Buchhandels' übergesiedelten, be-kannten Reiseführerverlages Karl Baedeker (heute in Ostfildern-Kemnat bei Stuttgart).
Beim Wiederaufbau der Stadt war man bemüht, das historisch gewach-sene Zentrum zu erhalten, beschädigte oder zerstörte Gebäude zu rekon-struieren bzw. neu aufzubauen; am westlichen Stadtrand entstand der neue Stadtteil Leipzig-Grünau für etwa 100 000 Einwohner. Andererseits wurden in den letzten Jahrzehnten große Teile der Stadt vernachlässigt, so daß sich die Bausubstanz weithin in einem lamentablen Zustand befindet. Von 1952 bis 1990 fungierte Leipzig als Hauptstadt ('Bezirksstadt') des einstigen Bezirkes der ehemaligen Deutschen Demokratischen Republik.

1989:
'Heldenstadt'
Leipzig

Spätestens im Frühjahr 1989 manifestierte sich in Leipzig mehr oder weni-ger deutliche Kritik an den politischen Verhältnissen in der damaligen Deutschen Demokratischen Republik. Die traditionellen Montagsan-dachten der Nikolaikirche nahmen die Form offenen Protestes an. Am 2. Oktober zogen bereits etwa 15 000 Demonstranten rings um die Innen-stadt. Am 9. Oktober wurden starke Aufgebote von Sicherheitskräften zusammengezogen. Dessenungeachtet formierten sich in der Stadt nun-mehr etwa 50 000 Menschen zum friedlichen Protestmarsch. Ein von dem Gewandhauskapellmeister Kurt Masur initiierter Aufruf zum Dialog zwi-schen Staatsmacht und Bevölkerung wurde u. a. über den Stadtfunk ver-breitet. Durch die ostentative Friedfertigkeit der Demonstranten und den lautstark erklärten Willen zu absoluter Gewaltlosigkeit (Parolen: "Keine Gewalt!" – "Wir sind das Volk!") konnte der drohende Bürgerkrieg verhin-dert werden. Seither spricht man von Leipzig als 'Heldenstadt'.

Leipziger Messe

Anfänge im
12. Jahrhundert
und Entwicklung
im Mittelalter

Die Leipziger Messe ging aus den Oster- und Michaelismärkten hervor, die schon 1165 im Stadtbrief Ottos des Reichen erwähnt sind. Im Jahre 1268 erließ der damalige Landesherr, Markgraf Dietrich von Landsberg, einen Schutzbrief für die nach Leipzig reisenden Kaufleute. 1548 verlieh der Kurfürst Friedrich von Sachsen der Stadt einen dritten Markt zu Neujahr, und schon im 15. Jahrhundert erschienen regelmäßig fremde Einkäufer. Kaiser Maximilian I. bestätigte 1497 von Reichs wegen die Vorrechte der drei Märkte und fügte 1507 für einen Umkreis von 15 Postmeilen (115 km) das Niederlags- oder Stapelrecht hinzu, das für Leipzig als einen der Brennpunkte des mitteleuropäischen Westost- und Nordsüdhandels besonders wichtig war.

Leipziger Messe, Entwicklung (Fortsetzung)

Seit dem Ende des 16. Jahrhunderts unternahmen Leipziger Kaufleute selbständige Handelsfahrten nach Rußland. Während die Händler aus dem Osten Felle und Fleisch (in Gestalt von Rinderherden) sowie Orientwaren zum Verkauf brachten, waren sie zugleich die besten Einkäufer für flandrische Tuche sowie Galanterie- und Kolonialwaren des Westens.

Gegen Ende des 17. Jahrhunderts hatte Leipzig sogar das reiche Frankfurt am Main als Handelsplatz überholt.

Napoleons I. 1806 von Berlin aus diktierte Kontinentalsperre, die den europäischen Handel mit Großbritannien lahmlegen sollte, führte zu einem gesteigerten Umsatz französischer Ware. Als die Sperre nach den Freiheitskriegen aufgehoben wurde und Sachsen 1833 dem seit 1828 unter Führung Preußens geschaffenen Zollverein beitrat, folgte ein allgemeiner wirtschaftlicher Aufschwung: Die Leipziger Messen hatten soviele Besucher wie die Stadt Einwohner (ca. 45000).

Wandlung von der Warenmesse zur Mustermesse im 19. Jahrhundert

Seit dem letzten Viertel des 19. Jahrhunderts, als die aufkommende Maschinenarbeit die Erzeugnisse gleichwertig und mustergetreu herstellte und der Ausbau der Eisenbahnen die sichere Versendung von Waren auf größere Entfernungen gestattete, trat die Bedeutung der Warenmessen allmählich zurück.

Aber Leipzig fand neue Wege, die bald große Erfolge erzielten: Seine Messen entwickelten sich zu Mustermessen ('MM'), auf denen im Frühjahr und im Herbst fast alle Erzeugnisse der Industrie und des Gewerbes ausgestellt wurden: Haus- und Küchengeräte, Glas und Keramik, Metall-, Holz-, Papier-, Gummi- und Spielwaren, Musikinstrumente und vieles andere. Nach den Mustern wurde der Kauf abgeschlossen, wogegen die Ware selbst vom Herstellungsort direkt zum Empfänger gelangte.

Symbol der Mustermesse

So bildete Leipzig vor dem Ersten Weltkrieg einen einzigartigen Austauschplatz für Deutschland und Europa, der sich auch nachher wieder behaupten konnte, zumal seit 1919 die Technische Messe und die Baumesse hinzukamen. Vor dem Zweiten Weltkrieg betrug die Zahl der Besucher der Frühjahrsmesse etwa 300000. Der Zweite Weltkrieg beendete diese Entwicklung und zerstörte ihre Grundlagen.

Weltgeltung bis zum Zweiten Weltkrieg

Nach dem Zusammenbruch von 1945 mußte auch auf dem Gebiet der Messe ganz neu begonnen werden. Aber schon 1946 konnte mit Unterstützung der sowjetischen Besatzungsmacht die erste Leipziger Frühjahrsmesse ('Friedensmesse') abgehalten werden, der 1947 wieder Frühjahrs- und Herbstmessen folgten.

Wiedergeburt in der Nachkriegszeit

Die Ausstellungsflächen verteilen sich auf zahlreiche Messehäuser in der Innenstadt sowie auf diverse Hallen, Pavillons und Freiflächen auf dem Messegelände im Süden der Stadt zwischen Deutschem Platz und Völkerschlachtdenkmal. Die im Zweiten Weltkrieg schwer beschädigten Messehäuser sind inzwischen längst wieder instandgesetzt worden: Dresdner Hof, Handelshof, Petershof, Specks Hof, Stentzlers Hof, Ring-Messehaus und der Zentral-Messepalast. Das erste unterirdische Ausstellungsgebäude überhaupt ist das 1925 angelegte Messehaus unter dem Markt (Untergrund-Messehaus). Neu hinzugekommen sind der Messehof und das Messehaus am Markt.

Messehäuser und Ausstellungsgelände

Die Schwerpunkte der Frühjahrsmessen sind die Branchen Werkzeugmaschinen, Elektrotechnik, Elektronik, Informationstechnik, wissenschaftlicher Gerätebau, Metallurgie, Schwermaschinen- und Anlagenbau sowie Land- und Nahrungsgüterindustrie.

Auf den Herbstmessen stehen Chemie und Chemieanlagen, Textilmaschinen, Straßenfahrzeuge, Freizeitgestaltung und Sportartikel sowie

Messebranchen

Leipziger Messe, Messebranchen (Fortsetzung)	Unterrichtsmittel, Ausstattungen und Möbel für Bildungseinrichtungen im Vordergrund. Auf beiden Messen sind Textilien, Bekleidung, Nahrungs- und Genußmittel, Glas und Keramik vertreten.
1990: 825 Jahre Leipziger Messe	In dem für Deutschland so bedeutsamen Jahr 1990 beging man in der Pleißestadt das 825jährige Bestehen der wahrlich traditionsreichen Leipziger Messe, die sich allerdings zukünftig der Konkurrenz anderer deutscher Städte – etwa Hannover oder Frankfurt am Main – wird stellen müssen, die sich inzwischen zu bedeutenden internationalen Messeplätzen entwickelt haben.

Stadtbeschreibung

*Markt und Passagen

*Altes Rathaus	Der Markt, jahrhundertelang Mittelpunkt des städtischen Lebens, wird beherrscht vom Alten Rathaus, 1556 von dem Leipziger Bürgermeister H. Lotter im Renaissancestil erbaut (später zahlreiche Umbauten). Der Turm ist über dem Hauptportal asymmetrisch angeordnet und hat eine barocke Haube; an der Marktseite ein überdachter 'Verkündigungsbalkon' und Austritt für die bekannten Stadtpfeifer (in historischen Kostümen, am Wochenende). Links vom Turm zwei, rechts vier Giebel. Die Kolonnaden (1907) wurden an Stelle früherer hölzerner Ladenvorbauten errichtet.
Museum für Geschichte der Stadt Leipzig	Im Alten Rathaus ist das Museum für Geschichte der Stadt Leipzig untergebracht, u. a. mit Gemälden und Stadtansichten sowie der ständigen Ausstellung 'Leipzig gestern, heute und morgen' (Ratsstube und Festsaal).
*Alte Waage	An der Nordseite des Marktes steht die Alte Waage (urspr. 1555, H. Lotter), ein altes Handelsgebäude, das nach Kriegszerstörung von 1963 bis 1964 rekonstruiert und kürzlich renoviert wurde.
Barthels Hof	Barthels Hof (Markt Nr. 8; 1523) ist ein typischer Handelshof aus der Zeit der Warenmesse. Ein Durchgang führt zur Kleinen Fleischergasse mit dem Haus zum Kaffeebaum (Nr. 4; um 1500), einer historischen Gaststätte (seit 1694), in welcher der Komponist Robert Schumann und die Davidsbündler 1833–1844 verkehrten.
Messehäuser und Messeamt	Unter dem Marktplatz befindet sich das Untergrundmessehaus (1925, rekonstruiert 1986/1987). An der Südseite des Platzes das Messehaus am Markt (1963) und das Königshaus (1610; Umbau 1706); an der Westseite das Haus des Leipziger Messeamtes (1965).
*Thomaskirche	Unweit südwestlich vom Markt steht die Thomaskirche, die Heimstätte des weltberühmten Thomanerchores. Die um 1212 als Stiftskirche der Augustinerchorherren errichtete Klosterkirche wurde mehrfach umgebaut. Im 15. Jh. erhielt sie unter Leitung von C. Roder die Form der spätgotischen obersächsischen Hallenkirche mit dem dreischiffigen Langhaus. Die westliche Fassade wurde bei der Erneuerung 1872–1889 gestaltet. Luther predigte 1539 in der Kirche. J. S. Bach wirkte hier 1723–1750 als Thomaskantor; seine Grabstätte befindet sich seit 1950 in der Kirche.
Bachdenkmal	Vor der südlichen Seite der Thomaskirche sieht man das eindrucksvolle Bachdenkmal (1908, C. Seffner).
Bacharchiv	Gegenüber der Kirche, Thomaskirchhof Nr. 16, steht das Bosehaus, Sitz der Johann-Sebastian-Bach-Gedenkstätte und des Bacharchivs.
*Naschmarkt	Der intim wirkende Platz hinter dem Alten Rathaus, der Naschmarkt, wurde 1556 angelegt.

Altes Rathaus und ...

Alte Waage am Markt

Leipzig

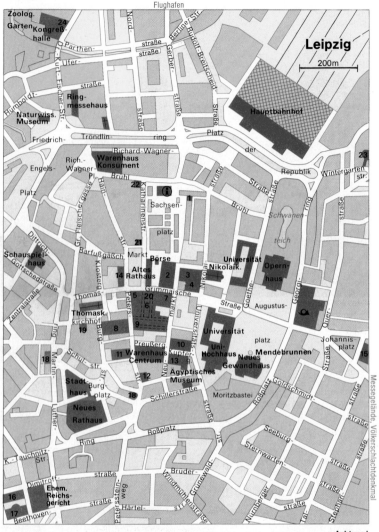

Stadtkern

Achtung! Im Zuge der politischen Neuorientierung sind weitere Namensänderungen zu erwarten.

1 Messehaus Brühlzentrum
2 Handelshof
3 Specks Hof
4 Hansahaus
5 Messehaus am Markt
6 Mädler-Passage
7 Zentral-Messepalast
8 Petershof
9 Messehof
10 Städtisches Kaufhaus
11 Drei Könige
12 Stentzlers Hof
13 Dresdner Hof
14 Messeamt
15 Grassi-Museum
16 Hochschule für Graphik- und Buchkunst
17 Universitätsbibliothek
18 Handelshochschule
19 Kabarett "Pfeffermühle"
20 Auerbachs Keller
21 Alte Waage
22 Romanushaus
23 Haus der Heiteren Muse
24 Theater der Jungen Welt

An seiner Nordseite die Alte Handelsbörse, ein für Leipzig einzigartiger Frühbarockbau (1678–1687) von J.G. Starcke. Das Gebäude diente als Versammlungsort der Kaufleute; später tagten hier die Stadtverordneten. Heute wird es für festliche Veranstaltungen genutzt. *Alte Handelsbörse
Vor dem Gebäude steht das Goethedenkmal (1903) von C. Seffner, das den Dichter als Studenten in Leipzig zeigt. Goethedenkmal

Gegenüber dem Naschmarkt führt die Mädlerpassage unmittelbar hinein in das für Leipzig charakteristische Passagensystem mit zahlreichen Geschäften, das an Stelle älterer Handelshöfe entstanden ist. Alle Passagen (Mädlerpassage, Königshofpassage, Messehofpassage) stehen miteinander in Verbindung. *Mädlerpassage
Am Eingang zur Mädlerpassage, unmittelbar an den Treppen, die zur historischen Gaststätte 'Auerbachs Keller' hinunterführen, die Figurengruppen der Kellerszenen aus Goethes "Faust" (1913, M. Molitor). *Auerbachs Keller
In der Mädlerpassage ein Glockenspiel aus Meißner Porzellan.

Sachsenplatz

Nördlich vom Markt liegt der Sachsenplatz, 1969 an Stelle kriegszerstörter Bauten als innerstädtischer Platz neu angelegt. An der Nordseite das Gebäude der Leipzig-Information (1969). Leipzig-Information
Auf der Freifläche sieht man Brunnenplastiken (1972) und eine Keramiksäule, geschmückt mit Motiven zur Stadtgeschichte (1972).

An der Westseite die barocken Bürgerhäuser der Katharinenstraße. Glanzpunkt ist das Romanushaus (Ecke Brühl), ein 1701–1704 nach Plänen von J.G. Fuchs für den Bürgermeister F.C. Romanus errichtetes viergeschossiges Bürgerhaus, dessen Fassade stark gegliedert ist. In den Jahren 1706/1707 baute Fuchs auch das Fregehaus um (1986 rekonstruiert). *Romanushaus

An der Ostseite des Sachsenplatzes das Brühlzentrum und das Hochhaus des Unternehmens 'Brühlpelz' (1965/1966). Brühlzentrum

Im Südosten vom Sachsenplatz steht zwischen Nikolaistraße und Ritterstraße die Nikolaikirche mit markantem Turm (75 m). Ihre Anfänge reichen in das 12. Jh. zurück; in den folgenden Jahrhunderten wurden Änderungen in verschiedenen Baustilen vorgenommen. Eindrucksvoll ist das klassizistische Innere mit den Emporen- und Altargemälden von A.F. Oeser. Nikolaikirche

Augustusplatz

Der weite Augustusplatz (40 000 m^2) wurde einst außerhalb des ummauerten Stadtkerns angelegt. Bis zum Jahre 1831 stand hier das Grimmaische Tor.

Nach den Zerstörungen des Zweiten Weltkrieges und dem späteren Abriß der alten Universitätskirche ist das 34geschossige Hochhaus (142,50 m; vulgo 'Steiler Zahn', Abb. s. S. 395) der Universität (1973) das beherrschende Gebäude (in 110 m Höhe ein Panoramacafé). Universität
In den Hörsaaltrakt einbezogen ist das Schinkeltor (1836, K.F. Schinkel und E. Rietschel), das Portal des einstigen Augusteums.
An der Südseite der Universität steht ein Leibnizdenkmal. Leibnizdenkmal

An das Universitätsgebäude schließt die ehemalige Moritzbastei (1515) an, der letzte erhaltene Rest der früheren Stadtbefestigung, neuerdings ausgebaut als Studentenklub. Moritzbastei

An der Schillerstraße (Nr. 6) befindet sich das Ägyptische Museum der Universität. Ägyptisches Museum

Neues Gewandhaus mit Mendebrunnen

☀Neues Gewandhaus	Neben der Universität steht das Neue Gewandhaus (1981, R. Skoda), ein repräsentativer Wirkungsort für das weltberühmte Gewandhausorchester. Das dreigeschossige Konzerthaus mit dem amphitheaterartigen Großen Saal (1921 Plätze; Schuke-Orgel) und dem Kleinen Saal (490 Plätze) wird durch zahlreiche Gemälde zeitgenössischer Künstler geschmückt; im Foyer zum Kleinen Saal befindet sich eine Beethoven-Plastik (1902, M. Klinger).
Mendebrunnen	Vor dem Gewandhaus ist der restaurierte Mendebrunnen (1886) aufgestellt.
Ost- und Westseite des Augustusplatzes	An der Ostseite des Augustusplatzes das Versicherungshochhaus (1929), das Hotel 'Deutschland' (1963–1965) und Bürogebäude. An der Westseite des Platzes das Krochhaus (1927/1928, Bestelmeyer) mit den zwei Glockenmännern.
Opernhaus	An der Nordseite vom Augustusplatz steht das Opernhaus (1956–1960). An dieses schließt der Schwanenteich an, angelegt auf dem früheren Stadtgraben, mit einem Denkmal für die erste Eisenbahnlinie Leipzig–Dresden.
☀Grassi-Museum	Geht man vom Augustusplatz ostwärts, so erreicht man am Johannisplatz das 1925–1927 aus rotem Rochlitzer Porphyrtuff errichtete Grassi-Museum (seit 1926 auch Messehaus), heute Museum für Völkerkunde, Kunstgewerbemuseum und Musikinstrumentenmuseum.

Hauptbahnhof

Vom Augustusplatz nordwärts führen die Goethestraße und der Georgiring (95,50 m hohes Wohnhochhaus, 1970–1972) – zwischen beiden eine

Opernhaus an der Nordseite des Augustusplatzes

Parkanlage mit dem Schwanenteich – zu dem monumentalen Leipziger Hauptbahnhof, einem der größten Kopfbahnhöfe Europas, der in den Jahren 1902 bis 1915 von den Dresdener Architekten William Lossow und Max Kühne erbaut worden ist.

Hauptbahnhof (Fortsetzung) *Monumentalbau

Die Sandsteinfront des Empfangsgebäudes hat eine Breite von 298 m; aus den beiden vorspringenden Hallentrakten führen Treppen hinauf zu dem 267 m langen Querbahnsteig, auf den die je 45 m breiten und 220 m langen Längsbahnsteige mit insgesamt 26 Gleisen einmünden.

Sehenswertes im Südwesten

Am südwestlichen Rand des Stadtkerns steht das Neue Rathaus, ein Monumentalbau im Stil der deutschen Spätrenaissance in den Jahren 1899 bis 1905 von Hugo Licht auf den Grundmauern der 1897/1898 abgerissenen Pleißenburg (im 13. Jh. unter Markgraf Dietrich als Zwingburg geschaffen) errichtet. Der Turmstumpf der Pleißenburg ist in den Neubau des Mittelturms (115 m) einbezogen.

*Neues Rathaus

Mit dem Neuen Rathaus verbunden ist das Stadthaus (1908–1912), ebenfalls ein Werk von Hugo Licht.

Stadthaus

Unweit südwestlich vom Neuen Rathaus steht das kuppelgekrönte ehemalige Reichsgerichtgebäude (1888–1895), jetzt Museum der Bildenden Künste. Im Plenarsaal fand 1933 der 'Reichstagsbrandprozeß' statt, in dem der bulgarische Arbeiterführer Georgij Dimitroff durch sein mutiges Auftreten den Nationalsozialisten eine Niederlage bereitete.

Ehemaliges Reichsgerichtsgebäude (Museum der Bildenden Künste)

Die Gemäldegalerie enthält altdeutsche, italienische und niederländische Meister (seit dem 15. Jh.). Besonders hervorzuheben sind auch die Sammlungen zur Geschichte und Plastik des 19. und 20. Jahrhunderts.

Messegelände und Völkerschlachtdenkmal

*Deutsche Bücherei

Am Deutschen Platz befindet sich der mächtige, elegant geschwungene Gebäudekomplex der Deutschen Bücherei (1914–1916, O. Pusch und K.J. Baer), die seit ihrer Gründung das gesamte deutschsprachige Schrifttum sammelt; in ihren Räumen befindet sich auch das Deutsche Buch- und Schriftmuseum.

*St.-Alexi-Gedächtniskirche

An der Philipp-Rosenthal-Straße steht die St.-Alexi-Gedächtniskirche (1912/1913, W.A. Pokrowski), mit vergoldeter Zwiebelkuppel. Die Kirche ist den in der Völkerschlacht bei Leipzig gefallenen 22 000 russischen Soldaten gewidmet.

Messegelände

Zwischen dem Deutschen Platz und dem Wilhelm-Külz-Park erstreckt sich das Messegelände, auf dem 1920 erstmals die Technische Messe stattfand.

*Völkerschlacht-denkmal

Das Völkerschlachtdenkmal (1898–1913, B. Schmitz und C. Thieme) ist ein eindrucksvolles Mahnmal im Stil der Jahrhundertwende. Es wurde anläßlich der 100-Jahr-Feier der Völkerschlacht bei Leipzig (1813) eingeweiht.

Das Denkmal ist auf 26 m hohen Betonpfeilern gegründet und gliedert sich in Krypta, Ruhmeshalle und Kuppel mit Aussichtsplattform (in 91 m Höhe); Michaelrelief von C. Behrens. Im Park vor dem Völkerschlachtdenkmal befindet sich ein Ausstellungspavillon ('Geschichte der Völkerschlacht 1813').

Südfriedhof

Zu Füßen des Völkerschlachtdenkmals erstreckt sich der parkartig gestaltete Südfriedhof (82 ha), seit 1886 der Hauptbegräbnisplatz der Stadt, mit einer Abteilung für die Gefallenen der beiden Weltkriege, den Gräbern der beim Kapp-Putsch gefallenen Leipziger Arbeiter und von rund 5 000 Opfern der Luftbombardements im Zweiten Weltkrieg sowie einem

Messegelände und Völkerschlachtdenkmal Leipzig

Bayerischer Platz · Friedenspark · Deutscher Platz · Deutsche Bücherei · Curiestr. · Zwickauer Str. · Philipp- · Rosenthal- · Str. · Messegelände · Leipzig-Messegelände · Richard- · Lehmann- · Wilhelm- · S-Bahn · Carl-Hampel-Platz · 18. Oktober · Straße · Külz- · SIEDL. AN DER · An · der · Tabaks- · TABAKS-MÜHLE · Friedhofsweg · des · Naumburger Str. · Park · Napoleon-stein · Südfriedhof · Schönbach-str. · L.-Colditz-Str. · Lennéstr. · mühle · Völker-schlacht-denkmal · N · 150 m

1 Russische Gedächtniskirche
2 Restaurant Leipzig
3 Ausstellungspavillon
4 Kapellen- und Feuerbestattungsanlage

Völkerschlachtdenkmal

Gohliser Schlößchen

Ehrenhain für die Leipziger antifaschistischen Widerstandskämpfer (Denkmal "Sterbender Kämpfer").
Auf dem Friedhof befinden sich neben vielen anderen auch die Grabstätten von Thomaskantoren (Ramin u. a.) und Gewandhauskapellmeistern (Nikisch u. a.) sowie die Reisebuchverleger Fritz Baedeker (1844–1925) und Hans Baedeker (1874–1959).

Südfriehof (Fortsetzung)

Gut 1 km südöstlich vom Völkerschlachtdenkmal befindet sich an der Russenstraße (Nr. 48) eine Gedenkstätte für den russischen Revolutionär Wladimir Iljitsch Lenin (eigentlich W. I. Uljanow, 1870–1924), der hier im Jahre 1900 in der damaligen Druckerei von H. Rauh die erste Nummer der gesamtrussischen marxistischen Zeitung "Iskra" (= "Der Funke") drucken ließ.

Iskra-Gedenkstätte

Gohlis

Im nördlichen Stadtteil Leipzig-Gohlis steht das Gohliser Schlößchen (Menckestraße). Das Gebäude wurde 1755/1756 von F. Seltendorff für den Leipziger Ratsherren C. Richter erbaut. Im Festsaal das Deckengemälde "Lebensweg der Psyche" (1779) von A. F. Oeser.
Unweit nördlich vom Gohliser Schlößchen befindet sich ein kleines ehemaliges Bauernhaus (Menckestraße Nr. 42), das einzige erhaltene Gebäude des Dorfes Gohlis. Hier wohnte Friedrich Schiller 1785; damals konzipierte er das Lied "An die Freude" (kleines Museum).

✳Gohliser Schlößchen

Leipziger Auewald

Das Stadtgebiet wird von Südosten nach Nordwesten vom Leipziger Auewald, einem Landschaftsschutzgebiet entlang den Wasserläufen von

405

Leipzig

Zentralstadion

Leipziger Auewald (Fortsetzung)

Pleiße, Elster und Luppe, durchzogen (ca. 25 km); dort gibt es zahlreiche Erholungsbereiche.

Auensee
Rosental
***Zoologischer Garten**

Im Norden liegt der von einer Parkeisenbahn umzogene Auensee, nordwestlich vom Stadtzentrum das Rosental und der Zoologische Garten, einer der ältesten deutschen Zoos (1878 gegründet), international bekannt vor allem durch seine Löwen- und Tigerzucht.

Sportforum
Zentralstadion
Sportmuseum
Kleinmesse

Am Elsterflutbecken liegt das Sportforum mit dem Zentralstadion für 100 000 Zuschauer (1956; derzeit in schlechtem Zustand) und dem Sportmuseum sowie das Gelände der Leipziger Kleinmesse, eines traditionsreichen Volksfestes.

Kulturpark 'Clara Zetkin'

Südwestlich vom Stadtzentrum der Kulturpark 'Clara Zetkin' mit Johannapark (1858 von J. P. Lenné angelegt), Albertpark und Palmengarten. Ebenfalls im südlichen Auewald die Galopprennbahn am Scheibenholz (1867) und der Wildpark Connewitz (1979).

Umgebung von Leipzig

Markkleeberg

In Markkleeberg (unmittelbar südlich an das Stadtgebiet von Leipzig grenzend) liegen Park und Ausstellungsgelände der jährlich stattfindenden Landwirtschaftsausstellung (agra).

Rötha

In Rötha (16 km südlich von Leipzig) verdient das ehemalige Schloß der Freiherren von Friesen Beachtung (jetzt Museum und Wohnungen); dieser vierflügelige Spätrenaissancebau wurde 1668 nach einem Entwurf von Ch. Bodenstein aus Weißenfels errichtet. In der ursprünglich romanischen, später aber mehrfach veränderten Pfarrkirche St. Georg befindet sich ein bemerkenswerter Altaraufsatz (um 1620, J. de Perre). Die spätgotische Marienkirche (erste Hälfte 16. Jh.) hat drei reich gestaltete Stabwerkportale und Backsteinziergiebel; im Inneren ein Flügelaltar (um 1520) und eine Silbermann-Orgel (um 1722).

Leipzig, Umgebung, Rötha (Fortsetzung)

In Delitzsch (22 km nördlich von Leipzig) existieren guterhaltene Teile der ehemaligen Stadtbefestigung (Hallischer Turm, 16. Jh.; Breiter Turm, um 1400; Stadtgraben). Sehenswert sind die Stadtkirche St. Peter und Paul (15. Jh.), eine dreischiffige Hallenkirche, und das als Museum genutzte Schloß (16./17. Jh.).

Delitzsch

In Eilenburg (22 km nordöstlich von Leipzig) gibt es eine unter Heinrich I. an einem Muldeübergang im 10. Jh. gegründete Burg. Vom Sorbenturm (12. Jh.) bietet sich eine gute Aussicht auf die Stadt und das Muldetal. Das Rathaus, ein Renaissancebau von 1545, wurde 1945 zerstört und später wiederaufgebaut. Erwähnung verdienen ferner das Museum am Mansberg und die Volkssternwarte.

Eilenburg

In dem Ort Machern (20 km östlich von Leipzig) liegt eine der bedeutendsten romantischen Parkanlagen aus dem 18. Jh., als englischer Garten angelegt. Von den Gebäuden sind erwähnenswert: das Mausoleum, der Hygieiatempel, der Agnestempel und die künstliche Ruine einer Ritterburg. Nördlich von Machern die Lübschützer Teiche, ein traditionsreiches Naherholungsgebiet der Leipziger. Das Schloß, ursprünglich eine Wasserburg, stammt aus dem 16. Jahrhundert.

Machern

Wurzen (26 km östlich von Leipzig), die erstmals 961 erwähnte, an einem Muldeübergang entstandene Stadt, war eine Zeitlang bischöfliche Residenz (Dom, 12. Jh.; Schloß, 15. Jh.). Im Dom befindet sich eine berühmte Kreuzigungsgruppe, geschaffen von G. Wrba (1928–1932). Das Posttor am Crostigall mit dem kursächsichen und dem königlich-polnisch-litauischen Wappen von 1734 ist ein bemerkenswertes Zeugnis sächsischer Verkehrsgeschichte. Am Crostigall Nr. 14 das Geburtshaus des Dichters Joachim Ringelnatz (eigentlich Hans Bötticher, 1883–1934), heute Gedenkstätte.

Wurzen

In Grimma (30 km südöstlich von Leipzig) sind die Frauenkirche (frühgotisch, 1230–1240), das ehemalige Augustinerkloster (um 1290), später als Fürsten- und Landesschule genutzt, und das Schloß (um 1200) sehenswert. Das eindrucksvolle, frei auf dem Marktplatz stehende Rathaus, ist ein zweigeschossiger Renaissancebau (1538–1585); Museum an der Paul-Gerhardt-Straße (Nr. 43). Das Göschenhaus im Ortsteil Hohnstädt war um 1800 das Wohnhaus von G. J. Göschen, des Verlegers der deutschen Klassik (Museum).

Grimma

⟶ Reiseziele von A bis Z: Weißenfels, Umgebung   Lützen

⟶ Reiseziele von A bis Z: Merseburg   **Merseburg**

⟶ Reiseziele von A bis Z: Halle an der Saale   **Halle (Saale)**

Löbau   D 7

Bundesland: Freistaat Sachsen
Bezirk (1952–1990): Dresden
Höhe: 267 m ü. d. M.
Einwohnerzahl: 18 000

Die Kreisstadt Löbau, sorbisch Lubij, liegt westlich des Löbauer Berges (449 m ü. d. M.) bzw. rund 20 km südwestlich von ⟶ Görlitz. Sie stand als

Lage und Bedeutung

Löbau

Lage und Bedeutung (Fortsetzung)

Tuchmacherstadt, als größter Garnmarkt der Oberlausitz und zweitgrößter Getreidemarkt Sachsens immer im Schatten der mächtigeren Schwesterstädte im Lausitzer Sechsstädtebund, → Bautzen und Görlitz. Einen Namen hat sich die Stadt mit der Fertigung der 'Förster'-Klaviere gemacht. Löbau ist das Zentrum der Oberlausitzer Textil- und Natursteinindustrie sowie zentraler Ausgangspunkt für Ausflüge in die Oberlausitz (→ Lausitz).

Geschichte

Im Jahre 1221 erstmals als Stadt erwähnt, gelangte Löbau als Durchgangshandelsort mit bereits im 14. Jh. beachtlicher Tuchproduktion schnell zu Ansehen. Im Jahre 1346 wurde hier der Lausitzer Sechsstädtebund begründet. Obgleich die Entwicklung nicht so günstig wie in den Nachbarstädten verlief, blieb Löbau wegen seiner zentralen Lage bis zum Jahre 815 die Konventsstadt des Bundes.
Der Anschluß an die Eisenbahnlinie Dresden – Görlitz (1847) und die ab 1835 um sich greifende Industrialisierung überformten das alte, schon von mehreren Bränden entstellte Stadtbild am nachhaltigsten, doch ist der alte Grundriß noch ablesbar.

Sehenswertes

Rathaus

Auf Löbaus Frühzeit geht das barocke Rathaus (1711) zurück; Turm und Kellergewölbe sind spätgotisch. Die stattlichsten Bürgergerhäuser am Markt sind Nr. 16 und 17 an der Nordseite (Barock), Nr. 14 an der Westseite (Spätrenaissance) und Nr. 3 an der Ostseite (Klassizismus).
Eine Reihe schlichter Giebelhäuser, wie sie für das alte Löbau charakteristisch waren, blieb in der Badergasse erhalten.

Johanniskirche

Östlich vom Rathaus steht die frühgotische Johanniskirche, ein einschiffiger, im 17. und 18. Jh. veränderter Bau. Sie gehörte bis zur Reformation dem Franziskanerkloster, in dessen Refektorium im 14. und 15. Jh. die Tagungen des Sechsstädtebundes stattfanden; danach sind sie im Rathaus abgehalten worden.

Hauptkirche St. Nikolai

Unweit nördlich erhebt sich die Hauptkirche St. Nikolai, an der sieben Jahrhunderte lang Änderungen vorgenommen wurden. Die letzten, neugotischen Veränderungen verwischten die romanisch-gotischen Bauformen und brachten das Innere um die besten Ausstattungsstücke.

Alter Friedhof

Mehrere beachtliche barocke Gedenksteine und Grabdenkmale weist der Alte Friedhof südlich der Altstadt auf; ein herausragendes Kunstwerk ist die Gruft des Handelsherrn M. Lücke (1733).

Stadtmuseum

Das Stadtmuseum an der Johannisstraße (Nr. 5) zeigt u. a. Exponate zur Stadtgeschichte, zur Kultur und zum Handwerk der Oberlausitz.

Umgebung von Löbau

Löbauer Berg

Im Osten der Stadt erhebt sich als Landmarke und weithin sichtbarer Orientierungspunkt der Löbauer Berg (447 m ü. d. M.). Der in byzantinisierenden Formen aus Gußeisen errichtete Aussichtsturm (1854) ist der älteste und in dieser Art einzig erhaltene in Europa.

Kittlitz

In Kittlitz (4 km nördlich von Löbau) steht eine barocke Dorfkirche (1749–1769) mit umlaufenden doppelten Emporen und mächtigem Westturm.

Weißenberg

In Weißenberg (13 km nördlich von Löbau) ist das barocke Rathaus (1787/1788) mit hohem Rundturm und Wendeltreppe sehenswert. Im Heimatmuseum 'Alte Pfefferküchlerei' u. a. Backofen und Backgeräte (Modeln) aus dem 18./19. Jahrhundert.

Löbau, Umgebung, Weißenberg (Fortsetzung)

In Cunewalde (10 km westlich von Löbau) gibt es eine barocke Dorfkirche (1780–1793), die größte der Oberlausitz, mit dreigeschossigen Emporen (insgesamt 3000 Sitzplätze) und reicher Kanzel (1656); Umgebindehäuser. Der Ort ist Ausgangspunkt für Wanderungen zum Czorneboh (561 m ü. d. M.) und Bieleboh (499 m ü. d. M.).

Cunewalde

In Ebersbach (13 km südlich von Löbau) ist die einschiffige barocke Pfarrkirche mit bemaltem hölzernen Tonnengewölbe, umlaufenden dreigeschossigen Emporen und Westturm mit achteckigem Glockengeschoß (1682) beachtenswert. Im Heimatmuseum werden u. a. Objekte zur bäuerlichen Volkskultur der Oberlausitz gezeigt.

Ebersbach

Östlich von Ebersbach (5 km Luftlinie) – auf der Wasserscheide zwischen der mittleren und der südlichen → Lausitz – liegt der breit aufsteigende Berg Kottmar (schönes Wandergebiet), ein bewaldeter Granitsockel mit Phonolithkuppe; vom Aussichtsturm auf der höchsten Stelle (583 m ü. d. M.) bietet sich eine weite Rundsicht (südostwärts bis weit in die Tschechoslowakei hinein).
Am Südwesthang vom Kottmar befindet sich die 1890 gefaßte Walddorfer Spreequelle ('Rabenbrunnen', 480 m ü. d. M.), eine der drei Quellen der Spree; eine Steintafel gibt die Entfernung bis ins Zentrum von Berlin mit 353 Fluß-km an.

✳Kottmar

→ Reiseziele von A bis Z: Zittau, Umgebung

Herrnhut

→ Reiseziele von A bis Z: Bautzen

Bautzen

→ Reiseziele von A bis Z: Görlitz

Görlitz

Lobenstein E 4

Bundesland: Thüringen
Bezirk (1952–1990): Gera
Höhe: 500 m ü. d. M.
Einwohnerzahl: 6500

Die Stadt Lobenstein, offiziell 'Moorbad Lobenstein', liegt – 25 km südwestlich von → Schleiz und unweit nördlich der thüringisch-bayerischen Grenze – am nördlichen Rand des Frankenwaldes auf einem Bergrücken in waldreicher Umgebung. Dank des Eisenmoorbades und wegen seiner Lage in der Nähe der Bleilochtalsperre (→ Saaletal) ist Lobenstein ein vielbesuchter Kur- und Erholungsort.

Lage und Bedeutung

Im Jahre 1250 als Rittersitz genannt, waren seit 1278 die Vögte von Gera Eigner der Burg. Die Bewohner des Ortes wurden 1278 'cives' (Bürger) genannt und Lobenstein selbst 1369 als Stadt erwähnt. Als Mittelpunkt einer kleinen Herrschaft seit 1371 unter böhmischer Lehnshoheit, gehörte sie von 1557 bis 1918 zum Fürstentum Reuß (jüngere Linie); von 1647 bis 1848 residierte hier das Haus Reuß-Lobenstein.

Geschichte

An der Spitze der Gewerbe standen Tuchmacherei, Leinen- und Baumwollweberei sowie Gerberei. Im 19. Jh. wurden Zigarrenfabriken, Metallwarenbetriebe und weitere Gerbereien gegründet. Die Entdeckung der Eisenquelle (1864) und die Nutzung der Moorvorkommen führten 1864 zur Gründung des Eisenmoorbades. Nach 1945 entstanden im Zuge der planwirtschaftlichen Industrialisierungsmaßnahmen (Feingußwerk u. a.) ein neues Wohngebiet und drei Eigenheimsiedlungen.

Sehenswertes in Lobenstein

*Burg

Die Burg (wohl Anfang 13. Jh.), heute eine Ruine, diente bis 1601 als fürstliche Residenz. Erhalten sind ein Bergfried (16. Jh.), der als Aussichtsturm benutzt wird, und Mauerzüge. Der Verließturm soll restauriert werden.

Altstadt

Die historische Altstadt mit dem Altfränkischen Markt zeigt noch ihr altes Bild: im Mittelpunkt der rechteckige Marktplatz mit dem Rathaus (1864/1865). Unweit davon das Schloß (1718), ein schlichter Barockbau, der bis 1824 als preußische Residenz diente. Dem Schloß gegenüber steht die ehemalige Wache, ein kleiner klassizistischer Bau; im Park ein barocker Pavillon (1746–1748).

Stadtkirche

In der Stadtkirche St. Michaelis (vermutlich 14. Jh.; 1863 nach einem Brand wiederaufgebaut) befindet sich der 'Lobensteiner Altar' (1976, F. Popp).

Museum

Einen Besuch lohnt auch das Lobensteiner Regionalmuseum, wo Objekte zur Stadtgeschichte gezeigt werden.

Umgebung von Lobenstein

Saaldorf

In Saaldorf (5 km östlich) steht das Jagdschlößchen 'Weidmannsheil' (1837), ein neugotischer Bau mit einer Parkanlage.

*Bootsfahrten

Bootsfahrten auf der Saale führen nach Saalburg, zum Aussichtspunkt 'Heinrichsstein' und zur Sperrmauer der Bleilochtalsperre.

Ebersdorf

In Ebersdorf (6 km nördlich von Lobenstein) sind das Barockschloß mit klassizistischer Säulenfront (heute Pflegeheim) und der Schloßpark im

Wasserkraftmuseum bei Ziegenrück

englischen Stil – mit Grabmal (von E. Barlach entworfen) sowie Orangerie (jetzt Café) und Freilichtbühne – sehenswert.

In Ziegenrück (20 km nördlich von Lobenstein) gibt es ein altes Rathaus (16. Jh.) mit einem Wappenstein. Vom Schloß blieb nach einem Brand (um 1550) nur der spätgotische Wohnturm erhalten (heute Jugendherberge).

Ziegenrück

Im ehemaligen Wasserkraftwerk Fernmühle befindet sich ein interessantes Wasserkraftmuseum.

Wasserkraftmuseum

Lübben   D 6

Bundesland: Brandenburg
Bezirk (1952–1990): Cottbus
Höhe: 53 m ü. d. M.
Einwohnerzahl: 14 000

Die alte Stadt Lübben, sorbisch Lubin, liegt – rund 50 km südöstlich von → Berlin – an der engsten Stelle des Spreetales. Sie ist daher ein wichtiger Verkehrsknotenpunkt und ein beliebtes Ausflugsziel für Kahnfahrten in den oberen und unteren → Spreewald.

Lage und Bedeutung

Im 7. Jh. ließen sich slawische Siedler an dem schon seit der Steinzeit durch Funde belegten Ort nieder. Urkundlich wurde er 1007 erstmals erwähnt. Im Jahre 1220 mit Stadtrecht belehnt, entwickelte sich Lübben am wichtigen Spreeübergang schnell zum beherrschenden Zentrum der Niederlausitz. Nach häufigem Wechsel der Landesherren kam es 1635 zu Kursachsen. 1815 fiel es an Preußen, die Verwaltung wurde dem neuen Regierungsbezirk Frankfurt (Oder) übertragen. Seit 1815 ist Lübben Kreis-

Geschichte

Lübbener Stadtmauer mit Wehrturm

Lübben

stadt und gehörte zu DDR-Zeiten zum Bezirk Cottbus; seit 1990 liegt es im neuen Bundesland Brandenburg.

Sehenswertes in Lübben

Stadtbefestigung
Teile der Stadtbefestigung sind erhalten (runder 'Hexenturm', viereckiger 'Trotzer', Wiekhaus mit Spitzbogenblenden und Maßwerk).

Schloß
Das Schloß ist ein Bau im Stil der Spätrenaissance. Der Ostgiebel und das mit dem kursächsischen Wappen geschmückte Sandsteinportal im nördlichen Teil sind besonders bemerkenswert. Sie war die letzte Wirkungsstätte des aus Gräfenhainichen (bei → Dessau) berühmten Geistlichen und bedeutenden Kirchenlieddichters Paul Gerhardt (1607–1676). Im Wohnturm des Schlosses wurde der Wappensaal wiederhergestellt.

Ständehaus
Das barocke ehemalige Ständehaus (heute Archiv) zieren, an den Portalen, ebenfalls kursächsische Wappen.

*Paul-Gerhardt-Kirche
Die Paul-Gerhardt-Kirche (ehemals Nikolaikirche) ist eine spätgotische Backsteinhallenkirche mit reicher Ausstattung. Sie war die letzte Wirkungsstätte des aus Gräfenhainichen (bei → Dessau) berühmten Geistlichen und bedeutenden Kirchenlieddichters Paul Gerhardt (1607–1676). Hier befindet sich auch sein Grab; vor der Kirche sein Denkmal.

Postmeilensäule
An der Breiten Straße steht die Kopie einer kursächsischen Postmeilensäule von 1735.

Weinbaudenkmal
Das Sandsteindenkmal vor dem Gasthaus 'Kaffee-Schulze' erinnert an den Weinbauern Martin Gallus Schuster und damit an den mittelalterlichen Weinbau in Lübben.

*Spreewald-Kahnfahrten
Die sehr empfehlenswerten Kahnfahrten durch den → Spreewald beginnen beim Strandcafé.

Umgebung von Lübben

**Spreewald
Die reizvolle Spreewaldlandschaft (Biosphärenreservat → Spreewald) erschließt sich dem Besucher am besten bei einer Kanalfahrt in den Oberspreewald (→ Lübbenau – Leipe – Lehde – Burg) oder durch den Unterspreewald (Petkamsberg – Schlepzig – Buchenhain – Wasserburg – Neuendorfer See).

Luckau
In Luckau (F 87, 18 km südwestlich von Lübben) ist fast die gesamte alte Stadtmauer mit zwei Wiekhäusern umd dem Roten Turm erhalten. Die gotische Hallenkirche St. Marien und Nikolai hat eine barocke Ausstattung.

Der achteckige 'Hausmannsturm' an der Georgenkapelle mit seinem Stern- und Netzgewölbe wird heute zu feierlichen Anlässen genutzt.
Der gotische Backsteinbau des Rathauses wurde 1851/1852 klassizistisch umgebaut.

Im Museum des Kreises Luckau (Lange Straße Nr. 71) befindet sich eine Karl-Liebknecht-Gedenkstätte; der revolutionäre Arbeiterführer war im Luckauer Zuchthaus wegen 'versuchten Kriegsverrates' vom Dezember 1916 bis Oktober 1918 eingekerkert. Außerdem wird über Widerstandskämpfer, die den Nationalsozialismus bekämpft haben und hier inhaftiert waren, informiert; zu ihnen gehörte u. a. der Schriftsteller Günter Weisenborn, der 1945 aus der Haft befreit wurde.

Am Luckauer Markt sind barocke Bürgerhäuser mit Volutengiebeln und reichen Schmuckdekorationen sehenswert.

Lübbenau D 6

Bundesland: Brandenburg
Bezirk (1952–1990): Cottbus
Höhe: 50–52 m ü. d. M.
Einwohnerzahl: 22 000

Am Südrand des reizvollen Oberspreewaldes liegt die Lausitzer Stadt Lübbenau, sorbisch Lubnjow. Es ist das Eingangstor zum 287 km² großen →Spreewald, der von Touristen gern besucht wird. Alljährlich werden über eine mehrere hunderttausend Touristen durch die Spreewaldkanäle gefahren.

Lage und Bedeutung

Ursprünglich eine Wallanlage des westslawischen Stammes der Lusizer, die sich im Gebiet des heutigen Schloßbezirkes befand, wurde das Gebiet im Zuge der deutschen Ostkolonisation erobert. Später entstand eine Burg. In ihrem Umkreis entwickelte sich der Ort während des Mittelalters zu einer Stadt. Leinweberei, Bierbrauerei sowie Gemüsebau bildeten die Grundlage des Wirtschaftslebens.
Doch im 19. Jh. erlebte Lübbenau einen Aufschwung, als die Stadt an das Eisenbahnnetz angeschlossen wurde. Ende des 19. Jh.s wurde der Ort zum beliebten Ausflugsziel, vor allem für die Berliner.
Ende der fünfziger Jahre des 20. Jh.s gewann Lübbenau wirtschaftlich an Bedeutung, als im Rahmen des planwirtschaftlichen Kohle-Energie-Programms die südlich des Spreewaldes gelegenen reichen Braunkohlevorkommen im großen Stil erschlossen wurden. Es entstanden Großtagebaue sowie die Großkraftwerke Lübbenau und Vetschau.

Geschichte

Sehenswertes

Die Stadtkirche St. Nikolai am Markt ist ein schlichter Barockbau (1738 bis 1741). Sie besitzt eine bemerkenswerte barocke Ausstattung, darunter ein Wandgrab von 1765.

Stadtkirche St. Nikolai

Beachtung verdient auch der Schloßbezirk im ältesten Teil der Stadt. An Stelle der einstigen Wasserburg entstand 1817–1839 die klassizistische Schloßanlage (mehrfach umgebaut, heute Ausbildungsstätte). In der früheren Orangerie (1820) befindet sich ein Museum (Ausstellungen).

Schloßbezirk

Architektonisch bemerkenswert ist das Gebäude des früheren gräflichen Gerichtes (1745–1748), in dem sich heute das Spreewaldmuseum befindet (Spreewaldtrachten und Schausammlung zur Geschichte der Region). Eine Dauerausstellung berichtet über die Geschichte des Verkehrswesens im Spreewald seit dem 13. Jh.; gezeigt wird u. a. die 1897 gebaute Lokomotive "Cottbus" (Baureihe 99) samt Pack- und Personenwaggon, die bis 1970 die 52 km lange Schmalspurstrecke der Spreewaldbahn zwischen Cottbus und Lübben befahren hat.

*Spreewald-museum

Spreewaldbahn

Als ältestes Haus von Lübbenau gilt das zweistöckige Fachwerkgebäude am Eingang der Schloßanlage, zeitweilig gräflicher Wohnsitz, jetzt Wohnhaus.

Fachwerkhaus

Der 9 ha große Landschaftspark wurde nach 1817 von einem Schüler des bekannten Gartenarchitekten Fürst Pückler-Muskau entworfen und in harter Arbeit angelegt. Die Erde dazu mußte dazu von weit her mit Kähnen herbeigeschafft werden.

Landschaftspark

Der Hafen von Lübbenau ist Ausgangspunkt für die beliebten Spreewald-Kahnfahrten; das bunte Leben und Treiben an manchen Wochenenden im Sommer kommt einem Volksfest gleich.

*Spreewald-Kahnfahrten

Museumsplan

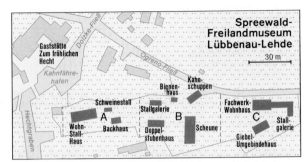

A Gehöft aus Lehde
   (Zentralspreewald)

B Gehöft aus Burg
   (Siedlungspreewald)

C Gehöft aus dem
   Spreewald-Randgebiet

Lehde

*Spreewald-
Freilandmuseum

Sehr empfehlenswert ist der Besuch des romantisch gelegenen Dörfchens Lehde mit seinem Spreewald-Freilandmuseum. Zahlreiche Gehöfte (originäre Inneneinrichtung) geben dort anschaulich Auskunft über Leben und Dasein sorbischer Bauern im 19. Jahrhundert.

*Wanderweg im Spreewald

Als berühmtester Wanderweg im ⟶ Spreewald (seit 1990 Biosphärenreservat) gilt der bereits 1911 angelegte Fußweg von der Gaststätte

Spreewald-Freilichtmuseum Lehde

'Spreeschlößchen' zu der eine gute Wegstunde entfernten Gaststätte 'Wotschowska', der über 15 Brücken führt, unter denen die stets voll besetzten Spreewaldkähne entlanggleiten.

Lübbenau, Umgebung, Spreewald (Forts.)

Zu empfehlen ist ferner der gleich hinter dem Lübbenauer Hafen beginnende Fußweg nach Leipe, einem ebenfalls typischen Spreewalddorf.

Leipe

⟶ Reiseziele von A bis Z: Spreewald

Spreewald

⟶ Reiseziele von A bis Z: Lübben

Lübben

⟶ Reiseziele von A bis Z: Cottbus

Cottbus

Ludwigslust   B 4

Bundesland: Mecklenburg-Vorpommern
Bezirk (1952–1990): Schwerin
Höhe: 36 m ü. d. M.
Einwohnerzahl: 13 500

Ludwigslust, die kleine Kreisstadt am alten Ludwigsluster Kanal und an der vor dem Bau der Autobahn Hamburg–Berlin besonders wichtigen Fernstraße Nr. 5, liegt 35 km südlich von ⟶ Schwerin in der wenig reizvollen 'griesen Gegend'.
Als ehemalige Residenzstadt mit barock-klassizistischer Bebauung gehört sie zu den wertvollsten und besterhaltenen Stadtanlagen aus dem 18./19. Jahrhundert im nördlichen Deutschland.

Lage und Bedeutung

In dem bereits im 14. Jh. genannten Dorf Klenow wurde 1724 ein herzogliches Jagdhaus errichtet, das 1757 den Namen Ludwigslust erhielt und Residenz der mecklenburgischen Herzöge wurde. Ab 1765 wurde nach Entwürfen des Hofbaumeisters Johann Joachim Busch mit der planmäßigen Anlage des barocken Ortes begonnen; ab 1815 folgte eine zweite, diesmal klassizistische Bauphase unter Johann Georg Barca. Nach der Rückverlegung der Residenz nach Schwerin (1837) geriet Ludwigslust dann als Pensionärs- und Garnisonsstadt in Vergessenheit. Erst im Jahre 1876 wurde es zur Stadt erklärt.

Geschichte

Sehenswertes

Den Kern der Ortsanlage bildet die Achse Schloß–Stadtkirche, eine Schöpfung von Johann Joachim Busch.
Das spätbarocke Schloß (1772–1776) weist als Backsteinbau mit Elbsandsteinverkleidung eine bemerkenswerte Schauseite mit 40 überlebensgroßen Statuen und 14 Vasen auf der Attika auf. Im Inneren befindet sich der 'Goldene Saal' (zweigeschossig) mit reicher, z. T. aus Pappmaché gefertigter Dekoration.

*Schloß
(Abb. s. S. 417)

Vor der Schauseite die reich dekorierte und von einem 1757–1761 eigens angelegten Kanal gespeiste Kaskade (1790).

Kaskade

Südlich dahinter liegt der Bassinplatz mit einem Ehrenmal für die Opfer des nationalsozialistischen Konzentrationslagers Reiherhorst bei Wöbbelin.

Bassinplatz

Dann folgt – wirkungsvoll mit der eingeschossigen, malerischen Fachwerkbebauung zu beiden Seiten kontrastierend – die einschiffige Stadtkirche (1765–1770), der eine von sechs Monumentalsäulen getragene Halle vorgesetzt ist. Im Kircheninneren befinden sich das Kolossalgemälde "Anbetung der Hirten" (1772; 1803 vollendet) und gegenüber dem Altar die ehemalige Hofloge, deren üppiges Dekor z. T. aus Pappmaché besteht.

Stadtkirche

Ludwigslust

Glockentürme

Etwa 200 m östlich der Stadtkirche erheben sich zwei pylonenartige Glockentürme (1791/1792).

＊Schloßpark

Nördlich und westlich des Schlosses erstreckt sich der etwa 120 ha weite, seiner Gestaltung, seiner seltenen fremdländischen Gehölze und seiner Baulichkeiten wegen sehr sehenswerte Schloßpark, eine ursprünglich barocke Anlage, die von P. J. Lenné im 19. Jh. teilweise in einen Landschaftspark umgewandelt wurde.

Barockzeitlich sind u. a. noch der 'Große Kanal' mit den '24 Sprüngen' und die steinerne Brücke (beides um 1780), im Nordteil die künstliche Ruine (1788) und das Schweizerhaus (1789). Die Katholische Kirche, der erste neugotische Backsteinbau Mecklenburgs, und die beiden klassizistischen Mausoleen kamen 1803–1809 hinzu.

Wohnbauten

Barocke Wohnbauten sind vor allem an der Schloßstraße und am Stadtplatz, klassizistische vorwiegend an der Kanalstraße, an der Schweriner Straße und an der Käthe-Kollwitz-Straße sowie Fachwerkbauten an der Nummerstraße zu sehen.

Umgebung von Ludwigslust

Grabow

Grabow (7 km südöstlich) hat ein gut erhaltenes, von Fachwerkbauten (nach 1725) bestimmtes Stadtbild; bemerkenswert ist vor allem das zweigeschossige Fachwerkrathaus am Markt. Die gotische Stadtkirche (13./14. Jh.; Kanzel von 1555; Taufständer von 1785) wurde 1989 durch Brand beschädigt. Im Heimatmuseum u. a. urgeschichtliche Funde.

Stadtplan

Achtung!
Im Zuge der politischen Neuorientierung sind weitere Umbenennungen zu erwarten.

Barockschloß Ludwigslust (s. S. 415)

In Wöbbelin (9 km nördlich von Ludwigslust) befinden sich eine Theodor-Körner-Gedenkstätte und das Grab des Dichters (gefallen am 26. August 1813 bei Rosenberg); Mahnmal für die Opfer des nationalsozialistischen Konzentrationslagers Reiherhorst.

Wöbbelin

In Neustadt-Glewe (10 km nordöstlich von Ludwigslust) gibt es mehrere Fachwerkbauten (nach 1725), eine gotische Stadtkirche (14. Jh.; Kanzel des Lübecker Meisters Evers, 1587), ein Schloß (1619–1622; 1717 vollendet in einer Synthese von holländischer Renaissance und deutschem Barock) und eine gut erhaltene Burg aus dem 14. Jh., die als ältester Profanbau in Mecklenburg gilt.

Neustadt-Glewe

In Friedrichsmoor (15 km nördlich von Neustadt-Glewe), dem einzigen in der Lewitz (Naturschutzgebiet) gelegenen Dorf, steht ein barockes Fachwerkschlößchen (um 1790) mit französischer Jagdtapete (1815).

Friedrichsmoor

In Redefin (21 km westlich von Ludwigslust) befindet sich ein namhaftes Hengstdepot, das frühere mecklenburgische Hauptgestüt (gegr. 1810), mit einheitlicher klassizistischer Anlage (nach 1820); im Herbst Hengstleistungsschauen.

Redefin

Reiseziele von A bis Z: Schwerin

Landeshauptstadt Schwerin

Dömitz

Das mecklenburgische Städtchen Dömitz (18–37 m ü. d. M.; 4000 Einw.; Elektrotechnik, Rundholzstabfertigung, Möbel- und Sportgerätebau) liegt am rechten Ufer der ⟶ Elbe.

Lage
30 km südwestlich von Ludwigslust

Der bereits 1237 als dannenbergische Burg (wohl an der Stelle einer früheren slawischen Anlage auf einer Elbinsel) und Zollstätte erwähnte Ort

Geschichte

417

Elbe bei Dömitz mit dem Torso der alten Eisenbahnbrücke

Umgebung, Dömitz (Forts.)	erhielt vor 1259 Stadtrecht und kam 1372 erstmals, 1423 endgültig zu Mecklenburg.
*Festung	Die Burg wurde 1558–1570 nach italienischem Muster in Form eines gleichmäßigen Pentagons zur mächtigsten mecklenburgischen Festung mit fünf Bastionen (samt Kasematten), Kurtinen, Wassergraben (Zugbrücke) und Gegenwall ausgebaut sowie 1626/1627 noch wesentlich verstärkt. Hier mußte der aus Stavenhagen (→ Neubrandenburg, Umgebung) gebürtige niederdeutsche Dichter Fritz Reuter 1839/1840 den Rest seiner insgesamt siebenjährigen 'Festungstid' als Gefangener verbringen.
Heimatmuseum	Die 1565 im Festungsinnenhof erbauten Gebäude sind bis auf das Kommandantenhaus (mit Pulverkeller), in dem sich heute das interessante Heimatmuseum (Stadtgeschichte, Elbschiffahrt) befindet, durch jüngere ersetzt worden.
Fritz-Reuter-Gedenkhalle	Im Turm neben dem Heimatmuseum ist die einstige Festungskapelle eingerichtet als Gedenkstätte für den Dichter Fritz Reuter mit Informationen über seine Biographie und einer Sammlung von 'Reutergeld'; dies waren Notgeldscheine im Wert von 10, 25 und 50 Pfennig, welche die mecklenburgischen Städte 1920–1922 in Ermangelung während des Ersten Weltkrieges eingeschmolzener Kleinmünzen herausgaben (mit Aufdruck von Zitaten aus Reuters plattdeutschen Werken).
Elbhafen	Dömitz verfügt über einen kleinen Elbhafen an der Mündung der kanalisierten Elde (Elde-Müritz-Wasserstraße; neue Schleuse im Bau), unter welcher der im Zuge von Meliorationsmaßnahmen (1969–1973) verlegte und ebenfalls kanalisierte Flußlauf der Löcknitz in einem 85 m langen Unterführungskanal ('Düker') hindurchgeleitet wird.
Dömitzer Elbbrücken	In den wendländischen Flußauen jenseits der Elbe sieht man die z. T. noch bis in das Fahrwasser reichenden Reste der gegen Ende des Zweiten Welt-

krieges zerbombten Dömitzer Elbbrücken: östlich die der 1871 erbauten Eisenbahnbrücke (Reste auf der mecklenburgischen Seite 1987 gesprengt und abgetragen), westlich bis 1990 jene der 1936 eröffneten Straßenbrücke – beide zu DDR-Zeiten als 'Ausguck' von bundesrepublikanischem Boden über den Eisernen Vorhang besucht.

Ludwigslust, Umgebung, Dömitz (Fortsetzung)

Die verwitterten Reste der einstigen Straßenbrücke sind inzwischen mit Rücksicht auf die in der lange Zeit weitgehend unbehelligten Auenlandschaft lebenden Vögel (Reiher, Kraniche, Störche u.a.) und die Elbfische schonend abgetragen worden; an dieser Stelle soll bis 1992/1993 eine neue Stahlbogenbrücke über die Elbe geschlagen werden.

Nach der historischen Öffnung der einstigen DDR-Grenzen – hier seit 1949 die → Elbe – schafft nun vorerst eine Wagenfähre die Verbindung zwischen Dömitz in Mecklenburg und Kaltenhof in Niedersachsen.

Elbfähre

Magdeburg

C 4

Hauptstadt des Bundeslandes Sachsen-Anhalt
Bezirk (1952–1990): Magdeburg
Höhe: 50 m ü.d.M.
Einwohnerzahl: 289000

Magdeburg, die Stadt der berühmten 'Magdeburger Halbkugeln', liegt am Ostrand der fruchtbaren Magdeburger Börde an der mittleren → Elbe. Die Stadt wurde bekannt als Wirkungsstätte des bedeutenden Naturforschers, Bürgermeisters und Diplomaten Otto von Guericke und als Geburtsort des Musikers Georg Philipp Telemann. Auch in der Gegenwart ist Magdeburg ein bedeutendes wissenschaftliches und kulturelles Zentrum.

Lage und Bedeutung

Das wirtschaftliche Profil der neuen Landeshauptstadt bestimmen in erster Linie der Schwermaschinen- und Anlagenbau. Die größten Arbeitgeber sind die Industriebetriebe Sket Maschinen- und Anlagenbau, die SKL Motoren- und Systemtechnik, die Magdeburger Armaturenwerke (MAW), die FAM Magdeburger Förderanlagen und Baumaschinen und die Werkzeugmaschinenfabrik Magdeburg (WMF).
Bedeutung hat Magdeburg darüber hinaus als Verkehrsknotenpunkt überregionaler Eisenbahn- und Straßenverbindungen sowie als großer Binnenhafen am wichtigen Wasserstraßenkreuz von Elbe, Mittellandkanal und Elbe-Havel-Kanal.

Der 805 im Diedenhofener Kapitular erstmals erwähnte Handelsplatz wurde 968 Sitz eines Erzbischofs und damit Zentrum der Slawenmission. Trotz ständiger Kontroversen mit der klerikalen Obrigkeit gelang es den Bürgern, Freiheiten zu behaupten, die als 'Magdeburger Recht' Vorbild für viele Städteverfassungen wurden. Während der Reformation wurde Magdeburg protestantisch. 1631, im Dreißigjährigen Krieg, erlebte die stolze Hansestadt durch Beschuß und Plünderung ihren Niedergang. Zu dieser Zeit war Otto von Guericke Ratsherr (nach 1626) und ab 1646 Bürgermeister, der seine Stadt als Gesandter mit diplomatischem Geschick auf dem Osnabrücker Friedenskongreß vertrat. Als preußische Festungsstadt (ab 1666) verlor Magdeburg bald seine Eigenständigkeit. Die Industrialisierung setzte im 19. Jh. mit der Entwicklung von Schiffs- und später von Maschinenbaubetrieben ein. Kurz vor Ende des Zweiten Weltkrieges schwer getroffen, begann nach 1945 der Auf- und Ausbau zur Industriestadt nach sozialistischer Vorstellung.
Von 1952 bis 1990 war Magdeburg Hauptstadt ('Bezirksstadt') des gleichnamigen DDR-Bezirkes. Nach der Wiedereinführung der Länderstruktur auf dem Gebiet der ehemaligen Deutschen Demokratischen Republik konnte sich die Stadt bei der Entscheidung über den Sitz der Regierung des neuen Bundeslandes Sachsen-Anhalt gegen die Kandidatur von → Halle (Saale) letztlich durchsetzen und ist nun Landeshauptstadt.

Geschichte

Magdeburg

Magdeburger Halbkugeln

Der Magdeburger Otto von Guericke (1602–1686) beschäftigte sich als Physiker und Ingenieur insbesondere mit den Wirkungen von Luftdruck und Vakuum. Nachdem er 1650 eine Luftpumpe konstruiert hatte, demonstrierte er ihre Wirkung u.a. 1656 anhand seiner 'Magdeburger Halbkugeln', zweier hohler Metallhalbschalen, die – luftleer gepumpt – durch den äußeren Luftdruck so fest aneinanderhaften, daß sie selbst von in entgegengesetzten Richtungen ziehenden Pferdegespannen nicht zu trennen sind.

Stadtbild

Eingebunden in das Neubautenensemble des Zentrums mit teils bemerkenswerten Beispielen zeitgenössischen Bauens (Hotel 'International', Elbe-Schwimmhalle, Nordabschnitt des Breiten Weges) markieren die wenigen erhaltenen Architekturdenkmale die Zweiteilung der mittelalterlichen Stadt in die Domäne des Klerus und die des Bürgertums.

Domplatz

*Dom

Der Klerus hatte sein Zentrum im Süden der Innenstadt um den Domplatz. Seine Südfront beherrscht der Dom St. Mauritius und St. Katharina (120 m lang; 34 m Gewölbehöhe im Mittelschiff), der erste im Grundriß geplante gotische Kathedralbau an der Elbe und die größte Hallenkirche in Norddeutschland.

Domgeschichte

Kaiser Otto I. (912–973) hatte bereits 937 hier ein dem hl. Mauritius geweihtes Benediktinerkloster gestiftet. Die Klosterkirche bestimmte er selbst zu seiner und seiner Gemahlin Editha Grablege, ließ sie ab 955 vergrößern und zu einer Kathedrale erheben. Doch erst 968 konnte Otto das neue Erzbistum Magdeburg gründen (erster Erzbischof wurde Adalbert I.).
Im Jahre 1207 brannte der Dom bis auf die Grundmauern nieder. Bereits 1209 legte Erzbischof Albrecht von Kefernburg den Grundstein für den Bau des heutigen Domes, 1363 war der Innenraum vollendet, 1520 waren schließlich die 104 m hohen Türme fertiggestellt. Im Jahre 1567 wurde die erste evangelische Predigt im Dom gehalten. Als 1631 die kaiserlichen Truppen unter Tilly die Stadt stürmten, konnten sich etwa 4000 Magdeburger im Gotteshaus retten. Auf Befehl Napoleons wurde das Domkapitel aufgelöst. Eine umfassende Restaurierung des Domes erfolgte in den Jahren 1826 bis 1834. Die Bombenschäden des Zweiten Weltkrieges, besonders an der Westfassade und im südlichen Seitenschiff, wurden bis 1955 beseitigt.

Dominneres

Vom Kreuzgang kommend, dessen südlicher Teil noch romanisch ist, betritt man das dreischiffige Dominnere durch das Portal am südlichen Querschiff (Madonnenfigur, um 1300).
Durch den Lettner, mit Heiligenfiguren, Altar und Kanzel 1451 errichtet, hochgotisch mit seinen geschweiften Spitzbögen über den Durchgängen und vielen Filialen, gelangt man in den Hochchor. Das mit reichem Schnitzwerk versehene Chorgestühl stammt aus dem 14. Jh.; einige Teile sind 1844 ergänzt. Der Stucksarkophag mit antiker Marmorplatte in der Mitte des Raumes birgt die Gebeine Ottos I., des ersten deutschen Kaisers. Weiter östlich rechts und links befinden sich die Sandsteinskulpturen der Märtyrer und Namenspatrone des Domes, des Hl. Mauritius (schwarzer Afrikaner) und der Hl. Katharina (von Alexandria), aus der Mitte des 13. Jh.s. In Höhe des oberen Chorumganges sechs weitere Märtyrerfiguren. Hinter dem Hauptaltar erhebt sich ein großes Lebensbaumkruzifix (J. Weber; 1989 aufgestellt), ein Geschenk der Partnerstadt Braunschweig an die Magdeburger.
In der mittleren Chorumgangkapelle das Grabmal (um 1500) der Königin Editha (erste Gemahlin Ottos I.). Des weiteren im Chorumgang am Chor-

Magdeburger Dom von der Elbseite ▶

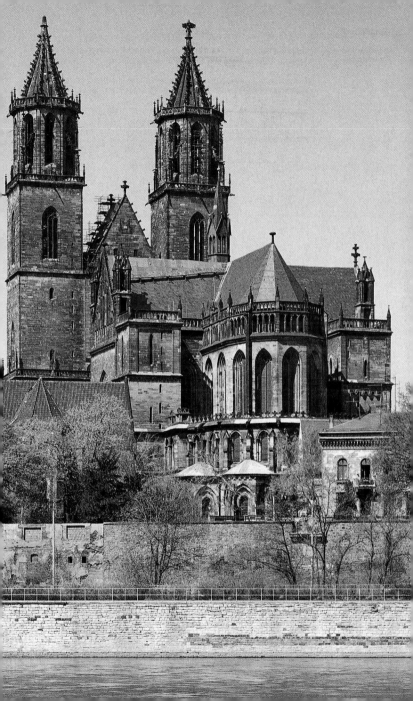

Magdeburg

Domminneres
(Fortsetzung)

pfeiler die Bronzeplatte des Erzbischofs Wichmann von Seeburg (1152 bis 1192), der Magdeburg das Stadtrecht verlieh.

In der Konche des nördlichen Querschiffes steht das Ehrenmal für die Gefallenen des Ersten Weltkrieges von Ernst Barlach (1929). Die 1969 von

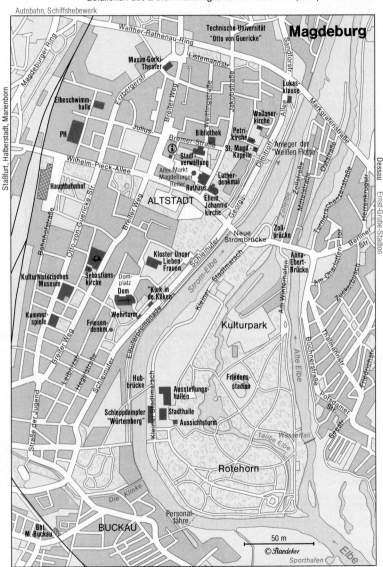

Achtung!
Im Zuge der politischen Neuorientierung sind weitere Namensänderungen zu erwarten.

Ehemalige Klosterkirche Unser Lieben Frauen

der Potsdamer Orgelbaufirma Schuke gelieferte Domorgel verfügt über 32 Register und insgesamt 31000 Pfeifen.

Durch eine Pforte gelangt man in das 'Paradies', einen kleinen Vorbau mit ausdrucksstarken Skulpturen aus dem 13. Jh. (u.a. Gleichnis von den klugen und den törichten Jungfrauen).

Im nördlichen Seitenschiff befindet sich eine 16eckige Kapelle mit einem thronenden Herrscherpaar (Otto und Editha? Christus mit Maria oder Ecclesia?; Mitte des 13. Jh.s).

In der Vorhalle hinter einem Gitter die Grabkapelle (mit dem einzigen bemalten Deckengewölbe im Dom) für Ernst von Sachsen (Erzbischof 1476–1513), der sich seinen Prunksarkophag bereits zu Lebzeiten von dem Bronzegießer Peter Vischer in Nürnberg anfertigen ließ.

Im Untergrund außerhalb des Chores hat man Reste des ottonischen Vorgängerbaues freigelegt (unzugänglich).

Dominneres (Fortsetzung)

Am Domplatz sind Barockfassaden rekonstruiert worden, ebenso Magdeburgs ältestes erhaltenes Wohnhaus, ein Fachwerkbau (um 1600).

Barockfassaden Fachwerkhaus

Nördlich schließt an den Domplatz der Komplex des Klosters Unser Lieben Frauen an. Die Klosterkirche (um 1064 bis 1230) dient heute als Konzerthalle 'Georg Philipp Telemann'. Der 1135–1150 angelegte Klausurtrakt mit Kreuzgang, Brunnenhaus, Kapelle und Refektorium birgt Ausstellungen: das Refektorium eine Kleinpastikensammlung, das mittlere Tonnengewölbe Holzplastik aus früheren Epochen; in den Außenanlagen eine Sammlung zeitgenössischer Großplastiken.

Ehemaliges *Kloster Unser Lieben Frauen (Konzerthalle; Museum)

Alter Markt und Breiter Weg

Der repräsentativste Bauzeuge im einstigen Bürgerbezirk ist das Rathaus, welches die Ostseite vom Alten Markt begrenzt, ein zweigeschossiger

Rathaus

Rathaus und Magdeburger Reiter (Kopie)

Rathaus (Fortsetzung)	Barockbau (1691–1698; Carillon mit 48 Glocken). Im Nordteil des Gebäudes, u. a. im Ratskeller, Gewölbe aus dem 12./13. Jahrhundert.
*Magdeburger Reiter	Der um 1240 geschaffene Magdeburger Reiter, die kunsthistorisch wohl bedeutendste Sehenswürdigkeit auf dem Alten Markt, galt als das älteste freistehende nachantike Reiterstandbild auf deutschem Boden. Im Jahre 1966 wurde das Kunstwerk durch eine Kopie (unter einem Baldachin) ersetzt; das Original befindet sich heute im Kulturhistorischen Museum der Stadt (Otto-von-Guericke-Straße Nr. 68–73).
*Weinkeller Buttergasse	Romanischen Ursprungs sind auch die Räume des 'Weinkellers Buttergasse', vermutlich das Untergeschoß vom alten Innungshaus der Gerber, an der Nordwestecke des Marktes.
Denkmäler	In der Nähe des Rathauses stehen das Doktor-Eisenbart-Denkmal und das Otto-von-Guericke-Denkmal sowie ein Lutherdenkmal, ferner die Ruine der spätgotischen Johanniskirche, in deren Turmhalle und Gruft Ausstellungen zur Stadtgeschichte gezeigt werden. Die Ruine ist ein Mahnmal des Bombeninfernos von 1945.
Ruine der Johanniskirche	
Breiter Weg	Von den einst zahlreichen barocken Bürgerhäusern am Breiten Weg, der bis zu seiner Zerstörung im Zweiten Weltkrieg als die bekannteste Barockstraße in Deutschland galt, sind nur zwei (Nr. 178 und 179) erhalten geblieben.
Barockhäuser (Telemann-Zentrum)	Beide sind um 1728 entstanden und dienen neuerdings als Domizil für das Telemann-Zentrum (ständige Ausstellung über Leben und Werk des Komponisten).
St. Sebastian	Etwas abseits von der Westseite des Breiten Weges, dem Gebäude der Hauptpost südlich gegenüber, steht die katholische Propsteikirche St. Sebastian.

Elbuferpromenade

Bei einem Spaziergang entlang der Elbuferpromenade, die das linke Ufer der Elbe vom Lukasturm (Mitte 15. Jh., als nordöstlicher Eckpfeiler der Stadtbefestigung errichtet) im Norden an begleitet, gewinnt man einen Gesamtblick über die Silhouette Magdeburgs.

Im oberen Teil der Promenade befinden sich weitere interessante Baulichkeiten: die Petrikirche (um 1380 bis Ende 15. Jh.; seit 1970 katholisch), gleich benachbart die aus dem frühen 14. Jh. stammende Magdalenenkapelle und etwas weiter nördlich die reformierte Wallonerkirche.

Lukasturm

Petrikirche
Magadalenenkapelle
Wallonerkirche

*Kulturpark Rotehorn

Auf dem östlichen Elbufer, eingerahmt von Strom-Elbe und Alter Elbe, bietet der ab 1871 angelegte Kulturpark Rotehorn mit seinen weitläufigen Parks und Freizeiteinrichtungen vielfältige Möglichkeit zur Erholung.

Um die architektonische Dominante der 1927 eingeweihten Stadthalle gruppieren sich das Pferdetor (Plastiken von M. Roßdeutscher), der Aussichtsturm (mit Café) und der Schaufelradschleppdampfer "Württemberg" (Museum; Restaurant).

Stadthalle
Aussichtsturm
Raddampfer
"Württemberg"

Erholungsgebiete

Erholungsstätten sind ferner der Park auf dem Gelände des von P. J. Lenné gestalteten ersten deutschen Bürgerparkes (1824) im Stadtteil Buckau, der Herrenkrugpark im Nordosten von Magdeburg (ebenfalls von Lenné), der etwa 300 Tierarten aufweisende Zoologische Garten (Am Vogelgesang Nr. 12) und der Barleber See (s. Umgebung).

Buckauer Park

Herrenkrugpark
Zoologischer
Garten

Umgebung von Magdeburg

Das Schiffshebewerk Rothensee (14 km nördlich), ein vom internationalen Frachtschiffsverkehr stark frequentiertes technisches Meisterwerk (1938), liegt an der Nahtstelle zwischen Elbe und Mittellandkanal. Die Schiffe überwinden den insgesamt 16 m Niveauunterschied in einem 85 m langen und 12 m breiten Trog.

***Schiffs-**
hebewerk
Rothensee

Vom Schiffshebewerk sind es nur wenige Schritte zu dem Naherholungsgebiet Barleber See (Bade- und Surfgelegenheit; Campingplatz).

Barleber See

Von Magdeburg gelangt man nordwestwärts auf der Fernstraße Nr. 71 nach 25 km zu der zwischen Ohre und Mittellandkanal gelegenen Kreisstadt Haldensleben. Hier gibt es etliche Fachwerkhäuser (z. B. das Kühnsche Haus von 1592, das Ratsfischerhaus vom Beginn des 17. Jh.s oder das Pfarrhaus aus dem 18. Jh.), ein im Klassizismus umgebautes, ursprünglich barockes Rathaus von 1703 und die dreischiffige Pfarrkirche St. Marien (um 1375 begonnen, im 15. Jh. vollendet; nach Bränden 1665 und 1675 jeweils erneuert). Von der alten Stadtbefestigung sind das Bülstringer Torturm (14. Jh.) und das Stendaler Tor (1598) erhalten.

Haldensleben

Im südlichen Ortsteil Althaldensleben, jenseits vom Mittellandkanal, bestehen von dem einstigen Klostergut noch das Herrenhaus (barocke Vierflügelanlage des 18. Jh.s), der Glockenturm und eine Kapelle. Erwähnung verdient hier ferner die klassizistische Simultankirche (1829).
Zwischen Althaldensleben und dem südlich nächsten Ort, Hundisburg, erstreckt sich ein 1810 von J. H. Nathusius angelegter Landschaftspark.

Althaldensleben

Magdeburg

Umgebung,
Haldensleben
(Fortsetzung)
Hundisburg

Das Schloß in Hundisburg, dessen Südflügel aus der Zeit der Renaissance (1571), die übrigen Teile aus dem Barock (1694–1702) stammen, ist 1945 ausgebrannt und teilweise wiederaufgebaut.

In der ursprünglich spätromanischen Hundisburger Dorfkirche (1266 erbaut; 1587 und 1708 erweitert) ist der Epitaph v. Alvensleben (nach 1596) bemerkenswert.

Hillersleben

In dem Dorf Hillersleben (an der Ohre; 6 km südöstlich von Haldensleben) fällt die große Kirche des ehemaligen Benediktinerklosters (1096 an der Stelle eines bereits um das Jahr 1000 von den Slawen zerstörten Klosters geweiht) auf, ursprünglich eine dreischiffige spätromanische Pfeilerbasilika nach Hirsauer Schema (nach 1179 begonnen, um 1260 vollendet, im 18. Jh. Ruine), die 1859 mit dem zweitürmigen Westwerk und Ostapsis stark verändert worden und derzeit erneut dem Verfall preisgegeben ist.

In der Umgebung von Hillersleben stehen mehrere Windmühlen.

Schönebeck

Die 18 km südöstlich von Magdeburg am linken Elbufer (Straßenbrücke) und am Rande der Magdeburger Börde gelegene Industriestadt Schönebeck (55 m ü. d. M., 45000 Einw.; Anilinisch-Chemische Fabriken, Sprengstoffherstellung u. a.) erhielt bereits im frühen 13. Jh. Stadtrechte und gehörte seit 1352 zum Erzbistum Magdeburg.

Die Stadtkirche St. Jakobi, ursprünglich eine flachgedeckte Basilika (13. Jh.) ist im 18. und 19. Jh. stark verändert worden. Aus der Barockzeit stammen einige Bürgerhäuser.

Bad Salzelmen

Der Schönebecker Ortsteil Bad Salzelmen ist das älteste Soleheilbad im deutschsprachigen Raum.

Gegen Ende des 18. Jh.s entdeckte ein in der Saline von Salzelmen (ursprünglich Groß-Salze) tätiger Arzt bei der Beobachtung von Erkrankungen der Salinerarbeiter die heilende Wirkung des Mineralwassers und wandte es für Bade- und Trinkkuren an. Er setzte sich für die Errichtung einer Arbeiterbadeanstalt ein, woraus sich ein auch vom wohlhabenden Bürgertum besuchtes Kurbad (1802) entwickelte. Im Jahre 1879 folgte ein Soledampfbad, und 1949 wurde ein Kindersanatorium eingerichtet.

Das Salzelmener Gradierwerk im ausgedehnten schönen Kurpark war bereits 1756–1765 erbaut worden; vom Solturm (1776) wird zehnprozentige Sole auf große Reisigwände geleitet, so daß feuchtsalzige Luft entsteht.

Erwähnung verdienen in Bad Salzelmen ferner die Stadtkirche St. Johannis, eine dreischiffige Hallenkirche (1430–1519) mit barocker Innenausstattung, die Jakobskirche (13. Jh.; später mehrfach verändert), die Burg Schadeleben (um 1315 erbaut, im 16. und Anfang des 19. Jh.s erweitert, 1874 z.T. abgebrochen; heute darin u. a. das Stadtarchiv) und einige alte Fachwerkhäuser.

Im ehemaligen Rathaus (15. Jh.) ist das Kreismuseum untergebracht (Frühgeschichte, Salzgewinnung, Elbschiffahrt).

Hadmersleben

Die Klosterkirche von Hadmersleben (27 km südwestlich von Magdeburg) stammt überwiegend aus frühgotischer Zeit. Unter der Nonnenempore ist eine dreischiffige romanische Halle (Unterkirche, 11. Jh.) erhalten, die wohl auf den Gründungsbau des 10. Jh.s zurückgeht. Gedrungene Säulen mit bemerkenswerten Kapitellen tragen Kreuzgratgewölbe.

Von den Klostergebäuden sind der Kapitelsaal (12. Jh.) und ein Teil des spätgotischen Kreuzganges unter barocken Obergeschossen noch vorhanden.

Leitzkau

In Leitzkau (28 km südlich von Magdeburg) sind ein ab 1564 erbautes Renaissanceschloß, Sitz einer Linie derer von Münchhausen, und Überreste einer romanischen Klosterbasilika sehenswert.

Märkische Schweiz C 6/7

Bundesland: Brandenburg
Bezirk (1952–1990): Frankfurt

Die Märkische Schweiz ist eine bewaldete Hügel- und Kessellandschaft – etwa 50 km (Luftlinie) ostnordöstlich von → Berlin – zwischen der Barnimplatte im Westen und der Lebusplatte im Osten; den Mittelpunkt bildet die reizvolle, über 700 Jahre alte Kleinstadt Buckow. *Lage und Gebiet*

"Alles hat hier den mitteldeutschen Charakter", schrieb bereits Theodor Fontane in seinen "Wanderungen durch die Mark Brandenburg". "Berg und See, Tannenabhänge und Laubholzschluchten, Quellen, die über Kiesel plätschern, und Birken, die vom Winde halbentwurzelt, ihre langen Zweige bis in den Waldbach niedertauchen." *Zitat von Theodor Fontane*

Die Gegend um Buckow erhält in der Tat ihre besonderen Reize durch Hügel und Täler mit steilen Hängen und durch tiefe Kessel, die nach der letzten Vereisung durch schmelzende verschüttete Toteismassen hervorgerufen wurden. **Landschaftsbild*

Die Stadt Buckow liegt in einem solchen Talkessel, ebenso der nierenförmige Schermützelsee. *Buckow*

Am 12. September 1990 hat die letzte amtierende Regierung der damaligen Deutschen Demokratischen Republik beschlossen, die Märkische Schweiz samt dem Buckower Wald- und Seengebiet als 'Naturpark Märkische Schweiz' (147 km^2) unter Naturschutz zu stellen. *Naturpark Märkische Schweiz*

Die Märkische Schweiz ist ein beliebtes Naherholungsgebiet der Berliner. Es ist mit der Eisenbahn über Müncheberg oder mit der S-Bahn über Strausberg und weiter mit dem Autobus zu erreichen. In Buckow gibt es aber auch Ferienquartiere, so daß sich hier zahlreiche Urlauber aufhalten. Die gepflegten Parkanlagen im Ort wie auch die vielen gekennzeichneten Wege laden zum Wandern ein, etwa auf die Bollersdorfer Höhe (130 m ü.d.M.) mit prachtvollem Ausblick über den Schermützelsee (Bootsfahrten). *Erholungsgebiet*

Ein besonderer Anziehungspunkt in Buckow ist das Brecht-Weigel-Haus, heute Gedenkstätte. Brecht gab einem Gedichtzyklus aus dem Jahre 1953 den Titel "Buckower Elegien". *Brecht-Weigel-Haus*

Markneukirchen E 5

Bundesland: Freistaat Sachsen
Bezirk (1952–1990): Karl-Marx-Stadt
Höhe: 500 m ü.d.M.
Einwohnerzahl: 7 000

Die Stadt Markneukirchen liegt im 'Musikwinkel', im Tal des Schwarzbaches, umgeben von den reizvollen Wäldern des oberen → Vogtlandes. Sie ist vor allem bekannt als eine Stätte des deutschen Musikinstrumentenbaues. *Lage und Bedeutung*

Im Gebiet des egerländischen Reichsterritoriums war 1274 die Ortschaft Nuwnkirchen Sitz eines Egerländer Reichsministerialen. Die Siedlung bekam um 1350 von den Vögten von Plauen das Stadtrecht verliehen. Nachdem die Stadt mehrfach den Besitzer gewechselt hatte, kam sie 1569 schließlich an Kursachsen. Um die Mitte des 17. Jh.s ließen sich *Geschichte*

Paulusschlössel in Markneukirchen

Geschichte (Fortsetzung)

böhmische Exulanten als erste Geigenbauer in dem Ort nieder. Etwa seit 1800 wurde Markneukirchen zur wichtigsten Produktionsstätte von Musikinstrumenten in Deutschland und errang im Laufe des 19. Jh.s eine führende Stellung auf dem Weltmarkt.

Sehenswertes in Markneukirchen

Paulusschlössel

Hauptanziehungspunkt ist des Paulusschlössel (1784), ein Spätbarockbau mit zwei halbrunden, turmartigen Vorbauten; an der Hofseite und am Westflügel Laubengang und Galerie.

Geigenbauer

Beachtung verdient ferner die Bronzeplastik eines Geigenbauers (1970).

＊Musikinstrumentenmuseum

Das Paulusschlössel beherbergt das Musikinstrumentenmuseum, in dem rund 2300 Instrumente der europäischen Musik, des islamischen Kulturkreises, des Fernen Ostens, Afrikas und Amerikas gezeigt werden. Unter den Ausstellungsstücken befinden sich Gamben aus Nürnberg und Augsburg, eine Gambe aus den Händen Johann Christian Hofmanns (eines Freundes von J.S. Bach), Akkordeons, Spieldosen, Leierkästen, Phonographen, eine kostbare Schweizer Hausorgel von 1838 und vieles andere.

Muster aller Instrumente, die heute in Markneukirchen, Klingenthal und Schöneck gefertigt werden, sind im Ostflügel des Schlößchens zu besichtigen.

Pfarrkirche St. Nikolai

Sehenswert ist auch die Pfarrkirche St. Nikolai, ein spätklassizistisches Bauwerk, das 1848 errichtet wurde.

Postmeilensäule

Am Lutherplatz steht eine historische Postmeilensäule.

Umgebung von Markneukirchen

Mecklenburger Seen   B 4–6

Bundesland: Mecklenburg-Vorpommern
Bezirke (1952–1990): Schwerin und Neubrandenburg

Die Mecklenburger Seen, insgesamt weit mehr als tausend große und kleine Wasserflächen, machen das teils bewaldete, teils von Äckern und Wiesen eingenommene Hügelland des Nördlichen Landrückens zu einem immer stärker besuchten Erholungsgebiet.

Lage und Gebiet

Die Seen sind eingelagert in den Raum zwischen den beiden von Nordwesten nach Südosten durch Mecklenburg streichenden Endmoränenbögen der letzten Eiszeit oder ihnen nördlich vorgelagert. Der hügeligen Landschaft Mecklenburgs mit dem häufigen Wechsel von Äckern und Wäldern verleihen diese Seen einen eigentümlichen Reiz; sie verschönern das Bild vieler Dörfer und Städte.

Landschaftsbild

✳Mecklenburgische Seenplatte

Besonders stark häufen sich die Seen im Westteil des in seiner Gesamtheit auch als Mecklenburgische Seenplatte bezeichneten Gebietes zwischen den beiden Hauptendmoränen, im Bereich des 65,5 km² großen und 37 m ü. d. M. gelegenen → Schweriner Sees.

Schweriner See

Eine zweite Häufung tritt in dem Gebiet zwischen Sternberg und Krakow auf (Krakower See, 15,7 km², 48 m ü.d.M.; → Krakow am See).

Krakower See

Nach Osten schließen daran zwischen Plau und → Waren die von der Elde zur → Elbe entwässerten 'Großen Seen' an: der → Plauer See (38,7 km²), der Fleesensee (11 km²), der Kölpinsee (20,5 km²) und schließlich der größte unter den Mecklenburger Seen, die → Müritz (116,8 km²), alle auf 62 m Meereshöhe.

Plauer See
Fleesensee
Kölpinsee
Müritz

Nach Südosten setzen sich die Mecklenburger Seen in den Kleinseen um → Neustrelitz und → Fürstenberg sowie südlich von Lychen und Templin fort.

Strelitzer Kleinseen

Es gibt aber auch eine Reihe weiterer bedeutender Seen nördlich der Inneren Hauptendmoräne, im Rückland der Seenplatte:
im Güstrower Becken den Inselsee, ferner in der → Mecklenburgischen Schweiz den Malchiner See (14,3 km²), den Kummerower See (32,6 km²) und den Teterower See, südlich von → Neubrandenburg den Tollensesee (17,4 km², 15 m ü.d.M.), dann die Feldberger Seen und die Uckerseen (→ Uckermark).

Inselsee
Malchiner See
Kummerower See
Teterower See
Tollensesee
Feldberger Seen
Uckerseen

Die Entstehung der Mecklenburger Seen hängt ausnahmslos mit Vorgängen während der letzten Kaltzeit zusammen. Die Gletscher der Inlandvereisung brachten Geröll und anderes Material heran, schütteten oder

Entstehung

▲ *Mecklenburgische Seenplatte: Landschaft am Tollensesee*

Mecklenburgische Seenplatte, Entstehung (Fortsetzung)

stauchten die Moränen auf, schürften Hohlformen aus und hinterließen solche nach ihrem Abtauen. Die abfließenden Schmelzwässer spülten schon unter dem Gletscher Rinnen aus, oder sie zerschnitten die eben aufgeschütteten Moränen und Sanderflächen.

Wasserwanderungen

So ergab sich eine Vielfalt von Möglichkeiten für die Bildung von Seen, und ebenso groß wie diese Möglichkeiten ist auch die Vielfalt der Formen und Umrisse, der Größen und Tiefen der Mecklenburger Seen. Viele von ihnen sind durch Flußläufe (Elde, Havel, Warnow, Nebel, Peene und Ucker/Uecker) oder Kanäle miteinander verbunden und bieten weiträumige Möglichkeiten für Wasserwanderungen und Camping.

Mecklenburgische Schweiz B 5

Bundesland: Mecklenburg-Vorpommern
Bezirk (1952–1990): Neubrandenburg

Lage und *Landschaftsbild

Mecklenburgische Schweiz wird die durch beträchtliche Höhenunterschiede gekennzeichnete, von ausgedehnten Buchenwäldern eingenommene Stauchendmoränenlandschaft zwischen Teterow und Malchin – etwa auf einer gedachten Achse zwischen → Güstrow und → Neubrandenburg – im mittleren Mecklenburg genannt. Sie befindet sich bereits im Rückland außerhalb der eigentlichen Mecklenburgischen Seenplatte, wo spätglaziale Gletscherbewegungen formenbildend waren.

Höhenunterschiede

Die auffälligen Höhenunterschiede in dieser Landschaft kommen dadurch zustande, daß die hier um 100 Meter hohen Endmoränenkuppen (z.B. Hardtberg, 123 m ü.d.M.; Röthelberg bei Burg Schlitz, 97 m ü.d.M.) unmittelbar den nur wenige Dezimeter über dem Meeresspiegel gelegenen Wasserspiegeln von Kummerower See (32,6 km²; 0,20 m ü.d.M.) und Malchiner See (14,3 km²; 0,60 m ü.d.M.) benachbart sind. Auch der Spiegel vom Teterower See am Westrand der Mecklenburgischen Schweiz liegt nur 2,30 m ü.d.M., obwohl fast 100 km (Luftlinie) entfernt von der Mündung der Peene, die alle genannten Seen zur Ostsee (→ Ostseeküste) hin entwässert.

Einen ausgezeichneten Überblick über die Stauchendmoränenlandschaft der Mecklenburgischen Schweiz mit ihren Wäldern, Äckern und Seen hat man von dem zuvor erwähnten Röthelberg und vom Mahnmal auf dem Heideberg bei Teterow (93 m ü. d. M.). Eingebettet in die Endmoränen- und Seenlandschaft der Mecklenburgischen Schweiz sind die Kreisstädte Teterow und Malchin. — *Rundsicht*

Teterow (11 000 Einw.) erhielt 1235 Stadtrecht, war aber bis ins 19. Jh. eine Ackerbürger- und Handwerkerstadt (Stadtmauer mit Toren), erfuhr gegen Ende des 19. Jh.s eine geringe Industrialisierung, wurde jedoch erst nach 1945 als Kreisstadt zum ökonomischen Zentrum seiner landwirtschaftlichen Umgebung mit verarbeitender Industrie ausgebaut. — **Teterow**
Nordöstlich im Teterower See eine wendische Burganlage aus dem 7. bis 12. Jh., die nur über eine 720 m lange eherne Brücke erreicht werden konnte. — Slawische Burg

Etwa 3 km nordwestlich von Teterow verläuft in den Heidebergen (93 m ü. d. M.; Aussicht vom Mahnmal) der 1877 m lange 'Teterower Bergring', eine bekannte Grasbahnstrecke für Motorradrennen (bes. zu Pfingsten). — Teterower Bergring

Rund 8 km südsüdwestlich von Teterow steht auf einer Anhöhe das Gutshaus Karstorf, ein 1806–1824 von F.A. Lieblin und dem Bauherrn Hans Graf v. Schlitz im Stil des Klassizismus errichtetes Schloß (1952 restauriert; jetzt Pflegeheim); im Park zahlreiche Denkmale und Steinsetzungen. — Burg Schlitz

Malchin (10 000 Einw.), zwischen Malchiner und Kummerower See gelegen, wurde 1236 gegründet, war Ackerbürger- und Handwerkerstadt wie Teterow, diesem gegenüber jedoch bevorzugt, weil es von 1621 bis 1916 im Wechsel mit Sternberg als Tagungsort für den Mecklenburger Landtag diente. Im 19. Jh. wurden Eisenbahnwerkstätten errichtet. Gegen Ende des Zweiten Weltkrieges zu zwei Dritteln zerstört, ist Malchin heute wiederaufgebaut; weithin sichtbar ist eine 48 m hohe, 120 000 t fassende Getreidesiloanlage. — **Malchin**

→ Reiseziele von A bis Z: Neubrandenburg, Umgebung — **Reuterstadt Stavenhagen**

→ Reiseziele von A bis Z: Güstrow — **Güstrow**

431

Meiningen   E 3

Bundesland: Thüringen
Bezirk (1952–1990): Suhl
Höhe: 286 m ü. d. M.
Einwohnerzahl: 25 500

Lage und Bedeutung

Zwischen ⟶ Rhön und ⟶ Thüringer Wald liegt im oberen Werratal die Stadt Meiningen, durch Kunst- und Theaterpflege in Vergangenheit und Gegenwart ein bekanntes Kulturzentrum Thüringens. Auf vielfältige Weise ist der Ort auch mit dem Leben und Schaffen Friedrich Schillers verknüpft.

Geschichte

Im Jahre 982 erstmals urkundlich genannt und 1152 zur Stadt erhoben, wurde der Ort ab 1680 Residenzstadt des Herzogtums Sachsen-Meiningen. Aufgeklärte Herrscher korrespondierten, dem Geist der Zeit gemäß, mit freisinnigen Denkern. Gründungen wie die 'Menschenbrüderschaft zwischen Thron und Hütte' schufen einen günstigen Nährboden für die kulturelle Blüte der kleinen Residenz. Am 7. Dezember 1782 suchte der junge Friedrich Schiller, auf der Flucht vor seinem württembergischen Landesherrn, im nahen Bauerbach Zuflucht. Mit dem Namen der Stadt verknüpft ist auch das Schaffen Ludwig Bechsteins, der als Sagen- und Märchensammler den Gebrüdern Grimm kaum nachstand. Der 'Theaterherzog' Georg II. förderte das Musik- und Theaterschaffen. 'Die Meininger' entwickelten sich rasch zu einem der berühmtesten Theaterensembles Europas. Ihr Spiel vereinte historische Detailtreue mit aufrüttelnden Volksszenen, hohe künstlerische Disziplin mit prachtvoller Form der Aufführung und stach vor allem auch durch die Erfassung des geistigen Wesens der Werke hervor. Der Bahnbrecher des russischen realistischen Theaters, Stanislawski, erhielt durch die Meininger ebenso starke Anregungen wie Max Reinhardt. An der Meininger Hofkapelle wirkten so berühmte Dirigenten wie Hans von Bülow (1880–1885), Richard Strauss (1885/1886) und Max Reger (1911–1914).

Sehenswertes

✳Schloß Elisabethenburg

Schloß Elisabethenburg, einstmals Residenzschloß, ist heute Sitz der Staatlichen Museen. Die barocke Dreiflügelanlage (1682–1692) wurde zum Teil auf einer spätgotischen Burg errichtet. Zahlreiche Schloßräume haben eine prachtvolle Innenausstattung, besonders das Treppenhaus, der Turmsaal, der Gartensaal und im Südflügel der 'Johannes-Brahms-Saal' (ehem. Schloßkirche).

Staatliche Museen

Die Staatlichen Museen umfassen eine wertvolle Kunstsammlung (Gemälde europäischer Meister des 15. bis 19. Jh.), ein Theatermuseum (Entwicklung der Meininger Theaterreform), eine musikhistorische Abteilung (Geschichte der Hofkapelle, darunter Dokumente hervorragender Musiker), eine kulturhistorische Abteilung (Baumbachhaus, Burggasse Nr. 22; u.a. Literaturmuseum mit Darstellung der Beziehungen Schillers und anderer Dichter zu Meiningen, ferner südthüringische Trachten) sowie eine naturwissenschaftliche Abteilung.

Goethe-Park

Bemerkenswert ist auch der Goethe-Park, der einstige Englische Garten, der 1782 von prominenten Gestaltern begonnen wurde. Im Park das Grabmal Herzog Karls (jenem für J.-J. Rousseau nachempfunden) inmitten eines künstlichen Sees.

Stadtkirche

Am Markt steht die 1884–1889 unter Verwendung alter Bauteile in neogotischem Stil neu aufgeführte Stadtkirche.

Bürgerhäuser

In der Stadt sind zahlreiche Bürgerhäuser aus dem 16.–18. Jh. erhalten, oftmals in Fachwerk- und Steinbauweise; so etwa das Büchnersche

Schloß Elisabethenburg

Büchnersches Hinterhaus in Meiningen

Pfaffenburg in Wasungen

**Bürgerhäuser
(Fortsetzung)**

Hinterhaus (Georgenstraße Nr. 20), die Alte Posthalterei (Ernestiner Straße Nr. 14), der Rautenkranz (Ernestiner Straße Nr. 40), das Steinerne Haus (Anton-Ulrich-Straße Nr. 43).

Denkmal

Oberhalb der Werra steht am Herrenberg das Otto-Ludwig-Denkmal.

Umgebung von Meiningen

Walldorf

Im 5 km nordwestlich von Meiningen gelegenen Walldorf steht die am besten erhaltene von 110 Wehrkirchen dieser Region, eine Kirchenburg aus dem 15. Jahrhundert. Ferner gibt es mehrere Fachwerkbauten sowie eine Märchen- und Schauhöhle. In der Sandhöhle erhält man einen Überblick über die Geologie dieses Raumes; ferner Arbeitsgeräte der Sandmacher.

Wasungen

In der für ihren jahrhundertealten Karneval bekannten Stadt Wasungen (12 km nordwestlich von Meiningen) gibt es ebenfalls zahlreiche Fachwerkbauten, so das Rathaus, das Amtshaus und viele Bürger- und Adelshäuser. Die Stadtkirche entstand aus älteren Teilen zwischen 1584 und 1596 als einschiffiger Renaissancebau mit im Kern spätgotischem Turm; im Inneren wertvolles Schnitzwerk (17. Jh.). Der Turm 'Pfaffenburg' von 1387 ist ein Rest der Stadtbefestigung.

Rohr

Die kleine Gemeinde Rohr (8 km östlich von Meiningen) geht auf ein bereits 824 gegründetes Fuldaer Filialkloster zurück. In der mittelalterlichen Kaiserpfalz Rohr wurde 984 ein Reichstag abgehalten. Im Jahre 1340 ließ Fürstbischof Otto III. von Würzburg die im Laufe der Jahrhunderte zum Raubritternest verkommene Pfalz zerstören; 1562 war auch das Kloster verlassen. Von der einstigen Kirchenburg erhalten ist die von einer 6 m hohen Wehrmauer umgebene Michaeliskirche (Anfang 13. Jh.), einst Klosterkirche, mit der frühmittelalterlichen Krypta.
In der Ortschaft gibt es mehrere hübsche Fachwerkhäuser.

Schwarza

Die Heimatstube von Schwarza (12 km nordöstlich von Meiningen) – mit alten Trachten, Möbeln, Hausrat und Arbeitsgeräten – befindet sich in der ehemaligen Wasserburg, mit deren Bau im 13. Jh. begonnen wurde.

Bauerbach

Das Dörfchen Bauerbach (10 km südlich von Meiningen) war von Dezember 1782 bis Juli 1783 Zufluchtsort des 'desertierten' Karlsschülers und Verfassers der "Räuber", Friedrich Schiller, der hier im Hause der Henriette von Wolzogen eine Unterkunft fand. In Bauerbach arbeitete der Dichter unter Nutzung von Werken der Meininger Hofbibliothek, die ihm deren Bibliothekar Reinwald, Schillers späterer Schwager, ermöglichte, an verschiedenen Dramen (u. a. "Luise Millerin", später "Kabale und Liebe"; "Don Carlos").

*Schiller-Museum

Im einstigen Wolzogenschen Anwesen, dem heutigen Schillerhaus, veranschaulicht ein von den Forschungs- und Gedenkstätten Weimar gestaltetes Museum die Lebensumstände des jungen Schiller.
Am ehemaligen Gutsverwalterhaus stellt eine Wandmalerei Schillers Ankunft dar; an der Fassade des 'Gasthauses zum braunen Ross' Dichterverse. Seit 1965 existiert in Bauerbach ein Laientheater 'Friedrich Schiller'.

Berkach

In dem zu DDR-Zeiten bis zur Öffnung der innerdeutschen Grenze im Sperrgebiet gelegenen Ort Berkach (ca. 20 km südlich von Meiningen) hat früher eine jüdische Gemeinde bestanden, aus deren Zeit etliche Einrichtungen wiederentdeckt worden sind, so die Synagoge (als Lagerschuppen profaniert), die Schule (jetzt Wohnhaus) und ein Badehaus, das bisher einzig bekannte in Thüringen. Auf dem jüdischen Friedhof sind inzwischen rund 140 Grabsteine restauriert worden.

Rund 25 km südöstlich von Meiningen liegt Römhild mit dem bedeutendsten vorgeschichtlichen Bodendenkmal in Thüringen auf dem Kleinen
Gleichberg ('Steinsburg'-Museum; Hallstatt- und Latènezeit). In der
Marienkirche befinden sich Grabdenkmäler von Otto IV. und Hermann VII.,
hergestellt von der berühmten Gießerwerkstatt Peter Vischer in Nürnberg.
Im 'Töpferhof' werden die Traditionen des Römhilder Töpfergewerbes
bewahrt und fortgeführt.

Meiningen,
Umgebung
(Fortsetzung)
Römhild

Meißen

D 6

Bundesland: Freistaat Sachsen
Bezirk (1952–1990): Dresden
Höhe: 109 m ü. d. M.
Einwohnerzahl: 35 500

Meißen liegt – etwa 25 km nordwestlich von → Dresden – an der Mündung von Triebisch und Meisa in die → Elbe (Straßenbrücke und Eisenbahnbrücke). Die Stadt ist mit ihren einmaligen Sehenswürdigkeiten einer
zu Stein gewordenen über 1000jährigen deutschen Geschichte die Keimzelle des Landes Sachsen. Als Stadt der 'Blauen Schwerter' genießt sie
seit Gründung der ersten europäischen Porzellanmanufaktur Weltruf. In
der berühmten Fürstenschule St. Afra waren u. a. Lessing und Gellert
Schüler. Heute ist Meißen kulturelles und industrielles Zentrum im Nordwesten des Ballungsgebietes 'Oberes Elbtal'.

Lage und
Bedeutung

Im Zuge der deutschen Ostexpansion (Unterwerfung der Slawen) wurde
um 929 die Burg 'Misni' unter Heinrich I. gegründet. 968 wurde Meißen
Bischofssitz und entwickelte sich schnell zu einem strategischen Stützpunkt. Die Anlage der ersten Siedlung unterhalb der Burg fällt ins Ende des

Geschichte
Anfänge
im Mittelalter

Albrechtsburg und Dom

435

Meißen

Geschichte
(Fortsetzung)

10. Jh.s, um das Jahr 1000 erhält sie Marktrecht. Seit 1125 ist die Markgrafschaft Meißen in erblichem Besitz der Wettiner; 1150 erstmals urkundlich als Stadt erwähnt, erreichten wirtschaftlicher Aufstieg und rege Bautätigkeit bald ihren ersten Höhepunkt mit der planmäßigen Anlage der Stadt (Ende des 12. Jh.s; viereckiger Marktplatz, Stadtbefestigung) und dem Bau des gotischen Domes (1260 bis etwa 1410), des Bischofsschlosses und der Albrechtsburg auf dem Burgberg. Durch Arnold von Westfalen, den bedeutenden Baukünstler des ausgehenden Mittelalters, kommt die spätgotische Profanbaukunst in Meißen zu höchster Blüte. Prächtige Hofhaltung und kulturelle Entfaltung prägten den Herrschaftsstil. Dem Minnesang Heinrichs des Erlauchten und Heinrichs von Meißen (genannt Frauenlob) ist in der Heidelberger Liederhandschrift ein Denkmal gesetzt.

Mit der sächsischen Landesteilung, der Verlegung der Residenz nach Dresden sowie der Auflösung des Bistums zur Zeit der Reformation verlor Meißen seine wichtige politische Bedeutung. Das Bürgertum löste die Geistlichkeit als Träger der Wohlfahrtspflege und Kultur ab. Wirtschaft und Kultur gelangten während der Renaissance und der Reformationszeit zu neuen Höhepunkten. Im Jahre 1543 wird die Meißner 'Fürstenschule' im verlassenen Kloster St. Afra eingerichtet. Im Dreißigjährigen Krieg wurde Meißen von den Schweden erobert (1637) und durch eine verheerende Feuersbrunst schwer beschädigt.

Porzellan-
manufaktur

Erst mit der neuen Ratsordnung (1726) durch August den Starken war die Grundlage für eine bessere Entwicklung geschaffen worden. Einen großen Beitrag dazu leistete die 1710 auf der Meißener Albrechtsburg gegründete Königliche Porzellanmanufaktur. Die Rohstoffe zur Porzellanherstellung wurden westlich der Stadt gewonnen. Nach dem Tode des Erfinders J. F. Böttger (1719) begann der Aufstieg der Manufaktur und die künstlerische Verbesserung ('malerische Periode') des Porzellans. Der größte Porzellanplastiker des Spätbarock, J. J. Kändler, schuf unübertroffene Modelle. Durch den Siebenjährigen Krieg (1756–1763) wurde die Entwicklung jäh unterbrochen, zumal Meißen mit der einzigen Elbbrücke zwischen Torgau und Dresden von besonderer strategischer Bedeutung war. Friedrich II. gründete 1761 die Berliner Porzellanmanufaktur mit Rohstoffen aus der Stadt Meißen. Nach dem Krieg wandte sich die Porzellanherstellung den antikisierenden Formen des Klassizismus zu.

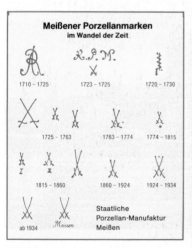

Meißener Porzellanmarken
im Wandel der Zeit

1710 – 1725	1723 – 1725	1720 – 1730
1725 – 1763	1763 – 1774	1774 – 1815
1815 – 1860	1860 – 1924	1924 – 1934

ab 1934

Staatliche
Porzellan-Manufaktur
Meißen

436

Meißen — Stadtplan

Lommatzsch, Riesa · Diesbar-Seußlitz · Dresden · Dresden · Freiberg · Moritzburg

200 m

© Baedeker

Nach schwerer Zeit während der napoleonischen Fremdherrschaft war Meißen Ziel romantischer Künstler wie Friedrich von Hardenberg (Novalis) und Friedrich de la Motte Fouqué. Goethe und Schiller waren von Meißen ebenso begeistert wie der Dichter Otto Ludwig. Mehr noch waren die Maler von den Sehenswürdigkeiten angetan, so etwa Philipp Otto Runge, Carl Blechen, Caspar David Friedrich und Ferdinand von Olivier. Am nachhaltigsten beeinflußt wurde Adrian Ludwig Richter (1803–1884), bekannter Maler der Romantik sowie Buchillustrator.

Geschichte
(Fortsetzung)
Romantik

Mit der Gründung einer Eisenhütte (1834) im Triebischtal und anderer Betriebe setzte die Industrialisierung ein. In diese Zeit fällt auch die Verlegung der Porzellanmanufaktur von der Albrechtsburg in das Triebischtal. Die Zuspitzung sozialer Probleme fand ihre Kritikerin in Luise Otto-Peters (1819 geb. in Meißen), der Mitbegründerin der Frauenbewegung in Deutschland.
Den Zweiten Weltkrieg hat die Stadt zwar ohne schwere Zerstörungen überstanden. Doch der derzeit insgesamt schlechte Zustand der wertvollen alten Bausubstanz bedarf dringend einer gründlichen Sanierung, um die man sich seit 1990 mit Unterstützung aus Baden-Württemberg intensiv bemüht.

19. und
20. Jahrhundert

❋❋Burgberg

Weithin sichtbar ragen auf dem Burgberg die Albrechtsburg , der Dom und das ehemalige Bischofsschloß über Stadt und Strom auf.

437

Meißen

Orientierungsplan

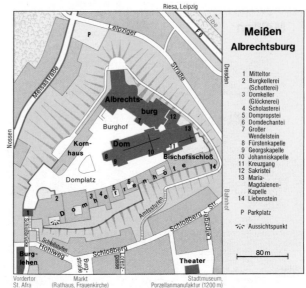

Meißen
Albrechtsburg

1 Mitteltor
2 Burgkellerei (Schotterei)
3 Domkeller (Glöcknerei)
4 Scholasterei
5 Dompropstei
6 Domdechantei
7 Großer Wendelstein
8 Fürstenkapelle
9 Georgskapelle
10 Johanniskapelle
11 Kreuzgang
12 Sakristei
13 Maria-Magdalenen-Kapelle
14 Liebenstein

P Parkplatz

Aussichtspunkt

80 m

Vordertor St. Afra   Markt (Rathaus, Frauenkirche)   Stadtmuseum, Porzellanmanufaktur (1200 m)

*Albrechtsburg

Die 929 gegründete Albrechtsburg wurde von Arnold von Westfalen geschaffen und gilt als einer der schönsten Profanbauten der Spätgotik; sie war als Wohn- und Regierungssitz der über Sachsen und Thüringen herrschenden Wettiner Fürsten Ernst und Albrecht gedacht.

*Wendelstein

An der Hofseite befindet sich der große Wendelstein, eine aus einem einzigen Stein gehauene Wendeltreppe.
Die Säle sind mit reichverzierten Gewölben und Decken versehen. Die Ausmalung vieler Räume stammt von der Erneuerung um 1870. Im Erdgeschoß der Albrechtsburg Ausstellung zur Baugeschichte der Burg.

*Dom

Der frühgotische Dom (um 1260 begonnen) erfuhr mehrfache Erweiterungen und Anbauten (Langhaus, Westportal, Fürstenkapelle und Georgenkapelle) und besitzt Stifterfiguren (um 1260) von Meistern der Naumburger Werkstatt, eine reiche Ausstattung mit sakralen Gemälden und zahlreichen Grabdenkmälern. Die beiden Westtürme, 1547 durch Blitzschlag teilweise zerstört, wurden 1903–1908 neu errichtet.

Domplatz

Der Domplatz wird seitlich von den Domherrenhöfen und dem Kornhaus begrenzt; den Zugang bilden Mitteltor, Schloßbrücke und Vordertor.

Sehenswertes in der Stadt Meißen

*Kirche St. Afra

Durch Mittel- und Vordertor gelangt man über die Schloßbrücke auf der Afranischen Freiheit zur Kirche St. Afra (um 1300) und zu den ehemaligen Stiftsgebäuden sowie der Afranischen Pfarre mit Renaissance-Eckerker (1535).

Ehemalige Fürstenschule

In der Nähe der St.-Afra-Kirche steht die ehemalige Fürstenschule St. Afra, die 1543 unter Herzog Moritz als Sächsische Landesschule gegründet worden ist und Schüler aus allen Bevölkerungsschichten auf die Universität vorbereitete (Schüler waren u. a. Lessing, Gellert und Rabener). Die humanistische Internatsschule bestand bis 1945 (ab Ende 1943 'Deutsche Heimschule'). Im Jahre 1953 bezog die sozialistische Hochschule für Landwirtschaftliche Produktionsgenossenschaften (LPG) das Gebäude.

Ehemalige Fürstenschule (Fortsetzung)

Die Frauenstufen enden bei der Frauenkirche (15. Jh.). In der Turmhaube dieser Kirche befindet sich ein besonderes Glockenspiel: es ist das erste auf der Erde aus Porzellan (1929).

Frauenkirche

In der Nähe stehen das alte Brauhaus (1569) mit Renaissancegiebel und das Tuchmachertor, eines der schönsten Denkmale der Renaissance.

Brauhaus

Ebenfalls an der Frauenkirche lädt die berühmte historische Weinschenke 'Vincenz Richter' zum Verweilen ein.

Weinschenke

Am Markt erhebt sich das spätgotische Rathaus (um 1472) mit seinen schönen Blendgiebeln.

Rathaus

Die ehemalige Franziskanerkirche (gegründet um 1258) ist als Stadtmuseum eingerichtet (kultur- und stadtgeschichtliche Sammlung). Im Kreuzgang Grabplatten und Skulpturen, u. a. Arbeiten von J. J. Kändler.

Stadtmuseum (vorübergehend geschlossen)

Am Theaterplatz steht das 1851 zum Theater umgebaute Gewandhaus der Tuchmacher, ein Bau aus dem 16. Jh., der einst als Kaufhaus diente.

Theater

Die Martinskapelle auf dem Plossen ist ein romanischer Bau (um 1200), der erhalten blieb; im Inneren ein sehenswerter spätgotischer Altar.

Martinskapelle

In der Nikolaikirche am Neumarkt (um 1100; im 13. Jh. umgebaut) sind Reste frühgotischer Wandmalereien erhalten. Die Kirche ist als Gedenkstätte für die Gefallenen des Ersten Weltkrieges mit großen Porzellanplastiken ausgestattet (1921–1929, E. P. Börner).

Nikolaikirche (Mahnmal)

Markt mit Frauenkirche

Meißen

**Staatliche Porzellanmanufaktur

Südlich der Nikolaikirche hat die weltberühmte Staatliche Porzellanmanufaktur ihren Sitz. Zu besichtigen sind die Schauhalle (mit repräsentativem Porzellan) und die Vorführwerkstatt (Formen, Drehen, Bossieren, Bemalen).

Umgebung von Meißen

Ausflüge mit der Weißen Flotte auf der Elbe

Ausflüge mit Schiffen der 'Weißen Flotte' führen von Meißen auf der ⟶ Elbe stromabwärts bis Riesa (s. nachstehend) oder lohnender stromaufwärts bis nach ⟶ Dresden und von dort in die landschaftlich höchst reizvolle ⟶ Sächsische Schweiz.

Spaargebirge

Auf der rechtselbischen Seite haben die nicht unbekannten Meißener Weine am Spaargebirge ihre besten Lagen (Weingaststätte 'Alte deutsche Bosel'; vorübergehend geschlossen).

Siebeneichen

Im südöstlichen Meißener Ortsteil Siebeneichen (an der F 6) befindet sich in einem bergigen Naturpark ein kleiner Heimattiergarten. Ebenso interessant ist der Vogelschutzlehrpfad im Anschluß an den Tiergarten. Auf Schloß Siebeneichen weilte Novalis 1797 und 1800 in einem Kreise junger Adliger um Dietrich von Miltitz, die gegen die veraltete Ständeverfassung Kursachsens Front zu machen suchten.

Scharfenberg

In dem südwärts folgenden Ort Scharfenberg gibt es ein Renaissanceschloß. Beachtung verdienen besonders das romanische Portal, die Durchfahrt mit Sternengewölbe und die Renaissancefassaden mit den markanten Schmuckgiebeln. Im sog. Kellerhaus wurde ein Heimatmuseum eingerichtet (Dokumente des einstigen Scharfenberger Silberbergbaus).

Schloß Seußlitz

Der am rechten Hangufer der Elbe gelegene Doppelort Diesbar-Seußlitz (ca. 10 km nordwestlich von Meißen) ist ein klimabegünstiger, romantisch anmutender Weinort, der nördlichste des sächsischen Weinbaugebietes, das sich von Dresden-Pillnitz über Meißen bis hierher erstreckt. Mehrere beliebte Weingaststätten schenken hiesigen und anderen Wein aus und servieren den hier angebauten Spargel zur Saisonzeit. Bekannt ist der traditionelle 'Heiratsmarkt'.

Das Barockschloß in Seußlitz ist 1726 vermutlich nach Plänen von George Bähr, dem Schöpfer der im Zweiten Weltkrieg zerstörten Dresdener Frauenkirche, errichtet worden; es dient heute als Seniorenheim. Im Barockgarten sind das Gartenhaus 'Heinrichsburg' und das Winzerhaus 'Luisenburg' beachtenswert.

In der Nähe von Diesbar befinden sich die ausgedehntesten frühgeschichtlichen Befestigungsanlagen Sachsens aus der Bronzezeit (ca. 1500 bis 400 v. Chr.).

Von Diesbar-Seußlitz etwas flußabwärts steht auf einem 28 m hohen Felsen am linken Ufer der Elbe (Elb-km 96; Personenfähre Seußlitz–Nieder-Lommatsch) das bereits im 10. Jh. gegründete Schloß Neuhirschstein (Hirschstein; heute Kindersanatorium; Sa. und So. Schloßbesichtigung und Konzert).

Die Pfarrkirche in Lommatzsch (etwa 12 km nordwestlich von Meißen) wurde von Peter von Pirna 1504–1514 als einschiffiger Saalbau mit Holzdecke erbaut. In der Kirche sind die Kanzel, der Altar und Grabdenkmäler (16.–18 Jh.) beachtenswert.

Die schon von Ferne an einer breiten Schornsteinsilhouette erkennbare Industriestadt Riesa (gut 20 km nordwestlich von Meißen; 108 m ü. d. M.; 52000 Einw.) liegt am linken Ufer der Elbe (Straßenbrücke, Eisenbahnbrücke; Elbhafen).

Einst der wichtigste Elbumschlagplatz Sachsens (bes. für Chemnitz und das Erzgebirge), ist Riesa heute von großen, die Umwelt stark belastenden Stahl- und Walzwerken sowie anderen Fabriken (Fahrzeugreifen, Chemieprodukte, Arzneimittel, Baumwollspinnerei u. a.) geprägt.

In der über eine Ingenieurschule für Hütten- und Walzwerktechnik verfügenden Stadt ist lediglich die spätgotische Marienkirche des ehem. Dominikanerinnenklosters erwähnenswert. Der Südflügel des einstigen Klostergebäude ist schon im 16. Jh. zu einem Schloß umgebaut worden und dient heute als Rathaus.

Merseburg

D 4/5

Bundesland: Sachsen-Anhalt
Bezirk (1952–1990): Halle
Höhe: 98 m ü. d. M.
Einwohnerzahl: 48000

Die alte Bischofs- und Residenzstadt Merseburg liegt – rund 10 km südlich von ⟶ Halle (Saale) – am Westrand der Querfurter Platte, wo die Geisel in die Saale (⟶ Saaletal) mündet. Dom und Schloß bergen einmalige Kulturgüter. Als ein regionales Verwaltungs- und Wirtschaftszentrum ist Merseburg zugleich Wohnstandort für die umliegenden chemischen Großbetriebe (Leuna-Werke, Buna-Werke) und die Braunkohlenindustrie.

Bereits um 780 im Hersfelder Zehntverzeichnis erwähnt, hatte Merseburg große Bedeutung als Missionsstützpunkt und Handelsplatz an der Saale-Elbe-Grenzlinie des Frankenreiches. Unter Heinrich I. Königspfalz (um 930); 968 Gründung eines Bistums durch Otto I., das 981 aufgehoben, aber 1004 durch Heinrich II. neu gegründet wurde.

Merseburg

Geschichte
(Fortsetzung)

Der Geschichtsschreiber Dietmar (Thietmar) von Merseburg (975–1018; Sohn des sächsischen Grafen Siegfried von Walbeck), seit 1009 Bischof von Merseburg, hat in seiner "Chronik" die Ereignisse seiner Zeit festgehalten (wertvolle Quelle für die Ostpolitik Ottos III. und Heinrichs II. sowie die deutsch-slawischen Beziehungen).

Zwischen 933 und 1212 fanden in Merseburg mehr als 20 Reichstage der deutschen Kaiser statt.

Aus dem 10. Jh. stammen die "Merseburger Zaubersprüche", zwei althochdeutsche Zauberformeln (zur Lösung eines Gefangenen; gegen Beinverrenkung eines Pferdes), die auf das Vorsatzblatt einer vermutlich aus Fulda stammenden geistlichen Handschrift der Bibliothek des Merseburger Domkapitels geschrieben wurden und als älteste bekannte deutsche Sprachzeugnisse 'heidnischen' Inhaltes gelten.

Nach der Reformation wurde das Stift seit 1561 von den sächsischen Fürsten verwaltet; 1653–1738 war es Sitz des Herzogtums Sachsen-Merseburg. Nach den Befreiungskriegen kam die Stadt zu Preußen (1815) und wurde Behördensitz der preußischen Provinz Sachsen.

Mit dem Braunkohlenbergbau und der Chemieindustrie im Raum Merseburg entwickelte sich die Stadt zu einem industriellen Schwerpunkt. Nach erheblichen Kriegszerstörungen wurde sie zu einem wirtschaftlichen und kulturellen Zentrum (Hoch- und Fachschulen).

✳Dom

Zugang

Am westlichen Saalehochufer überragen der Dom und das Schloß die Stadt. Zum Dom-Schloß-Bereich gelangt man durch das Krumme Tor.

Dombau

Der Merseburger Dom, die 931 geweihte Pfalzkirche Heinrichs I., wurde 968 bei der Gründung des Bistums zur Kathedrale erhoben. Der heutige, ursprünglich romanische Bau wurde 1015 begonnen und vielfach verän-

Blick auf Dom und Schloß   *Domturmeres*

dert. Die dreischiffige Hallenkirche mit vier Türmen besitzt eine überaus reiche Innenausstattung. An der Westvorhalle ein reiches spätgotisches Figurenportal (u. a. Büste Kaiser Heinrichs II. mit Dommodell).

Im Inneren des Domes beachtenswert sind der barocke Hochaltar (1668), die reiche spätgotische Kanzel und das Gestühl, ein romanischer Taufstein (um 1150) und zahlreiche Grabdenkmäler (11.–18. Jh.). Besonders bedeutend sind die Bronzegrabplatte des Gegenkönigs Rudolf von Schwaben (gefallen 1180 in der Schlacht bei Hohenmölsen) und der Sarkophag des Bischofs Thilo von Trotha (H. Vischer d. Ä.).

An der Südseite des Domes befindet sich der Kreuzgang mit frühgotischem Westflügel und romanischer Johanniskapelle.

Im Domstiftsarchiv befindet sich eine umfangreiche Sammlung mittelalterlicher Handschriften, darunter das fränkische Taufgelöbnis (9. Jh.), die berühmten Merseburger Zaubersprüche (10. Jh.; vgl. Geschichte) und eine reich illuminierte Bibelhandschrift mit Vulgatatext (um 1200).

*Schloß

Das Schloß (jetzt Verwaltung und Kreismuseum) ist eine Dreiflügelanlage der Spätgotik und Spätrenaissance. Trotz zahlreicher Umbauten zeigt es ein einheitliches Architekturbild. Beherrschend sind die Treppentürme, Erker, Portale und Zwerchhäuser in Spätrenaissanceformen.

Der Ostflügel, nach schweren Schäden im Zweiten Weltkrieg wiederaufgebaut, beherbergt ein Museum mit Exponaten zur Geschichte und einem Kunstkabinett.

An der Südostseite des Hofes ein reicher verzierter Brunnen. Im Vorhof des Schlosses sieht man den Rabenkäfig mit dem Merseburger Raben (Sage).

Nördlich des Schlosses liegt eine Parkanlage, der Schloßgarten (1661) mit dem Schloßgartensalon (1727–1738, J. M. Hoppenhaupt). Im Park die Porträtbüste des Generalfeldmarschalls Kleist von Nollendorf (1825, C. D. Rauch) sowie das Denkmal der Völkerschlacht bei Leipzig (1816).

Westlich vom Schloßgarten befinden sich das Zechsche Palais (1782, Renaissance) und das Ständehaus (1892–1895, jetzt Haus der Kultur); beide Häuser dienten als Parlamentsgebäude der Provinz Sachsen.

Nördlich vom Schloßgelände liegt der bereits in frühgeschichtlicher Zeit besiedelte Burgberg Altenburg – als Siedlungskern der Stadt (8. Jh.). Erhalten aus späterer Zeit sind Reste vom Peterskloster (Klausur, 13. Jh.) und die Vitikirche (12.–17. Jh.).

Im Übergangbereich von der Altenburg zum Schloßgelände ist die Obere Wasserkunst (1738), geschaffen von J. M. Hoppenhaupt, beachtenswert.

Altstadt

Das Zentrum der Altstadt bildet das Alte Rathaus (15./16. Jh.); es ist im wesentlichen ein Renaissancebau.

Auf dem Markt der Staupenbrunnen; in der Nähe steht die mehrmals umgebaute Stadt- oder Maximikirche.

In der Ruine der Sixtikirche (seit 1888 als Wasserturm genutzt) befindet sich ein Reiterstandbild Friedrich Wilhelms III. (1905, L. Tuaillon).

Mühlhausen

Merseburg (Forts.) Stadtfriedhof	Auf dem Stadtfriedhof (1581 angelegt) eine Renaissancekapelle (1610) und wertvolle Grabdenkmäler mit Plastiken von Trotha (1730).
Neumarktkirche	Am östlichen Ufer der Saale die Neumarktkirche, mit deren Bau im Jahre 1173 begonnen wurde.

Umgebung von Merseburg

Leuna	Der Ort Leuna (3 km südlich) ist unmittelbar mit den Leuna-Werken (seit 1916) entstanden (1930 Großgemeinde, 1945 Stadt); im Park an der Saale sind Plastiken aufgestellt.
Bad Dürrenberg	In Bad Dürrenberg (11 km südöstlich von Merseburg), einem ehemaligen Kurort, lohnt der Kurpark mit dem Gradierwerk einen Besuch; im Borlachturm (Solequelle in 223 m Tiefe) befindet sich ein Museum (Geschichte der Salzgewinnung). Die langgestreckten Siedehäuser, die zur Salzgewinnung dienten, und einige Häuser der Salinenarbeiter sind noch erhalten.
Weißenfels	→ Reiseziel von A bis Z: Weißenfels
Bad Lauchstädt	→ Reiseziele von A bis Z: Lauchstädt, Bad
Querfurt	→ Reiseziele von A bis Z: Querfurt
Halle (Saale) **Messestadt** **Leipzig**	→ Reiseziele von A bis Z: Halle an der Saale → Reiseziele von A bis Z: Leipzig

Thomas-Müntzer-Stadt Mühlhausen
D 3

Bundesland: Thüringen
Bezirk (1952–1990): Erfurt
Höhe: 230 m ü.d.M.
Einwohnerzahl: 44000

Lage und Bedeutung	Die ehemals freie Reichs- und Hansestadt Mühlhausen liegt zwischen Hainich und Oberem Eichsfeld an der Unstrut. Als letzte Wirkungsstätte des Volksreformators und bedeutendsten Führers im Deutschen Bauernkrieg wurde Mühlhausen 1975 der Beiname 'Thomas-Müntzer-Stadt' verliehen. Mit ihrer vollständig erhaltenen mittelalterlichen Stadtanlage ist sie ein würdiger Rahmen für die Gedenkstätte 'Deutscher Bauernkrieg'.
Geschichte	Im 8. Jh. entstand Mühlhausen als fränkische Siedlung aus einer bereits vorhandenen thüringischen Ansiedlung. Im 10. Jh. wurde der Ort Kammergut der sächsischen Könige; 1180 urkundlich als 'civitas imperatoris' (Reichsstadt) bezeichnet. Von 967 bis zum Anfang des 13. Jh.s haben alle deutschen Könige den Ort besucht und hier teilweise wichtige Regierungshandlungen vorgenommen. Das um 1224 entstandene Mühlhäuser Rechtsbuch ist das älteste seiner Art in deutscher Sprache.

Thomas Müntzer

Im Jahre 1256 kam es zur Zerstörung der kaiserlichen Pfalz und zur Durchsetzung der städtischen Selbstverwaltung. 1418 wurde die Stadt Mitglied der Hanse und gelangte vor allem durch Wollwaren- und Leinenexport zu Wohlstand. Im August 1524 siedelte Thomas Müntzer nach Mühlhausen über. Im Frühjahr 1525 wurde der 'Ewige Rat' gegründet, Mühlhausen entwickelte sich zum Zentrum des Thüringer Aufstandes. Am 23. Mai 1525 mußte die Stadt vor den Fürsten kapitulieren. Die Anführer des Aufstandes wurden zusammen mit Thomas Müntzer hingerichtet.

Frauentor mit Rabenturm

Rathaus

In den Jahren 1707/1708 war Johann Sebastian Bach Organist an der Divi-Blasii-Kirche. 1802 fiel die Stadt an Preußen; 1806–1813 gehörte sie zum Königreich Westfalen.

In den siebziger Jahren des 20. Jh.s stieg die überregionale Bedeutung der Stadt durch die Einrichtung von Gedenkstätten, die an den Deutschen Bauernkrieg erinnern.

Geschichte (Fortsetzung)

Altstadt

Am Untermarkt steht die Pfarrkirche Divi Blasii, die Hauptpfarrkirche der Altstadt. Sie wurde als romanischer Bau begonnen, 1260 als gewölbte Basilika neu errichtet, ab 1270 als dreischiffige gotische Hallenkirche mit Kreuzrippengewölben und Rundpfeilern gestaltet; der Westbau mit achteckigen Türmen (1260) ist frühgotisch. Um die Mitte des 14. Jh.s war die Kirche vollendet.

*Pfarrkirche Divi Blasii

In unmittelbarer Nachbarschaft der Pfarrkirche steht die Annenkapelle (13. Jh.), die früher dem Deutschritterorden gehörte.

Von hier sind es nur wenige Schritte zu schönen alten Bürgerhäusern, u.a. 'Bürenhof' (spätgotisch, 1607) und 'Altes Backhaus' (1631).

Annenkapelle

Stadtbefestigung

Die Stadtbefestigung, begonnen im 13. Jh., ist teilweise erhalten; besonders bemerkenswert sind die Teile nördlich des 1654 erneuerten Inneren Frauentores, der Abschnitt an der Straße Hinter der Mauer und der Teil am Lindenbühl. Auf der Stadtmauer verläuft ein Wehrgang (Beginn am Frauentor) – mit drei mittelalterlichen Türmen und drei Gartenhäusern. Der größte der noch erhaltenen Türme ist der Rabenturm (dieser Teil der Stadtbefesti-

*Stadtmauer

Mühlhausen

Stadtplan

1 Wehrgang auf der Stadtmauer
   (Eingang am inneren Frauentor)
2 Thomas-Müntzer-Geburtshaus
   Geburtshaus des Architekten
   Friedrich August Stüler (1800–1865)
3 Thomas-Müntzer-Gedenkstätte
   in der ehem. Marienkirche
4 Brotlaube
5 Allerheiligenkirche
6 Kiliankirche

7 Rathaushalle, Ratsstube und Archiv
   (Museum)
8 Gedenkstätte "Deutscher Bauernkrieg"
   in der ehem. Franziskanerklosterkirche
9 St.-Jakobi-Kirche
10 Nicolaikirche
11 Divi-Blasii-Kirche
12 Annenkapelle
13 Heimatmuseum
14 Antoniuskapelle

Achtung!
Im Zuge der politischen Neuorientierung sind weitere Umbenennungen zu erwarten.

Stadtmauer
(Fortsetzung)

gung wird museal genutzt, Rabenturm und Wehrgang können betreten werden).

Thomas-Müntzer-Denkmal

Vor dem Rabenturm steht das 1956 von W. Lammert gestaltete Thomas-Müntzer-Denkmal.

*Barfüßerklosterkirche (Gedenkstätte 'Deutscher Bauernkrieg')

Am Kornmarkt steht die ehemalige Barfüßerklosterkirche, ein einschiffiger gotischer Bau (13./14. Jh.). Das Gebäude wurde von 1973 bis 1975 restauriert und als Gedenkstätte 'Deutscher Bauernkrieg' eingerichtet.

Rathaus

An der Ratsstraße steht das architektonisch interessante Rathaus, ein Stein- und Fachwerkbau aus verschiedenen Bauepochen. Kernstück ist das gotische Hauptgebäude mit der Ratsstube (1571), wo der 'Ewige Rat' verkündet wurde, und dem großen Ratssaal. In den Archivgewölben des Südflügels ist das Stadtarchiv mit ständiger Archivalienausstellung und Mobiliar untergebracht. Im Hof ein Brunnen von 1747.

*Pfarrkirche
St. Marien

Die Kirche, in der Thomas Müntzer einstmals predigte, ist die Pfarrkirche St. Marien (14. Jh.), nach dem Erfurter Dom die größte Kirche Thüringens, eine fünfschiffige gotische Hallenkirche mit 86 m hohem Turm, reich versehen mit Steinmetzschmuck (an der Südfassade vier lebensnahe Figuren mit Kaiser Karl IV. und Kaiserin aus der Prager Parler-Schule), spätgotischen Flügelaltären (15. und 16. Jh.) und großem Triumphkreuz. Hier verkündete Müntzer sein revolutionäres Programm vor den Bürgern der Stadt und den Bauern der Umgebung (jetzt Thomas-Müntzer-Gedenkstätte).

Historische Häuser

Brotlaube

Neben der Marienkirche steht die Brotlaube (Obermarkt Nr. 21–23), ein dreigeschossiger Bau (in der heutigen Gestalt von 1722) an der Stelle eines mittelalterlichen Kaufhauses.

446

Die Stadt verfügt über bemerkenswerte Bürgerhäuser, z. B. in der Umgebung der Marienkirche: Herrenstraße Nr. 1 (Wohnhaus Thomas Müntzers), Holzstraße Nr. 1 (altes Posthaus von Thurn und Taxis), An der Marienkirche Nr. 6 (Haus mit Vortreppe und klassizistischen Innenräumen, von 1820), ferner Obermarkt Nr. 8 (Gasthaus 'Goldener Stern', seit 1542).

Sehenswerte Bürgerhäuser befinden sich auch in der Umgebung der Allerheiligenkirche, so das Handwerkerhaus von 1795 und die ehemaligen Brauhäuser am Steinweg (Nr. 65 und 75).

Mühlhausen
(Fortsetzung)
Bürgerhäuser

Umgebung von Mühlhausen

Bemerkenswerte Schlösser gibt es in Lengefeld (10 km nordwestlich; 'Bischofsstein': Barockbau 1747 von Ch. Heinemann, alter Park; in der Nähe eine Burgruine) und Seebach (10 km südöstlich; Wasserburg: im Kern 13. Jh., im 19. Jh. in Fachwerk ergänzt).

Lengefeld

Seebach

Sehenswerte Reste von Klosterbauten in Zella (18 km nordwestlich von Mühlhausen; ehem. Benediktinernonnenkloster mit im Kern spätromanischer einschiffiger Kirche, restauriert) und Anrode (15 km nordwestlich von Mühlhausen), einem Ortsteil von Bickenriede (ehem. Zisterziensernonnenkloster; die 1590 unter Verwendung frühgotischer Teile errichtete einschiffige Renaissancekirche 1670–1690 erneuert).

Klöster
Zella
und
Anrode

In Schlotheim (F 249, 17 km nordöstlich von Mühlhausen) verdient die romanische Pfarrkirche (1547 nach Brand wiederhergestellt) mit Altaraufsatz (spätgotische Schnitzfiguren und -reliefs) und Herrschaftslogen (17. Jh.) Beachtung. Das Schloß ist ein schlichter Barockbau (1773). Am Steinweg ein Bürgerhaus mit reich geschmückter Fachwerkfassade.

Schlotheim

In Dingelstädt (F 247, 18 km nordwestlich von Mühlhausen) gibt es die kleine Kirche 'Maria im Busch', einen einschiffigen Barockbau (1688) mit spätgotischer Schmerzensmutter. In der neuromanischen Franziskanerklosterkirche (1889/1890) auf dem Kerbschen Berg sind bemerkenswerte spätgotische Schnitzfiguren zu sehen. Die 15 Stationen des Kreuzweges auf dem Berg wurden 1752 geweiht und später ergänzt.

Dingelstädt

⟶ Reiseziele von A bis Z: Gotha, Umgebung

Bad Langensalza

Müritz

B 5

Bundesland: Mecklenburg-Vorpommern
Bezirk (1952–1990): Neubrandenburg

Die Müritz ist mit 115,3 km² Fläche der größte unter den⟶ Mecklenburger Seen und zugleich der größte Binnensee in Norddeutschland. Der Name, aus dem Slawischen abgeleitet, bedeutet soviel wie 'Meer' und gibt damit genau den Eindruck wieder, den dieses 'Binnenmeer' auf den Besucher macht: eine weithin ausgedehnte Wasserfläche, von Wäldern und Feldern umrahmt und bei Stürmen wegen des hohen Wellenganges nicht ungefährlich.

Lage und
Bezeichnung

Die Müritz ist im Mittel 6,50 m tief, an der tiefsten Stelle erreicht sie jedoch 31 m. Ihr Wasserspiegel liegt 62 m ü. d. M. und damit erheblich höher als der des⟶ Schweriner Sees (37,40 m ü. d. M.), des zweitgrößten der Mecklenburger Seen. Damit zählt die Müritz wie die anderen, von der Elde zur Elbe entwässerten 'Großen Seen' zugleich zu den 'Oberen Seen' der Mecklenburgischen Seenplatte. Sie ist durch den Müritz-Havel-Kanal

Natürliche
Beschaffenheit

Müritz
(Fortsetzung)

auch mit der oberen Havel und den zahlreichen Seen dieses Gebietes, der Kleinseenplatte, verbunden.

Glaziale
Landschafts-
formen

In der Umgebung der Müritz findet sich der gesamte Formenreichtum der Glaziallandschaft: Endmoränenzüge, deren Kuppen 100 m ü.d.M. überschreiten (Hüttenberg bei Möllenhagen 127 m ü.d.M., Mohrberg bei Röbel 112 m ü.d.M.), Grundmoränen, die ein welliges, vorwiegend für den Ackerbau genutztes Hügelland bilden; mit Kiefernforsten bedeckte, mehr oder weniger ebene Sanderflächen, von Seerinnen zerschnitten.

*Landschaftsbild

Diese abwechslungsreiche Vielfalt der Landschaftsformen, insbesondere jedoch die Müritz selbst, verleiht in Verbindung mit der artenreichen Pflanzen- und Tierwelt dem unter Landschaftsschutz gestellten Müritz-Seen-Park einen hohen ökologischen Wert.

Binnenmüritz
und Nebenseen

Von der Müritz sind an ihrem Nordende bei ⟶ Waren die Binnenmüritz, der Tiefwarensee und der Feisnecksee durch Landengen teilweise oder ganz abgetrennt, wie überhaupt eine Reihe weiterer Seen das Nordost- und Ostufer der Müritz begleiten (Rederangsee, Specker See u.a.). Sie gehören zu dem 6200 ha großen Naturschutzgebiet 'Ostufer der Müritz', Brutstätte selten gewordener Vögel wie Kranich, See- und Fischadler.

**Nationalpark
Müritz**

Noch kurz vor dem Beitritt der einstigen Deutschen Demokratischen Republik zur Bundesrepublik Deutschland hat die letzte amtierende DDR-Regierung am 12. September 1990 den 'Nationalpark Müritz' geschaffen und damit die waldbestandene Niederungslandschaft der Mecklenburger Seenplatte zwischen Waren und ⟶ Neustrelitz auf einer Gesamtfläche von 308 km² unter strengsten Natur- und Landschaftsschutz gestellt; hierin einbezogen werden sollen auch nicht mehr benutzte Truppenübungsplätze.

Naumburg (Saale)   D 4

Bundesland: Sachsen-Anhalt
Bezirk (1952–1990): Halle
Höhe: 108 m ü.d.M.
Einwohnerzahl: 31 000

Lage und
Bedeutung

Die berühmte Domstadt Naumburg liegt am Nordostrand des Thüringer Beckens, südlich der Mündung der Unstrut (⟶ Unstruttal) in die Saale (⟶ Saaletal). An den Talhängen wird Wein angebaut.
Mit ihren vielfältigen historischen Sehenswürdigkeiten übt die Stadt auf Besucher eine große Anziehungskraft aus.

Geschichte

Um das Jahr 1000 entstand an der Kreuzung zweier Handelsstraßen die 'neue Burg' der Markgrafen von Meißen. Von 1028 bis 1564 war der Ort Bischofssitz. Neben dem Burgbezirk als geistlicher Residenz entstand die Bürger- und Handelsstadt, die zu einem bedeutenden Handelsplatz wurde (Peter- Pauls-Messe). Als 1506 Leipzig das Messeprivileg im Umkreis von 15 Meilen erhielt, verlor Naumburg seine Bedeutung als Handelsstadt. Von 1656 bis 1718 gehörte Naumburg zum Herzogtum Sachsen-Zeitz. Die seit 1815 preußische Stadt vereinigte sich 1832 mit der Domfreiheit.

**Dom St. Peter und Paul

Allgemeines

Der spätromanisch-frühgotische Dom St. Peter und Paul steht in der bischöflichen Vorstadt und gehört zu den wertvollsten europäischen Bau-

Naumburger Dom ▶

Naumburg

Grundriß

Naumburger Dom

WT Westtürme
OT Osttürme

STIFTERFIGUREN
(im Westchor)
1 Dietrich
2 Gepa
3 **Uta**
  und Ekkehard
4 Thimo
5 Wilhelm
6 Syzzo
7 Dietmar
8 Regelindis
  und Hermann
9 Konrad
10 Gerburg

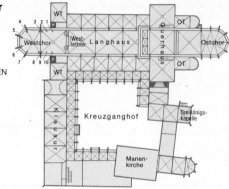

Dom St. Peter und Paul (Fortsetzung)

denkmälern. Er ist eine kreuzförmige Gewölbebasilika mit drei Schiffen, zwei Chören, vier Türmen und Kreuzgang. Baubeginn vor 1213, zahlreiche Umbauten bis ins 19. Jahrhundert.
Ältester Teil ist die romanische Krypta unter dem Ostchor (um 1170), Bestandteil eines Vorgängerbaus.

Dominneres
**Stifterfiguren

Weltberühmt sind die zwölf Stifterfiguren im Westchor, Hauptwerk des nicht namentlich bekannten Naumburger Meisters (nach 1250). Alle Gestalten sind lebensgroß in Kalkstein gehauen und gekleidet nach der Mode der Zeit. Die bekanntesten Paare sind Uta und Ekkehard sowie Reglindis und Hermann.

Bemerkenswert ist ferner der Figurenfries des Passionsreliefs am Westlettner (Abendmahl, Gefangennahme Christi, Christus vor Pilatus, Geißelung, Kreuztragung u. a.; im Portal des Lettners der gekreuzigte Christus), die mittelalterliche Glasmalerei einiger Fenster, mehrere Altäre sowie Einzelskulpturen und Grabdenkmäler.

Pfarrkirche St. Marien

An der Südseite des Domes, den Klausurenkreuzgang fortsetzend, die Pfarrkirche St. Marien.

Ägidienkirche

Unweit nordwestlich vom Dom steht die Ägidienkirche mit zweigeschossiger spätromanischer Kapelle (Anfang 13. Jh.).

Domkurien

In der Nachbarschaft des Domes befinden sich ehemalige Domkurien aus dem 16. bis 18. Jh., einst die Wohnhäuser der Domherren.

Moritzkirche

An der Stelle des ehemaligen Moritzklosters südwestlich vom Dom steht die spätgotische Moritzkirche.

Othmarskirche

Südlich vom Dom, am Othmarsplatz, die barocke Othmarskirche.

Innenstadt

Markt

Vom Dom gelangt man durch den Steinweg, den Lindenring querend, und durch die Herrenstraße zu dem regelmäßig und großräumig angelegten Markt.

*Rathaus

Die Westseite des Marktes erfüllt das spätgotische Rathaus (1517–1528) mit Zwerchgiebeln und reicher Innenausstattung (Wendeltreppe, Ratssitzungszimmer mit Stuckdecke).

An der Südseite des Marktes steht das 'Schlößchen' (Nr. 6) und außerdem das ehemalige Residenzgebäude des Herzogs Moritz von Sachsen-Zeitz (Nr. 7).

Schlößchen
Residenz

Charakteristische Bürgerhäuser mit schönen Giebeln sieht man an den vom Markt ausgehenden Nebenstraßen.

Bürgerhäuser

Südlich vom Marktplatz, hinter dem 'Schlößchen', steht die Stadtkirche St. Wenzel (1218–1523, spätgotische Hallenkirche), die Hauptkirche der eigentlichen Stadt außerhalb des geistlichen Bezirkes, versehen mit reichem plastischen Außenschmuck. Im Inneren befinden sich eine Orgel von Z. Hildebrand, auf der J.S. Bach und G. Silbermann gespielt haben, sowie das Gemälde "Jesus als Kinderfreund" von Lucas Cranach d.Ä. Der steilaufragende Kirchturm (67 m hoch) ist von einer Türmerin bewohnt; in den Sommermonaten kann man hinaufsteigen und von oben die Stadt überblicken.

Stadtkirche
St. Wenzel

Vom Markt gelangt nordostwärts durch die Marienstraße zu dem ausgezeichnet erhaltenen Marientor (15. Jh.) mit Außentor, Wehrgang, Innentor und Fallgitter sowie Wartturm. Ein Rest der ehemaligen Stadtbefestigung und Teile der Stadtmauer sind noch erhalten. Im Innentor finden Aufführungen des Naumburger Puppentheaters statt. Am Außentor die Plastik 'Maria mit Jesus' und das Stadtwappen.

Marientor

An der Stelle des einstigen Salztores am Südwestrand des Stadtkerns wurden in den Jahren 1830–1840 zwei Wohngebäude in Form dorischer Tempel geschaffen.

Salztorhäuser

Das besuchenswerte Museum der Stadt befindet sich an der östlich stadtauswärts zum Ostbahnhof führenden Grochlitzer Straße (Nr. 49–51; etwas nördlich abseits).

Stadtmuseum

Stifterfiguren Ekkehard und Uta im Dom   *Marientor*

Umgebung von Naumburg

Großjena

In Großjena (4 km nördlich) befindet sich das ehemalige Sommerhaus des Leipziger Bildhauers und Malers Max Klinger (1857–1920; Gedenkstätte).

Steinernes Bilderbuch

In der Nähe das 'Steinerne Bilderbuch', Kalksteinreliefs zur Geschichte des Weinbaus (18. Jh.).

Schönburg

In Schönburg (5 km östlich von Naumburg) befindet sich eine gut erhaltene Burganlage des 12./13. Jh.s, ehemals Sitz der Naumburger Bischöfe; von oben schöner Blick ins → Saaletal.

Freyburg

In Freyburg (F 180, 8 km nordwestlich von Naumburg), dem Zentrum des Weinbaues an der Unstrut sowie der Wein- und Sektherstellung, steht das

Schloß Neuenburg

Schloß Neuenburg (1090–1227; im Kern romanisch, später mehrfach umgebaut) mit spätromanischer Doppelkapelle (um 1220; schöne Kapitelle mit Pflanzen- und Tierornamenten) im Innenhof, Fürstensaal, Bergfried und 120 m tiefem Brunnen. Nach der Wartburg (→ Eisenach) war die Neuenburg die bedeutendste Burg der Thüringer Landgrafen, im 17. Jh. Residenz der Herzöge von Sachsen-Weißenfels. Der Bergfried ist als Museum eingerichtet (u. a. Dokumente zum Weinbau); von oben bietet sich ein schöner Ausblick über das → Unstruttal.

In der Weinstadt Freyburg sind außerdem sehenswert die Stadtkirche St. Marien (13. Jh., romanisch), das Jahnmuseum im ehemaligen Wohnhaus des 'Turnvaters' Friedrich Ludwig Jahn (geb. 1778 in Lanz/Prignitz, gest. 1852 in Freyburg), Erinnerungsturnhalle mit Jahndenkmal, das Rathaus und Teile der Stadtmauer.

Laucha

In Laucha (F 180, 15 km nordwestlich von Naumburg) befindet sich eine als Museum eingerichtete Glockengießerwerkstatt (seit 1790). Beachtung verdienen hier ferner das Rathaus (1543–1567) mit Freitreppe und die gut erhaltene Stadtmauer.

Schulpforte
*Kloster Pforta

In Schulpforte (F 87, 4 km südwestlich von Naumburg), seit 1952 Ortsteil von Bad Kösen (s. nachstehend), befindet sich das ehemalige Zisterzienserkloster St. Mariae de Porta (Pforta, Pforte, Schulpforta, Schulpforte; 1132 gegründet), eines der reichsten mitteldeutschen Klöster, seit 1543 sächsische Fürstenschule, jahrhundertelang eines der berühmtesten deutschen Schulinstitute (Schüler waren u. a. J. G. Fichte, F. G. Klopstock,

'Steinernes Bilderbuch' bei Großjena   *In einem Freyburger Weinkeller*

Rudelsburg bei Bad Kösen im Saaletal

F. Nietzsche und L. v. Ranke). Heute besteht in Schulpforte eine erweiterte Oberschule (mit Internat); seit 1968 führt man im nordrhein-westfälischen Meinerzhagen die Tradition von Pforta fort.
Erhalten sind die Klosterkirche (12.–14. Jh.; reiche Innenausstattung) und ein großer Teile der Klostergebäude (im Kern aus dem 12. Jh.), die Abtskapelle (um 1235) und das schlichte Fürstenhaus (1575) sowie die ursprünglich romanische Klostermühle (später verändert).

Schulpforte, Kloster Pforta (Fortsetzung)

In Bad Kösen (F 87, 7 km südwestlich von Naumburg), einem Kurort mit im 18. Jh. durch Borlach erschlossenen Solequellen, sind ein 320 m langes Gradierwerk und ein Soleschacht erhalten. Einmalig ist das Kunstgestänge von 1780, das die Wasserkraft der Saale bergauf übertrug. Das Romanische Haus (12. Jh.; Museum) gilt als das älteste weltliche romanische Gebäude im östlichen Teil Deutschlands.

Bad Kösen

Von Bad Kösen führen Wanderwege südwärts im Saaletal (auch Motorschiffe auf dem Fluß) aufwärts über den Ort Saaleck (ursprünglich romanische Dorfkirche mit Fachwerkturm) steil bergan, am Fuße der beiden mächtigen romanischen Rundtürme (12. Jh.) der Burgruine Saaleck vorüber, zu der hoch über der Saale thronenden Ruine der Rudelsburg (180 m ü. d. M.; Gaststätte), 1171 urkundlich erwähnt, im Kern eine romanische Vierflügelanlage, die im 14./15. Jh. ausgebaut und 1641 zerstört worden ist. Hier hat Franz Kugler den Text des mit "Rudelsburg" überschriebenen Liedes "An der Saale hellem Strande stehen Burgen stolz und kühn . . ." (s. S. 143) gedichtet.
Von der Rudelsburg bieten sich wirklich einzigartige Ausblicke ins → Saaletal.

Burgruine Saaleck
Ruine der
*Rudelsburg

→ Reiseziele von A bis Z: Eckartsberga

Eckartsberga

→ Reiseziele von A bis Z: Weißenfels

Weißenfels

Neubrandenburg

B 6

Bundesland: Mecklenburg-Vorpommern
Bezirk (1952–1990): Neubrandenburg
Höhe: 19 m ü. d. M.
Einwohnerzahl: 90 000

Lage und Bedeutung

Neubrandenburg, die 'Stadt der vier Tore', Fritz Reuters 'Nigenbramborg', liegt in Mecklenburg am Nordende des Tollensesees (→ Mecklenburger Seen). Die nach fast totaler Zerstörung im Zweiten Weltkrieg weitgehend neu aufgebaute Stadt fungierte von 1952 bis 1990 als 'Bezirksstadt' und wurde im Zuge planwirtschaftlicher Maßnahmen im sozialistischen Sinne zu einem Industriestandort entwickelt.

Die Stadt ist ein regionales Verkehrszentrum, an dem sich die Fernverkehrsstraßen Berlin – Saßnitz (Rügen; E 251) und Rostock – Prenzlau sowie mehrere Eisenbahnlinien kreuzen.

Geschichte

Von Markgraf Johann von Brandenburg 1248 als Stadtgründung bestätigt, gehörte Neubrandenburg seit 1229 zu Mecklenburg. Die Verwüstungen im Dreißigjährigen Krieg und Feuersbrünste (1676 und 1737) führten zum Niedergang der Stadt. Mit der Aufhebung des Zunftzwanges und der Durchsetzung der Gewerbefreiheit (1868) begann eine bescheidene Industrialisierung.

In Neubrandenburg lebte von 1856 bis 1863 Fritz Reuter, der bekannteste niederdeutsche Mundartdichter. In dieser Zeit entstanden die wichtigsten seiner Werke ("Kein Hüsung", "Ut mine Festungstid", "Schurr-Murr" u. a.).

Der gitterförmig angelegte historische Stadtkern ging bei den Kämpfen um die Stadt am 29./30. April 1945 mit fast allen Straßenzügen und seiner geschlossenen Reihenhausbebauung durch Brandlegung und Beschuß

Stadtplan

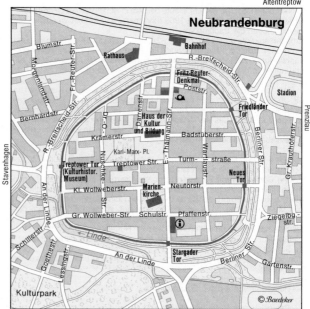

Achtung!
Im Zuge der politischen Neuorientierung sind weitere Umbenennungen zu erwarten.

Stadtbefestigung: Wiekhäuser ...   *... und Treptower Tor*

verloren. Dabei wurden rund 84% der Bausubstanz der Innenstadt vernichtet

Geschichte
(Fortsetzung)

Von 1952 bis 1990 war Neubrandenburg Hauptstadt ('Bezirksstadt') des
gleichnamigen DDR-Bezirkes; seit der Wiedereinführung der Länderstruktur auf dem Gebiet der ehemaligen Deutschen Demokratischen Republik
gehört es zum neuen Bundesland Mecklenburg-Vorpommern.

Sehenswertes

Der neu aufgebaute Stadtkern mit einer weiten Fußgängerzone im Mittelpunkt wird von einer fast gänzlich erhalten gebliebenen Befestigungsanlage (wohl Ende 13. Jh.) umgeben, die eine 2300 m lange und 7,50 m
hohe Ringmauer, drei Wassergräben und viele früher der Verteidigung
dienende Wiekhäuser, Türme und Stadttore umfaßt.

*Befestigungs-
anlage

Beeindruckend sind die Toranlagen (bis 1984 restauriert): Neues Tor (zweite Hälfte des 15. Jh.s); Friedländer Tor (14./15. Jh.; Kunstzentrum), Stargarder Tor (14./15. Jh.) und Treptower Tor (um 1400; Museum mit Ausstellungen zur Ur- und Frühgeschichte).

*Stadttore

Reizvoll ist auch die Lohmühle am Stargarder Tor; das Fachwerkgebäude
aus dem 18. Jh. wurde in die Gaststätte 'Forsthaus' umgewandelt.

Lohmühle

In der Stadtmitte erhebt sich das 55 m hohe 'Haus der Kultur und Bildung'
(1965) mit Theatersaal, Ausstellungsräumen, Bibliothek sowie einer Aussichtsplattform und Café im Turmhaus.

Haus der Kultur
und Bildung

Zu den Sehenswürdigkeiten Neubrandenburgs zählt auch die im Stil der
Backsteingotik im 13./14. Jh. errichtete Stadtkirche St. Marien. Die 1945

Stadtkirche
St. Marien

Marienkirche (Fortsetzung)	ausgebrannte Kirche soll als Konzerthalle und Kunstgalerie wieder-aufgebaut werden.
Klosterkirche St. Johannes	Die ehemalige Klosterkirche St. Johannes (13./14. Jh.) besitzt eine künstlerisch wertvolle Kanzel (1588) und einen Altaraufsatz aus dem 18. Jahrhundert.
Franziskaner-kloster	Von dem 1260 im Nordteil der Altstadt gegründeten Franziskanerkloster blieb der in spätgotischer Zeit erneuerte Nordflügel (jetzt Standesamt) mit Kreuzgang (um 1300, Inneres im 16. Jh. verändert; restauriert) erhalten.
Spitalkapelle St.Georg	Sehenswert ist ferner die Spitalkapelle St. Georg an der Rostocker Straße, ein kleiner Backsteinbau (erste Hälfte des 15. Jh.s) mit barockem Dachturm aus Holz (1965 restauriert).
Fritz-Reuter-Gedenkstätte	Im einstigen Wohnhaus von Fritz Reuter ist eine Gedenkstätte für den Dichter eingerichtet.
Museen	Ausstellungen zur Geschichte der Stadt werden im Haus Friedrich-Engels-Ring Nr. 7 präsentiert. Die Kunstsammlung am Pferdemarkt zeigt zeitgenössische Kunst.
Jahndenkmal	Unweit vom Treptower Tor steht am Anfang der Jahnstraße das Friedrich-Ludwig-Jahn-Denkmal (der 'Turnvater' Jahn war 1802/1803 Hauslehrer in Neubrandenburg); am Abschluß der Jahnstraße lag wahrscheinlich der von Jahn angelegte Turnplatz.
Reuterdenkmal	Gegenüber dem Bahnhof sieht man das Fritz-Reuter-Denkmal (1893); dort steht auch der um 1920 geschaffene 'Mudder-Schulten'-Brunnen.

Kultur- und Erholungspark

Stadthalle	Zwischen dem Stadtzentrum und dem Tollensesee erstreckt sich der 30 ha große Kultur- und Erholungspark mit zahlreichen modernen Plastiken und einer großräumigen Stadthalle; Naherholungszentrum mit Strandbad, Bootsausleihe und Sportstätten.
Belvedere am **Tollensesee**	Am westlichen Steilufer des Tollensesees steht das Anfang des 19. Jh.s von Hofbaumeister F. W. Buttel entworfene Belvedere, ehemals Ausflugsstätte des herzoglichen Hofes.

Umgebung von Neubrandenburg

Burg Stargard	In Burg Stargard (10 km südöstlich) verdient die Höhenburg Beachtung. Der 1236 begonnene und mehrfach veränderte Komplex ist die größte erhaltene Burg in Mecklenburg (heute Jugendherberge und Gaststätte). In der ehemaligen Kapelle zum Heiligen Geist befindet sich das Heimatmuseum; Tierpark auf dem Klüschenberg.
Altentreptow	In Altentreptow (F 96, 17 km nördlich von Neubrandenburg) sind das Neubrandenburger Tor und das Demminer Tor bemerkenswert. Die gotische Backstein-Hallenkirche hat einen spätromanischen Taufstein und einen figurenreichen spätgotischen Schnitzaltar. Am Klosterhof liegt der 'Große Stein', mit 140 m³ der größte Findling des mecklenburgischen Festlandes.
Reuterstadt Stavenhagen	In der Reuterstadt Stavenhagen (F 104, 30 km nordwestlich von Neubrandenburg) lohnt das Fritz-Reuter-Literaturmuseum im barocken Rathaus einen Besuch. Fritz Reuter (1810–1874) wurde in Stavenhagen geboren; das dortige Fritz-Reuter-Denkmal (1911) erinnert an den Dichter und seine literarischen Werke (vgl. Abb. S. 91).

In Ivenack (5 km östlich von Stavenhagen) gibt es ein beachtenswertes Schloß (ursprünglich Renaissance; jetzt Seniorenheim) mit Marstall, Orangerie und Gartenhaus sowie Klosterkirche und kleinem Park. Im nahen Wildpark stehen einige über tausendjährige Eichen.

→ Reiseziele von A bis Z: Neustrelitz

Neustrelitz

→ Reiseziele von A bis Z: Prenzlau

Prenzlau

Neuruppin   C 5

Bundesland: Brandenburg
Bezirk (1952–1990): Potsdam
Höhe: 40 m ü. d. M.
Einwohnerzahl: 26 500

Neuruppin, die Geburtsstadt Theodor Fontanes und Karl Friedrich Schinkels, liegt am Ruppiner See, dem größten der 'Ruppiner Seenrinne' (→ Ruppiner Schweiz), nordwestlich von → Berlin. Bekannt wurde Neuruppin durch die hier von Gustav Kühn und von Oehmigke & Riemenschneider verlegten "Neuruppiner Bilderbogen".

Lage und Bedeutung

Anfang des 13. Jh.s als Ruppin durch die Grafen von Lindow-Ruppin gegründet, wird die Stadt 1238 erstmalig erwähnt und erhält 1256 Stendaler Recht. Anfang des 16. Jh.s kam die bisher selbständige Herrschaft Ruppin zur Mark Brandenburg; Tuchmacherei und Bierbrauerei waren bedeutend. Seit dem 18. Jh. Entwicklung zur Garnisons- und Beamtenstadt. Nach Stadtbrand (1787) planmäßiger Wiederaufbau (1788–1796) nach Entwürfen von Bernhard Matthias Brasch.

Geschichte

Sehenswertes

Das älteste Gebäude der Stadt ist die Klosterkirche, der Rest des 1246 gegründeten Dominikanerklosters (1836–1841 nach Plänen Schinkels restauriert; 1977 Abschluß erneuter Restaurierungsarbeiten; beide Türme von 1906/1907). In der Klosterkirche bemerkenswerte Ausstattungsstücke aus dem Spätmittelalter.
Neben der Kirche steht die Wichmannlinde (650 Jahre alt), benannt nach Wichmann von Arnstein, dem Begründer des Dominikanerklosters.

*Klosterkirche (Abb. s. S. 458)

Wichmannlinde

In einem frühklassizistischen Bürgerhaus (August-Bebel-Straße Nr. 14/15; 1790) befindet sich das Heimatmuseum mit Gedenkräumen für Theodor Fontane und Karl Friedrich Schinkel. Hier auch die größte Sammlung Neuruppiner Bilderbogen, die den Namen der Stadt zwischen 1825 und 1900 bekannt machten.

*Heimatmuseum

An der Siechenstraße steht die 1491 erbaute spätgotische Hospitalkapelle St. Lazarus des 1490 gestifteten Siechenhauses; im Spitalhof das 'Uphus', das älteste Fachwerkhaus Neuruppins.

Hospitalkapelle St. Lazarus

Im Tempelgarten (im 19. Jh. von A. Gentz gestaltet), steht ein Rundtempel, das Erstlingswerk von Georg Wenzeslaus von Knobelsdorff, 1735 als offener Säulentempel für den Kronprinzen Friedrich von Preußen erbaut; wertvolle sächsische Barockplastiken und seltene Baumarten. In dem Gebäude im 'maurischen' Stil (um 1855, Diebitsch; 1978/1979 restauriert) heute das Café 'Tempelgarten'.

Tempelgarten

Die Pfarrkirche St. Marien ist ein klassizistischer Saalbau (1801–1804 von Berson und Engel) mit Vorbau, Kuppel und schlichter Ausstattung.

Pfarrkirche St. Marien

Klosterkirche (s. S. 457)

Theodor-Fontane-Denkmal

Hospitalkapelle St. Georg	Die Hospitalkapelle St. Georg, ein einschiffiger gotischer Backsteinbau, hat eine barocke Stuckdecke; sehenswert der spätgotische Flügelaltar.
Denkmäler	Von M. Wiese stammen die Denkmäler für die bedeutenden Söhne der Stadt, das Theodor-Fontane-Denkmal (1907) und das Karl-Friedrich-Schinkel-Denkmal (1883).
Bürgerhäuser	In der einheitlichen frühklassizistischen Innenstadt findet man schöne Bürgerhäuser (norddeutscher Zopfklassizismus) aus dem 18. Jahrhundert. Am ehemaligen Predigerwitwenhaus in der Fischbänkenstraße (Nr. 8) ist eine Gedenktafel für Schinkel angebracht.
Fontane-Haus	An der Karl-Marx-Straße (Nr. 84) steht die Löwenapotheke, das Geburtshaus Theodor Fontanes.

Umgebung von Neuruppin

Alt Ruppin	In Alt Ruppin (4 km nordöstlich) steht eine Pfarrkirche aus dem 13. Jh.; am Ruppiner See ein ehemaliger slawischer Siedlungsplatz.
*Waldmuseum Stendenitz	Das Waldmuseum Stendenitz (11 km nördlich von Neuruppin) am Zermützelsee liegt landschaftlich äußerst reizvoll in der → Ruppiner Schweiz.
Tornowsee	Die 1718 eingerichtete Schneidemühle des Müllermeisters Bolte am Tornowsee (15 km nördlich von Neuruppin) ist heute eine Ausflugsgaststätte; der Mühlbach fließt durch die rustikal gehaltenen Gasträume.
Lindow	In Lindow (F 167, von Neuruppin 10 km ostwärts, dann 9 km nordwärts) gibt es eine Klosteranlage aus dem 13. Jh. mit Park, Ruine des Konventhauses und Klosterschule, die heute noch als Wohngebäude genutzt wird. Die Pfarrkirche ist ein Barockbau (1751–1755) mit schlichter Innenausstattung (restauriert).

Auf dem Hakenberg bei Fehrbellin (12 km südlich von Neuruppin) steht ein Denkmal zur Erinnerung an die Schlacht bei Fehrbellin (1675; Sieg Kurfürst Friedrich Wilhelms von Brandenburg über die Schweden) mit einer Aussichtsplattform.

→ Reiseziele von A bis Z: Rheinsberg

Neustrelitz

Bundesland: Mecklenburg-Vorpommern
Bezirk (1952–1990): Neubrandenburg
Höhe: 83 m ü. d. M.
Einwohnerzahl: 27 000

Neustrelitz, die ehemalige Residenz der Herzöge von Mecklenburg-Strelitz, liegt am Zierker See und ist das Tor zur Neustrelitzer Kleinseenplatte mit ihren über 300 Seen (→ Neustrelitzer Seengebiet). Als Verkehrsknotenpunkt ist die Stadt für den Eisenbahn- und Straßenverkehr von → Berlin in Richtung → Ostseeküste von besonderer Bedeutung.

Lage und Bedeutung

Nach dem Brand des Schlosses in Altstrelitz (1712) wurde das nördlich gelegene Jagdhaus Glienicke zur Residenz der Herzöge von Mecklenburg-Strelitz ausgebaut (1726–1731). Es folgte die Gründung der Stadt Neustrelitz (1733), die bis 1918 Herzogsresidenz blieb. Von 1918 bis 1933 war Neustrelitz Landeshauptstadt des Freistaates Mecklenburg-Strelitz.

Geschichte

Sehenswertes

Die spätbarocke Innenstadt ist gekennzeichnet durch die sternförmig um den Markt angelegte Bebauung. Der ursprünglich freie quadratische Marktplatz erhielt 1866 ein Rondell (heute mit Ehrenmal für die sowjetischen Gefallenen des Zweiten Weltkrieges) und wurde mit zweigeschossigen Häusern umbaut, von denen das Gebäude der Sparkasse, der Apotheke, des 'Café am Markt' sowie der 'Goldenen Kugel' erhalten sind. Das Rathaus (1841, Buttel) ist ein klassizistischer Bau. Eine Gedenktafel erinnert an den hier verstorbenen Komponisten der Märchenoper "Hänsel und Gretel", Engelbert Humperdinck (1854–1921).

Markt

Die Stadtkirche (1768–1778) im spätbarocken Stil mit klassizistischer Prägung erhielt erst 1831 den Anbau des blockartig in vier Etagen aufsteigenden Turms (45 m hoch).

Stadtkirche

Besonderer Anziehungspunkt ist der Stadtpark (ehem. Schloßpark). Das Schloß, ein dreiflügeliges Fachwerkgebäude (18. Jh., J. Löwe) wurde 1945 zerstört. Der Barockgarten, ebenfalls von J. Löwe angelegt, wurde nach 1790 mehrfach verändert und ergänzt; eine Umgestaltungsphase vollzog sich unter Mitwirkung von P. J. Lenné. Von der Barockanlage ist noch die auf das ehemalige Schloß orientierte Hauptachse vorhanden. Die übrigen Bereiche wurden zu einem Landschaftspark umgestaltet. Am Ende der Parkachse der Hebetempel (1840). Im nordöstlichen Parkteil erstreckt sich die sogenannte Götterallee mit neun Sandsteinfiguren antiker Götter und der Jahreszeiten (2. Hälfte 18. Jh.). Westlich der Hauptallee die Büste des Feldmarschalls Blücher (nach einem Modell von C. D. Rauch, 1816). Im nordwestlichen Parkteil steht auf einer Anhöhe eine Gedenkhalle für Königin Luise, 1891 vom Berliner Architekten Seelig erbaut, ein klassizistischer Tempel mit vier Säulen; im Inneren eine marmorne Grabstatue der Königin (von A. Wolff nach einem Original von C. D. Rauch). Im nordöstlichen Parkteil befindet sich die Orangerie, ursprünglich ein Barockbau von 1755. Sie wurde im Jahre 1840 von Schinkel und Buttel klassizistisch umgestaltet; bedeutende Innenarchitektur (Restaurierung 1986 beendet).

*Stadtpark

Im Neustrelitzer Stadtpark

Tierpark	Südöstlich vor dem einstigen Schloß liegt der Tierpark mit vielen Gehegen und schönen alten Bäumen. Er entstand 1721 als Jagdrevier des Fürsten. Nach dem Zweiten Weltkrieg wurde mit dem Neuaufbau des Tierbestandes begonnen. Künstlerisch von Bedeutung ist das Eingangsportal zum Tiergarten mit den beiden Hirschen (nach Entwurf von K. F. Schinkel, 1822 von Buttel und Rauch ausgeführt).
Gymnasium Carolinum	Nordöstlich und südwestlich des Schloßbezirkes sowie in der inneren Stadt sind einige Palaisbauten sehenswert, so das ehemalige Gymnasium Carolinum (1806, F. W. Dunkelberg) an der Wilhelm-Pieck-Straße. In der jetzigen Oberschule erinnert eine Gedenktafel an den Altertumsforscher Heinrich Schliemann und den Maler Wilhelm Riefstahl, die Schüler dieser Bildungsstätte waren. Gegenüber vom – im Hause Nr. 29 – lebte von 1840 bis 1850 der Begründer der humoristisch-satirischen Berliner Volksliteratur, Adolf Glaßbrenner.
Friedrich-Wolf-Theater	Zu den bemerkenswerten Gebäuden zählt darüber hinaus das Friedrich-Wolf-Theater, ursprünglich ein Barockbau ('Reithaus'), 1952 umgebaut.

Umgebung von Neustrelitz

Ankershagen	In Ankershagen (F 193, 20 km nordwärts bis Penzlin, dann 8 km südwestwärts) steht das Elternhaus des Altertumsforschers Heinrich Schliemann; im südlich gelegenen Landschaftsschutzgebiet die Havelquellseen.
Hohenzieritz	In Hohenzieritz (F 96, 7 km nordöstlich von Neustrelitz) gibt es ein barockes Schloß (heute Verwaltungsgebäude) mit eingeschossigen Seitenpavillons (1776) und farbigem Wappen im Giebeldreieck. Der Luisentempel ist ein klassizistischer Rundtempel (1815, C. P. Wolff). Die Rundkirche, ein klassi-

zistischer Zentralbau (1806, F.W. Dunkelberg), hat einen dorischen Säulenvorbau. Im Dorf sind die klassizistische Alte Schmiede und das Kruggehöft bemerkenswert.

⟶ Reiseziele von A bis Z: Neubrandenburg

Feldberg (30 km östlich von Neustrelitz) liegt in einer reizvollen Seenlandschaft. Sehenswert sind: ein Burgturmstumpf (1236) auf dem Amtswerder, einer Halbinsel im Haussee (Naherholungszentrum); ferner auf dem Schloßberg slawische Burgwallanlagen (7.–9. Jh.); im ehemaligen Spritzenhaus die Heimatstube.
Im Feldberger Ortsteil Carwitz das Hans-Fallada-Haus (mit einer Gedenkstätte für den Schriftsteller, 1893–1947).

In Mirow (F 198, 26 km südwestlich von Neustrelitz) ist die Schloßinsel mit barockem Schloß (1749–1760) sehenswert. Das Torhaus (1588) hat schöne Putzquaderung und ein mecklenburgisches Wappen über dem Torbogen, ferner eine ursprünglich gotische Kirche (ehem. Johanniterkomturei) mit herzoglicher Gruft an der Nordseite (1821/1822).

⟶ Reiseziele von A bis Z: Müritz

Seitenspalte:
Neustrelitz, Umgebung, Hohenzieritz, (Fortsetzung)

Neubrandenburg

Feldberg

Mirow

Müritz

Neustrelitzer Seengebiet   B 5/6

Bundesländer: Mecklenburg-Vorpommern und Brandenburg
Bezirke (1952–1990): Neubrandenburg und Potsdam

Das Neustrelitzer Seengebiet ist ein Teil der Ostmecklenburgischen Kleinseenplatte. Es erstreckt sich zwischen der ⟶ Müritz im Nordwesten und

Seitenspalte: Lage und Gebiet

Müritz-Havel-Kanal im Neustrelitzer Seengebiet

Neustrelitzer
Seengebiet
(Fortsetzung)

der Lychen-Templiner Seenplatte im Südosten und reicht nach Süden bis Mirow und → Rheinsberg. Das Seengebiet wird vom Rhin und der oberen Havel entwässert.

*Landschaftsbild

In dem größtenteils waldbedeckten Hügelland des Neustrelitzer Seengebietes, dessen Höhe zwischen 80 und 120 m ü. d. M. schwankt, liegen unterschiedlich gerichtete Talrinnen mit kleinen Seen. Heidelandschaften und kiefernbestandene Talsandflächen mit Dünen wechseln mit Laubwald tragenden Endmoränen, die das Gebiet im Norden und Süden begrenzen, ab. Nur kleinere Flächen werden landwirtschaftlich genutzt.

Havel

Oft sind in den einzelnen Rinnen mehrere Seen hintereinander angeordnet, von trockenen Senken oder feuchten Wiesenniederungen unterbrochen. Auch die Havel, die im Neustrelitzer Seengebiet entspringt, ist bald Fluß und bald See.

Urlaubsgebiet

Die Havel und ihre Nebenflüsse sowie die zahlreichen Kanäle machen die Kleinseen zu einem wahren Ferienparadies für alle Wasserwanderer und Campingfreunde, zumal über den Müritz-Havel-Kanal eine Verbindung zu den 'Großen Seen' (Müritz, Kölpinsee, Fleesensee und Plauer See) der Mecklenburgischen Seenplatte (→ Mecklenburger Seen) besteht.

Rotemoorberg

Zwischen den Seeflächen, deren Spiegelhöhen um 60 m ü. d. M. liegen, ragen einzelne Moränenkuppen auf, z. B. der Rotemoorberg östlich von Wesenberg (105 m ü. d. M.) und andere Höhen über 100 m bei Fürstenberg (Havel) und Lychen.

Nordhausen D 3

Bundesland: Thüringen
Bezirk (1952–1990): Erfurt
Höhe: 247 m ü. d. M.
Einwohnerzahl: 48 000

Lage und
Bedeutung

Nordhausen, einst Freie Reichs- und Hansestadt, liegt im Nordwesten der fruchtbaren Goldenen Aue an der Zorge. Das 'Tor zum Südharz' (→ Harz) ist heute ein bedeutender Verkehrsknotenpunkt und ein wichtiger Industriestandort. Bekannt ist die Stadt auch durch den 'Nordhäuser Doppelkorn' (klarer Schnaps) und den 'Nordhäuser Kautabak'.

Geschichte

König Heinrich I. gründete hier um 911 eine Burg oder Pfalz, die den Kern der späteren Siedlung bildete. Bei der Burg wurde 962 von Mathilde, der Gemahlin Heinrichs I., ein Damenstift gegründet, das schon bald Markt-, Münz- und Zollrechte erhielt. Im Jahre 1220 wurde der Stadt Reichsunmittelbarkeit verliehen. Getreidehandel und Handwerk führten im Mittelalter zum wirtschaftlichen Aufschwung. Ab 1430 war Nordhausen Mitglied der Hanse. Ein Gipfelpunkt der Macht war erreicht, als die Stadt 1715 das Reichsschultheißen- und das Reichsvogteiamt kaufte.
Im Jahre 1802 verlor Nordhausen seine Unabhängigkeit. Nach kurzer Zugehörigkeit zum französischen Königreich Westfalen (bis 1807) wurde die Stadt nach den Befreiungskriegen erneut an Preußen zugeschlagen. Gegen Ende des Zweiten Weltkrieges wurde Nordhausen zu 75% zerstört. In der Nachkriegszeit hat man es planwirtschaftlich zu einem Industriestandort entwickelt.

Sehenswertes

Stadtmauer

Bedeutende Teile der Stadtmauer, die nach dem Jahre 1180 erbaut und im 14./15. Jh. mehrfach erweitert wurde, sind noch vorhanden.

In der Krypta des Domes

Architektonisch interessant ist der Dom zum hl. Kreuz (katholisch; 962 von Königin Mathilde als Nonnenkloster gestiftet, 1220 von Kaiser Friedrich II. in ein weltliches Chorherrenstift umgewandelt), eine dreischiffige spätgotische Hallenkirche (14. Jh.) mit Netzgewölben (16. Jh.), Achteckpfeilern und Krypta. Im Domineren beachtenswert sind der barocke Hochaltar (1726) und das Sakramentshäuschen (1455) sowie Grabsteine aus dem 14. und 16. Jahrhundert.

Dom zum hl. Kreuz

Die Pfarrkirche St. Blasii (15. Jh.), eine dreischiffige spätgotische Hallenkirche mit Kreuzrippengewölben, hat einen spätromanischem Westbau (zwei Achtecktürme); bemerkenswert ist die Kanzel (1592).

Pfarrkirche St. Blasii

Einen besonderen Anziehungspunkt bildet das Alte Rathaus (1360; 1610 im Stil der Spätrenaissance umgebaut, nach 1945 im alten Stil wiederhergestellt) am Markt (Nr. 1). Der dreigeschossige Renaissancebau (im Erdgeschoß Laube) hat einen Treppenturm mit Haube und doppelter Laterne.

＊Altes Rathaus

An der Westseite befindet sich ein Roland von 1717 (als Wahrzeichen der Stadt nachweisbar seit 1411), an der Ostseite eine Mahnsäule für die Opfer der Luftangriffe von 1945 (J. v. Woyski).

Roland

Von den wenigen erhaltenen Bürgerhäusern sind besonders interessant: Haus Barfüßerstraße Nr. 6, einer der schönsten Profanbauten der Stadt, ein Fachwerkbau von 1500 (im Volksmund 'Flohburg'); an der Wassertreppe die 'Finkenburg', ein gotischer Fachwerkbau (um 1550); Haus Domstraße Nr. 12, ein niedersächsischer Fachwerkbau (um 1550).

Bürgerhäuser

Im Meyenburg-Museum (Alexander-Puschkin-Straße Nr. 31) sind u.a. Exponate zur Ur- und Frühgeschichte des Kreises, Resultate der Stadtkernforschung, Möbel, Porzellan, Bronzegrabplatten und Münzen sowie eine kleine völkerkundliche Sammlung zu sehen.

Meyenburg-Museum

Roland am Alten Rathaus in Nordhausen   *Blick über Oberhof zum Hotel 'Panorama'*

Salza Gedenkstätte 'Lager Dora'	Im nördlichen Nordhausener Ortsteil Salza befindet sich auf dem Gelände des ehemaligen NS-Konzentrationslagers die Gedenkstätte 'Lager Dora' mit Darstellungen der Lagergeschichte und des Widerstandkampfes der illegalen Lagerorganisation; am Appellplatz ist ein Denkmal zu sehen. Am ehemaligen Krematorium (heute Museum) eine Bronzeplastikgruppe von J. v. Woyski.
Salza-Spring	In nächster Nähe befinden sich Salza-Quellbad und Salza-Spring, eine starke Quelle mit einer durchschnittlichen Wasserschüttung von 704 Liter pro Sekunde.

Umgebung von Nordhausen

Sondershausen	Die 17 km südlich (F 4) von Nordhausen zwischen den Höhenzügen der Hainleite und der Windleite im freundlichen Tal der Wipper gelegene Kreisstadt Sondershausen (24000 Einw.) weist als ehemalige Residenz des Fürstentums Schwarzburg-Sondershausen zahlreiche Sehenswürdigkeiten auf, so das Schloß (1534–1576; später mehrfach umgebaut), heute großenteils Museum, mit Hofapotheke (reiche Stukkaturen, um 1650), 'Riesensaal' (hochbarocke Stukkaturen und Plastiken, um 1700) und 'Weißem Saal' (Rokoko-Stukkaturen, 18. Jh.). Am Osthang des Schloßberges stehen die klassizistische Hauptwache (1835) und das Prinzenhaus (1724 bis 1726). Das als Turnierhaus erbaute achteckige 'Karussell' (westlich vom Schloß gelegen) dient heute als Konzertsaal und Ausstellungsraum. Das Attribut 'Musikstadt' hat sich Sondershausen durch eine bis ins 16. Jh. zurückreichende Konzerttradition erworben. Das 1801 gegründete und noch heute bestehende Loh-Orchester entwickelte sich zu einem bekannten Klangkörper, zu dessen Dirigenten u. a. Max Bruch und Max Erdmannsdörfer zählten. Franz Liszt kam des öfteren in die Stadt; Max Reger war Schüler des hier 1883 eröffneten 'Konservatoriums der Musik'. Die 1608–1620 erbaute Trinitatiskirche ist innen barock ausgestaltet. In der waldreichen Umgebung der Stadt liegt das ehemalige Jagdschloß 'Zum Possen' (1732–1738) mit weiten Wiesen und einem Tiergehege.
Eichsfeld	⟶ Reiseziele von A bis Z: Eichsfeld

Oberhof (Thüringen)   E 3

Bundesland: Thüringen
Bezirk (1952–1990): Suhl
Höhe: 800–836 m ü.d.M.
Einwohnerzahl: 3000

Inmitten der freundlichen Gebirgslandschaft des → Thüringer Waldes liegt — Lage und
– rund 10 km nördlich von → Suhl – der Ferien- und Kurort Oberhof, der — Bedeutung
alljährlich mit seiner waldreichen Umgebung, der reinen Höhenluft und
einem milden Reizklima vielen Urlaubern Erholung und Entspannung
bietet.

An einem bereits ur- und frühgeschichtlichen Paßweg entstand im Mittel- — Geschichte
alter der 'Obere Hof', der 1470 urkundlich genannt ist und als Ausspann-,
Rast- und Übernachtungsstätte diente. 1480 kauften die einflußreichen
Thüringer Grafen von Gleichen den 'Oberhof' und ließen eine einträgliche
Wegezollstätte einrichten. Nach mehrmaligem Besitzwechsel erwarben
die Gothaer Herzöge das wildreiche Gebiet. Seinen Aufschwung nahm der
Ort allerdings erst nach dem Bau der dem Verlauf der alten Handelsstraße
Erfurt–Suhl–Nürnberg folgenden ersten 'Kunststraße', die den Thüringer
Wald überquerte (Obelisk am 'Rondell').
Der 1881–1884 für die Eisenbahnlinie Erfurt–Meiningen erbaute 3039 m
lange Brandleitetunnel brachte Oberhof den Anschluß an das Eisenbahn-
netz und erschloß es dem Fremdenverkehr. Der um die Jahrhundertwende
in Mode kommende Wintersport führte in das idyllische Bergdorf wahre
Besucherscharen, für die zahlreiche Pensionen und Hotels entstanden.
1935 zählte Oberhof schon 27140 Kurgäste; zu DDR-Zeiten wuchs die
Urlauberzahl auf über 100000. Im Jahre 1985 wurde Oberhof das Stadtrecht verliehen.

Bobbahn in Oberhof

Lagekarte

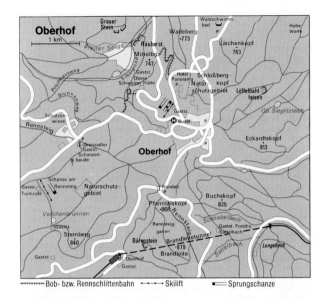

┈┈┈┈┈ Bob- bzw. Rennschlittenbahn ·—·—· Skilift ▬▬▬ Sprungschanze

*Wintersportzentrum

Der Name Oberhof ist untrennbar mit der Entwicklung des Wintersports verbunden. Im Jahre 1906 entstand die erste kleine Sprungschanze, 1925 dann die erste große Schanze auf dem Wadeberg. In jüngerer Zeit hat sich Oberhof als Wintersportzentrum der ehemaligen Deutschen Demokratischen Republik in der Welt einen Namen erworben. Für Biathlonsportler und Bobfahrer, für Rennrodler und Langläufer gab es an diesem Ort gute Trainingsstätten. Die hier ausgebildeten Sportler gewannen mehrfach Goldmedaillen bei Olympischen Winterspielen, Welt- und Europameisterschaften. Austragungsstätten internationaler Wettkämpfe bilden in Oberhof der Schanzenkomplex am Rennsteig, das Biathlonstadion sowie das Langlaufareal am Grenzadler (Weltcupwettbewerbe).

Sehenswert ist auch die als Trainings- und Wettkampfstätte errichtete künstlich vereiste Rennschlittenbahn (Obere Schweizerhütte), die höchsten Ansprüchen genügt und zur Weltgeltung der Rennschlitten- und Bobsportler wesentlich beigetragen hat.

Umgebung von Oberhof

*Rennsteiggarten
(Abb. s. S. 508)

Urlaubern, die weite Wege scheuen, sei ein Besuch des rund 12 ha großen Rennsteiggartens (auf dem Pfanntalskopf) empfohlen. Etwa 400 Baum-, Strauch- sowie andere Gebirgs- und Felspflanzenarten aus verschiedenen Hochgebirgen der Erde machen diesen Gebirgspark zu einem eindrucksvollen Erlebnis.

Steinbach-
Langenbach

Im Sommerhalbjahr ist Steinbach-Langenbach mit seinem Naturtheater ein gernbesuchter Ort.

Talsperren

An der Lütschetalsperre wie an der Ohratalsperre bieten sich dem Feriengast Wander-, Ruder- und Angelmöglichkeiten in schöner Umgebung.

Oberwiesenthal

E 5

Bundesland: Freistaat Sachsen
Bezirk (1952–1990): Karl-Marx-Stadt
Höhe: 914 m ü.d.M.
Einwohnerzahl: 4200

Das einstige Bergstädtchen Oberwiesenthal, offiziell 'Kurort Oberwiesenthal', liegt am Fuße des 1214 m hohen Fichtelberges, der höchsten Erhebung im sächsischen → Erzgebirge und unmittelbar an der deutsch-
tschechoslowakischen Grenze. Seit Ende der 19. Jh.s der Wintersport in
dieser Region Einzug hielt, hat sich die mit 850 bis 1050 m ü.d.M. höchst-
gelegene Stadt Sachsens mit dem Fichtelberg zu einem vielbesuchten
Urlaubsort entwickelt.

Lage und
Bedeutung

Die Entstehung des Ortes nahe einem schon 1118 genannten Saumpfad
nach Böhmen erfolgte um die Wende vom 15. zum 16. Jahrhundert. Bergleute hatten erkannt, daß die kristallinen Gesteine dieses Raumes außer
Kupfer-, Zinn- und Eisenerzen auch das begehrte Silber aufwiesen. Das
daraufhin angestimmte 'Berggeschrey' und der erhoffte 'Bergsegen' riefen
die Wettiner Oberherren auf den Plan, die sich durch die Gründung von
Bergstädten Reichtum erhofften.

Geschichte

In rascher Folge entstanden Annaberg (1496), Joachimsthal (1512, Jáchy-
mov in der Tschechoslowakei), Scheibenberg (1512) und andere. 1527
wurde, nachdem im Jahr zuvor "Groß Hoffnung zu Wiesenthal (entstand),
ein mächtig Erz zu hauen", auch Neustadt im Wiesenthal gegründet, das
heutige Oberwiesenthal. Die neue Stadt wurde planmäßig angelegt. Bergleute nahmen dort ihren Wohnsitz.
Mit dem Anschluß an das Eisenbahnnetz 1897 begann sich ein deutlicher
Wandel abzuzeichnen. Doch die eigentliche Entwicklung setzte ein, als der

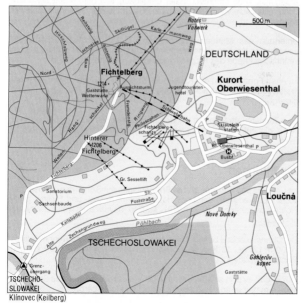

Lagekarte

Oberwiesenthal

Geschichte
(Fortsetzung)

beim Bahnbau beschäftigte norwegische Ingenieur Ohlsen mit einem Paar Schneeschuhen Aufsehen erregte und die Grundlage für den Aufschwung Oberwiesenthals als Wintersportort legte.

Zu DDR-Zeiten besaß Oberwiesenthal ein Leistungssportzentrum, das zahlreiche Olympiasieger, Welt- und Europameister hervorgebracht hat, und war Austragungsort für internationale Wettbewerbe in den Wintersportarten Skisprung, Nordische Kombination, Langlauf, Rennschlitten und Biathlon.

Hinweis

In Oberwiesenthal besteht Parkverbot und Sperrung für Durchfahrtsverkehr. Parkplätze benutzen!

✳Fichtelberg

Fichtelberghaus

✳✳Fernsicht

Lohnend ist ein Aufstieg zum Fichtelberg (1214 m ü.d.M.). Auf der Höhe steht das Fichtelberghaus (1965–1967 neu errichtet; 42 m hoher Aussichtsturm, von dem aus sich bei günstiger Wetterlage eine herrliche Fernsicht über 100 km bietet).

✳Schwebebahn

Besonders reizvoll ist zu jeder Jahreszeit eine Fahrt mit der Fichtelberg-Schwebebahn (1924 erbaut, 1175 m lang, 305 m Höhendifferenz, Kabinen für 45 Personen).

Observatorium

Das Bergobservatorium Fichtelberg besitzt eine bereits im Jahre 1916 eingerichtete meteorologische Station.

Ortsbild von Oberwiesenthal

Markt

Im Ortszentrum gibt es hübsche Häuserensembles (größtenteils nach dem Brand von 1863 errichtet, später umgebaut). Auf dem Markt steht eine Postmeilensäule von 1730, die an die Poststraßenvermessung in Sachsen erinnert.

Martin-Luther-
Kirche

Unterhalb des Marktes erreicht man die Martin-Luther-Kirche (1866 geweiht, mit Werken einheimischer Meister); im Winter ist dort eine große Weihnachtskrippe des Erzgebirgskünstlers H. Hertelt zu sehen.

Altes Forsthaus

Im Alten Forsthaus an der Karlsbader Straße (Nr. 3), wird die interessante Ausstellung 'Zur Entwicklung des Wintersports im Fichtelberggebiet' gezeigt.

✳Erzgebirgsbahn

Eine Touristenattraktion ist die dampflokbetriebene Schmalspurbahn von 1897, die auf einer Strecke von 17,3 km nach Cranzahl (s. Umgebung) führt.

✳Wintersporteinrichtungen

Skilifte
Sprungschanzen

Im Umkreis des Kurortes gibt es Sportanlagen mit Skihängen unterschiedlicher Schwierigkeit, darüber hinaus mehrere Sessel- und Skilifte; große Fichtelbergschanze (1972–1974), südlich davon drei weitere Sprungschanzen.

Rennrodelbahn

Bei Oberwiesenthal befindet sich eine große natureiste Rennrodelbahn (1100 m Länge, 18 Kurven, Höhenunterschied 134 m) mit Start auf dem Fichtelbergplateau.

Biathlonanlage

Ferner gibt es dort eine Biathlonanlage und Langlaufloipen; das Skistadion liegt unmittelbar an der Zufahrtsstraße zum Fichtelberg.

Umgebung von Oberwiesenthal

Zahlreiche gutmarkierte Wanderwege führen in die nähere und fernere Umgebung, auch in die Tschechoslowakei (z. B. auf den nahen Klínovec/Keilberg, den mit 1244 m ü. d. M. höchsten Berg des Erzgebirges). Sie führen durch reizvolle Naturschutzgebiete; sehenswert sind der Zechengrund und das Pfahlmoor mit zum Teil einzigartiger Flora.

Wanderwege

Bei Bärenstein gibt es einen stumpfkegeligen Basaltberg (898 m ü. d. M., Aussichtsturm). Der Ort gewann erst an Bedeutung durch die Zuwanderung böhmischer Exulanten, die im 17. Jh. vor der Gegenreformation flüchteten.

Bärenstein

Die Ortschaft Cranzahl ist bekannt wegen ihrer Talsperre. Sie entstand in den Jahren von 1948 bis 1951 – als erster Talsperrenbau der damaligen Deutschen Demokratischen Republik.

Cranzahl

Oranienburg C 6

Bundesland: Brandenburg
Bezirk (1952–1990): Potsdam
Höhe: 36 m ü. d. M.
Einwohnerzahl: 28 500

Die Stadt Oranienburg liegt nordwestlich von ⟶ Berlin in der Spandau-Oranienburger Havelniederung, die das Eberswalder mit dem Berliner Urstromtal verbindet, westlich des vom Oder-Havel-Kanal durchflossenen Lehnitzsees.

Lage

Der zu den östlichen Grenzorten der Diözese Brandenburg gehörende Ort Bötzow ist 1216 erstmals urkundlich erwähnt. Slawischen Ursprungs, entstand die deutsche Siedlung um 1200 im Schutze der askanischen Burg (Wasserburg um 1170–1200 angelegt, im 16. Jh. dann kurfürstliches Jagdhaus).
Unter Kurfürstin Louise Henriette (aus dem Hause Oranien) erfolgten der Schloßbau und die Anlage der Stadt nach holländischem Vorbild; der Name des Schlosses Oranienburg ging 1653 auf die Stadt über.

Geschichte

Kanalbauten im 18. und 19. Jh. brachten einen Aufschwung des Schiffsverkehrs. Um 1814 bestand im Schloß eine Schwefelsäurefabrik, die 1832 bis 1852 von dem Chemiker Friedlieb Ferdinand Runge geleitet wurde, der Anilin und Karbolsäure im Steinkohlenteer (1833) entdeckte.
Nach dem Anschluß an die Eisenbahn (1877) kam es zu einem wirtschaftlichen Aufschwung, der sich mit der Eröffnung des Großschiffahrtsweges (heute Oder-Havel-Kanal) im Jahre 1914 noch steigerte. Nach 1900 wurden Villenviertel als Wohnvorort Berlins angelegt.

Das finsterste Kapitel der Stadtgeschichte begann 1933 mit der Errichtung des ersten nationalsozialistischen Konzentrationslagers Deutschlands in einer alten Brauerei. Im Jahre 1936 wurde dann östlich der Stadt das Massenvernichtungslager Sachsenhausen gebaut. Von den über 200 000 Häftlingen aus vielen Nationen wurden hier mehr als 100 000 ermordet.

Konzentrations-lager Sachsenhausen

Nach der Befreiung der am Leben gebliebenen Häftlinge am 22. April 1945 wurde das Lager weiterhin zur Internierung von Nationalsozialisten und anderen der sowjetischen Besatzungsmacht mißbillig erschienenen Menschen benutzt. Ende September 1946 verstarb hier als Internierter der bekannte deutsche Schauspieler und Theaterintendant Heinrich George (eigentlich Heinz Georg Schulz, geb. 1893).

Sehenswertes in Oranienburg

Schloß
Oranienburg

Das Schloß Oranienburg ist eine zweigeschossige Dreiflügelanlage (1651 bis 1655 unter J. G. Memhardt, M. M. Smids); es wurde 1688–1695 umgebaut und erweitert (J. A. Nering, M. Grünberg); an der Stadtseite eine Attika mit Figuren (Jahreszeiten). Nach starken Zerstörungen im Jahre 1945 (1948–1960 restauriert) ist das Innere modern gestaltet – bis auf die stukkierte Decke im Porzellankabinett; hier ein Rundbild von Terwesten, das 1965 restauriert wurde (Besichtigung des Schlosses nicht möglich).

Lustgarten

Der barocke Lustgarten wurde im 19. Jh. zum Landschaftspark umgestaltet; sehenswert sind das Gartenportal (1690), geschaffen von J. A. Nering, und die Orangerie (1754), ein Werk von G. C. Berger (1967 restauriert).

Denkmäler

Vor dem Eingang zu dem öffentlich zugänglichen Schloßpark steht ein Denkmal der Kurfürstin Louise Henriette (1858, W. Wolff); daneben sieht man das Denkmal "Anklagende" (Granit), entstanden nach dem Bronzeoriginal des Bildhauers Fritz Cremer (1948).

Heimatmuseum

Das Heimatmuseum im alten Amtshauptmannshaus an der Breiten Straße (Nr. 1), einem frühbarocken Putzbau von 1657, würdigt das Schaffen des Chemikers Friedlieb Ferdinand Runge (1795–1867). Auf dem Städtischen Friedhof befindet sich Runges Grab (Reliefplatte von A. Wolff, 1873).

Ehemaliges
Waisenhaus

Vom ehemaligen Waisenhaus (1665–1671) an der Havelstraße (Nr. 29), einem Backsteinbau mit Werksteingliederung, wurde im Zweiten Weltkrieg die rechte Hälfte zerstört.

Ehemaliges
Forsthaus

Am ehemaligen Forsthaus, einem Haus an der Sachsenhauser Straße (1771/1772, Dornstein), sieht man über dem Eingang ein Jagdrelief.

*Gedenkstätte Sachsenhausen

Die Gedenkstätte für die Opfer des Vernichtungslagers Sachsenhausen wurde in den Jahren 1958–1961 nach Entwürfen eines Architektenkollektivs unter der Leitung von L. Deiters mit Plastiken von R. Graetz und W. Grzimek gestaltet.
In der ehemaligen Häftlingsküche befindet sich das Museum zur Geschichte des einstigen NS-Konzentrationslagers Sachsenhausen, im Turm A das Museum des antifaschistischen Freiheitskampfes der europäischen Völker (im Vorraum ein farbiges Glasfenster von W. Womacka).

Umgebung von Oranienburg

Lehnitz

In unmittelbarer Nähe von Oranienburg liegt am Lehnitzsee der Ort Lehnitz, umgeben von Wasser und Wald, eine Wohnsiedlung ohne Industrie und Landwirtschaft, jedoch mit zunehmender Bedeutung für den Tourismus.

Birkenwerder

In Birkenwerder (F 96, 7 km südlich von Oranienburg) befindet sich im ehemaligen Wohnhaus der zunächst sozialdemokratischen, später kommunistischen Politikerin Clara Zetkin (1857–1933) an der Summter Straße (Nr. 4) eine Gedenkstätte.

Kremmen

In dem Ort Kremmen (F 273, 16 km westlich von Oranienburg) steht die spätgotische Hallenkirche St. Nikolai (15. Jh., nach Brand 1680 wiederaufgebaut) mit Stern- und Kreuzrippengewölbe sowie frühgotischem Chor; ferner bemerkenswerte Ausstattungsstücke: Altaraufsatz (1686), Kanzel (1690) und Grabdenkmäler (17./18. Jh.).

Gedenkstätte Sachsenhausen

In Liebenwalde (23 km nordöstlich von Oranienburg) sind erhaltene Teile der ehemaligen Quitzowburg zu sehen; beachtenswert ist auch die Pfarrkirche (1833 bis 1835) mit Kampanile (Glockenturm) und schlichter Ausstattung (klassizistischer Taufstein).

Oranienburg,
Umgebung
(Fortsetzung)
Liebenwalde

In dem Ort Zehdenick (32 km nordöstlich von Oranienburg) sind Reste eines Zisterziensernonnenklosters (1230 gegründet, 1803 abgebrannt) erhalten. Das bekannte 'Zehdenicker Hungertuch' (13. Jh.) befindet sich heute im Berliner Märkischen Museum. Das Rathaus (1801), das Amtshaus (nach 1801) und das Kirchenschiff (1803–1812) sind Baustilzeugen des Klassizismus.

Zehdenick

Ostseeküste

A/B 3–7

Bundesland: Mecklenburg-Vorpommern
(Fortsetzung in Schleswig-Holstein)
Bezirk (1952–1990): Rostock

Die im Sommer von Badeurlaubern stark besuchte mecklenburgisch-vorpommersche Ostseeküste umfaßt den Bereich zwischen der Lübecker Bucht im Westen und dem Seebad Ahlbeck im Osten. Sie ist einschließlich der Außenküste der vorgelagerten Inseln Poel, Hiddensee, Rügen und Usedom 340 km lang. Rund 195 km zeichnen sich durch flache sandige Ufer aus, 145 km besitzen steile Kliffe.

Küstengebiet und
zugehörige Inseln

Kennzeichnend für einen großen Teil dieses Ostseeküstenabschnittes sind die flachen Bodden hinter der Außenküste. Hierbei handelt es sich um von der langsam angestiegenen Ostsee im Laufe der letzten Jahrtausende überfluteten Hohlformen der eiszeitlich geformten Landschaft. Ihre stark

Bodden

Bodden
(Fortsetzung)

zerlappte, nicht von Meeresströmungen und Brandung ausgeglichene Binnenküste ist rund 1130 km lang. Für Erholungszwecke stehen auch an der Binnenküste der Bodden viele geeignete Strände zur Verfügung, so am Greifswalder Bodden und am Oderhaff.

Wismarer Bucht

Wismar

Die Wismarer Bucht zwischen den Moränenhöhen des Klützer Winkels im Westen (Heidberg bei Grevesmühlen 113 m ü.d.M. und Hoher Schönberg 90 m ü.d.M.) und der Kühlung im Osten (Diedrichshagener Berge 130 m ü.d.M.) bietet nicht nur der 1229 mit Stadtrecht bezeugten alten Hansestadt und heutigen Werft-, Hafen- und Hochschulstadt → Wismar eine günstige geographische Lage, sondern weist auch stark besuchte Strände auf. Der westlichste ist der vor Boltenhagen, wo sich bereits im 19. Jh. ein reger Badebetrieb entwickelte. Jüngeren Datums ist die Nutzung der flachen Wohlenberger Wiek.
Das Salzhaff nordöstlich von Wismar bei Rerik ist ein beliebtes Wassersportgebiet.

Insel Poel

In der Wismarer Bucht liegt die 37 km² große Insel Poel. Sie ist flach, fast unbewaldet und wird in erster Linie landwirtschaftlich genutzt. Erreichbar ist Poel mit dem Schiff von Wismar (nach Kirchdorf) sowie über einen Damm, der die Insel auf ihrer Ostseite mit dem Festland verbindet.

Mecklenburger Bucht

Kühlungsborn
Heiligendamm

An der offenen Küste der Mecklenburger Bucht, die sich an die Wismarer Bucht nach Osten anschließt, liegen nahe beieinander Kühlungsborn und Heiligendamm, das älteste deutsche Seebad, bereits im Jahre 1793 gegründet in der Nähe von Doberan, der damaligen Sommerresidenz der mecklenburgischen Herzöge und heutigen Kreisstadt Bad Doberan.

Bad Doberan

Bad → Doberan ist nicht nur als Moorbad, sondern vor allem durch sein gotisches Münster bekannt. Die noch erhaltene Klosterkirche ist eine der schönsten Kirchen im gesamten östlichen Ostseeraum.

Am Strand des Ostseebades Nienhagen   *Ostseeschiffe der 'Weißen Flotte'*

Der breite Strand vor Warnemünde (Fährverbindung mit Gedser in Dänemark) und östlich der Warnowmündung vor der ausgedehnten Rostocker
Heide bis Graal-Müritz dient in erster Linie als Naherholungsgebiet für die
Bevölkerung der Hansestadt ⟶ Rostock, der größten Stadt und wirtschaftlichen Metropole an der östlichen deutschen Ostseeküste.

Halbinselkette ✳Fischland – Darß – Zingst

Die Halbinselfolge Fischland – Darß – Zingst (⟶ Darß), welche die westliche Boddenkette (Ribnitzer See, Saaler Bodden, Bodstedter Bodden,
Barther Bodden und Grabow) von der offenen Ostsee abtrennt, ist eine der
urwüchsigsten Landschaften der Ostseeküste, zugänglich über Ribnitz-
Damgarten oder ⟶ Barth.

Auf dem Fischland wird die Außenküste jährlich im Durchschnitt um mehr
als einen halben Meter zurückverlegt. Auf dem Darß hingegen wächst die
Landspitze von Darßer Ort unaufhörlich weiter in die Ostsee hinaus. In den
letzten Jahrzehnten ist die Bernsteininsel aus dem flachen Meer heraus-
gewachsen und landfest geworden. Der Zingst schließlich ist erst in jüngster Zeit aus einer sandig-moorigen Nehrung in ein landwirtschaftliches
Intensivgebiet umgewandelt worden.

Strelasund

Der Strelasund, der Rügen vom Festland trennt, verbindet gleichzeitig die
westliche Boddenkette mit dem Greifswalder Bodden, der seinerseits
wiederum durch den Peenestrom mit dem Achterwasser und dem Oderhaff verbunden ist.

Über den Greifswalder Bodden, den eine Schwelle mit den kleinen Inseln
Ruden und Greifswalder Oie vom offenen Meer trennt, führt die wichtigste
Zufahrt zum Hafen der 1234 mit lübischem Recht ausgestatteten, später
bedeutenden Hansestadt ⟶ Stralsund, heute ein Zentrum des Schiffbaus
und nach wie vor ein wichtiger Hafen, insbesondere für die 'Weiße Flotte',
die von hier aus die meisten ihrer Linien bedient.

Greifswalder Bodden

Nahe dem südlichsten Zipfel des Greifswalder Boddens, der Dänischen
Wiek, liegt die vor 1248 von Mönchen des Zisterzienserklosters Eldena am
Ryck in der Nähe der Salzquellen gegründete, 1456 mit einer Universität
ausgestattete Stadt ⟶ Greifswald.
Als Badeorte am Greifswalder Bodden sind neben Lubmin und Loissin die
auf der rügenschen Halbinsel Mönchgut liegenden die bedeutendsten.

Insel ✳✳Rügen

Die größte der der festländischen Küste vorgelagerten Inseln ist ⟶ Rügen
(926 km²). Durch die Verbindung von hügeligen Endmoränenzügen mit tief
in das Land eingreifenden Bodden, durch den Gegensatz von unendlich
erscheinender blaugrauer Meeresoberfläche und steil aufragender weißer
Kreideküste, durch den Wechsel von Buchen- und Kiefernwäldern mit
offenem Ackerland und durch ihre reizvoll gelegenen Badeorte (insbesondere Binz, Sellin und Göhren) ist Rügen zugleich die schönste der deutschen Ostseeinseln. Seit 1936 verbindet der Rügendamm zwischen Stralsund und Altefähr die Insel mit dem Festland und macht sie leicht zugänglich. Von ⟶ Saßnitz aus besteht seit über 75 Jahren eine vielbenutzte
Fährverbindung nach Trelleborg in Schweden.

Ostseeküste
(Fortsetzung)
Insel *Hiddensee

Gleich einem Wellenbrecher ist Rügen im Westen die Insel ⟶ Hiddensee (18,6 km²) vorgelagert, im Volksmund 'Dat soete Länneken' oder auch 'Gerhart-Hauptmann-Insel' genannt. Strömung und Brandung haben dem pleistozänen Moränenkern des Dornbusch (72 m ü. d. M.) nach Süden ein 15 km langes, nehrungsartiges Flachland angefügt, das geradezu ideale Strandverhältnisse bietet.

Insel *Usedom

Die Insel ⟶ Usedom (445 km², davon 354 km² zu Deutschland gehörig) steht der Insel Rügen zwar an Größe, jedoch wohl kaum an landschaftlicher Schönheit nach. Ihr fehlt zwar die Kreideküste, dafür weist sie aber eine extrem gesteigerte Verzahnung von Land und Meer auf. Ihre hohen Steilufer aus Moränenmaterial werden ebenso wie die Flachuferstrecken von einem breiten und fast völlig steinfreien Strand begleitet.

Badeorte

Unmittelbar hinter dem Strand, an dem sich die Badeorte von Karlshagen und Trassenheide über Zinnowitz, Koserow und Ückeritz bis Bansin, Heringsdorf und Ahlbeck perlschnurartig aneinanderreihen, dehnen sich größere Waldungen aus. Oft trennen nur kurze Entfernungen die Außenküste vom Achterwasser. Bei den Städten Wolgast und Usedom ist die Insel Usedom durch Brücken mit dem Festland verbunden.

Naturschutz an der östlichen deutschen Ostseeküste

Maßnahmen

Am 12. September 1990 hat die letzte Regierung der damaligen Deutschen Demokratischen Republik beschlossen, weite Bereiche der Osteeküste unter strengen Natur- und Landschaftsschutz zu stellen:

Nationalpark Boddenlandschaft

Die Halbinselkette Fischland – Darß – Zingst sowie die Insel ⟶ Hiddensee samt den dazugehörigen Boddenflächen bilden den 'Nationalpark Vorpommersche Boddenlandschaft' (805 km²).

Nationalpark Jasmund

Der von Buchenwäldern bedeckte Kreidehorst der rügenschen Halbinsel Jasmund, einschließlich der Kreidesteilküste, macht den 'Nationalpark Jasmund' (30 km²) aus.

Biosphärenreservat Südost-Rügen

Als 'Biosphärenreservat Südost-Rügen' (228 km²) sind die Halbinsel Mönchgut, die Granitz, die Umgebung von Putbus und der Rügische Bodden einschließlich der Insel Vilm ausgewiesen.

Oybin   E 7

Bundesland: Freistaat Sachsen
Bezirk (1952–1990): Dresden
Höhe: 393 m ü. d. M.
Einwohnerzahl: 1 300

Lage und
Bedeutung

Oybin, offiziell 'Kurort Oybin' und volkstümlich die 'Perle der Oberlausitz' (⟶ Lausitz) genannt, liegt südlich von ⟶ Zittau in nächster Nähe der deutsch-tschechoslowakischen Grenze. Er ist ein recht beliebter Kur- und Ferienort im ⟶ Zittauer Gebirge.

Geschichte

Als Geleitsburg 1258 angelegt, wurde sie 1291 als Raubritterburg zerstört; danach entstand ab 1311 die Leipaburg, deren Ruinen noch erhalten sind.

Kurort Oybin mit Scharfenstein ▶

Oybin,
Geschichte
(Fortsetzung)

1346 an Kaiser Karl IV. gefallen, wurde die Burg zur Festung ausgebaut und den Zittauern zur Verwaltung übergeben. Zwei Jahre später siedelten Cölestinermönche aus Avignon auf dem Berg, die im Jahre 1384 die Klosterkirche vollendeten. Nach der Reformation erfolgte die Auflösung des Klosters um das Jahr 1540; die Gebäude brannten 1577 nach einem Blitzschlag aus, die Reste verfielen allmählich. Berg und Burg waren ein vielbesuchtes Ziel und ein Motiv romantischer Maler wie Caspar David Friedrich und Ludwig Richter.

✳Berg Oybin

Geographischer und historischer Mittelpunkt sowie ein beliebtes Wanderziel ist der Berg Oybin (513 m ü. d. M.), kegelförmig und aus Sandstein bestehend, mit der Ruine der Klosterkirche (Konzerte) und den Resten des Kaiserhauses, dem Oybin-Museum (1879 gegr.; Geschichte Oybins) und dem Bergfriedhof mit Grabsteinen aus dem 16. Jahrhundert. Es gibt dort auch eine Berggaststätte.

Ringweg

Von der Burg führt ein Ringweg zu den schönsten Aussichtspunkten des Bergplateaus. Am Fuße des Berges steht die barocke Bergkirche (1709) mit einer reichen Innenausstattung. Unterhalb der Bergkirche lädt der historische 'Burgkeller' (1560) zur Rast ein.

Kurort Oybin

Im Ort stehen viele alte Umgebindehäuser (16.-18. Jh.), die Schieferdächer und holzverkleidete Giebel haben, unter Denkmalschutz. In der Dorfkirche (18. Jh.) ein Kanzelaltar und bemalte Emporen. Oybin ist außerdem ein beliebter Wintersportort; er verfügt über eine Rennschlittenbahn und eine Mattensprungschanze.

Umgebung von Oybin

Kurort Jonsdorf

Im alten Zittauer Ratsdorf und heutigen Kurort (seit 1934) Jonsdorf (8 Straßen-km nordwestlich) gibt es Kuranlagen, eine Freilichtbühne und eine Volkssternwarte (seit 1962). An zahlreichen Türen befinden sich aus Sandstein gehauene barocke Türstöcke.

Mühlsteinbrüche

Im Süden von Jonsdorf liegen die bekannten Mühlsteinbrüche mit interessanten Sandsteinaufschlüssen und vulkanischem Gestein (u. a. 'Drei Tische').

Lückendorf

Im Luftkurort Lückendorf (2 km südöstlich von Oybin) steht eine kleine Barockkirche (1690) mit sehenswerter Innenausstattung. Beachtung verdient auch die auf über 350 Jahre geschätzte Eibe an der Straße nach → Zittau.

Pasewalk   B 6

Bundesland: Mecklenburg-Vorpommern
Bezirk (1952–1990): Neubrandenburg
Höhe: 12 m ü. d. M.
Einwohnerzahl: 15500

Lage und
Bedeutung

Die Kreisstadt Pasewalk liegt in der welligen Grundmoränenlandschaft der nördlichen → Uckermark, an der Uecker. Als regionales Zentrum in Vorpommern ist sie ein Verkehrsknotenpunkt an der Durchgangsstrecke Berlin–Saßnitz (Rügen).

Bei einer pommerschen Burg am Uecker-Übergang entstand wahrscheinlich nach 1150 eine Kaufmannssiedlung, die 1251 Stadtrecht erhielt. 1250 kam Pasewalk zu Brandenburg und 1354 unter pommersche Oberhoheit. 1648 wurde die Stadt schwedisch, 1720 preußisch. Pasewalk war Mitglied der Hanse und damit Ausgangspunkt für einen seit 1320 durch Zollfreiheiten geförderten Fernhandel. Zu den begehrtesten Exportgütern zählte lange Zeit das Pasewalker Bier, 'Pasenelle' genannt.

Der Stadtkern wurde 1944/1945 durch Bombenangriffe und Brände zu etwa vier Fünfteln zerstört. Dabei ging die Umbauung des quadratischen Marktplatzes weitgehend verloren. In den letzten Jahrzehnten wurde die Stadt Standort von Betrieben der Nahrungsgüterwirtschaft und des Bauwesens.

Sehenswertes

Von der Stadtbefestigung sind noch Teile der Ringmauer aus Feldsteinen sowie einige Tore und Türme vorhanden: das Prenzlauer Tor (um 1450) im Süden, das Mühlentor (um 1450) im Nordwesten sowie die Mauertürme 'Kiek in de Mark' (1445) und Pulverturm (15. Jh.).

Die Pfarrkirche St. Marien wurde im 14. Jh. auf Granitquadersockeln des 13. Jh.s erbaut. Künstlerisch wertvoll ist im Kircheninneren der Altar mit Kopie der "Kreuztragung" von Raphael (in Restaurierung).

Vor der Marienkirche steht das Mordkreuz aus Muschelkalk (1367).

Sehenswert ist auch die Pfarrkirche St. Nikolai (13./14. Jh., spätgotisch umgebaut). Der im Kriegsjahr 1945 stark beschädigte Turm wurde wiederhergestellt.

Baukünstlerische Bedeutung hat ebenfalls das Hospital St. Spiritus (heute Altersheim) an der Ringstraße. Zum Hospital gehören drei Gebäude; das älteste ist ein zweigeschossiger Backsteinbau (um 1500) mit schmückenden Blenden am Giebel.

Das Elendshaus an der Großen Kirchenstraße (Nr.17), ist ein kleiner, heute verputzter Backsteinbau; früher war es ein Bettler- und Armenhaus.

Beachtung verdient darüber hinaus das Jagdschlößchen (Ecke Baustraße und Kleine Kirchenstraße), ein kleines zweistöckiges Renaissancegebäude.

Im Schillhaus (Grünstraße Nr. 16), einem zweigeschossigen verputzten Fachwerkgebäude mit Satteldach, lebte von 1795 bis 1806 der deutsche Patriot Ferdinand von Schill (1776–1809; Gedenktafel); Schill war Angehöriger der Garnison der Stadt.

Im Zentrum des Ortes steht das Denkmal für den Erfinder der Blindenschreibmaschine, des Pasewalkers Oskar von Picht.

Umgebung von Pasewalk

In Löcknitz an der Randow (F 104, 17 km ostsüdöstlich) gibt es eine sehenswerte Burgruine (Turmhügel mit Backsteinturm); Naherholungsgebiet am Löcknitzer See im Randowbruch.

Pirna

In Ueckermünde (33 km nördlich von Pasewalk) ist der Südflügel des ehemaligen Renaissanceschlosses erhalten (heute Sitz der Stadtverwaltung und Museum; sommerliche Schloßkonzerte), ein Bau mit quadratischem Treppenturm und Portalen sowie Fenstern mit spätgotischen Vorhangbögen.

Die Pfarrkirche St. Marien ist ein Barockbau (1766) mit neugotischem Turm (1863).

Alljährlich findet die volksfestartige Ueckermünder Haffwoche statt.

Prenzlau

⟶ Reiseziele von A bis Z: Prenzlau

Pirna   E 6

Bundesland: Freistaat Sachsen
Bezirk (1952–1990): Dresden
Höhe: 120 m ü. d. M.
Einwohnerzahl: 47 500

Lage

Pirna (sächsisch 'Bärne'), das 'Tor zur ⟶ Sächsischen Schweiz', liegt am Austritt der ⟶ Elbe aus dem Elbsandsteingebirge in die Dresdner Elbtalweitung. In der historischen Altstadt sind architektonisch wertvolle Bauten der Spätgotik, der Renaissance und des Barock erhalten (z. T. unter Denkmalschutz).

Bedeutung

Das wirtschaftliche und kulturelle Zentrum im Südosten des Ballungsgebietes 'Oberes Elbtal' ist heute ein bedeutender Industriestandort sowie ein Verkehrsknotenpunkt.

Geschichte

Neben einer slawischen Siedlung an einer wichtigen Elbfurt als deutsche Handelssiedlung im 12. Jh. entwickelt, wird Pirna erstmals 1233 urkundlich erwähnt. Die Stadt besaß das Stapelrecht und durfte Zölle erheben. Auch die Erzeugnisse aus den Hütten und Hämmern im Gottleuba-, im Müglitz- und Weißeritztal wurden über Pirna gehandelt. Von 1294 bis 1405 gehörte das Gebiet um Pirna der böhmischen Krone, dann wieder zu Sachsen.

Im 18. und 19. Jh. spielte die Sandsteingewinnung eine große Rolle. Pirnaer Sandstein wurde bei vielen Bauwerken in Deutschland und anderen Ländern verwendet (z. B. Dresdener Zwinger, Kopenhagener Schloß). Im 19. Jh. siedelten sich dort Industriebetriebe an. Nach dem Zweiten Weltkrieg wurde Pirna zu einem bedeutenden Industriestandort.

Sehenswertes

***Stadtkirche St. Marien**

Die spätgotische Stadtkirche St. Marien (1466–1479) ist eine der größten obersächsischen Hallenkirchen – mit ungewöhnlicher Gewölbebildung und sehenswerter Gewölbeausmalung (1544–1546) entsprechend dem neuen protestantischen Bekenntnis; Beachtung verdient auch die barocke Ausstattung.

***Rathaus**

Der Markt mit dem frei in der Mitte stehenden Rathaus vereinigt Stilelemente aus fünf Jahrhunderten: Am Rathaus, ursprünglich Kaufhaus und Versammlungshaus (Bauteile von 1485 im Erdgeschoß; mehrere Umbauten), sind einige gotische Portale, Giebel und Fenster sowie der Turm (1718) mit Kunstuhr (1612 erneuert) beachtenswert.

Bürgerhäuser am Markt

Am Markt weisen mehrere Bürgerhäuser mit schönen Torbögen, Arkadenhöfen und Erkern Pirna als 'Stadt der Giebel, Erker und Portale' aus; so das Haus Markt Nr. 3 mit Kielbogenportal, fünffachem Baldachin und Sitznischen (um 1500); Markt Nr. 7, das sogenannte 'Canalettohaus', ein

Blick über die Elbe auf Pirna

Renaissancebau von 1520. Das Marienhaus, Markt Nr. 20, mit Marienfigur unter der Dachtraufe am zweiten Obergeschoß, ist nach der an seiner Ecke aufgestellten Madonna (1514) benannt; es war kurfürstliche Münzstätte (1621/1622) und Quartier Napoleons (1813).

Bürgerhäuser am Markt (Fortsetzung)

Die Klosterkirche des ehemaligen Dominikanerklosters (urspr. gotisch, um 1300; mehrfach verändert) ist eine zweischiffige Hallenkirche mit einem Kreuzrippengewölben (seit 1957 katholische St. Heinrichskirche).

Klosterkirche

An der Nordseite der Kirche befindet sich das spätgotische Gebäude des Kapitelsaals, heute Stadtmuseum mit sehenswerten Sammlungen.

Stadtmuseum

Ferner verdienen weitere Bürgerhäuser Erwähnung: Barbiergasse Nr. 10, ein Spätrenaissancebau (1624) mit Eckerker (sog. Engelserker); Obere Burgstraße Nr. 1, ein Spätrenaissancebau (um 1615) mit schön verziertem Erker (sog. Teufelserker).

Weitere Bürgerhäuser

Bemerkenswert ist auch die Postmeilensäule von 1722.

Postmeilensäue

Von der ehemaligen Festung Sonnenstein (16. Jh.; im 19. Jh. verändert) sind Teile des früheren Unterbaus (Schloßkeller) und mehrere Bastionen erhalten. Die Festung, einst schwer zu besiegen, wurde im 19. Jh. zur Heilanstalt umgebaut; dort wurden während des Zweiten Weltkrieges von den Nationalsozialisten über 10 000 Kranke ermordet.

Festung Sonnenstein

Umgebung von Pirna

In Dohna (8 km westlich) ist die spätgotische Hallenkirche St. Marien mit Flügelaltar (1518) und reich verziertem Taufstein sehenswert.

Dohna

Pirna

Schloß Weesenstein bei Pirna

Pirna, Umgebung (Fortsetzung) Weesenstein

In Weesenstein (14 km südwestlich von Pirna) steht auf hohem Felsen über der Müglitz eine weiträumige Schloßanlage (14.–19. Jh.; Museum) mit Schloßkapelle.

Im Inneren sind beachtenswert Rokoko-Wandmalereien, Tapeten mit chinesischen Motiven, ein Festsaal mit Stuckdecke (1619) und französischer Ledertapete. Barocke Gartenanlage (1781).

Graupa

In Graupa (4 km nordwestlich von Pirna) befindet sich eine Richard-Wagner-Gedenkstätte; sie hat ihren Sitz im 'Lohengrinhaus' (Aufenthalt des Komponisten von Mai bis Juli 1846, Arbeit an "Lohengrin").

Vor dem zum Jagdschloß umgebauten Wohnhaus des ehemaligen Rittergutes Großgraupa (1866) steht eine Richard-Wagner-Stele.

Berggießhübel

Im Gottleubatal liegt der Kneippkurort Berggießhübel (15 km südlich von Pirna) mit Kurhäusern, Park und Grünanlagen an der Gottleuba.

Hier erinnert ein Mahnmal an die verheerende Hochwasserkatastrophe von 1927.

Bad Gottleuba

In Bad Gottleuba (4 km südlich von Berggießhübel) befindet sich ein großer Kurkomplex des Stahl- und Moorbades, ferner beachtenswert eine Postmeilensäule (1731) und der Marktbrunnen (1923, K. Höfer).

Oberhalb der Stadt die Talsperre Gottleuba, das letzte Glied des nach 1945 geschaffenen Hochwasserschutzsystems im Osterzgebirge (⟶ Erzgebirge).

Elbsandsteingebirge

⟶ Reiseziele von A bis Z: Sächsische Schweiz

Festung Königstein

⟶ Reiseziele von A bis Z: Königstein

Landeshauptstadt Dresden

⟶ Reiseziele von A bis Z: Dresden

Plauen (Vogtland)   E 5

Bundesland: Freistaat Sachsen
Bezirk (1952–1990): Karl-Marx-Stadt
Höhe: 300–525 m ü.d.M.
Einwohnerzahl: 74000

Plauen, die 'Stadt der Plauener Spitzen', das kulturelle und wirtschaftliche   Lage und
Zentrum im → Vogtland, liegt in den Tälern der Weißen Elster (→ Elstertal)   Bedeutung
sowie ihrer Zuflüsse und erstreckt sich bis auf die umliegenden Höhen. Bis
in die Wohnbereiche hinein reicht ein Kranz schöner Wälder, der Plauen
umgibt.

Im Jahre 1122 erstmals urkundlich genannt, wird der Ort 1224 als Stadt   Geschichte
bezeichnet. Im Besitz der Vögte von Plauen, fiel er 1466 an das Kurfürsten-
tum Sachsen; von 1656 bis 1718 gehörte er zur wettinischen Nebenlinie
Sachsen-Zeitz.
Im 15. Jh. war die Tuchmacherei, ab 1600 die Herstellung von Baumwoll-
waren, insbesondere von feinen Geweben (sog. Schleier), das wichtigste
Gewerbe. Um die Mitte des 19. Jh.s löste die Maschinenstickerei die
Weberei ab. Plauen wurde die weltbekannte Stadt der Spitzen.
In den letzten Monaten des Zweiten Weltkrieges zu drei Vierteln zerstört,
wurde die Stadt wiederaufgebaut und erlangte als Zentrum der Spitzen-
herstellung erneut Geltung.

Sehenswertes

Die wiederaufgebaute Hauptkiche St. Johannis (erste Weihe 1122, im   Hauptkirche
Jahre 1224 Neubau als Basilika; Umbauten) ist eine spätgotische drei-   St. Johannis

Altes und Neues Rathaus (s. S. 482)

481

Plauen

Hauptkirche
St. Johannis
(Fortsetzung)

schiffige Hallenkirche mit romanischen Türmen (Barockaufsätze). Zu der teilweise kostbaren Innenausstattung gehören ein spätgotischer Flügelaltar (16. Jh.), eine Kanzel (um 1700), ein Taufstein (um 1520) und ein Kruzifix an der Chorsüdseite (um 1500).

Malzhaus

Bemerkenswert ist auch das Malzhaus (1727–1730), ein Barockbau, geschaffen unter Einbeziehung von Resten der mittelalterlichen Burg der Grafen Eberstein (um 1100).

*Altes Rathaus
Neues Rathaus

In der Nähe des Malzhauses befindet sich das Alte Rathaus, ein spätgotischer Bau (1508; im Erdgeschoß ein Spitzenmuseum), eingebaut in das Neue Rathaus von 1912 (dies ein Gebäude in neobarocken Formen); im Süden ein mehrgeschossiger Renaissancegiebel, entstanden nach 1548, und eine Kunstuhr mit beweglichen Figuren.

Lutherkirche

Die Lutherkirche (1693–1722; vormals Gottesackerkirche) ist einer der ältesten sächsischen barocken Zentralbauten; sie hat einen spätgotischen Flügelaltar (1490–1495; Erfurter Meister).

Nonnenturm
Bürgerhäuser
Schloßreste

Sehenswert sind auch der Nonnenturm, verschiedene erhaltene klassizistische Bürgerhäuser (v. a. die Häusergruppe Nobelstraße Nr. 9–13) vom Ende des 18. Jh.s sowie Reste des 1945 zerstörten Schlosses der Vögte (1670–1674); das Querhaus der Hauptburg, der Nordturm und der sechzehneckige Südwestturm (Roter Turm) sind noch vorhanden.

Vogtland-Museum

An der Nobelstraße (Nr. 9–13) befindet sich das Vogtland-Museum, mit Ausstellungen zur Regionalgeschichte; gezeigt werden ferner Weberei und Kattundruckerei sowie bäuerliche Volkskunst und vogtländische Trachten.

*Elstertalbrücke

Unter Denkmalschutz steht die den Fußgängern vorbehaltene Elstertalbrücke (Wilhelm-Külz-Brücke). Die aus Bruchsteinen bestehende Überführung am heutigen Neustadtplatz ist eine der ältesten ihrer Art in Europa; der erste urkundliche Nachweis einer Brücke stammt von 1244.

Umgebung von Plauen

Syratal

Im Syratal gibt es eine Parkanlage, eine Freilichtbühne, ein Festgelände für das Spitzenfest, die Syrataler Kleinbahn sowie die Friedensbrücke, 1903–1905 als damals größte Bogenbrücke Europas mit 90 m Spannweite erbaut.

Syrau

In Syrau (F 92, 7 km nordwestlich von Plauen) sind die Syrauer Tropfsteinhöhle (Drachenhöhle) und die letzte erhaltene vogtländische Windmühle sehenswert.

Talsperren

Die Talsperre Pöhl (10 km nordwestlich von Plauen) ist – wie die Talsperre Pirk (F 173, 7 km südwestlich von Plauen) – ein beliebtes Naherholungsgebiet.

Oelsnitz

In Oelsnitz (F 92, 11 km südlich von Plauen) verdient die Stadtkirche St. Jakobi mit Taufstein von Ernst Rietschel (1833) Beachtung. Im Heimatmuseum (Schloß Voigtsberg) ist neben Exponaten zur Stadt- und Kreisgeschichte eine original eingerichtete Oelsnitzer Weberstube zu besichtigen.

**Vogtländischer
Musikwinkel**

→ Reiseziele von A bis Z: Klingenthal und Markneukirchen

Schleiz

→ Reiseziele von A bis Z: Schleiz

Greiz

→ Reiseziele von A bis Z: Greiz

Plauer See

Bundesland: Mecklenburg-Vorpommern
Bezirk (1952–1990): Neubrandenburg

Der Plauer See (38,7 km², 15 km lang; Seespiegel auf 62 m ü. d. M.) ist der westlichste der 'Oberen' oder 'Großen Seen' der → Mecklenburger Seen. Er bildet die westliche Flanke des Landschaftsschutzgebietes 'Müritz-Seen-Park' (Teil des 1990 geschaffenen Nationalparkes → Müritz). | Lage und Gebiet

Bereits um die Mitte des 19. Jh.s setzte am Plauer See der Fremdenverkehr ein. An seinem Südende entstand in Bad Stuer 1845 eine Kaltwasserheilanstalt, deren Badeleben Fritz Reuter, der sich dort als Patient aufhielt, in seinem Roman "Ut mine Stromtid" humorvoll schilderte. Heute befinden sich hier Urlaubsheime und mehrere Ferienhaussiedlungen. | Fremdenverkehr

Am Westufer des Plauer Sees liegt dort, wo die Elde bei einer Schleuse den See verläßt, die Kleinstadt Plau (6 5000 Einw.). Um das Jahr 1225 planmäßig erbaut, 1288 mit Mauer und Graben umgeben, durch eine Festung (heute noch 12 m hoher Burgturm mit 3 m starken Mauern) gesichert, blieb Plau lange Zeit eine typische mecklenburgische Ackerbürgerstadt, bis es im 19. Jh. eine kurze Periode industrieller Blüte (Maschinenbau, Tuchherstellung) erlebte. | Plau
Plau bietet in seiner abwechslungsreichen Wald-Seen-Landschaft viele Möglichkeiten der aktiven Erholung, besonders für die verschiedenen Formen des Wassersports.

Über den langgestreckten Petersdorfer See und den Malchower See, zwei Rinnenseen, ist der Plauer See bei der alten Inselstadt Malchow (1235 Stadtrecht, heute 8 000 Einw.; Teppichherstellung, Tuch- und Beklei- | Malchow

Plau am Plauer See

Malchow am Malchower See

Plauer See, Malchow (Fortsetzung)

dungsindustrie) mit dem Fleesensee (11 km²) verbunden. Dadurch erschließt sich dem Wassersportler und Campingfreund von Plau elde-aufwärts die reizvolle Großseenlandschaft des mittleren Mecklenburg (⟶ Mecklenburger Seen). Eldeabwärts ist über die Stör der Schiffsverkehr bis zum ⟶ Schweriner See möglich.

Alt Schwerin
✳Agrarhistorisches Museum

Nahe dem Nordufer des Plauer Sees befindet sich in Alt Schwerin ein für den Norden Mecklenburgs einzigartiges agrarhistorisches Museum, das in zahlreichen Ausstellungen und Außenobjekten – in erster Linie als Frei-lichtmuseum – die regionale Agrargeschichte vom Mittelalter bis zur Gegenwart dokumentiert und veranschaulicht.

Potsdam

C 6

Hauptstadt des Bundeslandes Brandenburg
Bezirk (1952–1990): Potsdam
Höhe: 32 m ü.d.M.
Einwohnerzahl: 143000

Lage und ✳Bedeutung

Potsdam, das politische, wirtschaftliche und kulturelle Zentrum des neuen Bundeslandes Brandenburg, liegt in reizvoller Wald-Seen-Landschaft am Mittellauf der Havel, unmittelbar südwestlich von ⟶ Berlin. Als ehemalige Residenz der preußischen Herrscher ist es Sinnbild für jenen Geist von Potsdam, der inzwischen Geschichte geworden ist und der sich mit der 'Soldatenstadt' und der 'Pflanzschule des Heeres' ebenso verbindet wie mit der Stadt der Schlösser und Gärten und des Potsdamer Rokoko. Als Stätte einmaliger Sehenswürdigkeiten sind Park und Schloß Sanssouci ebenso Anziehungspunkt für Besucher wie Schloß Cecilienhof als Tagungsstätte der Potsdamer Konferenz (Abkommen vom August 1945).

Darüber hinaus ist die Potsdam, seit 1990 die brandenburgische Landeshauptstadt, ein bedeutender Industriestandort sowie ein regionales Zentrum der Wissenschaft, Kunst und Kultur.

Die ökonomische Grundlage der Stadt bilden Betriebe des Maschinenbaus, der Textil-, Elektrogeräte-, Glas- und Lebensmittelindustrie. Bedeutung hat die Stadt auch als Verkehrsknotenpunkt mit dem Hauptbahnhof (1960) am Berliner Außenring, mit dem Binnenhafen und den Autobahnanschlußstellen des Berliner Ringes, der die Stadt von drei Seiten umgibt.

Als Standort von Hochschulen, wissenschaftlichen Instituten und Fachschulen ist Potsdam ebenso bedeutend wie als Stadt der Bibliotheken, Archive, Museen und der Filmproduktion (DEFA, früher Ufa).
Die Einrichtung einer brandenburgischen Landesuniversität wird erwogen.

Als slawische Siedlung 993 erstmals urkundlich erwähnt, wurde um 1220 eine neue Burg markgräflich-brandenburgischer Burgvögte gebaut und mit dem planmäßigen Aufbau einer deutschen Siedlung begonnen, die 1317 als 'oppidum', 1345 als 'civitas' bezeichnet wird. Im 16. Jh. wurde die Burg unter Kurfürst Joachim I. verstärkt und die Stadt mit Wall und Graben befestigt.
Fernab bedeutender Handelsstraßen gelegen, nahm die Entwicklung der unbedeutenden Stadt erst eine entscheidende Wende, als Kurfürst Friedrich Wilhelm (1640–1688) das Stadtschloß (1664–1670, Memhardt) zu seiner Residenz bestimmte und mit dem 'Edikt von Potsdam' (8. November 1685) die Ansiedlung französischer Glaubensflüchtlinge (Hugenotten) gestattete; diese gaben der wirtschaftlichen Entwicklung der Stadt und des ganzen Landes entscheidende Impulse.
Mit dem strengen Regiment des Königs Friedrich Wilhelm I. (1713–1740, auch 'Soldatenkönig' genannt) begann die eigentliche Entwicklung zur Soldatenstadt durch planmäßige Erweiterung (Altstadt, Neustadt). Im Jahre 1722 wurde Potsdam Immediatstadt; Gründung einiger Fabriken (Gewehre, Textilien).
Unter König Friedrich II. (1740–1786) wurden Stadt und Heer weiter ausgebaut (1774 gab es 139 Kasernen, Lazarette und andere Militärgebäude in der Stadt!). Dem Charakter einer repräsentativen Residenzstadt entsprechend, wurde das Stadtschloß umgebaut und mit dem Bau des Schlosses Sanssouci begonnen, wurden ganze Stadtteile abgerissen und mit typischen barocken Bürgerhäusern neu aufgebaut. Die Besetzung durch die Österreicher im Siebenjährigen Krieg (1760; 60000 Taler Kontribution) war eine harmlose Episode im Vergleich zur Besetzung durch die napoleonischen Truppen im Jahre 1806. Zwei Jahre galt die Stadt als Hauptkavalleriedepot der Franzosen (850000 Taler kosteten Verpflegung und Einquartierung).
Am 9. März 1809 fand die erste Wahl der Stadtverordneten auf Grund der neuen Stadtordnung (1808) statt. Durch Zuzug der Kurmärkischen Regierung und der Oberrechnungskammer war Potsdam jetzt eine Residenz-, Militär- und Beamtenstadt geworden. Mit der 1838 eröffneten ersten preußischen Eisenbahn von Berlin nach Potsdam wurde die Stadt ein gernbesuchtes Ausflugsziel der Berliner. Die Gründung der ersten deutschen Eisenbahnwerkstätten in der Teltower Vorstadt (1838) und die erste Dampfmühle (1843) waren für die industrielle Entfaltung von großer Bedeutung.
Der sogenannte 'Tag von Potsdam' zur Eröffnung des Reichstages am 23. März 1933 in der Garnisonkirche war eine Demonstration der nationalsozialistischen Macht, deren Ende 1945 mit der Besetzung durch die sowjetische Rote Armee besiegelt wurde.
Vom 17. Juli bis zum 2. August 1945 tagten die führenden Staatsmänner der Vereinigten Staaten von Amerika, der Sowjetunion und Großbritanniens im Schloß Cecilienhof. Durch das von ihnen unterzeichnete Potsdamer Abkommen wurde die Entwicklung Nachkriegsdeutschlands wesentlich beeinflußt.

Fortsetzung
s. S. 488

485

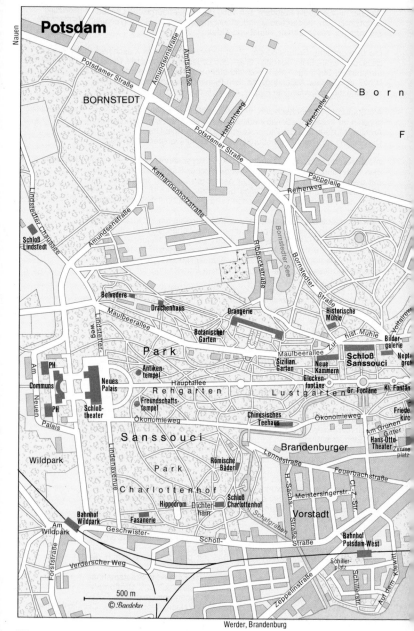

Potsdam

Nauen

BORNSTEDT

B o r n

F

Potsdamer Straße

Amundsenstraße

Amtsstraße

Habichtweg

Kirschallee

Potsdamer Straße

Pappelallee

Katharinenhofstraße

Reiherweg

Lindstedter Chaussee

Amundsenstraße

Bornstedter See

Ribbeckstraße

Bornstedter Straße

Schloß
Lindstedt

Belvedere

Drachenhaus

Orangerie

Historische
Mühle

Maulbeerallee

Lindstedter weg

Botanischer
Garten

Zur hist. Mühle

Voltaire

Bilder-
galerie

P a r k

Antiken-
tempel

Maulbeerallee

Sizilian.
Garten

Neue
Kammern

Schloß
Sanssouci

Nept
grot

Am Neuen

PH

Neues
Palais

Hauptallee

Glocken-
fontäne

L u s t g a r t e n

Gr. Fontäne

Kl. Fontän

Commung

Freundschafts-
tempel

R e h g a r t e n

Ökonomieweg

Ökonomieweg

Friede.
kirc

PH

Schloß-
theater

Chinesisches
Teehaus

Am Grünen
Gitter

Palais

S a n s s o u c i

Hans-Otto-
Theater

Zimme
platz

Wildpark

P a r k

Römische
Bäder

Brandenburger

Lennestraße

Feuerbachstraße

C h a r l o t t e n h o f

Meistersingerstr.

H.-Sachs-Straße

Cl.-v.-Str.

V o r s t a d t

Hippodrom

Schloß
Charlottenhof

Bahnhof
Wildpark

Fasanerie

Dichter
hain

Lindenavenue

Am
Wildpark

Geschwister-

Scholl-

Schafgraben

Bahnhof
Potsdam-West

Forststraße

Verderscher Weg

Straße

Schiller-
platz

Zeppelinstraße

Schillerstr.

Am dem Knew.itt

500 m

© Baedeker

Werder, Brandenburg

nd weitere Namensänderungen zu erwarten.

Berlin

N a u e n e r

Belvedere

V o r s t a d t

Langhausstr.

Weinmeisterstraße

Cecilienhof

Grünes Haus

Neuer

Rotes Haus

e d t e r

d

Russ.-orthodoxe Kirche

Nedlitzer Straße

Hesselstr.

Am Neuen Garten

Garten

Marmor-palais

Heiliger

Jungfernsee

Tizian str.

Berliner

V o r s t a d t

Berlin

Glienicker Brücke

Schloß Babelsberg

Russische Kolonie

Pappelallee

Alexan-drowka

Am Schragen

Puschkinallee

Planetarium

See

Seestraße

L.-Richter-Str.

Rubensstr.

J ä g e r -
V o r s t a d t

Voltaireweg

Brentanoweg

Georg-Mendel-Straße

Eisenhartstraße

Friedrich-Ebert-Str.

Am Neuen Garten

Haus der Lehrer

Kulturbund

Berliner Str.

Tiefer See

Jägerallee

H.-Lange-Str.

Behlertstraße

Mangerstraße

O.-Nuschke-Str.

Behörden

Behlertstraße

Nauener Tor

Straße der Jugend

Leibstr.

Weinbergstraße

Maurerstr.

Am Jägertor

Holländisches Viertel

Werner-Alfred-Bad

Obelisk

Hegelallee

Mittelstr.

Gutenbergstraße

Liebknecht-Gedenkstätte

Gutenbergstraße

Franz. Kirche

Schopenhauer

Klem.-Gottwald-Straße

Jägerstr.

Pauls-kirche

Lindenstraße

Berliner Str.

Pl. d. Nationen

Branderburger Tor

Alte Wache

Dortustr.

Posthofstr.

Heinrich-Rau-Allee

tusenstraße

Straße

O.-Nuschke-Str.

Friedrich-Ebert-Str.

Yorckstr.

Wilhelm-Külz-Str.

Potsdam-Museum

Bibl.

Nikolai-kirche

Ehem. Rathaus

Ausstellungs-pavillon

Bruno-Baum-Str.

L.-Pufewka-Str.

ustädter

avelbucht

Klezstr.

Am K.-Liebknecht-Forum

Theater

Alter Markt

Freundschafts-Insel

Alte Fahrt

Neue Fahrt

Stadion

Lange Brücke

Bahnhof Potsdam-Stadt

Babelsberger

Straße

Teltower
Vorstadt

BABELSBERG

Untere Planitz

Obere Planitz

Havel

Leipziger Str.

Friedrich-Engels-Straße

Caputh

Beelitz

Potsdam

Ab 1946 Hauptstadt des Landes Brandenburg, wurde Potsdam im Jahre 1952 Hauptstadt ('Bezirksstadt') des gleichnamigen DDR-Bezirkes und nach Wiedereinführung der Länder auf dem Gebiet der einstigen Deutschen Demokratischen Republik wiederum brandenburgische Landeshauptstadt.

Innere Stadt (Übersichtsplan s. S. 487)

Lange Brücke

Die Lange Brücke, der älteste Havelübergang, führt von der Teltower Vorstadt zur Innenstadt; von dieser Brücke bietet sich ein schöner Blick auf das neu gestaltete Stadtzentrum.

Freundschaftsinsel

Unterhalb der Langen Brücke liegt die Freundschaftsinsel mit dem Schau- und Lehrgarten (1953/1954, nach Karl Foerster) sowie dem Rosen- und Lesegarten.

*Ehemaliges
Rathaus am
Alten Markt

Das Hotel 'Potsdam' westlich der Brücke ist ein moderner Kontrast zu dem ehemaligen Rathaus am Alten Markt, einem Barockbau (1753) mit korinthischen Dreiviertelsäulen, turmartigem Aufsatz mit Stufenkuppel und vergoldetem Atlas, die Weltkugel tragend, der durch einen Zwischenbau mit dem barocken Knobelsdorffhaus (1750) verbunden ist.

*Nikolaikirche

Schräg gegenüber vom ehemaligen Rathaus erhebt sich die Nikolaikirche, ein klassizistischer Zentralbau (1830–1837, von Persius nach Entwürfen von K. F. Schinkel).

Baumeisterobelisk

Vor der Nikolaikirche steht ein Obelisk (1753), auf dem Bildnisse der bedeutendsten Baumeister Potsdams zu sehen sind.

Neues Theater

An der Südostseite des Alten Marktes entsteht derzeit ein neues Theater, das bis zur Tausendjahrfeier Potsdams (1993) fertiggestellt sein soll.

*Marstall

Weiter nördlich liegt an der Friedrich-Ebert-Straße der Barockbau des ehemaligen königlich-preußischen Marstalls (1675, J. A. Nering; 1746, G. W. v. Knobelsdorff).

Filmmuseum

Im Marstallgebäude findet sich das interessante Potsdamer Filmmuseum mit Exponaten zur Filmgeschichte im allgemeinen (u. a. frühe Vorführgeräte) sowie der Ufa und ihrer DDR-Nachfolgerin DEFA (Künstlerretrospektiven; Fotos, Plakate, Requisiten u. a. v.).

Bibliothek

Am Platz der Einheit steht die große wissenschaftliche Allgemeinbibliothek (1971–1974).

Pfarrkirche
St. Peter und Paul

Am Ende der Brandenburger Straße bietet sich ein Durchblick auf die an der Westseite des Bassinplatzes gelegene katholische Pfarrkirche St. Peter und Paul, einen spätklassizistischen Zentralbau (1867/1870) mit einem Glockenturm, geschaffen nach dem Vorbild des Kampanile von San Zeno in Verona.

Französische
Kirche

Südöstlich vom Bassinplatz steht die Französische Kirche (1751/1752), ein zentraler Barockbau von J. Boumann d.Ä. nach Entwürfen von v. Knobelsdorff; die Kirche wurde 1832/1833 nach Schinkel klassizistisch umgestaltet.

*Holländisches
Viertel

In nördlicher Richtung beginnt am Bassinplatz das berühmte Holländische Viertel; es umfaßt 134 Backsteinhäuser, die 1737–1742 von J. Boumann d. Ä. und holländischen Handwerkern in einheitlichem Stil errichtet wurden (Sanierung im Gange).

Potsdam: Nikolaikirche und Baumeisterobelisk ▶

Potsdam

Nauener Tor

Nach Norden fällt der Blick in der Friedrich-Ebert-Straße auf das Nauener Tor (1755), einen neugotischen Bau nach englischem Vorbild.

Brandenburger
Straße

Der Fußgängerbereich Brandenburger Straße ist ein Beispiel denkmalpflegerischer Arbeit der vergangenen Jahre. Die Häuser waren ursprünglich einheitlich als zweigeschossige Traufenhäuser mit ausgebauten Giebelstuben (für Soldateneinquartierung) errichtet (1733–1739).

*Brandenburger
Tor

Am Ende der Brandenburger Straße steht das Brandenburger Tor (Platz der Nationen), ein barockes Stadttor, das im Jahre 1770 von K. v. Gontard (Stadtseite) und G. C. Unger (Feldseite) nach dem Vorbild eines römischen Triumphbogens errichtet wurde. Es sollte der Straße Unter den Linden einen würdigen Abschluß verleihen.

Hans-Otto-Theater

Westlich des Platzes der Nationen steht das bekannte Hans-Otto-Theater.

*Wasserwerk

An der Ecke Leninallee und Wilhelm-Külz-Straße befindet sich das Wasserwerk für die Fontänen des Parkes Sanssouci, ein bemerkenswertes technisches Denkmal in Form einer Moschee im maurischen Stil mit einem als Minarett ausgebildeten Schornstein (1841/1842, L. Persius).

Potsdam-Museum

An der Wilhelm-Külz-Straße das ehemalige Ständehaus der Zauche, heute Potsdam-Museum. Daneben das ehemalige Militärwaisenhaus, 1722 nach dem Vorbild der Franckeschen Stiftungen in Halle gegründet.

Park von Sanssouci (Übersichtsplan s. S. 486)

Potsdamer
Rokoko-Anlage

Der Park von Sanssouci ist das Werk von vier Generationen. 1744–1756 entstanden jene Anlagen, die heute den östlichen Teil des Parkes bilden. Diese Gartenanlage ist mit ihren Bauwerken und Kunstschätzen das berühmteste Beispiel des Potsdamer Rokoko, geprägt vom persönlichen Einfluß seines Bauherrn (Friedrich II.).

Empfehlung

Wegen des starken Besucherandrangs empfiehlt es sich besonders in der Sommersaison, zur Besichtigung von Sanssouci (Parks und Schlösser) möglichst morgens vor 9.00 Uhr aufzubrechen, da die Parkplätze später im Regelfall überfüllt sind und der tägliche Einlaß (gegen Gebühr) zahlenmäßig streng limitiert ist.

Eingang

Man betritt den Park von Sanssouci am östlichen Eingang der Hauptallee (Schopenhauerstraße); vor dem Eingang steht ein Obelisk, den G. W. v. Knobelsdorff im Jahre 1748 geschaffen hat. Das Hauptportal (1747, G. W. v. Knobelsdorff) ist in Anlehnung an das Gartenportal von → Rheinsberg gestaltet.

Neptungrotte

In dem Park gibt es mehrere Rondelle. Vom Eingang her kommt man zu dem ersten Rondell (mit vier Mohrenbüsten; derzeit in Restaurierung), das vor der Neptungrotte (1751–1757, G. W. v. Knobelsdorff) liegt.

Bildergalerie

Am 'Oranienrondell' (1650, von Dusart) befindet sich die Bildergalerie (1755–1763, J. G. Büring); die Gemälde stammen vorwiegend aus dem 17. Jh. (u. a. Rubens, van Dyck, Tintoretto und Caravaggio).

Große Fontäne

Am Fuß des Weinberges befindet sich die Große Fontäne, geschmückt mit Darstellungen der vier Elemente und Figuren der antiken Mythologie.

**Schloß
Sanssouci**

Auf dem Plateau steht das berühmte Schloß Sanssouci (1745–1747; nach Skizzen Friedrichs II. und Entwürfen von Knobelsdorffs), ein eingeschossiger Rokokobau mit elliptischer Kuppel (in der Mitte der Gartenfront); an seinen Enden je ein Rundzimmer. Die Gartenfront zeigt reichen plastischen Schmuck (von F. C. Glume); an der Rückseite des Schlosses umgeben Kolonnaden (korinthische Säulen) den Ehrenhof.

Schloß Sanssouci mit Terrassen

Im Inneren des Schlosses sind besonders bemerkenswert: der Marmorsaal mit ovalem Grundriß und korinthischen Doppelsäulen, die Kleine Galerie mit Dekorationen (Hoppenhaupt), das Konzertzimmer mit Wandgemälden von A. Pesne, das Arbeits- und Schlafzimmer (F. W. v. Erdmannsdorff), die Bibliothek mit antiken Büsten und das Voltairezimmer.

Schloß Sanssouci (Fortsetzung) Inneres

Der letzte Wille Friedrichs des Großen von 1752, auf der Terrasse von Schloß Sanssouci neben seinen Windspielen (Hunden) begraben zu werden, soll nun schließlich an seinem 205. Todestag (17. August 1991)

Rückkehr Friedrichs d. Gr. nach Sanssouci

Schloß Sanssouci   Potsdam

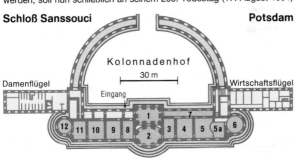

Grundriß

1 Vestibül
2 Marmorsaal
3 Audienzzimmer
4 Konzertzimmer
5 Arbeits- und Wohnzimmer
   (Sterbezimmer Friedrichs d. Gr.)

5a Alkoven
6 Bibliothek
7 Kleine Galerie
8 Erstes Gästezimmer
9 Zweites Gästezimmer
   ('Blauweißes Zimmer')

10 Drittes Gästezimmer
   ('Rotweißes Zimmer')
11 Viertes Gästezimmer
   ('Voltairezimmer')
12 Fünftes Gästezimmer
   ('Rotenburgzimmer')

Orangerie im Park von Sanssouci

Schloß Sanssouci, Rückkehr Friedrichs d. Gr. (Fortsetzung)

erfüllt werden. Friedrich II. war zunächst in der Potsdamer Garnisonkirche neben seinem Vater, dem Soldatenkönig Friedrich Wilhelm I., beigesetzt worden. Im Kriegsjahre 1944 wurden beide Särge wegen der drohenden Bombengefahr von dort fortgeschafft und stehen seit 1952 in der evangelischen Christuskapelle der Burg Hohenzollern oberhalb von Hechingen in Württemberg.

Neue Kammern

Südwestlich des Schlosses stehen die Neuen Kammern; sie wurden 1747 durch G. W. v. Knobelsdorff als Orangerie erbaut, 1771–1774 dann von G. C. Unger als Gästehaus Friedrichs II. umgestaltet; im Inneren vier reich dekorierte Festsäle und sieben Kavalierzimmer (Intarsienkabinette der Gebrüder Spindler).
Vor den Neuen Kammern liegt das 'Fontänenrondell', weiter westlich das 'Musenrondell' (1752, Glume nach Entwürfen von v. Knobelsdorff).

✳Chinesisches Teehaus

Vom 'Entführungsrondell' mit vier Marmorgruppen – geschaffen nach Entführungsszenen der antiken Mythologie – gelangt man zum Rehgarten mit dem Chinesischen Teehaus (1754–1757, J. G. Büring); dort ist chinesisches Porzellan aus dem 18. Jh ausgestellt.

✳Orangerie

Die Orangerie (jetzt z.T. Archiv) ist nach Entwürfen von L. Persius von den Schinkelschülern Stüler und Hesse in Anlehnung an italienische Renaissancepaläste ausgeführt (1851–1862); im Raffaelsaal 47 Kopien nach Gemälden Raffaels.

Sizilianischer Garten

Im Sizilianischen Garten (südöstlich der Orangerie) vorwiegend südliche Gewächse und zahlreiche Plastiken (Gestaltung von P. J. Lenné, 1857). In der Nähe (westlich der Orangerie) das Paradiesgärtchen (1844, Persius).

Drachenhaus

Nördlich der Maulbeerallee das Drachenhaus (1770, Gontard; ehemals Wohnung des Winzers) und das Belvedere (1770–1772, G. C. Unger).

Am westlichen Ende der Hauptallee liegt das spätbarocke Neue Palais (1763–1769, Büring und Gontard), errichtet in Backsteinbauweise – mit Sandsteingliederung und kupferbedeckter Kuppel, der letzte Schloßbau des 18. Jh.s im Park Sanssouci; reiche Innenausstattung, besonders im Marmorsaal (Nachbildung des Marmorsaales im ehemaligen Stadtschloß), im Unteren und im Oberen Fürstenquartier, in der Marmorgalerie und im Schloßtheater.

Park von Sanssouci (Fortsetzung) *Neues Palais

Dem Neuen Palais gegenüber stehen die Communs, zwei barocke Backsteinbauten (1765–1769, Gontard) mit Säulenvorhallen und geschwungenen Freitreppen (jetzt Brandenburgische Landeshochschule). Zwischen den Bauten korinthische Kolonnaden mit Triumphbogen.

Communs

Nahe dem Neuen Palais stehen im Park der Antikentempel und der Freundschaftstempel – mit einer Statue der Markgräfin Wilhelmine von Bayreuth (beide Tempel wurden von Gontard nach Skizzen Friedrichs II. gestaltet).

Im südlichen Teil des Parkes von Sanssouci steht Schloß Charlottenhof (1826–1829, nach K. F. Schinkel). Besonders sehenswert ist das Treppenhaus mit Brunnen, ferner das Arbeits- und Schlafzimmer Alexander von Humboldts (in Form eines Zeltes). In den Räumen befindet sich eine kleine Gemäldesammlung (u. a. C. D. Friedrich).

*Schloß Charlottenhof

Von Schloß Charlottenhof sind es nur wenige Schritte zum Hippodrom (westlich des Schlosses) und zu den Römischen Bädern (1829–1835, nach Schinkel und Persius), die im italienischen Villenstil gehalten sind.

Hippodrom Römische Bäder

Der Rundgang führt weiter zum Marlygarten nahe der Friedenskirche, dem ehemaligen Küchengarten Friedrich Wilhelms I. ("Mein Marly"); in den Jahren 1845/1846 wurde er von P. J. Lenné als Landschaftspark gestaltet.

Marlygarten

Schloß Charlottenhof im Park von Sanssouci

Schloß Cecilienhof im Neuen Garten

Park von Sanssouci (Fortsetzung) *Friedenskirche	Die Friedenskirche, eine spätklassizistische Säulenbasilika (1845–1854, nach Plänen L. Persius' von L. Hesse und F. v. Arnim), erbaut nach dem Vorbild der frühchristlichen Basilika San Clemente in Rom, besitzt mit dem Apsismosaik (1108) aus der Kirche San Cipriano auf der Insel Murano bei Venedig ihren wertvollsten Schmuck (1834 angekauft und eingefügt).
Mausoleum	Im Kuppelsaal des Mausoleums (neben der Friedenskirche) befinden sich die Marmorsarkophage von Kaiser Friedrich III. und Kaiserin Viktoria. Hierher soll 1991 auch der Sarg des Soldatenkönigs Friedrich Wilhelm I. kommen (früher in der Potsdamer Garnisonkirche, seit 1944 auf der Burg Hohenzollern bei Hechingen).
Ausgang	An der Allee zum Grünen Gitter (Ausgang) sieht man die Villa Illaire (1844–1846, nach L. Persius von L. Hesse) im italienischen Villenstil und die Villa Liegnitz (1841, J. G. Schadow).

*Neuer Garten und Nauener Vorstadt

	Die zweite Parkanlage der Stadt, der Neue Garten, liegt am Heiligen See. Es ist ein im sentimentalen Stil gestalteter Landschaftspark, 1787–1791 von J. A. Eyserbeck d. J. nach dem Vorbild des Wörlitzer Parkes angelegt, 1817–1825 durch Lenné verbessert.
Marmorpalais	Das Marmorpalais ist ein klassizistischer Backsteinbau (1787–1791, von Gontard) mit Säulenvorbau an der Seeseite.
*Schloß Cecilienhof	Neben weiteren Bauten im Park (Obelisk, Gotischer Tempel, Pyramiden, Rotes Haus und Grünes Haus, Meierei) befindet sich im Neuen Garten das Schloß Cecilienhof, erbaut im Stil eines englischen Landsitzes (1913–1917 nach Entwurf von P. Schultze-Naumburg).

Das Schloß Cecilienhof war die Tagungsstätte der Potsdamer Konferenz (17. Juli bis 2. August 1945); heute 'Historische Gedenkstätte des Potsdamer Abkommens' mit dem original eingerichteten Konferenzraum und den Arbeitszimmern der damaligen Regierungschefs.

Potsdamer Konferenz (17.7.–2.8.1945)

Westlich des Neuen Gartens erstreckt sich die Nauener Vorstadt. Dort steht auf dem Pfingstberg das Belvedere, das nach Skizzen Friedrich Wilhelms IV. und Persius' von Stüler und Hesse (1849–1852 und 1860 bis 1862) errichtet wurde.

Belvedere

Am Wege zur russischen Kolonie Alexandrowka liegt der jüdische Friedhof von 1743 und der Kapellenberg mit der Alexander-Newski-Kirche (1829; reiche Ausstattung aus dem damaligen Petersburg).

Alexander-Newski-Kirche

Die sich südlich anschließende Siedlung Alexandrowka wurde für die letzten zwölf russischen Sänger eines ehemals aus 62 russischen Soldaten bestehenden Chores errichtet, die während des napoleonischen Rußlandfeldzuges hierher gelangten. Die Wohngebäude im Blockhaustil sind russischen Vorbildern nachempfunden. Die gesamte Anlage wurde von P.J. Lenné in Form eines Andreaskreuzes gestaltet.

*Siedlung Alexandrowka

Babelsberg

Im Potsdamer Stadtteil Babelsberg, hervorgegangen aus der Zusammenlegung der Stadt Nowawes und der Kolonie Neubabelsberg zur Stadt Babelsberg (1938) und danach eingemeindet (1939), ist die frühere Weber- und Spinnerkolonie 'Nowawes' um die Kirche (Weberplatz) noch gut zu erkennen. Die Kirche ist ein einfacher Saalbau 1752/1753, J. Boumann) mit Emporen.

Nowawes und Neubabelsberg

Potsdam-Babelsberg ist weit über die Grenzen Deutschlands hinaus bekannt als Standort der immer noch größten Filmstudios in Europa (Besichtigung auf Anfrage).

Filmstudios

Die 1917 gegründete Universum-Film AG (Ufa) war einst das größte deutsche Filmunternehmen mit eigenen Geräte- und Filmfabrikations-, Herstellungs-, Verleih- und Filmtheatergesellschaften sowie mit eigenen Ateliers (ab 1929 Tonfilmproduktion) in Potsdam-Neubabelsberg und Berlin-Tempelhof.

Ufa

Nach dem Zweiten Weltkrieg entstand 1946 in der Sowjetischen Besatzungszone Deutschlands aus dem Ufa-Löwenanteil die Deutsche Film AG (DEFA), die – ab 1949 dem DDR-Kulturministerium unterstellt und staatlich subventioniert (1952–1990 'Volkseigener Betrieb') – eine beträchtliche Anzahl von teilweise wertvollen Spiel-, Dokumentar- und Trickfilmen produzierte, deren Fortbestand nun jedoch ungewiß ist.

DEFA

Der Babelsberger Park ist die dritte große Parkanlage der Stadt. Im Jahre 1832 von P.J. Lenné begonnen, führte Fürst Pückler-Muskau nach 1843 die Anlage weiter aus.

*Park Babelsberg

Im Schloß Babelsberg (1834/1835, K.F. Schinkel; 1845–1849, J.H. Strack), einem neugotischen Bau nach englischem Vorbild, befindet sich heute das Museum für Ur- und Frühgeschichte; es hat einen reichen Bestand an bronzezeitlichen Funden der Lausitzer Kultur (infolge Restaurierungsarbeiten vorübergehend geschlossen).

Schloß Babelsberg (Museum für Ur- und Frühgeschichte)

Neben weiteren Gebäuden (Kleines Schloß, Marstall, Matrosenhaus) steht im Park noch der Flatowturm, das Wahrzeichen des Parkes Babelsberg, angelegt nach dem Vorbild des Eschenheimer Torturmes in Frankfurt am Main.

Flatowturm

Einsteinturm auf dem Telegrafenberg

Bornstedt

Kirche
Friedhof

In Potsdam-Bornstedt gibt es eine Kirche (1855/1856, Häberlin) mit freistehendem Glockenturm; der Friedhof ist Bestattungsort vieler berühmter Potsdamer Bürger, vor allem Gärtner und Baumeister (u.a. P.J. Lenné).

Schloß Lindstedt

Westlich von Bornstedt steht das spätklassizistische Schloß Lindstedt.

Telegrafenberg

*Einsteinturm

Auf dem Telegrafenberg (94 m ü.d.M.) entstanden nach 1871 mehrere wichtige wissenschaftliche Forschungsanlagen, so das Meteorologische Observatorium (1888–1890), das Geodätische Institut (1889–1892) und der Einsteinturm (1920/1921, E. Mendelssohn), der bedeutendste Bau auf dem Berg in vom Expressionismus beeinflußter Stromlinienarchitektur.

Umgebung von Potsdam

Caputh

In Caputh (5 km südwestlich), dem 'Chicago des Schwielowsees' (nach Fontane), steht ein barockes Schloß (1662, jetzt Schule) mit reichen Stuckdekorationen im Festsaal und einem mit Delfter Kacheln ausgelegten Sommersaal im Kellergeschoß.
Die Caputher Kirche ist in Form einer romanischen Pfeilerbasilika mit separatem Glockenturm errichtet worden (1848–1852, nach Stüler).
In einem Landhaus an der Waldstraße (Nr. 7) lebte der berühmte Physiker Albert Einstein (1879–1955) von 1929 bis zu seiner Emigration in die Vereinigten Staaten von Amerika im Jahre 1932. Das 1935 von den nationalsozialistischen Machthabern konfiszierte Anwesen ist zu Einsteins 100.

Geburtstag im Jahre 1979 restauriert worden und diente fortan als Gästehaus der Akademie der Wissenschaften der einstigen Deutschen Demokratischen Republik; nun soll hier eine Begegnungsstätte eingerichtet
werden.

Potsdam,
Umgebung,
Caputh
(Fortsetzung)

In Ferch (10 km südwestlich von Potsdam), am Südende des Schwielowsees, gibt es eine kleine Fachwerkkirche (1630) mit einem von der Decke
hängenden, eine Taufschale haltenden Engel (1738).

Ferch

In der Umgebung der gärtenreichen Inselstadt Werder (F 1, 12 km westlich
von Potsdam) liegt das größte geschlossene Obstanbaugebiet (bes. Äpfel)
im östlichen Teil Deutschlands. Zum jährlichen Baumblütenfest ist es ein
genauso beliebtes Ausflugsziel wie zur Zeit der Obsternte, wenn Tausende
Helfer, vor allem aus Berlin, nach Werder ziehen.
Zum Stadtbild von Werder gehört neben einer Windmühle der fünfspitzige
Turm der Kirche Zum Heiligen Geist (1856–1858, Stüler); auf dem Kirchhof
sieht man Grabsteine von Winzern und Obstbauern.
Die 'Friedrichshöhe', das wohl traditionsreichste Lokal von Werder, erreicht man von der Bahnhofstraße auf einem ausgetretenen Treppenweg
mit fast 200 Stufen; von oben bietet sich ein schöner Blick auf das Städtchen und die Havellandschaft.

Werder

In dem ehemaligen Angerdorf Großbeeren (18 km östlich von Potsdam)
steht das einem Leuchtturm ähnelnde Turmdenkmal, welches an die
Schlacht bei Großbeeren vom 23. August 1813 erinnert, in der die Preußen
unter General Friedrich Wilhelm Bülow von Dennewitz die gegen Berlin
vorrückende französische Armee Napoleons I. (unter Marschall N. Ch.
Oudinot) zurückschlugen (Aussichtsplattform; kleines Museum).

Großbeeren

⟶ Reiseziele von A bis Z: Berlin

Hauptstadt Berlin

⟶ Reiseziele von A bis Z: Brandenburg (Stadt)

Brandenburg

⟶ Reiseziele von A bis Z: Havelland

Havelland

⟶ Reiseziele von A bis Z: Fläming

Fläming

Prenzlau   B 6

Bundesland: Brandenburg
Bezirk (1952–1990): Neubrandenburg
Höhe: 20 m ü. d. M.
Einwohnerzahl: 23 500

Die brandenburgische Kreisstadt Prenzlau liegt – rund 100 km (Luftlinie)
nordnordöstlich von ⟶ Berlin – am Nordende vom Unteruckersee. Die Altstadt erhebt sich auf einer Terrasse unmittelbar neben der ebenen, reichlich einen Kilometer breiten Uckerniederung. Die Innenstadt dieses ehemaligen Hauptortes der ⟶ Uckermark weist noch sehenswerte Reste der
mittelalterlichen Wehranlage und bemerkenswerte sakrale Bauten auf.
Prenzlau ist heute eine Agrar- und Industriestadt, u. a. mit Betrieben der
Maschinenbau-, elektronischen und Nahrungsmittelindustrie.

Lage und
Bedeutung

Der Ort erhielt 1234 das Stadtrecht. Angesichts ständigen Streits zwischen Brandenburg und Pommern gelang es dem Rat, sich wichtige Privilegien zu sichern. Trotz starker Stadtbefestigung litt Prenzlau im Dreißigjährigen Krieg schwer. Für die wirtschaftliche Entwicklung wirkte sich die
Ansiedlung von Hugenotten (1685) zum Vorteil aus. In der preußischen
Ackerbürger-, Beamten- und Garnisonstadt vollzog sich keine wesentliche
Industrialisierung. Die durch den Zweiten Weltkrieg zu 85 % zerstörte Stadt

Geschichte

Geschichte
(Fortsetzung)

hat sich nach dem mühsamen Wiederaufbau zu einem regionalen Industriestandort entwickelt.

Sehenswertes

✳Stadtbefestigung

Erhalten sind Reste der Stadtbefestigung (13./14. Jh.) mit drei Stadttortürmen (Blindower Torturm, Mitteltorturm und Steintorturm, heute Volkssternwarte), dem Hexenturm und dem Pulverturm sowie mehreren Wiekhäusern.

✳Marienkirche

Zu den bedeutendsten Leistungen mittelalterlicher Backsteingotik zählt die Marienkirche (13./14. Jh.) mit ihrem prächtigen Ostgiebel. Die Kirche, die in den letzten Tagen des Zweiten Weltkrieges völlig ausbrannte, wird seit 1970 wiederaufgebaut; derzeit wird das Innere erneuert (geplant ist die Nutzung als Museum).
An der Südwestecke der Kirche ein Standbild Martin Luthers (1903) in Bronze, angefertigt nach dem Wormser Original von E. Rietschel.

Kultur-
historisches
Museum im
ehemaligen
Dominikaner-
kloster

Ebenfalls im 13./14. Jh. errichtet ist das ehemalige Dominikanerkloster und in seiner ursprünglichen Bausubstanz noch gut erhalten (im Refektorium Wandmalereien von 1516). Der Bau beherbergt heute das Kulturhistorische Museum, in dem u.a. wertvolle Stücke aus dem Bestand des früheren Uckermärkischen Museums, die gegen Ende des Zweiten Weltkrieges ausgelagert worden waren und erst 1987 wieder nach Prenzlau zurückgekehrt sind.

Nikolaikirche

Die ehemalige Klosterkirche 'Zum Heiligen Kreuz' (Mitte des 13. Jh.s erbaut; Ruine), ein ursprünglich frühgotischer Backsteinbau, trägt seit der Säkularisierung des Kosters den Namen Nikolaikirche.

Dreifaltigkeits-
kirche

Die einstige Franziskanerklosterkirche (1235–1270), seit 1865 Dreifaltigkeitskirche genannt, ist ein einschiffiger, kreuzrippengewölbter Feld- und Backsteinbau.

Sabinenkirche

Die im Kern frühgotische Sabinenkirche wurde 1816/1817 umgebaut und besitzt einen bemerkenswerten Kanzelaltar von 1597.

Jakobikirche

Sehenswert ist ferner der flachgedeckte Feldsteinbau der Jakobikirche aus der zweiten Hälfte des 13. Jahrhunderts.

Stadtpark

Im Stadtpark gibt es einen Seelöwenspringbrunnen, einen Rosengarten der Jungvermählten und einen Staudengarten mit Freilichtbühne; an diesen schließt sich eine Promenade am Unterueckersee an.

Umgebung von Prenzlau

Seehausen

Die Dorfkirche in Seehausen (etwa 10 km südlich) ist ein rechteckiger Fachwerkbau (18. Jh.) mit bemerkenswerter Innenausstattung.

Potzlow

Im westlichen Nachbarort Potzlow steht auf dem Markt ein hölzerner Roland aus dem 18. Jh.; die stadtähnliche Gemeinde war im Mittelalter mit besonderen Rechten ausgestattet.

Fürstenwerder

In Fürstenwerder (im Landschaftsschutzgebiet Großer See, 25 km nordwestlich von Prenzlau), im 13. Jh. als Grenzstadt gegen Mecklenburg gegründet und stark befestigt, sind noch Reste der Stadtmauer mit Wiekhäusern sowie dem Woldegker Tor und dem Berliner Tor erhalten.

Pasewalk

→ Reiseziele von A bis Z: Pasewalk

Marienkirche in Prenzlau

Markt in Quedlinburg

Quedlinburg

D 4

Bundesland: Sachsen-Anhalt
Bezirk (1952–1990): Halle
Höhe: 123 m ü. d. M.
Einwohnerzahl: 29 000

Quedlinburg, bekannt durch sehenswerte Fachwerkbauten, liegt im nörd- | Lage und
lichen Harzvorland (⟶ Harz), an der Bode (⟶ Bodetal). Die Vielfalt von | Bedeutung
erhaltenen Baudenkmälern und die landschaftlich reizvolle Lage machen
die Stadt zu einem anziehenden Ziel für Touristen.
In Quedlinburg wurden 1715 die erste deutsche Ärztin, Dorothea Erxleben,
1759 der Pädagoge und Wegbereiter des Turnunterrichts, Johann Christoph Guts Muths und 1779 der Geograph Carl Ritter geboren (neben
Alexander v. Humboldt Begründer der wissenschaftlichen Geographie).

Auf dem Burgberg hatte im 10. Jh. eine Königspfalz (erste Erwähnung 922) | Geschichte
ihren Standort. Gegen Ende des 10. Jh.s entwickelte sich nördlich davon
eine Kaufmannssiedlung, die mit älteren bäuerlichen Niederlassungen zur
Altstadt zusammenwuchs. Sie unterstand dem 936 auf dem Burgberg
gegründeten reichsunmittelbaren Frauenstift. Im Jahre 994 erhielt die
Äbtissin für die Marktsiedlung das Markt-, Münz- und Zollrecht. 1426 trat
Quedlinburg der Hanse bei. Doch wurde die Stadt 1477 durch das Eingreifen kursächsischer Truppen gezwungen, die Landesherrschaft der Äbtissin anzuerkennen und auf alle Bündnisse zu verzichten.

Die in den folgenden Jahrhunderten vorwiegend landwirtschaftlich orien-
tierte Kleinstadt erlangte im 19./20. Jh. Bedeutung durch die Blumen- und
Samenzucht. Erst in den Jahren nach 1945 siedelten sich einige größere
Industriebetriebe in Quedlinburg an.

✻Schloßberg

Schloß

Über der Stadt erhebt sich als Wahrzeichen Quedlinburgs der Schloßberg mit dem Renaissanceschloß (16./17. Jh.). Im Inneren des Schlosses befinden sich im 18. Jh. reich ausgestattete Repräsentationsräume und der einstige Amtssitz der Äbtissin der Quedlinburger Reichsabtei (966–1802).

Schloßmuseum

Die Stiftsgebäude berherbergen heute das Schloßmuseum.

Stiftskirche

Die romanische Stiftskirche St. Servatius (12. Jh.) ist eine dreischiffige Basilika; in der Krypta das Grab Heinrichs I. und seiner Gemahlin Mathilde.

✻Domschatz

In der einstigen Sakristei ist der berühmte Domschatz ausgestellt.

Finkenherd

Nördlich unterhalb des Schloßberges liegt der Finkenherd, der Platz, auf dem der Legende nach der Sachsenherzog Heinrich 916 die deutsche Königskrone empfangen haben soll.

✻Klopstockhaus

Unmittelbar neben dem Finkenherd steht ein prächtiges Patrizierhaus aus dem 16. Jh., das Klopstockhaus, in dem 1724 Friedrich Gottlieb Klopstock (1724–1803), der 'älteste und der erste Klassiker' (F. Mehring), der Dichter des "Messias", geboren wurde (heute Literaturmuseum).

Feininger-Galerie

Hinter dem Gebäude (Eingang vom Finkenherd) liegt die Lyonel-Feininger-Galerie, die ein umfangreiches Werk an Aquarellen und Grafiken des Expressionisten und Bauhauskünstlers (1871–1956) zeigt.

✻Klosterkirche St. Wiperti

Südwestlich des Schloßberges steht an der Stelle des einstigen Königshofes und späteren Prämostratenserklosters die Klosterkirche St. Wiperti (wahrscheinlich 10.Jh.), eine dreischiffige romanische Pfeilerbasilika, mit Flachdecken, Chor mit geradem Schluß und romanischem Säulenportal.

Rathaus mit Renaissanceportal

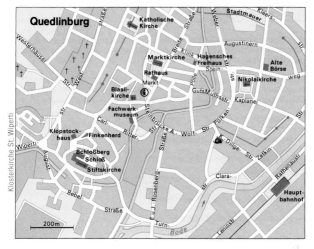

Achtung!
Im Zuge der politischen Neuorientierung sind weitere Umbenennungen zu erwarten.

Unter dem Chor die im Kern karolingische Wiperti-Krypta (9. Jh.; nach 961 umgebaut), dreischiffig mit Tonnengewölbe und Stützenwechseln; bei der Wiederinstandsetzung (1956/1957) wurde an der Südseite das romanische Säulenportal des ehemaligen Marienklosters auf dem Münzenberg eingebaut.

Der Münzenberg gehört zu den geschichtsträchtigen Stätten der Stadt, nach der Zerstörung des Marienklosters 1525 war er Wohnsitz der Münzenberger Stadtmusikanten (Denkmal auf dem Marktplatz).

Klosterkirche St. Wiperti (Fortsetzung)

Innere Stadt

Einen reizvollen Anblick bietet das Rathaus, ein zweigeschossiger Renaissancebau mit einem wappengeschmücktem Portal (1616–1619) und einem Roland (vermutlich von 1426); in dem sehenswerten Inneren (Führungen) befindet sich u. a. ein schöner Ratssaal (Gemälde).

*Rathaus

In der Altstadt befinden sich auch die Pfarrkirche St. Blasii (1713–1715), eine barocke Saalkirche über achteckigem Grundriß mit Emporen und Stuckdecke, und die Marktkirche St. Benedikti, eine dreischiffige spätgotische Hallenkirche (15. Jh.; Chor 14. Jh.; Grabdenkmäler) mit Tonnengewölben und Balkendecken.

Kirchen St. Blasii und St. Benedikti

In der Neustadt steht die Pfarrkirche St. Nikolai, eine dreischiffige gotische Hallenkirche (14. Jh.) mit Kreuzrippengewölben; im Inneren sind ein reicher Altaraufsatz und ein frühgotischer Taufstein beachtenswert.

Pfarrkirche St. Nikolai

Erhalten sind in Quedlinburg mit reicher Ornamentik versehene Fachwerkhäuser aus sechs Jahrhunderten. Das älteste Beispiel ist der Ständerbau (14. Jh.) an der Wordgasse (Nr. 3), heute Fachwerkmuseum.

*Fachwerkmuseum

Aus der Blütezeit des niederländischen Stils um 1560 stammen die Häuserensembles Stieg Nr. 28 (Alter Klopstock) und Marktstraße Nr. 2. Von den wenigen alten Profanbauten aus Stein sind das Hagensche Freihaus (Klink Nr. 11), ein dreigeschossiger Renaissancebau (1564), und das Grünhagenhaus (1701) am Markt sehenswert; in der Neustadt (Steinweg Nr. 22) die Alte Börse (1683).

Historische Häuser

Umgebung von Quedlinburg

Hammwarte	Von den ehemaligen elf steinernen Quedlinburger Feldwarten war die Hammwarte (nördlich der Stadt) die Hauptwarte; in dem nordwestlich gelegenen Wald mit pontischer Vegetation die alte Steinholzwarte.
Seweckenberg	In den Schluchten des Seweckenberges (5 km südöstlich von Quedlinburg) die Fundstätte des berühmten 'Quedlinburger Einhorns' (Funde im Quedlinburger Schloßmuseum); auf dem Berg die Seweckenwarte.
Gernrode	→ Reiseziele von A bis Z: Gernrode (Harz)
Ballenstedt	→ Reiseziele von A bis Z: Ballenstedt
Thale	→ Reiseziele von A bis Z: Thale (Harz)
Blankenburg	→ Reiseziele von A bis Z: Blankenburg (Harz)
Wernigerode	→ Reiseziele von A bis Z: Wernigerode
Auf den **Brocken**	→ Reiseziele von A bis Z: Harz
Halberstadt	→ Reiseziele von A bis Z: Halberstadt

Querfurt   D 4

Bundesland: Sachsen-Anhalt
Bezirk (1952–1990): Halle
Höhe: 172 m ü.d.M.
Einwohnerzahl: 9500

Lage des Ortes und der Burg	Querfurt liegt rund 25 km südwestlich von → Halle (Saale). Im fruchtbaren Landwirtschaftsgebiet der Querfurter Platte erhebt sich Burg Querfurt, eine der größten und ältesten Burgen des östlichen Teil Deutschlands. Die Anlage ist fast siebenmal so groß wie jene der Wartburg (→ Eisenach). Beeindruckend ist das Gesamtbild des mittelalterlichen Bauwerkes mit seinen mächtigen Mauern und Türmen.
Geschichte	Burg und Ort Querfurt wurden erstmalig in den 866–899 entstandenen Zehntlisten der Reichsabtei Hersfeld (Hersfelder Zehntverzeichnis) erwähnt. Die Stadt besaß bereits 1198 Mauerrechte und eine städtische Verfassung. Um 1350 wurde unter Einbeziehung der Vororte ein zweiter Mauerring um die Stadt gelegt. Besonders hart war Querfurt im Dreißigjährigen Krieg von den Auseinandersetzungen um die Burg betroffen. Das fast einheitlich barocke Stadtbild ist auf den Neubau nach den großen Bränden des 17. Jh.s zurückzuführen.

Die Burg war seit dem 10. Jh. Stammsitz eines einflußreichen sächsischen Adelsgeschlechtes, der Edlen von Querfurt. Nach dem Aussterben der Edelherren 1496 kam die Burg an das Erzbistum Magdeburg (bis 1628). Im Dreißigjährigen Krieg war sie über sieben Jahre in schwedischem Besitz. 1635 ging Querfurt an Kursachsen über. 1815 wurde die Burg an Preußen abgetreten und Verwaltungssitz bzw. Sitz einer Domäne. Nach 1945 wurde die Burg schrittweise der Öffentlichkeit zugänglich gemacht.

✳Burg Querfurt

Anlage	Die Burg wird von zwei Ringmauern umgeben (innere Ringmauer um 1200, äußere um 1350). Vor der Außenmauer liegen die in den Felsen gehauenen

Burg Querfurt

Burggräben, in die drei mächtige Bastionen (1461–1479) hineingreifen, von denen aus Geschütze die Burg gegen Angreifer schützen sollten (bei Führungen durch die Burganlage wird ein unterirdischer Gang von der Burg zur Südbastion gezeigt).

Burg Querfurt, Anlage (Fortsetzung)

Unter dem Dicken Heinrich, einem der drei Türme, wurden Reste eines Wohngebäudes (Burgus) aus der Karolingerzeit entdeckt. Es handelt sich dabei um den ältesten weltlichen Steinbau im Saale-Elbe-Gebiet.

Dicker Heinrich

Der Zugang zu der Burg war früher nur durch die Torhäuser möglich. Ursprünglich waren den alten Toranlagen im Westen (Westtoranlage mit Mauerstärke bis zu 10 m) und im Nordosten (Zugang von der Stadt) Zugbrücken vorgelagert.

Toranlagen

Im Zentrum des Burghofes liegt die Burgkirche (12. Jh.) mit kreuzförmigem Grundriß und drei Absiden. Im 14. Jh. wurde die Grabkapelle mit der von der Parler-Kunst beeinflußten Grabtumba Gebhards XIV. von Querfurt, der 1383 starb, angebaut.

Burgkirche

Von den drei romanischen Türmen, die den Burghof flankieren, ist einer, der Pariser Turm, heute als Aussichtsturm begehbar.

Pariser Turm (Aussicht)

In einem der beiden ehemaligen Palasgebäude, dem Korn- und Rüsthaus, befindet sich das Burg- und Kreismuseum; dort werden ständige Ausstellungen zur Geschichte von Burg und Stadt Querfurt sowie wechselnde Sonderausstellungen gezeigt.

Burg- und Kreismuseum

Sehenswertes in der Altstadt

In der Altstadt steht am Markt das Rathaus, ein Renaissancebau mit Barockturm (1699). Ferner gibt es in Querfurt bemerkenswerte Bürger-

Rathaus

Rathen

Querfurt, Rathaus (Fortsetzung)	häuser, teilweise mit schönen Portalen, an der Otto-Dietrich-Straße und am Freimarkt.
Stadtmauerreste	Teile der ehemaligen Stadtbefestigung (innere und äußere Mauer), die Anschluß an die Burg hatten, sind noch erhalten.
Lampertikirche	Die ursprünglich spätgotische Pfarrkirche St. Lamperti wurde mehrfach umgestaltet (zuletzt im 17. Jahrhundert); reicher Altaraufbau und Kanzel (G. Müller).

Umgebung von Querfurt

Hermannseck	Im Ziegelrodaer Forst (7 km südwestlich) liegt das Naherholungsgebiet Hermannseck mit einem Waldtierpark und der Gaststätte 'Jagdhütte'.
Tal der **Unstrut**	→ Reiseziele von A bis Z: Unstrutttal
Vitzenburg	Zum Schloß Vitzenburg an der Unstrut (10 km südlich von Querfurt) gehören Bauten aus Barock und Neurenaissance (1840–1890) sowie ein Schloßpark.
Nebra	Die in einer Unstrutschlinge gelegene Stadt Nebra (14 km südlich von Querfurt) ist der Geburtsort der einst vielgelesenen Unterhaltungsschriftstellerin Hedwig Courths-Mahler (1867–1950; seit 1989 Gedenktafel am Geburtshaus).
Memleben	→ Reiseziele von A bis Z: Eckartsberga, Umgebung
Burgscheidungen	Das Barockschloß von Burgscheidungen an der Unstrut (26 km südlich von Querfurt) steht an der Stelle einer früheren Höhenburg; der Schloßpark ist als italienischer Terrassengarten angelegt.
	In der Nähe von Burgscheidungen soll 531 jene Schlacht stattgefunden haben, die zum Untergang des Thüringerreiches führte.
Allstedt	→ Reiseziele von A bis Z: Frankenhausen, Bad (Umgebung)
Eisleben	→ Reiseziele von A bis Z: Eisleben, Lutherstadt
Bad Lauchstädt	→ Reiseziele von A bis Z: Lauchstädt, Bad
Halle (Saale)	→ Reiseziele von A bis Z: Halle an der Saale

Rathen   E 7

	Bundesland: Freistaat Sachsen Bezirk (1952–1990): Dresden Höhe: 116 m ü. d. M. Einwohnerzahl: 600
Lage und Bedeutung	Der bekannte Kurort Rathen am Amselgrund unterhalb der vielbesuchten Bastei liegt im Tal der oberen → Elbe und ist Ausgangspunkt für interessante Wanderungen in die → Sächsische Schweiz.
Anreise	Rathen ist sowohl mit der Eisenbahn als auch mit dem Kraftfahrzeug zu erreichen. Auto- bzw. Motorradfahrer sollten beachten, daß die Einfahrt nur linksseitig der Elbe gestattet ist (Parkplatz); die Ausfahrt erfolgt über die F 172.

Kurort Rathen an der Elbe

Elbaufwärts ist eine Fahrt mit der Weißen Flotte von → Dresden, vorbei am Schloß Pillnitz, an Heidenau mit seiner Industriesilhouette, → Pirna, dem Erholungsort Stadt Wehlen nach Rathen besonders lohnend.

Weiße Flotte (Elbe)

Im Jahre 1261 als Burg 'Ratin' genannt, entwickelte sich hier bald ein Dorf der Schiffer und Fischer. Im 18./19. Jh. wurde in der Gegend Sandstein gebrochen.

Geschichte

Mit der Eröffnung der Dampfschiffahrt auf der Elbe (1836) und der Eisenbahnlinie Dresden–Schmilka (1850) wurde Rathen bereits zu einem bedeutenden Ausflugs- und Erholungsort.

Sehenswertes im Kurort Rathen

Im Kurort Rathen stehen noch zwei interessante Häuser aus dem 16. Jahrhundert, darunter die alte Mühle, an deren Hauswand die Jahreszahl 1567 zu lesen ist.

Historische Häuser

**Bastei

In unmittelbarer Nachbarschaft von Rathen liegen einige der schönsten Reiseziele des Elbsandsteingebirges: Ein Pfad führt auf die 200 m über der Elbe aufragende Bastei, einen Aussichtspunkt mit herrlichem Blick auf den Fluß und große Teile der → Sächsischen Schweiz. Auf dem Weg zum Aussichtspunkt überschreitet man die Basteibrücke; in der Nähe befindet sich die durch Brücken und Stege begehbare Felsenburg Neurathen.

Orientierungskarte s. S. 507

Von der Bastei durchsteigt man auf mehr als 750 Stufen die Schwedenlöcher hinab in den 160 m tiefer gelegenen Amselgrund.

*Schwedenlöcher

Basteifelsen

Kletterer 'im Berg'

Kurort Rathen: Felsenbühne

Im reizvollen Amselgrund kommt man zum Amselfall und zum Amselsee (Ruderbootverleih).

Amselfall
Amselsee

In der Nähe befindet sich auch die bekannte Felsenbühne Rathen, die 1935 erbaut wurde und eine der größten Naturbühnen im östlichen Teil Deutschlands darstellt.

*Felsenbühne

Umgebung von Rathen

In der Bergstadt Hohnstein (etwa 8 km nördlich) an der Grenze zwischen Elbsandsteingebirge und Lausitzer Bergland steht eine berühmte Burg, die wahrscheinlich im 12. Jahrhundert begonnen wurde, 1353 als Lehen in den Besitz der Berken von der Duba kam, 1443 von den Wettinern erworben wurde, später als sächsisches Landesgefängnis gefürchtet war, ab 1859 als Korrektionsanstalt diente und 1924 zur größten deutschen Jugendherberge ausgebaut wurde.

Hohnstein

Die Nationalsozialisten richteten hier 1933/1934 ein Konzentrationslager für Antifaschisten ein und benutzten die Burg ab 1939 als Kriegsgefangenlager; nach 1945 wurden Flüchtlinge einquartiert. Seit 1949 dient die Burg Hohnstein wieder als Jugendherberge (Gedenkstätte für die Opfer des NS-Konzentrationslagers, 1961).

Die Hohnsteiner Stadtkirche wurde nach dem Plan von George Bähr (1725/1726) wiederaufgebaut. Von den Fachwerkhäusern sind bemerkenswert das Rathaus (1688) und die Apotheke (1721).

→ Reiseziele von A bis Z: Schandau, Bad

Bad Schandau

→ Reiseziele von A bis Z: Königstein

**Festung
Königstein**

→ Reiseziele von A bis Z: Pirna

Pirna

→ Reiseziele von A bis Z: Dresden

Landeshauptstadt Dresden

Rennsteig D/E 3/4

Bundesländer: Thüringen und Freistaat Bayern
Bezirke (1952–1990): Suhl und Erfurt

**✳✳Bergwander-
weg**

Der Rennsteig (auch Rennstieg oder Rennweg; 1330 erstmals als 'Rynne-
stig' = 'schmaler Weg' erwähnt) ist ein 168 km langer, in seiner Eigenart
einmaliger Bergwanderweg in 800 bis 900 m Höhe ü. d. M. auf dem Kamm
des thüringischen Mittelgebirgszuges. Der ursprünglich auch als Kurier-
weg benutzte Rennsteig, der alte Grenzweg zwischen Thüringen und Franken, beginnt im Westen – unweit von ⟶ Eisenach, unmittelbar an der
hessisch-thüringischen Grenze – bei Hörschel an der Einmündung der
Hörsel in die Werra und führt über die höchsten Erhebungen im ⟶ Thüringer Wald (Großer Inselsberg, 916 m ü. d. M.; Großer Beerberg, 982 m
ü. d. M.) und im Thüringischen Schiefergebirg (Kieferle, 868 m ü. d. M.) über
den nördlichen Teil des Frankenwaldes bis nach Blankenstein westlich der
oberen Saale (⟶ Saaletal). Zwischen Fehrenbach und Friedrichshöhe
(nordöstlich von Eisfeld) entspringt die Werra.
Nach Öffnung der innerdeutschen Grenzen ist der Rennsteig, der auf
einem Abschnitt von 14 km durch bayerisches Gebiet verläuft und deshalb
an den beiden Grenzstellen unterbrochen war, wieder in seiner gesamten
Länge begehbar.

Markierung

Markiert wird der aussichtsreiche Rennsteig durch ein weißes 'R' an Bäumen oder Steinen sowie eine große Zahl von Grenzsteinen, die vor allem
dort, wo einst mehrere Territorien aneinanderstießen, mit eingehauenen
Wappen geschmückt sind.

Dialektgrenze

Der Rennsteig bildet nicht nur die Wasserscheide zwischen den Einzugs-
gebieten der Saale und der Werra, sondern auch eine heute noch spürbare
Dialektgrenze.

Rennsteiggarten bei Oberhof im Thüringer Wald (vgl. S. 466)

Rheinsberg   B 5

Bundesland: Brandenburg
Bezirk (1952–1990): Potsdam
Höhe: 56 m ü. d. M.
Einwohnerzahl: 5500

Die märkische Kleinstadt Rheinsberg liegt – rund 80 km nördlich von
→ Berlin – in der wald- und seenreichen Landschaft des Rheinsberg-
Zechliner Erholungsgebietes. Ein Anziehungspunkt ist das eindrucksvolle
Schloß.
Rheinsberg ist Standort eines Kernkraftwerkes, des ersten in der einstigen
Deutschen Demokratischen Republik; es steht zwischen Nehmitzsee und
Stechlinsee, ging 1966 in Betrieb und ist inzwischen stillgelegt worden.
Alljährlich zu Pfingsten werden die 'Rheinsberger Musiktage' veranstaltet.

Lage und Bedeutung

Im Schutze einer Wasserburg im Grienericksee entstand im 13. Jh. eine
Siedlung; 1335 erstmals urkundlich, 1368 als Stadt erwähnt. Gegen Ende
des 14. Jh.s wurde die Stadt mit einer hohen Mauer umgeben. Mehrfach
verwüstet, im Dreißigjährigen Krieg geplündert, erfolgte nach einem verheerenden Brand 1740 der planmäßige Wiederaufbau nach von Knobelsdorffs Plan. Zu europäischer Berühmtheit kam Rheinsberg, als es ab 1736
(bis 1740) Wohnsitz des Kronprinzen Friedrich (Friedrich II.) wurde.
Aus einer Manufaktur des 18. Jh.s entwickelte sich die Steingutfabrik, die
heute das bekannte braune Teegeschirr herstellt.

Geschichte

✳Schloß Rheinsberg

Besonderer Anziehungspunkt ist das an der Stelle der alten Wasserburg
von J. G. Kemmeter und G. W. v. Knobelsdorff erbaute Schloß (1734 bis
1740). Schloßbau, Innenausstattung und Parkgestaltung sind das Werk
namhafter Künstler.
Die zweigeschossige barocke Dreiflügelanlage (Eckbauten der Stadtseite
1786 von K. G. Langhans), viele Jahre als Sanatorium genutzt, wird zu
einem Schloßmuseum und zu einer Kurt-Tucholsky-Gedenkstätte umgestaltet (Kurt Tucholsky, 1890–1935, veröffentlichte 1912 seinen Roman
"Rheinsberg · ein Bilderbuch für Verliebte"); ein erster Ausstellungsbereich
ist zugänglich. Im Spiegelsaal des Schlosses finden gelegentlich Konzerte
statt.
Darüber hinaus ist geplant, eine Musikakademie und eine Bibliothek mit
Künstlerhaus einzurichten.

Anlage

Der Schloßpark, in den Jahren 1738–1741 von G. W. v. Knobelsdorff als
barocke Anlage hinter dem Schloß geschaffen, beeindruckt den Besucher
durch die ausgewogene Harmonie zwischen Parkgestaltung, Architektur

✳Schloßpark

Plan des Schloßparks und ...   *... Ansicht des Schlosses Rheinsberg*

**Rheinsberg,
Schloßpark
(Fortsetzung)**

und umgebender Natur. Gegen Ende des 18. Jh.s wurde er in einen englischen Landschaftspark umgewandelt und erweitert; Grotten, Tempel und Ruinen kamen hinzu. Der Park geht allmählich in den natürlichen Buchenwald über. Seit dem Jahre 1976 werden der Landschaftspark und die Bauten planmäßig restauriert.

Obelisk

Gegenüber dem Schloß steht auf der Anhöhe ein Obelisk, ein Denkmal für die preußischen Generäle im Siebenjährigen Krieg. Von der Anhöhe bietet sich ein herrlicher Blick über den Grienericksee auf das Schloß.

Stadt Rheinsberg

**Regelmäßige
Stadtanlage**

Die Anlage der Stadt erfolgte 1740 nach einem verheerenden Brand nach Angaben von G. W. von Knobelsdorff mit regelmäßigem Straßengitternetz. Aus dieser Zeit sind noch ganze Straßenzüge mit Ein- oder Doppelstubenhäusern der friderizianischen Bauordnung erhalten.

Pfarrkirche

In der Pfarrkirche (14. Jh., frühgotischer Feldsteinbau, nach Brand erneuert) sind ein Altaraufsatz, die Kanzel, der Taufstein der Renaissance und Epitaphe derer von Bredow, Schloßherren im 16.Jh., sehenswert.

Postmeilensäule

Auf dem Karl-Liebknecht-Platz (Theodor Fontane nannte ihn den 'Triangelplatz') eine Postmeilensäule mit modernen Mosaiken.

Stadtmauerreste

Reste der Stadtmauer sind noch am Ende der Mühlenstraße erhalten.

Umgebung von Rheinsberg

Zechlinerhütte

In dem Ort Zechlinerhütte (7 km nördlich) gibt es seit 1969 eine Wegener-Gedenkstätte für die hervorragenden Geowissenschaftler Alfred und Kurt Wegener (in ihrem damaligen Elternhaus).
In der 1736 bis 1890 arbeitenden 'Weißen Hütte' wurden prächtige Pokale und Farbgläser hergestellt (heute im Berliner Märkischen Museum).

Flecken Zechlin

In Flecken Zechlin (13 km nordwestlich) sind Mauerreste des ehemaligen Klosterwirtschaftsgebäudes (über 700 Jahre alt) erhalten; ferner eine Dorfkirche von 1775.

Zechlin Dorf

Eine spätgotische Dorfkirche (1549) mit hölzernem Altaraufsatz von 1722 ist in Zechlin Dorf (10 km nordwestlich) beachtenswert.

Fürstenberg

→ Reiseziele von A bis Z: Fürstenberg (Havel)

Neuruppin

→ Reiseziel von A bis Z: Neuruppin

Rhön   E 2/3

Bundesländer: Thüringen (Vorderrhön), Hessen (Hohe Rhön) und Freistaat Bayern (Ausläufer)
Bezirk (1952–1990): Suhl (Vorderrhön)

Hinweis

Die nachstehenden Ausführungen beziehen sich im wesentlichen auf den thüringischen Teil der Rhön; die hessischen und bayerischen Anteile werden in dem parallel zu diesem Buch in der Reihe 'Baedekers Allianz-Reiseführer' erscheinenden Titel "Deutschland · West" beschrieben.

Mittelgebirge

Die Rhön ist ein vulkanisches Mittelgebirge mit basaltischen Kuppen und Decken im Buntsandstein- und Muschelkalkgebiet zwischen Werra, Fulda und Fränkischer Saale, also im thüringisch-hessisch-bayerischen Grenzraum. Der höchste Teil der Rhön, die Hohe Rhön mit der Wapperkuppe (950 m ü.d.M.; beliebtes Segelfluggebiet), liegt in Bundesland Hessen.

Rhön, Mittelgebirge (Fortsetzung)

Die 600 bis 800 m hohen Basaltberge der nördlichen oder Kuppenrhön (Vorderrhön) bestimmen mit ihrer kegel- oder buckelförmigen Gestalt das Landschaftsbild im äußersten Südwesten Thüringens zwischen der Werra im Osten und Hessen im Westen.

Kuppenrhön

Die zahlreichen Einzelberge und Bergmassive verdanken ihre Entstehung tertiären vulkanischen Durchbrüchen und Deckenergüssen, welche die darunterliegenden erdgeschichtlich älteren, jedoch weniger widerstandsfähigen Schichten des Keupers, Muschelkalks und Buntsandsteins vor der Abtragung bewahrten. Je nach den örtlichen Gegebenheiten sind dadurch teils mehr kegel-, teils stärker plateauförmige Bergformen entstanden.

Vulkanismus

Zu den bekanntesten und eindrucksvollsten Bergmassiven der Vorderrhön gehört die unter Landschaftsschutz stehende Hohe Geba westlich von Meiningen mit dem Gebaberg (751 m ü.d.M.). Eine Reihe weiterer Basaltberge zwischen Vacha und Kaltennordheim erreichen Höhen zwischen 650 und 700 m über dem Meeresspiegel.

Hohe Geba

Der Landschaftseindruck wird vielerorts durch ausgedehnte Wiesen bestimmt, aus denen einzelne Basaltblöcke herausragen. Gegenwärtig überwiegt in der Rhön die Grünlandwirtschaft. Das rauhe, niederschlagsreiche Klima hat zur Entstehung ausgedehnter Hochmoore geführt.

Hochmoore

Am 12. September 1990 hat die letzte amtierende Regierung der damaligen Deutschen Demokratischen Republik beschlossen, Teile der Vorderrhön als 'Biosphärenreservat Rhön' (483 km²) unter Natur- und Landschaftsschutz zu stellen.

Biosphärenreservat Rhön

Erholungsorte in der Vorderrhön sind Stadtlengsfeld und Dermbach (→ Schmalkalden, Umgebung). Von dort aus bestehen gute Möglichkeiten, die kuppige Rhön zu durchwandern und diese eigenwillige Landschaft näher kennenzulernen. Diese Gelegenheit bietet sich aber auch von verschiedenen Orten des Werratales aus, so etwa von → Meiningen, Wasungen, Breitungen oder Bad → Salzungen.

Urlaubsorte

Rostock

Bundesland: Mecklenburg-Vorpommern
Bezirk (1952–1990): Rostock
Höhe: 0–13 m ü.d.M.
Einwohnerzahl: 250000

Rostock, die Hanse- und Universitätsstadt an der Unteren Warnow (Mündung in die Ostsee bei Warnemünde), ist heute das wirtschaftliche, kulturelle und wissenschaftliche Zentrum an der östlichen deutschen → Ostseeküste sowie eine der größten deutschen Hafenstädte mit zahlreichen Betrieben des Schiffbaues, der Seeverkehrs- und Hafenwirtschaft, der Fischverarbeitung und des Bauwesens.
Als neuer Regionalflughafen für Rostock ist jüngst der Flugplatz bei → Barth eingerichtet worden (Zubringerdienst).

Lage und Bedeutung

Im Jahre 1161 urkundliche Erwähnung als slawische Handelsniederlassung; um 1200 erste Ansiedlung deutscher Kaufleute. Mit der Bestätigung des Lübischen Stadtrechts (1218) begann die Entwicklung der Handelsstadt. Wirtschaftliche Blüte im 14. und 15. Jh. als Mitglied der Hanse – mit weitreichenden Handelsbeziehungen, u.a. nach Riga, Bergen und

Geschichte

Rostock

Achtung!
Im Zuge der politischen Neuorientierung sind weitere Namensänderungen zu erwarten.

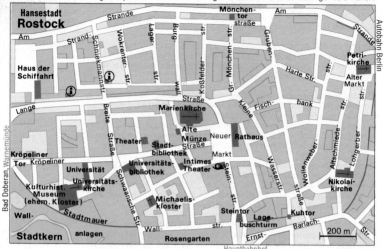

Geschichte
(Fortsetzung)

Brügge. Zentrum des geistigen Lebens an der Ostsee seit der Gründung der ersten Universität Nordeuropas im Jahre 1419. Nach dem Dreißigjährigen Krieg und der Auflösung der Hanse (1669) folgte für Rostock der wirtschaftliche Niedergang (Nordischer Krieg, Siebenjähriger Krieg). Seine einstige Bedeutung erlangte Rostock nicht wieder und stand als deutsche Hafenstadt hinter Hamburg, Kiel und Stettin zurück.

Durch schwere Bombenangriffe im Zweiten Weltkrieg stark zerstört, begann nach 1945 der Wiederaufbau der Altstadt und die Entwicklung zur Großstadt. Von großer Bedeutung dafür waren der Ausbau des Rostocker Überseehafens (1957–1960) und der Werftindustrie, deren Schicksal heute freilich ungewiß ist. Neue Stadtteile entstanden: Reutershagen, Südstadt, Lütten Klein, Evershagen, Lichtenhagen, Schmarl, Groß Klein, Dierkow und Toitenwinkel.

Von 1952 bis 1990 war Rostock Hauptstadt ('Bezirksstadt') des gleichnamigen DDR-Bezirkes; nach Wiedereinführung der Länderstruktur auf dem Gebiet der einstigen Deutschen Demokratischen Republik gehört die Stadt, deren offizieller Name seit 1990 'Hansestadt Rostock' lautet, zum neuen Bundesland Mecklenburg-Vorpommern; bei der Bewerbung um den Sitz der Landesregierung unterlag Rostock der früheren großherzoglichen Residenz → Schwerin, die nun wieder Landeshauptstadt ist.

Sehenswertes

*Rathaus
am Neuen Markt

Im Zentrum der wiederaufgebauten Altstadt steht am Neuen Markt das Rathaus, ein Bau aus dem 13. Jh. mit später hinzugefügter Schauwand. Nach Zerstörung der 'Ratslaube' (1718) wurde der heute sichtbare barocke Vorbau errichtet (1727–1729).

*Marienkirche

Am Neuen Markt stehen historische Giebelhäuser und die bedeutende gotische Marienkirche mit ihrer mehr als zweihundertjährigen Baugeschichte. Im Inneren barocke Ausstattung und ein Bronzetaufkessel von 1290; beachtenswert sind auch der Rochusaltar, die Astronomische Uhr (1472; mit Kalender bis zum Jahr 2017) und eine Barockorgel.

Blick über die Untere Warnow zur Marienkirche ▶

Rostock

Brunnen der Lebensfreude auf dem Universitätsplatz

Münze

Am Ziegenmarkt unweit der Marienkirche ist die Fassade der ehemaligen Münze sehenswert; Rostock besaß das Münzrecht von 1325 bis 1864.

Lange Straße

In der Langen Straße, die von der Marienkirche nach Westen führt, begann der Wiederaufbau Rostocks. Stilelemente der norddeutschen Backsteingotik sind hier mit modernistischen Formen verbunden worden.
Nördlich der Langen Straße trifft man auf ein innerstädtisches Neubaugebiet, das stilgerechte Neubauten und zahlreiche rekonstruierte historische Gebäude vereint (z.B. Wokrenter Straße Nr. 40).

*Kröpeliner Straße

Südlich parallel zur Langen Straße verläuft die Kröpeliner Straße, ein Fußgängerboulevard mit Giebelhäusern aus verschiedenen Stilepochen.

Universität

Am Universitätsplatz südlich der Kröpeliner Straße stehen das Hauptgebäude der Universität (Neubau 1867–1870 im Stil der Neurenaissance), das ehemalige Palais mit dem Barocksaal, die klassizistische Hauptwache und der 'Brunnen der Lebensfreude' (J. Jastram und R. Dietrich). Vor der Universität das Denkmal des Marschalls Blücher, des großen Sohnes der Stadt (1819, J.G. Schadow).

Ehemaliges Kloster (Museum)
Kröpeliner Tor (Museum)

Von der Universität sind es nur wenige Schritte bis zum ehemaligen Kloster zum Heiligen Kreuz, das heute das Kulturhistorische Museum beherbergt. Den Abschluß der Kröpeliner Straße bildet das Kröpeliner Tor (13./14. Jh.), ein gotischer Backsteinbau, Sitz des Stadtgeschichtlichen Museums.

Fischerbastion

Vom Kröpeliner Tor gelangt man auf den Wallanlagen, wenn man in Richtung Unterwarnow geht, zur Fischerbastion, die im 17. Jh. errichtet wurde.

Steintor

Das Steintor am Ende der Steinstraße, die vom Neuen Markt südwärts verläuft, ist im Renaissancestil wiedererbaut (mit den drei historischen Rostocker Wappen).

Museen

An der August-Bebel-Straße befindet sich das Rostocker Schiffahrts-museum.
Im Stadtteil Schmarl liegt das als Schiffbaumuseum eingerichtete Tradi-tionsschiff "Frieden" vor Anker.

Schiffahrts-museum
Schiffbau-museum

Am Schwanenteich steht die Kunsthalle. Dort werden in wechselnden Ausstellungen Werke der zeitgenössischen bildenden Kunst aus Deutsch-land und Nordeuropa gezeigt.

Kunsthalle

*Warnemünde

Bei dem Rostocker Vorhafen, Badeort und beliebten Ausflugsziel Warne-münde mündet die Warnow in die Ostsee.
Das ehemalige kleine Fischerdorf wurde 1323 dem Fürsten von Mecklen-burg vom Rostocker Rat abgekauft. Es stand bis in unser Jahrhundert hin-ein unter der Verwaltung eines städtischen Vogtes.

Ausflugsziel

In einem typischen Fischerhaus aus dem 18. Jh. an der Theodor-Körner-Straße ist das Warnemünde-Museum untergebracht, das in seinen Aus-stellungsstücken die Sitten und Gebräuche der Seefahrer und Fischer lebendig werden läßt.

Warnemünde-Museum

Am malerischen Alten Strom entlang kommt man zum Warnemünder Leuchtturm (1897/1898) und zur Westmole. – Das Hotel 'Neptun' und die

Leuchtturm
Westmole

Am Alten Strom in Warnemünde

Warnemünde
(Fortsetzung)

Gaststätte 'Teepott' gehören ebenso wie das im Bauhausstil errichtete Kurhaus zu den Wahrzeichen des Ortes.

Umgebung von Rostock

Rostocker Heide

Östlich vom Breitling liegt die Waldgaststätte 'Schnatermann' am Rande der Rostocker Heide, eines beliebten Ausflugziels.

Hafenrundfahrt

Mit der 'Weißen Flotte' Fahrten ab Rostock-Kabutzenhof in See und Hafenrundfahrten, ab Warnemünde Hafenrundfahrten sowie Fahrten zum 'Schnatermann' (s. vorstehend) und in See.

Graal-Müritz

Das Ostseebad Graal-Müritz (26 km nordöstlich von Rostock) hat einen 6 km langen Badestrand mit waldreichem Hinterland und sehenswertem Rhododendronpark.

Gelbensande

Bei der Ortschaft Gelbensande (F 105, 19 km nordöstlich von Rostock) verdient das ehemalige Großherzogliche Jagdschloß (mit Fachwerkaufbau und Erkertürmchen) Erwähnung.

**Ribnitz-
Damgarten**

In Ribnitz-Damgarten (F 105, 27 km nordöstlich von Rostock) steht eine sehenswerte Klosterkirche (um 1400) mit spätgotischen Tafelgemälden (Marienleben und Leben Christi) und 'Ribnitzer Madonnen' sowie spätgotischem Triumphkreuz. Im Bernsteinmuseum (Im Kloster Nr. 12) befindet sich eine bedeutende Bernsteinsammlung. Der Rostocker Torturm ist Überrest der ehemaligen Stadtbefestigung.

Klockenhagen

In Klockenhagen (5 km westlich Ribnitz-Damgarten) gibt es u.a. ein Freilichtmuseum, eingerichtet in einem um 1690 entstandenen Hof mit niederdeutschem Hallenhaus, Backhaus und Brunnen.

Freilichtmuseum in Klockenhagen bei Rostock

Rübeland

Bundesland: Sachsen-Anhalt
Bezirk (1952–1990): Magdeburg
Höhe: 360–480 m ü. d. M.
Einwohnerzahl: 1 900

Rübeland liegt im engen, hier bis zu 80 m tief eingeschnittenen → Bodetal im Mittelharz. Wegen seiner bekannten Tropfsteinhöhlen ist es schon von alters her einer der meistbesuchten Orte im → Harz.

Lage und Bedeutung

Als Eisenhütte 1320 erstmals urkundlich erwähnt, begann vermutlich zu jener Zeit die Besiedlung dieses Landstriches. Die zu Rübeland gehören-den Burgen, die Susenburg und Burg Birkenfeld, sind wahrscheinlich um 800 bzw. 1200 erbaut worden. Der Ort blieb jahrhundertelang sehr klein.

Geschichte

Im Laufe der Zeit entstanden neben der Hütte weitere Betriebe, so eine Marmormühle, eine Pulvermühle (19. Jh.) und die spätere Papierfabrik (20. Jh.). Etwa zur selben Zeit nahm ein Kalkwerk den Betrieb auf. Nach dem Zweiten Weltkrieg erlebte Rübeland einen wirtschaftlichen und kultu-rellen Aufschwung. Im Kalten Tal und im Ortsteil Susenburg wurden neue Wohnbauten errichtet.

*Baumannshöhle und *Hermannshöhle

Die Baumannshöhle (1536 wiederentdeckt durch F. Baumann) und die Hermannshöhle (1866 von W. Angerstein entdeckt) gehören zu den be-kanntesten und schönsten Naturhöhlen in Deutschland. Beide Höhlen erbrachten Fundstücke und Beweise menschlicher Anwesenheit seit der

Urzeitfunde

Tropfsteinhöhle bei Rübeland

Rübeland

Rübeland, Höhlen
(Fortsetzung)

Zeit der Neandertaler, ferner von Höhlenbären (ursus spelaeus Ronenmüller; Bärenfriedhof) sowie Reste einer Steppenfauna.

Tropfsteine

Im Inneren beider Höhlen befinden sich eindrucksvolle Tropfsteingebilde. Die reizvollen Verfärbungen der Stalaktiten und Stalagmiten sind durch Oxydierungen entstanden. Der Besucher hat bei einer Besichtigung der unterirdischen Räume jeweils 1000 bzw. 1200 m Weg zurückzulegen.

Goethesaal
(Baumannshöhle)

In der Baumannshöhle erstreckt sich der 40 × 60 m große Goethesaal (Höhlentheater).

Höhlenbär

Wahrzeichen von Rübeland ist der 'Höhlenbär' aus Stein und Beton. Seit 1984 steht er wieder auf seinem angestammten Platz auf der Harzklippe an der Hermannshöhle, den er zwischen 1896 und 1969 inne hatte.

Burgen

Susenburg

Relativ spärlich sind die geschichtlichen Angaben über die Susenburg (vemutlich um 800). An der Stelle der heutigen Ruine am linken Bodeufer – am Rande des Ortsteils Susenburg – stand einst eine Fliehburg.

Burg Birkenfeld

In der Ortsmitte von Rübeland erhebt sich am Steilhang des südlichen Bodeufers die Ruine der Burg Birkenfeld (vermutlich um 1200).

Umgebung von Rübeland

Blauer See

Sehr lohnend ist ein Ausflug über das Kreuztal zum aufgelassenen Kalksteintagebau Garkenholz mit dem Blauen See (2 km).

*Rappbode-
talsperre

Von Rübeland sind es nur wenige Kilometer zum Stausee der Rappbodetalsperre; dort bietet sich ein schöner Blick auf die reizvolle Wald-Seen-Landschaft (Ausflugsgaststätte, Bootsverleih). Vom Parkplatz führt ein dendrologischer (baumkundlicher) Lehrpfad zum Informationszentrum.

Auf den **Brocken**

⟶ Reiseziele von A bis Z: Harz

Rudolstadt   E 4

Bundesland: Thüringen
Bezirk (1952–1990): Gera
Höhe: 209 m ü.d.M.
Einwohnerzahl: 32000

Lage

Am Mittellauf der Saale (⟶ Saaletal) erstreckt sich die ehemalige Residenzstadt Rudolstadt. Von bewaldeten Bergen umgeben und von der mächtigen Heidecksburg überragt, inspirierte diese reizvolle Landschaft Wilhelm von Humboldt zu den begeisterten Worten, "eine der schönsten Gegenden Deutschlands" vor sich zu haben.

Geschichte

Die ursprünglich karolingische Grenzstation wird 1326 erstmals als Stadt genannt. 1334 gelangte sie in den Besitz der Grafen von Schwarzburg und späteren Fürsten von Schwarzburg-Rudolstadt. Die neuen Herren ließen auf dem Schloßberg die Heidecksburg errichten, ihre spätere Residenz, die nach Bränden 1735–1737 neu entstand.
Im 18./19. Jh. erlebte Rudolstadt eine geistige Blüte. Die Fürsten zogen mit ihrem Ehrgeiz, die Residenz in ein 'Klein-Weimar' zu verwandeln, Dichter und Gelehrte an ihren Hof. Schiller weilte oft in Rudolstadt. Das Weimarer

Blick über den Marktplatz von Rudolstadt zum Schloß Heidecksburg

Theater wirkte unter Goethes Leitung am 1792/1793 eröffneten Rudolstädter Theater (1959 restauriert), an dem auch Caroline Jagemann und
Ludwig Devrient, Richard Wagner, Franz Liszt und Niccolò Paganini tätig
wurden. Namhafte Pädagogen, Verleger, Maler und Bildhauer prägten das
geistige Antlitz der kleinen Beamtenstadt. Im Jahre 1762 entstand im heutigen Ortsteil Volkstedt die Porzellanmanufaktur, 1935 ein Kunstfaserwerk
im Ortsteil Schwarza.

Geschichte
(Fortsetzung)

✳Schloß Heidecksburg

Saale und Stadt überragt Schloß Heidecksburg, von den zu Fürsten erhobenen Grafen als prunkvolles Barockschloß errichtet (ab 1737). Den
Wunsch nach fürstlicher Repräsentanz widerspiegelt das Innere des
Schlosses. Reiche Rokokoausstattung in Festsälen und Kabinetten,
schöne Fußböden, kunstvolle Schnitzereien und prächtige Malereien sollten fürstliche Prachtentfaltung demonstrieren.

Feströme und Gemächer sind mit der Gemäldegalerie als Kunstmuseum
den Staatlichen Museen Heidecksburg angegliedert. Im Nordflügel des
Schlosses gibt es natur- und kulturgeschichtliche Sammlungen, ferner die
berühmte Waffensammlung 'Schwarzburger Zeughaus' mit zahlreichen
seltenen Stücken wie frühe Steinbüchsen, Degen aus Toledo, perlmutt-
verzierte Radschloßpistolen, Harnische (darunter ein Harnischkragen
König Gustavs II. von Schweden).
In Schloß Heidecksburg erinnert eine schlichte Gedenkstätte an Schillers
Rudolstädter Aufenthalt.

Gemäldegalerie

Das sehenswerte Freilicht-Volkskundemuseum 'Thüringer Bauernhäuser'
im Heinrich-Heine-Park zeigt in typischen Bauernhäusern der Umgebung
die bäuerliche Arbeits- und Wohnkultur des 17. bis 20. Jahrhunderts.

Freilichtmuseum

Altstadt

Schloß
Ludwigsburg

In der Altstadt steht Schloß Ludwigsburg (1734), eine barocke Dreiflügelanlage; der Festsaal besitzt eine gediegene Ausstattung (18. Jh.).

Das Alte Rathaus, ein barock umgebauter spätgotischer Bau, hat ein Dachtürmchen. Das Neue Rathaus, die einstige Schwarzburgische Landesregierung, ist ein 1912 umgestalteter ehemaliger Renaissancebau. Trotz der vielen Stadtbrände sind mehrere schöne Bürgerhäuser erhalten.

Stadtkirche

Die Stadtkirche ist eine dreischiffige Hallenkirche aus der Zeit der Spätrenaissance; sie wurde im 17. Jh. unter Beibehaltung vieler spätgotischer Elemente umgebaut.

Schillergedenkstätten in Rudolstadt

Lengefeldsches
Haus

In Rudolstadt gibt es zahlreiche Stätten, die an Friedrich Schiller erinnern. In dem ehemaligen Lengefeldschen Haus (Schillerstraße Nr. 25) begegnete der Dichter am 6. Dezember 1787 zum ersten Mal seiner späteren Frau Charlotte. 1788 war er hier während eines ausgedehnten Sommeraufenthaltes in Volkstedt häufig zu Gast. In diesem Hause traf er am 7. September 1788 auch mit Goethe zusammen, ohne daß es zu der erhofften Annäherung kam (Gedenktafel).

Heißenhof

Im sogenannten Heißenhof (Lengefeldstraße Nr. 1) wohnte Charlotte von Lengefeld, die spätere Frau Friedrich Schillers, während ihrer Kindheit (Gedenktafel).

Volkstedt
(ehem. Pfarrhaus)

Im Stadtteil Volkstedt hatte der Dichter 1788 mehrere Monate lang seinen Wohnsitz in dem damaligen Pfarrhaus (Gedenktafel).

Schloß Kochberg in Großkochberg bei Rudolstadt

Auf dem Eichberg befindet sich die kleine Erinnerungsstätte Schillerhöhe mit einer Nachbildung der Büste des Dichters von J. H. Dannecker.

An der Jenaer Straße (Nr. 1) befand sich ehemals eine Glockengießerei. Friedrich Schiller soll hier zu seinem "Lied von der Glocke" angeregt worden sein.

Glockengießerei

Umgebung von Rudolstadt

In Großkochberg (ca. 11 km nordöstlich) gibt es ein Schloß mit Goethe-Gedenkstätte; Erinnerung an die Freundschaft zu Charlotte von Stein, deren Familienbesitz Schloß Kochberg war. Großer Landschaftspark mit klassizistischem Liebhabertheater von 1815 (Theateraufführungen).

Großkochberg

⟶ Reiseziele von A bis Z: Blankenburg, Bad

Bad Blankenburg

⟶ Reiseziele von A bis Z: Saalfeld

Saalfeld

Rügen   A 6

Bundesland: Mecklenburg-Vorpommern
Bezirk (1952–1990): Rostock

Die Insel Rügen (926 km²) ist die größte und die landschaftlich schönste Insel an der deutschen ⟶ Ostseeküste. Nur durch die weniger als einen Kilometer breite Wasserfläche des Strelasundes wird sie vom Festland getrennt. Seit 1936 verbindet der Rügendamm die Insel mit der Hafenstadt ⟶ Stralsund.

Lage und Gebiet

Ostseeinsel ✳✳Rügen

Die vielgerühmte Schönheit der Insel Rügen resultiert aus ihren auf kleinem Raum stark gegensätzlichen Landschaften. An den vorwiegend flachen, landwirtschaftlich genutzten Südwestteil der Insel schließen sich nach Nordosten kuppige und bewaldete Endmoränenbögen an, die im Rugard bei der Kreisstadt Bergen (⟶ Saßnitz, Umgebung) eine Höhe von 91 m ü. d. M. erreichen (Ernst-Moritz-Arndt-Turm, 27 m hoch) und sich nach Osten in den Höhen der Granitz (Tempelberg 107 m ü. d. M., mit Jagdschloß und 38 m hohem Aussichtsturm) zwischen Binz und Sellin fortsetzen, bevor sie steil am Meer enden.

Landschaftsbild

Zwischen diese Endmoränenbögen und die Halbinseln Wittow (Hauptort Altenkirchen) und Jasmund (mit ⟶ Saßnitz) schieben sich die ausgedehnten Wasserflächen der rügenschen Binnenbodden, darunter der Große und der Kleine Jasmunder Bodden.

Halbinseln

Die Halbinsel Jasmund – 1990 als 'Nationalpark Jasmund' (30 km²) unter strengem Natur- und Landschaftsschutz – bestehend aus mächtigen Kreideschichten (Kreidehorst) mit einer dünnen Moränendecke, steigt im Piekberg auf 161 m ü. d. M. an.
Der schöne Buchenwald der Stubnitz bricht an einem steilen Kreidekliff, an dem die eingelagerten grauschwarzen Feuersteinbänder sichtbar werden, am Königsstuhl aus 117 m Höhe zum Meer ab. Die Kreideteilküste von Stubbenkammer ist eine gernbesuchte Touristenattraktion auf der Insel.

Halbinsel Jasmund (Nationalpark)

✳Stubbenkammer

Wittow trägt auf seiner nordöstlichen Spitze den Alten und den Neuen Leuchtturm von Kap Arkona (46 m), ferner die Reste des Walles der slawi-

Halbinsel Wittow
Kap Arkona

Rügen

Rügener Kreidesteilküste Stubbenkammer auf der Halbinsel Jasmund

Halbinsel Wittow (Fortsetzung)

schen Jaromarsburg, in der sich bis zu ihrer Eroberung und Zerstörung durch die Dänen (1168) das Haupttheiligtum der Westslawen befand.

Vitt

Nahe Putgarten versteckt sich in einer Ufernische vor den rauhen Winden der Küste das altertümliche Fischerdorf Vitt; es war wie Vitte auf Hiddensee ursprünglich ein Heringsanlandeplatz der Hanse.

Nehrungen

Aus Sand und Feuersteingeröll aufgebaute Nehrungen – wie die Schaabe und die Schmale Heide – verbinden die nordrügenschen Inselkerne untereinander. Vor ihnen liegen die breitesten Sandstrände.

Mönchgut

Die stärkste Verzahnung von Land und Meer findet sich auf Mönchgut im Südosten Rügens. Förmlich zerlappt ist die Binnenküste am Greifswalder Bodden, während die Außenküste in weiten Bögen von Landvorsprung zu Landvorsprung schwingt. Auf Mönchgut sind bis heute volkstümliche Eigenarten am stärksten bewahrt worden.

Biosphärenreservat Südost-Rügen

Die Halbinsel Jasmund, die Granitz, die Umgebung von Putbus und der Rügensdche Bodden einschließlich der Insel Vilm (einst exklusives 'Ferienobjekt' des SED-Politbüros) stehen seit 1990 als 'Biosphärenreservat Südost-Rügen' (228 km²) unter Natur- und Landschaftsschutz.

Badeorte

Im Südostteil der Insel liegt auch der älteste Badeort: es ist das zu Beginn des 19. Jh.s von den Fürsten von Putbus unweit ihrer Residenzstadt Putbus (heute 5600 Einw.; klassizistische Bauten, sehenswerter Schloßpark) eingerichtete Bad (anfangs nur ein Badehaus) an der Goor bei Lauterbach. Im Südosten Rügens haben sich darüber hinaus die größten und auch meistbesuchten Seebäder – Binz, Sellin und Göhren – entwickelt.

Vor- und frühgeschichtliche Zeugnisse

Besonders zu erwähnen sind die zahlreichen vor- und frühgeschichtlichen Zeugen auf der Insel Rügen. Zu diesen gehören die jungsteinzeitliche

Lietzow-Kultur, als offenbar weite Teile Mitteleuropas mit Werkzeugen aus rügenschem Feuerstein beliefert wurden, sowie die vielen Großsteingräber und die bronzezeitlichen Hügelgräber, die belegen, daß die Insel Rügen schon seit Jahrtausenden besiedelt ist.

Rügen, Vor- und frühgeschichtliche Zeugnisse (Fortsetzung)

Ruppiner Schweiz   B/C 5/6

Bundesland: Brandenburg
Bezirk (1952–1990): Potsdam

Die landschaftliche Schönheit der Ruppiner Schweiz wurde in literarischer Form durch Theodor Fontane, einen Sohn der Stadt → Neuruppin, in seinen "Wanderungen durch die Mark Brandenburg" gerühmt; aber er setzte hinzu: "Die Schweize werden immer kleiner, und so gibt es nicht bloß mehr eine Märkische, sondern bereits auch eine Ruppiner Schweiz."

Beschreibung von Theodor Fontane

In der Tat umfaßt die Ruppiner Schweiz nur einen eng begrenzten Teil der Ruppiner Seenrinne, nämlich das Gebiet der Rinnenseen nördlich von Neuruppin, die in eine Endmoräne eingeschnitten sind. Zu diesen Seen gehören, vom Rhin durchflossen, der Zermützelsee, der Tietzensee und der Melchowsee, ferner der Kalksee und der Tornowsee, die der Binenbach entwässert.

Lage und Gebiet

Der Reiz dieser Landschaft resultiert aus dem hier auf kleinem Raum stark bewegten Relief. Dadurch unterscheidet sich die Ruppiner Schweiz von der nahegelegenen, gleichförmigen und mit Kiefernwäldern bestandenen Wittstock-Ruppiner Heide.
In die hügelige, von Buchen-Kiefern-Mischwäldern bedeckte Endmoräne der letzten Vereisung haben die Wasserläufe tiefe und steilwandige Täler gesägt. An ihren Rändern treten Quellen hervor. In den Wäldern stößt man auf weitere kleine Seen, auf Quellmoore und lichte Wiesen. An manchen Stellen wirkt die Landschaft wie ein Mittelgebirgstal; und insofern ist es wohl berechtigt, von einer 'Schweiz' zu sprechen.

*Landschaftsbild

Die Ruppiner Schweiz ist für den Wanderer, auch für den Wasserwanderer, sehr gut erschlossen. Wanderwege, Campingplätze, Gaststätten – unter ihnen die Ausflugsgaststätte 'Boltenmühle', wo der Binenbach durch die Gasträume fließt – und Freizeitsiedlungen für Touristen und Erholungsuchende sind vorhanden.

Urlaubsregion

Den besten Zugang zur Ruppiner Schweiz bietet → Neuruppin am Ruppiner See (13,8 km lang, bis 800 m breit, Fläche 8,5 km^2), eine Industriestadt mit kulturhistorisch interessanter Altstadt.

Neuruppin

Saaletal   D/E 4/5

Bundesländer: Thüringen und Sachsen-Anhalt
(Saalequelle im Freistaat Bayern)
Bezirke (1952–1990): Gera, Erfurt, Halle und Magdeburg

Die Saale entspringt als 'Sächsische' oder 'Thüringische Saale' auf 904 m ü. d. M. am Großen Waldstein im Fichtelgebirge (Bayern). Sie folgt in einem gewundenen Tieftal zunächst der Abdachung des Frankenwaldes und des Thüringischen Schiefergebirges nordwestwärts, verläßt dieses Gebirge bei → Saalfeld und biegt dann im Vorland in eine nordöstliche Richtung um. Bei → Weißenfels erreicht die Saale die Leipziger Tieflandsbucht und mündet nach 427 km Lauflänge bei Barby in die → Elbe. Die Saale ist ab → Naumburg für kleinere, ab → Halle für größere Schiffe befahrbar.

Quelle und Verlauf der Saale

Saaletal

Einzugsgebiet

Das Einzugsgebiet der Saale umfaßt nicht nur das Thüringische Schiefergebirge und den nordöstlichen Teil vom ⟶ Thüringer Wald, sondern auch das gesamte Thüringer Becken, den östlichen ⟶ Harz und sein Vorland sowie das ⟶ Vogtland und einen Teil der Leipziger Tieflandsbucht.

Gliederung

Das Tal der Saale gliedert sich in drei ganz unterschiedliche Abschnitte: den Oberlauf bis ⟶ Saalfeld, den Mittellauf durch das Randgebiet des Thüringer Beckens und den Unterlauf ab ⟶ Weißenfels im Tiefland.

*Oberes Saaletal

Das Tal der oberen Saale ist 150 m tief in die Rumpfflächen des Thüringischen Schiefergebirges, die 500–650 m ü.d.M. liegen, eingeschnitten. Durch die steil eingelassenen Talmäander wird der Gebirgscharakter dieses Gebietes überhaupt erst deutlich. So entstehen die oft gegensätzlichen Landschaftsbilder, die dem oberen Saaletal seinen besonderen Reiz und Erholungswert verleihen.

Stauseen

Heute ist die obere Saale zwischen Blankenstein und ⟶ Saalfeld in eine Kette von fünf Stauseen umgewandelt; dadurch wird dem Erlebnis von Gebirge, Wald und Fluß das der eindrucksvollen Seen hinzugefügt. Nur wenige Kilometer des oberen Saaletales lassen noch jene Urtümlichkeit erkennen, welche die Saale jahrhundertelang aufwies, als sie der Flößerei des Holzes aus dem bewaldeten Mittelgebirge diente, aber durch Hochwasserfluten immer wieder zum Schrecken ihrer Anwohner wurde.

*Bleilochtalsperre

Der oberste der fünf Saalestauseen ist zugleich der größte: die Bleilochtalsperre. Sie ist 28 km lang, bis 2 km breit und faßt 215 Mio. cm³ Wasser. Ihre Staumauer in der Nähe von Saalburg (⟶ Schleiz, Umgebung) ist 65 m hoch, am Fuß 47 m, an der Krone 7,20 m breit und 205 m lang. Der Stausee umfaßt 9,2 km². Unterhalb der Staumauer liegt das Ausgleichsbecken Burgk mit einer Fläche von 0,78 km². Dann folgt saaleabwärts das 0,5 km² große Ausgleichsbecken Grochwitz, das als Unterbecken für das Pumpspeicherkraftwerk Wisenta dient.

*Hohenwartetalsperre

Weiter saaleabwärts folgt die Hohenwartetalsperre. Über 27 km Länge erstreckt sich der von einer 75 m hohen Mauer aufgestaute, 7,3 km² große See mit 185 Mio. m³ Wasser. Die Staumauer hat am Fuß eine Breite von 54,70 m und auf der Krone von 6,70 m, ferner eine Kronenlänge von 412 m.

Unmittelbar unterhalb der Hohenwartetalsperre liegt das 0,7 km² große Ausgleichsbecken von Eichicht. Hinzu kommen in der Nachbarschaft die 60 m über der Saale gelegene Wisentatalsperre – als Oberbecken des gleichnamigen Pumpspeicherwerkes – und das Oberbecken des Pumpspeicherwerkes Hohenwarte II auf der Amalienhöhe oberhalb des Ausgleichsbeckens Eichicht.

Talsperren

Diese Stauseen, die mit über 400 Megawatt Leistung aus den Pumpspeicherwerken und 13 Megawatt Leistung aus den Laufwassermaschinen der Energieerzeugung dienen und gleichzeitig einen sicheren Schutz vor Hochwasser bieten, haben die natürlichen Reize der Landschaft an der oberen Saale noch wesentlich gesteigert. Steil stürzen die bewaldeten Felswände in eine grundlos erscheinende Wassertiefe ab, weit dehnen sich die gewundenen, von Booten belebten Wasserflächen aus, imposant stehen die technischen Bauwerke in dieser Landschaft. Wie eine Fjordlandschaft mutet das Ganze an.

Landschaftsschutzgebiet

Viele seltene, unter Naturschutz stehende Pflanzen wachsen in diesem Gebiet. Auffallend sind im Frühling die vielen Frühblüher. Um die Eigenart

Hohenwartetalsperre im oberen Saaletal ▶

Saalfeld

Saaletal,
Landschafts-
schutzgebiet
(Fortsetzung) dieser Landschaft zu erhalten, wurde das Gebiet der oberen Saale unter Landschaftsschutz gestellt.

Mittleres Saaletal

Auch der Mittellauf der Saale gilt als recht reizvoll. Der Abschnitt zwischen → Saalfeld und → Weißenfels ist das 'Tal der Burgen und Schlösser'.

Burgen und Schlösser

Mit Schloß Heidecksburg in → Rudolstadt beginnt die Reihe der berühmten Burgen und Schlösser, zu der die Leuchtenburg bei Kahla (→ Jena, Umgebung), die bekannten Dornburger Schlösser (→ Jena, Umgebung) wie auch die Ruinen von Burg Saaleck und der Rudelsburg (→ Naumburg, Umgebung) gehören.

Unteres Saaletal

Wenn auch im unteren Saaletal stärker Industrie und Landwirtschaft das Bild der Landschaft bestimmen, so finden sich doch in den alten Städten wie → Merseburg, → Halle (Saale), Wettin und → Bernburg sehenswerte Burgen und eindrucksvolle Schlösser über dem Saaletal, die von der bewegten Geschichte dieser Landschaft zeugen.

Burgen und Schlösser im Saaletal

Naumburg ○
Bad Kösen ○
Rudelsburg
Burg Saaleck ● ●
Burg Camburg

♪ Burg / Schloß
♪ Ruine

Dornburger Schlösser ● ● ●

1 Saalfelder Stadtschloß
2 Schloß Kitzerstein
3 Burgruine 'Hoher Schwarm'
4 Schloß Obernitz

Kunitzburg
Fuchsturm
Jena ○
Lobdeburg

Schloß Kochberg
Kahla ○ Leuchtenburg
Orlamünde ○ Kemenate
Schloß Hummelshain
Schloß Heidecksburg
Schloß Weißenburg
Rudolstadt
Pößneck ○
Burg Greifenstein
Schloß Brandenstein
Bad Blankenburg
Saalfeld Burg Ranis
1 2 3 ● 4 Schloß Könitz
Schloß Kaulsdorf Kemenate
Ziegenrück
Schloß Eichicht
Hohenwarte-Talsperre
Hohenwaldsburg Schloß Burgk

Bleilochtalsperre

Saalburg ○
Schloß Ebersdorf ● Saalburg
Schloß Waidmannsheil
Lobenstein ○ Saaldorf
Burg Lobenstein

10 km

Saalfeld

E 4

Bundesland: Thüringen
Bezirk (1952–1990): Gera
Höhe: 210 m ü. d. M.
Einwohnerzahl: 33000

Lage und Bedeutung

Saalfeld, die Stadt der märchenhaften Feengrotten, erstreckt sich am Nordostrand des Thüringischen Schiefergebirges (→ Thüringer Wald) an der Saale. Die wohlhabende Bergbaustadt des Mittelalters und der frühen Neuzeit ist heute eine bedeutende Industriestadt.

Urkundlich im 9. Jh. erwähnt, entwickelte sich der Ort nach der Stiftung eines Benediktinerklosters (1071) rasch zum kirchlichen Machtzentrum in Ostthüringen. Dem Kloster unterstanden in dessen Blütezeit fast 170 Dörfer und mehrere Städte. Der Abt erlangte sogar fürstliche Würde.
Saalfelds verkehrsgünstige Lage am Schnittpunkt der 'Kupferstraße' und der 'Böhmischen Straße', der seit dem 13. jh. einsetzende Bergbau auf Silber und Kupfer sowie die Verabeitung dieser Rohstoffe und der Handel beschleunigten den Aufschwung der um 1180 gegründeten Stadt.

Das Saalfelder Stadtrecht gilt als das älteste, das in deutscher Sprache in Thüringen formuliert wurde. Seit 1208 den Grafen von Schwarzburg gehörend, stand der Ort seit dem Jahre 1389 unter der Herrschaft der Wettiner. Im 16. Jh. wurde Saalfeld auch durch seine Bildschnitzerwerkstätten berühmt. In den Jahren 1578/1579 befand sich hier vorübergehend der Sitz der Jenaer Universität (Pest in Jena). Die Stadt war von 1680 bis 1735 Residenz des Herzogtums Sachsen-Saalfeld und gehörte von 1826 bis 1918 zum Herzogtum Sachsen-Meiningen.
Um das Jahr 1820 begann der industrielle Aufschwung mit der Bildung von Manufakturen. Ab dem Jahre 1860 kamen Maschinenfabriken hinzu.
Heute wird das Wirtschaftsleben der Stadt maßgeblich vom Maschinenbau, der optischen und polygraphischen Industrie sowie der Schokoladenherstellung bestimmt.

Sehenswertes

Steinerne Chronik
Thüringens

Zahlreiche Bau- und Kunstdenkmäler verschiedener Epochen prägen das Antlitz des historischen Stadtkerns. Seiner Vielgestaltigkeit wegen wird die Stadt auch die 'Steinerne Chronik Thüringens' genannt.

✳Markt
Ehemalige
Hofapotheke

Am Markt bietet sich ein einzigartig geschlossenes Ensemble historischer Bauten. Hier steht die ehemalige Hofapotheke, 1180 als Wohnturm des Stadtvogtes entstanden, 1468 vom Rat als Kauf- und Rathaus angekauft, 1882 nach einem Brand stilvoll erneuert; sie ist eines der wenigen in Thüringen noch vorhandenen romanischen Profangebäude.

✳Rathaus

Nach dem großen Stadtbrand von 1517 wurde das stattliche Rathaus gebaut, ein spätgotischer Bau mit Bestandteilen aus der Zeit der Renaissance.

Gasthaus 'Das Loch' in Saalfeld

In den Saalfelder Feengrotten

Schloß Kitzerstein

*Stadtkirche St. Johannis

In der Nähe des Rathauses sowie der Hofapotheke steht die Stadtkirche St. Johannis (um 1380 begonnen), eine der schönsten Hallenkirchen Thüringens. Interessant ist die Innengestaltung; reiche Ausstattung, u.a. ein spätgotisches heiliges Grab, die lebensgroße Figur "Johannes der Täufer" des Riemenschneider-Schülers H. Gottwalt sowie der Mittelschrein eines Flügelaltars (1480).
Außen sieht man Sandsteinfiguren und -reliefs, die den Einfluß der Parler-Schule erkennen lassen.

Stadttore

Vier noch erhaltene Stadttore, u.a. das Darrtor (14. Jh.), das Obere Tor und das Blankenburger Tor (beide im 18. Jh. umgebaut), und Reste der Stadtmauer bezeugen die frühere Wehrhaftigkeit der Stadt.

Thüringer Museum

Wenige Schritte vom Markt entfernt steht am Münzplatz ein ehemaliges Franziskanerkloster, heute Sitz des Thüringer Museums. Zu seinen Beständen gehören Sammlungen mittelalterlicher Plastik, besonders der ältesten Schnitzwerkstätten, Saalfelder Münzen, Zeugnisse bäuerlicher Volkskultur, Ausstellungen zur Geschichte der Stadt und des Bergbaus sowie über die Entwicklung zur Industriestadt.

Schloß

Erwähnenswert ist das frühere Schloß der Herzöge von Sachsen-Coburg-Saalfeld auf dem Petersberg. Im Treppenhaus Stuckarbeiten und Deckengemälde; wertvolle Stuckdekorationen und Deckengemälde auch in der Schloßkapelle. In dieser Kapelle soll nach dem Gefecht bei Wöhlsdorf (am 10. Oktober 1806) der Leichnam des Prinzen Louis Ferdinand von Preußen aufgebahrt worden sein.

Gertrudiskirche

Unweit des Schlosses steht die Gertrudiskirche mit einem der schönsten Schnitzaltäre der Saalfelder Werkstätten.
Sehenswerte Schnitzaltäre befinden sich auch in verschiedenen Dorfkirchen der näheren Umgebung.

Das alte Wahrzeichen der Stadt, der Hohe Schwarm mit seinen schlanken Türmen, ist der Rest eines viertürmigen Kastells, das nach dem Vorbild der Schweizer Burg Thun entstand.

＊Hoher Schwarm

Rechts neben der Burganlage steht das frühere Stadtschloß Kitzerstein (heute Musikschule).

Schloß Kitzerstein

Zwischen Hohem Schwarm und Schloß befindet sich die ehemalige Kirche St. Nikolai, die älteste Kirche der Stadt. Es handelt sich hier vermutlich um die ursprünglich im 12. Jh. errichtete Burgkirche des frühmittelalterlichen Königshofes; im 19. Jh. hat man sie profaniert und zu Wohnzwecken umgebaut.

Ehemalige Kirche St. Nikolai

Von den zahlreichen bemerkenswerten Bürgerhäusern der Stadt seien genannt die Stadtapotheke, ein reichverzierter Renaissancebau (Saalestraße Nr. 11), die Lieden, eine mittelalterliche Verkaufsgalerie (12.–16. Jh., später umgebaut) sowie Gasthöfe am Markt.

Bürgerhäuser

Im Süden der Stadt, in der Nähe des Freibades, liegt das Sanatorium Bergfried.
Es ist eine schloßähnliche Villa (1922–1924) mit einem Glockenspielturm und reizvollem Landschaftspark.

Sanatorium Bergfried

Hauptanziehungspunkt für jährlich Hunderttausende von Besuchern sind die etwa 1 km südwestlich der Stadt gelegenen Feengrotten. Sie wurden 1914 in dem einstigen, 1846 stillgelegten und 1910 wiederentdeckten Alaunschieferbergwerk 'Jeremiasglück' zugänglich gemacht.

＊Feengrotten

Die sehr farbenprächtigen Tropfsteinhöhlen zeigen eine Märchenwelt ('Märchendom mit Gralsburg', 'Venezianische Grotte' u. a.), die nicht nur Kinder bezaubert.

Burg Ranis bei Saalfeld (s. S. 530)

529

Umgebung von Saalfeld

Aussicht von Kulm und Gleitsch

In der landschaftlich reizvollen Umgegend lohnt ein Spaziergang zum Kulm; von dort bietet sich ein schöner Blick auf Stadt und Land. Südlich vor der Stadt hat man vom Gleitsch einen weiten Rundblick.

Wöhlsdorf

Etwa 1 km von Saalfeld in Richtung Schwarza steht an der F 85 bei Wöhlsdorf ein Denkmal für Louis Ferdinand von Preußen (1823, nach Entwürfen von Schinkel und Tieck, 1986 restauriert). Es erinnert an das Gefecht bei Wöhlsdorf vom 10. Oktober 1806, wo vier Tage vor der Schlacht von Jena und Auerstedt die 11 000 Mann starke Vorhut des preußischen Heeres unter Prinz Louis Ferdinand geschlagen wurde, der dabei fiel.

Ranis
(Abb. s. S. 529)

In Ranis (F 281, 16 km östlich von Saalfeld) steht eine stattliche Burg aus dem 11. Jh., in der sich ein sehenswertes Museum befindet.

*Hohenwartetalsperre

Die Hohenwartetalsperre erstreckt sich in 27 km Länge im oberen Saaletal. Es gibt dort idyllische Winkel und Ausbuchtungen von oftmals fjordartigem Charakter. Oberhalb der Hohenwartetalsperre befindet sich in Reitzengeschwenda ein Bauernhaus mit einem Volkskundemuseum.

Pößneck

In Pößneck (F 281, 18 km von Saalfeld) ist das spätgotische Rathaus (1478–1531) der alten Tuchmacherstadt sehenswert; es hat eine überdachte Freitreppe und Halbkreisgiebel. Beachtenswert sind ferner der Marktbrunnen mit Marktbornmännchen, ein Renaissancewohnhaus am Markt und Reste der Stadtmauer.

Sächsische Schweiz   E 7

Bundesland: Freistaat Sachsen
Bezirk (1952–1990): Dresden

Lage und Gebiet

Als Sächsische Schweiz wird seit der Zeit der Romantik der rund 360 km² umfassende sächsische Teil des nach Böhmen in die Tschechoslowakei hinüberreichenden Elbsandsteingebirges, eines stark zerschnittenen, im Mittel 400 m hohen Tafelberglandes zwischen der Lausitzer Überschiebung (→ Lausitz) im Norden, dem Osterzgebirge (Gottleubatal; → Erzgebirge) im Westen und der deutsch-tschechoslowakischen Grenze im Süden, bezeichnet. Sie ist das lohnendste Ausflugsziel im Raum der neuen sächsischen Landeshauptstadt → Dresden (Anreise per Auto, Eisenbahn oder Elbschiff).

Entstehung des Elbsandsteingebirges

Das Elbsandsteingebirge ist ein Erosionsgebirge: Mehrere hundert Meter mächtige Ablagerungen reinen, quaderförmig gebankten Quarzsandsteins wurden aus einem kreidezeitlichen Meer gehoben und anschließend durch die → Elbe und ihre Nebenflüsse tief zerschnitten und in malerisch bizarre Felslandschaften aufgegliedert.

**Sächsische Schweiz

Landschaftsbild

Im Laufe der Zeit sind die heutigen Landschaftsformen entstanden: das cañonartige Elbtal und die 'Gründe' der kurzen Elbnebenflüsse, die landwirtschaftlich genutzten 'Ebenheiten' mit ihren Schotter- und Lehmdecken (100 bis 120 m über dem Elbtal); die tafelbergartigen 'Steine' wie Lilienstein (415 m ü. d. M.), Pfaffenstein (429 m ü. d. M.), Königstein (361 m ü. d. M.) und Großer Zschirnstein (561 m ü. d. M.), Reste der ehemals zusammenhängenden Sandsteinplatte mit steilen Felswänden; darüber hinaus die Felsreviere wie die Bastei (305 m ü. d. M.) und die Schramm-

Blick vom Papstein in der Sächsischen Schweiz

steine (386 bis 417 m ü. d. M.) – wahre Felslabyrinthe mit Felstürmen, Fels-
zinnen und -nadeln, Felsschluchten und -klammen. Tertiäre Basalte treten
nur an wenigen Stellen auf, z. B. am Großen Winterberg (552 m ü. d. M.).

Landschaftsbild
(Fortsetzung)

Noch kurz vor dem Beitritt der einstigen Deutschen Demokratischen
Republik zur Bundesrepublik Deutschland hat die letzte amtierende
DDR-Regierung am 12. September 1990 den 'Nationalpark Sächsische
Schweiz' geschaffen und damit die einmalige naturräumliche Eigenart des
Elbsandsteingebirges auf einer Fläche von 93 km² unter strengsten Natur-
und Landschaftsschutz gestellt.

**Nationalpark
Sächsische
Schweiz**

Die verschiedenartigen Landschaftsbilder, der Wechsel von Ebenheiten
und Felsenbergen, von Fluß und Gebirge, von Waldland und offenem
Land, von natürlich geformter Landschaft und durch den Menschen
gestalteter Umwelt mit Siedlungen und Verkehrswegen machen die Sächsische Schweiz für Touristen besonders attraktiv.

Urlaubsregion

Jahrhunderte hindurch lieferte das Elbsandsteingebirge in erster Linie
Quadersandstein als Baumaterial für viele elbabwärts gelegene Städte.
Obwohl Bad ⟶ Schandau bereits seit 1730 seines 'Gesundbrunnens'
wegen von Kurgästen aufgesucht wurde, fällt die Entdeckung dieses
Gebirges als Wander- und Erholungsgebiet erst in das beginnende 19. Jh.
mit seiner romantischen Suche nach der 'erhabenen Schönheit der Natur'.
Daher stammt auch die Bezeichnung 'Sächsische Schweiz'.
Die eigentliche Erschließung der Sächsischen Schweiz erfolgte durch die
Massenverkehrsmittel Dampfschiff und Eisenbahn, die es den Einwohnern
und Besuchern Dresdens ermöglichten, billig und schnell 'ihre' Schweiz zu
erreichen.
Heute ist die Sächsische Schweiz ein Hauptgebiet der Erholung im Südosten des östlichen Teils Deutschlands, das alljährlich Hunderttausende
von Besuchern zählt.

**Erschließung
des Gebietes**

Basteibrücke in der Sächsischen Schweiz

Sächsische Schweiz (Forts.)
Wanderwege

Überall in der Sächsischen Schweiz ist das Netz der Wanderwege, die zu den interessantesten Naturschönheiten und Sehenswürdigkeiten führen, gut gekennzeichnet; es bieten sich Kombinationsmöglichkeiten aller Art.

Klettergebiet

Mit über 900 freistehenden Felsen und fast 5000 Kletteraufstiegen ist die Sächsische Schweiz zugleich das größte und bedeutendste Klettergebiet im östlichen Teil Deutschlands.

Felslabyrinth **Bastei

⟶ Reiseziele von A bis Z: Rathen

Bad Salzungen   E 3

Bundesland: Thüringen
Bezirk (1952–1990): Suhl
Höhe: 240 m ü.d. M.
Einwohnerzahl: 21500

Lage und Bedeutung

Die südthüringische Kreisstadt Bad Salzungen liegt zwischen ⟶ Thüringer Wald und ⟶ Rhön im weiten Tal der Werra. Der einst vorwiegend seiner Salzvorkommen wegen genannte Ort ist dann als Solbad zu einem bekannten Kurort geworden.

Geschichte

Bereits in seiner "Germania" erwähnte der römische Geschichtsschreiber Tacitus eine 'Salzschlacht' zwischen Chatten und Hermunduren, die im Jahre 58 n.Chr. wohl nahe dem heutigen Bad Salzungen stattgefunden haben soll. Im Jahre 775 wurden die schon in urgeschichtlicher Zeit genutzten Salzquellen das erste Mal urkundlich erwähnt. Im Jahre 1289 wurde Salzungen zur Stadt erhoben. Im Mittelalter gab es hier elf Salzpfannen; im 15. Jh. kamen die 'Pfänner' des Ortes durch den Salzhandel zu Wohlstand. Um die billige ausländische Konkurrenz wirkungsvoll bekämpfen zu können, führten die Pfänner in der zweiten Hälfte des 16. Jh.s technische Veränderungen ein. Die Sole wurde gradiert (d.h. ihr Salzgehalt durch Verdunstung erhöht); auch wurde Kohle statt Holz verwendet. 1590 entstand das erste Gradierwerk in Salzungen. Im Dreißigjährigen Krieg wurde die kleine Stadt, die damals über 2000 Einwohner zählte, stark bedrängt und verharrte lange Zeit in Stagnation.

Geschichte
(Fortsetzung)

Im Jahre 1841 wurde bei einer Bohrung eine 27%ige Sole erschlossen. Die meisten Gradierhäuser wurden bedeutungslos, viele Salinenarbeiter verloren ihre Existenz. Gleichzeitig erhielt Salzungen als Kurort neue Bedeutung: 1848 wurde der ganzjährige Kurbetrieb eingeführt; 1910 kamen bereits 5000 Kurgäste. Heute suchen etwa 10 000 Patienten alljährlich das Solbad auf, darunter viele Kinder mit Erkrankungen der Atemwege.

Sehenswertes

Mehrere sorgsam restaurierte Bauwerke weisen auf Bad Salzungens einstige und heutige Bedeutung hin, so die eindrucksvollen Gradierhäuser (1796 und 1905), das Badehaus von 1837, das Kurhaus am Burgsee (1953), das Kindersanatorium Charlottenhall (1890) und weitere Heileinrichtungen, die nach dem Zweiten Weltkrieg hinzukamen.

Kuranlagen

Bemerkenswert ist die Ruine der spätgotischen Husenkirche. Die Kirche wurde im Jahre 1945 durch Kriegseinwirkung zerstört; ihre Ruine bildet heute ein eindrucksvolles Mahnmal gegen Krieg und Zerstörung.

Ruine der
Husenkirche

Auf dem Marktplatz steht das Rathaus von 1790. Der Haunsche Hof, ein Renaissancebau von 1624, hat ein schönes Fachwerkobergeschoß.

Rathaus

Gradierwerk in Bad Salzungen

Bad Salzungen

Schnepfenburg

Die Schnepfenburg (12.–14. Jh., nach Brand neu errichtet) war ehemals Sitz der Männer, die die Salzquellen vor Übergriffen zu schützen hatten.

Kirchen

Die Stadtkirche (1789–1791), eine klassizistische Anlage, wurde später umgebaut. Spätgotisch ist die Kirche St. Wenzel (1481), die auch eine spätgotische Kanzel hat.

Wildprechtroda

Im südlichen Ortsteil Wildprechtroda ist das Herrenhaus der ehemaligen Wasserburg, ein Baudenkmal aus dem 16. Jh., sehenswert; es hat ein Renaissanceportal.

Umgebung von Bad Salzungen

Bad Liebenstein

Der älteste thüringische Kurbadeort ist Bad Liebenstein. Bereits im 17. Jh. seiner Heilquellen wegen aufgesucht und schnell in den Rang eines Modebades aufgestiegen, wurden die Kureinrichtungen nach dem Zweiten Weltkrieg allen Schichten der Bevölkerung zugänglich gemacht. Das heutige Heilbad gehört zu den größten Einrichtungen im östlichen Teil Deutschlands für die Behandlung von Herz- und Kreislauferkrankungen. Sehenswert ist das Kurzentrum mit mehreren historischen Kuranlagen: Kurhaus (ehem. Fischersches Schloß), Klubhaus (ehem. Fürstenhaus), Kurtheater und Brunnentempel. Vor dem Therapiegebäude steht die Plastik "Badende" (R. Graetz), in der Eingangshalle befindet sich die Wandkeramik "Kurleben" (W. Rommel). Attraktiv ist der Elisabethpark mit dem Rosengarten.

Ruine Liebenstein

Von der Ruine Liebenstein, im 13. Jh. als Burg errichtet, bietet sich ein schöner Blick bis in das Werratal und zu den Bergen der vorderen → Rhön.

Altenstein

Erwähnung verdienen das auf einer felsigen Anhöhe bei Schweina gelegene Schloß Altenstein (1889 an der Stelle einer mittelalterlichen Burg erbaut) mit schönem Schloßpark (1798–1803) über zerklüfteten Kalkfelsen sowie die nahe Altensteiner Höhle, ein 200 m langer unterirdischer Flußlauf (mit See) im Zechstein-Riffkalk.

Steinbach

In der Nähe des Ortes Steinbach steht im sog. Luthergrund ein Lutherdenkmal (1858 neben der 1841 durch Blitzschlag zerstörten 'Lutherbuche' errichtet). Es erinnert an den fingierten Überfall kurfürstlich-sächsischer Soldaten (am 4. Mai 1521) auf den Reformator bei seiner Rückkehr vom Reichstag zu Worms. Von hier wurde Martin Luther dann auf die Wartburg (→ Eisenach) geleitet.

Vacha

Das 17 km westlich von Bad Salzungen an der thüringisch-hessischen Landesgrenze gelegene Werrastädtchen Vacha (138 m ü.d.M.; 4000 Einw.) besitzt schöne Fachwerkhäuser (u.a. das viergeschossige Rathaus = Haus Widemark von 1613) und ansehnliche Reste der um 1260 angelegten Stadtmauer mit 'Burg' und mehreren Rundtürmen. Erwähnung verdienen ferner die vierzehnbogige Werrabrücke (nach 1342 begonnen; 1802 bis 1806 erneuert), die klassizistische Stadtkirche (1821–1824), der Stadtbrunnen von 1613 und die im Kern spätgotische Friedhofskirche um 1390).

Öchsenberg

Auf dem Öchsenberg (627 m ü.d.M.; 90 Min. südlich von Vacha) ein vorgeschichtlicher Ringwall und ein Aussichtsturm.

Geisa

Der Ort Geisa (23 km südlich von Vacha; 273 m ü.d.M.) ist zum großen Teil noch von seiner alten Stadtmauer (15./16. Jh.) umgeben. Das Heimatmuseum (im ehem. Schloß von 1719) berichtet über die regionale Tonbäckerei, zeigt Rhöntrachten und erinnert an den 1601 in Geisa geborenen Mathematiker und Archäologen A. Kircher.

Dermbach

→ Reiseziele von A bis Z: Schmalkalden, Umgebung

Salzwedel

Bundesland: Sachsen-Anhalt
Bezirk (1952–1990): Magdeburg
Höhe: 51 m ü. d. M.
Einwohnerzahl: 23 000

Salzwedel, die zweitgrößte Stadt der → Altmark, liegt am Zusammenfluß von Dumme und Jeetze unweit südlich der Grenze zwischen den Bundesländern Sachsen-Anhalt und Niedersachsen. Sie hat ihren Charakter als mittelalterliche Stadt mit sehenswerten Fachwerkbauten bewahrt und zeugt noch heute von der einstigen Bedeutung als Hansestadt an der Kreuzung wichtiger Fernhandelsstraßen.

Lage und Bedeutung

Als eine Salzwedeler Spezialität gilt der Baumkuchen.

Baumkuchen

Als Burg 1112 erstmals urkundlich erwähnt, entstand an der Kreuzung wichtiger Handelsstraßen eine Kaufmannssiedlung, die 1233 als Stadt genannt wird. 1247 wird die Neustadt (um die Katharinenkirche) gegründet (erst 1713 mit der Altstadt vereint). Die durch Tuchmacherei und -handel bedeutende Stadt war 1263–1514 Mitglied der Hanse.
Durch den Dreißigjährigen Krieg völlig verarmt und 1705 durch einen Stadtbrand fast vollständig zerstört, begann erst im 19. Jh. mit dem Anschluß an das Eisenbahnnetz wieder eine nennenswerte wirtschaftliche Entwicklung. Diese wurde durch die Gründung von Industriebetrieben, darunter eine der größten Zuckerfabriken Deutschlands (1892), bestimmt. Im Jahre 1968 begann man, in der Umgebung von Salzwedel Erdgas zu fördern.

Geschichte

Sehenswertes

Von der ehemaligen Burg sind der Bergfried, ein mächtiger Rundturm aus Backstein (vermutlich 12./13. Jh.), und Reste der Burgkapelle St. Anna erhalten.

Burg

Bemerkenswert sind die noch vorhandenen Teile der Stadtmauer, hauptsächlich im Westen und Süden (Park des Friedens), so der Karlsturm (14./15. Jh.), ein runder Backsteinbau, der Neuperver Torturm (etwa 1460–1470), ein quadratischer Backsteinbau, und der Steintorturm (etwa 1520–1530), ebenfalls ein quadratischer Backsteinturm.

Stadtmauer

Die St.-Lorenz-Kirche, einst Ausgangspunkt der altstädtischen Entwicklung, war ursprünglich eine dreischiffige Basilika (13. Jh.), die von 1692 bis 1859 als Salzmagazin benutzt und stark beschädigt wurde. Das nördliche Seitenschiff wurde wiederhergestellt (1962).

St.-Lorenz-Kirche

Den Mittelpunkt der neustädtischen Siedlung bildet die St.-Katharinen-Kirche (1280 urkundlich erwähnt, um 1450 spätgotisch umgebaut). Beachtung verdienen im Inneren die Fronleichnamskapelle (1490), die Glasmalereien (15. Jh.), der bronzene Taufkessel (1421), das Taufgitter (1567) und die Kanzel (1592).
Bei Restaurierungsarbeiten wurden im Jahre 1983 wertvolle Wandmalereien entdeckt, die Teile der mittelalterlichen Stadt zeigen.

St.-Katharinen-Kirche

Unweit der St.-Lorenz-Kirche steht das altstädtische Rathaus (erster Bau 1509 vollendet, bald darauf Erweiterungen). Es ist eine spätgotische Zweiflügelanlage mit Staffelgiebeln, Türmchen und Saal mit Sterngewölbens.

Rathaus

Westlich der St.-Lorenz-Kirche erreicht man ein stattliches Barockgebäude, das Geburtshaus der Jenny von Westphalen (1814–1881), der

Gedenkstätte der Familie Marx

Salzwedel

Gedenkstätte der Familie Marx (Fortsetzung)

Lebensgefährtin von Karl Marx; es ist heute Gedenkstätte für die Familie Marx (Jenny-Marx-Straße Nr. 10). In dreizehn Räumen werden dort die Lebensabschnitte der Jenny geschildert, die wirtschaftlichen und sozialen Verhältnisse jener Zeit dokumentiert.

Im Jahre 1984 wurde der neugestaltete Garten mit der 1980 von dem Magdeburger Bildhauer Heinrich Apel geschaffenen Bronzeplastik "Jenny" eröffnet.

Jahnhaus

In der Nähe der Marx-Gedenkstätte befindet sich auch das Jahnhaus, in welchem der spätere 'Turnvater' Friedrich Ludwig Jahn (1778–1852) als Gymnasiast von 1791 bis 1794 gewohnt hat.

Pfarrkirche St. Marien

Die ursprünglich spätromanische Pfarrkirche St. Marien (12. Jh.; 1450 bis 1468 spätgotisch umgestaltet) ist eine fünfschiffige Backsteinbasilika mit einem Querschiff, mit dreiseitig geschlossenem Chor und mit Kreuzrippengewölben.

Im Inneren sind bemerkenswert die spätgotischen Glasmalereien und Wandgemälde, der große spätgotische Flügelaltar (um 1510), die Kanzel (1481), eine spätgotische Triumphkreuzgruppe und ein spätromanisches Lesepult (um 1200).

Friedrich-Danneil-Museum

In der ehemaligen Propstei befindet sich das Friedrich-Danneil-Museum (Historiker, † 1864 in Salzwedel). Hier werden Exponate zur Ur- und Frühgeschichte der Altmark gezeigt. Auch die Salzwedler Madonna (13. Jh.) und ein spätgotischer Flügelaltar von Lucas Cranach d. J. (1582) sind hier zu sehen.

Franziskanerklosterkirche

Östlich der Burg steht die ehemalige Franziskanerklosterkirche, eine spätgotische Backsteinhallenkirche (15. Jh.), auch als 'Mönchskirche' bezeichnet. Zu einem wesentlichen Teil erhalten sind die Klostergebäude (vermutlich 13. Jh.).

Hochständerhaus in Salzwedel

Sehenswert sind auch die mit reichem Fachwerk verzierten Bürgerhäuser, darunter das Hochständerhaus (Schmiedestraße Nr. 30), ein seltenes Beispiel dieses Bautyps.
In der Nähe (Schmiedestraße Nr. 17) ist das mit Schnitzereien versehene Portal (1534), Adam-und-Eva-Tor genannt, an einem Gebäude aus dem 19. Jh. bemerkenswert.
Zu den schönsten Bauten der Stadt gehört das Ritterhaus (Badestraße Nr. 9) mit seinem reichen Renaissanceschnitzwerk.

Bürgerhäuser

Umgebung von Salzwedel

In Dambeck (gut 6 km südlich) ist die einschiffige Klosterkirche (13. Jh.) mit spätgotischen Flügelaltar (1474) und Grabdenkmälern (16. Jh., von der Schulenburg) sehenswert. In der spätromanischen Dorfkirche (um 1200) ein bemerkenswerter Schnitzaltar (um 1500).

Dambeck

In Osterwohle (11 km westlich von Salzwedel) gibt es eine Dorfkirche (urspr. 13. Jh.; im 17. Jh. umgestaltet) mit ungewöhnlich reicher Renaissance-Ausstattung (1620/1621), darunter eine geschnitzte Chorschranke mit Kreuzigungsgruppe, eine Taufe, eine Kanzel und eine Kassettendecke.

Osterwohle

In Diesdorf (28 km südwestlich von Salzwedel) befindet sich das Altmärkische Bauernhausmuseum mit niederdeutschem Langdielenhaus (1787), Backstube (17. Jh.) und Speicher (18. Jh.).
Die Klosterkirche ist eine der am besten erhaltenen und schönsten spätromanischen Kirchen der Altmark (13. Jh.) – mit einem aufgesetzten Turm von 1872, einer spätgotischen Triumphkreuzgruppe (um 1500) und einem Grabstein (Lüchow, † 1273).

Diesdorf

Im Luftkurort Arendsee (F 190, 24 km östlich von Salzwedel) steht eine spätromanische Pfeilerbasilika (1184–1210); im Langhaus eine Nonnenempore mit Kunstwerken aus der Umgebung. Der Glockenturm (Kluthturm) ist ein frühgotischer Backsteinbau.
Im ehemaligen Klosterspital das Heimatmuseum (Am See Nr. 3).

Arendsee (Stadt)

Am landschaftlich reizvollen Arendsee, der 'Perle der Altmark', gibt es ein Strandbad; ferner werden Seerundfahrten durchgeführt.

*Arendsee

In Gardelegen (F 71, 43 km südöstlich von Salzwedel) ist das Rathaus (1526–1552, Neubau nach Brand) mit offenem Laubengang im Erdgeschoß beachtenswert, ferner das Salzwedeler Tor mit zwei mächtigen Rundbastionen und der Renaissancebau des ehem. Hospitals St. Spiritus (1591).
Die spätromanische fünfschiffige Hallenkirche St. Marien (um 1200) hat eine reiche Ausstattung (15. und 16. Jh.).
Sehenswert sind ferner zahlreiche schlichte Fachwerkhäuser mit Renaissanceportalen.

Gardelegen

Vor den Toren von Gardelegen liegt die Gedenkstätte 'Isenschnibber Feldscheune', errichtet für die am 13. April 1945 von der SS lebendig verbrannten 1 016 Häftlinge des nationalsozialistischen Konzentrationslagers 'Mittelbau Dora', Außenlager Rottleberode.

Gedenkstätte 'Isenschnibber Feldscheune'

Am 12. September 1990 hat die letzte amtierende Regierung der damaligen Deutschen Demokratischen Republik beschlossen, die sich von Gardelegen westwärts bis zur sachsen-anhaltisch-niedersächsischen Landesgrenze (einst z. T. DDR-Sperrgebiet) ausdehnende Landschaft Drömling, ein Teil der Aller/Ohre-Flußniederung (Mittellandkanal) mit vorwiegend moorähnlichem Charakter als 'Naturpark Drömling' (249 km^2) unter Naturschutz zu stellen.

Naturpark Drömling

Sangerhausen D 4

Bundesland: Sachsen-Anhalt
Bezirk (1952–1990): Halle
Höhe: 158 m ü. d. M.
Einwohnerzahl: 33 500

Lage und Bedeutung

Sangerhausen liegt im südlichen Harzvorland (→ Harz) als östliches Eingangstor zur Goldenen Aue. Die Stadt, ein regionaler Verkehrsknotenpunkt, war lange ein Zentrum des Kupfererzbergbaues.

Geschichte

Der Ort ist eine fränkische Gründung und bereits nach 840 im Hersfelder Zehntverzeichnis aufgeführt. Im Jahre 1194 als Stadt bezeichnet, fällt Sangerhausen bei der Wettinischen Teilung (1485) der albertinischen Linie zu. 1523/1524 schlossen sich zahlreiche Bürger der revolutionären Bauernerhebung unter Thomas Müntzer an, der im Nachbarort Allstedt zum Kampf aufrief. Der Ort war Sitz eines kurfürstlichen Amtes und diente während der Zugehörigkeit zum Fürstentum Sachsen-Weißenfels (1656–1746) zeitweise als herzogliche Residenz. 1815 kam Sangerhausen an Preußen. Der alte Silber- und Kupferbergbau ging im 19. Jh. zurück (Thomas-Müntzer-Schacht 1990 gänzlich aufgegeben). Die Industrialisierung führte zur Gründung von Fabriken für Maschinen, Klaviere und Möbel; um die Jahrhundertwende entstand eine Fahrradfabrik.

Sehenswertes

Burg 'Altes Schloß'

Im Südosten der Stadt stehen Reste der Burg 'Altes Schloß' (keine Besichtigung), die etwa Mitte des 13. Jh.s zusammen mit einer Stadtbefestigung erbaut worden ist. Erhalten sind Ruinen, der stark veränderte Palas, Teile eines Tores und von der Stadtmauer. Die Burg diente unter den Wettiner Markgrafen als Grenzfeste Meißens gegen Thüringen.

Rathaus

Am Marktplatz befinden sich etliche Patrizierhäuser (16. bis 18. Jh.). Das Rathaus ist im Kern spätgotischer Bau (1431 bis 1437; im 16. Jh. umgestaltet) mit asymmetrischem Westgiebel; an der Nordfassade ein steinerner Kopf.

Neues Schloß

An der Südseite des Marktes steht das 'Neue Schloß' (der ältere Teil wird auf 1568 datiert), eine stattliche dreigeschossige Spätrenaissanceanlage mit kursächsischem Wappen über dem Eingangstor und Erkern im Hof und an der Ostecke (jetzt Gericht).

Pfarrkirche St. Jakobi

Dominierend am Markt ist die Pfarrkirche St. Jakobi aus dem 14./15. Jh. (1711–1717 verändert; 1974/1975 restauriert), eine dreischiffige gotische Hallenkirche mit sehenswerter Ausstattung.

Im Stadtkern steht auch die Klosterkirche St. Ulrich (11./12. Jh.), eine romanische Gewölbebasilika; im 13. Jh. Klosterkirche der Zisterzienser.

Einen Besuch lohnt das Spengler-Museum. Gezeigt werden dort Exponate zur Stadtgeschichte und zum Kupferschieferbergbau, ferner eine Sammlung frühgeschichtlicher Tierfunde, darunter das fast vollständig erhaltene Skelett eines Steppenelefanten (oder Altmammuts). Dieses Skelett wurde 1930 in der Kiesgrube Edersleben gefunden und von dem Amateurarchäologen G. A. Spengler geborgen.

Einen Anziehungspunkt bildet in Sangerhausen auch das Rosarium. Diese größte Rosensammlung der Welt zeigt auf einer Fläche von etwa 13 ha rund 6500 verschiedene Arten von Garten- und Wildrosen (55000 Rosenstöcke; Berg- und Rosenfest alljährlich Ende Juni / Anfang Juli); sie wurde 1903 von A. Hoffmann und E. Gnau für den Verein der Deutschen Rosenfreunde geschaffen.

Umgebung von Sangerhausen

Auf dem Röhrig-Schacht in Wettelrode (6 km nördlich) befindet sich das Mansfeldbergbau-Museum. Anhand eines Stollennachbaues über Tage im Freigelände, einer Fördermaschine und Exponaten im Museum wird hier über die Geschichte des Bergbaues im Sangerhäuser Revier und in der Mansfeldmulde berichtet.

In Allstedt (11 km südöstlich von Sangerhausen) hielt Thomas Müntzer am 13. Juli 1524 in der Kapelle des Schlosses (Museum) seine berühmte 'Fürstenpredigt'.
In der romanischen Pfarrkirche St. Wigperti war Müntzer 1523/1524 Prediger; im Turm eine Thomas-Müntzer-Gedenkstätte. Das Rathaus, ein Gebäude aus dem 16./17. Jh. mit reicher Innenausstattung, beherbergt das Allstedter Ortsmuseum.

Saßnitz (Rügen)   A 6

Bundesland: Mecklenburg-Vorpommern
Bezirk (1952–1990): Rostock
Höhe: 0–25 m ü. d. M.
Einwohnerzahl: 14500

Saßnitz, die nördlichste und eine der jüngsten Städte der einstigen Deutschen Demokratischen Republik, erstreckt sich auf der rügenschen Halbinsel Jasmund (→ Rügen) südlich der Kreidesteilküste Stubbenkammer. Im Norden umgeben die dichten Buchenwälder der Stubnitz die Stadt.

Saßnitz ist bekannt durch den Hafen für die Ostseefährlinien nach Schweden (von Saßnitz nach Trelleborg) und in die Sowjetunion (vom nahen Mukran nach Klaipeda in Litauen).

Die Entwicklung zum Badeort begann 1824. Um die Jahrhundertwende war Saßnitz ein international besuchtes Modebad. Nach dem Zusammenschluß der Dörfer Crampas und Saßnitz (1906) wurde 1909 der Eisenbahnfährverkehr von und nach Schweden eröffnet. Durch das Kreidewerk sowie durch Fischfang und Fischverarbeitung entwickelte sich Saßnitz nach 1945 zu einem Industrieort, dem im Jahre 1957 das Stadtrecht verliehen wurde.

Bemerkenswertes in Saßnitz siehe nächste Seite.

Ostseefährhafen Saßnitz

Bemerkenswertes
in Saßnitz auf Rügen

Fährhafen

Der moderne Fährhafen mit der 200 m langen Autobrücke für die Fährverbindung mit Trelleborg wurde 1958/1959 ausgebaut.

Ostmole

Die 1450 m in die See hinausragende Ostmole (1889–1897 erbaut) soll wieder instandgesetzt werden; bis dahin ist sie für Besucher nicht zugänglich.

Leuchtfeuer

Auch das aus technischen Gründen vorübergehend demontierte Leuchtfeuer, das Wahrzeichen der Stadt, soll erneuert werden.

Kreidewände

Die mittlere Stadt wird überragt von den Kreidewänden der ehemaligen Brüche unterhalb der Crampasser Berge; auf der Höhe ein bronzezeitliches Hügelgrab.

Brahms-Gedenktafel

Bemerkenswert ist eine Gedenktafel für Johannes Brahms am Krankenhaus (ehem. Standort des Hotels zum Fahrnberg); Brahms vollendete hier im Jahre 1876 seine I. Sinfonie (c-Moll, op. 68).

Lenin-Gedenkstätte

Ein als Lenin-Gedenkstätte eingerichteter D-Zug-Waggon am Bahnhof sowie ein Gedenkstein vor dem Seemannsheim erinnern an den Aufenthalt Wladimir Iljitsch Lenins (eigentlich W.I. Uljanow) in Saßnitz, der im April 1917 in einem (exterritorialen) Eisenbahnwagen durch das kriegführende Deutschland von der neutralen Schweiz nach Petrograd (heute Leningrad) geschleust wurde.

Ehrenmal

Am Postamt von Saßnitz steht das Ehrenmal der Widerstandskämpfer, eine 6 m hohe Betonstele, die 1973 von dem Künstler R. Schmidt gestaltet worden ist.

Umgebung von Saßnitz

Ein Anziehungspunkt in der Umgebung des Ortes ist die Kreideküste der Stubbenkammer (6 km nördlich) mit dem Königsstuhl (119 m ü. d. M.); in der Nähe liegen Felsen, von denen sich eine weite Aussicht bietet.

*Stubbenkammer
(Abbildungen
s. S. 8 und 522)

In Bergen (F 96, 25 km südwestlich von Saßnitz), einem wichtigen Verkehrsknotenpunkt der Insel Rügen, lohnt die Kirche St. Marien (um 1180 begonnen, im 14. Jh. Ausbau zur gotischen Hallenkirche) einen Besuch. Die nach dem Vorbild des Lübecker Domes errichtete Kirche zählt zu den herausragendsten Beispielen norddeutscher Backsteinbauten. Besonders eindrucksvoll ist der Wandgemäldezyklus (13. Jh.) in Chor und Querschiff, der Szenen aus dem Alten und dem Neuen Testament zeigt; sehenswert ist ferner die Grabplatte der Äbtissin Elisabeth (1473).

Bergen
*Marienkirche

Am Großen Jasmunder Bodden, nördlich von Bergen, steht inmitten eines reizvollen Parkes das mehrtürmige ehemalige Schloß Ralswiek des Grafen Douglas.

Schloß Ralswiek

Bei dem Fischerort Glowe (F 96, 14 km nordwestlich von Saßnitz) an der Landbrücke Schaabe, welche die Verbindung zwischen den Halbinseln Jasmund und Wittow herstellt, erstreckt sich an einer Flachküste ein langer Badestrand.
4 km südöstlich liegt Schloß Spyker, ein dreigeschossiger Backsteinbau mit vier runden Ecktürmen (16. Jh.).

Glowe

In Altenkirchen (27 km nordwestlich von Saßnitz) ist eine gotische Basilika (Dorfkirche) beachtenswert – mit einem spätromanischen Taufstein und Gesichtsmasken, einem spätgotischen Triumphkreuz und einem slawischen Grabstein (vor 1168).

Altenkirchen

Schloß Ralswiek am Großen Jasmunder Bodden

Bad Schandau   E 7

Bundesland: Freistaat Sachsen
Bezirk (1952–1990): Dresden
Höhe: 125 m ü. d. M.
Einwohnerzahl: 3500

Lage und
Bedeutung

Die Stadt Bad Schandau liegt im Elbsandsteingebirge an der Einmündung der Kirnitzsch in die ⟶ Elbe bzw. an der Eisenbahnlinie und Fernverkehrsstraße Dresden – Prag (deutsch-tschechoslowakischer Grenzübergang im Ortsteil Schmilka).

Bad Schandau ist der bedeutendste Kur- und Ferienort in der ⟶ Sächsischen Schweiz sowie Ausgangspunkt für lohnende Ausflüge in die felsenreiche Umgebung. Der Wald reicht bis dicht an den Ort heran.

Geschichte

Zur Sicherung der damaligen Verkehrswege entstand bereits im 13. Jh. auf dem Schandauer Schloßberg die Geleitsburg Schomberg. Im 13./14. Jh. besiedelten deutsche Handwerker und Kaufleute das ursprünglich slawische Gebiet. Mitte des 14. Jh.s entstand eine Stadtanlage, die 1430 erstmals genannt und 1445 bereits als Stadt bezeichnet wurde. Die wirtschaftliche Grundlage bildete der Handel mit Holz, Getreide, Wein und Obst, die als böhmische Waren elbabwärts gingen, sowie mit Südfrüchten, Öl, Petroleum, Heringen und Salz, die als sogenannte Hamburger Waren stromauf kamen. Mit der Entdeckung des 'roten Flößgen', einer Eisenquelle, begann nach 1730 der Badebetrieb; 1799 entstand im Ort das erste Badehaus. Im 19. Jh. entwickelte sich der Fremdenverkehr, der Elbhandel verlor an Bedeutung. Seit 1920 führt die Stadt offiziell den Namen 'Bad Schandau'.

Sehenswertes

Brauhof

Am Marktplatz (Nr. 12) steht der ehemalige Brauhof, ein Renaissancebau mit schönem Portal (1680) und einem achteckigem Treppenturm an der Hofseite.

St. Johannis

Die Kirche St. Johannis (spätgotisch, im 17. und 18. Jh. umgebaut) wurde 1876 im Inneren verändert. In der Kirche gibt es eine Sandsteinkanzel, die aus einem Block gehauen ist; der Altar (1572) wurde von H. Walter geschaffen.

Blick über die Elbe auf Bad Schandau

Das Heimatmuseum (Badallee Nr. 10) vermittelt eine Übersicht über die geologischen Besonderheiten der Umgebung. Ferner wird die Entwicklung der Elbschiffahrt und des Fremdenverkehrs dokumentiert.

Bad Schandau (Fortsetzung) Heimatmuseum

In den Stadtteilen Ostrau (mit 50 m hohem Aufzug zu erreichen) und Postelwitz sind alte Umgebinde- und Fachwerkhäuser zu sehen.

Fachwerkhäuser

Umgebung von Bad Schandau

Ein reizvolles Ausflugsziel ist das romantische, für den Kraftfahrzeugverkehr gesperrte Kirnitzschtal mit dem Lichtenhainer Wasserfall und dem 'Kuhstall' (8 km von Bad Schandau, mit der Kirnitzschtalbahn bis Lichtenhainer Wasserfall).

*Lichtenhainer Wasserfall

Etwa 1 km entfernt der Neue Wildenstein (336 m ü. d. M.) mit der 'Kuhstallhöhle', einem Felsentor (11 m hoch, 17 m breit); von hier bietet sich ein herrlicher Blick auf die Felsgruppe der Affensteine, zum Kleinen Winterberg (500 m ü. d. M.) und zu den Bärenfangwänden.

Neuer Wildenstein

Die Neumannmühle (12 km oberhalb im Kirnitzschtal, Autobusverkehr) ist ein technisches Denkmal, in dem die Technik des Holzschliffes veranschaulicht wird, dessen Erfindung ab 1854 die Massenproduktion von Papier ermöglichte.
In der nahen Buschmühle gibt es eine Gaststätte.

Neumannmühle

Buschmühle

Das über 4 km lange und stark zerklüftete Felsmassiv der Schrammsteine (3 km südöstlich von Bad Schandau) gehört zu den markantesten der Sächsischen Schweiz (417 m ü. d. M.); vom schmalen Gratweg hat man einen schönen Blick in das Felsengebiet und das Elbtal.

*Schrammsteine

In Sebnitz (12 km nordöstlich von Bad Schandau), bekannt durch die Kunstblumenherstellung, ist eine Kirche mit einem Renaissancealtar und der 'Sebnitzer Madonna' beachtenswert; zahlreiche Umgebindehäuser sind zu besichtigen.

Sebnitz

⟶ Reiseziele von A bis Z: Sächsische Schweiz

Elbsandsteingebirge

⟶ Reiseziele von A bis Z: Rathen

Bastei

⟶ Reiseziele von A bis Z: Königstein

Festung Königstein

⟶ Reiseziele von A bis Z: Pirna

Pirna

⟶ Reiseziele von A bis Z: Dresden

Landeshauptstadt Dresden

Scharmützelsee   C 7

Bundesland: Brandenburg
Bezirk (1952–1990): Frankfurt

Der Scharmützelsee, mit 10 km Länge und 13,8 km² Fläche der größte der 3000 brandenburgischen Seen, liegt in der Saarower Hügellandschaft südlich von Fürstenwalde (rund 70 km ostsüdöstlich von ⟶ Berlin). Er ist von Laub- und Nadelwäldern umgeben und setzt sich nach Süden in der Glubigseenrinne fort.

Lage und Gebiet

Ein günstiges Mikroklima und die Nähe Berlins haben die Herausbildung eines Erholungsgebietes rund um den Scharmützelsee gefördert. Der See

*Wassersportrevier

Scharmützelsee

Markgrafensteine in den Rauenschen Bergen

Wassersportrevier (Fortsetzung)	bietet dem Wassersportler alles, was er sich wünscht: Segelregatten, Motorbootrennen und Wasserskiwettkämpfe gehören zu den sportlichen Höhepunkten jeder Saison.
Bad Saarow-Pieskow	Der freundliche Erholungsort Bad Saarow-Pieskow (3 400 Einw.) mit Kurhaus, Strandbad und großem Campingplatz dehnt sich über 10 km lang am Nordende des Scharmützelsees aus. Diesen Ort liebten die Dichter Maxim Gorki und Johannes R. Becher besonders. Beiden Schriftstellern sind Gedenkstätten gewidmet; J. R. Becher wird durch eine von dem Bildhauer Fritz Cremer geschaffene Statue (vor dem Bahnhof) geehrt.
Rauensche Berge	Die massigen Rauenschen Berge nördlich des Scharmützelsees steigen bis auf 148 m ü.d.M. an. Sie erheben sich damit rund 90 m über das Berliner Urstromtal, das sich nach Norden anschließt, und 110 m über den Seespiegel.
*Markgrafensteine	In den Rauenschen Bergen liegen zwei große Granitgeschiebe aus der eiszeitlichen Stauchendmoräne, die Markgrafensteine. Das größte von ihnen wurde im Jahre 1827 halbiert, um aus der einen Hälfte eine große Granitschale herzustellen; sie steht heute vor dem Alten Museum in → Berlin. Die andere Hälfte mißt noch 29,50 Meter im Umfang und ist 8,50 Meter hoch.

Beeskow	→ Reiseziele von A bis Z: Eisenhüttenstadt, Umgebung
Buckow	→ Reiseziele von A bis Z: Märkische Schweiz
Frankfurt (Oder)	→ Reiseziele von A bis Z: Frankfurt an der Oder
Hauptstadt Berlin	→ Reiseziele von A bis Z: Berlin

Schleiz

Bundesland: Thüringen
Bezirk (1952–1990): Gera
Höhe: 440 m ü. d. M.
Einwohnerzahl: 8 000

Die ehemalige Residenzstadt Schleiz liegt – rund 35 km südlich von → Gera und unweit östlich abseits der Autobahn Berlin–Nürnberg – in einer Talmulde der Wisenta, in der waldreichen Landschaft des Thüringischen Schiefergebirges (→ Thüringer Wald). Sie ist Ausgangstor zur Schleizer Seenplatte (Plothener Teichgebiet mit etwa 1 000 Teichen) und bekannt durch ihre Auto- und Motorradrennstrecke 'Schleizer Dreieck'.
Schleiz ist die Geburtsstadt des Porzellanmachers Johann Friedrich Böttger (1682–1719). Die Stadt war Wirkungsstätte von Konrad Duden (1869–1876 Direktor des Gymnasiums), der 1872 "Die deutsche Rechtschreibung" verfaßte.

Lage und Bedeutung

Aus einem slawischen Dorf entwickelte sich im 12. Jh. die Altstadt. 1297 erscheint Schleiz als 'civitas' mit einem Rat. Von den Lobdeburgern kam der Ort für geraume Zeit an die Wettiner und 1318 an die Vögte von Gera, ab 1616 gehörte es der jüngeren Linie Reuß. Die Stadt wurde dann Mittelpunkt einer eigenen reußischen Herrschaft, die 1806 zum Fürstentum erhoben wurde. 1806 schlugen sich in Schleiz preußische und sächsische Einheiten mit der vordringenden napoleonischen Armee. Neben der Landwirtschaft und dem Handwerk entwickelten sich Ende des 19. Jh.s auch kleinere Industriebetriebe.
1923 wurde erstmals das 'Schleizer Dreieckrennen' durchgeführt.

Geschichte

Sehenswertes

Dominierend ist im Stadtbild die Pfarrkirche St. Georg (im wesentlichen 15./16. Jh.; nach Zerstörung 1945 wiederaufgebaut), mit einschiffigem Chor (Netzgewölbe) und Westturm; im Inneren ein reicher Altaraufsatz (1721, J. S. Nahl).

Pfarrkirche St. Georg

Die Bergkirche (15. Jh.), außerhalb der Stadt, ist ein einschiffiger spätgotischer Bau; an der Nordseite befindet sich der Turm, an der Südseite die Annenkapelle. Die Bergkirche ist berühmt wegen ihrer reichen Innenausstattung (vorwiegend 17. Jh.): Altaraufsatz (1635), spätgotische Kanzel (15. Jh., 1670 barock erneuert), Tumba Heinrichs des Mittleren († 1500).

＊Bergkirche

Am Neumarkt steht das restaurierte Gebäude der Alten Münze (16. Jh.), der älteste Profanbau der Stadt (im 17. Jh. Münzstätte). Seit 1982 befindet sich hier eine Gedenkstätte für Johann Friedrich Böttger. Der Erfinder des europäischen Porzellans ist am 5. Februar 1682 in Schleiz geboren.
Das Schloß (16. und 19. Jh.), das im Zweiten Weltkrieg zerstört wurde, ist seither Ruine.

Alte Münze

Schloßruine

Umgebung von Schleiz

In Kirschkau (8 km nordöstlich von Schleiz) steht eine barocke Dorfkirche (1753, J. G. Riedel), ein Zentralbau mit barocker Ausstattung.

Kirschkau

→ Reiseziele von A bis Z: Saaletal

Obere **Saale**

In Burgk (9 km westlich, in einer Saaleschleife) ist das spätgotische Schloß (1403; 16. bis 18. Jh. ausgebaut) bemerkenswert. Zu sehen sind Reste der

Burgk

Schloß Burgk bei Schleiz

Schloßkapelle in Schmalkalden

Burgk
(Fortsetzung)

mittelalterlichen Wehranlagen (Zwinger und Hungerturm), der Rittersaal (bemalte Renaissancedecke), die Schloßkapelle (1624/1625) mit einer Silbermann-Orgel (1743), ein Jagdzimmer und mehrere reich ausgestattete Räume. Neben der Alten Galerie gibt es eine Neue Galerie mit ständig wechselnden Ausstellungen sowie einem Pirkheimer-Kabinett. Im Schloßpark steht das Sophienhaus (1749–1753), ein Rokokogebäude. Um das Schloßgebiet führt ein Naturlehrpfad.

Saalburg

In Saalburg (12 km südwestlich), am Ostufer der Bleilochtalsperre, sind eine zum Teil erhaltene Stadtmauer mit mehreren Wehrtürmen und Steintor (16. Jh.) sowie Resten des Bergfrieds der ehemaligen Burg zu sehen. Die spätgotische Stadtkirche (16./17. Jh. umgebaut) hat doppelte Emporen und eine Fürstenloge. – Im Ortsteil Kloster steht die Ruine des ehemaligen

Kloster

Klosters 'Zum Heiligen Kreuz'; in der Nähe des Ortes die 'Steinerne Rose', die schalige Verwitterung eines Diabassteines.

Pausa

In Pausa (15 km östlich von Schleiz) ist die klassizistische Stadtkirche St. Michaelis (1824/1825) beachtenswert; im Inneren ein Altarrelief (Pietà von Dupré aus Carrara-Marmor). Ein kurioses Wahrzeichen der Stadt ist der große Globus auf dem Rathausdach; er soll scherzhaft den 'Mittelpunkt der Erde' symbolisieren.
Im Park befindet sich das Alte Bad mit massiv ausgebautem Brunnen.

Zeulenroda

In Zeulenroda (F 94, 15 km nordöstlich von Schleiz) ist das klassizistische Rathaus (1825–1828) auf hohem Sockelgeschoß und mit hohem Turm (Themis-Statue) sehenswert. Die Pfarrkirche zur heiligen Dreieinigkeit (1819/1820) hat dreigeschossige Emporen und ein Altarbild von E. Gründler (1820). Beachtung verdient die einheitliche klassizistische Bebauung am Markt. Im Kunstgewerbe- und Heimatmuseum an der Aumaischen Straße (Nr. 30) werden einige Exponate zur Strumpfwirkerei in Zeulenroda wie auch Keramik- und Kunstschmiedearbeiten gezeigt.

Schmalkalden

Bundesland: Thüringen
Bezirk (1952–1990): Suhl
Höhe: 296 m ü. d. M.
Einwohnerzahl: 17 000

Schmalkalden, Kurort und Kreisstadt am Südwesthang vom → Thüringer Wald, liegt – 40 km südlich von → Eisenach – reizvoll im Tal der Schmalkalde. Im 16. Jh. war der Ort Schauplatz geistiger Auseinandersetzungen. Später bekannt durch ihre Eisenkurzwaren, ist die Stadt heute ein Zentrum der Werkzeugherstellung.

Lage und Bedeutung

Im Jahre 874 erstmals urkundlich erwähnt, zog 1227 Ludwig der Heilige 'aus seiner Stadt Schmalkalden' in den Kreuzzug. Im ausgehenden Mittelalter war der Ort bereits ein für damalige Verhältnisse wirtschaftlich starkes Anwesen, dessen Prosperieren vor allem durch ein hochspezialisiertes, eisenverarbeitendes Gewerbe begünstigt wurde.

Geschichte

Im Jahre 1531 gründeten hier die protestantischen Fürsten Deutschlands den Schmalkaldischen Bund, ein Schutzbündnis der protestantischen Reichsstände gegen den Habsburger Kaiser Karl V. und dessen Machtpolitik. 1537 wurden hier die von Martin Luther verfaßten Schmalkaldischen Artikel angenommen, seit 1580 gültiges Bekenntnis der lutherischen Kirche. Seit der schweren Niederlage des Bundes im Schmalkaldischen Krieg (1546/1547) bei Mühlberg verlagerte sich die Bedeutung der Stadt wieder auf das wirtschaftliche Gebiet. Erzeugnisse aus Schmalkalden – Werkzeuge, Schneidwaren und Bestecke – genießen guten Ruf.

*Schloß Wilhelmsburg

Weithin sichtbar ist das stattliche Renaissanceschloß Wilhelmsburg (1585–1589), eine imposante Anlage, die im 19. Jh. verfiel. Später wurde sie vereinfacht wiederaufgebaut und seit 1964 erstmals umfassend restauriert. In der wiederhergestellten Schloßkapelle, einer reich ausgestalteten protestantischen Predigtkirche, gibt es eine Renaissance-Orgel (1587–1589), die älteste spielbare Orgel in Thüringen. Der Bankettsaal ist mit einer Kassettendecke, der Weiße Saal mit reichem Stuck ausgestattet. Wandmalereien und wertvolle Stuckarbeiten in mehreren Räumen.

Renaissancebau

Schloßkapelle

In den historischen Räumen des Schlosses ist das Regionalmuseum untergebracht. Es besitzt sehenswerte Ausstellungsstücke zur Geschichte der Stadt (Schwerpunkt 16. Jh.) sowie der städtischen Eisen- und Stahlwarenindustrie. Vom Schloß bietet sich ein herrlicher Blick auf die Stadt und das Umland.

Regionalmuseum

Altmarkt

Die Altstadt steht unter Denkmalschutz. Am Altmarkt steht das Rathaus, im Kern spätgotisch, Anfang des 20. Jh.s stark verändert. Über dem Ratskeller liegt der frühere Sitzungssaal des Schmalkaldischen Bundes. Das Wandgemälde im Flur zeigt die mittelalterliche Stadt (nach Merian).

Rathaus

Gleichfalls am Altmarkt steht die spätgotische Stadtkirche St. Georg (1437–1509), eine der schönsten Hallenkirchen Thüringens. Im Inneren sind Stern- und Netzgewölbe mit feinem Fenstermaßwerk beachtenswert; ferner spätgotische Gemälde (1503) an den Wänden.

Stadtkirche St. Georg

Über der Sakristei der Stadtkirche befindet sich eine Lutherstube, die als Museum eingerichtet wurde; gezeigt werden wertvolle Bestände aus Kirchenbesitz.

Lutherstube

Schmalkalden (Fortsetzung) Todenwarthsche Kemenate	Ferner steht am Altmarkt (Nr. 5) die Todenwarthsche Kemenate (Anfang 16. Jh.) mit gotischen Treppengiebeln und Fenstern. Ebenfalls eine 'Kemenate', ein heizbares steinernes Wohnhaus, ist die Rosenapotheke an der Steingasse (Nr. 11).

Neumarkt

*Hessenhof	Am Neumarkt befindet sich der berühmte Hessenhof, ein eindrucksvoller Fachwerkbau. In der 'Trinkstube' im Keller ist die älteste erhaltene Profanmalerei des deutschen Mittelalters zu sehen: Reste eines spätromanischen Freskenzyklus (um 1220 bis 1250), geschaffen auf rohem Wandputz nach Motiven aus dem Roman "Iwein, der Ritter mit dem Löwen" des Hartmann von Aue.
Bürgerhäuser	In der Altstadt gibt es eine Vielzahl weiterer kulturhistorisch interessanter Bürgerhäuser, so die Große Kemenate und das Lutherhaus am Lutherplatz. Hier wohnte der Reformator im Jahre 1537.

Weidebrunn

Neue Hütte	Im Schmalkaldener Ortsteil Weidebrunn (nördlich vom Zentrum) liegt die Neue Hütte (oder Happelshütte), ein als technisches Denkmal restauriertes Eisenhüttenwerk mit einer Hochofenanlage von 1835.

Umgebung von Schmalkalden

Asbach	In Asbach (2 km östlich), das im Mittelalter durch seinen Eisenbergbau bekannt war, befindet sich das Lehr- und Schaubergwerk 'Finstertal'.
Dermbach	In dem von Buchenwald umgebenen Marktort Dermbach (26 km westlich von Schmalkalden; Schnitzschule) zeugt die katholische Barockkirche (1732–1735) vom Bestreben der Abtei Fulda in der Rhön, die Region zu rekatholisieren. Die evangelische Pfarrkirche (1714) birgt ein hölzernes Abendmahlrelief (um 1475). Das 1707 erbaute ehemalige Schloß der Fürstäbte von Fulda dient heute den Verwaltungsbehörden. Empfehlenswert ist ein Besuch im Rhönmuseum an der Bahnhofstraße (Nr. 16), in dem die Kultur- und Sozialgeschichte der Vorderrhön veranschaulicht wird.
Ibengarten	Von Dermbach gelangt man süostwärts in etwa 45 Minuten zum Ibengarten, einem alten Eibenbestand mitten im Buchenwald.
Bad Liebenstein	→ Reiseziele von A bis Z: Salzungen, Bad (Umgebung)
Wasungen	→ Reiseziele von A bis Z: Meiningen, Umgebung
Thüringer Wald	→ Reiseziele von A bis Z: Thüringer Wald

Bad Schmiedeberg   D 5

	Bundesland: Sachsen-Anhalt Bezirk (1952–1990): Halle Höhe: 90 m ü. d. M. Einwohnerzahl: 4500
Lage	Bad Schmiedeberg liegt in einer ausgedehnten Talsenke am Ostrand der waldreichen und hügeligen → Dübener Heide. Bekannt wurde der Ort

durch sein Moorbad. Aufgrund der bioklimatischen Situation besteht in diesem Gebiet ein mildes Reizklima. Bedeutung

Flämische Einwanderer gründeten um die Mitte des 12. Jh.s das Dorf, das 1206 als 'Smedeberg' genannt und 1350 als 'Civitas' bezeichnet wurde. Zum Kurfürstentum Sachsen-Wittenberg gehörig, wurde Schmiedeberg 1423 wettinisch und fiel 1815 an Preußen. Die aufgrund der reichhaltigen Tonlager in der Umgebung entstandene Töpferei sowie Brauerei und Tuchmacherei erhalfen der Stadt zu bescheidenem Wohlstand, wovon das 1570 erbaute Rathaus sowie die Mitgliedschaft im 'Chursächsischen Städteausschuß' zeugen. Die Korbmacherei kam Anfang des 19. Jh.s als Gewerbezweig hinzu. Abseits von Fernstraßen und Eisenbahn gelegen, konnte sich in der Kleinstadt keine nennenswerte Industrie entwickeln. Erst die Gründung des Eisenmoorbades (1878) brachte der Stadt einen neuen Aufschwung. Nach dem Zweiten Weltkrieg wurden die Kureinrichtungen rekonstruiert und erweitert. Geschichte

Sehenswertes

Das Stadtbild wird durch die Bebauung der gekrümmten Hauptstraße mit Wohnhäusern des 16. bis 18. Jh.s geprägt. Darunter sind auch einige Renaissancegebäude mit Sitznischenportalen. Stadtbild

Am Markt steht das Rathaus (1570), ursprünglich ein Renaissancebau. Es wurde nach der Zerstörung im Dreißigjährigen Krieg im Barockstil (1661–1663) neu errichtet und 1981 restauriert. Der zweigeschossige Putzbau hat zwei asymmetrisch angeordnete bemerkenswerte Portale. Rathaus

Ein Neurenaissancebau ist das Kurhaus des Eisenmoorbades (um 1900); im Erdgeschoß sind Jugendstilkacheln mit Masken angebracht. Kurhaus

Die Stadtkirche (15. Jh.) entstand als dreischiffige gotische Hallenkirche. Später wurde sie innen nach Einsturz des Gewölbes barock ausgestaltet; zuletzt kam die Ratsherrenloge hinzu (1731). Im Inneren befindet sich eine sehenswerte Ausstattung, u. a. eine reichgeschnitzte Altarwand (1680) und Pfarrgestühl aus der Leipziger Werkstatt. Stadtkirche
Von der einstigen Stadtbefestigung ist nur das Au-Tor (15. Jh.) erhalten.

Umgebung von Bad Schmiedeberg

Östlich der Stadt liegt das Naherholungszentrum Lausiger Teiche (30 ha Wasserfläche) mit einem Waldbad und einem Campingplatz. Lausiger Teiche

In Reinharz (5 km nordwestlich von Bad Schmiedeberg) gibt es ein barockes Wasserschloß (1696–1701) mit 68 m hohem Turm. Hier fertigte der frühere Besitzer, Hans Löser, astronomische Instrumente an, die heute im Zwinger zu → Dresden aufbewahrt werden. Dorfkirche von 1704. **Reinharz**

Lohnend ist ein Abstecher zu dem 6 km nordöstlich von Bad Schmiedeberg an der mittleren → Elbe (Fähre) gelegenen Eisenmoorbad Pretzsch mit dem Schloß (1571–1574), einem stattlichen Renaissancebau. Bei der Gestaltung des barocken Schloßparkes (Kurpark) wirkte Daniel Pöppelmann, der Erbauer des Dresdener Zwingers, mit. Weitere Sehenswürdigkeiten sind das Rathaus (18. Jh.) und die spätgotische Stadtkirche, ein flachgedeckter Saalbau mit reicher barocker Ausstattung (Hofloge). **Pretzsch**

In Bad Düben (16 km südwestlich von Bad Schmiedeberg) stehen noch Reste der Burg Düben (heute Landschaftsmuseum und Kohlhaas-Gedenkstätte). Im Burggarten an der Mulde befindet sich die letzte **Bad Düben**

Schiffsmühle in Bad Düben

Bad Schmiedeberg, Umgebung, Bad Düben (Fortsetzung)

Schiffsmühle im östlichen Teil Deutschlands. Am Markt sieht man ein barockes Bürgerhaus, den Marktbrunnen (16./17. Jh.) und das Rathaus (1719 wiederaufgebaut) mit klassizistischer Wache. An der Rückseite die 'Alte Post' mit Fachwerkgiebel (17. Jh.).

Torgau

→ Reiseziele von A bis Z: Torgau

Lutherstadt Wittenberg

→ Reiseziele von A bis Z: Wittenberg, Lutherstadt

Schneeberg   E 5

Bundesland: Freistaat Sachsen
Bezirk (1952–1990): Karl-Marx-Stadt
Höhe: 475 m ü.d.M.
Einwohnerzahl: 21000

Lage

Schneeberg, die einst bedeutende Silbererzbergbaustadt, liegt im westlichen → Erzgebirge auf dem gleichnamigen, 470 m hohen Berg. Die Höhen in der Umgebung steigen bis fast 600 m an (Gleesberg 593 m ü.d.M. und Griesbacher Höhe 578 m ü.d.M.).

Bedeutung

Die Stadt war durch den Silbererzbergbau Quelle des Reichtums der sächsischen Herrscher. Sie ist heute eine bedeutende Industriestadt und ein Zentrum der erzgebirgischen Volkskunst und Folklore. Von Touristen wird sie wegen der Wintersportmöglichkeiten in der näheren Umgebung gern aufgesucht.

Geschichte

Der Ort entstand nach reichen Silberfunden um 1470/1471. Bereits 1481 erhielt er die Privilegien einer freien Bergstadt. Doch die Silbervorkommen

Panorama von Schneeberg

waren um 1500 weitgehend abgebaut. Im 17. Jh. entwickelten sich das Brauereigewerbe und der Buchdruck. Nach einem Stadtbrand von 1719 wurden die Häuser der heutigen Altstadt errichtet, größtenteils im Barock- und Rokokostil. Nach der Erschließung des Schneeberger Kobaltfeldes wurden in der Nähe Blaufarbenwerke errichtet. Die Spitzenklöppelei ist in der Stadt seit dem 17. Jh. heimisch.

Geschichte (Fortsetzung)

Sehenswertes

Das kulturhistorisch bedeutsame Stadtbild wird beherrscht von der spätgotischen und dreischiffigen St.-Wolfgang-Kirche, einer der größten Hallenkirchen Sachsens (1515 bis 1540). Die im Zweiten Weltkrieg völlig zerstörte Kirche wird wiederhergestellt. Nach Abschluß der Restaurierung soll der im Jahre 1539 von Lucas Cranach d. Ä. geschaffene Flügelaltar, eines seiner reifsten Werke, hier aufgestellt werden.

*St.-Wolfgang-Kirche

Das neugotische Rathaus der Stadt wurde 1851/1852 errichtet, nachdem das Barockgebäude 1849 abgebrannt war, und 1911/1912 umgebaut. Im Treppenhaus eine bemerkenswerte Jugendstilkassettendecke. Über dem Haupteingang sieht man ein 1852 gegossenes Stadtwappen sowie ein Sandsteinrelief 'Sage von der Fündigwerdung Schneebergs' (1911).

Rathaus

Unter den zahlreichen Barockgebäuden der Stadt sind die Häuser am Ernst-Schneller-Platz (Nr. 1 und 2) mit stuckverzierten Fassaden hervorzuheben. Das 'Fürstenhaus' (1721; Ernst-Schneller-Platz Nr. 4) hat am Mittelteil eine Pilastergliederung. Das Bortenreuther-Haus (1724/1725) ist zweigeschossig und versehen mit Pilastergliederung und schönem Portal.

Barockbauten

Im Museum für bergmännische Volkskunst, ebenfalls in einem Barockgebäude untergebracht (Obere Zobelgasse), wird die Entwicklung der erz-

Museum für bergmännische Volkskunst

Schwarzatal

Schneeberg (Fortsetzung)	gebirgischen Schnitzkunst von ihren Anfängen bis zur Gegenwart gezeigt; ferner Scherenschnitte, Klöppelarbeiten und Zinnguß.
Sternwarte	Einen Besuch lohnt die Sternwarte mit dem Kleinplanetarium; sie steht an der Heinrich-Heine-Straße.
Liebfrauenkirche	Im Stadtteil Neustädtel ist die spätgotische Liebfrauenkirche mit den doppelgeschossigen Emporen und einer bemerkenswerten Ausstattung sehenswert.

Umgebung von Schneeberg

Filzteich	Lohnend ist ein Ausflug zum Filzteich (4 km südwestlich), einem künstlich geschaffenen Reservoir für die Be- und Entwässerung der Schachtanlagen (1483–1485 angelegt). Er dient heute als Strandbad; Bootsverleih und bergbaulicher Lehrpfad.
Schwarzenberg	→ Reiseziele von A bis Z: Schwarzenberg
Sosa	In Sosa (12 km südlich von Schneeberg) befindet sich die nach dem Zweiten Weltkrieg erbaute 'Talsperre des Friedens' (1949–1952) mit einem interessanten Talsperrenmuseum.
Carlsfeld	In Carlsfeld (südwestwärts über Eibenstock, 24 km; dann noch weitere 20 km) ist die Dreifaltigkeitskirche (1684–1688, J. G. Roth) sehenswert. Diese Kirche, der älteste barocke Zentralbau in Sachsen, hat dreigeschossige Emporen und einen reichen Kanzelaltar (1688).
Naturschutzgebiete	In der Nähe liegen die Naturschutzgebiete Hochmoor Weitersglashütte (23,4 ha; typische Hochmoorflora) und Großer Kranichsee (292,8 ha; seltene Flora und Fauna).
Talsperre Weiterswiese	Die südlich von Carlsfeld gelegene Talsperre Weiterswiese ist mit 910 m ü. d. M. die höchstgelegene in Sachsen.
Zwickau	→ Reiseziele von A bis Z: Zwickau

Schwarzatal   E 3/4

Bundesland: Thüringen
Bezirke (1952–1990): Suhl und Gera

Lage und Verlauf	Die Schwarza – der Name bedeutet 'Schwarzwasser' – ist ein linker Zufluß der Saale (→ Saaletal). Sie entspringt im Thüringischen Schiefergebirge (→ Thüringer Wald) nahe dem → Rennsteig bei Scheibe-Alsbach auf 717 m Meereshöhe aus einer Verwerfungsquelle mit gleichmäßiger Schüttung und konstant niedriger Temperatur von 6°C und mündet bereits nach 53 km Laufstrecke auf 203 m ü. d. M. bei Schwarza zwischen → Saalfeld und → Rudolstadt in die Saale (über 500 m Gefälle!).

✳ Landschaftsbild

Geologische Beschaffenheit	Wie viele Täler auf der Nordseite des Thüringischen Schiefergebirges beginnt auch das Tal der Schwarza als Hochflächen-Muldental, geht dann in ein windungsreiches Sohlental über und bildet schließlich nahe dem Gebirgsrand ein tief eingeschnittenes, mäandrierendes Cañontal. Dieser letzte Abschnitt des Schwarzatales zwischen Schwarzburg und Bad → Blankenburg ist deshalb mit seinen Talhängen, die bis zu 45° geneigt

Sitzendorf im Schwarzatal

sind, und einem kühlfeuchten Schluchtwald, in dem zahlreiche botanische Besonderheiten vorkommen, auch der reizvollste.

Landschaftsbild (Fortsetzung)

Das gesamte Schwarzatal ist durch Wanderwege gut erschlossen. Vorzuziehen sind gegenüber der von Bad Blankenburg ausgehenden, von 1799 bis 1804 erbauten Talstraße, die der 'Schwarzatal-Expreß', ein spezieller Ausflugsbus, benutzt, die Hang- und Uferwege, die meist durch Buchen-Tannen-Wald, in höheren Lagen durch Buchen- und Fichtenwald führen. Sie lassen sowohl die geologischen Eigentümlichkeiten des Schwarzatals, z. B. die Klippen und Strudellöcher im Tonschiefer, als auch die botanischen Kostbarkeiten – wie etwa die unscheinbaren Verborgenblüher – erkennen und erleben.

Wanderwege

Oberhalb des vielbesuchten Erholungsortes Schwarzburg, von dem 90 m über der Schwarza auf einem Talsporn gelegenen Schloß (z. T. Ruine) überragt und 'Perle Thüringens' genannt, beginnt jener Teil des Schwarzatales, in dem die Wasserkraft des Flusses in der Vergangenheit als wichtigster Energieträger diente und zum Betrieb zahlreicher Mühlen und Hammerwerke benutzt wurde. Ortsnamen wie Blechhammer und Obstfelderschmiede, Schwarzmühle und Katzhütte weisen darauf hin.
Andere frühe Industrien waren die Glasherstellung und die Glasbläserei sowie die Porzellanherstellung.

Nutzung der Wasserkraft

Von der 'Rennsteigwarte' auf dem Eselsberg (841 m ü. d. M.) bei Masserberg hat man einen weiten Blick über den gesamten Lauf der Schwarza.

*Aussicht

Zu den Sehenswürdigkeiten des Schwarzatales gehört auch die Oberweißbacher Bergbahn, die steilste normalspurige Standseilbahn überhaupt. Sie fährt von Obstfelderschmiede in 18 Minuten auf einer 1400 m langen Steilrampe zu der 323 m höher gelegenen Bergstation Lichtenhain (663 m ü. d. M.) hinauf.

*Oberweißbacher Bergbahn (Abb. s. S. 640)

Schwarzenberg   E 5

Bundesland: Freistaat Sachsen
Bezirk (1952–1990): Karl-Marx-Stadt
Höhe: 427–561 m ü. d. M.
Einwohnerzahl: 21 000

Lage und
Bedeutung

Schwarzenberg liegt – 38 km südöstlich von → Zwickau – am Zusammenfluß von Schwarzwasser und Mittweida in einem tiefen Talkessel des Westerzgebirges (→ Erzgebirge). Da die Stadt von Höhen umgeben ist, bieten sich gute Wintersport- und Erholungsmöglichkeiten. Schwarzenberg ist Industriestadt (u. a. Haushaltsgerätebau) und Eisenbahnknotenpunkt.

Geschichte

Die Burg, wahrscheinlich um 1150 von Herzog Heinrich von Melk errichtet, stand – zusammen mit dem umgebenden Land – eine Zeitlang unter der Lehenshoheit der böhmischen Krone. Die Herrschaft Schwarzenberg wird Mitte des 13. Jh.s als meißnerisches Lehen im Besitz der Burggrafen von Leisnig erwähnt. Die Gründung der Stadt geht auf Heinrich, Vogt von Gera, zurück; im Jahre 1282 wurde sie als 'civitas' bezeichnet. Neben Landwirtschaft, Handwerk und Handel erlangte um das Jahr 1500 der Eisenerzbergbau größere Bedeutung. Von den Zerstörungen des Dreißigjährigen Krieges erholten sich Stadt und Gebiet nur langsam. Der große Brand von 1709 beschädigte Schloß und Stadt gleichermaßen schwer.
Im 19. Jh. kam es zu Unruhen in der Nagelschmiede, deren traditionelles Handwerk durch die Industrialisierung gefährdet war. Von 1946 bis 1958 wurde in der Umgebung Uranbergbau betrieben.

Sehenswertes

*Schloß

Das spätgotische Schloß Schwarzenberg (1433) entstand unter Einbeziehung von Resten des 12. Jh.s (Bergfried); 1555–1558 wurde es von Kurfürst August zum Jagdschloß umgebaut (heute z. T. Museum zur Stadtgeschichte).

*Museum

In dem Museum 'Erzgebirgisches Eisen' werden u. a. eine Nagelschmiede des 19. Jh.s und Produkte der erzgebirgischen Gußstätten gezeigt.

Kirche St. Georgen

Die Pfarrkirche St. Georgen (1690–1699) ist ein einschiffiger Barockbau und besitzt eine reiche Ausstattung, darunter ein mit Silber belegtes Kruzifix (17. Jh.) und schmiedeeiserne Altarschranken (1721, Z. Georgi).

Holzbrücke

Eine gedeckte Holzbrücke über das Schwarzwasser verbindet die Ortsteile Untersachsenfeld und Neuwelt.

Naturbühne im
Rockelmannpark

Die seit 1924 bestehende Naturbühne im Rockelmannpark ist in einem ehemaligen Steinbruch eingerichtet und bietet etwa 1 100 Zuschauern Platz.

Umgebung von Schwarzenberg

Waschleithe
Schaubergwerk

In Waschleithe (5 km ostnordöstlich) lohnt das Schaubergwerk 'Herkules-Frisch-Glück' einen Besuch. Es ist ein Untertagemuseum, das die Entwicklung des erzgebirgischen Bergbaus veranschaulicht. Am Ort gibt es ferner einen Heimattierpark und eine Heimatecke, in der Schnitzer Gebäude und Anlagen des Erzgebirges als Modelle gestaltet haben.

Schloß Schwarzenberg ▶

Schwedt

Schwarzenberg,
Umgebung
(Fortsetzung)
Markersbach

In Markersbach (F 101, 8 km ostsüdöstlich von Schwarzenberg) steht eine spätgotische Dorfkirche (15. Jh.) mit bemalter Holzdecke und bebilderten Emporen (Volkskunst) sowie Resten spätgotischer Wandmalereien.

Südlich von Markersbach befindet sich das 1970–1981 entstandene Pumpspeicherwerk mit der Talsperre 'Große Mittweida' und Ausgleichsbecken auf über 800 m Meereshöhe.

Schneeberg

→ Reiseziele von A bis Z: Schneeberg

**Johann-
georgenstadt**

In Johanngeorgenstadt (18 km südsüdwestlich von Schwarzenberg; an der deutsch-tschechoslowakischen Grenze), dem bedeutenden Ferien- und Wintersportzentrum am Fuße vom Auersberg (1019 m ü.d.M.), verdient das Schaubergwerk 'Glöckel', eine der ältesten Silbergruben, Beachtung; ferner gibt es dort drei Postmeilensäulen.

Oberwiesenthal

→ Reiseziele von A bis Z: Oberwiesenthal

Erzgebirge

→ Reiseziele von A bis Z: Erzgebirge

Schwedt (Oder)   B 7

Bundesland: Brandenburg
Bezirk (1952–1990): Frankfurt
Höhe: 7 m ü.d.M.
Einwohnerzahl: 52000

Lage und
Bedeutung

Schwedt, von 1963 bis 1990 das petrochemische Zentrum der damaligen Deutschen Demokratischen Republik, liegt im nordöstlichen Zipfel des neuen Landes Brandenburg und am Ostrand der → Uckermark, an der Einmündung der Welse in die Hohensaaten-Friedrichsthaler Wasserstraße, einen parallel zur Oder (hier die deutsch-polnische Grenze) verlaufenden Kanal. Von den Barockbauten aus der Zeit, als Schwedt Residenzstadt war, sind nur wenige erhalten.

Geschichte

Als befestigter Oderübergang ausgebaut und 1265 erstmals als Stadt erwähnt, war Schwedt bis 1479 ständiges Streitobjekt zwischen Pommern und Brandenburg. 1637 durch schwedische Truppen zerstört (1643: 130 Einwohner!), legte eine verheerende Feuersbrunst 1681 die wiederaufgebaute Stadt erneut in Schutt und Asche. 1685 als barocke Ackerbürgerstadt mit regelmäßigem Grundriß neu angelegt, war Schwedt ab 1689 Sitz der Markgrafen von Brandenburg-Schwedt.

Als bedeutende Theaterstadt war der Ort Wirkungsstätte des Musikers Johann Abraham Peter Schulz (1747–1800; Lieder im Volkston, u.a. "Der Mond ist aufgegangen ...").

Es ist auch Geburtsort des Architekten David Gilly (1748–1808), des Wegbereiters des Klassizismus in Deutschland.

Hugenotten brachten nach 1685 den Tabakanbau nach Schwedt, der hier bei günstigen klimatischen Bedingungen schon bald das Wirtschaftsleben der Stadt bestimmte.

Nach fast völliger Zerstörung in den letzten Tagen des Zweiten Weltkrieges wurde Schwedt neu erbaut. In den sechziger Jahren entstanden im Zuge der planwirtschaftlichen Entwicklung zahlreiche Industriebetriebe, vor allem petrochemische Werke.

Bemerkenswertes in Schwedt

Vierradener Straße

Der einstigen Hauptallee der barocken Stadtanlage folgend, bildet heute die als Fußgängerbereich gestaltete Vierradener Straße mit Brunnen, Plastiken und Grünflächen die Hauptachse der neuen Stadt.

An der Stelle, an der einstmals das Schwedter Schloß stand, wurde im Jahre 1979 ein Kulturhaus, jetzt Uckermärkisches Kulturforum, erbaut; darin befindet sich auch das Stadttheater.

Uckermärkisches Kulturforum

Von der barocken Stadt blieb nur die kleine ehemals französisch-reformierte Kirche erhalten. Diese wurde 1779 von Georg Wilhelm Berlischky auf ovalem Grundriß errichtet; heute wird sie als 'Berlischky-Pavillon' für Konzertveranstaltungen genutzt.

Berlischky-Pavillon

Das Stadtmuseum am Markt (Nr. 4) informiert über die geschichtliche Entwicklung Schwedts.

Stadtmuseum

Im Park Heinrichslust befindet sich die Gedenkstätte zum 30. Jahrestag der Befreiung vom Nationalsozialismus. Ferner gibt es dort eine Freilichtbühne und eine Sonnenuhr von 1740 aus dem ehemaligen Schloßpark.

Park Heinrichslust

Umgebung von Schwedt

Ausflüge mit der 'Weißen Flotte' führen nach Gatow – Friedrichsthal – Gartz – Mescherin und nach Niederfinow (→ Eberswalde-Finow), wo sich das bekannte alte Schiffshebewerk befindet.

*Schiffshebewerk Niederfinow (Abb. s. S. 281)

In nördlicher Richtung (F 2) gelangt man von Schwedt über Vierraden (4 km; spätgotische Burgruine) nach Gartz (19 km). Hier sind die Stadtmauer mit dem Mauerturm ('Storchennest') sowie das Stadttor (15. Jh.) und die spätgotische Hallenkirche bemerkenswert. Lohnende Wanderung im 'Gartzer Schrey'.

Vierraden Gartz

In Criewen (F 2, 8 km südwestlich von Schwedt) gibt es einen odernahen Landschaftspark (1822, P.J. Lenné) mit zwei Sumpfzypressen und einer alten Feldsteinkirche.

Criewen

In Stolpe (F 2, 18 km südwestlich von Schwedt, an einem Oderknie) ist der spätmittelalterliche Bergfried (Aussicht) sehenswert. Im Ort der Grabstein für den Geologen Leopold v. Buch (1774–1853).

Stolpe

In Angermünde (F2, 22 km südwestlich) erinnert eine Gedenkstätte (Puschkinallee) an den Angermünder Ehrenbürger und bekannten Schriftsteller Ehm Welk (1884–1966). Sehenswert sind außerdem Reste der alten Stadtmauer, das spätbarocke Rathaus und die dreischiffige gotische Hallenkirche St. Marien. Im Friedenspark (Berliner Straße) befindet sich ein Heimattiergarten.

Angermünde

→ Reiseziele von A bis Z: Eberswalde-Finow

Chorin

→ Reiseziele von A bis Z: Uckermark

Uckermark

→ Reiseziele von A bis Z: Werbellinsee

Schorfheide

Schwerin   B 4

Hauptstadt des Bundeslandes Mecklenburg-Vorpommern
Bezirk (1952–1990): Schwerin
Höhe: 40 m ü.d.M.
Einwohnerzahl: 130000

Schwerin, die einstige mecklenburgische Residenzstadt und neue Landeshauptstadt von Mecklenburg-Vorpommern, erstreckt sich am Süd-

Lage und Bedeutung

Lage und
Bedeutung
(Fortsetzung)

westufer vom → Schweriner See. Von weiteren sechs Seen und Wäldern umgeben, ist die Lage der 'Stadt der sieben Seen' besonders reizvoll.
Nach dem Zweiten Weltkrieg ist Schwerin ein bedeutendes industrielles und kulturelles Zentrum im früher wirtschaftlich wenig entwickelten Mecklenburg geworden.

Stadtgeschichte

Eine 1018 erwähnte slawische Burg stand auf der jetzigen Schloßinsel. Nach der Niederwerfung der Obotriten im Jahre 1160 gründete der Sachsenherzog Heinrich der Löwe neben der slawischen Siedlung Schwerin nach Lübeck die zweite deutsche Stadt östlich der Elbe. Durch die Gründung der Grafschaft Schwerin (1167) und die Verlegung des Domkapitels (1171) in die Stadt wurde Schwerin Residenz und Sitz des Bistums. Im 16. Jahrhundert bildete die Stadt Schwerin den Mittelpunkt des geistigkulturellen Lebens in Mecklenburg. Von 1756 bis 1837 residierte der mecklenburgische Hof in Ludwigslust. Erst nach der Rückverlegung der Residenz erhielt Schwerin seine eigentliche Bedeutung als Residenzstadt der Großherzöge von Mecklenburg (seit 1815); unter dem Hofarchitekten G. A. Demmler entstanden etliche Repräsentationsbauten.
Nach dem Ersten Weltkrieg (1918) wurde Schwerin Landeshauptstadt von Mecklenburg-Schwerin, nach dem Zweiten Weltkrieg von Mecklenburg-Vorpommern (ab 1947 Mecklenburg). Im Zuge der sozialistischen Verwaltungsneugliederung der einstigen Deutschen Demokratischen Republik (1952) wurde es Zentrum des neu geschaffenen Bezirkes Schwerin ('Bezirksstadt'). Am 18. Oktober 1990 entschied sich der Landtag von Mecklenburg-Vorpommern für Schwerin (gegen die Hansestadt → Rostock) als neue Landeshauptstadt.

Schloßinsel

*Schloß

In der Altstadt gibt es zahlreiche Bauten aus dem 18./19. Jh., meist errichtet von Hofbaumeister G. A. Demmler. Das dringend renovierungsbedürftige Schloß auf der Schloßinsel gilt als eines der schönsten Bauwerke aus dem 19. Jh. in Norddeutschland. Es erhielt sein heutiges Aussehen 1843–1857 nach dem Vorbild des Schlosses Chambord südwestlich von Orléans. Der fünfeckige Baukörper ist mit zahlreichen Türmen und Türmchen verziert; es vereinigt Stilmerkmale der Gotik, des Barock und der Renaissance. Von bedeutendem künstlerischen Wert sind die schönen Intarsienfußböden, die Seidentapeten und die reich vergoldete Ornamentik in den Sälen. Ausgesprochen repräsentativ wirken die der sogenannten Festetage der Thronsaal, die Ahnengalerie, das Rauchzimmer und das Adjutantenzimmer.

Schloßcafé

In der Beletage mit der Silvestergalerie, dem Speisezimmer und der Roten Audienz wurde für die Besucher ein Schloßcafé eingerichtet.

Museum für
Ur- und
Frühgeschichte

In dem Flügel am Burgsee ist das Museum für Ur- und Frühgeschichte untergebracht. Gezeigt werden u. a. Funde von dem mittelsteinzeitlichen Wohnplatz Hohen-Viecheln bei Wismar und von dem slawischen Burgwall Teterow.

*Schloßkapelle

Beachtenswert ist die Schloßkapelle (1560–1563, J. B. Parr) im Nordflügel des Schlosses, ein Renaissancebau nach dem Vorbild der Schloßkapelle in Torgau. Sie hat eine schöne Innenausstattung.

*Schloßgarten

Vom Burggarten mit großen Trauerbuchen und alten Platanen gelangt man südwestwärts in den Schloßgarten. Der Park, ein barocker Lustgarten mit Kreuzkanal und Arkaden, wurde im 18. Jh. geschaffen; hier stehen Kopien von Plastiken aus der Werkstatt von B. Permoser. Am Rande der Anlage eine Schleifmühle, die als technisches Denkmal interessant ist. Zum Schloßgarten gehörte ursprünglich der vor dem Schloß gelegene Alte Garten.

Ehemals mecklenburgisches Residenzschloß nach französischem Vorbild

Blick zum Schweriner Dom

Altstadt

Fußgängerzonen

In der Altstadt ist Fußgängerzone entstanden. Auch die Straße 'Großer Moor', die von der Innenstadt Richtung Schweriner See führt, bleibt z.T. den Fußgängern vorbehalten.

*Theater

Unweit des Schlosses steht am Alten Garten, einer Platzanlage mit repräsentativen Gebäuden, das Mecklenburgische Staatstheater, 1883 bis 1886 von G. Daniel im Stil der Neurenaissance errichtet. In unmittelbarer Nähe des Theaters stößt man auf die Büste von Conrad Ekhof, der 1753 in Schwerin die erste deutsche Schauspielakademie gründete.

*Staatliches Museum

An der Ostseite des Alten Gartens befindet sich das Staatliche Museum, 1877 bis 1882 von H. Willebrand als Gemäldegalerie im Stil des Spätklassizismus fertiggestellt. Die schlichte klassizistische Fassade wurde beim Umbau mit italienischer Renaissance-Ornamentik versehen. Es ist heute eines der bedeutendsten Museen im östlichen Deutschland; zu seinem Bestand gehört eine große Kollektion von Werken flämischer und niederländischer Meister des 17./18. Jahrhunderts. Auch Kunst der Gegenwart wird dort gezeigt (u.a. Cremer, Grzimek).

Altes Palais

Am Alten Garten steht ferner das Alte Palais (Schloßstraße Nr. 1), ein zweigeschossiges Fachwerkhaus (1799), das früher Mitgliedern des Hofes als Wohnung diente (heute Sitz einer Verwaltungsbehörde).

Kollegiengebäude

Am Alten Garten (Schloßstraße Nr. 2) befindet sich darüber hinaus das Kollegiengebäude, eine 1883–1886 von G.A. Demmler auf dem Gelände eines mittelalterlichen Klosters errichtete klassizistische Dreiflügelanlage..

Rathaus am Markt

In der Altstadt wurden in den letzten Jahren die historischen Straßen und Plätze rekonstruiert. Dazu gehört der Markt mit dem Rathaus, dessen älteste Teile aus dem 14. Jh. stammen; es hat eine neugotische Fassade, geschaffen von G.A. Demmler (1835).

Fachwerkhäuser

Hinter dem Rathaus stehen vier Fachwerkgiebelhäuser (17. Jh.).

Achtung!
Im Zuge der politischen Neuorientierung sind weitere Namensänderungen zu erwarten.

An der Nordseite des Marktes steht das sog. Neue Gebäude, 1783–1785 von J.J. Busch für Kaufläden errichtet.
An der Front sieht man eine mächtige Vorhalle und vierzehn dorische Säulen.

Ein Bogengang des Rathauses führt vom Markt zum rekonstruierten Schlachtermarkt, der wieder zum Verkauf von Waren benutzt wird.

Im Stadtkern sind mehrere Palais und Bürgerhäuser erhalten, so in der Puschkinstraße (Nr. 19–21) das Neustädtische Palais (1776, J.J. Busch), eine zweigeschossige Dreiflügelanlage, 1878 in historisierenden Formen der französischen Renaissance umgebaut.

Zu den bedeutendsten Sehenswürdigkeiten der Stadt zählt der gotische Dom (14./15. Jh.), einer der schönsten Bauten der norddeutschen Backsteingotik.
Im Inneren sind von besonderer künstlerischer Bedeutung der gotische Kreuzaltar (Lübecker Arbeit, um 1440), zwei Grabplatten aus Messing (14. Jh.) und das gotische Taufbecken.

Die Pfarrkirche St. Nikolai (Schelfkirche) an der Schelfstraße, 1708–1711 an der Stelle eines mittelalterlichen Vorgängerbaus entstanden, ist ein barocker Zentralbau.

Zippendorf

Einen Ausflug lohnt der Stadtteil Zippendorf am Südufer vom ⟶ Schweriner See.
Es gibt dort einen Badestrand und Ausflugsgaststätten; vom Fernsehturm (138 m) bietet sich ein schöner Blick.

Pfaffenteich und Ziegelsee in Schwerin

Schwerin-Mueß

*Freilichtmuseum
In Schwerin-Mueß befindet sich ein Freilichtmuseum, das die ländliche Architektur des 17./18. Jh.s sowie die Arbeits- und Lebensweise der mecklenburgischen Bevölkerung zur Anschauung bringt.

Umgebung von Schwerin

*Schweriner See
Lohnend sind Ausflugsfahrten der 'Weißen Flotte' auf dem ⟶ Schweriner See und in die weitere Umgebung (Parchim, Neustadt-Glewe).

Raben-Steinfeld
Am Ostufer des Schweriner Sees liegt Raben-Steinfeld (F 321 südostwärts) mit einer Gedenkstätte, die an den zehntägigen Todesmarsch von 30 000 Häftlingen aus den nationalsozialistischen Konzentrationslagern Sachsenhausen und ⟶ Ravensbrück erinnert, den insgesamt nur 18 790 überlebten.

Hansestadt Wismar
⟶ Reiseziele von A bis Z: Wismar

Gadebusch
In Gadebusch (F 104, 24 km nordwestlich von Schwerin) steht eine spätromanische Pfarrkirche (12.–15. Jh.), eine der frühesten Backsteinhallenkirchen im Bezirk Schwerin; Kuppelgewölbe und Radfenster mit bronzenen Speichen. Das ehemalige Schloß der mecklenburgischen Herzöge, ein Bau der Renaissance (1570/1571; jetzt Internat), ist mit Terrakottareliefs verziert. Das gotische Rathaus (1340) hat eine Gerichtslaube an der Marktseite (1618).

Vietlübbe
In Vietlübbe (5 km östlich von Gadebusch) steht eine der ältesten und schönsten Dorfkirchen Mecklenburgs, ein spätromanischer Backsteinzentralbau (um 1300).

Naturpark Schaalseegebiet
Am 12. September 1990 hat die letzte amtierende Regierung der damaligen Deutschen Demokratischen Republik beschlossen, den gut 30 km (Luftlinie) westlich von Schwerin gelegenen Schaalsee und sein Umfeld als 'Naturpark Schaalseegebiet' (162 km^2) unter Naturschutz zu stellen. Hieraus soll im Bereich der Landesgrenze zwischen Mecklenburg-Vorpommern und Schleswig-Holstein – zu DDR-Zeiten weitgehend unzugängliches Sperrgebiet – ein erster gesamtdeutscher Naturpark entstehen, der auch eine Reihe von Inseln und Halbinseln, die Kette von Neukirchner See und Boissower See sowie die zwischen dem Schaalsee und der Seenkette gelegene Heckenlandschaft (Knicks), ferner die Moränenlandschaft zwischen Ratzeburg und dem Röggeliner See einschließen wird.

Schweriner See   B 4

Bundesland: Mecklenburg-Vorpommern
Bezirk (1952–1990): Schwerin

Größe und Gebiet
Der Schweriner See, mit einer Wasserfläche von 65,5 km^2 der drittgrößte deutsche Binnensee, bildet mit den ihm benachbarten etwa 25 mittelgroßen und zahlreichen weiteren kleinen Seen den westlichsten Teil der Mecklenburgischen Seenplatte (⟶ Mecklenburger Seen), die Westmecklenburgische oder Schweriner Seenlandschaft, eine wellige bis flachkuppige, 50 bis 100 m hohe Jungmoränenlandschaft.

*Schwerin
Benannt ist der Schweriner See nach der an seinem südwestlichen Ende gelegenen Hauptstadt des neuen Bundeslandes Mecklenburg-Vorpom-

mern, → Schwerin, die nicht ohne Grund auch als 'Stadt der Seen und Wälder' bezeichnet wird.

*Landschaftsbild

Der Schweriner See liegt in einer Tiefenzone, die sich von der Wismarbucht über den Schweriner See, die südlich anschließende Niederung der Lewitz und das untere Eldetal bis zur Elbe erstreckt. Offenbar hat diese Tiefenzone die Richtung der kaltzeitlichen Gletscherbewegungen deutlich von Norden nach Süden gelenkt.

Lage in einer Tiefenzone

Im Norden erreicht der 21 km lange Schweriner See bei Hohen Viecheln die Nördliche (Pommersche) Hauptendmoräne. Im Süden begrenzen ihn die höchsten Teile der Wurzel des Sülstorfer Sanders, der von der Südlichen (Frankfurter) Haupteisrandlage aufgebaut, aber durch jüngere Schmelzwässer, die über die Lewitzniederung zum Urstromtal der Elbe abflossen, erodiert wurde. Von der Höhe dieses Sanders bietet sich ein weiter Blick über die westmecklenburgische Seen- und Hügellandschaft.

Glazial geprägte Landschaftsformen

In der Mitte zieht eine Moränenstaffel durch den Schweriner See. Auf dieser Untiefe wurde 1842 der Paulsdamm durch den See geschüttet.

Paulsdamm

Seitdem sind der Schweriner Binnensee (größte Tiefe 43 m) und der Außensee (größte Tiefe 51 m) deutlich voneinander getrennt.
Über den Paulsdamm führt die Fernverkehrsstraße (F 104) von Schwerin nach → Güstrow und → Neubrandenburg. Sie liegt nur wenig höher als der Seespiegel (37,40 m ü. d. M.) und bietet einen herrlichen Blick auf den 3 bis 4 km breiten Außensee und den maximal 6 km breiten Binnensee.

Binnensee Außensee

Im Schweriner Binnensee liegen zwei größere Inseln: der unter Naturschutz stehende Kaninchenwerder (0,5 km²; Aussichtsturm) und ferner der Ziegelwerder (0,4 km²). Unter den Inseln des Außensees ist die schmale, aber 2 km lange Lieps die größte.

Kaninchenwerder Ziegelwerder

Insel Lieps

Der Schweriner See hat einen natürlichen Abfluß nach Süden über die Stör zur → Elbe und einen künstlichen Abfluß nach Norden durch den Wallensteingraben zur Ostsee.

Abfluß

Der Schweriner See und die zahlreichen ihm benachbarten Seen bieten in unmittelbarer Nähe der Großstadt die besten Voraussetzungen für den Wassersport und die Naherholung. Wanderungen entlang der bewaldeten Ufer der Seen zu den zahlreichen Badestellen sind ebenso beliebt wie Fahrten mit Segel- oder Motorbooten auf dem See.

Wassersport und Naherholung

Fahrgastschiffe verbinden die Stadt → Schwerin mit den wichtigsten Erholungsgebieten – den Ortsteilen Zippendorf und Mueß am Südufer des Schweriner Sees sowie der Insel Kaninchenwerder.

Schiffsverbindungen

Seiffen   E 6

Bundesland: Freistaat Sachsen
Bezirk (1952–1990): Karl-Marx-Stadt
Höhe: 650 m ü. d. M.
Einwohnerzahl: 3500

Seiffen, offiziell als 'Kurort Seiffen' bezeichnet, liegt – rund 40 km südöstlich von → Chemnitz – im östlichen → Erzgebirge, im 'Seiffener Winkel' südlich des Schwartenberges (789 m ü. d. M.) und unweit der deutsch-tschechoslowakischen Grenze. Er ist Zentrum der sächsischen Spielwarenindustrie und aufgrund seiner reizvollen Lage und günstiger klimatischer Bedingungen ein bedeutender Fremdenverkehrsort.

Lage und Bedeutung

▲ *Kurort Seiffen im östlichen Erzgebirge*

Spielwaren und gedrechselte Figuren (Abb. s. S. 134)

Neben dem Spielzeug sind die gedrechselten Leuchterfiguren (Bergmann und Engel), Nußknacker, Räuchermännchen, Weihnachtspyramiden, die Hängeleuchter und Spanbäume sowie die in Reifen (Ringen) gedrehten und davon abgespaltenen Tierfiguren weltberühmt.

Geschichte

Die Siedlung wurde 1324 erstmals urkundlich genannt. Der Name des Ortes wird abgeleitet vom früheren Auswaschen ('Seifen') der Zinnkörner aus dem Verwitterungsschutt der Täler. Die Herrschaft Purschenstein unterhielt in Seiffen ein eigenes Bergamt mit Pochwerk und Schmelzhütte, doch der Bergbau ging immer mehr zurück und erlosch schließlich 1849. Die Holzbearbeitung bot sich als neue Erwerbsmöglichkeit an; bereits 1699 wurde 'Seiffener Ware' auf Schubkarren zur Leipziger Messe gebracht. Seit 1760 beschickte man die Messen in Leipzig und Nürnberg mit Spielzeug. Nach dem Zweiten Weltkrieg erlebte die Spielzeugproduktion eine neue Blüte.

Sehenswertes

*Dorfkirche

Ein anmutiges Bild bietet die charakteristische kleine Dorfkirche (1779), ein barocker Zentralbau, achteckig, mit umlaufenden Emporen und einer bemerkenswerten Innenausstattung.

*Erzgebirgisches Spielzeugmuseum

Eine Touristenattraktion ist das Erzgebirgische Spielzeugmuseum. Es zeigt u. a. die Entwicklung des Seiffener Bergmanns zum Spielzeugmacher und des Seiffener Spielzeugs zur weltbekannten Handelsware; ferner wird die soziale Lage der einstigen Heimarbeiter dokumentiert.

Schauwerkstatt

In einer Schauwerkstatt der Seiffener Volkskunst (Bahnhofstraße Nr. 12) kann der interessierte Besucher Reifendrehern, Schnitzern und Malern bei der Arbeit zusehen.

Einen Besuch lohnt darüber hinaus das Erzgebirgische Freilichtmuseum (am östlichen Ortsausgang), in dessen historischen Gebäuden mit einem Wasserkraftdrehwerk das Reifendrehen sowie die Arbeits- und Lebensbedingungen der Spielzeugmacher und anderer für das Erzgebirge typischer Berufsgruppen demonstriert werden.

Erzgebirgisches Freilichtmuseum

Um die Binge und in anderen Ortsteilen sind zahlreiche einstöckige Häuser mit steilem Satteldach erhalten. Binge und Geyerin sind Zeugen des einstigen Bergbaus.

Binge

Einen guten Eindruck davon vermitteln auch der umfassende Rundblick von der Bingenhalde (Aufgang von der August-Bebel-Straße) sowie ein Bergbaulehrsteig.

Bingenhalde

Umgebung von Seiffen

Reizvoll ist eine Wanderung von Seiffen zum Schwartenberg (789 m ü. d. M.); von dort bietet sich eine weite Aussicht bis zum → Fichtelberg, nach → Augustusburg, Frauenstein und zur Talsperre Rauschenbach (Baude mit Gaststätte).

☼Aussicht vom Schwartenberg

Olbernhau (10 km westlich von Seiffen) erstreckt sich im Tal der Flöha und ihren Nebentälern. Es wird das 'Tor zum Spielzeugland' genannt. Mit dem Museum 'Haus der Heimat' (ehem. Rittergut) und dem Technischen Denkmal 'Althammer' (1537, im Ortsteil Grünthal) hat der Ort zwei bedeutende Sehenswürdigkeiten, welche die Entwicklung der Holzkunst- und der Spielzeugindustrie bzw. die Entstehung des Blechwalzwerkes eindrucksvoll belegen.

Olbernhau

→ Reiseziele von A bis Z: Erzgebirge

Osterzgebirge

Selketal D 3

Bundesland: Sachsen-Anhalt
Bezirk (1952–1990): Halle

Verlauf der Selke
und Gebiet

Die Selke, ein rechter Nebenfluß der Bode, hat ihr Quellgebiet im unteren
→ Harz, auf der Südseite des granitenen Rambergmassivs (582 m ü. d. M.)
in der Nähe der alten Bergstadt Harzgerode. Im Gegensatz zum → Bodetal ist das Tal der Selke weniger tief eingeschnitten. Auf längeren Strecken
bietet es sich als ein liebliches breites Wiesental dar.

Selketalbahn

Zwischen Straßberg/Harzgerode und → Gernrode verkehrt die schmal-
spurige Selketalbahn.

Nutzung der
Wasserkraft

Zahlreiche Orts- und Flurnamen wie Selkemühle, Schneidemühle, Silber-
hütte, Stahlhammer, Kupferhammer und ähnliche erinnern an die früher
weitverbreitete Nutzung der Wasserkraft der Selke für die Aufbereitung der
im Harz gewonnenen Erze und die Herstellung von Metallerzeugnissen.

*Burg Falkenstein
(Abb. s. S. 654)

Wenige Kilometer vor dem Austritt der Selke aus dem Harz überragt die
Burg Falkenstein (16./17. Jh.) das Tal. Es handelt sich hierbei um eine der
am besten erhaltenen Burganlagen des Harzraumes, heute Museum mit
Exponaten zur Burggeschichte und zum Jagdwesen.
An diesem Ort verfaßte im 13. Jh. Eike von Repkow den "Sachsenspiegel"
(vgl. Abb. S. 37), das älteste deutsche Rechtsbuch, und übertrug es aus
dem Lateinischen in das Niederdeutsche. Er schuf damit ein wertvolles
Zeugnis für die Entwicklung der deutschen Sprache.

Spreewald C/D 6/7

Bundesland: Brandenburg
Bezirk (1952–1990): Cottbus

Lage und Gebiet

Der Spreewald (sorbisch 'Błota' = 'Sümpfe') liegt rund 100 km südöstlich
von → Berlin. Er ist eine überaus reizvolle Niederungslandschaft, wie es
sie in Mitteleuropa kein zweites Mal gibt. Die Einmaligkeit des Spreewaldes gründet sich auf naturgeographische Besonderheiten, auf spezifische Bedingungen für die Wirtschaft und auf die Eigenständigkeit der
hier lebenden sorbischen Bevölkerung. In jüngerer Zeit kamen Einflüsse
aus der Entwicklung der sozialistischen Energiewirtschaft im Großraum
→ Cottbus hinzu.

**Spreewald

Besonderheiten
der Landschaft

Naturgeographisch ist der Spreewald eine von zahlreichen Wasserläufen,
den Fließen, durchzogene feuchte Niederung mit eingeschobenen Talsandflächen und Dünen. Den südlichsten, höchstgelegenen Teil des
Spreewaldes, den Cottbuser Schwemmsandfächer, hat die Spree während der letzten Kaltzeit in das Baruther Urstromtal geschüttet. Auf den
kleinen Talsandinseln, den Kaupen, hat sich die für den Spreewald charakteristische Streusiedlung entwickelt.

Oberspreewald

Bei dem Städtchen Burg beginnt der Oberspreewald. In diesem Teil des
Urstromtales bis Lübben verwildern die Spree und die ihr zufließende
Malxe bei einem geringen Gefälle von nur 7 m auf 34 km in zahllose Fließe.
Die Baumreihen an ihnen durchziehen weite offene Wiesen, auf denen im
Sommer Heu trocknet, sowie kleine Acker- und Gartenflächen, die für den
Gemüse- und Obstbau genutzt werden.

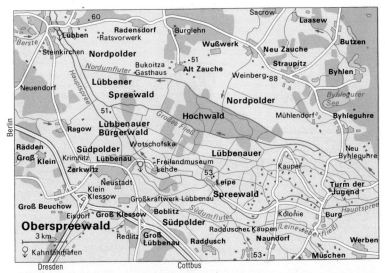

Im Unterspreewald unterhalb von Lübben teilt sich die Spree erneut in mehrere Flußläufe. Dauergrünland, Bruchwald und Äcker nehmen dieses alte Gletscherzungenbecken ein, das die eiszeitliche Spree mit ihren Ablagerungen ausgefüllt hat. Insgesamt ist der Spreewald somit eine 75 km lange und maximal 15 km breite Niederung, die sich von etwas über 60 auf weniger als 50 m ü.d.M. abdacht. Weithin ähnelt er einem ausgedehnten Park. Eine Kahnfahrt wird zu einer erlebnisreichen Entdeckungsreise.

Unterspreewald

Die hochwasserfreien Gebiete des Spreewaldes sind altbesiedeltes Land. Hier wohnen seit jeher Sorben. Zur sorbischen kulturellen Überlieferung gehören auch die farbenprächtigen Feiertagstrachten.

Sorben (vgl. S. 135)

Die Wirtschaft im Spreewald blieb lange Zeit völlig den natürlichen Bedingungen angepaßt. Solange die Hochwasser ungehindert die Niederung überschwemmen konnten, war es den Bewohnern des Spreewaldes und den Bauern der Randdörfer lediglich möglich, Heu zu gewinnen. Dann setzte, nach Anlage erster kulturtechnischer Bauten und gefördert durch die Nähe Berlins mit seinen Absatzmöglichkeiten, eine Verstärkung des Gemüseanbaus, speziell des Anbaus von Gurken, Meerrettich, Kürbis und Zwiebeln, ein. Das wiederum hatte die Herausbildung von Verarbeitungsbetrieben in Burg, → Lübben und → Lübbenau zur Folge.

Wirtschaft

Der Verkehr im Spreewald wurde in der Vergangenheit ausnahmslos mit Kähnen auf den Fließen abgewickelt, und jedes Gehöft besaß seinen eigenen Hafen.

Verkehr

Nachdem man durch Hochwasserschutzbauten und Bewässerungsanlagen erreicht hat, die Wasserhaltung zu steuern, werden weite Teile des Spreewaldes zunehmend landwirtschaftlich genutzt. Am nördlichen Rand des Oberspreewaldes hatte man sogar ein großes sozialistisches Weidekombinat für die Milch- und Fleischproduktion errichtet.

Landwirtschaft

Der Spreewald ist ein Reiseziel par excellence für etwa eine Million Urlauber und Touristen im Jahr. Vor mehr als einem Jahrhundert war es Theodor Fontane, der die Schönheit dieser Landschaft beschrieb.

**Reiseziel

Kahnfahrt im Spreewald

Spreewald (Forts.)
*Lehde
*Kahnfahrten

Nach 1880 begannen die ersten Gesellschaftsfahrten in den Spreewald; Kunstmaler warben für den malerischen Ort Lehde, das 'Klein Venedig'.
Im Jahre 1908 wurde in Lübbenau, dem Tor zum Spreewald, der Kahnfährmannsverein gegründet. Heute werden alljährlich mehrere hunderttausend Touristen auf Kähnen durch den Spreewald gestakt.

Biosphärenreservat Spreewald

Am 12. September 1990 hat die letzte amtierende Regierung der damaligen Deutschen Demokratischen Republik beschlossen, den Spreewald mit seinem einmaligen feinmaschigen Fließgewässernetz von insgesamt über 970 km Länge als 'Biosphärenreservat Spreewald' unter Natur- und Landschaftsschutz zu stellen.

Stendal   C 4

Bundesland: Sachsen-Anhalt
Bezirk (1952–1990): Magdeburg
Höhe: 33 m ü. d. M.
Einwohnerzahl: 52 000

Lage und
Bedeutung

Stendal, die größte Stadt der → Altmark und einstiges Mitglied der Hanse, liegt – rund 60 km nördlich von → Magdeburg – an der Uchte. Als Verkehrsknotenpunkt sowie Industriestandort ist die Stadt ein regionales Wirtschaftszentrum. Die Altstadt erhält ihr charakteristisches Gepräge durch zahlreiche Bauten der Backsteingotik.

Stendal
= Geburtsort von
J. J. Winckelmann
Stendhal
= Pseudonym von
Henri Beyle

Stendal ist der Geburtsort von Johann Joachim Winckelmann (1717 bis 1768), dem Begründer der klassischen Archäologie und der modernen Kunstwissenschaft. Der französische Schriftsteller Henri Beyle (1783 bis 1842) gab sich das Pseudonym 'Stendhal' (das eingefügte 'h' diente zur

Dehnung, um im Französischen der deutschen Aussprache des Stadt-namens zu entsprechen) nach dem Geburtsort J. J. Winckelmanns.

Nach der Gründung der Marktsiedlung um 1160–1165 durch den Mark-grafen Albrecht der Bär wurde dem Ort Ende des 12. Jh.s das Magde-burger Recht verliehen. Von 1358 bis 1518 war Stendal Mitglied der Hanse und gelangte zu wirtschaftlicher Blüte. Bis 1530 war es die größte Stadt der Mark Brandenburg; Höhepunkt der architektonischen Entwicklung. Nachdem die Stadt im Dreißigjährigen Krieg völlig verarmt war, verlor sie in der Folgezeit ihre wirtschaftliche Bedeutung, die Einwohnerzahl ging deutlich zurück. Erst mit der Industrialisierung im späten 19. Jh. kam es wieder zu einem wirtschaftlichen Aufschwung.

Geschichte

Sehenswertes in Stendal

Ein baukünstlerisches Kleinod ist das gotische Rathaus (15. Jh.; später mehrfach verändert) mit seinen Staffel- und Schweifgiebeln.

*Rathaus

Unweit vom Rathaus steht ein Denkmal (1859) für J. J. Winckelmann.

Winkelmann-Denkmal

Vor der Gerichtslaube steht eine Kopie des Roland von 1525; das Original dieser für viele norddeutsche Städte charakteristischen Figur wurde im Jahre 1972 durch einen orkanartigen Sturm zerstört.

Roland

In der Nähe des Rathauses steht die zweitürmige Pfarrkirche St. Marien (1447 geweiht), eine dreischiffige Hallenkirche. Das Innere ist ausgestattet mit einem Kreuzrippengewölbe, einem großartigen Chorgitter und einem wertvollen Marienaltar (1471).
Bemerkenswert ist an der Westseite des Kirchenschiffes, der Turmseite, die astronomische Schauuhr, welche vermutlich aus der zweiten Hälfte des 15. Jh.s stammt.

*Pfarrkirche St. Marien

Im Dom St. Nikolaus (1423–1467), einer spätgotischen Hallenkirche im Süden der Stadt, befindet sich ein spätgotischer Glasgemäldezyklus (Leben Christi und Heiligenlegenden); im Chor bemerkenswertes Gestühl (um 1430 bis 1440) und dreizehn Sandsteinfiguren (um 1240 bis 1250), die vom Lettner des Vorgängerbaus stammen.

*Dom St. Nikolaus

Von den spätgotischen Gebäuden des ehemaligen Katharinenklosters (gegr. 1456) sind neben der Klosterkirche noch Reste des Süd- und des Westflügels der Klausur sowie ein kleiner schmaler Kreuzgang vorhanden.

Ehemaliges Katharinenkloster

Dort ist jetzt das Altmärkische Museum untergebracht. Es enthält u. a. Exponate zur Frühgeschichte des Kreises, romanische Kleinbronzen, Holzplastiken, Schnitzaltäre, Fayencen und Porzellane.

Altmärkisches Museum

Sehenswert ist auch die Jakobikirche (1311–1477) im Norden der Stadt. Sie hat eine bemerkenswerte Ausstattung, darunter Chorschranken mit einem Triumphkreuz, eine Renaissancekanzel sowie Gestühl und Glas-malereien aus der Spätgotik.

Jakobikirche

Beachtung verdient im nördlichen Teil Stendals ferner die Pfarrkirche St. Petri; sie entstand um 1300 und ist die älteste Kirche der Stadt.

Pfarrkirche St. Petri

Im Geburtshaus des Archäologen und Kunstwissenschaftlers Johann Joachim Winckelmann (vgl. Geschichte) ist ein Winckelmann-Museum eingerichtet (Winckelmannstraße Nr. 36). Seit 1985 informiert dort eine Ausstellung in sieben Räumen über Winckelmanns Leben und Wirken.

Winckelmann-Museum

Von der mittelalterlichen Stadtbefestigung sind noch zwei Tortürme erhal-ten: das Uenglinger Tor aus dem 15. Jh. im Nordwesten der Altstadt, eines

*Uenglinger Tor

Blick in den Dom von Stendal   *Kurort Stolberg im Harz*

Tangermünder Tor   der schönsten Backsteintore Norddeutschlands, und das Tangermünder Tor (1220) im Süden der Altstadt, ein Feldsteinbau, in Backstein aufgestockt.

Umgebung von Stendal

Arneburg   In Arneburg an der ⟶ Elbe (14 km nordöstlich) steht die Pfarrkirche St. Georg, ein einschiffiger spätromanischer Feldsteinbau. Im Rathaus befindet sich das Heimatmuseum. Vom Burgberg bietet sich ein schöner Blick in die Elbniederung.

Tangermünde   ⟶ Reiseziele von A bis Z: Tangermünde

Osterburg   In der Stadt Osterburg (F 189, 24 km nordnordwestlich von Stendal) ist die Pfarrkirche St. Nikolai sehenswert, eine dreischiffige Hallenkirche (urspr. spätromanisch) mit barockem Turmaufsatz und Bronzetaufkessel (1442).

Krumke   In Krumke (2 km nordwestlich von Osterburg) gibt es ein neugotisches Schloß (1854–1860), ferner einen Park im englischen Stil mit zahlreichen dendrologischen Seltenheiten, eindrucksvollen Rhododendronbeständen, Buchsbaumhecken und Sumpfzypressen (am Parkteich); in der Orangerie befindet sich eine Parkgaststätte.

Krevese   In Krevese (4 km nordwestlich von Osterburg) ist die Klosterkirche (1170–1200) bemerkenswert, eine spätromanische dreischiffige Basilika mit Fachwerkturm (1598) und schöner Ausstattung.

Seehausen   In Seehausen (F 189, 35 km nordnordwestlich von Stendal) steht die Pfarrkirche St. Peter und Paul (urspr. spätromanisch, spätgotisch umgebaut,

1866 bis 1869 erneuert) mit einem reichen spätromanischen Portal, einem spätgotischen Flügelaltar und Grabdenkmälern (16./17. Jh.). Beachtenswert ist ferner das Beuster Tor (spätgotisch, 15. Jh.).

Stendal, Umgebung, Seehausen (Forts.)

Sehenswert ist in Werben an der → Elbe (17 km östlich von Seehausen) die spätgotische Hallenkirche St. Johannis (1868 erneuert) – mit spätgotischen Glasmalereien, reich gegliedertem Nordportal ('Brauttür'), schönem Schnitzaltar (um 1430), zwei Flügelaltären, der Sandsteinkanzel des Magdeburger Künstlers M. Spies (1602), einem fünfarmigen Leuchter (1487) und mehreren Grabdenkmälern (16.–18. Jh.).
Beachtung verdienen darüber hinaus die ehemalige Heilig-Geist-Kapelle, ein spätgotischer Backsteinbau, und die spätromanische Kapelle der früheren Johanniterkomturei.
Das klassizistische Rathaus (1792/1793) wurde später aufgestockt. Das Elbtor (nach 1450; Heimatstube) ist der Überrest der einstigen Stadtbefestigung.

Werben

→ Reiseziele von A bis Z: Havelberg

Havelberg

→ Reiseziele von A bis Z: Salzwedel, Umgebung

Arendsee

Stolberg (Harz)

D 3

Bundesland: Sachsen-Anhalt
Bezirk (1952–1990): Halle
Höhe: 300–350 m ü. d. M.
Einwohnerzahl: 1 800

Stolberg, offiziell 'Kurort Stolberg', einst Bergbau-, Handels- und Residenzstadt sowie Geburtsort des Volksreformators Thomas Müntzer, liegt im südlichen → Harz reizvoll in vier schmalen, tief eingeschnittenen Tälern: Thyratal, Ludetal, Zechental, Kaltes Tal.
Die malerische Stadt und ihre reizvolle Umgebung zogen Maler wie Ludwig Richter und Richard Thierbach an. Heute ist das Städtchen ein beliebter Urlaubs- und Ferienort.

Lage und Bedeutung

Romantische winklige Gassen, bunte Fachwerkhäuser, die mit schönem Schnitzwerk geschmückt sind, prägen das mittelalterliche Stadtbild.

*Fachwerkhäuser

Funde bezeugen, daß im Stolberger Raum bereits um das Jahr 800 Erz abgebaut wurde. Der Ort Stolberg entstand um das Jahr 1000 als Bergmannssiedlung. Im 13. Jh. wurde der Burgsiedlung das Stadtrecht verliehen. Stolberg war Residenz der Grafen von Stolberg-Wernigerode, im Deutschen Bauernkrieg Stätte mehrerer Kämpfe. Die bedeutendste Erwerbsquelle bildete im Mittelalter der Bergbau auf Silber, Kupfer und Eisenerz; während des 16. Jh.s hatte das Handwerk seine Blütezeit. Im 16./17. Jh. entstanden schöne Bauten. Um die Jahrhundertwende wurde Stolberg dann zum Fremdenverkehrsort (seit 1946 'Kurort').

Geschichte

Sehenswertes

Beherrschend über Stolberg auf einem nach drei Seiten abfallenden Bergsporn steht das Schloß (1200 erbaut; der neuere Teil entstand 1539–1547), ein Renaissancebau, einst Sitz der regierenden Grafen (heute Ferienheim). Im Süd-, West- und Südostflügel des Schlosses befinden sich kulturhistorisch interessante Räume mit reichen Stukkaturen. Der Entwurf für den klassizistischen Roten Saal im Südostflügel stammt von K. F. Schinkel. Sehenswert ist auch die in einen Turm des 13. Jh.s und einen runden Außenturm eingefügte Schloßkapelle.

Schloß

Stolberg

*Rathaus

Die mittelalterliche Stadt mit zahlreichen Fachwerkhäusern steht unter Denkmalschutz. Ein bauliches Kuriosum ist das Rathaus (1482): Es hat innen keine Treppe; der Zugang zu den oberen Etagen erfolgt von der außen vorbeiführenden Kirchentreppe. Weiterhin besitzt es ebenso viele Fenster, wie das Jahr Wochen hat. An der Frontseite eine Sonnenuhr den Wappen der Stolberger Zünfte.

Neues Thomas-Müntzer-Denkmal

Vor dem Rathaus steht ein Thomas-Müntzer-Denkmal, das 1989 anläßlich des 500. Geburtstages des Reformators aufgestellt wurde.

Ehemalige Stolbergische Münze Heimatmuseum Thomas-Müntzer-Gedenkstätte

Ein prächtig geschmücktes niedersächsisches Fachwerkhaus (1535) ist an der Thomas-Müntzer-Gasse (Nr. 19) zu sehen, ehemals Stolbergische Münze, Konsistorium und Amtsgericht. Es beherbergt heute das Heimatmuseum, die alte Münzwerkstätte mit Geräten und die Thomas-Müntzer-Gedenkstätte.

Das dem Heimatmuseum angeschlossene Bürgerhaus (um 1450; Rittergasse Nr. 14) ist wohl das älteste noch vorhandene Haus Stolbergs. In diesem Gebäude wird in sechs kleinen Räumen ein Einblick in die Lebensweise mittelalterlicher Handwerker vermittelt.

Thomas-Müntzer-Haus

An der Thomas-Müntzer-Gasse (Nr. 2) steht an Stelle des 1851 abgebrannten Geburtshauses von Müntzer das heutige Thomas-Müntzer-Haus (mit einer Gedenktafel).

Altes Thomas-Müntzer-Denkmal

Gegenüber vom Bahnhof, in den gepflegten Grünanlagen das älteres Thomas-Müntzer-Denkmal.

Klingelbrunnen

Ein Anziehungspunkt in Stolberg ist auch der Klingelbrunnen, der aus zwei Röhren klares Bergwasser spendet. Von hier aus wurde früher mit Eseln hinter den Häusern entlang das Wasser zum Schloß befördert.

St.-Martini-Kirche

Zwischen Markt und Schloß steht am Berghang die St.-Martini-Kirche (1485–1490, mit älterer Bausubstanz), eine dreischiffige, spätgotische Basilika mit reichen Kunstschätzen im Inneren. Am 21. April 1525 predigte Luther hier gegen die Bauernerhebung unter Thomas Müntzer.

Marienkapelle

Nordwestlich die Marienkapelle (1482 geweiht) ein einschiffiger, spätgotischer Bau.

Saigerturm Rittertor

Von der alten Stadtbefestigung existieren noch der Saigerturm und das Rittertor oder auch Eselstor, beide aus dem 13. Jahrhundert.

*Aussicht von der Lutherbuche

Ein schöner Blick auf die Stadt und die sie umgebende Landschaft bietet sich von der Lutherbuche aus.

Umgebung von Stolberg

*Großer Auerberg

Lohnend ist ein Ausflug auf den 579 m hohen Großen Auerberg (5 km östlich): Dort steht ein Aussichtsturm in Form eines vierarmigen Kreuzes (1896, Eisenkonstruktion), errichtet anstelle eines 1832–1834 nach Entwurf von Karl Friedrich Schinkel gebauten hölzernen kreuzförmigen Aussichtsturmes, der im Jahre 1880 durch Blitzschlag vernichtet worden war (Sicht zum Brocken, Kyffhäuser und Inselsberg).

*Burgruine Hohnstein

Empfehlenswert ist ferner ein Besuch der großartigen Burgruine Hohnstein (350 m ü. d. M.) bei Neustadt (unterm Hohnstein; 15 km westsüdwestlich von Stolberg, über Rottleberode). Die Burg wurde im 12. Jh. errichtet, war bis 1593 gräfliches Stammschloß und eine der größten Anlagen dieser Art im Harzgebiet.

Der Hohnsteinrücken ist ein Teil der den Südrand des Harzes umziehenden, etwa 40 km langen Gipsmauer.

Burgruine Hohnstein (Forts.)

Südlich von Rottleberode liegt die Heimkehle, die größte deutsche Gipssteinhöhle; sie ist seit dem 14. Jh. bekannt.

✳Heimkehle

In Roßla (18 km südöstlich von Stolberg, über Rottleberode) steht das ehemalige Schloß der Grafen von Stolberg-Roßla (1823); heute befindet sich dort ein Heimatmuseum.

Roßla

⟶ Reiseziele von A bis Z: Kyffhäuser

Kyffhäuser

⟶ Reiseziele von A bis Z: Nordhausen

Nordhausen

⟶ Reiseziele von A bis Z: Harz

Auf den **Brocken**

Stolpen

D 7

Bundesland: Freistaat Sachsen
Bezirk (1952–1990): Dresden
Höhe: 356 m ü. d. M.
Einwohnerzahl: 2 000

Stolpen, ein beliebtes Ausflugsziel, liegt rund 20 km östlich von ⟶ Dresden. Der Ort ist durch seine Basaltkuppe, ein Naturdenkmal, wie auch durch seine Burg und deren Geschichte bekannt.

Lage und Bedeutung

An der Kreuzung bedeutender Fernhandelswege gab es vermutlich schon um 950 eine Befestigung, die jedoch erst 1222 urkundlich erwähnt und

Geschichte

Burg Stolpen: Seigerturm (links) und Coselturm (rechts)

Geschichte
(Fortsetzung)

danach zur Grenzfestung des Bistums Meißen ausgebaut wurde. Nachdem auf einer Basaltkuppe die Burg errichtet worden war, entstand bald in deren Schutze eine Siedlung.

Im Jahre 1320 wurde die Burg Verwaltungsmittelpunkt des Amtes Stolberg. 1559 gelangte die Festung in den Besitz der Kurfürsten von Sachsen. Im 18. Jh. diente sie als Gefängnis für sächsische Staatsgefangene. So mußte die Reichsgräfin Anna Constanze von Cosel, die Geliebte Augusts II., des Starken, hier fast fünf Jahrzehnte ihres Lebens verbringen. Seit 1877 ist die Burg zur Besichtigung freigegeben.

*Burg Stolpen

Die Burganlage ist 220 m lang und in vier Burghöfe gegliedert. In dreizehn historischen Burgräumen und acht Burgkellern können Sammlungen und Ausstellungen zur Burg- und Stadtgeschichte besichtigt werden.

Lehrpfad

Ein mit Hinweistafeln ausgestatteter Lehrpfad führt zu den Teilen der Burg, die heute noch vorhanden sind und die Besichtigung lohnen.

*Brunnen

Der Brunnen im vierten Burghof wurde seit dem Jahre 1608 im bergmännischen 'Feuersetzverfahren' angelegt und ist mit 82 m der tiefste Basaltbrunnen der Erde (1630 fertiggestellt).

*Basaltformationen

Die Basaltkuppe, auf der die Burg angelegt wurde, steht als Naturdenkmal unter Schutz. Am schönsten sind die achteckigen Basaltsäulen an der Westseite der Burg ausgebildet; im Burghof selbst sind sie wie Orgelpfeifen angeordnet.

Georgius Agricola würdigte schon 1545 den Stolpener Basalt, der 1790 auch von J. W. von Goethe während seiner Reise nach Schlesien besichtigt wurde.

Ort Stolpen

Markt

Beeindruckend ist der fast quadratische Markt der Stadt, ein Zeugnis der frühmittelalterlichen Kolonisation in dieser Gegend.

Bauten

Neben dem Rathaus ist die Löwenapotheke (1722) mit ihrem vergoldeten Wappen ein bemerkenswertes Gebäude. Das alte Amtshaus (heute Sparkasse) ziert ein Wappenstein mit der Jahreszahl 1673 und mit dem Kurwappen.

Im neuen Amtshaus, ebenfalls mit dem Kurwappen geschmückt, hat im Jahre 1813 Napoleon I. gewohnt.

Umgebung von Stolpen

Polenztal

Im Frühjahr lohnt eine Wanderung oder Fahrt auf der Straße nach Neustadt bis Polenz, um im Polenztal die blühenden Märzbecherwiesen (Narzissen) zu sehen.

Neustadt

In Neustadt (11 km ostsüdöstlich von Stolpen) sind das barocke Rathaus und die Postmeilensäule von 1729 auf dem annähernd quadratischen Marktplatz sehenswert.

Elbsandstein-gebirge

→ Reiseziele von A bis Z: Sächsische Schweiz

Bischofswerda

→ Reiseziele von A bis Z: Bautzen, Umgebung

Landeshaupt-stadt Dresden

→ Reiseziele von A bis Z: Dresden

Stralsund

Bundesland: Mecklenburg-Vorpommern
Bezirk (1952–1990): Rostock
Höhe: 0–5 m ü. d. M.
Einwohnerzahl: 75 000

Stralsund, die altehrwürdige Hansestadt am Strelasund, zeigt sich ange- **Lage und**
sichts der erhaltenen bzw. restaurierten historischen Bauten als ein städte- **Bedeutung**
bauliches Schmuckstück. Die Altstadt mit dem berühmten Rathaus, den
gotischen Pfarrkirchen, den Klosteranlagen, Befestigungswerken und
Bürgerhäusern ist von reizvollen Teichen und Parkanlagen umschlossen.
Die Stadt ist Ausgangspunkt für die Seebäder auf der Insel ⟶ Rügen
(Rügendamm) und Knotenpunkt für den Transitverkehr nach Skandinavien
und Litauen (Ostseefähren Saßnitz–Trelleborg und Mukran–Klaipeda).
Die wichtigsten Wirtschaftszweige der Stadt waren bisher der Hafenbe-
trieb, der Schiffbau und das Baugewerbe.

Neben dem slawischen Fischer- und Fährdorf Stralow entwickelte sich **Geschichte**
Anfang des 13. Jh.s eine deutsche Kaufmannssiedlung, die 1234 vom
Fürsten von Rügen das lübische Stadtrecht erhielt. Seit 1293 Mitglied der
Hanse, kam die Stadt 1325 – nach dem Aussterben des Fürstenge-
schlechtes – zu Pommern. Nach einem Überfall der Lübecker Flotte wurde
1249 eine Stadtmauer errichtet. Seit 1293 gehörte Stralsund zum wendischen Viertel der Hanse. Stralsunds Bedeutung zeigte sich 1370, als die
Stadt Verhandlungsort war: Zwischen der Hanse und Dänemark wurde
hier der Frieden von Stralsund geschlossen.
Während des Dreißigjährigen Krieges wurde die Stadt 1628 von Wallenstein vergeblich belagert. Nach dem Westfälischen Frieden (1648) kam sie
mit Vorpommern zu Schweden und war von 1720 bis 1815 Sitz des schwe-

Blick von der Marienkirche über Stralsund

Stralsund

Geschichte (Fortsetzung)

dischen Generalgouverneurs. 1809 fiel Ferdinand von Schill im Kampf gegen die napoleonische Fremdherrschaft in den Straßen der Stadt. Nach dem Wiener Kongreß (1815) wurde die Stadt preußisch und war bis zum Jahre 1932 Verwaltungszentrum des Regierungsbezirkes. Während der Blütezeit der Segelschiffahrt im 19. Jh. erlebte Stralsund einen wirtschaftlichen Aufschwung. Mit dem Bau einer Werft im Jahre 1948 kam es zu einer bedeutenden Industrialisierung.

*Altstadt

Insellage

Die auf einem Inselkern zwischen Strelasund, Franken- und Knieperteich gelegene Altstadt mit ihrem Ensemble von Bauwerken der Spätgotik, der Renaissance, des Barocks und des Klassizismus ist ein kulturhistorisches Kleinod, das planmäßig rekonstruiert wird.

Stadtbefestigung

Von der mittelalterlichen Stadtbefestigung sind wesentliche Abschnitte der Stadtmauer mit einigen Wiekhäusern am Knieperwall und in der Nähe des Johannisklosters noch vorhanden. Darüber hinaus sind das Kütertor (1446), heute Jugendherberge, und das Kniepertor (Anfang 14. Jh.), jetzt Wohngebäude, erhalten.

*Rathaus

Am Alten Markt steht das Rathaus, ein gotischer Backsteinbau (Baubeginn im 13. Jh.). Es hat eine beeindruckende Schaufront und zählt zu den schönsten Profanbauten der norddeutschen Backsteingotik.

Nikolaikirche

Östlich hinter dem Rathaus steht die Nikolaikirche, ebenfalls ein gotischer Backsteinbau, errichtet zwischen 1270 und 1350. Das Innere der Kirche ist mit reichen Kunstschätzen ausgestattet (Tafelmalerei s. Abb. S. 66).

Stadtplan

Achtung!
Im Zuge der politischen Neuorientierung sind weitere Umbenennungen zu erwarten.

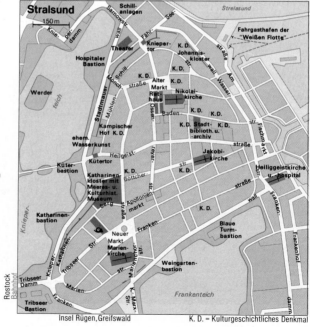

Rathaus und Nikolaikirche (im Hintergrund)

Nordöstlich vom Alten Markt liegt an der Schillstraße das ehemalige Franziskanerkloster St. Johannis (1254 gegründet). Mit der Sanierung der Chorruine wurden 1984 die Rekonstruktionsarbeiten beendet; die Ruine ist ein Mahnmal für die sinnlose Zerstörung der einstigen Johanniskirche im Jahre 1945. Heute finden hier Chorkonzerte und sonstige Veranstaltungen statt. Bei den Restaurierungsarbeiten am Kloster wurden wertvolle mittelalterliche Fresken entdeckt. Seit der Rekonstruktion sind das Kreuzschiff, der Kreuzganginnenhof, der Rosengarten und der sog. Räucherboden an bestimmten Tagen für Besucher zugänglich.

Johanniskloster
(Ruinenmahnmal)

Sehenswertes im Süden

Zu den bemerkenswerten Sakralbauten gehören weiterhin die Heilig-Geist-Kirche, eine spätgotische Backsteinhallenkirche (etwa 15. Jh.), mit dem Heilig-Geist-Hospital (Wasserstraße); ferner die Jakobikirche (am Ostende der Böttcherstraße), eine gotische Backsteinbasilika (ursprünglich eine Hallenkirche, 14./15. Jh.; verändert). Südlich vom Neuen Markt erhebt sich die Marienkirche, ein mächtiger gotischer Backsteinbau (nach 1382, unter Benutzung älterer Teile erbaut).

Heilig-Geist-Kirche

Jakobikirche

Marienkirche

Den äußeren Rahmen für die Stralsunder Museen bildet das ehemalige Katharinenkloster (gegr. 1251 von Dominikanern); es steht an der Mönchstraße unweit des Knieperwalles.

*Katharinenkloster
(Museen)

Das Meeresmuseum verfügt seit 1984 über eines der europaweit größten Aquarien für tropische Fische: Das Becken hat ein Fassungsvermögen von 50 000 l. Ferner Ausstellungen u. a. zu den Themen 'Das Meer als Lebensraum', Fischerei, Ostseeküste, Pflanzen und Tiere des Strandes.
Das Kulturhistorische Museum, das sich ebenfalls dort befindet, präsentiert frühgeschichtlichen Goldschmuck von der Insel → Hiddensee

Meeresmuseum

*Kulturhistorisches Museum

Stralsund
(Fortsetzung)

(Abb. s. S. 63), ferner sakrale Kunst des Mittelalters; darüber hinaus besitzt es volkskundliche und stadtgeschichtliche Sammlungen.

✷Bürgerhäuser

Alter Markt

Von den Bürgerhäusern am Alten Markt sind bemerkenswert das Wulflammhaus (Nr. 5), ein spätgotischer Bau (Mitte 15. Jh.), und die ehemalige schwedische Kommandantur (Nr. 14), ein dreigeschossiger Barockbau.

Übriges
Stadtgebiet

Die charakteristische Bebauung mit Giebelhäusern ist z.T. noch in der Mönch- und Ossenreyerstraße sowie in der Mühlenstraße vorhanden. Westlich der Mönchstraße steht der Hof des ehemaligen Klosters Neuenkamp, der sogenannte Kampische Hof (Mühlenstr. 23), eine Dreiflügelanlage mit Bauteilen aus verschiedenen Stilepochen (Hof 1319 urkundlich erwähnt). Sehenswert sind darüber hinaus in der Badenstraße (Nr. 17) das Schwedenpalais, ehemals schwedisches Regierungsgebäude, erbaut 1726–1730 für den Generalgouverneur Graf Meyerfeldt, und das Doppelhaus in der Fährstraße (Nr. 23/24), das Geburtshaus des schwedischen Chemikers C. W. Scheele (1742–1786).

Umgebung von Stralsund

Insel ✷Hiddensee

Von Stralsund kann man mit Schiffen der 'Weißen Flotte' Ausflüge zu der landschaftlich reizvollen Insel → Hiddensee machen.

Insel ✷✷Rügen
Garz

Über den Rügendamm (1936) gelangt man zur Insel → Rügen.
In Garz (15 km östlich von Stralsund) ist eine spätgotische Backsteinkirche mit romanischem Taufstein (13. Jh.) und Altaraufsatz von 1724 sehenswert. Im Ernst-Moritz-Arndt-Heimatmuseum wird die Geschichte des Bauernaufstandes auf Rügen dokumentiert.

✷Putbus

Der Ort Putbus (10 km nordöstlich von Garz) hat die planmäßige Anlage eines Residenz- und Badeortes (1808–1845) mit einheitlicher Bebauung; das klassizistische Theater wurde 1819–1821 errichtet. Im Schloßpark, 1810 bis 1825 in einen Landschaftspark umgestaltet, sind sehenswert ein Wildgehege und alter Baumbestand, der Marstall (1821–1824), ferner die Orangerie (1824) und das Gartenhaus (jetzt Parkcafé).

Suhl   E 3

Bundesland: Thüringen
Bezirk (1952–1990): Suhl
Höhe: 430–570 m ü.d.M.
Einwohnerzahl: 56000

Lage und
Bedeutung

Die alte thüringische 'Waffenschmiede' Suhl liegt am Südwestrand vom → Thüringer Wald – im Tal der Lauter und der Hasel. Die Stadt überrascht durch das Nebeneinander von modernistischer Architektur und historisch gewachsener Bausubstanz, harmonisch eingegliedert in eine reizvolle Mittelgebirgslandschaft (Döllberg, 756 m ü.d.M.; Ringberg, 750 ü.d.M.; Domberg, 675 m ü.d.M.).

Geschichte

Urkundlich erstmals im Jahre 1318 erwähnt, förderten reiche Vorkommen von Eisenerzen, die Energie der Bäche und die Holzkohle der zahlreichen Köhler den Aufschwung des eisenverarbeitenden Gewerbes. Schon um 1300 müssen am Domberg und am Döllberg erste Bergwerke vorhanden gewesen sein. Graf Wilhelm IV. von Henneberg verlieh 1527 der Siedlung, die bereits durch ihren Handel mit Schmiedeerzeugnissen 'über den Wald' hinaus bekannt war und 1256 Einwohner zählte, das Stadtrecht. Im Jahre 1535 siedelten sich Nürnberger und Augsburger Büchsenschmiede in Suhl an und trugen durch ihre Kenntnisse zum Aufschwung der Stadt bei: In kurzer Zeit stellten sich alle Schmiede auf die gewinnbringende Büchsenproduktion um. Um die Mitte des 16. Jh.s war die kleine Stadt durch ihre Waffenproduktion so bekannt, daß Historiker sie die 'Waffenschmiede Europas' nannten. Im Dreißigjährigen Krieg wurden alle Parteien gleichermaßen mit Waffen aus Suhl beliefert. 1634 freilich kam es zum Rückgang, als die Truppen des kaiserlichen Generals Isolani Suhl in Schutt und Asche legten; doch bald schon hatte sich das Waffenhandwerk erholt. Sicherheit gegen 'Konjunkturschwankungen' bietet seither die Herstellung von Jagdwaffen, die noch gegenwärtig den Weltruf der Stadt begründet.

Heute haben neben der Herstellung von Waffen für die Jagd Werke der Fahrzeugindustrie, des Maschinenbaues, der Elektrogeräteherstellung sowie dem Fremdenverkehr für die Stadt wirtschaftliche Bedeutung.

Dreimal von verheerenden Bränden heimgesucht (1590, 1634, 1753), blieb Suhl stets mittelalterlich verwinkelt und eng. Nachdem die Stadt 1952 'Bezirksstadt' (bis 1990) geworden war, begann der Aufbau eines mit der Altstadt und der schönen Landschaft verwobenen neuen Stadtzentrums.

Geschichte (Fortsetzung)

Sehenswertes

Am Markt steht das Obere Rathaus (1817; nach 1900 umgebaut). In der Mitte des Platzes sieht man den Waffenschmiedbrunnen (1903) mit dem Wahrzeichen der Stadt.

Markt

Historisch mit dem Markt verbunden ist die südlich gelegene Hauptkirche St. Marien, 1487–1491 über einem älteren Bau errichtet, nach den Stadtbränden zerstört und 1757–1761 wiederhergestellt. Sie besitzt eine schöne Ausstattung, darunter einen Kanzelaltar mit Orgelprospekt.

Hauptkirche St. Marien

Am Steinweg, der alten Hauptstraße und dem heutigen Boulevard, stehen mehrere schöne Bürgerhäuser, z.T. mit Rokokofassade. Hervorzuheben sind das Rokokohaus (Nr. 26) des Gewehrfabrikanten Steigleder von 1755/1756; ferner das Haus Nr. 31, das ebenfalls interessante Haus des Fabrikanten Spangenberg mit ungewöhnlich reicher Innenausstattung.

*Steinweg

Den Abschluß des Steinweges bildet die als Kopfkirche erbaute Kreuzkirche (1739 geweiht). Im Inneren zieht der barocke Kanzelaltar den Blick auf sich. Unmittelbar neben der Kreuzkirche die ehemalige Kreuzkapelle von 1642 (spätgotische Formen).

Kreuzkirche

Im ehemaligen Malzhaus (1663) am Herrenteich, einem der ältesten und schönsten Fachwerkhäuser der Stadt, befindet sich das Waffenmuseum. In dem seit 1971 bestehenden Spezialmuseum für Handfeuerwaffen wird die Geschichte dieser Waffengattung demonstriert.

*Waffenmuseum

Auf dem Plateau des Friedberges wurde eine Schießsportanlage geschaffen, die höchsten Anforderungen genügt. Das Gelände ist Austragungsort internationaler Schießwettbewerbe.

Friedberg

Suhl-Heinrichs

Von der ortstypischen Fachwerkarchitektur sind noch mehrere schöne Häuser erhalten, so besonders in Suhl-Heinrichs das ehemalige Rathaus, ein prächtiger Henneberger Fachwerkbau von 1657, der als eines der schönsten Fachwerkhäuser Südthüringens gilt. In der Nähe befinden sich viele guterhaltene Fachwerkhäuser der einstigen Fuhrleute und Weinhändler. Der Marktplatz von Suhl-Heinrichs steht als mittelalterlicher Straßenmarkt unter Denkmalschutz.

*Rathaus

Suhler Neundorf

Zum Goldenen Hirsch

Im Stadtteil Suhler Neundorf ist das reizvolle Bauwerk 'Zum Goldenen Hirsch' aus dem Jahre 1616 beachtenswert.

Umgebung von Suhl

Biosphären-reservat Veßtertal

Am 12. September 1990 hat die letzte amtierende Regierung der damaligen Deutschen Demokratischen Republik beschlossen, das östlich von Suhl am Hang vom Adlersberg (850 m ü.d.M.; Aussichtsturm) gelegene Naturschutzgebiet Vessertal mit den Eigenarten des mittleren Thüringer Waldes und seiner gebietstypischen Nutzung als 'Biosphärenreservat Vessertal' (127 km²) unter noch strengeren Natur- und Landschaftsschutz zu stellen.

Oberhof

→ Reiseziele von A bis Z: Oberhof

Ilmenau

→ Reiseziele von A bis Z: Ilmenau

Schleusingen
*Schloß Bertholdsburg

Auf der F 247 gelangt man südlich nach Schleusingen (22 km südlich). Dort steht das Schloß Bertholdsburg, ein von vier Türmen flankierter Renaissancebau, der die Stadt überragt (Heimatmuseum mit sehenswerter Spielzeugabteilung). Bis 1583 war das Schloß Sitz der einflußreichen Fürstgrafen von Henneberg.

Kloster Veßra
*Agrarhistorisches Museum

Zu empfehlen ist ein Ausflug zum Agrarhistorischen Museum Kloster Veßra bei Themar (31 km südlich von Suhl). Auf dem Gelände des ehemaligen Prämonstratenserchorherrenstifts (gegründet 1131) stehen historische Bauernhäuser, die ein anschauliches Bild vom bäuerlichen Leben in dieser Landschaft seit dem 17. Jh. vermitteln.

Hildburghausen
*Bauten

Knapp 35 km südlich von Suhl liegt Hildburghausen. An dem idyllischen Marktplatz stehen Bürgerhäuser aus dem 16. bis 19. Jh. und das Rathaus (spätgotisch, einstmals Wasserburg der Henneberger). Beachtenswert sind ferner das frühere barocke Regierungsgebäude (18. Jh.) und die barocke Stadtkirche (Christuskirche; eigenwillige Innengestaltung).

Meiningen

→ Reiseziele von A bis Z: Meiningen

Sonneberg
*Deutsches Spielzeugmuseum

Sonneberg (weiter südöstlich von Schleusingen, 62 km von Suhl) ist seit Jahrhunderten die führende Puppen- und Spielzeugstadt Thüringens. Das Deutsche Spielzeugmuseum (Beethovenstraße Nr. 10) enthält ungewöhnlich vielfältige Sammlungen zur Geschichte der Puppen und des Spielzeugs aus aller Welt. Am Ort kann man Souvenirs der Spielwarenindustrie, wie das 'Sonneberger Reiterlein', Wachspuppen oder Miniaturfiguren erwerben.

Thüringer Wald

→ Reiseziele von A bis Z: Thüringer Wald

Tangermünde

Bundesland: Sachsen-Anhalt
Bezirk (1952–1990): Magdeburg
Höhe: 45 ü.d.M.
Einwohnerzahl: 12000

Lage und Bedeutung

Die alte Hansestadt Tangermünde liegt – knapp 10 km südöstlich von → Stendal und rund 50 km nordwestlich von → Magdeburg – am linken

Ufer der → Elbe bei der Mündung der Tanger (Schutzhafen). Das mittelalterliche Stadtbild ist noch weitgehend erhalten. Bauwerke der Backsteingotik und Fachwerkhäuser prägen das Gesicht der unter Denkmalschutz stehenden Innenstadt.

Tangermünde zählt zu den wenigen Industriestandorten (Zuckerraffinerie, Nahrungsmittelfabriken, Schiffbau, Leim- sowie Faser- und Spanplattenproduktion) in der → Altmark.

Im Schutze einer bereits 1009 erwähnten deutschen Burg entwickelte sich eine Kaufmannssiedlung, die im frühen 13. Jh. das Stadtrecht erhielt. Seit 1368 war Tangermünde Mitglied der Hanse und erlebte eine Blütezeit, vor allem als die Burg 1373–1378 brandenburgische Residenz Kaiser Karls IV. war. Durch mehrere Stadtbrände und Zerstörungen im Dreißigjährigen Krieg verlor die Stadt ihre politische und wirtschaftliche Bedeutung. Erst seit der Gründung des Deutschen Reiches (1871) entwickelte sich etwas Industrie (u.a. eine Zuckerraffinerie). Nach dem Zweiten Weltkrieg entstanden weitere Industriebetriebe, v.a. zur Herstellung von Nahrungsmitteln.

Lage und Bedeutung (Fortsetzung)

Geschichte

Altstadt

Nahezu vollständig erhalten ist die mittelalterliche Stadtbefestigung: die Stadtmauer, vorwiegend aus Backstein gebaut um 1300), mit Wiekhäusern und vier Türmen, darunter im Nordwesten der stattliche Schrotturm und an der Elbfront zwei rechteckige Wehrtürme (Putinnen = Bürgergewahrsam).

*Stadtbefestigung

Von den Stadttoren sind noch der spätgotische Hühnerdorfer Torturm (15. Jh.) sowie das Wassertor (1470) und das Neustädter Tor (um 1450) vorhanden.

*Stadttore

Reizvoll sind die zahlreichen Fachwerkhäuser der Innenstadt, die teilweise sehr schöne Portale haben (entstanden nach einem Brand im 17. Jahrhundert). Die größten und schmuckreichsten stehen an den beiden Hauptstraßen.

*Fachwerkhäuser

Stadtplan

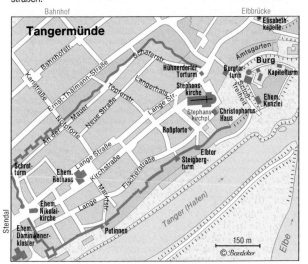

Achtung!
Im Zuge der politischen Neuorientierung sind weitere Umbenennungen zu erwarten.

Rathaus in Tangermünde

*Rathaus

Zu den bedeutendsten Bauten der Backsteingotik gehört das Rathaus (um 1430; jetzt auch Heimatmuseum), dessen Giebel mit reichem Filigranwerk geschmückt ist.

*Pfarrkirche
St. Stephan

Die Pfarrkirche St. Stephan (um 1376 und Anfang 16. Jh.), ein spätgotischer Backsteinbau, entstand unter Verwendung von Resten eines romanischen Vorgängerbaus. Von der Innenausstattung sind besonders beachtenswert die Kanzel (1619), der bronzene Taufkessel (1508, H. Mente), die Orgel (1624, H. Scherer d. Ä.) und mehrere Grabdenkmäler aus dem 15. bis 19. Jahrhundert.

Pfarrkirche
St. Nikolai

Die Pfarrkirche St. Nikolai (12. Jh.) entstand als spätromanischer Feldsteinbau; bemerkenswert ist der stattliche spätgotische Backsteinturm (um 1470).

Kapelle
St. Elisabeth

Die Kapelle St. Elisabeth ist die einstige Spitalkapelle der Hühnerdorfer Vorstadt (Spitalgründung im 13. Jh.). Sie wurde, nachdem sie jahrelang als Salzmagazin gedient hatte, 1891 restauriert und danach der katholischen Kirche übergeben (derzeit ungenutzt).

Ruine der
Klosterkirche

Als Ruine erhalten ist ein Teil der Klosterkirche des ehemaligen Dominikanerklosters (1438 gegründet). Von den Klostergebäuden sind noch der Ostflügel (Scheune), geringe Reste des Südflügels, ein Gebäuderest östlich der ehemaligen Klausur und der Nordgiebel mit Maskenköpfen vorhanden.

Burganlage

Überreste

Nördlich vom Stadtzentrum stehen – dicht am Steilrand der Elbe – die Überreste der Burganlage ; sie wurde nach 1373 von Kaiser Karl IV. neu ausgebaut, im 15. Jh. verändert und – nachdem sie im Jahre 1640 nieder-

Klosterkirche in Jerichow bei Tangermünde

gebrannt war – 1902 historisierend ergänzt. Aus dem Spätmittelalter sind erhalten: Reste der Ringmauer mit Zinnenteilen, an ihrer Nordwestseite das Burgtor (um 1480, 'Gefängnisturm'); am Ostrand der Vorburg der Bergfried (1376).

Burganlage, Überreste (Fortsetzung)

Das einzige noch vorhandene Gebäude der Hauptburg ist die Kanzlei aus dem 14. Jahrhundert; im Erdgeschoß und im Obergeschoß befindet sich je ein Saal mit Balkendecken. Das ehemalige Amtshaus entstand 1699–1701 als barocker Bau unter Einbeziehung mittelalterlicher Fundamente.

Kanzlei

Umgebung von Tangermünde

In Jerichow (9 km südöstlich) östlich der Elbe steht die berühmte Klosterkirche, ein spätromanischer Backsteinbau (12. Jh.); in der Krypta Kalksteinsäulen mit reichen Kapitellen, in der Kirche Osterleuchter aus Säulenschaft und Kapitell (12. Jh.). Südlich der Kirche liegen Reste des Klosters. In der spätromanischen Pfarrkirche ein bemerkenswertes Wandepitaph von Arnstedt (1609).

Jerichow
✳✳ Klosterkirche

⟶ Reiseziele von A bis Z: Stendal

Stendal

In dem Ort Genthin (20 km südöstlich von Tangermünde) gibt es eine dreischiffige barocke Hallenkirche (1707–1722); der Westturm hat eine geschweifte Haube. Im Heimatmuseum werden Sammlungen zur Ur- und Frühgeschichte gezeigt.

Genthin

⟶ Reiseziele von A bis Z: Brandenburg (Stadt), Umgebung

Rathenow

⟶ Reiseziele von A bis Z: Havelberg

Havelberg

Templiner Seen B 6

Bundesland: Mecklenburg-Vorpommern
Bezirk (1952–1990): Neubrandenburg

Lage und Gebiet
Die Templiner Seen bilden in Verbindung mit den Lychener Seen den östlichen Teil der Ostmecklenburgischen Kleinseenplatte östlich von → Fürstenberg (Havel) und reichen bis in die größtenteils bewaldete, hügelige Seenlandschaft des südwestlichen Teils der → Uckermark hinein.

Templiner
Seenkreuz
In der Nachbarschaft der Kreisstadt Templin (12 000 Einw.) im Bezirk Neubrandenburg bilden südlich der Hauptendmoräne des Pommerschen Stadiums vier lange Rinnenseen das Templiner Seenkreuz: Templiner Stadtsee (3 km), Röddelinsee (4 km), Fährsee (4 km) und Lübbesee (10 km).

Lychener Seen
Auch bei Lychen (3500 Einw.) ist durch die kreuzweise Anordnung von mehreren fluvioglazialen Rinnen im Sandergebiet südlich vor der Hauptendmoräne ein ähnliches Seenkreuz entstanden (Wurlsee – Zenssee, Oberpfuhl – Großer Lychensee). Die Lage Lychens inmitten ausgedehnter Wälder begünstigte die Entwicklung zu einem vielbesuchten Erholungsort.

Feldberger
Seenlandschaft
Das Rinnensystem der Lychener Seen setzt sich nach Nordosten bis in die Feldberger Seenlandschaft fort, wo auf kleinem Raum in der Nähe der Stadt Feldberg (3000 Einw.) die eiszeitlich geprägten Landschaftsformen zwischen hohen bewaldeten Endmoränen (Reiherberg 145 m ü. d. M.) und tief eingesenkten Seen (Schmaler Luzin: 34 m Wassertiefe) abwechseln.

Teupitzer Seen C 6

Bundesland: Brandenburg
Bezirke (1952–1990): Potsdam und Frankfurt

Lage und Gebiet
Als Teupitzer Seen – oder genauer als Teupitz-Köriser Seengebiet – bezeichnet man die zahlreichen Rinnenseen zwischen Königs Wusterhausen im Norden, Teupitz im Süden und Storkow im Osten, die von der Dahme, einem Nebenfluß der Spree, durchflossen oder zumindest durch ihre Zuflüsse entwässert werden.

Landschaftsbild
Diese eiszeitlich entstandenen Rinnenseen sind eingebettet in bewaldete Talsandflächen, die höher gelegene und meist ackerbaulich genutzte Grundmoränenplatten umgeben; das Landschaftsbild ist außerordentlich abwechslungsreich.

Naherholungs-
gebiet
Die Teupitz-Köriser Seen sind ein stark besuchtes Naherholungsgebiet südlich von → Berlin. Man kann sie von dort aus nicht nur auf dem Landweg, sondern auch über die Dahme auf dem Wasserweg erreichen. Schiffslinien der 'Weißen Flotte' führen bis Teupitz.

Thale (Harz) D 4

Bundesland: Sachsen-Anhalt
Bezirk (1952–1990): Halle
Höhe: 160–451 m ü. d. M.
Einwohnerzahl: 16 000

Lage und
Bedeutung
Thale liegt am nordöstlichen Rand vom → Harz im wildromantischen → Bodetal, einem höchst reizvollen Naturschutzgebiet. Der Ort wird über-

ragt vom Hexentanzplatz und von der Roßtrappe. Wirtschaftliche Bedeutung hat neben dem Fremdenverkehr das Hüttenwerk. Bekannt ist Thale auch durch die Chlorkalziumquelle des Hubertusbades, die seit 1836 zu Heilzwecken genutzt wird.

Lage und Bedeutung (Fortsetzung)

In dem im 9. Jh. Wendhusen genannten Ort am linken Bodeufer wurde vor 840 ein Nonnenkloster in einer noch älteren karolingischen Burganlage gestiftet. Im Bauernkrieg kam es 1525 zur Zerstörung des Klosters. Das Dorf trug seit 1231 die Bezeichnung 'Dal'; bis 1559 gehörte es zur Grafschaft Regenstein, gelangte dann an das Hochstift Halberstadt und mit diesem 1648 zu Brandenburg.
Bereits 1445 ist der Eisenerzbergbau nachweisbar. Im Jahre 1686 entstand am Eingang des Bodetales eine kleine Hammerschmiede, aus der sich später das Eisen- und Hüttenwerk entwickelte.
Im Jahre 1836 gründete der Oberförster Karl Daude das Hubertusbad. Seit Inbetriebnahme der Bahnlinie Halberstadt–Thale im Jahre 1862 wurde der Ort ein Anziehungspunkt für Kurgäste und Erholungsuchende. 1922 erhielt Thale das Stadtrecht.

Geschichte

Sehenswertes

Die Pfarrkirche St. Andreas (1540 im Bereich des ehem. Nonnenklosters errichtet) wurde von 1786 bis 1790 neu erbaut unter Einbeziehung von Resten des Klosters. Im Inneren der Kirche sind u.a. ein barocker Altaraufsatz (18. Jh.) und Grabdenkmäler aus dem 16.–18. Jh. beachtenswert.

Pfarrkirche St. Andreas

Südöstlich der Kirche steht als Rest der ehemaligen Burg – auf heute landwirtschaftlich genutztem Gelände – ein altes Gebäude im romanischen Stil: Es ist ein Wohnturm (9./10. Jh.), der älteste Profanbau nördlich der Mittelgebirge. Bemerkenswert und von Legenden umwoben ist ein in die Hofmauer eingefügter Felsblock, der 'Mönchsstein', von dem bereits alte Chroniken berichten (wahrscheinlich ein 'Mahlstein', an dem man sich zu Gerichtsverhandlungen traf).

Rest der ehemaligen Burg

Im Heimatmuseum (Rathausstraße Nr. 1) werden vorgeschichtliche Funde aus der Umgebung gezeigt.
Ebenfalls an der Rathausstraße befindet sich das Betriebsmuseum des Eisen- und Hüttenwerkes.

Museen

An der Hubertusbrücke im Bodetal liegt die Talstation der Personenschwebebahn, die mit 26 Vierpersonenkabinen den Talgrund des Bodetals mit dem Hexentanzplatz verbindet (720 m Entfernung, rund 250 m Höhenunterschied, 4 Minuten Fahrzeit). Die Bahn ist das gesamte Jahr über in Betrieb (Mitnahme von Ski möglich). Ein Sessellift führt seit 1980 zur Roßtrappe.

*Schwebebahn

Umgebung von Thale

Das Harzer Bergtheater (1903, E. Wachler) am Steilhang des Hexentanzplatzes zählt zu den schönsten Naturbühnen in Mitteldeutschland (1400 Sitzplätze).

*Harzer Bergtheater

Neben dem Bergtheater steht das Museum 'Walpurgishalle'. In der Halle, von den Berliner Architekten Sehring im 'altgermanischen Stil' 1901 in Holz erbaut, sind Bilder nach Motiven der Faustsage zu sehen.

Walpurgishalle

Der 451 m ü.d.M. gelegene Hexentanzplatz ist eine Felsplatte mit einem steilen Abfall in das Bodetal; es bietet sich eine reizvolle Aussicht zu mehreren Harzgipfeln.

*Hexentanzplatz

Hexentanzplatz bei Thale im Harz

Hexentanzplatz
(Fortsetzung)

Daneben befindet sich ein Gehege mit Tieren, die im Harz vorkommen. In der Nähe steht ein Denkmal für Friedrich Leopold Pfeil, den Begründer der Eberswalder Forstakademie.

✳ **Roßtrappe**

Gegenüber dem Hexentanzplatz liegt die Roßtrappe (403 m ü.d.M.); von dort bietet sich eine schöne Aussicht in das → Bodetal mit der Teufelsbrücke. Der Hexentanzplatz und der Roßtrappenfelsen waren vorgeschichtliche Kultstätten. Stein- und Erdwälle wie der Heidenwall auf der Roßtrappe und der Sachsenwall auf dem Hexentanzplatz sowie Funde (Jungsteinzeit bis Ältere Eisenzeit) weisen auf eine lange Blütezeit hin. Später wurde die Roßtrappe als Hufabdruck des Riesenrosses der Brunhilde gedeutet.

In christlicher Zeit hat man die alten Götter in das Reich des Bösen verwiesen. So reiten der Legende nach in der Walpurgisnacht (Nacht vom 30. April zum 1. Mai) Hexen auf Besen in wilder Jagd zum Brocken, um mit dem Teufel Feste zu feiern.

Bodetal	→ Reiseziele von A bis Z: Bodetal
Tropfsteinhöhlen	→ Reiseziele von A bis Z: Rübeland
Auf den **Brocken**	→ Reiseziele von A bis Z: Harz
Gernrode	→ Reiseziele von A bis Z: Gernrode (Harz)
Blankenburg	→ Reiseziele von A bis Z: Blankenburg (Harz)
Wernigerode	→ Reiseziele von A bis Z: Wernigerode
Quedlinburg	→ Reiseziele von A bis Z: Quedlinburg
Halberstadt	→ Reiseziele von A bis Z: Halberstadt

Tharandter Wald

Bundesland: Freistaat Sachsen
Bezirk (1952–1990): Dresden

Der 6000 ha große, unter Landschaftsschutz stehende Tharandter Wald liegt – unweit südwestlich von → Dresden – am nördlichen Rand des unteren Osterzgebirges (→ Erzgebirge) zwischen Wilder Weißeritz im Osten und Colmnitzbach im Südwesten.
Er stellt neben der Dresdner Heide die zweitgrößte Waldregion nahe der Großstadt Dresden dar und ist, da schnell erreichbar, ein vielbesuchtes Naherholungsgebiet.

Lage und Gebiet

Nicht Berge und Gipfel machen den eigentümlichen Reiz des Tharandter Waldes aus (die Niveauunterschiede betragen kaum mehr als 60 m), sondern die geologische Eigenart der hier auftretenden Gesteine und die Artenzusammensetzung des Waldes, der nur in der Grillenburger Lichtung eine Rodungsinsel aufweist.

Besonderheiten der Landschaft

Auf Grauem Freiberger Gneis, der im Tal der Wilden Weißeritz angeschnitten ist, breiten sich verschiedene Arten von Porphyr aus, die in Steinbrüchen aufgeschlossen sind. Auch von kreidezeitlichen Sandsteindecken sind ausgedehnte, aber stark aufgelöste Reste vorhanden. Schließlich durchstießen tertiäre Basalte die Gneise, Porphyre und Sandsteine. Sie bilden den Ascherhübel und den Landberg am Nordrand des Tharandter Waldes.
So bietet der Tharandter Wald trotz seines im allgemeinen osterzgebirgischen Hochflächencharakters, der nur durch die Quellwannen und Muldentäler der nach Nordwesten gerichteten Triebisch und ihrer Quellbäche eine Unterbrechung erfährt, eine interessante geologische Vielfalt.

Gesteinsarten

Blick auf Tharandt

Tharandter Wald
(Fortsetzung)
Baumbestand

Im Tharandter Wald wachsen von Natur aus überwiegend Nadelbäume; er war früher das Forst- und Jagdrevier der Markgrafen von Meißen und Kurfürsten von Sachsen. Der Baumbestand des Tharandter Waldes ist dadurch beeinflußt, daß dieser im 19. Jh. unter die Betreuung der 1811 von Heinrich Cotta in Tharandt gegründeten Forstlehranstalt, der späteren Forstakademie und heutigen Sektion Forstwirtschaft der Technischen Universität Dresden, kam. Besonders der Forstbotanische Garten und die Ränder des Waldgebietes weisen als interessante und sehenswerte Bereicherungen des natürlichen Bestandes artenreiche Laubmischwälder mit auffallend vielfältiger Bodenvegetation auf.

Reiche Tierwelt

Im Tharandter Wald leben Tiere der verschiedensten Arten und von ungewöhnlicher Vielfalt.

Thüringer Wald
E 3/4

Bundesland: Thüringen
Bezirke (1952–1990): Suhl, Erfurt und Gera

Lage und Gebiet

Unter der Bezeichnung 'Thüringer Wald' wird in der Umgangssprache das auch heute noch weithin bewaldete Mittelgebirge verstanden, das sich von → Eisenach im Nordwesten bis zum oberen → Saaletal im Südosten erstreckt.

Geologische
Struktur

Geologisch wird der thüringische Mittelgebirgszug aus zwei alters- und gesteinsmäßig unterschiedlichen Gebirgen aufgebaut, dem Thüringer Wald und dem Thüringischen Schiefergebirge. Eine gewisse Einheitlichkeit beruht lediglich darauf, daß sie gleichzeitig – gegen Ende des Tertiärs – als Schollen längs tektonischer Bruchlinien hervorgehoben wurden.

Horstgebirge

Der Thüringer Wald im engeren Sinne ist ein 60 km langes, sich von 7 auf 14 km verbreiterndes Horstgebirge, das sich von Hörschel an der Werra im Nordwesten bis zur Linie Schleusingen – Gehren im Südosten erstreckt. Dort geht es in das Thüringische Schiefergebirge über. Infolge seiner Begrenzung durch tektonische Bruchlinien steigt der Thüringer Wald unvermittelt um 200 bis 300 m aus seinen Vorländern wallartig auf.
In seinen zentralen Teilen hat der Thüringer Wald meist eine Höhe zwischen 800 und 900 m ü. d. M. Der Boden besteht weithin aus Gesteinen des Rotliegenden; das sind rotgefärbte festländische Trümmergesteine und vulkanische Gesteine, z. B. Porphyr. Vor seinen Rändern finden sich jüngere Ablagerungen wie Zechsteinkalk, Buntsandstein und Muschelkalk.

Großer Beerberg
Schneekopf
Großer Inselsberg

Die gewölbten Bergmassive des Thüringer Waldes, die über die Hochflächen hinausragen, darunter der Große Beerberg (982 m ü. d. M.), der Schneekopf (978 m ü. d. M.) und der Große Inselsberg (916 m ü. d. M.), sind Härtlinge aus Porphyr.

Hochflächen

Die Ausdehnung der Hochflächen des Thüringer Waldes nimmt nach Südosten zu. Wo Granite und Gneise an der Oberfläche liegen, sind infolge der leichteren Erosion Ausräumungskessel entstanden, so beispielsweise bei Suhl, Zella-Mehlis oder Brotterode.

Täler

Auffällig ist vor allem die starke Zertalung des Thüringer Waldes, die ihm den Charakter eines Kammrückengebirges verleiht. Die Täler sind z.T. mehrere hundert Meter tief in das Gebirge eingeschnitten und haben steile Böschungen. Eine im Mittelgebirge auffällige klammartige Erosionsform stellt die Drachenschlucht bei Eisenach dar.

*Landschaftlicher
Reiz

In dem Gegensatz von bewaldeten Höhen und tiefen Tälern liegt der besondere landschaftliche Reiz des Gebirges, der die Erholungssuchenden

Zella-Mehlis im Thüringer Wald

zu allen Jahreszeiten begeistert. Nur wenig wird das Walddunkel von licht-grünen Talwiesen- oder Ackerflächen unterbrochen.

Landschaftlicher Reiz (Forts.)

Das Klima des Thüringer Waldes ist kühl und niederschlagsreich. Die Winter sind lang und bringen reichlich Schnee, was günstige Voraussetzungen für den Wintersport schafft. Der Frühling setzt spät ein, um mehrere Wochen gegenüber den Vorländern verzögert. Im Sommer kommt es in Abhängigkeit von den örtlichen Gegebenheiten, der Sonnenexposition sowie den Luv- und Leewirkungen zu lokal verschiedenen Ausprägungen des Klimas; dies kann einen Erholungsaufenthalt mehr oder wenig günstig beeinflussen. Der Thüringer Wald wirkt durch seine Lage quer zu den vorherrschenden Winden aus südwestlichen Richtungen und durch seine Höhe als Regenfänger.

Klima

Die zahlreichen, vom Thüringer Wald herabkommenden Flüsse werden im südlichen Vorland von der Werra, im nördlichen Vorland insbesondere von der Saale aufgenommen. Im Gebirge gibt es mehrere kleine Stauanlagen. Die wichtigste Talsperre ist die Ohratalsperre; sie hat einen Stauraum von 18,4 Mio. cm³ Wasser.

Flüsse und Talsperren

Zu drei Vierteln wird der Thüringer Wald forstwirtschaftlich genutzt. Lediglich ein Viertel der Fläche ist waldfrei und wird von Wiesen und Äckern eingenommen. Insgesamt hat die Landwirtschaft eine geringe Bedeutung.

Forst- und Landwirtschaft

Der früher einmal starke Bergbau hat durch die Entwicklung zahlreicher Siedlungen zur heute charakteristischen Verteilung vieler kleiner Industriestandorte über den gesamten Thüringer Wald beigetragen. Unter ihnen sind vor allem solche mit einem spezialisierten Produktionsprofil wie Ruhla (Uhrenindustrie) zu nennen. Bedeutende Industrieorte liegen am Rande des Thüringer Waldes, so etwa → Eisenach, → Ilmenau, → Suhl und → Schmalkalden.

Industrie

Thüringisches Schiefergebirge

Im Thüringischen Schiefergebirge mit dem Kern um Lauscha und Steinheid (Kieferle 868 m ü. d. M.) findet der Thüringer Wald seine Fortsetzung nach Südosten. Es besteht aus stark verfalteten und geschieferten Gesteinen, die älter sind als das Rotliegende des Thüringer Waldes. Rumpfflächen mit gerundeten Rücken und flachen Einmuldungen überwiegen. Im ganzen verliert das Gebirge nach Osten an Höhe. Einzelne Kerbsohlentäler wie z.B. das Schwarzatal und das obere Saaletal sind tief in die Gebirgskörper eingeschnitten.

Bergbau

Bergmännisch gewonnen wurden früher u. a. Eisenerze, Gold, Dach- und Griffelschiefer. Der Abbau von Schiefer wird auch heute noch betrieben.

✳ Urlaubsregion

Thüringer Wald und Thüringisches Schiefergebirge sind wegen ihrer landschaftlichen Schönheit, ihrer Wälder, Berge und Täler ein im Sommer und Winter gleichermaßen stark besuchtes Erholungsgebiet. Alle Städte und Dörfer im 'Wald' und an seinen Rändern bieten vielfältige Unterkunftsmöglichkeiten.

Ferienorte

International am bekanntesten ist zweifellos → Oberhof, auf 825 m ü. d. M. gelegen. Dort gibt es ausgezeichnete Sportanlagen für den Ski-, Bob-, Rodel- und Eislaufsport sowie für Tennis.
Zu den klimatisch bevorzugten Erholungsorten gehört neben Tambach-Dietharz und Finsterbergen auch Friedrichroda.

Wanderwege

Zahlreiche gut markierte Wanderwege erschließen das Gebirge. Unter ihnen bietet der insgesamt 160 km lange, auf dem Kamm des gesamten Thüringer Waldes und des Thüringischen Schiefergebirges entlangführende → Rennsteig die besten Ausblicke und Fernsichten.

Torgau   D 5/6

Bundesland: Freistaat Sachsen
Bezirk (1952–1990): Leipzig
Höhe: 85 m ü. d. M.
Einwohnerzahl: 21 000

Lage und Bedeutung

Torgau, die einst nach Dresden bevorzugte Residenz der sächsischen Kurfürsten und wegen ihrer strategischen Lage bedeutende Festung, liegt am westlichen Ufer der → Elbe (Straßenbrücke, Eisenbahnbrücke; Flußhafen) zwischen den Ausläufern der → Dübener Heide (im Nordwesten) und der Dahlener Heide (im Süden; s. Umgebung). Das Schloß Hartenfels und das Stadtzentrum mit seinen Bürgerhäusern sind touristische Anziehungspunkte.
Mit der Erweiterung des Elbhafens und dem Ausbau eines Flachglaswerkes hat Torgau auch wirtschaftlich an Bedeutung gewonnen; weitere Industriezweige sind der Bau von Landmaschinen sowie die Herstellung von Möbeln, Steingutwaren und Papier.

Geschichte

Im Schutz einer 973 erstmals erwähnten Burg entwickelte sich eine Marktsiedlung, der im 13. Jh. das Stadtrecht verliehen wurde. 1485 unter die Herrschaft der ernestinischen Kurfürsten gelangt, wurde Torgau ein Zentrum der Reformation. Der Torgauer Bund (1525) und die Torgauer Artikel (1530) gehen auf das Wirken Luthers und Melanchthons in der Stadt zurück. Während des Dreißigjährigen Krieges wurde im Jahre 1627 auf Schloß Hartenfels die erste deutsche Oper, "Daphne" von Heinrich

Schütz,uraufgeführt. In der damaligen kurfürstlichen Kanzlei trafen sich 1711 der russische Zar Peter der Große und der deutsche Universalgelehrte G. W. Leibniz. Im Siebenjährigen Krieg kam es 1760 zu einer Schlacht zwischen den preußischen (Friedrich d. Gr.) und den österreichischen (L. J. Daun) Truppen auf den Süptitzer Höhen bei Torgau, wobei die Österreicher unterlagen. Im Jahre 1810 wurde Torgau sächsische Landesfestung und Stützpunkt der napoleonischen Armee. Nach dem Wiener Kongreß (1815) kam die Stadt zu Preußen.

Geschichte (Fortsetzung)

Am 25. April 1945 begegneten sich in Strehla bei Torgau noch vor dem Ende des Zweiten Weltkrieges erstmals in Deutschland US-amerikanische und sowjetische Truppenteile.

✳Schloß Hartenfels

Auf einem Porphyrfelsen über dem Elbufer erhebt sich das Torgauer Schloß Hartenfels (1483–1622), eine vollständig erhaltene Schloßanlage der deutschen Frührenaissence; Zugang durch den Westflügel. Über dem Eingangstor sieht man das kursächsische Wappen. Im Schloßhof ist am eindrucksvollsten der Große Wendelstein (1532–1534), eine freitragende Wendeltreppe, das Hauptwerk von Conrad Krebs (1492–1540). Vom Wächterturm (45 m hoch) bietet sich ein schöner Blick auf Stadt und Elbaue.

Renaissanceanlage

Der tiefe Schloßgraben dient als Freigehege für Braunbären.

Bärengehege

Im Flügel B des Schlosses befinden sich der Schöne Erker (1544), die Schloßkirche (Prototyp des protestantischen Kapellenbaus, 1544 von Luther eingeweiht) und das Kreismuseum mit historischen Waffen und Rüstungen. Zur Südfassade an der Elbseite gehören der Südturm, der Hasenturm, das Jagdtor und der Flaschenturm.

Schloßkirche und Museum

Schloß Hartenfels in Torgau

Denkmal der Begegnung (s. S. 592)

Torgau (Fortsetzung) Denkmal der Begegnung	Vor dem Schloß steht am Elbufer das Denkmal der Begegnung, dem Zusammentreffen US-amerikanischer und sowjetischer Truppen (1945) gewidmet (Abb. s. S. 591).

Sehenswertes in der Stadt

Stadtkirche	In der Nähe des Schlosses steht die Stadtkirche (Marienkirche), die das Stadtbild mit prägt. Im Inneren eine Altartafel von Lucas Cranach d. Ä., ferner das Grab der Katharina von Bora (1499–1552), der Gemahlin Martin Luthers; an ihrem Sterbehaus (Katharinenstraße Nr. 11) ist eine Gedenktafel angebracht.
Markt	Am Markt steht das Renaissancerathaus (1561–1577) und im Ratshof die ehemalige Nikolaikirche (Mitte 13. Jh.). Um den Markt gruppieren sich mehrere stattliche Bürgerhäuser, darunter die 'Mohrenapotheke'.

Umgebung von Torgau

Großer Teich	Der südlich der Stadt gelgene Große Teich, 1483 zur Fischzucht angelegt, ist mit Freibad, Bootsverleih und Campingplatz ein beliebtes Ausflugsziel.
Graditz	Graditz (F 183, 5 km östlich von Torgau) ist bekannt wegen seines bereits im Jahre 1630 gegründeten Gestütes. Sehenswert sind ein barockes Gutshaus (1722, M. D. Pöppelmann) und ein Barockgarten mit achteckigem Teepavillon.
Gneisenaustadt Schildau	In der durch die 'Schildbürgerstreiche' bekannten Stadt Schildau (14 km südwestlich von Torgau) steht ein Denkmal für Neidhardt von Gneisenau (1760–1831), den bedeutenden Heerführer der Befreiungskriege (um 1813). Gneisenau wurde 1760 in Schildau geboren; in seinem Geburtshaus (Gneisenaustraße) eine Gedenkstätte. Die Pfarrkirche St. Marien ist ein romanischer Bau mit später hinzugefügten frühgotischen und barocken Elementen. Neben der Kirche steht ein 400jähriger Maulbeerbaum.
Belgern	In dem Elbuferort Belgern (F 182, 14 km südöstlich von Torgau; Elbfähre) gibt es ein Renaissancerathaus (1574, erneuert 1661) mit Sitznischenportal und Wappen über der Eingangspforte; an der Südwestecke eine überlebensgroße Rolandsfigur (1610). Die spätgotische Pfarrkirche St. Bartholomäus (1509–1512), ein verputzter Backsteinbau, hat doppelte Emporen (17. Jh.) sowie reich geschnitzte Brüstungen und Prospekte (1635).
Dahlener Heide	Im Waldgebiet der sich im Süden von Torgau zwischen Schildau und Belgern ausdehnenden Dahlener Heide liegen Erholungsorte wie Dahlen, Sitzenroda und Ochensaal.
Schmannewitz	Der am Südrand des Dahlener Heide gelegene Ort Schmannewitz wurde um 1870 vom 'Tiervater' Alfred Brehm als Sommerfrische entdeckt.

Uckermark   B 6/7

	Bundesland: Brandenburg Bezirke (1952–1990): Neubrandenburg und Frankfurt
Lage und Gebiet	Die Uckermark, das Gebiet um → Prenzlau, Angermünde (→ Schwedt, Umgebung) und Templin (→ Templiner Seen), das die Askanier 1250 ihrem Herrschaftsbereich eingliedern konnten, ist ein seenreiches Hügelland,

teils bewaldet, teils offen, das landwirtschaftlich genutzt wird. Es dehnt sich zwischen der oberen Havel und der unteren Oder beiderseits der Ucker aus.

Der Name Uckermark (= 'Grenzland an der Ucker') wurde seit dem 15. Jh. gebräuchlich und charakterisiert die Lage dieses Gebietes zwischen den historischen Ländern Brandenburg, Mecklenburg und Pommern.

Eine regionales Kuriosum stellt die unterschiedliche Bezeichnung des namengebenden Flusses dar, der im Brandenburgischen *Ucker*, im Pommerschen (ab Pasewalk nördlich flußabwärts) jedoch *Uecker* (sprich 'Ücker') heißt.

Für den nördlichen Teil der Uckermark um → Prenzlau, heute die nördlichste Kreisstadt des neuen Bundeslandes Brandenburg und ehemals Hauptstadt der Uckermark, ist eine hügelige Landschaft mit einzelnen Kuppen kennzeichnend. Infolge der guten Böden ist die nördliche Uckermark ein Gebiet intensiver Landwirtschaft (Weizen- und Zuckerrübenanbau).

Eingesenkt in die Uckermärkische Lehmplatte ist das breite, wannenförmige Uckertal mit den beiden Uckerseen, dem Oberuckersee und dem Untereckersee. Beide Seen sind Zungenbeckenseen.

Der südliche Teil der Uckermark um Angermünde ist ein Kuppen- und Hügelland mit größeren und kleineren Rinnenseen, geschlossenen Hohlformen und einigen steilen Taleinschnitten. In dieser Region ist eine wesentlich größere Fläche mit Wald bedeckt als in der nördlichen Uckermark. In diesem Teil spielt auch schon der Naherholungsverkehr aus dem Raum → Berlin eine große Rolle – so am Parsteiner See, am → Werbellinsee und in der Schorfheide (seit 1990 Biosphärenreservat).

Unstruttal   D 3/4

Bundesländer: Thüringen und Sachsen-Anhalt
Bezirke (1952–1990): Erfurt und Halle

Die Unstrut, die im oberen Muschelkalk des → Eichsfeldes westlich von Dingelstädt auf 395 m ü. d. M. entspringt, ist mit 192 km Lauflänge der bedeutendste Nebenfluß der Saale (→ Saaletal), die sie bei → Naumburg erreicht.

✳Tal der Unstrut

Das Tal der Unstrut ist zunächst steilwandig in den Muschelkalk eingeschnitten, weitet sich im Bereich des Thüringer Keuperbeckens jedoch zu einem zumeist breiten Wiesental aus. Die Unstrut fließt an der über 1000jährigen Thomas-Müntzer-Stadt → Mühlhausen, an dem Kurort Bad Langensalza und der Industriestadt Sömmerda vorbei.

Bei Heldrungen durchbricht die Unstrut in einem 400 m breiten malerischen Tal, kurz nachdem sie die Nebenflüsse Helbe und Wipper aufgenommen hat, zwischen Hainleite und Schmücke die Muschelkalkhöhen. Diese 'Thüringer Pforte' wurde einst durch die Sachsenburgen geschützt, heute sind es Ruinen. Nach den Burgen heißt dieser Durchbruch auch 'Sachsenburger Pforte'.

Bei Artern wendet sich die Unstrut nach Südosten. Im Ried, der weiten, früher überschwemmungsgefährdeten Aue südöstlich von Artern, die in den letzten Jahren durch Meliorationsmaßnahmen vor Hochwasser

geschützt wurde, fließt ihr die Helme zu, welche die Goldene Aue zwischen → Harz und → Kyffhäuser entwässert.

Unstruttal (Fortsetzung)

Zwischen Memleben (→ Eckartsberga, Umgebung) mit seiner Klosterruine aus der Zeit der ersten deutschen Könige und der Domstadt → Naumburg ist das Unstruttal in die Buntsandstein- und Muschelkalkplatten Nordostthüringens eingelassen.

Unterlauf der Unstrut

In diesem unteren Laufstück der Unstrut wechseln enge Kerbsohlentäler – wie z. B. oberhalb von Nebra und unterhalb von Karsdorf – mit weiten Talstrecken ab, deren Hänge, durch ihre Südexposition begünstigt, die Grundlage für einen intensiven Weinbau bilden.

Weinbau

An der untersten, sehr engen Kerbsohlentalstrecke liegt das Zentrum des Weinbaues sowie der Wein- und Sektherstellung, die Stadt Freyburg (→ Naumburg, Umgebung).

Freyburg

Usedom

Bundesland: Mecklenburg-Vorpommern
Bezirk (1952–1990): Rostock

Usedom, die westliche der beiden großen Inseln an der → Ostseeküste im Mündungsgebiet der Oder (zwischen Oderhaff und Oderbucht), hat eine Ausdehnung von insgesamt 445 km²; davon gehören 354 km² zu Deutschland. Die Grenze zu Polen verläuft im Norden östlich vom Seebad Ahlbeck und im Süden östlich von Kamminke.
Nach dem Zweiten Weltkrieg wurde Polen auch die gesamte, sich östlich jenseits der Swine (polnisch Świna) erstreckende Insel Wollin (polnisch Wolin) zugeschlagen.

Lage und Gebiet

Die Außenküste der Insel Usedom, 42 km lang, schwingt in wenigen großen Bögen und ist, insgesamt gesehen, relativ geradlinig. Die höchsten Erhebungen in ihrem Verlauf sind der Streckelsberg (56 m ü. d. M.) bei Koserow und der Lange Berg (54 m ü. d. M.) bei Bansin. Sie bilden jeweils mit Laubwald und Mischwald bestandene Steilküsten, an die sich Flachküstenabschnitte mit Dünen und Misch- oder Nadelwaldgebieten im Hinterland anschließen. An der gesamten Außenküste Usedoms besteht der Strand aus feinem Sand.

Außenküste

Die Binnenküste hingegen ist vom Oderhaff (Usedomer See), besonders jedoch vom Peenestrom aus durch die großen Buchten Achterwasser (85,5 km²) und Krumminer Wiek (14,9 km²) aufgegliedert; in Verbindung mit den Halbinseln Wolgaster Ort, Gnitz, Lieper Winkel und Usedomer Winkel wirkt sie förmlich zerlappt. Wegen dieser starken Gliederung ist die Binnenküste Usedoms auf längeren Strecken von einem Röhrichtgürtel begleitet; sie nähert sich zwischen Zempin und Koserow der Außenküste auf wenig mehr als 100 m.

Binnenküste

Die extreme Verzahnung von Land und Wasser wird noch verstärkt durch eine Reihe von Seen, besonders im östlichsten Teil der Insel; die größten sind der Gothensee (609 ha) und der Schmollensee (515 ha).

Seen

Im Binnenland von Usedom liegen die höchsten Erhebungen, teils frei im Ackerland wie der Kükelsberg (58 m ü. d. M.) bei Benz, teils in kleinen oder größeren Waldgebieten wie der Golm (59 m ü. d. M.) bei Kamminke oder der Kirchenberg (50 m ü. d. M.) bei Morgenitz. Weithin über das Achterwasser schaut man vom Weißen Berg (32 m ü. d. M.) auf dem Gnitz.

Erhebungen

◀ *Mündung der Unstrut in die Saale bei Großjena*

Badevergnügen am Strand von Zinnowitz

❋Badeorte

Bis zur Mitte des 19. Jh.s bildete die Fischerei den Haupterwerb der Menschen, welche die Küstenorte auf Usedom bewohnten. Dementsprechend liegen die alten Dorfkerne der heutigen Badeorte fast alle an der Binnenküste (Zinnowitz, Zempin, Koserow, Loddin, Ueckeritz und Bansin). Nur Ahlbeck macht eine Ausnahme. In den achtziger Jahren des 19. Jh.s begann die Umstellung des Wirtschaftslebens auf den Fremdenverkehr.

Dies hatte zur Folge, daß überall neue Siedlungsteile in Richtung zur Außenküste oder parallel dazu entstanden, ein Vorgang, der ganz ausgeprägt in Kölpinsee und Bansin zu erkennen ist.
Heringsdorf wurde zu Beginn des 19. Jh.s als Fremdenverkehrsort gegründet; man sieht dort noch baumbestandene Straßen und Pensionen in parkartigen Gärten.

Stadt Usedom

An der Stelle der heutigen Stadt Usedom (3000 Einw.), nach der die Insel ihren Namen erhielt, bestand schon in slawischer Zeit eine Marktsiedlung neben einer Burg. Auf dem Landtag zu Usedom (1128) nahmen die pommerschen Adeligen unter dem Einfluß des Bischofs Otto von Bamberg das Christentum an (Denkmal auf dem Schloßberg). Im 13. Jh. wurde Usedom zu einer Kleinstadt mit Handwerkern, Händlern, Bauern und Fischern. Erst seit dem Bau der Zecheriner Brücke über die Peene (nach 1930) erhielt die Stadt als Durchgangsort für den Fremdenverkehr zu den Bädern der Insel Usedom einen merklichen Auftrieb.

Wolgast

Hauptdurchgangsort für den Straßen- und Eisenbahnverkehr auf die Insel Usedom und zugleich ihr Verwaltungszentrum ist die Kreisstadt Wolgast (17000 Einw.) auf dem Festland am Westufer des Peenestromes. Wolgast spielte in der Vergangenheit als Hafen- und Handelsstadt am westlichen Mündungsarm der Oder eine beachtliche Rolle, zumal es von 1532 bis 1625 auch den Herzögen von Pommern-Wolgast als Residenz diente. Nach 1945 wurde Wolgast zu einer Industriestadt ausgebaut.

Im nördlichen Zipfel der Insel Usedom, bei der Mündung des Peene-stromes in das Spandower-Hagener Wiek (Greifswalder Bodden / Ostsee), liegt das im nationalsozialistischen Dritten Reich weltbekannt gewordene Fischerdorf Peenemünde. In der Nähe befand sich die Heeresversuchs-anstalt für Raketen und ferngelenkte Waffen (Leitung: Wernher v. Braun); hier wurde u. a. die 'V 2' (das V stand für 'Vergeltungswaffe'), die erste Großrakete mit Flüssigkeitsantrieb (Alkohol/Sauerstoff), entwickelt.
Nach dem Zweiten Weltkrieg sind die Anlagen zu einem Marinestützpunkt ausgebaut worden.

Usedom (Fortsetzung) **Peenemünde**

→ Reiseziele von A bis Z: Anklam

Anklam

→ Reiseziele von A bis Z: Greifswald

Greifswald

Vogtland

E 4/5

Bundesländer: Freistaat Sachsen und Thüringen
Bezirke (1952–1990): Karl-Marx-Stadt und Gera

Unter der Bezeichnung 'Vogtland' versteht man im weitesten Sinne das Gebiet zwischen → Thüringer Wald, Fichtelgebirge und → Erzgebirge; es umfaßt Teile von Sachsen, Thüringen und Oberfranken (Bayern) sowie das in der Tschechoslowakei gelegene 'Ascher Ländchen' um die Industrie-stadt Asch (tschechisch Aš).

Gebietsdefinition

Im Rahmen dieses Buches wird im wesentlichen jener Hauptteil des Vogtlandes umrissen, der zu den neuen Bundesländern Sachsen und Thüringen gehört. Beschreibungen der übrigen Teile findet man in den Bänden der Serie 'Baedekers Allianz-Reiseführer' "Deutschland · West" bzw. "Tschechoslwoakei".

Hinweis

Vogtland heißt der von zahlreichen Kuppen belebte, teils offene, teils von Wäldern eingenommene, dichtbesiedelte Abschnitt der Mittelgebirgs-schwelle, beiderseits der oberen Weißen Elster (→ Elstertal) im Süd-westen des Landes Sachsen. Das Vogtland hat von alters her als Durch-gangsland für den Verkehr von Norden nach Süden Bedeutung. Der Name Vogtland ('Land der Vögte') geht darauf zurück, daß hier einst kaiserliche Reichsvögte als Landesherren die Macht ausübten.

Lage und Bedeutung

Die wellige, durch tiefe Täler mit steilen Hängen und vielen Windungen gegliederte Hochfläche des Vogtlandes steigt von → Greiz im Norden bis Bad Brambach im Süden von 450 auf über 650 m ü. d. M. an.

Landschaftsbild

Im Elstergebirge, das an der Grenze zur Tschechoslowakei liegt, werden Höhen von 800 m überschritten (Großer Rammelsberg 963 m ü. d. M.).
Bis 200 m hoch ist die Randstufe, mit der das Vogtland vom östlich benachbarten → Erzgebirge überragt wird; der Übergang zum westlich anschließenden Thüringischen Schiefergebirge erfolgt unmerklich.

Elstergebirge

Als 'Vogtländische Schweiz' verstehen sich die Durchbruchstäler der Weißen Elster und der Göltzsch zwischen Plauen und Greiz.

Vogtländische Schweiz

In den höheren Lagen ist das Klima infolge der starken Winde, die über die Hochflächen hinwegstreichen, rauh. Jedoch sind die Niederschläge, bedingt durch die Lage im Lee der Gebirge, relativ gering.

Klima

Bereits im Mittelalter wurden im Vogtland Tuche und Leinwand hergestellt. Auch heute ist die Textilindustrie in vielen Orten der wichtigste Industrie-zweig, so in → Plauen, der größten Stadt des Vogtlandes, wo seit der Mitte des 19. Jahrhunderts die Maschinenstickerei eingeführt wurde; seither bil-

Textilindustrie

Vogtland

Textilindustrie (Fortsetzung)

den Plauener Spitzen eine bekannte und gefragte Ware. Neben der Textilproduktion gibt es im Vogtland einen hochentwickelten Maschinenbau.

Talsperren

Für die Industrie des Vogtlandes, besonders die Textilindustrie, spielte seit jeher das Wasser eine wichtige Rolle. So sind im Laufe der Zeit in den Bächen und Flüssen zahlreiche Wehre und Talsperren errichtet worden, um die Wasserkraft zu nutzen und Trink- und Brauchwasser zu gewinnen.

✳Talsperre Pöhl

Die größte Talsperre im Vogtland ist die von 1958 bis 1964 erbaute, mehr als 62 Mio. cm^3 Wasser fassende Talsperre Pöhl im Tal der Trieb nordöstlich von Plauen unmittelbar an der Autobahn.

✳Talsperre Pirk

Die Talsperre Pöhl wie auch die Talsperre Pirk westlich von Oelsnitz sind vielbesuchte Naherholungsgebiete des Vogtlandes.

✳Musikwinkel

Das südöstliche Vogtland hat als 'Musikwinkel' einen besonderen Klang im wahrsten Sinne des Wortes. Seit dem 17. Jh. ist in und um → Klingenthal und → Markneukirchen der Bau von Musikinstrumenten zu Hause.

✳Musikinstrumentensammlung

In dem Ort Markneukirchen gibt es eine der größten Musikinstrumentensammlungen der Welt. Dort werden rund 2000 Schaustücke gezeigt.

Wintersport

→ Klingenthal erstreckt sich als Streusiedlung über mehrere Kilometer Tal und Hänge entlang bis zum Fuß des Aschberges (935 m ü.d.M.) mit der weithin bekannten Großen Aschbergschanze. Es stellt, begünstigt durch hohe Schneesicherheit, ein beliebtes Wintersportzentren dar.

✳Bäderwinkel

Zum Vogtland gehört auch der 'Bäderwinkel' mit Bad Elster und Bad Brambach, dem einzigen Radonbad in Mitteldeutschland. Beide Heilbäder liegen inmitten gepflegter Kurorte.

Erwähnung verdienen die verzierten Fachwerkgiebel des vogtländischen Dorfes Raun (südöstlich von Bad Elster).

Freilichtmuseum Landwüst

Einen Besuch lohnt auch das Freilichtmuseum in Landwüst (östlich von Bad Elster), in dem mehrere Bauernhäuser im Egerländer Fachwerkstil zu besichtigen sind.

▼ *Talsperre Pöhl im Vogtland*

Die südlichste Siedlung des Vogtlandes ist Schönberg am Südhang des Kapellenberges, der höchsten Erhebung des Vogtlandes (759 m ü.d.M.); von oben bietet sich ein weiter Rundblick.

Das gesamte 'Obere Vogtland' zwischen Adorf und Schönberg ist heute wegen seines hohen Erholungswertes ein Landschaftsschutzgebiet. Die Nutzung der land- und forstwirtschaftlichen Flächen wurde auf die Erhaltung der Erholungslandschaft abgestimmt.

Ein Straßengrenzübergang und die internationale Eisenbahnverbindung stellen die Verbindung zur benachbarten Tschechoslowakei her.

Waren (Müritz)

B 5

Bundesland: Mecklenburg-Vorpommern
Bezirk (1952–1990): Neubrandenburg
Höhe: 80 m ü.d.M.
Einwohnerzahl: 25 000

Die mecklenburgische Kreisstadt Waren liegt am Nordufer der → Müritz. Mit ihrer wasser- und waldreichen Umgebung bietet sie zwar gute Bedingungen für Erholung und Fremdenverkehr, doch werden zukünftig die für den 1990 geschaffenen Müritz-Nationalpark geltenden Schutzbestimmungen hier deutliche Schranken setzen.

Lage und Bedeutung

Bereits vor 1200 war dieses Gebiet slawisch besiedelt (Alt Waren). Zwischen 1260 und 1270 wurde bei einer Burg die heutige Stadt gegründet, 1292 als 'civitas' bezeichnet. Landesherren waren die mecklenburgischen Fürsten von Werle. Von 1347 bis 1425 bildete Waren ihre Residenz. Bis zum Ende des 17. Jh.s blieb der mehrmals durch Brände zerstörte Ort Handwerker- und Ackerbürgerstadt. Die verkehrsgünstige Lage ließ Waren im 19. Jh. zu einem Zentrum des Holz- und Getreidehandels im mittleren Mecklenburg werden. Neben Mühlen siedelten sich weitere

Geschichte

Waren

Industriebetriebe an, z.B. Sägewerke, Molkereien, eine Zuckerfabrik, eine Brauerei und ein Eisenwerk. Um die Mitte des 19. Jh.s begann der Bade- und Kurbetrieb; zu Beginn des 20. Jh.s kam eine beachtliche Zahl von Feriengästen nach Waren. Im Jahre 1954 wurde die Stadt als Luftkurort bestätigt.

Sehenswertes in Waren (Müritz)

Pfarrkirche St. Georg

Die Pfarrkirche St. Georg (um 1225), eine dreischiffige frühgotische Backsteinbasilika mit einem neugotischen Chor (Mitte 19. Jh.) und einem spätgotischen Westturm (Anfang 15. Jh.), besitzt eine bemerkenswerte Triumphkreuzgruppe (14. Jh.).

Pfarrkirche St. Marien

Die Pfarrkirche St. Marien (13. Jh.) war ursprünglich ein dreischiffiger frühgotischer Bau mit einem Chor im Übergangsstil (Ende 13. Jh.). 1637 und 1671 brannte sie aus und wurde im Jahre 1792 einschiffig wiederhergestellt; der Turm trägt einen barocken Helmaufsatz.

Altes Rathaus

Der älteste Profanbau der Stadt ist das Alte Rathaus, das heute als Küster- und Organistenhaus dient.

Neues Rathaus Richard-Wossidlo-Oberschule

Baukünstlerisch interessant sind das Neue Rathaus im Stil der Tudorgotik (1797 gebaut, 1857 aufgestockt) und die Richard-Wossidlo-Oberschule, ein Neorenaissancebau (1869, G.A. Demmler).

Weinbergschloß

Im Weinbergschloß (1875) wohnte bis zu seinem Tode der mecklenburgische Volkskundeforscher Richard Wossidlo (1859–1939; Gedenkzimmer); im Garten ein Gedenkstein.

Löwenapotheke

Beachtung verdient in Waren auch die Löwenapotheke (am Neuen Markt), ein schöner Fachwerkbau mit einer Fassade aus dem 18. Jahrhundert.

Müritz-Museum

Das Müritz-Museum (Friedensstraße Nr. 5) wurde 1866 als Naturhistorisches Museum gegründet. Dort werden u.a. ur- und frühgeschichtliche Funde sowie reiche Sammlungen zur Tier- und Pflanzenwelt der Müritz-Landschaft gezeigt.

Umgebung von Waren

Damerower Werder

Schiffsfahrten

Neben den vielen Ausflugszielen in der Umgebung der Stadt und an der Müritz, z.B. dem Wisentgehege auf dem Damerower Werder, bieten die Schiffe der 'Weißen Flotte' viele Möglichkeiten, die seenreiche Landschaft – Müritz, Kölpinsee und Fleesensee – vom Wasser her zu erleben.

Malchow

In Malchow (F 192, 24 km südwestlich von Waren) sind die neugotische Klosterkirche (1844–1849) und das Fachwerkrathaus (18. Jh.) sehenswert.

Röbel

In Röbel (24 km südlich von Waren) verdient die frühgotische Backsteinhallenkirche St. Marien mit einem spätgotischen Flügelaltar und einer Triumphkreuzgruppe Beachtung. In der frühgotischen Backsteinhallenkirche St. Nikolai befinden sich ein romanischer Taufstein und Chorgestühl von 1519. Von der Stadtbefestigung sind Reste der Stadtmauer am Töpferwall erhalten.

Plau

⟶ Reiseziele von A bis Z: Plauer See

Mecklenburgische Schweiz

⟶ Reiseziele von A bis Z: Mecklenburgische Schweiz

Reuterstadt Stavenhagen

⟶ Reiseziele von A bis Z: Neubrandenburg, Umgebung

Weimar

Bundesland: Thüringen
Bezirk (1952–1990): Erfurt
Höhe: 240 m ü.d.M.
Einwohnerzahl: 60000

Weimar liegt im Südosten des Thüringer Beckens, südlich vom Großen Ettersberg im Tal der Ilm. Als 'Stadt der deutschen Klassik' ist Weimar ein Anziehungspunkt für Besucher aus aller Welt.
Neben dem Wirken Luthers, Cranachs und Bachs begründeten die großen Dichter Wieland, Goethe, Herder und Schiller die bedeutende Epoche Weimars im 18. Jh., während im 19. Jh. die Pflege der Musik große Musiker und die 1860 gegründete Kunstschule berühmte Maler der Zeit anzog.

*Lage und
Bedeutung

Im Jahre 1919 wurde die Weimarer Reichsverfassung angenommen und die erste deutsche Republik nach dieser Stadt benannt. Aber der kurzen Zeit der Weimarer Republik machte der Nationalsozialismus ein Ende. Die Gedenkstätte Buchenwald erinnert an das Leiden der Menschen unter dem Terrorregime und an den Widerstand.

Politik

Nach 1945 wurde Weimar wieder eine Stätte der Wahrung des deutschen kulturellen Erbes. Seit der Gründung der Nationalen Forschungs- und Gedenkstätten der klassischen deutschen Literatur werden die zahlreichen wissenschaftlichen und kulturellen Stätten der deutschen Klassik über Weimars Grenzen hinaus gepflegt und den Interessenten aus aller Welt zugänglich gemacht. Daneben ist Weimar eine bedeutende Hochschul- und Indutriestadt. Die Bauhochschule führt die Tradition der Weimarer Kunstschulen, im Jahre 1919 unter Walter Gropius zum 'Staatlichen Bauhaus in Weimar' umgestaltet, weiter. Die Musikhochschule ist eine bedeutende Ausbildungsstätte für Musiker.

*Pflege von Kultur
und Wissenschaft*

Stadtgeschichte

Als Siedlungsplatz der Altsteinzeit (Funde aus Weimar-Ehringsdorf) schon früh Stätte menschlicher Ansiedlung, wird der Ort als 'Wimares' 975 durch Otto II. erstmals urkundlich genannt. Um das Jahr 1250 erfolgte die planmäßige Anlage des Ortes, dem 1348 das Stadtrecht verliehen wird. 1372 in wettinischen Besitz übergegangen, wird Weimar seit 1382 bevorzugte Residenz. 1485 wurde es ernestinisch, seit 1547 war es Hauptstadt des Herzogtums Sachsen-Weimar. Es folgte eine Periode reger Bautätigkeit und ein Aufschwung des kulturellen Lebens: 1617 Gründung der 'Fruchtbringenden Gesellschaft zur Förderung der deutschen Sprache' (auch 'Palmenorden' genannt); 1650 Gründung der Hofkapelle; 1696 wurde im Schloß die erste deutsche Opernbühne eingeweiht, später dann die Hofbibliothek und Gemäldesammlung aufgebaut. Von 1708 bis 1717 war Johann Sebastian Bach als Hoforganist in Weimar tätig.

*Anfänge
und Aufstieg
zur Residenz*

Weimars klassische Periode begann 1758 mit dem Regierungsantritt der Herzogin Anna Amalia, die im Jahre 1772 Christoph Martin Wieland als Prinzenerzieher an den Hof holte. Ihr Sohn Carl August lud 1775 Johann Wolfgang von Goethe an seinen Hof, der hier als leitender Minister wirkte. Die Ausstrahlungskraft seiner Persönlichkeit und sein Ruf als gefeierter Dichter übten einen großen Einfluß auf das gesamte Herzogtum aus.
Die Tätigkeit des Schriftstellers und Theologen Johann Gottfried Herder (1776–1803) und Schillers Freundschaft zu Goethe führten in der Literatur dann zu jenem schöpferischen Prozeß, dem Weimar den Ruf als 'Stadt der Klassik' verdankt. Als geistig-kulturelles Zentrum im Deutschland des frühen 19. Jh.s wurde Weimar Wohnsitz bedeutender Maler, Schriftsteller und Musiker. Der Einfluß von Persönlichkeiten, die der Aufklärung verpflichtet

Klassische Periode

Stadtgeschichte (Fortsetzung)

waren, zeigte sich auch darin, daß 1816 in dem Großherzogtum eine Verfassung eingeführt wurde, die erste in einem deutschen Staat.

Bauhaus

Im Jahre 1860 wurde die Weimarer Kunstschule gegründet, die später als Kunstgewerbehochschule von 1902 bis 1914 unter der Leitung von Henry van de Velde stand; aus ihr ging 1919 unter Walter Gropius das Staatliche Bauhaus hervor, das 1925 nach → Dessau verlegt wurde.

Weimarer Republik

Im Weimarer Nationaltheater tagte als verfassungsgebendes Organ die Deutsche Nationalversammlung; 1919 wurde dort die Reichsverfassung der 'Weimarer Republik' angenommen, die bis zur Machtübernahme der Nationalsozialisten Bestand hatte.

Thüringische Landeshauptstadt (1920–1948)

Im Jahre 1920 wurde Weimar Hauptstadt des aus zahlreichen kleinen Herrschaften gebildeten Landes Thüringen. In unmittelbarer Nähe der Stadt errichteten die nationalsozialistischen Machthaber später das gefürchtete Konzentrationslager Buchenwald.

Zwischen 1948 und 1952 wurden die Ministerien des Landes nach → Erfurt verlegt; 1952 wurde Weimar dem DDR-Bezirk Erfurt zugeordnet, seit 1990 gehört es zum neuen Bundesland Thüringen.

Stadtbeschreibung

Herderplatz

*Herderkirche

Der Mittelpunkt der zwar denkmalgeschützten, jedoch teilweise verfallenen Altstadt ist die Herderkirche (1498–1500). Die Kirche, die eigentlich 'Stadtkirche St. Peter und Paul' heißt, war langjährige Wirkungsstätte des Hofpredigers J. G. Herder. Sie ist eine dreischiffige spätgotische Hallenkirche; im Westchor liegt unter der Orgelempore der Sarkophag Herders († 1803 in Weimar). Die Kirche besitzt eine wertvolle Ausstattung, darunter ein großer gemalter Flügelaltar (wohl noch von L. Cranach d. Ä. begonnen, beendet 1555 von L. Cranach d. J.), der Grabstein Lucas Cranachs d. Ä. († 1553) und mehrere Grabdenkmäler des ernestinischen Fürstenhauses (v. a. 16. Jh.).

Herderdenkmal

Vor der Kirche steht das Herderdenkmal, das im Jahre 1850 von dem Bildhauer L. Schaller geschaffen wurde.

*Kirms-Krackow-Haus (Museum)

Vom Naturkundemuseum sind es nur wenige Schritte zum Kirms-Krackow-Haus (Jakobstraße Nr. 10; im Kern spätmittelalterlich, mit schlichter Barockfassade), einem der historisch bedeutsamsten Weimarer Patrizierhäuser, das dringender Renovierung bedarf.

Zu dem Anwesen gehören ein Hof mit hölzerner Galerie, ein Hausgarten mit Teehaus sowie Wohn- und Wirtschaftsräume mit klassizistischer Ausstattung; ferner wurde dort ein Herder-Museum mit persönlichen Hinterlassenschaften des Dichters und Predigers eingerichtet. Gedenkräume für die Schriftsteller J. D. Falk und J. K. A. Musäus.

Theaterplatz

*Deutsches Nationaltheater

Am Theaterplatz erhebt sich das Deutsche Nationaltheater. Im Jahre 1779 als Barockbau errichtet, wurde es 1907 wegen Baufälligkeit abgebrochen und dann in der heutigen Gestalt wieder aufgebaut. In diesem Hause wurde und wird die große Theatertradition Weimars gepflegt: In dem einstigen Komödienhaus war auch Goethe Intendant, der hier u. a. Schillers Dramen aufführte. An dem späteren Hoftheater wirkten Franz Liszt und Richard Strauss als Kapellmeister; Hermann Abendroth war hier Generalmusikdirektor.

Goethe-Schiller-Denkmal (s. S. 604) ▶

Weimar

*Goethe-Schiller-
Denkmal
(Abb. s. S. 603)

Vor der Eingangsfront des Theaters steht das bekannte Goethe-Schiller-
Denkmal, geschaffen von E. Rietschel (1857), das die beiden Dichter
nebeneinanderstehend zeigt.

Kunsthalle

Gegenüber dem Deutschen Nationaltheater sieht man die klassizistische
Fassade des ehemaligen Kulissenhauses; das Gebäude dient heute als
Kunsthalle (wechselnde Ausstellungen).

*Wittumspalais

Den Übergang vom Theaterplatz zur angrenzenden Schillerstraße bildet
das Wittumspalais (Am Palais 3; 1767) der Herzogin Anna Amalia, ein
Haus, das in der Periode der frühen Klassik ein Zentrum gesellschaftlichen
und literarischen Lebens bildete.
In dem zweigeschossigen Barockbau befinden sich Einrichtungsgegen-
stände aus der Goethezeit, Porträtplastiken von Klauer und Döll, Gemälde
von Graff, Tischbein, Jagemann und Kraus. Bemerkenswert sind auch die
Gegenstände, die an die Tafelrunde der Herzogin erinnern.
Als besonderes Kleinod gilt wegen seiner überraschenden Raumwirkung
der kleine Festsaal, in dem Goethe seine berühmte Trauerrede auf Wieland
gehalten hat.

Wielandmuseum

Das Palais beherbergt auch das Wielandmuseum.

Stadtplan

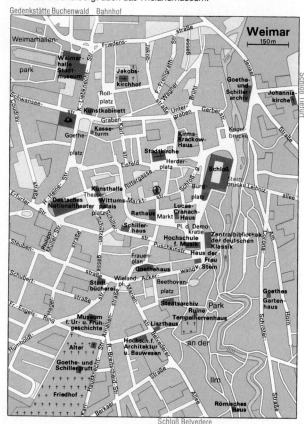

Achtung!
Im Zuge der
politischen
Neuorientierung
sind weitere
Umbenennungen
zu erwarten.

Festlicher Raum im Wittumspalais

Schillerhaus und Goethehaus

An der Schillerstraße (Nr.12) steht das Schillerhaus (1777). Hier wohnte der Dichter von 1802 bis zu seinem Tode im Jahre 1805. In diesem Hause entstanden seine letzten Werke: "Wilhelm Tell", "Die Braut von Messina" sowie das "Demetrius"-Fragment. Die Wohnräume sind erhalten und historisch getreu eingerichtet (1986/1987 restauriert).

*Schillerhaus

Im Jahre 1988 wurde in Weimar das neuerbaute Schillermuseum eröffnet, das neben dem ehemaligen Wohnhaus des Dichters steht. In diesem ansprechenden Museumsbau werden Schillers Leben und Schaffen auf vielfältige Weise dokumentiert.

*Schillermuseum

Wenige Schritte vom Schillerhaus entfernt steht am Frauenplan, neben dem historischen Gasthaus 'Zum Weißen Schwan', das Goethehaus, ein

**Goethehaus

**Goethehaus
am Frauenplan
In Weimar**

1 Gartenzimmer
2 Dienerzimmer
3 Schlafzimmer
4 Arbeitszimmer
5 Bibliothek
6 Urbinozimmer
7 Junozimmer
8 Gelber Saal
9 Deckenzimmer
10 Kleines
   Eßzimmer

11 Majolikazimmer
12 Große
   Wohnstube
13 Kleine Küche
14 Wohnzimmer
   Christianes
15 Große Stube
16 Büstenzimmer

V Vorzimmer
T Treppenhaus

605

Goethehaus am Frauenplan

Goethes Arbeitszimmer im Haus am Frauenplan

schlichter Barockbau (1709). Hier wohnte der Dichter von 1782 bis zu seinem Tode im Jahre 1832.

Im Inneren befinden sich bedeutende Bestände der Goetheschen Kunstsammlungen entsprechend seiner persönlichen Aufstellung; ferner Bestandteile seiner naturwissenschaftlichen (insbesondere mineralogischen) Sammlungen. Neben dem Arbeitszimmer liegen das Sterbezimmer des Dichters sowie die Bibliothek mit etwa 5400 Bänden. An das Goethehaus schließt sich ein kleiner Garten an.

Dem Wohnhaus ist das Goethe-Nationalmuseum zugeordnet (zu diesem gehört auch das Goethehaus selbst); dort werden in mehreren Räumen Dokumente zu Leben und Werk des Dichters gezeigt.

Unweit des Goethehauses erreicht man das Haus der Frau von Stein (Ackerwand 25), das 1776 nach Vorstellungen Goethes umgebaut wurde.

Markt

Ein Stück Alt-Weimar hat sich in der Gegend um den Markt erhalten. Dort steht das Lucas-Cranach-Haus (1549), ein schöner Renaissancebau mit zwei Giebeln. Hier verbrachte Lucas Cranach d.Ä. sein letztes Lebensjahr.

In die Rekonstruktionsarbeiten im inneren Stadtbereich ist die schrittweise Wiederherstellung vieler künstlerisch wertvoller und historisch interessanter Brunnen einbezogen worden. Achtzehn von ihnen stehen unter Denkmalschutz. Die Brunnen auf dem Markt und auf dem Frauenplan, die mehrfach erneuert wurden, gehören zu den ältesten der Stadt.

Sehenswertes im Nordwesten

Beachtenswerte Bauten finden sich auch rings um die Jakobskirche (1712). Sie ist ein einschiffiger Barockbau mit zweigeschossiger Anordnung der Fenster; der Westturm hat eine Zwiebelhaube.

Auf dem Jakobsfriedhof sieht man das sog. Kassengewölbe (die erste Begräbnisstätte Schillers); ferner liegen dort die Grabstätten von Lucas Cranach d.Ä., Luise von Göchhausen, Christiane von Goethe, Karl August Musäus und Georg Melchior Kraus.

An der Karl-Liebknecht-Straße steht das Bertuchhaus (1802–1806), ein klassizistischer Bau mit geräumiger Vorhalle und zweiarmiger Treppe. Es beherbergt das Stadtmuseum, u.a. mit Abteilungen über F.J. Bertuch, und das Landes-Industrie-Comptoir – mit bäuerlicher Volkskultur aus der Gegend um Weimar und Zinnfiguren.
Das Bertuch-Haus befindet sich derzeit in baufälligem Zustand; die Sammlungen des Stadtmuseums sind bereits seit längerer Zeit nicht zugänglich.
Stadtmuseum

Bemerkenswert ist am Goetheplatz, dem Verkehrszentrum und Ausgangspunkt zum Fußgängerboulevard Richtung Theaterplatz und Schillerstraße, der Kasseturm, ein im späten 18. Jahrhundert umgebauter Rundturm der mittelalterlichen Stadtbefestigung; heute ist er Domizil des Studentenklubs.

Schloß und Umgebung

Weitere Anziehungspunkte in Weimar sind das Schloß im Osten der Stadt und seine nähere Umgebung.

Weimarer Schloß nahe der Ilm

*Schloß

Das Schloß (16. Jh.) ist eine dreigeschossige Dreiflügelanlage mit klassizistischer Säulenhalle an der Ostseite zur Ilm. Im Inneren sind beachtenswert das Treppenhaus, der große Festsaal und die Falkengalerie (alle drei in klassizistischem Stil gestaltet, 1801–1803), ferner das Luisenzimmer und die Goethegalerie.

Schloßturm

Südwestlich vom Schloß stehen der mittelalterliche Schloßturm mit einem reichen Barockaufsatz (1729–1732) und die sogenannte Bastille (im Kern spätgotisch, 15. Jh.).

*Nationale Forschungsstätte (Literatur)

Im Schloß haben die Nationalen Forschungs- und Gedenkstätten der klassischen deutschen Literatur sowie die Staatlichen Kunstsammlungen zu Weimar ihren Sitz.

Ehemaliger Marstall (Staatsarchiv)

Der ehemalige Marstall (1875–1878) beherbergt heute das Staatsarchiv. An dem Gebäude, das während des Zweiten Weltkrieges als Gefängnis benutzt wurde, ist eine Gedenktafel für antifaschistische Widerstandskämpfer angebracht.
Gedacht wird u. a. des am 20. Juli 1944 bei einem Fluchtversuch von Kugeln getroffenen Magnus Poser, der am darauffolgenden Tage im Konzentrationslager Buchenwald verstarb.

*Kunstsammlungen zu Weimar

Die Kunstsammlungen zu Weimar umfassen die folgenden Abteilungen: Deutsche Kunst des Mitelalters und der Renaissance (u. a. Thüringer Tafel- und Schnitzaltäre, Gemälde von Cranach d. Ä., Baldung-Grien, Bruyn); italienische Malerei des 16./17. Jh.s (u. a. Veronese, Tintoretto); niederländische Malerei des 16./17. Jh.s (u. a. Rubens, Brouwer, Ostade); Kunst der Goethezeit (u. a. Füßli, Kraus, Tischbein, Kaufmann, Graff, Hackert, Koball, Chodowiecki); deutsche Romantik (u. a. Friedrich, Runge, Kersting) sowie deutsche Spätromantik und Weimarer Malerschule (u. a. Schwind, Preller, Blechen, Buchholz, Rohlfs); deutsche Malerei des 19./20. Jh.s (u. a.

Rayski, Böcklin, Liebermann, Beckmann). Eine graphische Sammlung (15 000 Zeichnungen, 50 000 graphische Blätter) sowie das Münzkabinett (1 500 Münzen) kommen hinzu.

Am Kegelplatz, im restaurierten Wohnhaus des Dichters Johann Carl August Musäus, der hier von 1769 bis zu seinem Tode im Jahre 1787 wohnte, befindet sich die Albert-Schweitzer-Gedenkstätte.
Vor dem Gebäude steht ein Albert-Schweitzer-Denkmal, das 1968 geschaffen wurde.

Jenseits der nördlich des Schlosses die Ilm überquerenden Kegelbrücke befindet sich das Goethe-und-Schiller-Archiv (erbaut 1896), eines der größten Archive der neueren deutschen Literatur. Sein Bestand umfaßt sechzig geschlossene Dichternachlässe (u. a. auch von Wieland, Herder, Mörike, Hebbel, Otto Ludwig und Reuter) sowie Einzelhandschriften von rund 450 Persönlichkeiten aus der Zeit vom 18. Jh. bis zum beginnenden 20. Jh. (insgesamt fast 600 000 Handschriften; ein gedrucktes Bestandsverzeichnis liegt vor).

Südlich vom Schloß befindet sich das ehemalige Reithaus (18. Jh.), ein dreigeschossiger Barockbau.

Platz der Demokratie

Nicht weit vom ehemaligen Reithaus entfernt, an der Südseite des Platzes der Demokratie, steht das ehemalige Fürstenhaus (1770–1774), ein dreigeschossiger Barockbau mit Säulenvorbau (1889). Heute hat hier die Musikhochschule ihren Sitz.

Vor dem ehemaligen Fürstenhaus befindet sich das Reiterstandbild des Großherzogs Carl August (1875), geschaffen von A. v. Donndorf.

An der Ostseite des Platzes der Demokratie steht das Grüne Schloß, im Kern ein Renaissancebau (1562–1565; im 18. Jh. vereinfachend umgebaut) mit reichem Rokoko-Bibliothekssaal, ovalem Pfeilerumgang, Porträtplastiken der Bildhauer Trippel, Dannecker, Schadow, David und Houdon. In den Räumen des Grünen Schlosses ist die 'Zentralbibliothek der deutschen Klassik' untergebracht.

An der Westseite des Platzes der Demokratie befindet sich das Rote Schloß (1574–1576) mit einem Renaissanceportal. In der Nachbarschaft das Gelbe Schloß (begonnen 1702), ein zweigeschossiger Barockbau; in der Mitte der Front sieht man ein von ionischen Säulen eingefaßtes Rechteckfenster, darüber einen gebrochenen Giebel. Auf dem Hof steht die Figur "Aktenmännchen" von G. Elster.

* Park an der Ilm

Zu den Sehenswürdigkeiten der Stadt gehört auch der Park an der Ilm mit seinen Bauten. Goethe selbst schuf in jahrzehntelanger Arbeit mit Gärtnern diesen Landschaftsgarten, in dem Natur und Kunst zu einer harmonischen Einheit verschmolzen sind.
Eine Wanderung durch den Park gehört zu den unvergeßlichen Erlebnissen eines Weimar-Besuches.

Am Ostufer der Ilm steht Goethes Gartenhaus, ein schlichter Bau aus dem 17. Jahrhundert. Von 1776 bis 1782 war das Haus ständiger Wohnsitz des Dichters; zu sehen sind die historische Einrichtung und verschiedene Gegenstände, die an Goethes Leben und Schaffen erinnern. Hier entstanden viele seiner Naturgedichte und Anfänge der "Iphigenie".

Römisches Haus im Park an der Ilm

Park an der Ilm (Fortsetzung)
Borkenhäuschen

Gegenüber dem Gartenhaus befindet sich das Borkenhäuschen, in dem sich der Herzog Carl August, Goethes Nachbar, zu erholen pflegte.

Römisches Haus

Für Carl August entwarf Goethe auch den klassischen Bau des Römischen Hauses (1791–1797) auf der Höhe des Westufers; im Durchgang an der Ostseite sind die Deckengemälde und der Wandfries nach Entwürfen von H. Meyer sehenswert.

Wohnhaus von Franz Liszt

An der Einmündung des Parkes in die Belvederer Allee steht das bescheidene Haus des Hofgärtners.
Hier wohnte von 1869 bis 1886 Franz Liszt. Die ehemaligen Wohnräume und eine kleine Ausstellung vermitteln etwas vom Leben des Komponisten im Weimar des 19. Jahrhunderts.

Tiefurt

Nur wenige Kilometer nordöstlich von der Stadtmitte (Busverbindung) liegt das Schloß Tiefurt mit seinem schönen Park an der Ilm.

*Schloß Tiefurt

Schloß Tiefurt (Ende 16. Jh., Umbau 1776), ein ehemaliges barockes Kammergutspächterhaus, bildete in der Zeit von 1781 bis 1806 den Sommersitz der Herzogin Anna Amalia. Das Schloß war eine Stätte der Geselligkeit und des Gedankenaustausches führender Köpfe Weimars. Zahlreiche Räume sind im Stil des Rokoko, Klassizismus und Biedermeier gestaltet – mit Gemälden von G. M. Kraus und F. A. Oeser sowie mit Plastiken von M. Klauer.

*Tiefurter Landschaftspark

Lohnend ist ein Gang durch den stillen, von der Ilm umflossenen Tiefurter Landschaftspark (begonnen im Jahre 1776): es gibt dort zahlreiche Kleinarchitekturen und Denkmäler, z.B. den Musentempel, den Teesalon (1805), den Herder-Gedenkstein, das Mozart-Denkmal und das Amor-Denkmal fürCorona Schröter sowie einen Gedenkstein für den Herzog Leopold von Braunschweig.

Tiefurter
Landschaftspark
(Fortsetzung)

Südlicher Außenbezirk von Weimar

Sehenswerte Bauten, Sammlungen und Gedenkstätten liegen auch außerhalb des alten Stadtkerns von Weimar oder in den eingemeindeten Vororten. So steht südlich der Innenstadt – an der Humboldtstraße (Nr. 11) – das Poecksche Haus, ein schlichtes Patrizierhaus der Goethezeit, heute Museum für Ur- und Frühgeschichte. Das Museum zeigt u. a. Altsteinzeitmenschen von Ehringsdorf, jungsteinzeitliche Kulturen Thüringens, ein bronzezeitliches Hügelgrab von Schwarza und ein frühmittelalterliches Fürstengrab von Haßleben.

Museum für
Ur- und
Frühgeschichte

Ein Anziehungspunkt für die meisten Weimar-Besucher ist der Friedhof vor dem Frauentor mit der Goethe-und-Schiller-Gruft: Am Ende einer Allee mit schönen alten Bäumen erhebt sich die Gruft, eine kuppelgekrönte Kapelle im klassizistischen Stil, die Weimars Baumeister Clemens Wenzeslaus Coudray 1825–1827 erbaute; im Gruftgewölbe die Sarkophage Goethes, Schillers und des Großherzogs Carl August.

*Friedhof vor
dem Frauentor

Goethe-und-
Schiller-Gruft

An der Südseite der Goethe-und-Schiller-Gruft steht die Russische Kapelle (1862); dort ist die Großherzogin Maria Pawlowna beigesetzt.

Russische Kapelle

Auf dem Friedhof liegen ferner das Erbbegräbnis der Familie von Goethe, die Grabstätten von Johann Peter Eckermann, Charlotte von Stein, des Kapellmeisters Nepomuk Hummel und des Architekten C. W. Coudray; beachtenswert ist auch das Denkmal der Märzgefallenen, geschaffen von Walter Gropius (1921).

Weitere Gräber

Tiefurter Landschaftspark

Schloß Belvedere (s. S. 612)

Bauhochschule

Auf dem Wege vom Friedhof zur Belvederer Allee kommt man in der Geschwister-Scholl-Straße an dem Hauptgebäude der Bauhochschule vorrüber. Das monumentale Bauwerk, das früher die Kunstschule und das Staatliche Bauhaus beherbergte, wurde 1904 nach Plänen des in Weimar tätigen belgischen Architekten Henry van de Velde errichtet.

Belvedere

Südöstlich der Stadt befindet sich der dritte der großen Parks von Weimar mit seinem Schloß.

*Schloß
Belvedere
(Abb. s. S. 611)

Schloß Belvedere (1724–1732) diente als Jagd- und Lustschloß. Es ist ein Barockbau mit Risalit und Attika. Auf dem Dach ein Belvedere mit Kuppel; an den Mittelbau schließen sich zwei Verbindungsbauten mit Tordurchfahrten und zwei runde Pavillons mit kleinen Kuppeln an. Der Fest- und Speisesaal sowie die Wohnräume haben eine ansprechende Rokoko-Ausstattung. Darüber hinaus gibt es Gegenstände im Stil der höfischen Kunst des 17./18. Jahrhunderts. Im Inneren ist ein Rokoko-Museum eingerichtet (derzeit in Restaurierung).
An den Seiten des Schlosses stehen symmetrisch angeordnete Kavalierhäuser, die heute eine Musikschule beherbergen.

*Barockgarten

Der Barockgarten (1756–1758) wurde unter Mitwirkung Goethes in einen Landschaftsgarten umgewandelt, 1843–1853 unter dem Einfluß des Fürsten Pückler-Muskau durch D. Sckell erneuert. Im Garten sieht man verschiedene Bauten und Kleinarchitekturen, so u. a. die Orangerie mit einer Sammlung historischer Wagen, das Naturtheater (1832), den Roten Turm (1828 von der Stadt in den Park übertragen) und eine künstliche Ruine.

Oberweimar

Klosterkirche

Bemerkenswert ist auch die Klosterkirche (im Kern frühgotisch, später mehrfach umgestaltet) des einstigen Zisterziensernonnenklosters Oberweimar, mit einer Nonnenempore und einer zweischiffigen Halle mit Kreuzgewölben. Im Tympanon des Südportals ist das Jüngste Gericht dargestellt. Nennenswert sind von der kostbaren Ausstattung das Altarbild ("Anbetung Christi", 16. Jh., von V. Thiem) sowie der Doppelgrabstein für Friedrich von Orlamünde und seine Gemahlin (nach 1365).

Ettersberg · Buchenwald

1937–1945
Nationalsozialistisches Konzentrationslager
Buchenwald

Nördlich der Stadt Weimar erhebt sich – weithin sichtbar – der Ettersberg (478 m ü. d. M.). Hier errichtete das nationalsozialistische Gewaltregime im krassen Gegensatz zu Weimars humanistischer Tradition 1937 das berüchtigte Konzentrationslager Buchenwald. Bis zur Selbstbefreiung des Lagers durch die Häftlinge unter der Leitung eines illegalen Lagerkomitees am 11. April 1945 fanden hier 56 545 Menschen vieler Nationen den Tod. In diesem Konzentrationslager wurden der Vorsitzende der KPD, Ernst Thälmann, und der evangelische Pfarrer Paul Schneider ermordet; hier fand auch der SPD-Fraktionsvorsitzende im Deutschen Reichstag, Rudolf Breitscheid, den Tod.

1945–1950
Sowjetisches
Internierungslager Buchenwald

Von 1945 bis 1950 wurde das Lager Buchenwald von der sowjetischen Besatzungsmacht weiterbetrieben; während dieser Zeit sind dort wiederum viele tausend Menschen zu Tode gekommen.

*Gedenkstätte
Buchenwald

Auf dem Gelände der Massengräber am Südhang des Berges ist in den Jahren von 1954 bis 1958 die Gedenkstätte Buchenwald entstanden. Sie wurde nach Entwürfen eines Kollektivs unter der Leitung von L. Deiters

Gedenkstätte Buchenwald

geschaffen und gliedert sich in einen Ehrenhain (Stelenweg und Straße der Nationen) und einen Feierplatz mit Glockenturm und Skulpturengruppe von Fritz Cremer.

Gedenkstätte Buchenwald (Fortsetzung)

Auf dem ehemaligen Lagergelände befinden sich heute ein Museum der Widerstandsbewegung und eine Ernst-Thälmann-Gedenkstätte.

Museum

Umgebung von Weimar

In Ettersburg am Nordrand des Ettersberges steht ein barockes Jagdschloß (1706–1712) mit einem Landschaftspark (unter Mitwirkung von Fürst Pückler-Muskau umgestaltet). In der neugotischen Schloßkirche (1863–1865) ein spätgotischer Flügelaltar.

Ettersburg

In Buchfart (5 km südlich vom Schloß Belvedere) ist eine überdachte Holzbrücke (18. Jh.) über die Ilm sehenswert.
In der Nähe Reste einer Fels- und Höhlenburg.

Buchfart

In Bad Berka (F 85, 13 km südlich von Weimar) gibt es eine bedeutende Heilstätte. In der barocken Pfarrkirche (1739) befinden sich hölzerne Kreuzgewölbe und Emporen; ferner Kanzelaltar und Taufgestell der Entstehungszeit. Oberhalb der Stadt eine mittelalterliche Burgruine.

Bad Berka

⟶ Reiseziele von A bis Z: Eckartsberga

Eckartsberga

⟶ Reiseziele von A bis Z: Apolda

Apolda

⟶ Reiseziele von A bis Z: Jena

Jena

⟶ Reiseziele von A bis Z: Erfurt

Landeshauptstadt Erfurt

Weißenfels D 4

Bundesland: Sachsen-Anhalt
Bezirk (1952–1990): Halle
Höhe: 99–177 m ü. d. M.
Einwohnerzahl: 51 000

Lage und
Bedeutung

Die einstige Residenzstadt Weißenfels liegt an der mittleren Saale (→ Saaletal) – vor ihrem Austritt in die Leipziger Tieflandsbucht. Sie ist als Zentrum der Schuhindustrie ein bedeutender Industriestandort. An den Talhängen der Saale erstrecken sich in der Umgebung der Stadt die Ausläufer des Weinbaugebietes Saale–Unstrut (→ Unstruttal).

Geschichte

Die Stadt wurde im 12. Jh. planmäßig am Fuße des Burgberges als Marktsiedlung angelegt. Sie war 1548–1553 sächsischer Fürstensitz und 1680 bis 1746 Residenz des Herzogtums Sachsen-Weißenfels. Im 19. Jh. entwickelte sie sich zur Industriestadt, im 20. Jh. auch zur Wohnstadt für nahegelegene Industriebetriebe (Leuna- und Bunawerke).
Bedeutsam war der künstlerische Einfluß: In Weißenfels begann Friederike Caroline Neuber (gen. 'die Neuberin') ihre Bühnenlaufbahn (1717); der Dichter Christian Weise war hier als Lehrer tätig (1670–1678); ferner wirkte der Dichter Friedrich von Hardenberg (gen. Novalis) in Weißenfels als kursächsischer Salinenbeamter. Im Jahre 1794 wurde ein Lehrerseminar eröffnet, das bald die bedeutendste Bildungsstätte dieser Art in Deutschland war.

Schloß Neu-Augustusburg

Barockanlage

Das Stadtbild wird vom Schloß Neu-Augustusburg geprägt, einer frühbarocken Dreiflügelanlage (1660–1692). Auf dem mittleren Flügel befindet sich ein Turmaufsatz mit Haube und Laterne.

*Schloßkapelle

Von der originalen Inneneinrichtung erhalten blieb die sehenswerte Schloßkapelle (1664–1682, J. M. Richter d. Ä.; wiederhergestellt), die mit schönen Stukkaturen und einem reichen Altaraufsatz ausgestattet ist.

Schuhmuseum

In dem Schloß befinden sich heute das Weißenfelser Museum und ein Schuhmuseum (Kulturgeschichte des Schuhs; Schuhsammlung aller Zeiten und Völker; moderne Schuhfabrikation).

Sehenswertes in der Stadt Weißenfels

Rathaus

Unterhalb des Schlosses erstreckt sich der Markt. Sehenswert ist dort das Rathaus, ein barocker Bau (1670), der nach einem Brand 1718–1722 wiedererrichtet wurde.

Stadtkirche
St. Marien

Neben dem Rathaus steht die Stadtkirche St. Marien (1157 gegründet; 1303 geweiht), im Kern eine frühgotische Hallenkirche. Von der Ausstattung verdienen der Altaraufsatz (1684), die Kanzel (1674) und der Taufstein (1681) Beachtung.

Fußgängerzone

Beachtenswert sind auch einige Bürgerhäuser (Marienstraße Nr. 2 und 4: Barockbauten von 1720–1730) und die neugestaltete Fußgängerzone (Friedrich-Engels-Straße).

*Geleitshaus

In der Nähe des Marktes befindet sich ferner das Geleitshaus (Große Burgstraße Nr. 22), ein reicher Renaissancebau von 1522; im Inneren das Obduktionszimmer des Schwedenkönigs Gustav II. Adolf und ein Diorama der Schlacht bei Lützen (1632; s. Umgebung).

Ebenfalls in der Nähe vom Markt befindet sich das Heinrich-Schütz-Haus (Nikolaistr. Nr. 13). In dem Renaissancehaus (1550) verbrachte der Komponist Heinrich Schütz (1585–1672) den größten Teil seiner beiden Lenesjahrzehnte. Seit 1985 besteht hier die 'Weißenfelser Musikergedenkstätte'. Heinrich-Schütz-Haus

An der Klosterstraße (Nr. 24) steht das Wohn- und Sterbehaus des im Rahmen der Romantik wichtigen Dichters Novalis (Friedrich von Hardenberg, 1772–1801). Im Haus und in dem anschließenden Gartenpavillon soll eine 'Weißenfelser Literaturgedenkstätte' eingerichtet werden. Novalishaus
In dem 100 südlich gelegenen Stadtpark (einst Friedhof) befindet sich Novalis' Grabstätte mit der Büste des Dichters. Novalis' Grab

Umgebung von Weißenfels

In Goseck (6 km südwestlich) ist eine romanische Klosterkirche beachtenswert. Das Schloß dient heute als Jugendherberge. In der spätgotischen Dorfkirche sieht man Wandmalereien und ein Tafelbild (16. Jh.). Goseck

An der südlichen Außenmauer der alten Dorfkirche von Röcken (F 87, 12 km nordöstlich von Weißenfels) befindet sich das Grab des deutschen Philosophen Friedrich Nietzsche († 1900), der 1844 im Röckener Pfarrhause geboren wurde. Röcken

In Lützen (F 87, 16 km nordöstlich von Weißenfels) ist das Schloß sehenswert (13. Jh.; heute Museum). **Lützen**
An der Straße nach Markranstädt lohnt die Gustav-Adolf-Gedenkstätte einen Besuch: Eine Kapelle (1907) mit Denkmal (1837) und drei Blockhäuser (Museum) erinnern an den Schwedenkönig Gustav II. Adolf, der am 16. November 1632 in der Schlacht bei Lützen gefallen ist.

Gustav-Adolf-Gedenkstätte bei Lützen

Weißenfels,
Umgebung, Lützen
(Fortsetzung)
Großgörschen

Bei Großgörschen (6 km südöstlich von Lützen) fand am 2. Mai 1813 der erste größere Zusammenstoß zwischen Napoleon I. und den verbündeten Russen und Preußen (Scharnhorst wurde tödlich verwundet) statt; hieran erinnert u. a. ein Denkmal (1913, Juckoff).

Werbellinsee

C 6

Bundesland: Brandenburg
Bezirk (1952–1990): Frankfurt

*See und Umland

Lage und Gestalt

Der Werbellinsee ist ein über 11 km langer, etwa 1,5 km breiter und bis zu 60 m tiefer eiszeitlicher Rinnensee in der Schorfheide südlich der Stadt Joachimsthal bzw. nördlich von → Berlin. Seine Wasserspiegelhöhe beträgt 43 m ü. d. M. Er liegt in einer der fluvioglazialen Rinnen, welche die flachwellige, von Dünen und ausgedehnten Kiefernforsten eingenommene, nur an wenigen Stellen von Laubwald bestandene Sanderlandschaft der Schorfheide durchziehen.

*Schorfheide

Die Schorfheide war seit Jahrhunderten wegen ihres Wildbestandes (besonders Hirsche) ein bevorzugtes Jagdrevier für Könige, Kaiser, nationalsozialistische 'Reichsjägermeister' und sozialistische Parteibonzen (Jagdschloß Hubertusstock, 1849).
In den letzten Jahren wurde sie in Verbindung mit dem sich östlich anschließenden, von Buchenwäldern eingenommenen Choriner Endmoränenbogen (über 100 m ü. d. M.) zu einem vielbesuchten Naherholungsgebiet (Kloster Chorin, Parsteiner See), das im Osten bis an die Oder und nach Süden bis an das Eberswalder Urstromtal reicht.

Biosphären-
reservat

Am 12. September 1990 hat die letzte amtierende Regierung der damaligen Deutschen Demokratischen Republik beschlossen, die Schorfheide sowie die Choriner Endmoränenlandschaft, den Niederoderbruch und die Werbellin-Joachimsthaler Moränenlandschaft als 'Biosphärenreservat Schorfheide–Chorin' (1258 km^2) unter Natur- und Landschaftsschutz zu stellen.

Grimnitzsee

Im Norden ist dem Werbellinsee der Grimnitzsee (830 ha, maximal 11 m tief) benachbart; er liegt 22 m höher als der Webellinsee. Der Grimnitzsee, an dessen westlichem Ufer sich Joachimsthal erstreckt, ist ein Gebiet intensiver Karpfenzucht.

Chorin

→ Reiseziele von A bis Z: Eberswalde-Finow

Wernigerode

D 3

Bundesland: Sachsen-Anhalt
Bezirk (1952–1990): Magdeburg
Höhe: 240 m ü. d. M.
Einwohnerzahl: 36000

Lage und
Bedeutung

Bunte Stadt
am Harz

Wernigerode liegt am Nordrand vom → Harz, am Zusammenfluß von Holtemme und Zillierbach und ist Ausgangspunkt für Wanderungen in das Mittelgebirge; eine von Urlaubern gern genutzte Einrichtung ist die hier beginnende, denkmalgeschützte Harzquerbahn. Die gewerbefleißige Stadt mit ihren malerischen Fachwerkbauten – auch 'bunte Stadt am Harz' – genannt, wird vom Burgberg mit dem Schloß überragt.

Der Ort entstand als Rodesiedlung der Corveyschen Mission unter Abt Warin (836–856). Seit etwa 1100 existierte auf dem Bergkegel die Burg der Grafen von Wernigerode. Im Jahre 1229 wurde dem Ort das Goslarer Stadtrecht verliehen, 1429 ging Wernigerode in den Besitz der Grafen von Stolberg über. Seit 1449 stand die Grafschaft unter brandenburgischer Lehnshoheit und wurde ab 1714 zunehmend in den preußischen Staat einbezogen. Bis in das 16. Jh. hinein war der Ort eine blühende Handelsstadt, vom 16. bis zum 18. Jh. dann eine Ackerbürger- und Handwerkerstadt. Im 19. Jh. entwickelte sich in Wernigerode eine leistungsfähige Industrie, vor allem mit Betrieben der metallverarbeitenden und der Leichtindustrie; nach 1945 wurde sie gemäß den planwirtschaftlichen Vorstellungen der machthabenden Sozialisten ausgebaut. *Geschichte*

Sehenswertes

Der mittelalterliche Stadtkern steht unter Denkmalschutz. Von der alten Stadtbefestigung (Mitte 13. Jh.; im 14. Jh. erneuert) sind noch vorhanden: der Wallgraben, zwei Schalentürme und ein Torturm, das Westerntor. *Stadtbefestigung*

An der Südseite des kleinen Marktplatzes steht das Rathaus, das baukünstlerische Kleinod der Stadt. Im Jahre 1277 als 'Spelhus' zum ersten Mal urkundlich genannt, war es einst ein Ort für Vergnügungen und Gerichtsstätte der Grafen. Nach der Fachwerkaufstockung in spätgotischem Stil (1492–1497) wurde es im Jahre 1543 nach einem Brand zum Rathaus umgebaut. An der Vorderseite hat es zwei spitze Erkertürme. Das Fachwerk ist mit Fußbändern und Knaggen mit gotischer Ornamentik geschmückt. *Rathaus

Das sich im schrägen Winkel an das Rathaus anschließende Waaghaus (Waage seit dem 16. Jh.; heute Stadtverwaltung) ist mit Fastnachts- und Gauklerfiguren sowie mit Heiligendarstellungen geschmückt. *Waaghaus

Rathaus am Marktplatz in Wernigerode

Wernigerode

Altstadtpartie mit Schloß

Krummelsches Haus

*Fachwerkhäuser

Das äußere Bild des Mittelalters hat sich in der inneren Stadt weitgehend erhalten. Die stattlichen Fachwerkhäuser zeugen auch heute noch von der stilvollen Architektur und Baukunst jener Zeit. Am Markt steht das bemerkenswerte Gotische Haus, ursprünglich dem Waaghaus ähnlich (1544 erweitert und ergänzt). Weitere interessante Fachwerkhäuser im Stadtkern sind: das Älteste Haus (nach 1400), ein einfacher Ständerbau (Hinterstraße Nr. 48); das Kleinste Haus (2. Hälfte 18. Jh.; nur knapp 3 m breit), in dessen Innerem eine alte Fuhrmannsstube nachgestellt ist (Kochstraße Nr. 43); das Schiefe Haus (1680), einst eine Mühle, durch Unterspülungen aus dem

Stadtplan

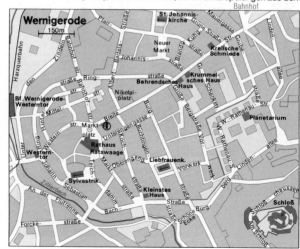

Achtung!
Im Zuge der politischen Neuorientierung sind weitere Umbenennungen zu erwarten.

618

Lot geraten (Klintgasse Nr. 5, hinter dem Rathaus); das Krummelsche Haus (1674) mit sehenswerten Barockschnitzereien (Breite Straße Nr. 72); die Krellsche Schmiede (1678) mit konstruktivem Aufbau der oberen Etagen und einem interessantem Balkenmuster (Breite Straße Nr. 95).

Einen Besuch verdient das Harzmuseum, ein Gebäude mit klassizistischem Giebel (Klint 10, hinter dem Rathaus). Gezeigt werden Funde von mittelalterlichen Burgen der Umgebung, Dokumente über die Geschichte des Fachwerkbaus und schöne alte Trachten aus dem nördlichen Harz.

Harzmuseum

Eindrucksvoll ist die Oberpfarrkirche St. Sylvester auf dem Klint, eine dreischiffige gotische Basilika (1230 erste Nennung, Umwandlung in ein Chorherrenstift und Bestimmung zur Grablege der Grafen; Bau um 1500 und 1881–1885 verändert). Die Kirche hat eine schöne Innenausstattung, u. a. einen kostbaren Schnitzaltar (Ende 15. Jh.).

Oberpfarrkirche
St. Sylvester

Ein einschiffiger Bau ist die Pfarrkirche 'Unser Lieben Frauen': Die Kirche, auf einem romanischen Vorgängerbau errichtet, wurde später barock umgestaltet (1756–1762); Kanzelaltar mit einem Bild von B. Rode.

Pfarrkirche
Unser Lieben
Frauen

Sehenswert ist auch die Pfarrkirche St. Johannis (im Kern romanisch, nach 1265; Langhaus und Chor 1497 verändert). Von der Innenausstattung verdient besonders ein vierflügeliger Schnitzaltar (1430–1440) Beachtung.

Pfarrkirche
St. Johannis

✳ Schloß

Zwischen Markt und Schloß verkehrt die 'Wernigeröder Bimmelbahn'.

Bimmelbahn

Auf dem 350 m hohen Bergsporn erhebt sich das Schloß, heute Schloßmuseum. Das Gebäude ist im wesentlichen ein historisierender Neubau

Schloßmuseum

Im Schloßmuseum

Schloßmuseum
(Fortsetzung)

als Ritterburg (1862–1883, K. Frühling). Die seit Anfang des 12. Jh.s von den Grafen angelgte Burg entstand um einen Innenhof. Mittelalterliche Teile sind u. a. im Keller des nordöstlichen Abschnittes vorhanden. Reste aus der Zeit vor dem Neubau sind der Hausmannsturm an der Terrasse, der Wendelstieg im Innenhof, der Hofstubenbau und Teile der Bergkapelle.

Schauräume

In den Schauräumen des Museums wird (im Wechsel von Stilzimmern mit thematischen Räumen) die regionale Entwicklungsgeschichte veranschaulicht.

Orangerie

Sehenswert ist auch die Orangerie (1713–1719), ehemals zum Terrassengarten am Fuße des Schloßgartens gehörend (heute zu Archivzwecken genutzt). Über dem Portal der Gartenseite sieht man eine Kartusche mit gräflichem Wappen.

Christianental

Wildpark

Lohnend ist auch ein Besuch im Wildpark Christianental (mit Gaststätte). Zu sehen sind dort Rot- und Rehwild, Waschbären, Greifvögel, heimisches Wassergeflügel, Tauben und Uhus.

Gedenkstätte

Am Veckenstedter Weg befindet sich im einstigen Barackenlager einer Außenstelle des NS-Konzentrationslagers Buchenwald (→ Weimar) eine Gedenkstätte: Gezeigt wird eine Ausstellung über den antifaschistischen Widerstandskampf im Harzgebiet.

*Harzquerbahn

Streckenkarte
s. S. 361

Die Strecke der Harzquerbahn von Wernigerode nach Nordhausen (etwa 60 km) verläuft in einer romantischen Landschaft über die Harzberge und durch die Wälder.
Diese Schmalspurbahn ist verbunden mit der Selketalbahn (s. S. 595). An der Station Eisfelder Talmühle besteht Umsteigemöglichkeit in Richtung Hasselfelde oder Stiege bis nach Gernrode.

Umgebung von Wernigerode

*Steinerne Renne
Ottofelsen

Empfehlenswerte Ausflugsziele in der näheren Umgebung der Stadt sind die Steinerne Renne mit Wasserfall und der Ottofelsen (er ist auf eisernen Leitern besteigbar); von oben bietet sich ein herrlicher Blick, u. a. nach Drei-Annen-Hohne.

Drübeck

In Drübeck (F 6, 6 km nordwestlich von Wernigerode) ist vom ehemaligen Kloster St. Viti noch die romanische Basilika aus dem 11. Jh. erhalten, mit spätgotischem Flügelaltar und Äbtissinnen-Grabstein (1555, J. Spinrad).

Ilsenburg

In Ilsenburg (F 6, 9 km nordwestlich von Wernigerode) sind die Klosterkirche, ursprünglich eine dreischiffige romanische Basilika (1078–1087; später stark verändert) und Teile der Klosteranlage erhalten. In der romanischen Dorfkirche bemerkenswerte Grabdenkmäler. Im Hüttenmuseum werden Ilsenburger Ofenplatten gezeigt.

Auf den **Brocken**

→ Reiseziele von A bis Z: Harz

Blankenburg

→ Reiseziele von A bis Z: Blankenburg

Halberstadt

→ Reiseziele von A bis Z: Halberstadt

Wismar

Bundesland: Mecklenburg-Vorpommern
Bezirk (1952–1990): Rostock
Höhe: 0–14 m ü. d. M.
Einwohnerzahl: 56500

Die Hafenstadt Wismar liegt an der durch die Insel Poel geschützten **Lage und** Wismarer Bucht (Wismarbucht) der Ostsee. Als alte Hansestadt berühmt **Bedeutung** und einst mächtig, ist sie auch heute ein wirtschaftliches und kulturelles Zentrum sowie ein besuchtes Touristenziel an der östlichen deutschen → Ostseeküste. Neben dem Hafen, der Werft, der Industrie und den kulturellen Einrichtungen bestimmen vor allem die Sehenswürdigkeiten der Altstadt, eines Kleinods mittelalterlicher Baukunst, das Stadtbild.

Wismar ist erstmal im Jahre 1229 urkundlich erwähnt. Die Stadtgründung **Geschichte** ging vermutlich von Lübeck aus, durch Förderung des Fürsten Heinrich Borwin (I.). Im Jahre 1259 schloß sich Wismar mit Lübeck und Rostock zu einem Pakt gegen die Seeräuber zusammen, aus dem sich später die Hanse entwickelte. Von 1648 bis 1803 gehörte die Stadt der schwedischen Krone. Seit 1653 hatte im Fürstenschloß das Tribunal als oberstes Gericht für alle schwedischen Besitzungen auf deutschem Gebiet seinen Sitz. Schweden verpfändete 1803 die Stadt an Mecklenburg; erst im Jahre 1903 kehrte Wismar endgültig zu Mecklenburg zurück.
Durch schwere Luftangriffe während des Zweiten Weltkrieges wurde die Innenstadt zu 30% zerstört. Aus einer ehemaligen Schiffsreperaturwerft und der Waggonfabrik entwickelte sich dann nach 1946 die Mathias-Thesen-Werft zum wichtigsten Industriebetrieb der Stadt. Die weitgehend restaurierte Altstadt steht unter Denkmalschutz. Erste Anzeichen einer erneut dringend notwendigen Sanierung sind zu verzeichnen.

Hafenpartie in der Ostseestadt Wismar

Sehenswertes

Stadtbefestigung

Von der Stadtbefestigung des Mittelalters sind noch das spätgotische Wassertor (Mitte 15. Jh.) am Alten Hafen, heute Sitz des 'Club maritim', sowie einige Reste der Stadtmauer erhalten. An die Wehreinrichtungen der Schwedenzeit erinnern das ehemalige Provianthaus (1690), ein Barockbau (jetzt Poliklinik), und das ehemalige Zeughaus (1699) an der Ulmenstraße (heute Stadtarchiv).

*Marktplatz

Rathaus

Der weite Marktplatz (ca. 10000 m²) zählt zu den größten in Norddeutschland. Dort steht das von Hofbaumeister Georg Barca im klassizistischen Stil geschaffene Rathaus (1817–1819). Von dem ursprünglichen Gebäude (14. Jh.) sind noch die Gerichtslaube im Westflügel und die Kellergewölbe vorhanden.

*Alter Schwede

An der Ostseite des Platzes steht das Gebäude 'Alter Schwede' (um 1380), das älteste erhaltene Bürgerhaus Wismars (seit 1878 Gaststätte). Ein gotischer Treppengiebel, mit Pfeilern und Lichtöffnungen versehen, und die glasierten Steine geben der Fassade ein besonders reizvolles Aussehen.

*Wasserkunst

Giebelhäuser

An der Südostseite des Marktes befindet sich die von Philipp Brandin im Stil der niederländischen Renaissance errichtete Wasserkunst (1580 bis 1602), welche die Stadt bis zum Jahre 1897 mit Wasser versorgte. Bemerkenswert ist die auf zwölf Pfeilern ruhende glockenförmige Kupferhaube. Am Markt stehen schöne Giebelhäuser aus dem 17./18. Jahrhundert.

Marienkirche

In unmittelbarer Nähe des Marktes ist auf einem freien Platz der mächtige Turm der 1945 stark zerstörten Marienkirche erhalten (1339; Unterbau 1270–1280; Turm aus dem 15./16. Jh.). Das Archidiakonat (Pastorenhaus) aus der Mitte des 15. Jh.s wurde rekonstruiert.

Nikolaikirche

Nach dem Muster der Marienkirche entstand im 14./15. Jh. im Norden der Altstadt die Nikolaikirche (geweiht 1403) mit ihrem 37 m hohen Mittelschiff. Sie hat eine sehenswerte Ausstattung (Spätgotik bis Barock); Taufkessel aus der Marienkirche (um 1335).

Weitere Kirchen

Bemerkenswert sind ferner die Hospitalkirche zum Heiligen Geist, ein gotischer Backsteinbau (14. Jh.), und die einsturzgefährdete Ruine der Georgenkirche (15. Jh.), deren Wiederaufbau geplant ist.

Fürstenhof

Östlich der Georgenkirche steht der baukünstlerisch bedeutende Fürstenhof (1553/1554), ein dreigeschossiger Renaissancebau; er wird heute als Gerichtsgebäude und Stadtarchiv genutzt.

Schabbelhaus (Stadtgeschichtliches Museum)

In der nördlichen Altstadt (Schweinsbrücke Nr. 8) lohnt das Schabbelhaus, ein 1569–1571 von Philipp Brandin errichteter Renaissancebau niederländischer Prägung, einen Besuch. Heute ist dort das Stadtgeschichtliche Museum untergebracht.

Fußgängerzone

Schöne Bürgerhäuser stehen an der rekonstruierten Krämerstraße, die als Fußgängerzone gestaltet wurde, sowie an den benachbarten Straßen.

Schwedenköpfe am Baumhaus

An die Schwedenzeit erinnern zwei gußeiserne Köpfe, die sogenannten Schwedenköpfe, am Baumhaus (heute Hafenamt und Traditionskabinett des Seehafens).

Umgebung von Wismar

Dorf Mecklenburg

Einen Ausflug lohnt die weithin sichtbare Windmühle bei dem Dorf Mecklenburg (F 6, 6 km südlich). Die 1849 auf dem Rugenberg errichtete

Holländermühle war bis in die fünfziger Jahre des 20. Jh.s in Betrieb und wurde später zur Gaststätte 'Mecklenburger Mühle' umfunktioniert. In der alten Müllerstube und anderen Räumlichkeiten serviert man vorzugsweise mecklenburgische Spezialitäten.

Wismar, Umgebung, Dorf Mecklenburg (Fortsetzung)

Von Wismar fahren Schiffe der 'Weißen Flotte' (rund 1 Std.) zur Insel Poel, einem beliebten Ausflugsziel in der Wismarer Bucht. Einen Besuch lohnt das Inselmuseum.

Insel Poel

In Neukloster (20 km südöstlich von Wismar) verdient die Klosterkirche des ehemaligen Zisterziensernonnenklosters Sonnenkamp (vor 1245) Beachtung. Im Übergang von der Spätromanik zur frühesten Gotik entstanden, wurde sie Vorbild für viele mecklenburgische Kirchenbauten. Sie hat Glasgemälde aus der Entstehungszeit (13. Jh.).

Neukloster

Am südlichen Ortsausgang der Ortschaft Klütz (23 km nordwestlich von Wismar) steht das barocke Schloß Bothmer (1726–1732).

Klütz

Landeshauptstadt Schwerin

⟶ Reiseziele von A bis Z: Schwerin

Lutherstadt Wittenberg

D 5

Bundesland: Sachsen-Anhalt
Bezirk (1952–1990): Halle
Höhe: 65–104 m ü.d.M.
Einwohnerzahl: 54 000

Die berühmte Lutherstadt Wittenberg liegt an den südlichen Ausläufern des ⟶ Flämings unweit vom nördlichen Ufer der ⟶ Elbe (Straßenbrücke, Eisenbahnbrücke; wichtiger Schutzhafen). Als Ausgangsort der lutherischen Reformationsbewegung war die alte Universitätsstadt einst ein geistiges und kulturelles Zentrum in Mitteleuropa.
In neuerer Zeit ist die Stadt planwirtschaftlich zu einem Industriestandort mit chemischen Fabriken, Gummiwerk sowie Betrieben des Maschinenbaues und der Nahrungsmittelbranche entwickelt worden.

Lage und Bedeutung

Im Jahre 1180 erstmals als Burgward erwähnt, wurde Wittenberg 1293 das Stadtrecht verliehen. Seit 1422 Residenz der sächsischen Kurfürsten aus

Geschichte

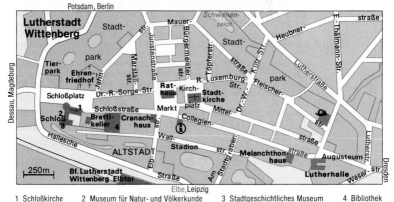

1 Schloßkirche 2 Museum für Natur- und Völkerkunde 3 Stadtgeschichtliches Museum 4 Bibliothek

Achtung! Im Zuge der politischen Neuorientierung sind weitere Namensänderungen zu erwarten.

<table>
<tr><td>

Geschichte
(Fortsetzung)

</td><td>

dem Hause Wettin, begann seine Blütezeit unter dem Kurfürsten Friedrich dem Weisen (seit 1486), der bedeutende Bauwerke (Schloß, Schloßkirche, Elbbrücke) errichten ließ und mit der Gründung der Universität (1502), der ersten landesfürstlichen Universitätsgründung in Deutschland, die Stadt zu einem bedeutenden geistigen Zentrum Deutschlands machte.

Im Jahre 1508 kam Martin Luther als Augustinermönch an die Universität. Seit 1512 als Professor der Theologie tätig, trat er 1517 mit seinen 95 Thesen gegen den Ablaß und bestehende kirchliche Verhältnisse auf. Durch ihn wurde die Stadt Wittenberg zum Ausgangspunkt der Reformation, mitgetragen von bedeutenden Persönlichkeiten wie Philipp Melanchthon, Johann Bugenhagen, Justus Jonas und dem Maler Lucas Cranach dem Älteren.

Mit der Verlegung der Residenz nach Dresden, dem Tod Luthers (1546) und dem Übergang an das albertinische Sachsen (1547) war der Höhepunkt der Stadtentwicklung überschritten. Im Siebenjährigen Krieg wurde die Stadt stark zerstört (1760). Auch unter der Besetzung durch die Franzosen erlitt die Stadt 1814 schwere Zerstörungen. Die Universität stellte ihren Betrieb ein und wurde 1817 mit der in Halle an der Saale vereint. Im Jahre 1815 zu Preußen gelangt, entwickelte sich Wittenberg durch den Anschluß an das Eisenbahnnetz und den Elbhafen (1879) zu einem bedeutenden Verkehrsknotenpunkt, dem nach der Entfestigung (1873–1886) bald eine bedeutende Industrialisierung folgte; diese wurde nach 1945 durch den Bau weiterer Betriebe in der Umgebung fortgeführt.

</td></tr>
</table>

Innenstadt

<table>
<tr><td>

✳Rathaus

</td><td>

Das Renaissancerathaus (1524–1540) gilt als eines der schönsten in Mitteldeutschland: Es hat vier Renaissancegiebel, spätgotische Fenster, einen Altan (1573, Georg Schröter) über dem Portal, ferner reichen Schmuck (allegorische Figuren, Säulen; Göttin Justitia mit Waage und Schwert).

</td></tr>
<tr><td>

Denkmäler der
Reformatoren

Markt

</td><td>

In unmittelbarer Nähe des Rathauses stehen der Marktbrunnen (1617) und die Bronzedenkmäler der Reformatoren Martin Luther (1821, Gottfried Schadow) mit eisernem Baldachin (K. F. Schinkel) und Philipp Melanchthon (1865, F. Drake), ebenfalls mit eisernem Baldachin (J. H. Strack).

Den Markt zieren schöne Bürgerhäuser aus dem 16. Jahrhundert.

</td></tr>
<tr><td>

✳Stadtkirche
St. Marien

</td><td>

Das älteste Gebäude Wittenbergs ist die dreischiffige gotische Stadtkirche St. Marien (13.–15. Jh.), die als Predigtkirche Luthers gilt. Ihre beiden spitzen Turmhelme (1410) wurden abgetragen und 1558 im Renaissancestil als achteckige Turmhäuser neu gebaut. Die Turmbrücke wurde 1655/1656 hinzugefügt. Die Stadtkirche wurde im 19. Jh. neugotisch ausgeschmückt, u. a. von Carlo Ignazio Pozzi. Im Inneren befinden sich der dreiflügelige Altar (1547) von Lucas Cranach d. Ä., das kunstvolle Taufbecken aus Bronze (1457) von Hermann Vischer, eine klangschöne Orgel, darüber hinaus Gemälde von Lucas Cranach d. J., Renaissance-Epitaphien und Grabmäler, darunter das Grabmal von Johann Bugenhagen (1558), der ein Reformator und ein Mitarbeiter Martin Luthers war.

</td></tr>
<tr><td>

Kapelle zum
Heiligen Leichnam

</td><td>

Neben der Stadtkirche St. Marien steht die Kapelle zum Heiligen Leichnam (1377), ein Bau im Stil der Backsteingotik; sie hat einen auffallend schlanken Turm.

</td></tr>
</table>

Schloßplatz und Schloßstraße

<table>
<tr><td>

✳Schloßkirche

</td><td>

Die spätgotische Schloßkirche (um 1500, von Conrad Pflüger), später Gedächtniskirche der Reformation (1883–1892 von Johann Heinrich

</td></tr>
</table>

Blick durch die Schloßstraße zur Schloßkirche ▶

Lutherstube im Lutherhaus

Schloßkirche (Fortsetzung)
Friedrich Adler umgebaut), ist eng mit dem Beginn der Reformation verbunden. Vom Turm – mit charakteristischem Helm und Spitze – bietet sich eine weite Sicht.

Thesentür
An die Holztür der Kirche, die später im Siebenjährigen Krieg (1760) abbrannte, hatte Martin Luther im Oktober 1517 seine 95 Thesen angeschlagen. 1858 erhielt die Kirche eine bronzene Thesentür.

Gräber von Luther und Melanchthon
In der Schloßkirche befinden sich die lebensgroßen Alabasterstatuen von zwei Kurfürsten, Friedrich dem Weisen und Johann dem Beständigen, die Gräber Martin Luthers und Philipp Melanchthons, das Frührenaissance-Grabmal des Kurfürsten Friedrich III. von Sachsen-Wittenberg (1527), ein Kunstwerk des Nürnberger Bronzegießers Peter Vischer d. J., der auch die Grabmäler für den Ritter Hans Hundt und Probst Henning Gode schuf. Das bronzene Grabmal (1534) des Kurfürsten Johann des Beständigen von Sachsen-Wittenberg stammt von seinem Bruder Hans Vischer. Lebensgroße Figuren, die Luther und Melanchthon sowie andere Reformatoren darstellen, ragen an den Kirchensäulen empor.

Schloß (Museen)
Südlich der Kirche steht das einstige kurfürstliche Residenzschloß (1490 bis 1525, Claus Roder und Conrad Pflüger). Es wurde im Siebenjährigen Krieg (1760) beschädigt und verlor beim Umbau zur Festung sein spätgotisches Aussehen. Erhalten sind noch zwei Treppenaufgänge, Altane mit Wappenfriesen und der wehrhafte Eckturm.
In den Räumen des Schlosses befinden sich das Museum für Natur- und Völkerkunde 'Julius Riemer', das Stadtarchiv und das Stadtgeschichtliche Museum.

Cranachhaus
Das Cranachhaus (Schloßstraße 1) erinnert an Lucas Cranach d. Ä. (1472 bis 1553), der von 1505 bis 1547 als Maler, Hofmaler, Bürgermeister und Besitzer einer Apotheke in Wittenberg wohnte.

Sehenswertes im Südosten von Wittenberg

Das Lutherhaus, in dem Martin Luther von 1508 bis 1546 wohnte, liegt im Südosten von Wittenberg. Es entstand als Bettelordenshaus (1504) der Augustinereremiten und wurde 1566 umgebaut; zwischen 1844 und 1900 wurde es nach Plänen von Friedrich August Stüler und Franz Schwechten umgestaltet und als bedeutendstes reformationsgeschichtliches Museum (Lutherhalle) der Welt eingerichtet. Ausgestellt sind in der original erhaltenen Lutherstube (Wohn- und Arbeitsstätte) u.a. Schriften, Drucke, Medaillen, Münzen, Luthers Universitätskatheder, ferner die Lutherkanzel aus der Stadtkirche St. Marien und wertvolle Gemälde.

**Lutherhaus (Museum)

Vom Lutherhaus sind es nur wenige Schritte zum Melanchthonhaus (1536) an der Collegienstraße (Nr. 60), einem dreigeschossigen Bau mit spätgotischen Fenstern und zwei Renaissancegiebeln. Es war Wohn-, Studier- und Sterbehaus des Reformators Philipp Melanchthon (eigtl. Schwarzerd, 1497–1560). Das Gebäude gilt als einziges Gelehrten- und Bürgerhaus der Stadt, das aus dem 16. Jh. erhalten ist. Heute ist das Haus als Melanchthon-Gedenkstätte eingerichtet; die Räume und Dokumente gewähren einen Einblick in das Leben und Schaffen des großen Humanisten und Theologen.

*Melanchthonhaus (Gedenkstätte)

Teile vom Hausgarten (Röhrbrunnen 'Altes Jungfern-Röhr-Wasser', Steintisch, Gewürz- und Kräutergarten, Eiben, Stadtmauer) stammen noch aus dem 16. Jahrhundert.

Hausgarten

Das Augusteum (1564–1583), ebenfalls in der Nähe des Lutherhauses gelegen, gehörte in früherer Zeit zur Universität; im 18. Jh. wurde es im Stil des Barock umgebaut.

Augusteum

Umgebung von Wittenberg

In Kemberg (F 2, 13 km südlich) gibt es noch eine mittelalterliche Stadtmauer (1440) und Bürgerhäuser aus dem 18./19. Jahrhundert. Das Rathaus (15. Jh.) am Markt hat eine schöne Freitreppe und eine Eingangslaube (1609). Die Pfarrkirche (15. Jh.) erhielt 1859 einen Turm, geschaffen von Friedrich August Stüler.

Kemberg

⟶ Reiseziele von A bis Z: Dübener Heide

Dübener Heide

⟶ Reiseziele von A bis Z: Wörlitz

Wörlitzer Park

⟶ Reiseziele von A bis Z: Dessau

Dessau

⟶ Reiseziele von A bis Z: Fläming

Fläming

Wörlitz   D 5

Bundesland: Sachsen-Anhalt
Bezirk (1952–1990): Halle
Höhe: 62 m ü. d. M.
Einwohnerzahl: 2000

Wörlitz liegt – unweit südlich der mittleren ⟶ Elbe – 18 km östlich von ⟶ Dessau. Sein berühmter Park, der erste Park englischen Stils im Deutschland des 18. Jh.s, bildet auch heute ein beliebtes Reiseziel. Der Landschaftspark ist in vier Gärten (Schloßgarten, Neumarks Garten, Neue Anlage, Schochs Garten) und mehrere Inseln (Roseninsel, Herderinsel, Rousseau-Insel, Insel Stein und Amalieninsel) gegliedert.

Lage und Bedeutung

Wörlitz

Geschichte | Wörlitz ist schon vor 965 als Burganlage erwähnt und erhielt vermutlich um 1440 von Fürst Georg von Anhalt-Dessau das Stadtrecht. Von 1034 bis 1918 war Wörlitz Besitz askanischer Fürsten. Fürst Leopold von Anhalt-Dessau (der 'Alte Dessauer') ließ seit 1706 das die Stadt umgebende Sumpfland entwässern und einen Elbhochwasserwall anlegen. Ende des 18. Jh.s entstand der Landschaftspark (112,5 ha) als Sommersitz des Fürsten Leopold Friedrich Franz von Anhalt-Dessau ('Vater Franz').

✳✳Wörlitzer Park

Landschaftspark

Wörlitzer See | Im Wörlitzer Park, zwischen 1765 und 1811 nach Ideen des Fürsten Franz und des Architekten Friedrich Wilhelm v. Erdmannsdorf als Landschaftspark angelegt, gibt es Laub- und Nadelbäume der verschiedensten Arten sowie den Wörlitzer See, auf dem (und auf seinen Nebenarmen) beliebte Gondelfahrten veranstaltet werden. Die Gondeln tragen Namen von Persönlichkeiten, die mit dem Wörlitzer Park in Beziehung stehen.
Monumente, Grotten, Kanäle, Brücken, Blumenanlagen, Haine, Sichtachsen, Palmengarten, Fähren, Statuen, Denkmäler, Reliefs und Kleinarchitekturen sind gestalterische Elemente einer jeden Gartenpartie.

Schloßgarten
Englischer Sitz | Erstes Bauwerk im Park war der Englische Sitz (1765), geschaffen von Friedrich Wilhelm von Erdmannsdorff.

✳Schloß Wörlitz | Nach dem Vorbild des englischen Schlosses Claremont entstand dann das Wörlitzer Schloß (1769–1773, F. W. v. Erdmannsdorff) als erstes klassizistisches Bauwerk im Mitteleuropa des 18. Jahrhunderts.

Kunstsammlungen | In dem Schloß befinden sich wertvolle Kunstsammlungen (Gemälde von Canaletto, Hammerflügel von 1810 und 1815, Kamingeräte, Porzellane, Gläser u.a.); sehenswert sind ferner die Decken- und Wandmalereien.

Synagoge | Die Synagoge (1789/1790, F. W. v. Erdmannsdorff) wurde in der sogenannten 'Kristallnacht' 1938 teilweise zerstört und 1948 wieder restauriert.

Galerie am
Grauen Haus | In der 'Galerie' (1790) am Grauen Haus (1789) werden jährlich Sonderausstellungen gezeigt.

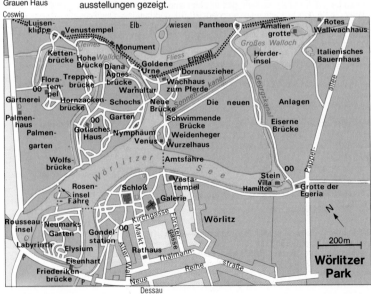

Wörlitzer Park: Gotisches Haus in Schochs Garten

Das Gasthaus 'Zum Eichenkranz' (1785–1787, F.W. v. Erdmannsdorff) soll nach Instandsetzung wieder als Hotel und Gaststätte genutzt werden.

Die beiden Pavillons auf dem Eisenhart (1781–1784, F.W. von Erdmannsdorff) sind Sitz der Georg-Forster-Stätte. Georg Forster (1754–1794) nahm mit seinem Vater an der zweiten Weltumsegelung von James Cook teil. Seine Verdienste als Weltreisender, Naturforscher, Schriftsteller und Revolutionär werden hier gewürdigt; ausgestellt ist u.a. eine Sammlung von Gegenständen der Südsee-Insulaner.

Auf der mit Pappeln bepflanzten Rousseau-Insel steht ein Gedenkstein (1782, F.W. v. Erdmannsdorff) für den französischen Philosophen Jean-Jacques Rousseau. Die Roseninsel (um 1770) ist mit Teehybriden-, Polyantha-, Kletter- und Strauchrosen bepflanzt.

In Schochs Garten befindet sich das Gotische Haus (1773–1813, Georg Christoph Hesekiel), ein wichtiges architekturgeschichtliches Denkmal und seinerzeit das größte Bauwerk neugotischen Stils in Deutschland. In ihm sind süddeutsche und Schweizer Glasgemälde (15.–17. Jh.) zu sehen, ferner holländische Gemälde und Bilder von Lucas Cranach dem Älteren. Das Nymphäum, 1767/1768 von F.W. v. Erdmannsdorff entworfen, wurde den Wassergöttinnen gewidmet. Die Statue "Salbender Ringer" ist ein Gipsabdruck vom Original aus dem Dresdener Albertinum.

Den Blumengöttinnen geweiht ist der rechteckige Floratempel (1796 bis 1798, F.W. v. Erdmannsdorff), dessen Giebel, geschmückt mit dem Relief der Blumengöttin Flora, von vier toskanischen Säulen getragen wird. Diesem Tempel soll die Ruine eines antiken Tempels aus Spoleto als Vorbild gedient haben.

Der runde Venustempel (1797, F.W. v. Erdmannsdorff) mit der 'Venus von Medici' war der erste Tempel seiner Art im Deutschland des 18. Jh.s und erinnert an den Ruinentempel der Sybille in Tivoli bei Rom. Die Kuppel wird von zehn dorischen Säulen getragen.

Gasthaus
Zum Eichenkranz

Neumarks Garten
Georg-Forster-
Stätte

Rousseau-Insel

Roseninsel

Schochs Garten
✳Gotisches Haus

Nymphäum

Floratempel

Venustempel

Park (Fortsetzung) Goldene Urne	Die Goldene Urne (1769) aus Gußeisen und Sandstein enthält die sterblichen Überreste einer anhaltischen Prinzessin († 1769).
Neue Anlage Pantheon	Im Pantheon (1795/1796, F.W. v. Erdmannsdorff) wird eine Sammlung antiker Statuen und Büsten aufbewahrt, darunter die Musen der Griechen.
Herderinsel	Die Herderinsel mit einem Gedenkstein für Johann Gottfried Herder entstand 1788–1794, noch zu Lebzeiten des Schriftstellers.
Amalieninsel	Auf der Amalieninsel mit der Amaliengrotte (1793) symbolisieren die Hermen aus Sandstein die griechische Dichterin Sappho (7./6. Jh. v.Chr.) und den griechischen Poeten Anakreon (6. Jh. v.Chr.).
Eiserne Brücke	Die Eiserne Brücke (1791) hat ihr Vorbild in der eisernen Brücke über den Severn in Coalbrookdale (Großbritannien) und ist die erste Brücke dieser Bauart auf dem europäischen Festland. Ihre Spannweite beträgt 7,75 m.
Villa Hamilton	Nach dem englischen Altertumsforscher Sir William Hamilton (1730–1803) ist die Villa Hamilton (1791–1794, F.W. v. Erdmannsdorff) benannt; sie entstand auf dem größten, dem Golf von Neapel nachempfundenen Eiland des Parkes, der Insel Stein (1769). Geschaffen wurde sie zur Erinnerung an den Freund des Fürsten Leopold Friedrich Franz von Anhalt-Dessau. Das Denkmal des Fürsten ist ein Werk von August Kiß.
Grotte der Egeria	Die Wörlitzer Grotte der Egeria (1790–1793) gilt als eine Nachbildung der italienischen, südlich von Rom gelegenen Grotte der Egeria.

Stadt Wörlitz

Kirche St. Petri	Das weithin sichtbare Wahrzeichen der Stadt Wörlitz ist der 66 m hohe Turm der Kirche St. Petri. Sie wurde 1196–1201 als romanische Kirche erbaut und um 1805–1809 nach Plänen von G. C. Hesekiel in eine neugotische Kirche umgebaut. Reste des romanischen Baus sind das Portal und die das Langschiff und den Turm umfassende Mauer. Auf dem Friedhof befindet sich die Gruft des Dichters Friedrich Matthisson (1761–1831); sein Gedicht "Adelaide" wurde von Ludwig van Beethoven vertont.
Rathaus	Das zweigeschossige Rathaus (1792–1795, F.W. von Erdmannsdorff) wurde im Stil englischer Landhäuser errichtet.
Synagoge	In der Synagoge berichtet eine Ausstellung über die Geschichte der Juden in Anhalt-Dessau.

Umgebung von Wörlitz

Oranienbaum	In Oranienbaum (5 km südlich) liegen ein Schloß und ein Park im Stil des holländischen Barock (1683 und 1798); ferner gibt es einen Parkteil im chinesischen Stil (um 1800). Interessante Parkbauten sind das Chinesische Teehaus (1794–1797) und die fünfgeschossige Backsteinpagode. In dem linken Flügel des Schlosses hat das Kreismuseum mit einer ständigen Buchdruck-Ausstellung seinen Sitz.
Coswig	In Coswig (5 km nordöstlich von Wörlitz), einer am rechten Ufer der ⟶ Elbe (Fähre) gelegenen Industriestadt (52 m ü. d. M.; 18000 Einw.) ist die romanisch-gotische Kirche St. Nikolai (1150; erneuert 1699–1708 und 1926) sehenswert; im Inneren gotisches Chorgestühl, eine mit Holzschnitzereien verzierte Orgel (1713), ein Taufstein von Giovanni Simonetti, ein Abendmahlsbild von Lucas Cranach d.J., "Epitaph" von Lucas Cranach d.Ä. und Glasmalerei aus der Cranach-Schule (1350). Unmittelbar am Elbufer steht das ehem. anhaltische Schloß (1560 und 1667–1677), eine unregelmäßige Vierflügelanlage, die im 19. Jh. stark verändert wurde (Staatsarchiv).
Vockerode	In Vockerode (8 km westlich von Wörlitz) – bekannt durch sein weithin an den mächtigen Schornsteinen erkennbares Großkraftwerk unweit der Autobahn Berlin–Leipzig – befindet sich eine doppeltürmige neugotische

Backsteinkirche, die um 1802 erbaut wurde; ferner Wallanlage mit Wall-
wachhäusern.

→ Reiseziele von A bis Z: Dessau

→ Reiseziele von A bis Z: Wittenberg, Lutherstadt

Wörlitz, Umge-
bung (Forts.)

Dessau

**Lutherstadt
Wittenberg**

Zeitz   D 5

Bundesland: Sachsen-Anhalt
Bezirk (1952–1990): Halle
Höhe: 198 m ü. d. M.
Einwohnerzahl: 43 500

Die alte Bischofsstadt Zeitz liegt – 24 km nördlich von → Gera – an der
Stelle, wo die Weiße Elster (→ Elstertal) in die Leipziger Tieflandsbucht ein-
tritt. Sie ist die wichtigste Industriestadt und ein Verkehrsknotenpunkt im
Süden des Ballungsgebietes Halle–Leipzig.

Lage und
Bedeutung

Die Siedlung wurde erstmals 967 auf der Synode von Ravenna genannt.
Mit der Gründung des Erzbistums Magdeburg entstand auch das Bistum
Zeitz (1028 nach Naumburg verlegt). Die planmäßig angelegte Oberstadt
war bereits 1147 'civitas'. Von 1656 bis 1718 war der Ort Residenz der
Herzöge des Fürstentums Sachsen-Zeitz. Nach 1718 war die Stadt kur-
sächsisch, 1815 kam sie zu Preußen. Anfang des 19. Jh.s entwickelte sich
die Textilindustrie. Um 1830 begann in der Gegend der Braunkohleabbau.

Geschichte

Sehenswertes

Des Schloß Moritzburg (1657–1678), eine barocke Anlage auf den Ruinen
des alten Bischofsschlosses, dient heute als Museum. Es informiert u. a.
über Stadtgeschichte und den Bergbau im Zeitz-Weißenfelser Raum;
ferner werden Werke der bildenden Kunst, altes Glas, Zinn und schönes
Porzellan gezeigt.

Schloß
Moritzburg
(Museum)

In der Schloßkirche (ursprünglich eine romanische Basilika) befindet sich
eine dreischiffige Krypta (10. Jh.) mit Särgen der Herzöge von Sachsen-
Zeitz, frühgotischen Fresken, barocken Einbauten und der Grabstätte von
Georgius Agricola (1494–1555; Arzt, Naturforscher, Bürgermeister von
Chemnitz und Begründer der Bergbauwissenschaft).

*Schloßkirche

Ein interessantes Gebäude ist auch das spätgotische Rathaus
(1505–1509; 1909 erweitert), das mit einem reichem Ziergiebel versehen
ist und einen Ratskeller (1505) besitzt.

Rathaus

Von den eindrucksvollen Bürgerhäusern (Gotik und Renaissance) sei vor
allem auf das Seckendorffsche Palais (Am Brühl Nr. 11) hingewiesen.

Seckendorffsches
Palais

Am Friedensplatz, dem ehemaligen Alten Markt, steht die Michaeliskirche
(12. Jh.; um 1300 frühgotisch umgebaut, nach Brand 1429 spätgotisch
wiederhergestellt), eine dreischiffige, im Kern romanische Hallenkirche.

Michaeliskirche

In der Unterstadt steht die Schloßkirche (ehem. Dom), eine dreischiffige,
im Kern romanische Hallenkirche (im 15. Jh. spätgotisch und im 17. Jh. als
Schloßkirche umgebaut). Die Krypta stammt aus ottonischer Zeit (10. Jh.).

Schloßkirche

Von der ehemaligen Stadtbefestigung sind noch sechs Wehrtürme aus
dem 15./16. Jh. und Teile der Stadtmauer erhalten. Ausgedehnte Tiefkeller
und Gangsysteme verlaufen unter dem mittelalterlichen Stadtkern.

*Stadtbefestigung

Umgebung von Zeitz

Droyßig
*Schloß

In Droyßig (8 km westlich) ist das mehrfach umgebaute Schloß mit fünf halbrunden Türmen und einer Schloßkapelle (Renaissance; im Jahre 1622 begonnen, jedoch nicht vollendet) sehenswert. In der Dorfkirche (13. Jh.) befinden sich ein spätgotischer Flügelaltar und Grabdenkmäler aus dem 14. bis 18. Jahrhundert.

Pegau

In Pegau (F 2, 18 km nordöstlich von Zeitz) steht die Kirche St. Laurentius, ein spätgotischer Backsteinbau mit Wandmalereien (17. Jh.), dem Grabmal des Markgrafen Wiprecht von Groitzsch (um 1235) sowie einer Schmerzensmutter (um 1510, H. Witten). Das Rathaus, nach Plänen von Hieronymus Lotter 1559 erbaut, hat ein reiches Hauptportal; der Turm befindet sich an der Marktseite. Im Heimatmuseum werden u. a. der Brenndorfer Altar von 1510 und mittelalterliche Keramik gezeigt.

Groitzsch

Auf einer Anhöhe westlich vor Groitzsch (2 km südöstlich von Pegau), einem Zentrum sächsischer Schuhindustrie, liegen die spärlichen Reste einer Burg des Markgrafen Wiprecht von Groitzsch, der sie nach 1073 als Zentrum seines ausgedehnten Herrschaftsbereiches ausgebaut hatte und die zwischen 1294 und 1306 zerstört worden ist. Erhalten sind Mauerreste einer romanischen Rundkapelle und eines Bergfriedes. Erwähnung verdienen in Groitzsch ferner die im Kern romanische Frauenkirche (mehrfach umgebaut; Westturm von 1689) sowie der romanische 'Stadtturm' aus der zweiten Hälfte des 12. Jh.s, ursprünglich der Westturm der zerstörten Aegidienkirche, im 16. und 17. Jh. Rüstkammer und Rathaus.

Lucka

In Lucka (ca. 10 km südöstlich von Pegau) gibt es bemerkenswerte Fachwerkbauten und Umgebindehäuser. Östlich der Kirche befindet sich ein Brunnendenkmal zur Erinnerung an die Schlacht bei Lucka im Jahre 1307. Gegenüber dem Chausseehaus an der Straße nach Pegau ein steht ein Viertelmeilenstein von 1722.

Weißenfels

⟶ Reiseziele von A bis Z: Weißenfels

Zittau   E 7

Bundesland: Freistaat Sachsen
Bezirk (1952–1990): Dresden
Höhe: 250 m ü. d. M.
Einwohnerzahl: 40000

Lage und
Bedeutung

Zittau, sorbisch Žitawa, liegt – 34 km südsüdwestlich von ⟶ Görlitz – am deutsch-polnisch-tschechoslowakischen Länderdreieck (Straßen- und Eisenbahnübergang nach Polen). Der Ort, der einst durch die Lage an Fernstraßen für den Handel bedeutend war, ist heute Hochschulstadt sowie ein wichtiges regionales Kultur- und Industriezentrum.

Geschichte

Urkundlich erstmals 1238 erwähnt, erreichte Zittau unter dem Schutz und der Förderung der böhmischen Könige sehr schnell eine bedeutende Stellung in der Oberlausitz. Mit der Gründung des Oberlausitzer Sechsstädtebundes 1346 (Görlitz, Bautzen, Löbau, Zittau, Kamenz und Lauban) als Schutzbündnis der weitreichenden Handelsverbindungen entwickelte sich die Stadt durch Tuchmacherei, Bierbrauerei und ständigen Landerwerb. Durch die Hussitenkriege (seit 1420), Stadtbrände, Pest und Hungersnöte jäh in seiner Entwicklung unterbrochen, erlebte Zittau erst hundert Jahre später wieder einen Aufschwung. Starke Befestigungsanlagen und zahlreiche großartige Profanbauten entstanden in dieser Zeit. Mit dem Übergang der Oberlausitz an Kursachsen 1635 und der Schließung der

Grenze zu Böhmen verschlechterten sich die Handelsbedingungen für die Stadt. Im Siebenjährigen Krieg wurde sie am 23. Juli 1757 durch die Österreicher schwer beschädigt. Nach der Neugliederung des Gebietes durch den Wiener Kongreß hemmte die neue preußisch-sächsische Grenze im Norden die Entfaltung Zittaus. Die zunehmende Industrialisierung und der Anschluß an das Eisenbahnnetz machten dann jedoch eine wirtschaftliche Entwicklung wieder möglich. Schwerpunkte sind heute die Textilindustrie und die Kraftfahrzeugproduktion.

Geschichte
(Fortsetzung)

Sehenswertes

Die Sehenswürdigkeiten innerhalb des historischen Stadtkerns sind durch den 'Zittauer Kulturpfad' erschlossen.

Zittauer
Kulturpfad

Am Markt steht das 1840–1845 nach Plänen von Karl Friedrich Schinkel im Stil der italienischen Renaissance erbaute Rathaus. Weiterhin befinden sich dort das Barockbau des ehemaligen Gasthofes 'Zur Sonne' (um 1710), die 'Fürstenherberge' (1767) im Rokokostil und das Noacksche Haus, eines der schönsten erhaltenen barocken Patrizierhäuser (1689) der Stadt. An der westlichen Seite des Markplatzes sieht man den Rolandbrunnen, auch 'Marsbrunnen' genannt, der im Jahre 1585 geschaffen wurde.

*Markt
*Rathaus

Rolandbrunnen

Unweit nordwestlich vom Rathaus steht die klassizistische Johanniskirche (1837), erbaut nach Entwürfen von Karl Friedrich Schinkel. Es ist möglich, die Türmerwohnung auf dem Turm zu besichtigen; von oben bietet sich eine schöne Aussicht über die Stadt und das Zittauer Land.

*Johanniskirche

Am Johannisplatz befindet sich das Alte Gymnasium mit dem Grabmal des ehemaligen Bürgermeisters Nikolaus Dornspach; in der Nähe steht das Dornspachhaus (1553).

Altes Gymnasium

Dornspachhaus

Rolandbrunnen und Rathaus

Hefterbau (s. S. 635)

Zittau

Stadtplan

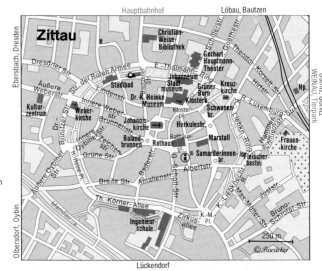

Achtung!
Im Zuge der politischen Neuorientierung sind weitere Umbenennungen zu erwarten.

Weberkirche

An der Inneren Weberstraße verdienen die prunkvollen Handelshöfe Beachtung. Am Ende, außerhalb der ehemaligen Stadtbefestigung, steht die Weberkirche (um 1500) mit dem Weberfriedhof (wertvolle Grabmäler).

Stadtbad

Dem Grünen Ring (ehem. Stadtbefestigung) folgend erreicht man das Stadtbad. Vor dem Gebäude erblickt man eine korinthische Säule, die an Zittaus Stahlquelle erinnert (Mineralquelle um 1600).

Konstitutionssäule

Unweit der Hauptpost, gegenüber dem Denkmal für den Bürgermeister Ludwig Haberkorn, steht die Konstitutionssäule – zur Erinnerung an die sächsische Verfassung von 1831.

Johanneum

Den Platz beherrscht das Johanneum, ein spätklassizistischer Bau mit 56 m hohem Turm.

Kreuzkirche

Auf dem Kreuzfriedhof steht die unter böhmischem Einfluß gebaute Kreuzkirche, ein zweischiffiger spätgotischer Bau (15. Jh.); sehenswert sind Wandgemälde und eine Kreuzigungsgruppe.

Blumenuhr

An der Fleischerbastei befindet sich eine Blumenuhr mit Glockenspiel aus Meißener Porzellan, die 1966 von Zittauer Handwerkern gestiftet wurde.

Heinrich Marschners Geburtshaus

Hinter der Kleinen Bastei kommt man zu dem Geburtshaus des Opernkomponisten Heinrich Marschner (1795–1861).

**Marstall
Salzhaus
Brunnen
Renaissance-
und Barockhäuser**

Am August-Bebel-Platz befinden sich der Marstall, das alte Zittauer Salzhaus (1511) mit mächtigem Mansardendach (heute Zittauer Ratsarchiv) und verschiedene Brunnen (Samariterinnen-, Schwanen- und Herkulesbrunnen); darüber hinaus prächtige Renaissance- und Barockbauten, so der ehemalige Sächsische Hof.

**Klosterkirche
St. Petri und Pauli**

Am Klosterplatz steht die spätgotische Franziskanerklosterkirche St. Petri und Pauli mit romanischen Bauresten. Sehenswert sind im Inneren der Altaraufsatz (1668), die Kanzel (1668) und verschiedene Grabdenkmäler.

**Ehem. Franziskanerkloster
(Stadtmuseum)**

In dem ehemaligen Franziskanerkloster befindet sich das Stadtmuseum; in den früheren Mönchszellen wurden Ausstellungsräume eingerichtet. Vor dem Stadtmuseum steht der Grüne Born, der schönste Brunnen der Stadt.

Auf der anderen Seite des Klosterhofes ist der Heffterbau mit dem schönsten Zittauer Renaissancegiebel (1662) zu sehen, nach dem Jahre 1699 als Exulantenkirche (Kirche der Glaubensflüchtlinge) genutzt.

Zittau
(Fortsetzung)
*Heffterbau
(Abb. s. S. 633)

Weinau

Im Naherholungszentrum Weinau, einem Landschaftspark, gibt es eine Freilichtbühne, einen Tierpark und die Gaststätte 'Weinaupark'.

Freilichtbühne
Tierpark

Umgebung von Zittau

Von Zittau gelangt man auf Nebenstraßen westwärts über Bertsdorf (6 km) nach Großschönau (12 km), einst eines der bedeutendsten Damastweberdörfer in Europa (bis zu 800 Webstühle; heute Herstellung von Frotteestoffen). Neben der barocken Dorfkirche verdient vor allem das 1905 von dem Musterzeichner Karl Krumbholz gegründete Heimat- und Damastmuseum einen Besuch, das über die mehr als dreihundertjährige Geschichte des Weberdorfes berichtet.

Großschönau

Damastmuseum

→ Reiseziele von A bis Z: Oybin

Kurort Oybin

Nordöstlich von Zittau beginnt bei Rosenthal (10 km) das lange Durchbruchstal der Neiße, die hier die deutsch-polnische Grenze bildet.
Nach 8 km Wanderung liegt am Ausgang des Engtales das als Ortsteil zu Ostritz gehörende Zisterziensernonnenkloster Marienthal, gegründet um 1230; Neubau Ende 17. Jh. im Stil des Hochbarock (reiche Ausstattung).

Neißedurchbruch

Kloster
Marienthal

Die kleine Stadt Herrnhut (F 178, 15 km nordwestlich von Zittau) am Hutberg wurde 1722 von Nikolaus Ludwig Graf von Zinzendorf für böhmisch-mährische Exulanten gegründet. Es gibt dort ein Gemeinhaus (Kirche), Chorhäuser, ein Schloß und einen in 'Quartiere' geteilten Friedhof.
Interessant ist das Museum für Völkerkunde, dessen Bestände aus der Missionstätigkeit der Brüdergemeine stammen. Im Heimatmuseum 'Alt-Herrnhuter Stuben', unweit der Kirche gelegen, wird die Geschichte Herrnhuts dargestellt.

Herrnhut

→ Reiseziele von A bis Z: Löbau

Löbau

Zittauer Gebirge   E 7

Bundesland: Freistaat Sachsen
Bezirk (1952–1990): Dresden

Das kleine, niederschlagsreiche Zittauer Gebirge liegt zwischen der oberen Neiße und dem Lausitzer Bergland (→ Lausitz) im äußersten Südosten Mitteldeutschlands – südlich der namengebenden Stadt → Zittau. Es ist ein Sandsteingebirge wie das Elbsandsteingebirge.

Lage

Eine Kreidesandsteinplatte wurde 500 bis 600 m über das Zittauer Becken emporgehoben. Ihr Nordabfall ist steil und zeigt aufgelöste Felsformen ähnlich denen der → Sächsischen Schweiz. Nach Süden hin ist die Abdachung des Zittauer Gebirges flach. Ihr sind einige bis 800 m hohe vulkanische Restberge aufgesetzt: Lausche (793 m ü. d. M.) und Hochwald (749 m ü. d. M.).

Geologische
Beschaffenheit

Im Zittauer Gebirge liegen bekannte Erholungsorte, darunter der Luftkurort Lückendorf an einer alten Paßstraße nach Böhmen, der Kurort → Oybin

Erholungsorte

Zschopau

am Fuß des Oybinfelsens (513 m ü.d.M.), mit Burgruinen aus der Zeit Kaiser Karls IV., und der Kurort Jonsdorf, wo einst die Leinenweberei eine bedeutende Rolle spielte, und der Kurort Waltersdorf.
Allenthalben sieht man farbenprächtige Umgebindehäuser.
Zwischen Oybin bzw. Jonsdorf und ⟶ Zittau verkehrt die nostalgische 'Zittauer Bimmelbahn', eine dampflokbetriebene Schmalspurbahn.

Zschopau   E 6

Bundesland: Freistaat Sachsen
Bezirk (1952–1990): Karl-Marx-Stadt
Höhe: 340 m ü.d.M.
Einwohnerzahl: 13000

Lage und Bedeutung

Die Kreisstadt Zschopau liegt – 16 km südlich von ⟶ Chemnitz – im mittleren ⟶ Erzgebirge, in einem Talkessel am gleichnamigen Fluß.
Das Wirtschaftsleben der Stadt wird durch das bekannte Motorradwerk ('MZ'), Betriebe der Feinspinnerei sowie die Produktion von Kunststoffwaren und Textilien bestimmt.

Geschichte

Der Ort wurde 1291 erstmals als 'Schapa' in einer Urkunde erwähnt, 1292 als 'civitas' bezeichnet. Seit Beginn des 15. Jh.s ist der Silberbergbau in Zschopau belegt. Im 15. Jh. gelangte die Stadt aus dem Besitz der Reichsministerialen von Waldenburg unter die Herrschaft der Kurfürsten von Sachsen. 1493 erhielt Zschopau die Bergfreiheit. Auf Schloß Wildeck, im 12. Jh. errichtet und später oft umgebaut, hatte seit dem 16. Jh. der Oberforst- und Wildmeister des Kurfürsten seinen Sitz. Während des Dreißigjährigen Krieges mehrfach niedergebrannt, konnte sich die Stadt wirtschaftlich nur langsam von den Kriegsfolgen erholen. Im 18. Jh. wurden neue Arbeitsstätten geschaffen, u.a. eine Bleiche und mehrere Mühlen. Von Mai bis August 1813 war Zschopau von napoleonischen Truppen besetzt. Die letzten Gruben wurden 1884 stillgelegt. Von wirtschaftlicher Bedeutung waren neben Tuchmacherei, Leinenweberei und später Strumpfwirkerei der Maschinenbau (1906 Gründung der Zschopauer Motorenwerke J. S. Rasmussen AG, 1932 in die Auto-Union integriert). Seit 1952 ist Zschopau Kreisstadt. Nachdem sich die Motorradproduktion beträchtlich erhöht hatte, wurden zahlreiche Neubauten errichtet, zuletzt am Nordhang das August-Bebel-Wohngebiet.

Sehenswertes

Schloß Wildeck

Über dem restaurierten alten Stadtkern erhebt sich das Schloß Wildeck (12. Jh.; im 16. Jh. umgebaut, im 19. Jh. verändert). Es ist eine unregelmäßige Mehrflügelanlage mit 35 m hohem Bergfried ('Dicker Heinrich') und dient heute als Kulturhaus, Bibliothek und Musikschule.

*Rathaus

Am Marktplatz (Leninplatz) steht das Rathaus aus dem 16. Jh. (1749–1751 verändert); es besitzt eine Turmuhr und ein Glockenspiel aus Meißener Porzellan.

Edelhaus

Beachtung verdient auch das Edelhaus, ein Renaissancebau von 1561 (heute Sitz der Stadtverwaltung).

Pfarrkirche St. Martin

Die spätgotische Pfarrkirche St. Martin (1495), eine Saalkirche, ist sehenswert wegen ihrer barocken Innenausstattung (nach 1751), der Orgel (1755) und des spätklassizistischen Kanzelaltars (1859).

Bürgerhäuser

Architektonisch interessante Bürgerhäuser befinden sich an der Ludwig-Würkert-Straße (Nr. 1) und an der Spinnereistraße (Nr. 211; 1805); beide sind klassizistische Bauten, das letztgenannte mit Laube an der Rückseite.

Das Haus Spinnereistraße Nr. 212 erinnert an den Aufenthalt Clara Zetkins in Zschopau (Gedenktafel). Beachtenswert ist ferner ein Fachwerkbau aus dem 16. Jh. an der Johannisstraße (Nr. 2).

Zschopau, Bürgerhäuser (Fortsetzung)

Umgebung von Zschopau

Auf dem Friedhof von Großolbersdorf (7 km südlich) befindet sich das Grab des legendären Wildschützen Karl Stülpner (1762–1840), der einst im gesamten Erzgebirge als 'Rächer der Armen' Achtung und Ansehen genoß.
In der spätgotischen Dorfkirche (um 1400) ein Altarwerk von J. Böhme und eine reiche Kanzel (1647).

Großolbersdorf

Der schönste Abschnitt des Zschopautales beginnt bei Wolkenstein (11 km südlich von Zschopau). Hier fallen die unteren Partien der bewaldeten Hänge steil zur Talsohle ab. An den Talwänden sind die anstehenden geschieferten Gesteine sichtbar. Erst 80–130 m über der Talsohle verflachen sich die Hänge und gehen in ebene Flächen über, die landwirtschaftlich genutzt werden.
Bei Scharfenstein (5 km südlich von Zschopau) verläuft das Tal in einer auffälligen Flußschleife mit steilem Prallhang.

*Zschopautal Wolkenstein

Scharfenstein

→ Reiseziele von A bis Z: Augustusburg

Augustusburg

→ Reiseziele von A bis Z: Chemnitz

Chemnitz

Zwickau

E 5

Bundesland: Freistaat Sachsen
Bezirk (1952–1990): Karl-Marx-Stadt
Höhe: 263 m ü. d. M.
Einwohnerzahl: 122000

Die Stadt Zwickau, der Geburtsort des Komponisten Robert Schumann, liegt – rund 40 km südwestlich von → Chemnitz – an der Mulde. Die Tuchmacherei, der Handel mit dem 'Zwickisch Tuch' und vor allem die Beteiligung am erzgebirgischen Silberbergbau begründeten Zwickaus Ansehen und Reichtum.
Als Kultur- und Bildungszentrum ist Zwickau auch heute eine wichtige Stadt. Der Kraftfahrzeugbau (bisher Produktion des Kleinwagens 'Trabant' in den Sachsenring-Automobilwerken; 'Polo'-Montage für das Volkswagenwerk), mehrere Zweige des Maschinenbaus sowie der chemischen und pharmazeutischen Industrie bestimmen gegenwärtig das Wirtschaftsleben. Nicht zuletzt kommt der Stadt als Verkehrsknotenpunkt und als Tor zum westlichen → Erzgebirge und zum östlichen → Vogtland eine überregionale Bedeutung zu.

Lage und Bedeutung

Das 1118 erstmals urkundlich erwähnte Zwickau hatte sich bereits um 1200, zur Zeit der Erschließung des Erzgebirges, als Fernhandelsstützpunkt an der Handelsstraße Altenburg–Prag eine herausragende Position erworben. Tuchfertigung und Schmiedehandwerk, dazu Gewinnanteile aus dem erzgebirgischen Bergbau führten dann im 15./16. Jh. zu wirtschaftlicher und kultureller Blüte. Zwickau war zu dieser Zeit die größte Stadt Kursachsens, stattliche Bauten wurden errichtet. Wachsende Bedeutung erlangte die Stadt durch den Aufschwung des Steinkohlenbergbaus im 19. Jh. (1977 eingestellt) und durch das Entstehen zahlreicher Industriebetriebe, vor allem des Kraftfahrzeugbaues (einst Horch- und Audiwerke bzw. Auto-Union, heute Sachsenringwerk).

Geschichte

Sehenswertes in Zwickau

Rathaus

Am Hauptmarkt steht das 1862 neugotisch umgestaltete Rathaus (urspr. 1403 erbaut). Der Rats- und Empfangssaal, die einstige Jakobskapelle, später Ratstrinkstube, stammt von 1473–1477.

*Gewandhaus

Das Gewandhaus, von 1522 bis 1525 erbaut, ist ein spägotischer Bau mit einigen Renaissance-Elementen; es wird seit dem Jahre 1823 als Stadttheater benutzt.

Bürgerhäuser

Am Markt und in der Altstadt findet man bemerkenswerte Bürgerhäuser, so das Kräutergewölbe (Hauptmarkt Nr. 17/18; frühes 16. Jh.), das Dünnebierhaus (1480) mit dreigeschossigem Staffelgiebel (Innere Dresdner Straße Nr. 1) und das Schiffchen (um 1485; Münzstraße Nr. 12).

*Geburtshaus von Robert Schumann

Das Geburtshaus des Komponisten Robert Schumann (1810–1856) ist seit dem Jahre 1956 Nationale Forschungs- und Gedenkstätte (Hauptmarkt Nr. 5). Robert Schumann war zunächst vorwiegend Komponist von Klaviermusik, wandte sich aber später auch anderen Gattungen zu, besonders dem Lied.

*Dom St. Marien

Der spätgotische Dom St. Marien (gegr. 1206), nach mehreren Bränden ab 1453 neu erbaut, birgt zahlreiche wertvolle Kunstschätze, u. a. einen spätgotischen Hochaltar (1479) mit vier Marienbildern des Nürnberger Künstlers M. Wolgemut, das mobile Heilige Grab (1507), die Pietà P. Breuers, eine Frührenaissencekanzel (1538) sowie zahlreiche Grabdenkmäler des 16./17. Jahrhunderts.

Bürgerschule

Das Gebäude der einstigen Bürgerschule (heute Berufsschule) an der Peter-Breuer-Straße ist eine der wenigen klassizistischen Bauschöpfungen (1842) in Zwickau.

Gedenkstätte im Robert-Schumann-Haus

Im Nordosten der Altstadt liegt das düstere Schloß Osterstein. Es ist 1590 anstelle eines kurz nach 1212 errichteten Baues vollendet worden und diente lange Zeit als Haftstätte.

Südlich vom Schloß Oberstein steht die Pfarrkirche St. Katharinen (gegr. zwischen 1206 und 1219; Neubau nach Brand im 14. Jh.); im Inneren ein sehenswerter Flügelaltar aus der Cranach-Werkstatt (1517). Thomas Müntzer predigte hier, wie auch im Dom, im Jahre 1520.

Im Städtischen Museum (Lessingstraße Nr. 1) sind Zeugnisse der Stadtgeschichte und des Steinkohlenbergbaus, kunst- und kulturgeschichtliche Exponate sowie eine Mineralien- und Fossiliensammlung zu sehen. In dem gleichen Gebäude sind das Stadtarchiv wie auch die Ratsschulbibliothek (Inkunabeln) untergebracht.

In den Parkanlagen am Schwanenteich, die zum Kulturpark umgestaltet worden sind, steht ein Schumanndenkmal; beachtenswert ferner der Schwanenbrunnen (1935).

Planitz

Im Zwickauer Stadtteil Planitz liegt ein barockes Schloß mit einem Park (Teehaus von 1769); sehenswert ist auch die Dorfkirche (16.Jh.; reiche Ausstattung).

Umgebung von Zwickau

In Schönfels (F 173, 10 km südwestlich) steht eine spätgotische Burg mit einer bemerkenswerten Burgkapelle, einem Bergfried und einem Wehrgang. Schloß Neuschönfels ist ein schlichter Renaissancebau (16. Jh.).

Im Hartensteiner Ortsteil Stein (an der Zwickauer Mulde; 17 km ostsüdöstlich von Zwickau), gibt es ein ursprünglich romanisches Schloß mit gut erhaltenen Wehranlagen.
Im Heimatmuseum werden Leben und Werk des in Hartenstein geborenen Dichters Paul Fleming (1609–1640) dokumentiert.

→ Reiseziele von A bis Z: Schneeberg

In Reichenbach (20 km südwestlich von Zwickau) ist die barocke Pfarrkirche St. Petri und Pauli (1720) sehenswert; sie hat eine Silbermann-Orgel. Im Geburtshaus der Schauspielerin und Theaterleiterin Friederike Caroline Neuber (geb. Weißenborn, gen. 'die Neuberin', 1697–1760) am Johannisplatz befindet sich eine Gedenkstätte.

→ Reiseziele von A bis Z: Greiz, Umgebung

In der am rechten Ufer der Zwickauer Mulde gelegenen Textilstadt Glauchau (15 km nordnordöstlich von Zwickau) – einst Sitz der Grafen von Schönburg-Glauchau und Geburtsort des Begründers der neueren wissenschaftlichen Hüttenkunde, Georg Agricola (1494–1555) – steht das Schloß Hinterglauchau (1460–1470) mit dem 'Steinernen Saal'. In dem Schloß ist auch das Städtische Museum untergebracht; zu sehen sind spätgotische Plastik, Meißener Porzellan sowie Gemälde und Plastik des 19./20. Jahrhunderts. Im Schloß Forderglauchau (1527–1534; Tiefkeller) befindet sich eine Bibliothek. Die Kirche St. Georg (1726–1728), ein barockes Bauwerk, ist ausgestattet mit einem gotischen Flügelaltar (um 1510) und einer Silbermann-Orgel (1730); am Gottesacker (1556 angelegt) ein reiches Renaissanceportal. Eine Besonderheit in Glauchau sind ausgedehnte Tiefkeller (Scherberggänge).

Praktische Informationen von A bis Z

Auskunft

Örtliche Informationsstellen
Tourist Information

Hinweise

In der nachstehenden, ortsalphabetisch geordneten Liste sind sowohl die amtlichen touristischen Auskunftsbüros als auch ersatzweise für den Fremdenverkehr zuständige Stellen aufgeführt.

Im Zuge der politischen Neuorientierung kommt es in den deutschen Ländern, in denen bis zur historischen 'Wende' des Jahres 1989 offiziell die Wertvorstellungen des sozialistischen DDR-Staates das öffentliche Leben beherrscht haben, zu Veränderungen nicht zuletzt auch bei Namen und Bezeichnungen von Städten und Orten (mit ihren Prädikaten), Straßen, Plätzen, Anlagen u.ä. sowie öffentlichen Gebäuden und Einrichtungen.

Wenngleich sich die Baedeker-Redaktion bemüht hat, allen nur irgend greifbaren Umbenennungen Rechnung zu tragen, ist nicht auszuschließen, daß vor Ort bereits weitere Namensänderungen vorgenommen worden sind. Es muß zudem damit gerechnet werden, daß sich dieser Prozeß der Umwandlung noch eine gewisse Zeit fortsetzt.

Die nachfolgend in Klammern angegebenen Telefonvorwahlnummern gelten innerhalb des Gebietes der ehemaligen Deutschen Demokratischen Republik. Bei Ferngesprächen dorthin aus den westlichen deutschen Bundesländern und aus Westberlin ist nach wie vor die Ländernetzkennzahl (0037) vorzuwählen und die erste Null der Ortskennzahl auszulassen.

Ahlbeck, Seebad

Gemeindeverwaltung Ahlbeck,
Lindenstr. 95, O-2252 Seebad Ahlbeck, Tel. (08268) 8103.

Ahrenshoop, Ostseebad

Gemeindeverwaltung Ahrenshoop,
Kirchnergang 2, O-2593 Ostseebad Ahrenshoop, Tel. (08258) 234.

Altenberg

Stadtverwaltung Altenberg,
Platz des Bergmanns, O-8242 Altenberg, Tel. (052696) 4261.

Altenburg

Altenburg-Information,
Markt / Ecke Weibermarkt 17, O-7400 Altenburg, Tel. (0402) 311145.

Anklam

Anklam-Information,
Am Markt, Postf. 44, O-2140 Anklam, Tel. (0994) 3332/4.

Annaberg-Buchholz

Reisebüro Annaberg-Buchholz,
Ernst-Thälmann-Str. 34, O-9300 Annaberg-Buchholz, Tel. (0765) 2653.

Apolda

Apolda-Information,
Heidenberg 41, O-5320 Apolda, Tel. (0620) 5320.

Arnstadt

Arnstadt-Information,
Markt 3, O-5210 Arnstadt, Tel. (0618) 2049.

Augustusburg

Feriendienst Augustusburg,
Wilhelm-Pieck-Straße 11, O-9382 Augustusburg, Tel. (07291) 251/2

◀ *Oberweißbacher Bergbahn im Thüringer Wald*

Baabe, **Ostseebad**	Gemeindeverwaltung Baabe, Strandstraße, O-2334 Ostseebad Baabe, Tel. (082793) 218.
Bad Blankenburg	Kurverwaltung Bad Blankenburg, Am Bahnhof, O-6823 Bad Blankenburg, Tel. (07927) 2219 und 2666.
Bad Doberan	Stadtverwaltung Bad Doberan, Am Markt 5, O-2560 Bad Doberan, Tel. (08193) 3001.
Bad **Frankenhausen**	Bad-Frankenhausen-Information, Anger 14, O-4732 Bad Frankenhausen, Tel. (04586) 337.
Bad Langensalza	Bad-Langensalza-Information, Neumarkt 9, O-5820 Bad Langensalza, Tel. (0624) 2568.
Bad Lauchstädt	Stadtverwaltung Bad Lauchstädt, Abteilung Kultur, O-4204 Bad Lauchstädt, Tel. (044295) 205.
Bad Salzungen	Bad-Salzungen-Information, Leninplatz, O-6200 Bad Salzungen, Tel. (0673) 2509.
Bad Schandau	Kurverwaltung Bad Schandau, Ernst-Thälmann-Str. 3, O-8320 Bad Schandau, Tel. (05692) 2355.
Bad **Schmiedeberg**	Stadtverwaltung Bad Schmiedeberg, Rathaus, O-4603 Bad Schmiedeberg, Tel. (045195) 331.
Ballenstedt	Informationszentrum Ballenstedt, Ricarda-Huch-Str. 13, O-4303 Ballenstedt, Tel. (045593) 263.
Bansin, Seebad	Gemeindeverwaltung Bansin, Friedrich-Engels-Str. 1, O-2253 Seebad Bansin, Tel. (08268) 403.
Barth	Barth-Information, Ernst-Thälmann-Str. 51, O-2380 Barth, Tel. (08281) 2464.
Bautzen	Bautzen-Information, Fleischmarkt 2–4, O-8600 Bautzen, Tel. (054) 42016.

Berlin
Ost
West
	Verkehrsamt am Fernsehturm,
	Alexanderplatz · Panoramastraße, O-1020 Berlin, Tel. (02) 2124675
	Verkehrsamt im Europa-Center,
	Eingang Budapester Straße, W-1000 Berlin 30, Tel. 2626031
	Verkehrsamt im Bahnhof Zoo, Tel. 3139063
	Verkehrsamt im Flughafen Tegel (Haupthalle), Tel. 41013145
	  Vorwahl von Deutschland·Ost und Ostberlin nach Westberlin: 849
	  Vorwahl von Deutschland·West nach Westberlin: 030
	  Vorwahl von Westberlin nach Ostberlin: 9

Bernburg	Bernburg-Information, Liebknechtplatz 1, O-4350 Bernburg, Tel. (0447) 2031.
Binz, Ostseebad	Gemeindeverwaltung Binz, Heinrich-Heine-Str. 7, O-2337 Ostseebad Binz, Tel. (08278) 291.
Blankenburg (Harz)	Reisebüro Blankenburg, Katharinenstraße, O-3720 Blankenburg (Harz), Tel. (09278) 2921.
Blankenburg, Bad	s. Bad Blankenburg
Boltenhagen, **Ostseebad**	Gemeindeverwaltung Boltenhagen, E.-Thälmann-Str. 30, O-2422 Ostseebad Boltenhagen, Tel. (08235) 581.

Praktische Informationen

Gemeindeverwaltung Born,
Südstr. 5, O-2382 Born (Darß), Tel. (082 84) 2 07.

Born (Darß)

Stadtverwaltung Brandenburg,
Vermittlung und Auskunftsstelle, O-1800 Brandenburg, Tel. (038) 3 00.

Brandenburg

Chemnitz-Information,
Straße der Nationen 3, O-9001 Chemnitz, Tel. (071) 6 20 51
Postanschrift: Postfach 440, O-9010 Chemnitz.

Chemnitz

Cottbus-Information,
Altmarkt 29, O-7500 Cottbus, Tel. (059) 2 42 54.

Cottbus

Dessau-Information,
Friedrich-Naumann-Str. 12, Postfach 30, O-4500 Dessau, Tel. (047) 46 61.

Dessau

Gemeindeverwaltung Dierhagen,
Kirchstraße, O-2591 Ostseebad Dierhagen, Tel. (08 25 96) 2 25.

**Dierhagen,
Ostseebad**

⟶ Bad Doberan

Doberan

Dresden-Information,
Prager Str. 10/11, O-8010 Dresden, Tel. (051) 4 95 50 25.

Dresden

Eberswalde-Finow-Information,
Wilhelm-Pieck-Str. 26, O-1300 Eberswalde-Finow, Tel. (0371) 2 31 68.

**Eberswalde-
Finow**

Stadtverwaltung Eckartsberga, Abteilung Kultur,
O-4804 Eckartsberga, Tel. (04 54 97) 2 91.

Eckartsberga

Eisenach-Information,
Bahnhofsstr. 3/5, O-5900 Eisenach, Tel. (0623) 48 95, 61 61/2 und 29 34.

Eisenach

Stadtverwaltung Eisenberg, Hauptamt,
Postfach 63, Markt 27, O-6520 Eisenberg, Tel. (0798) 4 04/5

Eisenberg

Veranstaltungsbüro Eisenhüttenstadt,
Fischerstr. 15, O-1220 Eisenhüttenstadt, Tel. (0375) 28 36.

Eisenhüttenstadt

Eisleben-Information,
Hallesche Str. 6, O-4250 Lutherstadt Eisleben, Tel. (0443) 21 24.

**Eisleben,
Lutherstadt**

Erfurt-Information,
Bahnhofstr. 37, Postfach 838, O-5020 Erfurt, Tel. (061) 2 62 67.

Erfurt

⟶ Bad Frankenhausen

Frankenhausen

Frankfurt-Information,
Rosa-Luxemburg-Str. 6, O-1200 Frankfurt (Oder), Tel. (030) 2 22 49.

Frankfurt (Oder)

Freiberg-Information,
Wallstr. 24, O-9200 Freiberg, Tel. (07 62) 36 02.

Freiberg
(Sachsen)

Stadtverwaltung Fürstenberg,
Thälmannstr. 54, O-1432 Fürstenberg,
Tel. (O 36 13) 21 46, 21 80, 21 02 und 21 24.

Fürstenberg
(Havel)

Gardelegen-Information,
Bahnhofstr. 1, O-3570 Gardelegen, Tel. (0932) 20 43.

Gardelegen

Gera-Information,
Rudolf-Breitscheid-Str. 1, O-6500 Gera, Tel. (070) 2 48 13 und 2 64 32/4.

Gera

Gernrode (Harz)	Tourist-Information der Stadt Gernrode, Postfach, O-4305 Gernrode, Tel. (0295) 478
Göhren, **Ostseebad** (Insel Rügen)	Gemeindeverwaltung Göhren, Elisenstraße, O-2345 Ostseebad Göhren, Tel. (082798) 201.
Görlitz	Görlitz-Information, Leninplatz 29, O-8900 Görlitz, Tel. (055) 5391.
Gotha	Gotha-Information, Hauptmarkt 2, Postf. 109/110, O-5800 Gotha, Tel. (0622) 4036.
Graal-Müritz, **Ostseebad**	Gemeindeverwaltung Graal-Müritz, Rosa-Luxemburg-Str. 11, O-2553 Seeheilbad Graal-Müritz, Tel. (08196) 224.
Greifswald	Greifswald-Information, Straße der Freundschaft 126, O-2200 Greifswald, Tel. (0822) 3460.
Greiz	Greiz-Information, Burgplatz – Alte Wache, gegenüber dem Unteren Schloß, Postfach 231, O-6600 Greiz, Tel. (0793) 6537.
Güstrow	Güstrow-Information, Gleviner Str. 33, O-2600 Güstrow, Tel. (0851) 61023.
Halberstadt	Stadtverwaltung Halberstadt, Gewerbeamt, Domplatz 16 / 17, O-3600 Halberstadt, Tel. (0926) 58316.
Halle (Saale)	Halle-Information, Kleinschmieden 6 / Ecke Große Steinstraße, Postfach 134, O-4010 Halle (Saale), Tel. (046) 23340.
Halle-Neustadt	Halle-Neustadt-Information, Wohnkomplex VIII, Pavillon, O-4090 Halle-Neustadt, Tel. (046) 650116.
Heilbad **Heiligenstadt**	Heiligenstadt-Information, Kasseler Tor 18, O-5630 Heilbad Heiligenstadt, Tel. (0629) 3788.
Heiligendamm	→ Bad Doberan
Heringsdorf, **Seebad**	Gemeindeverwaltung Heringsdorf, Ernst-Thälmann-Str. 20, O-2255 Seebad Heringsdorf, Tel. (08268) 763.
Hoyerswerda	Stadtverwaltung Hoyerswerda, Platz der Roten Armee 1, O-7700 Hoyerswerda, Tel. (0582) 8714.
Ilmenau	Ilmenau-Information, Ernst-Thälmann-Str. 2, O-6300 Ilmenau, Tel. (0672) 2358.
Jena	Jena-Information, Neugasse 7, O-6900 Jena, Tel. (078) 24671.
Kamenz	Reisebüro Schindler, Pulsnitzer Str. 10, O-8290 Kamenz, Tel. (0525) 6535.
Karlshagen	Gemeindeverwaltung Karlshagen, Hauptstr. 41, O-2222 Karlshagen, Tel. (082691) 258.
Kirchdorf (Insel Poel)	Gemeindeverwaltung Kirchdorf, Feldstr. 1, O-2404 Kirchdorf (Insel Poel), Tel. (082495) 230.

Praktische Informationen

Fremdenverkehrsbüro der Stadt Klingenthal,
Kirchstr. 6, O-9650 Klingenthal, Tel. (07637) 2494.

Stadtverwaltung Königstein, Abteilung Kultur,
Goethestr. 7, O-8305 Königstein (Sächsische Schweiz),
Tel. (05691) 343, 344 und 345.

Gemeindeverwaltung Koserow,
Hauptstr. 5, O-2225 Koserow, Tel. (08266) 231/2

Köthen-Information,
Weintraubenstr. 8, O-4370 Köthen, Tel. (0445) 3767.

Stadtverwaltung Krakow, Abteilung Erholungswesen,
Markt 2, O-2602 Krakow, Tel. (085197) 2335.

Stadtverwaltung Kühlungsborn,
Straße des Friedens 20, O-2565 Ostseebad Kühlungsborn,
Tel. (08293) 284.

⟶ Hauptname

Stadtverwaltung Kyritz,
Straße des Friedens, O-1910 Kyritz, Tel. (0365) 327.

⟶ Bad Langensalza

⟶ Bad Lauchstädt

Leipzig-Information,
Sachsenplatz 1, O-7010 Leipzig, Tel. (041) 79590
Leipziger Messeamt,
Markt 11/15, O-7010 Leipzig, Tel. (041) 8830;
Reisebüro mit Zimmernachweis,
Hauptbahnhof Ostseite, O-7010 Leipzig, Tel. 7921295 und 7921297.

Löbau-Information,
Rittergasse 2, O-8700 Löbau, Tel. (0521) 71176.

Stadtverwaltung Lobenstein, Abteilung Kultur und Bildung,
Markt 1, O-6850 Lobenstein,
Tel. (07945) 2371.

Stadtverwaltung Lübben,
O-7550 Lübben (Spreewald), Tel. (0586) 131.

Stadtverwaltung Lübbenau,
O-7543 Lübbenau (Spreewald), Tel. (05887) 8101.

Stadtverwaltung Ludwigslust,
Wilhelm-Pieck-Straße, O-2800 Ludwigslust, Tel. (0852) 4671.

⟶ Hauptname

Magdeburg-Information,
Alter Markt 9, O-3010 Magdeburg, Tel. (091) 35352.

Stadtverwaltung Markneukirchen, Komplexe Versorgung,
O-9659 Markneukirchen, Tel. 2354 – 2356.

Stadtverwaltung Meiningen,
Postfach 291, O-6100 Meiningen, Tel. (0676) 501.

Meißen
Meißen-Information,
An der Frauenkirche 3, O-8250 Meißen, Tel. (053) 4470.

Merseburg
Merseburg-Information,
Bahnhofstr. 17, O-4200 Merseburg, Tel. (0442) 3259.

Moritzburg
Moritzburg-Information,
O-8105 Moritzburg, Tel. (05197) 356.

**Mühlhausen,
Thomas-
Müntzer-Stadt**
Mühlhausen-Information,
Görmarstr. 57, O-5700 Thomas-Müntzer-Stadt Mühlhausen,
Tel. (0625) 2912.

Naumburg (Saale)
Fremdenverkehrsverein und Naumburg-Information,
Lindenring 38, O-4800 Naumburg (Saale), Tel. (0454) 2514.

Neubrandenburg
Neubrandenburg-Information
Ernst-Thälmann-Str. 35, O-2000 Neubrandenburg, Tel. (090) 6187.

Neuruppin
Stadtverwaltung Neuruppin,
Wichmannstr. 8, O-1950 Neuruppin, Tel. (0362) 2438.

Neustrelitz
Stadtverwaltung Neustrelitz, Gewerbeamt,
Markt 1, O-2080 Neustrelitz, Tel. (0991) 4921.

Nordhausen
Nordhausen-Information,
Zentraler Platz (Post: Töpferstr. 42), O-5500 Nordhausen,
Tel. (0628) 8433.

Oberhof
(Thüringen)
Oberhof-Information/Kurverwaltung,
Haus der Freundschaft, O-6055 Oberhof, Tel. (06682) 397.

**Oberwiesenthal,
Kurort**
Kurverwaltung Oberwiesenthal,
Postfach 50, O-9312 Kurort Oberwiesenthal,
Tel. (076598) 610 und 614.

Oranienburg
Stadtverwaltung Oranienburg, Abteilung Kultur,
Straße des Friedens 13, O-1400 Oranienburg,
Tel. (03271) 5071.

Ostseebad ...
⟶ Hauptname

Oybin, Kurort
Gemeindeverwaltung/Kurverwaltung Oybin,
O-8806 Oybin, Tel. (052294) 224.

Pasewalk
Stadtverwaltung Pasewalk,
O-2100 Pasewalk, Tel. (0995) 5061.

Pirna
Sächsische-Schweiz-Information,
O-8300 Pirna, Tel. (056) 85212.

Plauen
(Vogtland)
Plauen-Information,
Rädelstr. 2, O-9900 Plauen, Tel. (075) 24945.

Potsdam
Potsdam-Information,
Friedrich-Ebert-Str. 5, O-1561 Potsdam, Tel. (033) 23385.

Prenzlau
Uckermark-Information,
Langer Markt 12, Postfach 20, O-2130 Prenzlau, Tel. (0992) 2791.

**Prerow,
Ostseebad**
Gemeindeverwaltung Prerow,
Gemeindeplatz 1, O-2383 Ostseebad Prerow, Tel. (08283) 226.

Quedlinburg-Information,
Markt 12, O-4300 Quedlinburg, Tel. (0455) 2866.

Stadtverwaltung Querfurt,
Leninplatz 1, O-4240 Querfurt, Tel. (04430) 5171.

Gemeindeverwaltung/Kurverwaltung Rathen,
O-8324 Kurort Rathen, Tel. Stadt Wehlen 422.

Stadtverwaltung Rerik,
Haffstr. 5, O-2572 Ostseebad Rerik, Tel. (08296) 224.

Stadtverwaltung Rheinsberg,
Seestr. 20/21, O-1955 Rheinsberg, Tel. (036284) 2088.

Stadtinformation Roßlau,
Hauptstr. 16, O-4530, Tel. (0470) 476 und 2831.

Rostock-Information,
Schnickmannstr. 13/14, O-2500 Rostock, Tel. (081) 34602 und 25260
Auskunftsstelle Lange Straße Nr. 5, Tel. (081) 22619.

Gemeindeverwaltung Rübeland,
Philosophenweg 3, O-3725 Rübeland, Tel. (Handvermittlung) 9131
Höhlenverwaltung der Rübeländer Tropfsteinhöhlen,
Blankenburger Straße 35, O-3725 Rübeland,
Tel. (Handvermittlung) 9132 und 9208

Rudolstadt-Information,
Thälmannstr. 48, O-6820 Rudolstadt, Tel. (07926) 23633.

Saalfeld-Information,
Blankenburger Str. 4, O-6800 Saalfeld, Tel. (0792) 3950.

⟶ Pirna

⟶ Bad Salzungen

Reisebüro Salzwedel,
Straße der Freundschaft 41, O-3560 Salzwedel, Tel. (0923) 2301.

Sangerhausen-Information der Berg- und Rosenstadt,
Göpenstr. 19, Postfach 55, O-4700 Sangerhausen, Tel. (0456) 2575.

Stadtverwaltung Saßnitz,
Rathaus, O-2355 Saßnitz, Tel. (08277) 23131.

⟶ Bad Schandau

Stadtverwaltung Schleiz,
O-6550 Schleiz, Tel. (0794) 2571.

Schmalkalden-Information,
Mohrengasse 2, O-6080 Schmalkalden, Tel. (0670) 3182.

⟶ Bad Schmiedeberg

Stadtverwaltung Bergstadt Schneeberg, Amt für Öffentlichkeitsarbeit,
Markt 1, O-9412 Schneeberg, Tel. (076191) 2251.

Stadtverwaltung Schwarzenberg, Gewerbeamt,
Straße der Einheit 20, O-9430 Schwarzenberg (Erzgebirge),
Tel. (07618) 4141.

Schwedt (Oder)   Schwedt-Information,
Ernst-Thälmann-Str. 30, O-1330 Schwedt (Oder),
Tel. (05 25 97) 2 34 56.

Schwerin   Schwerin-Information,
(Mecklenburg)   Markt 11, O-2750 Schwerin, Tel. (0 84) 8 23 14.

Seebad ...   → Hauptname

Seiffen, Kurort Fremdenverkehrsamt Kurort Spielzeugdorf Seiffen,
O-9335 Kurort Seiffen, Tel. (07 66 92) 2 18.

Sellin, Ostseebad Gemeindeverwaltung Sellin,
(Insel Rügen)   Warmbadstr. 4, O-2356 Ostseebad Sellin, Tel. (08 27 93) 3 96.

Sondershausen   Sondershausen-Information,
Ferdinand-Schlufter-Str. 20, O-5400 Sondershausen,
Tel. (06 28 99) 81 11.

Stendal   Stendal-Information,
Kornmarkt 8, O-3500 Stendal, Tel. (09 21) 21 61 86.

Stolberg (Harz), Stadtverwaltung Stolberg,
Thomas-   Rathaus, O-4713 Thomas-Müntzer-Stadt Stolberg (Harz),
Müntzer-Stadt   Tel. (04 56 94) 3 16.

Stolpen   Stadtverwaltung Stolpen,
Markt 1, O-8350 Stolpen, Tel. (05 28 93) 63 41 und 63 42.

Stralsund   Stralsund-Information,
Alter Markt 15, O-2300 Stralsund, Tel. (08 21) 24 39.

Suhl   Suhl-Information,
Steinweg 1, Postfach 141, O-6000 Suhl, Tel. (0 66) 2 00 52.

Tangermünde   Stadtverwaltung Tangermünde, Abteilung Bildungswesen/Kultur,
O-3504 Tangermünde, Tel. (09 2 18) 971 – 973.

Thale (Harz)   Thale-Information,
Postfach 17, O-4308 Thale (Harz), Tel. (04 5 50) 25 97.

Thomas-
Müntzer-Stadt ... → Hauptname

Torgau   Reisewelt-Reisebüro,
Straße der Opfer des Faschismus 9, Postfach 125, O-7290 Torgau,
Tel. (04 07) 24 33.

Trassenheide   Gemeindeverwaltung Trassenheide,
Kampstr. 23 a, O-2233 Trassenheide, Tel. (08 26 91) 9 28.

Ückeritz   Gemeindeverwaltung Ückeritz,
Bäderstr. 4, O-2235 Ückeritz, Tel. (08 2 66) 2 65.

Uckermark   → Prenzlau

Waren (Müritz)   Waren-(Müritz)-Information,
Neuer Markt 19, O-2060 Waren, Tel. (09 93) 41 72.

Weimar   Weimar-Information,
Markt 15, O-5300 Weimar, Tel. (06 21) 7 22 33.

Weißenfels   Weißenfels-Information,
Nikolaistr. 37, O-4850 Weißenfels, Tel. (04 53) 30 70.

Stadtverwaltung Wernigerode,
Rathaus, Markt 1, O-3700 Wernigerode, Tel. (0927) 3540
Kurverwaltung,
Klint 10 (hinter dem Rathaus), O-3700 Wernigerode, Tel. (0927) 32040
Reisebüro,
Breite Str. 35, O-3700 Wernigerode, Tel. (0927) 32146.

Wernigerode

Gemeindeverwaltung Wieck,
Prerower Str. 5, O-2381 Wieck (Darß), Tel. (08283) 201.

Wieck (Darß)

Wismar-Information,
Bohrstr. 5a, O-2400 Wismar, Tel. (0824) 2958.

Wismar

Wittenberg-Information,
Collegienstr. 8, O-4600 Lutherstadt Wittenberg, Tel. (0451) 2239.

Wittenberg, Lutherstadt

Wörlitz-Information,
Angergasse 131, O-4414 Wörlitz, Tel. (04795) 216

Wörlitz

Gemeindeverwaltung Wustrow,
Strandstr. 10, O-2598 Wustrow, Tel. (08258) 253.

Wustrow, Ostseebad

Zeitz-Information,
Friedensplatz 5, O-4900 Zeitz, Tel. (0450) 2914.

Zeitz

Gemeindeverwaltung Zempin,
Leninstr. 1, O-2237 Zempin, Tel. (08267) 2162.

Zempin

Gemeindeverwaltung Zingst,
Klosterstr. 21, O-2385 Ostseebad Zingst (Darß), Tel. (08282) 231.

Zingst (Darß), **Ostseebad**

Gemeindeverwaltung Zinnowitz,
Karl-Marx-Str. 9, O-2238 Zinnowitz, Tel. (08267) 2229.

Zinnowitz, Ostseebad

Vermittlung von Dienstleistungen, Fremdenzimmern, Ferienwohnungen:
Café-Restaurant Zinnwaldstüb'l,
O-8231 Zinnwald-Georgenfeld, Tel. 5432.

Zinnwald-Georgenfeld

Zittau-Information,
Rathausplatz 6, O-8800 Zittau, Tel. (0522) 3986.

Zittau

Stadtverwaltung Zschopau,
Leninplatz 2, O-9360 Zschopau, Tel. (0725) 2251.

Zschopau

Zwickau-Information,
Hauptstr. 46, O-9540 Zwickau, Tel. (074) 6007.

Zwickau

Autohilfe

→ Notdienste

Burgen, Schlösser, Parks und Gärten   Übersichtskarte s. S. 651

1 Berlin
   Schloß und Park Charlottenburg
   (17.–19. Jh.)
   Volkspark Hasenheide (19./20. Jh.)
   Jagdschloß Grunewald (16.–18. Jh.)

   Schloß Bellevue (18. Jh.)
   Britzer Garten (BUGA 1985)
   Schloß Tegel (18./19. Jh.)
   Schloß Glienicke (19. Jh.)
   Tiergarten (18./19. Jh.)

Berlin (Fortsetzung)
Pfaueninsel (18.–19. Jh.)
Treptower Park und Plänterwald
(19. Jh.)
Schloß (17. Jh.) und Park Köpenick
(19. Jh.)
Schloß (18. Jh.) und Park Friedrichs-
felde
Schloß (18. Jh.) und Schloßpark
Niederschönhausen (19. Jh.)
Volkspark Friedrichshain
(19. Jh.)
Bürgerpark Pankow (19. Jh.)
Schloß und Park Biesdorf
(19. Jh.)
Park Wuhlheide (20. Jh.)

10 Lübben
Schloß (17. Jh.)

11 Lübbenau
Schloß und Park (19. Jh.)

12 Prettin
Schloß Lichtenburg (16. Jh.)

13 Cottbus
Schloß (18. Jh.) und Park Branitz
(19. Jh.)

14 Altdöbern
Schloß und Park (18. Jh.)

15 Mühlberg (Elbe)
Schloß (16. Jh.)

16 Bad Liebenwerda
Schloß (16. Jh.)

17 Elsterwerda
Barockschloß (18. Jh.)

18 Senftenberg
Schloß (16. Jh.)

19 Kromlau
Schloß und Park (19. Jh.)

20 Bad Muskau
Ruine des Neuen Schlosses (16. Jh.),
Altes Schloß (14. Jh.) und Park
(19. Jh.)

21 Hoyerswerda
Schloß (16. Jh.)

30 Zabeltitz-Treugeböhla
Palais und Barockpark (18. Jh.)

31 Neschwitz
Schloß und Park (18. Jh.)

32 Milkel
Schloß (18. Jh.)

33 Nossen
Schloß (16./17. Jh.) und
Landschaftspark (19. Jh.)

34 Diesbar-Seußlitz
Schloß und Garten Seußlitz (18. Jh.)

Neues Palais in Dresden-Pillnitz

Praktische Informationen

Burgen, Schlösser, Parks und Gärten

- ● Zusammenfassung
- ● Einzelobjekte

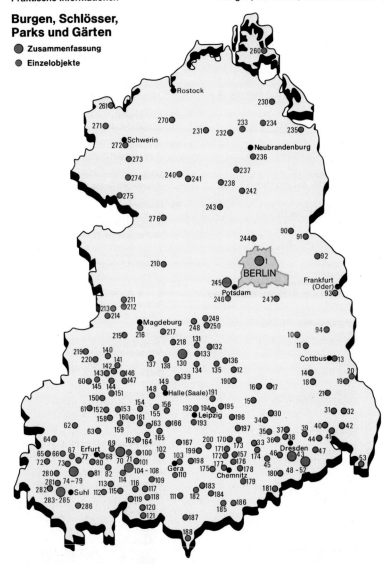

Bei der sehr großen Zahl an Burgen, Schlössern, Parks und Gärten im öst- **Hinweis**
lichen Teil Deutschlands mußte schon aus Gründen der Darstellungsmög-
lichkeit eine gewisse Auswahl getroffen werden. Darüber hinaus sind an
etlichen Stellen mehrere Anlagen unter einem Legendenpunkt zusammengefaßt. Die nicht immer fortlaufenden Zahlenlegenden für die obenstehende Übersichtskarte beginnen auf Seite 649 und enden auf Seite 658.

35 Meißen
Albrechtsburg (15. Jh.)
Bischofsschloß (15./16. Jh.)

36 Scharfenberg
Schloß (13. Jh.)

37 Moritzburg
Schloß, Fasanerie und Park (18. Jh.)

38 Radebeul
Schloß Hoflößnitz (17. Jh.)

39 Radeberg
Schloß Klippenstein (16. Jh.)

40 Rammenau
Schloß (18. Jh.) und Park (19. Jh.)

41 Gaußig
Schloß und Park (18. Jh.)

42 Bautzen
Ortenburg (15. Jh.)

43 Dresden
Japanisches Palais (18. Jh.)
Großer Garten und Palais (17. Jh.)
Residenzschloß (16. Jh.) und Zwinger (18. Jh.)
Taschenbergpalais (18. Jh.)
Lingner-Schloß (19. Jh.)
Dresden-Pillnitz
Schloß (18. Jh.) und Park

44 Stolpen
Burg (12. Jh.)

45 Grillenburg
Jagdschloß (16. u. 18. Jh.)

46 Tharandt
Forstbotanischer Garten (19. Jh.)

47 Hohnstein
Burg (15./16. Jh.)

48 Heidenau-Großsedlitz
Barockgarten (18./19. Jh.)

49 Weesenstein
Schloß (14.–19. Jh.) und Park (18. Jh.)

50 Reinhardtsgrimma
Schloß (18. Jh.)

51 Liebstadt
Schloß Kuckuckstein (15. Jh.)

52 Lauenstein
Burgruine (13. Jh.) und Schloß (16. Jh.)

53 Kurort Oybin
Burgruine (14. Jh.)

60 Neustadt (Harz)
Burgruine Hohnstein (12. Jh.)

61 Sondershausen
Schloß (16./17. Jh.) und Park (19. Jh.)
Jagdschloß zum Possen (18. Jh.)

62 Schlotheim
Schloß (18. Jh.)

63 Weißensee
Runneburg (12. Jh.)

64 Mihla
Graues und Rotes Schloß (16. Jh.)

65 Eisenach
Wartburg (11. Jh.)
Residenzschloß (18. Jh.)
Karthausgarten (17./18. Jh.)

66 Friedrichswerth
Schloß (17. Jh.)

67 Gotha
Schloß Friedenstein (17. Jh.)
Schloß und Barockgarten Friedrichs-
thal (18. Jh.)

68 Erfurt
Cyriaksburg (15. Jh.) und iga-Gelände (20. Jh.)
Zitadelle Petersberg (17./18. Jh.)
Dreibrunnenpark (18. Jh.)

69 Ettersburg
Jagdschloß und Park (18. Jh.)

70 Weimar
Park an der Ilm (17.–19. Jh.)
Residenzschloß (18./19. Jh.)
Schloß (18. Jh.) und Park Belvedere (19. Jh.)
Wittumspalais (18. Jh.)
Schloß (16. Jh.) und Park Tiefurt (18. Jh.)

71 Kapellendorf
Wasserburg (11. Jh.)

72 Wilhelmsthal
Schloß (18. Jh.) und Park (18./19. Jh.)

73 Waltershausen
Schloß Tenneberg (16. Jh.)

74 Friedrichroda
Schloß (19. Jh.) und Park Reinhardsbrunn

Burgen, Schlösser, Parks und Gärten

Praktische Informationen

Dessau (Fortsetzung)
Schloß und Park Mosigkau (18. Jh.)
Schloß und Park Luisium (18. Jh.)
Schloß Dessau-Großkühnau (18. Jh.)

131 Coswig
Schloß (17. Jh.)

132 Lutherstadt Wittenberg
Schloß (15./16. Jh.)

133 Wörlitz
Schloß und Park (18. Jh.)

134 Oranienbaum
Schloß (17. Jh.) und Park (18. Jh.)

135 Reinharz
Wasserschloß (17./18. Jh.)

136 Pretzsch
Schloß (16. Jh.) und Park (18. Jh.)

137 Bernburg
Schloß und Schloßpark (16./17. Jh.)

138 Köthen
Schloß (16./17. Jh.)

139 Zörbig
Schloß (17. Jh.)

140 Quedlinburg
Schloß (16. u. 18. Jh.)

141 Ballenstedt
Schloß und Park (18. Jh.)

142 Meisdorf
Burg Falkenstein (16./17. Jh.)

143 Harzgerode
Schloß (16. Jh.)

144 Rammelburg
Schloß (13. Jh.)

145 Kurort Stolberg
Schloß (10./11. Jh.)

146 Walbeck
Park (19. Jh.)

147 Mansfeld
Schloß (16. Jh.)

148 Seeburg
Burg (15./16. Jh.)

149 Halle (Saale)
Burg Giebichenstein (10. Jh.) und
Kulturpark Saaleaue Moritzburg
(15./16. Jh.)

Saalfeld: Burgruine 'Hoher Schwarm'

Meisdorf: Burg Falkenstein

654

Burg Gnandstein bei Altenburg

Burgen und Schlösser (Fortsetzung)

283 Schwarza
     Wasserburg (13. Jh.)

284 Kühndorf
     Johanniterburg (13. u. 16. Jh.)

285 Meiningen
     Schloß Elisabethenburg (17. Jh.) und
     Goethepark (18. Jh.)

286 Schleusingen
     Schloß Bertholdsburg (15./16. Jh.)

Cafés

→ Restaurants

Camping

Eine umfassende Übersicht über geprüfte und ausgewählte Campingplätze (mit Informationen über Lage, Ausstattung und Besonderheiten bieten die alljährlich vom ADAC bzw. vom Deutschen Camping-Club heraus-
gegebenen Verzeichnisse.

Dampfzüge

→ Eisenbahn, Nostalgischer Dampfbetrieb

Eisenbahn

Deutsche
Reichsbahn
(DR)

DR

Die Verbindungen mit der Eisenbahn innerhalb der neuen Bundesländer
werden von der Deutschen Reichsbahn (DR) unterhalten. Das Strecken-
netz umfaßt etwa 14 000 km, von denen etwa 7000 km Hauptstrecken (z.T.
elektrifiziert) sind. Das Reisezugnetz des Binnenverkehrs verfügt über ausreichend häufige und schnelle Verbindungen. Die 'Städte-Expreß-Züge'
verbinden Berlin mit nahezu allen größeren Städten. Züge des Städte-
schnellverkehrs sowie weitere Schnell-, Eil- und Personenzüge komplet-
tieren das Angebot.
Für die kommenden Jahre ist eine umfassende Modernisierung von Schie-
nennetz und rollendem Material zu erwarten.

Auskunft

Auskünfte zum Personenverkehr erteilen die Auskunftsstellen auf den
Bahnhöfen und die Zweigstellen der Reisewelt GmbH.

Fahrausweise

Die Geltungsdauer der Fahrausweise beträgt im Binnenverkehr im allgemeinen vier Tage; innerhalb bestimmter Strecken, die auf den Bahnhöfen
durch Aushang bekanntgegeben werden, ist sie auf den Geltungstag
beschränkt, der auf der Fahrkarte vermerkt ist.

Nostalgischer Dampfbetrieb
(Museumseisenbahnen, Traditionsbahnen)

Allgemeines

Wenn auch die meisten Eisenbahnstrecken mit Diesel- oder elektrischen
Lokomotiven befahren werden, so finden sich doch noch etliche Fahrzeuge und Einrichtungen aus der Zeit des Dampfbetriebes. Dem Interesse
am nostalgischen Dampfzugbetrieb kommt man in jüngster Zeit entgegen

Lößnitztalbahn Radebeul – Radeburg

und versucht, noch funktionsfähige Dampflokomotiven zu pflegen und auf bestimmten Strecken (s. nachstehende Übersichten der Schmalspurbahnen und der Parkeisenbahnen) weiterhin einzusetzen.

Allgemeines (Fortsetzung)

Als Beispiel für eine Normalspurstrecke (1435 mm), die an bestimmten Wochenenden der Sommermonate Juni, Juli und August mit Dampfloko-motiven befahren wird, sei die Linie Erfurt Hauptbahnhof – Erfurt-Nord – Erfurt-West – Erfurt-Bindersleben (und zurück) erwähnt.
Nähere Auskünfte erteilt der
Deutsche Modelleisenbahnverband – AG 4/6/63 – 'Traditionsbahn Erfurt-West' (Postschließfach 725, O-5010 Erfurt; Tel. 2 87 15).

Traditionsbahn
Erfurt-West

Schmalspurbahnen

In den schönsten Gegenden der östlichen deutschen Bundesländer ver-binden Schmalspurbahnen Kur- und Erholungsorte miteinander. Sie ver-kehren mit Dampfbetrieb nach Fahrplänen und sind somit fester Bestand-teil des Eisenbahnnetzes der Deutschen Reichsbahn.

Hinweis

Die folgende Übersicht ist geographisch (etwa von Norden nach Süden) geordnet.

Rügensche Kleinbahn ('Rasender Roland'): Putbus – Göhren

Baujahr: 1895
Spurweite: 750 mm
Streckenlänge: 24,4 km
Traktionsart: Dampflokomotiven

Technische Daten

'Molli': Bad Doberan – Ostseebad Kühlungsborn-West

Technische Daten   Bauzeit:
1886 Bad Doberan – Heiligendamm, 1910 Heiligendamm – Kühlungsborn
Spurweite: 900 mm
Streckenlänge: 15,4 km
Traktionsart: Dampflokomotiven

Harzquerbahn: Wernigerode – Nordhausen-Nord

Technische Daten   Baujahr: 1897
Spurweite: 1000 mm
Streckenlänge: 60,5 km
Traktionsart: Dampflokomotiven

Selketalbahn: Gernrode – Harzgerode / Straßberg

Technische Daten   Bauzeit: 1887 Mägdesprung, 1888 Harzgerode
Spurweite: 1000 mm
Streckenlänge: 25,9 km
Traktionsart: Dampflokomotiven

Erzgebirgsbahn: Cranzahl – Kurort Oberwiesenthal

Technische Daten   Baujahr: 1887
Spurweite: 750 mm
Streckenlänge: 17,3 km
Traktionsart: Dampflokomotiven

Lößnitztalbahn: Radebeul-Ost – Moritzburg – Radeburg

Technische Daten   Baujahr: 1884
Spurweite: 750 mm
Streckenlänge: 16,5 km
Traktionsart: Dampflokomotiven

Osterzgebirgsbahn: Freital-Hainsberg – Kurort Kipsdorf

Technische Daten   Baujahr: 1882
Spurweite: 750 mm
Streckenlänge: 26,3 km
Traktionsart: Dampflokomotiven

Zittauer Bimmelbahn: Zittau – Bertsdorf – Oybin / Jonsdorf

Technische Daten   Baujahr: 1890
Spurweite: 750 mm
Streckenlänge: 13 km
Traktionsart: Dampflokomotiven

Spezialbahnen (Seilbahnen, Straßenbahnen)

Hinweis   Die nachstehende Übersicht ist geographisch (in etwa von Norden nach Süden) geordnet.

Personenschwebebahn Thale (Harz) – Hexentanzplatz

Technische Daten

Baujahr: 1970
Streckenlänge: 720 m
Fahrtdauer: 4 Minuten
Höhenunterschied: 250 m
26 Vollsichtkabinen für je 4 Personen

Thüringerwaldbahn (Straßenbahn) Gotha – Waltershausen – Tabarz

Technische Daten

Baujahr: 1929
Streckenlänge: 21,7 km
Spurweite: 1000 mm

Oberweißbacher Bergbahn (Seilzugbahn)
Obstfelderschmiede – Lichtenhain – Cursdorf

Technische Daten

Baujahr: 1922
Streckenlänge (Normalspur):
1400 m bis Lichtenhain, 2600 mm bis Cursdorf
Fahrtdauer: 18 Minuten bis Lichtenhain
Höhenunterschied: 323 m
Steigung 1:4
Wagen für 150 Personen

Abbildung
s. S. 640

Standseilbahn Erdmannsdorf – Augustusburg

Technische Daten

Baujahr: 1911
Streckenlänge: 1200 m
Fahrtdauer: 8 Minuten
Höhenunterschied: 168 m
2 Wagen für je 70 Personen

Personenschwebebahn Kurort Oberwiesenthal – Fichtelberg

Technische Daten

Baujahr: 1924
Streckenlänge: 1175 m
Fahrtdauer: 8 Minuten
Höhenunterschied: 305 m
Kabine für 40 Personen

Standseilbahn Dresden: Körnerplatz – Weißer Hirsch

Technische Daten

Baujahr: 1895
Streckenlänge: 547 m
Fahrtdauer: 4,5 Minuten
Höhenunterschied: 99 m

Personenschwebebahn Dresden: Körnerplatz – Loschwitzhöhe

Technische Daten

Bauzeit: 1898–1900
Streckenlänge: 280 m
Fahrtdauer: 3 Minuten
Höhenunterschied: 84 m
(Betrieb wegen Generalüberholung vorübergehend eingestellt)

Schwebebahn auf den Fichtelberg

Standseilbahn in Dresden-Loschwitz

Straßenbahn Bad Schandau – Lichtenhainer Wasserfall

Technische Daten   Baujahr: 1898
Streckenlänge: 8,3 km
Fahrtdauer: 31 Minuten
Spurweite: 1000 mm

Parkeisenbahnen

Berlin

Streckenverlauf   In einer großen kreisförmigen Linienführung sowie ergänzt durch zwei weitere Verbindungsstrecken, erschließt die Bahn den gesamten Park Wuhlheide.

Technische Daten: Eröffnung: 1. 6. 1956
Streckenlänge: 6,9 km
Spurweite: 600 mm
Traktionsart: Diesellokomotiven
Wagen: vierachsig, Drehgestell, geschlossen, mit Heizung
Bahnhöfe: 3
Haltepunkte: 2
Fahrgastzahl: jährlich etwa 60 000

Bernburg

Streckenverlauf   Eine eingleisige Strecke führt in gestreckter Linienführung durch den Park im Erholungszentrum Krumbholz.

Parkeisenbahnen in Dresden ...   *... und Görlitz*

Technische Daten:

Eröffnung: 1. 6. 1969
Streckenlänge: 1,9 km
Spurweite: 600 mm
Traktionsart: Diesellokomotiven
Wagen: vierachsig, Drehgestell, offen, ohne Verdeck,
Mittelgang
Bahnhöfe: 3
Haltepunkte: 2
Fahrgastzahl: jährlich etwa 95000

Chemnitz

Im Küchwald führt die Strecke in einer verschlungenen Kreisform durch   Streckenverlauf
das liebliche hügelige Parkgelände und kreuzt mehrmals die zahlreichen
Parkwege.

Technische Daten:

Eröffnung: 1. 5. 1954
Streckenlänge: 2,3 km
Spurweite: 600 mm
Traktionsart: Diesellokomotiven
Wagen: vierachsig, Drehgestell, offen, ohne Verdeck
Bahnhöfe: 1
Haltepunkte: –
Fahrgastzahl: jährlich etwa 70000

Cottbus

Im Eliaspark beginnt die eingleisige Strecke, führt an der Festwiese und   Streckenverlauf
dem Park vorbei zum Bahnhof 'Zoo' und endet nach Durchfahren eines
Waldgebietes in unmittelbarer Nähe des Ortes Branitz.

Technische Daten:

Eröffnung: 1. 6. 1956
Streckenlänge: 2,1 km
Spurweite: 600 mm
Traktionsart: Dampflokomotiven, Diesellokomotiven
Wagen: vierachsig, Drehgestell, offen, ohne Verdeck,
zweiachsige Personenwagen
Bahnhöfe: 3
Haltepunkte: –
Fahrgastzahl: jährlich etwa 100000

Dresden

Streckenverlauf   Beginnend mit einer Kehrschleife am Bahnhof 'Frohe Zukunft' führt die
                  Strecke durch den Großen Garten.

Technische Daten: Dresden: (Fortsetzung)
                     Eröffnung: 1. 5. 1951
                     Streckenlänge: 5,6 km
                     Spurweite: 381 mm
                     Traktionsart: Dampflokomotiven, elektrische Lokomotiven (Akku)
                     Wagen: vierachsig, Drehgestell, offen, ohne Verdeck
                     Bahnhöfe: 4
                     Haltepunkte: 1
                     Fahrgastzahl: jährlich etwa 550 000

Gera

Streckenverlauf   Die Strecke führt vom Bahnhof 'Martinsgrund' an einem durch den Bahn-
                  bau entstandenen Stauweiher vorbei zum Endbahnhof 'Wolfsgehege' im
                  Tierpark.

Technische Daten: Eröffnung: 6. 9. 1975
                     Streckenlänge: etwa 2 km
                     Spurweite: 600 mm
                     Traktionsart: elektrische Lokomotiven (Akku), Diesellokomotiven
                     Wagen: vierachsig, Drehgestell, offen, ohne Verdeck,
                     zweiachsige geschlossene Personenwagen
                     Bahnhöfe: 2
                     Haltepunkte: –
                     Fahrgastzahl: jährlich etwa 50 000

Görlitz

Streckenverlauf   Diese Bahn trägt historischen Charakter und fährt auf einem Rundkurs im
                  Görlitzer Park am Weinberg ausschließlich durch Hochwald.

Technische Daten: Eröffnung: 1. 6. 1976
                     Streckenlänge: 0,8 km
                     Spurweite: 600 mm
                     Traktionsart: historische Dampflokomotiven mit Dieselmotorenantrieb
                     Wagen: zweiachsige historische Personenwagen, offen und mit Verdeck
                     Bahnhöfe: 1
                     Haltepunkte: –
                     Fahrgastzahl: jährlich etwa 70 000

Halle (Saale)

Streckenverlauf   Die Strecke der Parkbahn ist auf der Saaleinsel Peißnitz kreisförmig ange-
                  legt.

Technische Daten: Eröffnung: 12. 6. 1960
                     Streckenlänge: 1,9 km
                     Spurweite: 600 mm
                     Traktionsart: Diesellokomotiven
                     Wagen: vierachsig, Drehgestell,
                     zweiachsige Personenwagen, offen, ohne Verdeck, Mittelgang
                     Bahnhöfe: 1
                     Haltepunkte: 2
                     Fahrgastzahl: jährlich etwa 95 000

Parkeisenbahn Leipzig

Im Naherholungsgebiet Leipzig-Wahren beginnt die Strecke und führt rings um den Auensee.

Streckenverlauf

Eröffnung: 5. 8. 1952
Streckenlänge: 1,9 km
Spurweite: 381 mm
Traktionsart: Dampflokomotiven
Wagen: vierachsig, Drehgestell, offen, ohne Verdeck
Bahnhöfe: 1
Haltepunkte: 3
Fahrgastzahl: jährlich etwa 110 000

Technische Daten:

Plauen

Die Strecke der einzigen mit Oberleitung betriebenen Bahn führt durch den Park an der Hainstraße.

Streckenverlauf

Eröffnung: 7. 10. 1959
Streckenlänge: 1 km
Spurweite: 600 mm
Traktionsart: elektrische Lokomotiven
(Fahrleitung)
Wagen: vierachsig, Drehgestell,
offen, mit Verdeck
Bahnhöfe: 1
Haltepunkte: –
Fahrgastzahl: jährlich etwa 35 000

Technische Daten:

Vatterode

Am Ortsausgang von Vatterode, im Mansfelder Bergland, beginnt die Strecke der Bahn und führt unmittelbar an der Landstraße entlang zum Vatteroder Teich.

Streckenverlauf

Eröffnung: 1. 7. 1967
Streckenlänge: 1,2 km
Spurweite: 500 mm
Traktionsart: elektrische Lokomotiven (Akku)
Wagen: zweiachsige Personenwagen, offen, ohne Verdeck
Bahnhöfe: 2 · Haltepunkte: –
Fahrgastzahl: jährlich etwa 20 000

Technische Daten:

Entfernungen

siehe Tabelle auf der nächsten Seite

Essen und Trinken

Speisen und Getränke

Bekannt ist die deutsche Küche durch einige Spezialitäten, die besonders herzhaft und schmackhaft sind. Man bevorzugt deftige Fleischgerichte, die mit Kartoffeln und gedünstetem Gemüse gereicht werden. International bekannt ist das Sauerkraut, das unter dieser Bezeichnung auch in den

Grundsätzliches

Entfernungen

Entfernungen Straßen-km Eisenbahn-km	Berlin	Dresden	Erfurt	Gera	Halle	Chemnitz	Leipzig	Magdeburg	Potsdam	Rostock	Schwerin	Suhl	Weimar
Berlin		193	318	270	194	258	206	178	57	246	223	363	289
Dresden	180		215	136	146	72	110	236	184	417	381	269	196
Erfurt	271	254		116	120	150	129	167	267	416	363	59	22
Gera	238	164	90		80	72	65	166	220	432	361	131	65
Halle	162	158	109	92		113	35	86	140	344	281	173	98
Chemnitz	211	81	173	84	119		78	199	209	436	394	199	132
Leipzig	165	120	117	74	38	81		121	135	363	316	183	107
Magdeburg	142	240	195	178	87	200	120		121	258	196	231	163
Potsdam	32	212	302	269	194	242	196	113		233	197	330	252
Rostock	222	437	528	459	384	432	386	364	253		89	491	416
Schwerin	208	387	360	371	279	393	312	193	239	88		427	358
Suhl	335	318	65	154	173	238	182	232	367	512	424		82
Weimar	249	232	22	68	88	152	96	174	281	448	366	86	

Essen und Trinken, Grundsätzliches (Fortsetzung)

Sprachschatz fremder Völker einging. In Sachsen und vor allem in Thüringen werden die Kartoffeln meist durch Klöße aller Art ersetzt. Zu den Fleischspeisen gibt es reichlich Bratensoße; als Nachspeise ist Kompott beliebt.

In letzter Zeit hat sich die 'gesunde' Küche durchgesetzt, die fett- und kalorienarm ist. In zahlreichen Gaststätten wird dem ernährungsbewußten Gast entgegengekommen, indem man die Joule- oder Kalorienangaben mit auf die Speisekarte setzt.

Für den sehr eiligen Gast, der sich am Kiosk oder in kleinen Imbißstuben versorgen möchte, ist die Bockwurst zum Standardgericht geworden. Brathähnchen, auch 'Broiler' genannt, erfreuen sich allgemeiner Beliebtheit.

Küche

Die alltägliche Küche entspricht den normalen mitteleuropäischen Gewohnheiten, sie basiert auf der landesüblichen Vorliebe für kräftige, nahrhafte Gerichte und zeigt sich offen für kulinarische Einflüsse aus anderen Ländern. So ist zum Beispiel die russische Soljanka – eine kräftige, säuerliche Fleischsuppe mit Gemüseeinlage – zu einem Standardgericht geworden, das man als Vorspise auf nahezu allen Speisekarten findet, die böhmischen Knödel sind beliebt, und ungarische Paprikaspeisen haben sich längst eingebürgert.

Bereichert wird das Angebot an Speisen in den Gaststätten mehr und mehr durch regionaltypische Spezialitäten. Speisen, die bisher oft nur in der häuslichen Küche traditionell waren, erobern sich geachtete Plätze auf den Tafeln selbst von Schlemmerlokalen und Luxusrestaurants.

Hinweis

Im folgenden ist eine Übersicht der Speisen und Getränke gegeben, wie man sie heute in den östlichen Bundesländern antrifft, und zwar regional gegliedert etwa von Norden nach Süden, also von der Ostseeküste bis nach Sachsen.

Fischgerichte sind naturgemäß vor allem auf den Speisekarten der Gaststätten an der Ostseeküste zu finden. Spezielle Fischgaststätten gibt es
nicht nur in den Küstenstädten, wo die Ware direkt aus dem Hafen bezogen wird und fangfrisch auf den Tisch kommt. Dort werden vom Dorsch,
vom Heilbutt, vom Hering und von der Makrele Gerichte in unterschied-
lichsten Zubereitungsarten angeboten. Plattfische (Flunder, Scholle und
Seezunge) werden meist knusprig gebraten oder gegrillt. Dazu reicht man
als Beilage häufig Specksalat, einen herzhaften Kartoffelsalat. Traditionell
ist in den Küstenstädten der Labskaus, ein Gericht der Seeleute aus Pökel-
fleisch, Stockfisch oder Hering, Kartoffeln, Salzgurken, Roten Beeten
(Rüben) und kräftigen Gewürzen. Fischsuppen, als Vorspeisen gereicht
oder auch als Hauptgericht, werden mit verschiedenen Gemüsen, mit
Tomaten, Joghurt oder saurer Sahne zubereitet. Auch Salate werden mit
Fisch, vorzugsweise mit Hering, angerichtet. Kartoffelsalat mit Hering,
saurer Gurke, gekochten Eiern, Zwiebeln und Äpfeln, gebunden mit
Mayonnaise, ist ein beliebtes Gericht für die abendliche Tafel. Zu den
Mahlzeiten reicht man besonders gern frisches Vollkornbrot, das mit
ganzen Körnern gebacken wurde.

Zum herzhaften Essen gehören kräftige Getränke. Bier wird an der Küste
wie überall im Land gern getrunken. Zur Verdauung gibt es den 'Koem',
einen klaren Schnaps mit Kümmelnote. In kälteren Jahreszeiten greift man
mit Vorliebe zum 'steifen' Grog, dem traditionellen Seemannstrank aus viel
Rum, etwas Zucker und wenig Wasser ("Rum muß, Zucker soll, Wasser
braucht nicht").

Im weiter binnenwärts gelegenen Mecklenburg, dem Land der vielen Seen,
Wälder und fruchtbaren Felder, ist die traditionelle Küche durch vorwie-
gend kräftige Speisen von oft eigenartiger Zusammenstellung gekenn-
zeichnet. Kartoffeln gehören hier zu jeder Mahlzeit. Kohl und Rüben,
Schweine- oder Rindfleisch, Geflügel und schmackhafte Gemüseeintöpfe
bestimmen in der Hauptsache das Speiseangebot. Einiges davon wird der
Zugereiste zunächst mit Befremden kosten. So gibt es Fleisch-, Fisch- und
Gemüsegerichte, die süß-sauer abgeschmeckt und nicht selten unter
Zugabe von Backpflaumen oder Rosinen zubereitet werden. Dazu gehört
das schon vom Heimatdichter Fritz Reuter gepriesene Rindfleisch mit
Pflaumen, das man mit einer Zwiebelsoße serviert. Linsensuppe kocht
man ebenso mit Backpflaumen, die man auch zusammen mit Rosinen an
Kaninchenbraten gibt, der zusätzlich mit Würfeln von Schweinebauch
geschmort wird. Mit säuerlichen Äpfeln und ebenfalls mit Backpflaumen
bereitet man Schweinekotelett im Stück (Karree).
In früheren Zeiten war Mecklenburg ein sehr armes Land, in dem die arbeitenden Menschen arge Not litten. Aus jener Zeit sind einfache Speisen
überliefert, die heute – durch entsprechende Zutaten aufgewertet – wieder
populär sind. So wurde eine Buttermilchsuppe, mit Eigelb, Zucker, Vanille
gekocht, mit Konfitüre abgeschmeckt und durch Zwieback oder Biskuit-
plätzchen ergänzt, zu einer süßen Delikatesse. Mit kalter Buttermilch serviert man im tiefen Teller herzhaften Kartoffelbrei mit ausgelassenem
Speck und angebratenen Zwiebeln. Aus geriebenen Kartoffeln vom Vor-
tag, vermischt mit Mehl, Eiern, Gewürzen und Speckgrieben, formt man
die Mecklenburger Griebenroller, die in Fett ausgebacken werden.
Von eigenartigem Geschmack sind die Schwarzsauer-Gerichte aus
Gänseklein bzw. den Innereien und dem Blut von Geflügel, die durch
Sauerkraut und durch Mehlklößchen ergänzt, eine typische Mecklenburger Mahlzeit ergeben.

Die regionale Küche von Berlin wird in starkem Maße durch Einflüsse aus
der näheren und weiteren Umgebung geprägt. So wurden z. B. die Speisen
aus der ehemaligen Mark Brandenburg nahezu vollständig integriert. Es
gibt Gerichte, die eindeutig aus dem Spreewald stammen, und in großer
Anzahl wurden Rezepte von Zuwanderern aus dem In- und Ausland mitgebracht. Dennoch sind nicht wenige Gerichte auch dort entstanden und

schließlich als Spezialitäten Berlins weithin bekannt geworden. An erster Stelle verdient dabei Eisbein mit Sauerkraut und Erbspüree genannt zu werden, ein Leibgericht der Berliner, das sie einem Fleischer aus der Gegend um den ehemaligen Görlitzer Bahnhof verdanken. Eisbein wird nicht immer nur warm serviert, sondern auch kalt mit geriebenem Meerretich, Mostrich (Senf) und kräftigem Schwarzbrot. Nicht weniger beliebt ist Kasseler Rippenspeer, leicht geräuchertes und kurz in Salzlake gepökeltes Schweinefleisch, erfunden von einem Berliner Fleischer namens Cassler. Unvollständig wäre eine Berliner Speisekarte ohne frische Rinderbrust mit Meerrettichsoße und Brühkartoffeln, ohne Löffelerbsen mit Speck, Hammelfleisch mit grünen Bohnen, gebratener Leber mit Apfel- und Zwiebelringen und ohne die beliebte Schlachtplatte mit frischer Blut- und Leberwurst sowie einem Stück Wellfleisch. Wer sich etwas Besonderes leisten möchte, greift zum Aal 'grün' mit Gurkensalat, wer nur schnell seinen Hunger stillen will, zu 'Schusterjungen' (Roggenbrötchen), die man mit Schmalz und Harzer Käse ißt. In Gaststätten, in denen es 'wie bei Muttern' schmeckt, erhält man Hackepeter, durch den Wolf gedrehtes Schweinefleisch, das kräftig mit Zwiebeln, Salz und Pfeffer gewürzt wird, oder man bestellt Buletten, gebratenes Hackfleischsteak, zu dem häufig Kartoffelsalat serviert wird.
Eine Berliner Tradition ist der 'Hungerturm', eine Glasvitrine auf dem Tresen, in der Soleier, Rollmops und Brathering angeboten werden.

Von jeher wird in Berlin Bier getrunken. Man braute es bereits, als Berlin und Cölln, die Ursprungsorte der Stadt, noch kleine Marktflecken waren. Es gab und gibt viele Biersorten, durchgesetzt jedoch hat sich schließlich das untergärige Bier, von dem heute das 'Berliner Pilsner' als Exportbier bekannt geworden ist. Im Spätherbst wird das begehrte Bockbier angestochen, ein würziges, süffiges Bier, das es als hellen und dunklen 'Bock' gibt. Traditionell ist die 'Berliner Weiße', die besonders in den Sommermonaten an Zuspruch gewinnt. Sie ist eine obergärige, leicht säuerliche und erfrischende Biersorte, und wird, der starken Schaumbildung wegen, meist in breiten Schalen ausgeschenkt. Serviert man dieses Getränk mit einem Zusatz von Himbeer- oder Johannisbeersirup bzw. Waldmeisteressenz, nennt man das 'Weiße mit Schuß', kredenzt man sie mit einem Kümmelschnaps, heißt sie 'Weiße mit Strippe'.

Ein ähnliches Bier gibt es im benachbarten Potsdam, wo man die 'Potsdamer Stange' ausschenkt. In der Umgebung von Potsdam verbreitet ist aber auch der Obstwein. Er kommt vor allem aus dem Gebiet um Werder, denn dort wird auf ausgedehnten Anbauflächen Tafelobst kultiviert.
Die vielen Seen und Flüsse im weiteren Umkreis von Berlin sind reich an Fischen aller Art. Fischgerichte sind beliebt und werden in unterschiedlichster Zubereitungsart angeboten. Verbreitet ist die Zubereitung 'nach Müllerin Art' mit viel Gemüse und Kräutern. Eine besondere Delikatesse ist der Havelzander, der gebraten oder in Gemüsesud gesotten und mit zerlassener Butter und Meerrettich serviert wird.

Der Meerrettich kommt aus dem 'Spreewald', wo es eines der wenigen Anbaugebiete der Welt für die aromatisch-scharfe Wurzel gibt, die nicht nur zum Würzen von Fisch- und Fleischgerichten ideal ist, sondern auch für Salate verwendet wird. Eine Zwiebel-Meerrettich-Mischung (möglichst noch verfeinert durch Sahne, Speck, Senf und Johannisbeerkonfitüre) verleiht dem Fleisch, das man auf dem Rost grillt, eine äußerst pikante Note. Eine andere Spezialität aus dem von Spreekanälen durchzogenen Gemüseanbaugebiet sind Gewürzgurken, die z.B. dem Spreewälder Gurkenfleisch, Rinderbrust, die mit Zwiebeln und Gurken gedünstet wird, den besonderen Geschmack geben. Viele Rezepte der Gegend entstammen auch der Küche der Sorben. Reichhaltig ist das sorbische Hochzeitsmahl – Rindfleischsuppe, gekochte Rinderrippe mit frischem Meerrettich, Brot und Schwarzbier, Kalbsbraten mit Gemüse, Petersilienkartoffeln, Hefeklöße und Obstkompott. Daß die Mahlzeiten der Bewohner dort nicht immer so üppig waren, beweisen einfache Speisen wie z. B. Pellkartoffeln mit frischem Quark und kaltgepreßtem Leinöl. Fischgerichte werden im Spreewald gern gegessen. Vor allem Karpfen gibt es in vielen Varianten, besonders bevorzugt wird er 'blau' zubereitet und mit Sahnemeerrettich serviert.

Spreewald
(Fortsetzung)

Aus dem Harz kommt nicht nur das herzhaft-würzige Sauermilchprodukt, das seit mehr als 200 Jahren unter dem Namen 'Harzer Käse' bekannt ist. Das Gebiet, das von den Höhen des Mittelgebirges bis in die fruchtbaren Niederungen der Magdeburger Börde reicht, kann mit zahlreichen kulinarischen Besonderheiten aufwarten. Da gibt es die Harzer Kartoffelpfanne, ein Gericht, bei dem ein Brei aus gekochten Kartoffeln, Leberwurst und Zwiebeln, verfeinert mit Ei und Tomate, im Ofen gegart wird. Weitflächige Anbaugebiete liefern die Zutaten für den Bördeländer Gemüsetopf, den man mit Schweinsrippchen zubereitet. Berühmt sind die Fleischerzeugnisse aus Halberstadt, vorzüglich die Halberstädter Würstchen, bei Kennern begehrt das Halberstädter Fleischersteak mit Salzgurken und vielen Kräutern. Eine traditionelle Zutat, vor allem zu Kohlgerichten (zu Sauerkohl und zu Grünkohl, den man dort Braunkohl nennt), ist in der Börde der Klump, ein Hefe- oder Kartoffelkloß, der auch zu 'Bratgen' gereicht wird, einem Gemisch aus Pflaumen, Birnen und Rosinen, das man zusammen mit geräucherten Schweinsrippchen oder ausgelassenem Speck geschmort hat.

Harz und Börde

In den südlichen Gebieten sind Kartoffelklöße die beliebteste Beilage zu Fleischgerichten. Ein jeder hat da sein eigenes Rezept, doch ist man sich zumindest in Thüringen einig, daß die Klöße aus rohem Kartoffelbrei geformt werden, dem man eine kleinere Menge gekochter Kartoffeln zufügt. Im Erzgebirge und im Vogtland gibt man den grünen oder rohen Klößen (ohne gekochte Kartoffeln) den Vorzug.

Thüringen

In Thüringen werden die Kartoffelklöße auch 'Hütes' oder 'Hebes' genannt und zu solch schmackhaften Fleischgerichten serviert wie Topfbraten, einem Schlachtfestgericht aus Schweineschnauze, -ohren, -herz und -nieren, das durch Zugabe von Pflaumenmus und Lebkuchen seinen kulinarischen Pfiff erhält, zu Sauerbraten, zu Wildgerichten oder zum Weimarer Zwiebelfleisch, das man mit Preiselbeeren anrichtet. Klöße passen auch zu den berühmten Thüringer Rostbratwürsten, die erst dann richtig schmecken, wenn sie auf offenem Holzkohlenfeuer gegrillt werden. Zu einer anderen, ebenfalls auf dem Grill bereiteten Spezialität, dem 'Thüringer Rostbrätl', reicht man jedoch warmen Kartoffelsalat, der mit Speck, Zwiebeln und Äpfeln angerichtet wurde. Die Schweinekammscheiben zum Rostbrätl übrigens erhalten ihren Wohlgeschmack vor allem dadurch, daß man sie vorher in einer Marinade aus Bier, Senf, Öl, Salz und Pfeffer gut durchziehen läßt. Hervorragende Speisen sind auch die Schnippelsuppe, eine Kartoffelsuppe mit vielen würzenden Zutaten, die durch eine Scheibe gebratener Rotwurst und die nach Thüringer Art gekochten süß-sauren Linsen vollendet wird.
Unter den thüringischen Backwaren findet man den lieblichen Matschkuchen, belegt mit Quark und Obst und übergossen mit saurer Sahne, den süßen Kirmeskuchen (Quarkkuchen mit Butterstreuseln) und die herzhaften Zwiebel- und Speckkuchen.

Über lange Zeiten hinweg war die Kartoffel das Hauptnahrungsmittel der einfachen Menschen im Erzgebirge und im Vogtland. Bereits um 1700 wurde sie dort angebaut, und ist auch heute Grundlage vieler Speisen. Rohe geriebene Kartoffeln mit Zwiebeln und Mehl brät man in der Pfanne zu knusprigen Kartoffelpuffern, die man mit Zucker oder Apfelmus serviert. Aus rohen und gekochten Kartoffeln werden im Erzgebirge unter Hinzufügung von etwas Mehl und Buttermilch im Ofen Buttermilchgötzen gebacken. Lieblicher jedoch sind die weit verbreiteten Quarkkeulchen, für die ein Teig aus gekochten Kartoffeln, Quark, Mehl, Zucker und Rosinen in

Erzgebirge
und Vogtland

<table>
<tr><td>

Erzgebirge und
Vogtland
(Fortsetzung)

</td><td>

Fett ausgebacken wird. Ein nahezu festliches Mittagsgericht ist das 'Vogt-ländische Neunerlei', das aus verschiedenen Fleisch- und Gemüsesorten bereitet wird. Karpfen dünstet man im Vogtland mit viel Gemüse in Bier und richtet ihn mit Rotkraut und Kartoffeln an. Für zahllose Gerichte und nicht zuletzt für Getränke wird Holunder verarbeitet. Es gibt z. B. eine schmack-hafte Holundersuppe und einen ausgezeichneten Holunderschnaps, der den vielfach angebotenen Kräuterlikören nicht nachsteht.

Weit über die Grenzen des Landes hinaus ist das Wernesgrüner Bier bekannt, das ebenso wie viele Speisen den Einfluß Böhmens auf Küche und Geschmack des Vogtlandes erkennen läßt.

</td></tr>
</table>

Sachsen	Sachsen wird für seine Koch- und Backkunst weit gerühmt, sächsische Spezialitäten sind überall beliebt. Kräftige Suppen mit viel Gemüse (meist mit pürierten Kartoffeln, die die Suppe sämig machen), sächsisches Zwie-belfleisch, saure Eier in Specksoße und das berühmte 'Leipziger Allerlei' aus möglichst zarten Gemüsesorten sind Beispiele dafür. In Sachsen bereitet man auch einen besonders schmackhaften Kartoffelsalat mit kräf-tigen Zutaten zu (Gemüse, Wurst, auch Fisch) sowie ein vorzügliches süß-saures Gericht aus Kartoffelstücken, die mit herben Äpfeln gekocht und mit Speckgrieben abgeschmeckt werden. Eine typisch sächsische Spezi-alität ist die Kirschpfanne, ein Auflauf mit einem Teig aus Weißbrot, Eiern, Milch und Fett, der im Ofen gebacken und durchaus nicht so süß serviert wird, wie man es sonst im sächsischen Raum gewohnt ist. Die Eier-schecke, die man in Leipzig und Dresden besonders köstlich zubereitet, ist dagegen ein süßer Leckerbissen. Unter ihrer goldgelb gebackenen Eier-schaumdecke verbirgt sich eine süße Quarkfüllung. Ähnlich delikat ist der Fleckekuchen, gefüllt mit Mohn, Quark, Sauerkirschen und gedeckt mit süßen Streuseln. Vor allem zur Weihnachtszeit begehrt sind die Pulsnitzer Pfefferkuchen. Dann steht auch der Dresdner Weihnachtsstollen hoch im Kurs. Die nach altem Rezept mit viel Mandeln und Rosinen gebackenen Stollen sind in den entferntesten Erdteilen bekannt und gehen alljährlich von Dresden in alle Welt.

Daß die Sachsen Kaffeetrinker sind, ist nahezu sprichwörtlich. Natürlich trinkt man auch den Kaffee süß, doch absolut nicht als dünnen 'Blümchen-kaffee' (durch den man angeblich die Blümchen am Boden der Sammel-tassen erkennen soll), sondern kräftig aufgebrüht und nicht selten mit einem Häubchen aus Sahne versehen. Doch weiß man auch in Sachsen das Bier zu schätzen, vor allem wenn es Radeberger Pilsner ist, ein Spit-zenbier aus der im Sächsischen ansässigen Brauerei.

Freilichtmuseen

→ Museen, Freilichtmuseen

Gärten

→ Burgen, Schlösser, Parks und Gärten

Gastronomie

→ Essen und Trinken

→ Restaurants

Gaststätten

⟶ Restaurants

Gedenkstätten

⟶ Museen, Literaturmuseen und Gedenkstätten

Getränke

⟶ Essen und Trinken

Heilbäder

Kuraufenthalte in einigen ausgewählten Orten

Möglichkeiten zur Kur sind in den östlichen Bundesländern allenthalben
gegeben. Traditionsreiche Heilbäder liegen an der Ostseeküste und in den
Mittelgebirgen; sie bieten günstige Voraussetzungen für die Erholung. Der
Fortbestand mancher Einrichtungen ist allerdings fraglich.

Im Norden sind die Ostseebäder Graal-Müritz und Heiligendamm hervor-   Ostseebäder
zuheben. Das Reizklima der See bietet beste Bedingungen für einen Kurer-
folg. Inmitten von herrlichen Buchenwäldern liegt das Sanatorium von Heiligendamm, des ältesten Seebades an der Ostsee. Beide Kurorte werden
bei funktionellen Herz- und Kreislauferkrankungen, bei Erkrankungen der
Atemwege, einschließlich Asthma und chronischer Bronchitis empfohlen.
Patienten mit Erschöpfungszuständen oder Hauterkrankungen können
hier fachärztlich behandelt werden.

In reizvoller Umgebung der Märkischen Seenlandschaft, etwa 6 km von   Potsdam-
Potsdam entfernt, liegt das Kliniksanatorium 'Heinrich Heine' Potsdam-   Neufahrland
Neufahrland. Die Kurbehandlung ist auf eine natürliche Heil- und Lebens-

Kurhaus in Bad Elster

Joliot-Curie-Haus in Bad Brambach

Potsdam-
Neufahrland
(Fortsetzung)

weise der Patienten ausgerichtet. Eine vitalstoffreiche Diätkost gehört dazu. Das Sanatorium verfügt über moderne diagnostische und therapeutische Anlagen mit Röntgeneinrichtungen und Labor, einem Kurmittelhaus mit Badeabteilung, Kneippstation, Finnischer Sauna, Gymnastiksaal und Abteilungen für Elektrotherapie, Massage und Pelosebehandlung. Ergänzt wird die Heilbehandlung durch Trinkkuren der verschiedensten Mineralwässer und Heilbrunnen. Viele Sportanlagen laden zur aktiven Erholung ein. Spaziergänge durch die gepflegten Parkanlagen sind eine wesentliche Bereicherung für den Kurgast.

Bad Liebenstein

Bad Liebenstein (360 m ü.d.M.), am Südwesthang des Thüringer Waldes gelegen, gehört zu den größten und modernsten Einrichtungen im Osten des Landes für die Behandlung von Herz- und Kreislauferkrankungen. Es profiliert sich immer mehr zu einer Rehabilitationseinrichtung für Patienten mit Zustand nach Herzinfarkt, Herzoperationen, für an Hypertonie und angiologischen Erkrankungen Leidende.

Bad Salzungen

Bad Salzungen (242 m ü.d.M.) ist nicht nur durch seine landschaftliche Schönheit zwischen Rhön und Thüringer Wald bekannt, sondern ebenso durch bedeutende Heilerfolge, die den guten Ruf dieses Kurortes begründen. Patienten mit funktionellen Herz- und Kreislauferkrankungen, Erkrankungen der Atemwege, einschließlich Asthma und chronischer Bronchitis, ist der Aufenthalt hier besonders zu empfehlen.

Bad Elster

Die Heilfaktoren von Bad Elster im Vogtland (500 m ü.d.M.) sind Mineral- und CO_2-haltige Wässer, die für Trinkkuren, Bäder und Inhalationen geeignet sind. Darüber hinaus ist eine umfassende Behandlung mit Moorbädern und Moorpackungen möglich. Neben einer auf die jeweilige Behandlung abgestimmten Diät nehmen die vielfachen Formen der Physiotherapie (Massagen, Heilgymnastik, Elektro- und Hydrotherapie) einen breiten Raum in der Kurbehandlung ein. Der Kurgast kann sich seine Freizeit abwechslungsreich durch Spaziergänge und Bootsfahrten oder Wanderungen in die weitere Umgebung gestalten.

Bad Brambach

Bad Brambach (600 m ü.d.M.) liegt zwischen dem Erzgebirge und dem Thüringer Wald. Der Kurort bietet das ganze Jahr über durch die naturgegebenen Heilmittel, das gesundheitsfördernde Reizklima und die landschaftliche Schönheit ideale Möglichkeiten zur Gesundung und Erholung. Radon- und kohlensäurehaltige Heilwässer, eine Diät, die der jeweiligen Krankheit angepaßt ist, sowie zahlreiche Formen der Physiotherapie sind Bestandteile der Kur. Die stärkste Radon-Mineralquelle der Welt und auch die Schillerquelle mit geringerem Radongehalt werden für Trinkkuren verordnet.

Spaziergänge durch das Röthenbachtal oder im gepflegten Kurgarten bieten erholsame Stunden der Entspannung.

Höhlen

→ Museen, Schaubergwerke und Schauhöhlen

Hotels

Hinweise

Die Reihenfolge der unter den einzelnen Orten aufgeführten Übernachtungsmöglichkeiten entspricht in der Regel der entsprechenden Güte und dem Komfort der Unterkünfte.
Gelten innerhalb eines Ortes unterschiedliche Postleitzahlen, so sind diese im nachfolgenden Text zusätzlich erwähnt.

Hotels

Im Zuge der politischen Neuorientierung ist bei den Straßennamen mit Umbenennungen zu rechnen.

Hinweise
(Fortsetzung)

Sehr gute bis ausgezeichnete Unterkünfte finden sich in Interhotels; sie sind in der nachfolgenden Liste mit einem *Stern gekennzeichnet.

Ein Kooperationsvertrag für das Management in den nachfolgend erwähnten Interhotels wurde unlängst zwischen dem Steigenberger-Konzern und der Interhotelgruppe unterzeichnet.

Interhotels

B. = Bettenzahl

Abkürzung

Ostseehotel, Dünenstr. 41, Tel. Heringsdorf 8132, 100 B.

Ahlbeck,
Seebad

Kurhaus Ahrenshoop, Dorfstr. 45, Tel. Wustrow 206, 37 B.

Ahrenshoop,
Ostseebad

Zum Wenzel, Karl-Liebknecht-Straße, Tel. 311171, 60 Doppelbetten. Privater Zimmernachweis: Altenburg Information, Weibermarkt 17, O-7400 Altenburg, Tel. 311145.

Altenburg

Bahnhofshotel, Pasewalker Str. 18, Tel. 2384, 37 B.

Anklam

Goldene Sonne, Adam-Ries-Str. 11, Tel. 2183, 32 B.; Wilder Mann, Markt 13, Tel. 2122, 42 B.

**Annaberg-
Buchholz**

Parkhotel, August-Bebel-Str. 20, Tel. 4400; Zur Post, Bahnhofstr. 35, Tel. 2208, 37 B.

Apolda

Hotel Waldheim, am Ufer des Arendsees, Tel. 237 oder 579, 350 B. (z.T. in Bungalows), kleines Schwimmbecken, Sauna, div. Freizeitmöglichkeiten, mehrere Gaststätten

Arendsee

Bahnhofshotel, Am Bahnhof (gegenüber dem Hauptbahnhof), Tel. 2481, 66 B.; Goldene Sonne, Ried 3, Tel. 2776, 37 B.; Zum Ritter, Kohlenmarkt 20, Tel. 2224, 27 B.

Arnstadt

Waldhaus, Ernst-Thälmann-Platz 7, Tel. 317, 26 B.; Ferienhotel, Johannes-R.-Becher-Str. 16, Tel. 810, 14 Z.; Friedrich, Fritz-Heckert-Str. 1, Tel. 531, 19 B.

Augustusburg

Schwarzeck, Dittersdorfer Weg, Tel. 2593; Weinhaus Eberitzsch, Tel. 2353, 45 B.

Bad Blankenburg

Kurhaus, August-Bebel-Straße, Tel. 3036, 78 B.
Ferienwohnung- bzw. Zimmervermietung: S. + B. Rohland, Baumstr. 32.

Bad Doberan

Ferienheim Reichental, Rottleber-Straße, Tel. 3050; Ferienheim Sennhütte, Napptal, Tel. 2173; Jugendtouristenhotel, Bahnhofstraße 6, Tel. 2018, 86 B.; Stolberg, Bahnhofstr. 15, Tel. 2577, 19 B.; Thüringer Hof, Anger 15 (noch kein Tel.); Wallgrabenmühle (Pension), Am Wallgraben 1, Tel. 2475.
Unterhalb des Kyffhäuserdenkmals: Ferienheim Glück Auf, Tel. Roßla 2491.
6 km außerhalb von Bad Frankenhausen: Ferienheim Rathsfeld, Tel. 2013 (F 85).
In Artern, 15 km von Bad Frankenhausen entfernt: Stadt Artern, Poststraße, Tel. Artern 2468, 23 B.
In Kelbra, 19 km von Bad Frankenhausen entfernt: Tourist, Frankenhäuserstr. 1, Tel. Roßla 6296, 65 B.; Ferienheim Rothenburg, Tel. Roßla 6201.

**Bad
Frankenhausen**

Privatzimmervermittlung: Bad-Frankenhausen-Information, Anger 14, O-4732 Bad Frankenhausen, Tel. 337.

Bad Salzungen   Freundschaft, Ernst-Thälmann-Str. 41, Tel. 2436, 63 B.; Deutsches Haus, Wihelm-Pieck-Str. 8, Tel. 2244, 22 B.; Goldbroiler, Wilhelm-Pieck-Str. 30, Tel. 2701, 16 B.

Bad Schandau   Elbhotel, An der Elbe 2, Tel. 2506, 87 B.

Barth   Stadt Barth, Ernst-Thälmann-Str. 60, Tel. 2250, 16 B.; Seeblick, Hafenstr. 9-12, Tel. 2860, 24 B.

Bautzen   Lubin (garni), Wendischer Graben 20, Tel. 511114, 268 B.; Weißes Roß, Äußere Lauenstraße 11, Tel. 42263, 59 B.

Bergen   Mecklenburger Hof, Bahnhofstr. 67, Tel. 22363.
(Insel Rügen)

Berlin   Hotels nahe dem Kurfürstendamm und dem Bahnhof Zoologischer
West   Garten:
✳Bristol-Hotel Kempinski (u.a. mit ✳Kempinski-Grill), Kurfürstendamm 27, Bln. 15, Tel. 884340, 545 B., Hb., Sauna, Solarium; ✳Steigenberger Berlin (u.a. mit Park-Restaurant), Los-Angeles-Platz 1, Bln. 30, Tel. 21080, 700 B., Hb., Sauna; ✳Inter-Continental Berlin (u.a. mit Restaurant ✳Zum Hugenotten), Budapester Str. 2, Bln. 30, Tel. 26020, 1150 B., Hb., Sauna, Solarium; ✳Grand Hotel Esplanade, Lützowufer 15, Bln. 30, Tel. 261011, 804 B., Hb., Sauna, Solarium; ✳Berlin Penta, Nürnberger Str. 65, Bln. 30, Tel. 210070, 850 B., Hb., Sauna, Solarium; ✳Schweizerhof Berlin, Budapester Str. 21-31, Bln. 30, Tel. 26960, 876 B., Hb., Sauna, Solarium; ✳Palace, im Europa-Center, Budapester Straße, Bln. 30, Tel. 254970, 430 B.; CC-City Castle Apartment-Hotel, Kurfürstendamm 160, Bln. 31, Tel. 8918005, 100 B.; Savoy, Fasanenstr. 9-10, Bln. 12, Tel. 311030, 250 B.; Ambassador Berlin, Bayreuther Str. 42-43, Bln. 30, Tel. 219020, 400 B.; Sylter Hof, Kurfürstenstr. 116, Bln. 30, Tel. 21200, 153 B.; Alsterhof Ringhotel Berlin, Augsburger Str. 5, Bln. 30, Tel. 219960, 250 B., Hb., Sauna; Berlin Excelsior, Hardenbergstr. 14, Bln. 12, Tel. 31991, 610 B.; Arosa Berlin, Lietzenburger Str. 79-81, Bln. 15, 140 B., Sb.; President Berlin, An der Urania 16-18, Bln. 30, Tel. 219030, 241 B., Sauna u.v.a.
Nahe Anhalter Bahnhof:
Am Anhalter Bahnhof, Stresemannstr. 36, Bln. 61, Tel. 2512625, 53 B.; Jugendhotel International, Bernburger Str. 27 / 28, Bln. 61, Tel. 2623081, 163 B.; Riehmers Hofgarten, Yorckstr. 83, Bln. 61, Tel. 781011, 50 B.
Charlottenburg bzw. nahe Funkturm:
✳Seehof, Lietzensee-Ufer 11, Bln. 19, Tel. 320020, 132 B., Hb., Sauna; Apart-Hotel Heerstraße, Heerstr. 80, Bln. 19, Tel. 3000060, 70 B., Hb., Sauna, Solarium; Schloßpark-Hotel, Heubnerweg 2 a, Bln. 19, Tel. 3224061, 80 B.; Sporthotel Stössensee, Glockenturmstr. 30, Bln. 19, Tel. 3051011, 100 B.; Ibis-Hotel Berlin, Messedamm 10, Bln. 19, Tel. 3019536, 350 B.; Am Studio, Kaiserdamm 80-81, Bln. 19, Tel. 302081, 144 B.; Messe (garni), Neue Kantstr. 5, Bln. 19, Tel. 3216446, 51 B.; Am Kongreßzentrum (garni), Neue Kantstr. 14, Bln. 19, Tel. 3215275, 20 B.; Funkturm, Wundtstr. 72, Bln. 19, Tel. 3221081, 56 B.
Dahlem, Grunewald, Schmargendorf:
Forsthaus Paulsborn, Am Grunewaldsee, Bln. 33, Tel. 8233071, 19 B.; Schloßhotel Gehrhus, Brahmsstr. 4-10, Bln. 33, Tel. 8262081, 50 B.; Forsthaus Schmargendorf, Warnemünder Str. 8, Bln. 33, Tel. 8238066, 40 B.; Belvedere, Seebergsteig 4, Bln. 33, Tel. 8261077, 31 B.; Raststätte und Motel Grunewald, Kronprinzessinnenweg 120, Tel. 8031011, 74 B.
Kreuzberg:
Hervis-Hotel-International (garni), Stresemannstr. 97, Bln. 61, Tel. 2611444, 140 B.
Reinickendorf:
Novotel Berlin-Airport, Kurt-Schumacher-Damm 202, Bln. 51, Tel. 41060, 370 B., Sb.
Siemensstadt:
Novotel Siemensstadt, Ohmstr. 4-6, Bln. 13, Tel. 381061, 238 B., Sb.

Spandau:
Evangelisches Johannesstift Christophorus-Haus, Schönwalder Allee 26, Bln. 20, Tel. 381061, 158 B.
Benn, Ritterstr. 1 a, Bln. 20, Tel. 3336264, 55 B.
Steglitz:
Steglitz International, Albrechtstr. 2 / Ecke Schloßstraße, Bln. 41, Telefon 790050, 440 B.
Tempelhof:
Berliner Bär, Ringbahnstr. 6–8, Bln. 42, Tel. 7500080, 173 B.; Schneider, Holzmannstr. 10, Bln. 42, Tel. 6258093, 27 B.; Korso am Flughafen, Tempelhofer Damm 2, Bln. 42, Tel. 7857077, 50 B.
Wannsee:
Wannseeblick, Königstr. 3 b, Bln. 39, Tel. 8100070, 27 B.
Wedding:
Tourist Hotel Nord, Hochstr. 3, Bln. 65, Tel. 4600030, 350 B.
Wilmersdorf:
Queens Hotel (garni), Güntzelstr. 14, Bln. 31, Tel. 870241, 220 B.

Berlin, West
(Fortsetzung)

Interhotels: *Domhotel, Mohrenstr. 30, O-1080 Berlin, Tel. 209 80, Telex: 113401, Telefax: 2090 8269, 700 B.; *Grand Hotel, Friedrichstr. 158–164, O-1080 Berlin, Tel. 20920, Telex: 115198, Telefax: 2294095, 600 B.; *Metropol, Friedrichstr. 150–153, O-1080 Berlin, Tel. 203070, Telex 114142, Telefax: 20307209, 690 B.; *Palasthotel, Karl-Liebknecht-Straße, O-1020 Berlin, Tel. 2410, Telex: 115050, Telefax: 2127273, 977 B.; *Berolina, Karl-Marx-Allee 31, O-1020 Berlin, Tel. 2109541, Telex: 114331, Telefax: 2123409, 602 B.; *Stadt Berlin, Alexanderplatz, O-1026 Berlin, Tel.: 2190, Telex: 114111 / 13, Telefax: 2126437, 1600 B.; *Unter den Linden, Unter den Linden 14, O-1080 Berlin, Tel. 2200311, Telex: 112109, 410 B.; *Congress-Center Berlin, Märkisches Ufer 54, O-1020 Berlin, Telefon: 2700531, Telex: 114810; *Gästehaus Schloß Niederschönhausen, Verkaufsbüro: Tschaikowskistraße, O-1100 Berlin, Tel. 480267-0, 207 B.

Berlin
Ost

Berlin: Interhotel Metropol

Berlin, Ost
(Fortsetzung)

Neueröffnung 1991 in Berlin-Mitte: Kronenhotel

In Berlin-Friedrichshagen (O-1162):
Seehotel Friedrichshagen, Müggelseedamm, Tel. 6455682, 30 Z.
In Berlin-Köpenick (O-1170): Müggelsee, Am Großen Müggelsee, Tel. 66020, 150 Doppelzimmer (auch als Einzelzimmer nutzbar) und 7 Appartements.
In Berlin-Schmöckwitz (O-1186):
Tagungshotel Schmöckwitz, Jagen 17-20, Tel. 6588981, 41 Z.

Zimmervermittlung in Luxus-, Stadt- und Touristenhotels, Pensionen, Herbergen und Wohnungen in Berlin: Informationszentrum am Fernsehturm, O-1020 Berlin, Tel. 2124675 und 2124512.

Bernburg

Goldene Kugel, Ernst-Thälmann-Str. 2, Tel. 2371, 62 B.

Binz,
Ostseebad

Travelhotel Kurhaus Binz (auch Café-Restaurant, Eis- und Milchbar; Terrasse), Strandpromenade, Tel. 5131, 80 B.; Centralhotel, Hauptstr. 13, Tel. 2916, 41 B.; Ferienhotels: Pomorze und Wolin (beide mit Hallenbad und Dachcafé); Sigulda – Ventspils – Jurmala (ebenfalls mit Hallenbad und Dachcafés);
Jugendtouristhotel Heinz Kapelle, Strandpromenade 35, Tel. 423.

Blankenburg

Kurhotel, Mauerstr. 9, Tel. 2683, 42 B.

Boltenhagen,
Ostseebad

Haus am Deich (Pension), Dünnenweg 19, Tel. Klütz 9292; Heim am Strand, Strandweg.

Brandenburg

Haveltourist, Katharinenkirchplatz 1, Tel. 522402, 79 B.; Zum Bären, Steinstr. 60, Tel. 24179, 55 B.

Chemnitz

Interhotels: *Chemnitzer Hof, Theaterplatz 4, Tel. 6840, Telex: 7310, 176 B.; *Kongreß, Karl-Marx-Allee, Tel. 6830; Telex: 7-108, 588 B.; *Moskau, Straße der Nationen 56, Tel. 6810, Telex: 7220, 194 B.
Privatzimmervermittlung: Chemnitz-Information, Straße der Nationen 3, O-9001 Chemnitz, Tel. 62051.

Cottbus

*Lausitz (Interhotel-Partnerhotel), Berliner Straße, Tel. 30151, 375 B.; ferner: Branitz, H.-Zille-Straße, Tel. 713103, 300 B.; Giro, R.-Breidscheidt-Str. 10, Tel. 619640, 26 B.; Zum Schwan, Bahnhofstr. 57, Tel. 22334, 35 B.; Zur Sonne, Taubenstr. 8, Tel. 22500, 19 B.; ferner Gästehaus Brunschwig, Lieberoser Str. 12, Tel. 25330, 10 B.
Privater Zimmernachweis: Cottbus-information, Altmarkt 29, O-7500 Cottbus, Tel. 24254 und 24255.

Dessau

Stadt Dessau (Interhotel-Partnerhotel), Wilhelm-Pieck-Str. 35, Tel. 7285, 125 B.
In Dessau-Kochstedt: Grüner Baum, Dr.-Kurt-Fischer-Str. 9, Tel. 5992.
Gästehäuser vom Bauhaus, Ernst-Thälmann-Str. 38, Tel. 7051-463.

Vermittlung von Übernachtungsmöglichkeiten in Gästehäusern, Ferienhäusern und Privatquartieren: Dessau information, Friedrich-Naumann-Str. 12, O-4500 Dessau, Tel. 4661.

Dresden

Interhotels: *Bellevue, Köpckestraße 15, O-8060 Dresden, Tel. 56620, Telex: 26162, 550 B.; *Dresdner Hof, Am Neumarkt, O-8010 Dresden, Tel. 48410, Telex: 2442, 562 B.; *Newa, Leningrader Straße 34, O-8010 Dresden, Tel. 4967112, Telex: 26067, 595 B.; Astoria, Ernst-Thälmann-Platz, O-8020 Dresden, Tel. 475171, Telex: 2442, 109 B.; Königstein, Prager Straße, O-8010 Dresden, Tel. 48560; Telex: 26165, 594 B.; Lilienstein, Prager Straße, O-8010 Dresden, Tel. 48560; Telex: 26165, 606 B.; Motel Dresden, Münzmeisterstraße, O-8020 Dresden, Tel. 475851, 158 B.; ferner:

Dresden: Interhotel Bellevue

Bastei, Prager Straße, O-8010 Dresden, Tel. 4 85 60; Gewandhaus, Ringstr. 1, O-8010 Dresden, Tel. 4 95 61 80, 174 B.; Parkhotel Weißer Hirsch, Bautzner Landstr. 7, O-8051 Dresden, Tel. 3 68 51 und 3 68 52, 57 B.; Waldparkhotel, Prellerstr. 16, O-8053 Dresden, Tel. 3 44 41, 60 B.; Zum Komtur, in Kesselsdorf, 40 B. (Eröffnung 1990).
Hotelschiff 'Florentina', am linken Elbufer bei der Albertbrücke.

Dresden
(Fortsetzung)

Privatzimmervermittlung: Dresden-Information, Prager Straße, O-8010 Dresden, Tel. 4 95 50 25.

Motel Dummerstorfer Mühlenstuben (Übernachtungsmöglichkeiten und Speiserestaurant mit Mecklenburger Spezialitäten), an der F 105.

Dummerstorf

Stadt Eberswalde, Wilhelm-Pieck-Str. 26, Tel. 2 31 68, 52 B.

Eberswalde-Finow

Wartburghotel, Auf der Wartburg, Tel. 51 11, 44 B.; Parkhotel, Wartburg-allee, Tel. 52 91, 80 B.; Bahnhofshotel, Bahnhofstr. 6, Tel. 61 88, 60 B.; Stadt Eisenach, Luisenstr. 11, Tel. 53 71, 88 B.; Thüringer Hof, Platz der DSF 11, Tel. 31 31, 80 B.; Berghof, An der Göpelskuppe, Tel. 37 46, 20 B.; Sophienaue, Mariental 45, Tel. 60 56, 33 B.; Hospiz Glockenhof, Grimmels-gasse 4, Tel. 35 62, 40 B.; Haus Hainstein, Am Hainstein 16, Tel. 7 21 58, 100 B.

Eisenach

Zimmernachweis für Privatquartiere: Eisenach-information, Bahnhofsstr. 3 / 5, O-5900 Eisenach, Tel. 48 95, 61 61, 61 62 und 29 34.

Zum Löwen, Steinweg 30, Tel. 24 35, 38 B.

Eisenberg

Lunik, Straße der Republik, Tel. 55 41, 107 B.; ferner Hotels in der Um-gebung: Schierenberg, in Fünfeichen.
Siehdichum, in Schernsdorf.

Eisenhüttenstadt

Lutherstadt Eisleben	Parkhotel, Bernard-Koenen-Str. 12, Tel. 23 35, 23 B.. Privatzimmervermittlung: Eisleben-Information, Halleschestr. 6, Tel. 21 24.
Erfurt	Interhotels: *Erfurter Hof, Bahnhofsvorplatz, O-5010 Erfurt, Tel. 5 11 51, Telex: 61 283, 224 B.; *Kosmos, Juri-Gagarin-Ring, O-5010 Erfurt, Tel. 55 10, Telex: 61 317, 549 B.; Haus am Tannenwäldchen, Am Tannenwäldchen 9, Tel. (061) 3 17 27, 12 Z. (Buchung über Erfurter Hof, s. zuvor). Zimmernachweis von Privatquartieren: Erfurt-Information, Bahnhofstr. 37, O-5020 Erfurt, Tel. 2 62 67.
Feldberg	Hullerbusch, O-2082 Feldberg, 8 Z., Restaurant, Café, Sauna.
Frankfurt (Oder)	*Stadt Frankfurt (Interhotel-Partnerhotel), Karl-Marx-Str. 193, O-1200 Frankfurt (Oder), Tel. 38 90, Telex: 162 49, 260 B.
Freiberg	Freiberger Hof, Am Bahnhof 9, Tel. 20 29, 51 B.; Freundschaft, Bahnhofstr. 16, Tel. 23 25, 32 B.
Friedrichroda	s. Gotha, nachfolgend
Fürstenberg (Havel)	Mecklenburger Hof, Thälmannstr. 2, Tel. 20 23, 36 B.
Gera	*Gera, Straße der Republik, O-6500 Gera, Tel. 2 29 91, Telex: 58 144, 377 B.; ferner: Fuchsberg, Am Stadtwald 1, O-6500 Gera, Tel. 2 29]1; Stadt Gera, Franz-Petrich-Str. 1, O-6500 Gera, Tel. 2 66 18, 120 B. Ferienhäuser, -wohnungen bzw. -zimmer im Freizeit- und Touristenzentrum, O-6502 Gera-Zeulsdorf, Tel. 3 60 31. Zimmernachweis von Privatquartieren: Gera Information, Dr.-Rudolf-Breitscheid-Str. 1 / 1, O-6500 Gera, Tel. 2 48 13 und 2 64 32-34.
Gernrode (Harz)	Unterkunftsverzeichnis bei der Tourist-Information (⟶ Auskunft).
Göhren (Insel Rügen)	Travelhotel Nordperd, Nordperdstraße, O-2345 Göhren, Tel. 70, 102 B., Restaurant, Bar, Sauna.
Görlitz	Monopol, Tel. 43 20, 59 B.; Stadt Dresden, Tel. 52 63, 49 B.
Gotha	Slovan, Jüdenstraße, Tel. 5 20 47, 36 B.; Stadt Gotha, Huttenstr. 9, Tel. 53 148, 36 B.; Waldbahn, Bahnhofstr. 16, Tel. 5 32 52, 20 B.; Zum Mohren, Mohrenstr. 18 a, Tel. 5 28 45, 41 B. In Friedrichroda, an der Straße nach Gotha: Schloß- und Parkhotel Reinhardsbrunn, Tel. 42 53 und 43 36, 34 Doppelzimmer und 6 Appartements.
Graal-Müritz	Kur- und Ferienhotel, auf der E 22 ab Rostock 15 km östlich, O-2553 Graal-Müritz, Tel. (081 96) 371, 35 Z. (Buchung über Congress Center O-Berlin, s. zuvor).
Greifswald	Boddenhus, Karl-Liebknecht-Ring 1, Tel. 52 41, 200 B.; Kernkraftwerk, Am Gorzberg, Tel. 52 81.
Greiz	Thüringer Hof, Heinrich-Fritz-Str. 7, Tel. 34 91, 78 B.; Am Markt, Marktstr. 3, Tel. 23 41, 44 B. Privatzimmervermittlung: Greiz-information, Burgplatz – Alte Wache (gegenüber dem Unteren Schloß mit Heimatmuseum), O-6600 Greiz, Tel. 65 37.
Grimmen	Weißes Röss'l, Karl-Marx-Str. 9, Tel. 23 41, 30 B.
Güstrow	Stadt Güstrow, Markt 2 / 3, Tel. 48 41, 107 B.; Zentralhotel, Baustr. 10, Tel. 63 0 12, 34 B.; Kurhaus (Mai bis Sept.), Am Inselsee, Tel. 63 0 06, 22 B. Zimmernachweis für Privatquartiere: Güstrow-Information, Gleviner Str. 33, O-2600 Güstrow, Tel. 6 10 23.

Weißes Roß, Johann-Sebastian-Bach-Str. 26, Tel. 2 11 76, 44 B.; Haus St.   **Halberstadt**
Florian, Gerberstr. 10, Tel. 2 10 33, 39 B.; Bahnhofshotel, Bahnhofstr. 3, Tel.
2 28 35, 42 B.

Roland, Holzmarktstr. 5-15, Tel. 53 41, 30 B.   **Haldensleben**

✳Stadt Halle (Interhotel), Ernst-Thälmann-Platz 17, O-4020 Halle (Saale),   **Halle (Saale)**
Tel. 2 50 50, Telex, 4 401, 380 B.; ferner: Christl. Hospiz Martha-Haus, A.-
Kuckhoff-Str. 5-8, Tel. 2 44 11, 34 B.; Fremdenheim Friedrich, Rathausstr.
14, Tel. 2 56 32; Haus der Gewerkschaften, Friedenstraße, Tel. 2 55 81;
Rotes Roß, Leipziger Str. 76, Tel. 3 72 71, 102 B.; Saaleblick, Felsenstr. 7 b,
Tel. 3 74 91, 42 B.; Weltfrieden, Gr. Steinstr. 64 / 65, Tel. 3 84 71, 115 B.
Privatzimmervermittlung: Halle-Information, Kleinschmieden 6, Halle
4020, Tel. 2 33 40.

Travelhotels Max Planck und Fritz Reuter, Prof.-Vogel-Straße, tel. Zimmer-   **Heiligendamm**
bestellung über die Travelhotels in Kühlungsborn (nachfolgend).

✳Strandidyll (mit Schwimmhalle und Sauna; auch Restaurant und Café),   **Heringsdorf**
Delbrückstr. 9-11, Tel. 7 31.

Neue Heimat (u.a. Gaststätte mit Übernachtung), Chausseestr. 33, Tel.   **Hohendorf**
Wolgast 35 01.   (über Wolgast)

Sachsenring, 50 B.   **Hohenstein-**
                                               Ernstthal

Gästehaus, Wilhelm-Pieck-Str. 32 a, Tel. 35 73, 166 B.; Bahnhofshotel,   **Hoyerswerda**
Friedrichstr. 27, Tel. 81 70, 37 B.

Berghotel Gabelbach, Waldstr. 23, O-6300 Ilmenau, Tel. (06 72) 5 66, ober-   **Ilmenau**
halb von Ilmenau, an der F 4, am Kickelhahn, 20 Z. (Buchung über die Ilme-
nau-Information, Ernst-Thälmann-Str. 2, Tel. 06 72 / 23 58).

Touristenhotel Otto Militzer, Otto-Militzer-Str. 1, Tel. 3 17 11, 228 B.   **Jena**
Zimmernachweis für Privatquartiere: Jena-Information, Ernst-Thälmann-
Ring 35, O-6900 Jena, Tel. 2 46 71.

Goldner Stern, Platz der Befreiung 14, Tel. 50 93, 36 B.; Hutberg-Hotel, Am   **Kamenz**
Hutberg 25, Tel. 50 16, 12 B.

Hackeburg, Philipp-Müller-Allee 185, Tel. 2 28 58; Haus BIT (Bildung, Infor-   **Kleinmachnow**
mation, Tourismus), Am Hochwald, Tel. (0 33 53) 2 85 06, 75 Z.

Zur Post, Poststr. 3, Tel. 21 08, 46 B.; Sporthotel Waldgut, Goethestr. 1, Tel.   **Klingenthal**
20 21, 39 B.

Elbhotel, Bielataler Str. 7, Tel. 4 60, 14 B.   **Königstein**

Stadt Köthen, Friedrich-Ebert-Str. 22, Tel. 61 06, 79 B.   **Köthen**
Privatzimmervermittlung: Köthen-Information, Weintraubenstraße 8, Tel.
37 67.

Seehotel, Goetheallee 11, Tel. 23 78, 20 B.   **Krakow am See**

Travelhotels Arendsee, Straße des Friedens 30, Ostseehotel, Strandstr. 46,   **Kühlungsborn**
Union, Straße des Friedens 8, alle Auskunft Tel. 6 91.
Dazu gehören auch die Häuser Max Planck und Fritz Reuter in Heiligen-
damm (s. zuvor).

→ Oberwiesenthal, Kurort   **Kurort**
                                         Oberwiesenthal

→ Oybin, Kurort   **Kurort Oybin**

Kurort Seiffen   → Seiffen, Kurort

Kyritz   Zum Prignitzer, Maxim-Gorki-Str. 25, z.Z. wegen Renovierung geschlossen, Wiedereröffnung im Laufe des Jahres 1991.

Langebrück   Weiterbildungs-Akademie, Dresdner Str. 36 a, O-8102 Langebrück, Tel. (051901) 247, ab Dresden auf der F 97, hinter dem Flughafen Klotzsche, 30 Z. (Buchung über Technische Akademie, W-7300 Esslingen, Tel. 0711 / 34008-40).

Leipzig   Interhotels: *Merkur, Gerberstraße 15, Tel. 7990, Telex: 512609, Telefax: 7991229, 701 B.; *Am Ring, Karl-Marx-Platz, Tel. 79520, Telex: 51559, 413 B.; *Astoria, Platz der Republik 2, Tel. 72220, Telex: 51535, 444 B.; *Stadt Leipzig, Richard-Wagner-Straße 1-5, Tel.: 288814, Telex: 51426, 385 B.; *International, Tröndlinring 8, Tel. 71880, 107 B.; *Zum Löwen, Rudolf-Breitscheid-Str. 1, Tel. 72230, Telex: 51535, 177 B.; ferner Bayrischer Hof, Wintergartenstr. 13, Tel. 209251, 97 B.; Continental, Georgiring 13, Tel. 7566, 29 Doppel-, 6 Einzelzimmer, 4 Appartements; Deutschland, Karl-Marx-Platz, Tel. 79520, 128 Doppel-, 140 Einzelzimmer, 8 Suiten. Zimmernachweis für Privatquartiere: Leipzig-Information, Brühl, O-7010 Leipzig, Tel. 79590.

Löbau   Stadt Löbau, Elisenstr. 1, Tel. 3512, 35 B.

Lobenstein   Berghotel Alter Turm, Schloßberg 7, Tel. 2715.

Lübben   Spreeblick, Gubener Str. 53, Tel. 7281, 31 B.

Lübbenau   Deutsches Haus, Ehm-Welk-Str. 38 / 39, Tel. 2435, 39 B.

Ludwigslust   Parkhotel, Kanalstr. 19, Tel. 2815, 29 B.; Mecklenburger Hof, E.-Thälmann-Str. 42, Tel. 2653, 22 B.; Stadt Hamburg, Letzte Str. 4-6, Tel. 2506, 14 B.

Magdeburg   *International (Interhotel), Otto-von-Guericke-Str. 87, Tel. 3840, Telex: 8375, 609 B.; ferner: Zur Ratswaage, Karl-Marx-Straße, Tel. 58371, 165 B.; Hotel der Bauarbeiter, Erzberger Straße, Tel. 51191; Hotel des Handwerks, Gareisstr. 19, Tel. 53455, 44 B.; Hotel Goethestraße, Goethestr. 49, in der Nähe des Hauptbahnhofs, Tel. 344777, 28 Z.; Grüner Baum, Wilhelm-Pieck-Allee 40, Tel. 52100, 69 B.; Congress Centrum Magdeburg, Schmidtstr. 27 a.
In Burg (O-3270): Stadt Burg, Rolandplatz, Tel. 2254 / 55, 58 B.
In Gommern (O-3304): KG Klubgaststätte, Magdeburger Chaussee, Tel. 303, 10 B.
In Möser (O-3271): Waldhotel Tannengrund (Mai bis Sept.), Ilseweg, Tel. 278, 19 B.
In Schönebeck (O-3300): Grüner Baum, Karl-Marx-Str. 2, Tel. (0938) 2095, 19 B.; Salzturm, Salzerstr. 9, Tel. (0938) 2346, 29 B.
Zimmernachweis für Privatquartiere: Magdeburg-Informatiomation, Alter Markt, O-3010 Magdeburg, Tel. 35352.

Markersbach   Ferienheim Markersbach, Obermittweida 5, O-9439 Markersbach, Tel. (07618) 81168, 53 Z.

Markneukirchen   Zur Post, Am Rathaus 1, Tel. 2016, 46 B.

Masserberg   *Am Rennsteig, Ernst-Thälmann-Str. 88, Tel. 231.

Meiningen   Schloß Landsberg, Landsberger Str. 15, Tel. 2352, 25 B.

Meißen   Goldener Löwe, Rathenau-Platz 6, Tel. 3304, 27 B.; Hamburger Hof, Dresdner Str. 9, Tel. 2118, 31 B.; Mitropa-Bahnhofshotel, Großenhainer Str. 2, Tel. 3320, 34 B.

Dessauer Hof, Str. der DSF 4, Tel. 21 11 45, 55 B.   **Merseburg**
Zimmernachweis für Privatquartiere: Merseburg-Information, Bahnhofstr.
17, O-4200 Merseburg, Tel. 32 59.

Waldschänke, Tel. 2 95, 20 B.   **Moritzburg**

Stadt Mühlhausen, Untermarkt, Tel. 55 12, 93 B.; Haus des Handwerks,   **Mühlhausen,**
Goetheweg 52, Tel. 33 77, 16 B.   **Thomas-**
                                                                       Müntzer-Stadt

Deutscher Hof, Raschstr. 10, Tel. 27 12, 17 B.; Goldener Löwe, Salzstr. 15 /   **Naumburg**
16, Tel. 23 80, 45 B.; Neue Welt, Kroppental, Tel. 32 12, 8 B.   **(Saale)**
Zimmernachweis für Privatquartiere: Fremdenverkehrsverein Naumburg,
Lindenring 38, O-4800 Naumburg, Tel. 25 14.

✻Vier Tore (Interhotel-Partnerhotel), Treptower Str. 1, O-2000 Neubranden-   **Neubrandenburg**
burg, Tel. 51 41, Telex: 331 76, 568 B.

Stadt Neuruppin, Karl-Marx-Str. 90-91, Tel. 30 30, 60 B.; Märkischer Hof   **Neuruppin**
(1991 renoviert), Karl-Marx-Str. 51/52, Tel. 28 01, 42 B.; Berliner Hof, Karl-
Marx-Str. 96, Tel. 29 39, 23 B.

Zur Klause, Strelitzer Str. 53, Tel. 25 70, 14 B.   **Neustrelitz**

Handelshof, Karl-Marx-Str. 12, Tel. 51 21, 123 B.   **Nordhausen**

✻Panorama (Interhotel), Theodor-Neubauer-Straße, O-6055 Oberhof, Tel.   **Oberhof**
5 01, Telex: 623 21, 843 B.

Ferienhotel Am Fichtelberg, Karlsbader Straße, Tel. 5 30, 551 B.; Ferien-   **Oberwiesenthal,**
hotel Bergblick, Vierenstraße, Tel. 4 81, 182 B.; Fichtelberghaus, Fichtel-   **Kurort**
bergstr. 8, Tel. 3 91, 26 B.; Glückaufbrauerei, Schulstr. 2, Tel. 2 42, 27 B.;
Neues Haus, Fichtelbergstraße, Tel. 7 38, 46 B.; Weißes Vorwerk (Ski- und
Touristikhotel), Vierenstr. 11, Tel. 4 07, 374 B.

Melniker Hof, Straße des Friedens 48, Tel. 51 06, 60 B.   **Oranienburg**
Eine Privatzimmervermittlung existiert nicht.

Am Bahnhof, Friedrich-Engels-Str. 34, Tel. 3 14, 30 B.   **Oybin,**
                                                                    Kurort

An der Uecker, Bahnhofstr. 10, Tel. 30 47, 57 B.   **Pasewalk**

Schwarzer Adler, Platz der Solidarität 2, Tel. 34 88, 92 B.; Deutsches Haus,   **Pirna**
Niedere Burgstr. 1, Tel. 28 54, 46 B.

Central-Hotel, Bahnhofstr. 54, Tel. 2 21 18, 65 B.; Pension und Hotel Frank-   **Plauen**
furter Hof, Friedensstr. 35, Tel. 2 45 36.

✻Potsdam (Interhotel), Lange Brücke, O-1560 Potsdam, Tel. 46 31, Telex: **Potsdam**
154 16, 359 B.; ✻Schloß Cecilienhof, Neuer Garten, O-1560 Potsdam, Tel.
23 141, 87 B.; ✻Am Jägertor, Hegelallee 1, O-1560 Potsdam, Tel. 2 18 34
und 2 10 38, 67 B.; ✻Babelsberg, Stahnsdorferstr. 8, O-1590 Potsdam, Tel.
7 88 89, 52 B.; Touristen- und Congreßhotel, Otto-Grotewohl-Str. 60, O-
1580 Potsdam, Tel. 8 65 15.
In Kleinmachnow (O-1532): Hakeburg, Ph.-Müller-Allee 185, Tel. 2 28 58.
Privatzimmervermittlung: Postdam-Information, Friedrich-Ebert-Str. 5, O-
1561 Potsdam, Tel. 2 33 85, geöffnet: Mo.–Fr. 13.00–20.00, Sa. und So.
9.00–18.00 Uhr.

Uckermark, Ernst-Thälmann-Platz 4, Tel. 30 61, 45 B.; Parkhotel, Gra-   **Prenzlau**
bowstr. 14, Tel. 22 19, 30 B.
Privatzimmervermittlung: Uckermark-Information, Lager Markt 12, O-2130
Prenzlau, Tel. 27 91.

Prerow   Bernstein, Buchenstr. 34-42, Tel. 285.

Quedlinburg   Motel Quedlinburg, Wipertistr. 9, Tel. 2855, 80 B.; Quedlinburger Hof, Leninstr. 1, Tel. 2876, 79 B.; Zum Bär, Markt 8, Tel. 2224, 53 B.
Zimmernachweis für Privatquartiere: Quedlinburg-Information, Markt 12, O-4300 Quedlinburg, Tel. 2866 und 2633.

Querfurt   Goldener Stern, Tränkstr. 1, Tel. 3268, 24 B.

Rostock   In Rostock: *Warnow (Interhotel), Hermann-Duncker-Platz 4, O-2500 Rostock, Tel. 37381, Telex: 31127, 501 B.; Am Bahnhof, Gerhart-Haupt-mann-Str. 13, O-2500 Rostock, Tel. 36331, 148 B.; Haus der Hochsee-fischer, Hamburger Straße, Tel. 8561; Nordland, Steinstr. 7, O-2500 Rostock, Tel. 23706, 61 B.; Sonne, Neuer Markt 35, O-2500 Rostock, Tel. 37101.
In Rostock-Lütten Klein 22 (O-2520): Congreß-Hotel Rostock, Leningrader Straße, Tel. 703300.
In Rostock-Schmarl: Jugendtouristenhotel, Traditionsschiff, Tel. 716224 und 716202.
In Rostock-Warnemünde (O-2530): *Neptun, Seestr. 19, Tel. 5371 und 5381, Telex: 31351, 700 B.; Strandhotel, Seestr. 12, Tel. 5335, 100 B.; Pro-menaden-Hotel, Seestr. 5, Tel. 52782, 52 B.

Zimmernachweis für Privatquartiere: Zentrale Zimmerbörse, Reisebüro Zwerg GmbH, Alter Markt 13, O-2500 Rostock, Tel. 22386.

Rübeland   Ferienhotel Hermannshöhle, Blankenburger Str. 2 C, Tel. 9205.
4 km außerhalb des Zentrums, im Ortsteil Neuwerk: Ferienheim und Café Diabas, Steinweg 1, Tel. 9143.

Rudolstadt   Zum Löwen, Markt 5, Tel. 22059, 63 B.; Thüringer Hof, Bahnhofstr. 3, Tel. 22438, 32 B.
Zimmernachweis für Privatquartiere: Rudolstadt-Information, Thäl-mannstr. 32 a, O-6820 Rudolstadt, Tel. 23633.

Saalfeld   Anker, Markt 26, Tel. 2654, 68 B.; Tanne, Saalstr. 35, Tel. 2670, 31 B.; Zum Bohlen, in Saalfeld-Köditz, Bohlenstraße, Tel. 41833, 39 B.
Pensionen: Obstgut, Wittmannsgereuther Straße, Tel. 2027; Weltrich, Saalstr. 44, Tel. 2732, 14 B.

Salzwedel   Union, Goethestr. 11, Tel. 2097, 46 B.

Sangerhausen   In Sangerhausen: Haus der Werktätigen, Straße der DSF 50, Tel. 2268; Kyffhäuser, Straße der OdF 15, Tel. 2494, 7 B.; Motel Walkmühle, Am Walkberg 1, Tel. 3117, 59 B.
Wohnheime: Bergarbeiterwohnheim, Straße der Volkssolidarität 63, Tel. 5012; Wohnheim der Mansfeld-Knappen, Straße der Jugend, Tel. 2642.
In Allstedt (O-4702): Weimarer Hof, Ernst-Thälmann-Str. 2, Tel. Allstedt 205.
In Berga (O-4711): Erholung, Nordhäuser Straße 15-16, Tel. Roßla 2047, 23 B.
In Kelbra (O-4712): Tourist, Frankenhäuser Straße 1, Tel. Roßla 6296, 65 B.
Zentrale Zimmervermittlung: Sangerhausen-Information, Göpenstr. 19, O-4700 Sangerhausen, Tel. 2575.

Saßnitz   *Mitropa Rügen-Hotel (u.a. auch Restaurant, Café, Tanzbar), Seestr. 1, O-2355 Saßnitz, Tel. 32090, Telex: 31530, 112 Z.

Schierke (Harz)   Waldfrieden, Brockenstr. 51-52, Tel. 301, 110 B.
Eine erhebliche Zahl altbekannter Hotels wurde seit 1949 zus Gewerk-schaftsheimen umgestaltet. Die Rückwandlung in Hotels ist derzeit im Gange.

Drei Schwanen (nur Mai bis Sept.), Friedrich-Engels-Str. 11, Tel. 2443, 12   **Schleiz**
B.; Schleizer Hof, Friedrich-Engels-Str. 14, Tel. 2400, 16 B.
In Schleiz-Oberoschitz (O-6551): Luginsland, Tel. 2817, 11 B.

Zentralhotel Patrizier, Weidebrunner Gasse 17, Tel. 2545, 19 B.   **Schmalkalden**

Haus der Einheit, Erich-Mühsam-Straße (z.Z. wegen Umwandlung in ein   **Schneeberg**
Hotel geschlossen; Eröffnung im Laufe des Jahres 1991); Milchbar, Zwik-
kauer Str. 56, Tel. 2510, 18 B.; Vorwärts, Karlsbader Str. 56, Tel. 8734,
17 B.

Haus Lug ins Land, Am Kapellenberg 1 (Buchung über den Feriendienst   **Schönberg**
Frank Schmidt, Chemnitz, Tel. 071 / 641321).   (bei Chemnitz)

Ratskeller, Markt 1, Tel. 3248, 33 B.   **Schwarzenberg**
                                                                           (Erzgebirge)

Arbeiterwohnheim, Platz der Befreiung 6, Tel. 21081, 209 B.   **Schwedt**
                                                                           (Oder)

*Stadt Schwedt (Interhotel-Partnerhotel), Grunthalplatz 5-7, Tel. 5261,   **Schwerin**
Telex: 32350, 350 B.; Niederländischer Hof, Karl-Marx-Str. 12 / 13, Tel.
83727, 25 Doppel-, 6 Einzelzimmer und 1 Appartement.
In Schwerin-Dreesch (O-2751): BIK Bildungszentrum, Magdeburger Str.
20, Tel. (084) 3550, 150 Z.

Privatzimmervermittlung: Kurort Spielzeugdorf Seiffen, Fremdenverkehrs-   **Seiffen,**
amt, O-9335 Seiffen, Tel. 218.   **Kurort**

*Cliff Hotel (mit Restaurant Seeterrasse, Café Romantik, Moccabar Mee-   **Sellin**
resgrund und Nachttanzbar Hanse Club), Siedlung am Wald, Tel. 80, 168   (Insel Rügen)
Appartements und Suiten (alle mit Loggia), Schwimmhalle, Tennisplatz,
Kegelbahn, Hotelyacht, Autoverleih, Fitness-Club, Lift zum Strand.

Thüringer Hof, Wilhelm-Pieck-Str. 30 / 32, Tel. 8051, 19 Doppel-, 2 Einzel- **Sondershausen**
zimmer und 1 Appartement.

Bahnhofshotel, Bahnhofstr. 30, Tel. 213200, 57 B.; Schwarzer Adler, Korn- **Stendal**
markt 5 / 7, Tel. 212265, 38 B.; Stadt Stendal, Bahnhofstr. 15, Tel.
212404, 34 B.

Handwerkerheim, Thyrahöhe 24, Tel. 446; Waldfrieden, Rittergasse 77, Tel. **Stolberg**
232; Weißes Roß, Rittergasse 5, Tel. 403; Zum Bürgergarten, Thyratal 1,   (Harz),
Tel. 401.   **Thomas-**
In Breitenstein (O-4711): Auerberg-Forsthaus, Am Auerberg, Tel. 477.   **Müntzer-Stadt**

Goldener Löwe, Markt 4, Tel. 6211, 34 B.   **Stolpen**

Am Bahnhof, Tribseer Damm 4, Tel. 5268, 80 B.; Baltic, Frankendamm 22,   **Stralsund**
Tel. 5381, 51 B.; Schweriner Hof, Neuer Markt 2 / 3, Tel. 5281, 35 B.; Nord-
land, Platz der Solidarität 2, Tel. 2652, 15 B.
Zimmernachweis für Privatquartiere: Verkehrsservicebüro, Alte Rostocker
Str. 10 a, O-2300 Stralsund, Tel. 5031-533.

*Thüringentourist (Interhotel), Ernst-Thälmann-Platz 2, O-6000 Suhl, Tel. **Suhl**
5605, Telex: 62265, 178 B.; Stadt Suhl, Straße des 7. Oktober 25, O-6000
Suhl, Tel. 5681, Telex: 62500.
In Suhl-Friedberg (O-6000): Spitzberg, oberhalb von Suhl, an der F 247,
Waldstraße, Tel. (066) 24313, 20 Z.

Berghotel und Berghaus, Max-Alvary-Str. 9, O-5808 Tabarz, Tel.   **Tabarz**
(04299) 2135, 40 Z. (Buchung über Hotel Erfurter Hof in Erfurt, s. zuvor).

Schwarzer Adler, Leninstr. 52, Tel. 3642, 27 B.   **Tangermünde**

Tessin
(bei Rostock)

Hotel Am Mühlenberg, St.-Jürgens-Str. 7, 20 B., Tel. 366.

Thale (Harz)

Berghotel Roßtrappe, Roßtrappe, Tel. 3011, 44 B.; Wilder Jäger, Ernst-Thälmann-Str. 15, Tel. 2417, 33 B. Ferienheime: Brauner Hirsch, Roßtrappenstr. 1,; Haus des Handwerks, Markt 8; Kleines Waldhotel, Bodetal, Tel. 2826; Meliorationsbau, Gebirgsstr. 2, Tel. 2209; Pension und Gaststätte Forelle, Karl-Marx-Str. 84, Tel. 2757.

Zentrale Zimmervermittlung: Thale-Information, Postfach 17, O-4308 Thale (Harz), Tel. 2597.

Torgau

Central-Hotel, Martha-Brautzsch-Platz 8, Tel. 2423, 78 B.; Haus des Handwerks, Breite Str. 19, Tel. 2529, 28 B.; Zur goldenen Sonne, Kurstr. 6, Tel. 3253, 16 B.

Usedom

Norddeutscher Hof, Platz des Friedens 12, Tel. 266, 14 B.

Waren (Müritz)

Am Bahnhof, Straße der Freundschaft 19, Tel. 3619, 49 B.; Goldene Kugel, Große Grüne Str. 15, Tel. 2341, 20 B.

Zimmernachweis für Privatquartiere: Waren (Müritz)-Information, Neuer Markt 19, O-2060 Waren, Tel. 4172.

Warnemünde

s. Rostock, zuvor

Weimar

＊Russischer Hof, Goetheplatz 2, Tel. 62331, Telex: 618971, Telefax: 62162337, 167 B.; ＊Elephant (Interhotel), Markt 19, Tel. 61471, Telex: 618961, 162 B.; Belvedere, Belvederer Allee, Eröffnung: 1991; Christliches Hospiz (z.Z. wegen Umbau geschl.), Amalienstr. 2, Tel. 2711; International, Leninstr. 17, Tel. 2162 und 2163, 94 B.; Thüringen, Brennerstr. 42, Tel. 3675; Jugendgästehaus der Stadt Weimar, Erich-Weinert-Str. 11, Tel. 3383.
In Weimar-Buchenwald (O-5301): Hotel Am Ettersberg, Auf dem Ettersberg, Tel. 67328, 57 B.
Zimmernachweis für Privatquartiere: Fremdenverkehrsamt, Markt 15, O-5300 Weimar, Tel. 72233.

Weißenfels

Goldener Ring, Friedrich-Engels-Str. 51, Tel. 3051, 32 B.; Nelkenbusch, Friedrich-Engels-Str. 9, Tel. 2868, 24 B.

Wernigerode

Weißer Hirsch (auch Nachttanzbar), Markt 5, Tel. 32434; Schloßblick, Burgstr. 58, Tel. 34049, 46 B.; Zur Post, Marktstr. 17, Tel. 32436, 39 B.; Zur Tanne, Breite Str. 59, Tel. 32554, 23 B.

Wernitzgrün

Gästehaus / Ferienheim, O-9930 Wernitzgrün, Tel. Amt Markneukirchen 2408, 30 Z.

Wismar

Wismar, Breite Str. 10, Tel. 2498, 29 B.

Lutherstadt Wittenberg

Goldener Adler, Markt 7, Tel. 2053 und 2054, 93 B.; Wittenberger Hof, Collegienstr. 56, Tel. 3594, 39 B.
Privatzimmervermittlung: Wittenberg-Information, Collegienstr. 8, O-4600 Lutherstadt Wittenberg, Tel. 2239, geöffnet: Mo.–Fr. 9.00–12.00 13.00–16.00 Uhr (von April bis Oktober auch Sa. 9.00–12.00 Uhr).

Wolgast

Am Schlachthof, Am Teichmarkt 10, Tel. 3422, 28 B.

Wörlitz

Zum Stein, Thälmannstr. 228, Tel. 354, 8 B.
Das Hotel Zum Eichenkranz bleibt bis auf Weiteres wegen Umbau geschlossen.

Zeitz

Drei Schwäne, Friedensplatz 6, Tel. 2686, 64 B.

Travelhotel Otto Schmirgel, Dünenstr. 11, Tel. 2136, 41 B.; Hotel Philipp **Zinnowitz**
Müller (auch Tanz), Dünenstr. 26, Tel. 2137; Weiß, W.-Potenberg-Str. 8, Tel.
2675.

Ferienhäuser Am Glienberg.

Post, Wunsiedler Str. 11, Tel. 366, 20 B.; Wetzel, Wunsiedler Str. 4, Tel. **Zinnwald-**
362, 26 B.   **Georgenfeld**
Pensionen: Gasthof-Pension Zum Waldstein, Kirchenlarnitzer Str. 8, Tel.
270, 23 B.; Sächsischer Reiter, in Nebenau, Tel. 5432, 14 B.
Ferner Zimmer (5 B.) bzw. Appartements (7 B.) im Café-Restaurant Zinnwaldstübl, Tel. 5432.

Erholungsheime: Pfarrer-Hacker-Haus, Franken 24, Tel. 342, 68 B.; Zigeunermühle (nur für Gruppen mit Aufsicht), Zigeunermühle 6, Tel.
(09281) 87022 oder 380, 48 B.

Schullandheime (nur für Gruppen mit Aufsicht): Oberfranken, Sparnecker
Str. 80, Geschäftsstelle Tel. (0921) 604-354 bzw. 385, 105 B.; Spandau,
Sparnecker Str. 81, Tel. (030) 3303-3220 oder 2427, 100 B.

Volkshaus, Äußere Weberstr. 6, Tel. 3044, 84 B.; Schwarzer Bär, Karl- **Zittau**
Marx-Platz 12, Tel. 23466, 46 B.; Weißes Roß, Oststr. 2, Tel. 2859, 23 B.;
Stadt Rumburg, Äußere Weberstr. 23, Tel. 5547, 26 B.

Stadt Zwickau, Bahnhofstr. 67, Tel. 4781, 179 B.   **Zwickau**

Information

→ Auskunft

Jugendherbergen

In den östlichen Bundesländern bestehen etwa 270 Jugendherbergen Allgemeines
bzw. Jugendtouristenhotels. Für die Benutzung der Jugendherbergen
benötigt man einen gültigen Jugendherbergsausweis.

Nähere Auskünfte erhält man bei auf Jugendreisen spezialisierten Reise- Information
büros sowie über folgende Anschrift:

Deutsches Jugendherbergswerk
Hauptverband für Jugendwandern und Jugendherbergen e.V.
Postfach 220
Bismarckstraße 8
W-4930 Detmold
Telefon: (0 52 31) 74 01 0

Küche und Keller

→ Essen und Trinken

Kunstmuseen

→ Museen, Spezialmuseen

Kuraufenthalte

→ Heilbäder

Literarische Museen

→ Museen, Literaturmuseen und Gedenkstätten

Museen

Freilichtmuseen

Übersichtskarte s. S. 690

1   Freilandmuseum, Lehde

2   Volkskundemuseum
'Thüringer Bauernhäuser', Rudolstadt

3   Agrarhistorisches Freilandmuseum,
Blankenhain

4   Freilichtmuseum, Kurort Seiffen

5   Vogtländisches Bauernmuseum,
Landwüst

Stube im Vogtländischen Bauernmuseum

6   Freilichtmuseum, Diesdorf

7   Agrarhistorisches Museum,
Alt Schwerin

8   Mönchguter Museum, Ostseebad
Göhren

9   Freilichtmuseum,
Klockenhagen

10   Freilichtmuseum, Schwerin-Mueß

11   Agrarhistorisches Museum,
Kloster Veßra

Schaubergwerke und Schauhöhlen

20   Bergbau-Schauanlage, Altenberg

21   Bergbau-Schauanlage 'Silberstollen',
Geising

22   Marienglashöhle, Friedrichroda

23   Feengrotten, Saalfeld

24   Karstmuseum Heimkehle, Uftrungen

25   Barbarossahöhle, Rottleben

26   Felsendome Rabenstein, Chemnitz

27   Drachenhöhle, Syrau

28   Schaubergwerk 'Molchner Stolln',
Pobershau

29   Lehr- und Schaubergwerk 'Herkules
Frisch Glück', Waschleithe

30   Technisches Museum 'Pochwerk und
Erzwäsche Unverhofft Glück', Antons-
thal

31   Schaubergwerk 'Glöck'l',
Johanngeorgenstadt

32   Rübeländer Tropfsteinhöhlen

33   Altensteiner Höhle, Schweina

34   Schaubergwerk 'Finstertal', Asbach

35   Sandstein- u. Märchenhöhle, Walldorf

Spezialmuseen

Zugangsbereich des Pergamonmuseums in Berlin

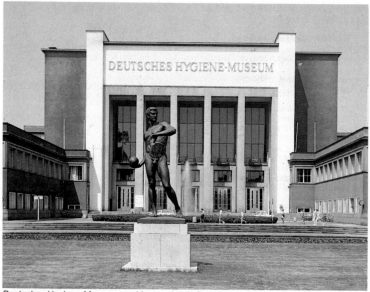

Deutsches Hygiene-Museum am Lingnerplatz in Dresden

Literaturmuseen, Gedenkstätten

Museen

- 🔴 Freilichtmuseen
- 🔴 Schaubergwerke, Schauhöhlen
- 🔴 Spezialmuseen
- ⚪ Literarische
  Museen,
  Gedenk-
  stätten bzw.
  Sammlungen bzw.
  Nachlässe
  in Museen

Kartenlegende
s. S. 686–691

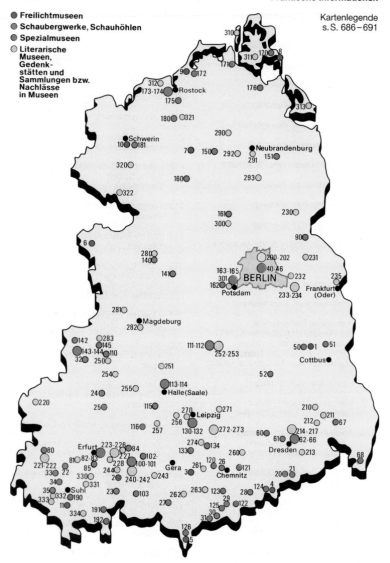

232 Gerhart-Hauptmann-Gedenkstätte,
Erkner

233 Johannes-R.-Becher-Gedenkstätte,
Bad Saarow-Pieskow

234 Maxim-Gorki-Gedenkstätte,
Bad Saarow-Pieskow

235 Kleist-Gedenk- und
Forschungsstätten, Frankfurt (Oder)

Museumseisenbahnen

→ Eisenbahn, Nostalgischer Dampfbetrieb

Naturschutz

■ Nationalparks

▨ Biosphärenreservate

□ Naturparks

Boddenlandschaft

Jasmund

Südost-Rügen

Stralsund

Rostock

Greifswald

Wismar

Güstrow

Schwerin

Neubrandenburg

Schaalseegebiet

Ludwigslust

Müritz

Prenzlau

Schorfheide

Eberswalde-Finow

Salzwedel

Stendal

Drömling

BERLIN

Frankfurt (Oder)

Brandenburg

Potsdam

Märkische Schweiz

Magdeburg

Mittlere Elbe

Wittenberg

Spreewald

Hochharz

Cottbus

Nordhausen

Halle (Saale)

Hoyerswerda

Mühlhausen

Leipzig

Naumburg

Meißen

Bautzen

Görlitz

Erfurt

Weimar

Dresden

Eisenach

Jena

Gera

Chemnitz

Sächsische Schweiz

Rhön

Suhl

Saalfeld

Zwickau

Vessertal

Plauen

Zusätzlich zu den bereits zahlreich auf dem Gebiet der einstigen DDR bestehenden Natur- und/oder Landschaftsschutzgebieten (auf Landkarten mit den Kürzeln 'NSG' bzw. 'LSG' ausgewiesen) hat die letzte amtierende Regierung im September 1990 vierzehn Landschaftsräume mit einer Gesamtfläche von 4882 km² unter besonders strengen Naturschutz gestellt; weitere 6838 km² wurden als 'einstweilig gesicherte Gebiete' (23 an der Zahl) ausgewiesen.

Notdienste

Polizei	Tel. 110
Feuerwehr	Tel. 112

täglich 0.00–24.00 Uhr besetzt:
Tel. (089) 222222

täglich 8.00–20.00 Uhr
Tel. (089) 7676-2244
(in der Hauptreisezeit von 7.00 bis 23.00 Uhr)

Der Telefonarzt gibt Medikamentenempfehlungen bei leichteren Beschwerden und kann in ernsteren Fällen den Rücktransport in ein Krankenhaus des Heimatortes veranlassen.

Suchdurchsagen werden in sehr dringenden Fällen im Rundfunk durchgegeben.

Auskünfte erteilen Polizeidienststellen sowie die ADAC-Geschäftsstellen (Zentrale für ADAC-Reiseruf: Tel. 089/76762653).

Autofahrer finden an den Autobahnen in Abständen von 2 bis 4 km Notrufsäulen. Auf die nächstliegende Säule weisen Symbole auf den Kilometeranzeigetafeln am Mittelstreifen hin.

Parkbahnen

→ Eisenbahn, Parkbahnen

Parks

→ Burgen, Schlösser, Parks und Gärten

Post und Telefon

Bis zur Eingliederung der Postleitzahlen in das bestehende bundesdeutsche System wird noch einige Zeit vergehen. Bis dahin sind die bisherigen Leitzahlen in den fünf neuen Bundesländern unverändert gültig. Zu beachten ist, daß diesen Leitzahlen die Abkürzung 'O' (= Deutschland · Ost) voranzustellen ist, während die bisherigen westdeutschen Leitzahlen durch ein 'W' (= Deutschland · West) zu kennzeichnen sind.

Sendungen aus dem Ausland sind zusätzlich durch den Zielvermerk 'Deutschland' kenntlich zu machen.

Der Selbstwählverkehr innerhalb der östlichen Bundesländer wird intensiv ausgebaut, doch entspricht die Leistungsfähigkeit des Telefonnetzes großenteils noch nicht dem westlichen Standard, weshalb nach wie vor mit längeren Wartezeiten zu rechnen ist.

Ortsnetze in den fünf neuen Bundesländern sind unter folgender Vorwahl zu erreichen:

vom westlichen Deutschland, Österreich und der Schweiz: 00 37

Reisezeit

→ Zahlen und Fakten: Klima, Jahreszeiten und Reisezeit

Restaurants

Hinweis

In Gaststätten, die den Namen "Broiler" (Goldbroiler o.ä.) tragen, werden in der Regel Hühnchen (bzw. Geflügel) – z.T. auch Straßenverkauf – angeboten; in Lokalen mit der Bezeichnung "Gastmahl des Meeres" findet sich überwiegend Fisch auf der Speisekarte.

Im Zuge der politischen Neuorientierung ist bei den Straßennamen mit Umbenennungen zu rechnen.

Ahlbeck,
Seebad

Goldbroiler, Lindenstr. 102, Tel. 8255; Meereswelle, Seestr. 11, Tel. 8116. Bar und Café Max Kreuziger, Dünenstr. 19, Tel. 8112; Strandcafé, Dünenstr. 37, Tel. 8420.

Ahrenshoop,
Ostseebad

Boddenhaus, Hafenweg 4, Tel. 223,
Café Buhne 12 (Dez. und Jan. geschl.), Grenzweg 12, Tel. 232.

Altenberg

Badgaststätte, Tel. 5819; Bergglöckl, Rehefelder Str. 2, Tel. 5812; Geisingerbergbaude, Tel. 5555; Kahlenbergbaude, Tel. 4273; Knappensaal, Dresdner Str. 10, Tel. 2373; Lindenhof, Tel. 4256; Postklause, Rathausstr. 10, Tel. 2361; Waldschänke Altes Raupennest, Tel. 2303.
Café: Stadtcafé, Zinnwalder Str. 1, Tel. 4297;

Altenburg

Casino (So. und Mo. geschl.; Tanz: Sa. ab 19.30), Roßplan, Tel. 386223; Gesecus (Sa. und So. geschl.), Topfmarkt, Tel. 315066; Ratskeller (Di. ab 17.00 geschl.; Tanz: Sa. ab 20.00), Markt 1, Tel. 311226; Schnellimbiß am Markt (jeden 1. Mo. im Monat geschl.), Tel. 314093; Weißes Roß (jeden letzten Di. im Monat geschl.), Teichvorstadt, Tel. 315548; Wohngebietsgaststätte Südost (Mi. nur bis 18.00 geöffnet), Käthe-Kollwitz-Straße, Tel. 311105; Wohngebietsgaststätte Treffpunkt (Mo. nur Bierkeller geöffnet; Jugendtanz: Do. ab 18.30), Wilhelm-Pieck-Platz, Tel. 81054.
Cafés: Angela (Mo. und Di. geschl.), Rosa-Luxemburg-Straße, kein Tel.; Capitol (Eiscafé; Fr. geschl.), Teichplan, Tel. 3720; Centra (Sa. geschl.), Weibermarkt, Tel. 2221; Kronengasse (So. und Mo. geschl.), Tel. 316856; Tagescafé (Mo. und Di. geschl.), Roßplan 24, Tel. 314682.

Anklam

Am Steintor, R.-Breitscheidplatz 27, Tel. 2134; Hoher Stein, Pasewalker Allee 84, Tel. 2151; Stadt Anklam (mit Nachtbar), Wilhelm-Pieck-Str. 17, Tel. 5631; Volkshaus, Baustr. 48-49, Tel. 2081.
Cafés: Café am Markt, Am Markt, Tel. 5468; Eiskaffee, Steinstr. 21, Tel. 5768.

Annaberg-
Buchholz

Berggaststätte Pöhlberg, Tel. 2081; Böhmisches Tor, Tel. 3251; Erzhammer, Ernst-Thälmann-Str. 2, Tel. 3107; Feldschlößchen, Tel. 2595; Frohnauer Hammer, Pöhlberg, Tel. 2107; Goldene Sonne (auch Hotel), Adam-Ries-Str. 11, Tel. 2183; Kulturhaus Festhalle, Tel. 2871; Ratskeller, Markt 1, Tel. 2222; Traditionsgaststätte Markus Röhling, Tel. 2277; Waldschlößchen, Tel. 6181; Wilder Mann (auch Hotel), Markt 13, Tel. 2122.
Cafés: Mokka-Bar Annaberg, Bachgasse, kein Tel.; Stadtcafé Annaberg, August-Bebel-Str. 23, Tel. 4733; Zentral Annaberg, Museumsgasse 1, kein Tel.

Apolda

Adler (Do. und Fr. geschl.), Bahnhofstr. 9, Tel. 2065; Augustiner (Mi. und Do. geschl.), Straße der DSF, Tel. 3940; Falkenburg, (So. und Mo. geschl.), Jenaer Str. 37, Tel. 2245; Lederer Bräu (Mo. und Di. geschl.), Teichgasse 5,

Tel. 3280; Marienhof (Mo. und Di. geschl.), Erfurter Str. 54, Tel. 3297; Nordklause (So. und Mo. geschl.), Hermann-Matern-Str. 19, Tel. 4086; Wildgaststätte Zur Eiche (Sa. und So. geschl.), Bachstraße, Tel. 3843; Zum Schwan (Sa. und So. geschl.), Jenaer Straße, Tel. 3843; Zur Post (auch Hotel), Bahnhofstr. 35, Tel. 2208.

Apolda
(Fortsetzung)

Ausflugsgaststätten: Kapellenburg (Di. und Mi. geschl.), Tel. Isserstedt 234; Kulturhaus Pfiffelbach, Tel. über Oßmannstedt (0282) 264; Sonnenburg (Mo. und Di. geschl.), Tel. Bad Salza (0281) 416.
Cafés: Freundschaft (Mi. und Do. geschl.), Dornsgasse 2, Tel. 2874; Gramont (Sa. geschl.), Teichgasse 2, Tel. 2129.

Alteburg (Mo. und Di. geschl.), Alteburg 1, Tel. 3424; Bahnhofshotel, Am Bahnhof 8, Tel. 2481; Balkan (Sa. und So. geschl.), Schönbrunn 2, Tel. 3292; Burgkeller (Fr. und Sa. geschl.), Erfurter Str. 12, Tel. 2055; Chema (So. und Mo. geschl.), Lindenallee 5, Tel. 2980; Fasanerie (Di. und Mi. geschl.), An der Eremitage 1, Tel. 8469; Goldene Sonne (auch Hotel; Sa. und So. geschl.), Ried 3, Tel. 2776; Hedan (Mo. und Di. geschl.), Ohrdrufer Str. 25, Tel. 8693; Linde (Mo. und Di. geschl.), Angelhäuserstraße, Tel. 3064; Piroschka (Mi. und Do. geschl.), Rankestr. 3, Tel. 2881; Ratsklause (So. geschl.), Ledermarkt 3, Tel. 8073; Kulturhaus (Mo. und Di. geschl.), Alexisweg 1, Tel. 2401; Riedschenke (So. und Mo. geschl.), Universalbau, Plauesche Straße, Tel. 2376; Speisebar im Spittel (So. geschl.), Erfurter Str. 39, Tel. 8392; Sportlerheim (Mo. und Di. geschl.), Rudolstädterstr. 47, Tel. 8021; Thüringer Hof (Sa. und So. geschl.), Zimmerstr. 3, Tel. 2132; Völkerfreundschaft, Rudolstädterstr. 34, Tel. 8281; Wachsenburg, Holzhausen, Tel. 5927; Waffelstübchen (So. und Mo. geschl.), Holzmarkt 1, Tel. 2747; Zum Ritter (Sa. und So.), Kohlenmarkt 20, Tel. 2224.
Cafés: Anders (Mo. und Di. geschl.), Gehrener Str. 22, kein Tel.; Bahnhofscafé (Mo. und Di. geschl.), Bahnhofsstr. 34, Tel. 2321; Café (Di. und Mi. geschl.), Längwitzerstr. 15, Tel. 2142; Café am Brunnen (So. und Mo. geschl.), Holzmarkt 19, Tel. 2084; Café der Deutsch-Sowjetischen Freundschaft (DSF; Mo. und Di. geschl.), Stadtpark, Tel. 3490; Eisbär (Sa. und So. geschl.), Erfurter Str. 24, Tel. 2310; Eiscafé (Fr. und Sa. geschl.), Gothaer Str. 2, kein Tel.; Eiscafé am Ried (Mo. und Di. geschl.), Ried 8, Tel. 8551; Rokischkis, Markt, Tel. 8323.

Arnstadt

Ferienheim Lehngericht, Markt 14, Tel. 260; Ferienheim Waldfrieden, Schloßweg 2, Tel. 379; Friedrich (auch Hotel), Fritz-Heckert-Str. 1, Tel. 531; Höckericht, Gartenstraße, Tel. 542; Jägerhof, Karl-Marx-Str. 33, Tel. 850; Schloßgaststätte im Schloß, Tel, 6375; Waldhaus (auch Hotel), Ernst-Thälmann-Platz 7, Tel. 317; Weinkeller im Schloß, Tel. 740; Zum Schloßberg, Johannes-R.-Becher-Str. 1, Tel. 486.

Augustusburg

Inselparadies (auch Café und Barbetrieb mit Tanz), Strandpromenade, Tel. Sellin 350; Zur Having, Bollwerkstraße, Tel. Sellin 422; ferner Gaststätten Am See und M. Thesen.

Baabe,
Ostseebad

Burggaststätte Greifenstein, Tel. 2588; Klubgaststätte, Untere Marktstr. 16, Tel. 2666; Magdeburger Hof, Magdeburger Gasse 12, Tel. 2457; Ratskeller, Markt, Tel. 2455; Schützenhof, Königseer Str. 50, Tel. 2040; Schwarzatal, Heinrich-Heine-Str. 1, Tel. 2427; Schwarzeck (auch Hotel), Dittersdorfer Weg, Tel. 2593; Weinhaus, Schwarzburger Str. 19, Tel. 2427; Zentral, Dr.-Hans-Loch-Str. 1, Tel. 2746; Zur Harfe, Obere Marktstr. 2, Tel. 2629; Zur Linde, Ortsteil Watzdorf, Tel. 2950.
Cafés: Bergcafé Sängergrotten, Zeigerheimer Weg, Tel. 2374; Chrysopras, Schwarzburger Str. 22, Tel. 2433; Marktcafé, Markt 3, Tel. 2323; Milchbar, Bahnhofstr. 22, Tel. 3082.

Bad Blankenburg

Bellevue, Eickhöfer Weg, Tel. 2970; Goldbroiler, Kröpeliner Str. 14, Tel. 2158; Jagdhaus in Heiligendamm, Tel. 2896; Kulturhausgaststätte, Dorfstr. 5, Tel. 2738; Mecklenburger Hof, Am Markt 14, Tel. 2234; Onkel

Bad Doberan

Bad Doberan
(Fortsetzung)

Bräsig, Clara-Zetkin-Straße, Tel. 3026; Palette (Tanz- und Speiselokal), Heiligendamm 23, Tel. 734; Ratskeller, Rosengarten, Tel. 2012.
Cafés: Santow, Ernst-Thälmann-Str. 14, Tel. 2554; Schwanen-Café und Milchbar, Heiligendamm, Unter den Kolonnaden, Tel. 737; Weißer Pavillon, Auf dem Kamp, Tel. 2326.

Bad Frankenhausen

Barbarossagarten, Geschwister-Scholl-Str. 1, Tel. 3138; Burghof, Kyffhäuser, Tel. Roßla 2316; Erholungsheim Reichental (Mi. und Do. geschl.), Rottleber Str. 4, Tel. 3050; Ferienheim Rothenburg (Mo. und Di. geschl.), Tel. Roßla 6201; Frankenhäuser Bierstuben (geschl. Sa. und So.), Straße der DSF 28, Tel. 2486; Grillbar (geöffnet: 1.5.–30.9. 10.00–17.00), Kyffhäuser, Tel. Roßla 2880; Grüner Wald (Mo. und Di. geschl.), Poststr. 29, Tel. 2621; Kyffhäuser (auch Hotel), Tel. Roßla 2491; Lindenhof (So. und Mo. geschl.), Jahnstr. 2, Tel. 2458; Stadt Bad Frankenhausen (Mo. geschl.), Straße der DSF 27, Tel. 2324; Stadtpark, Nordhäuser Str. 9, Tel. 2087; Stolberg (auch Hotel), Bahnhofstr. 15, Tel. 2577; Weidmannsheil (Mo. und Di. geschl.), Seega, Tel. 8835; Weinlokal Zum Schwan (Mo. und Di. geschl.), Erfurter Straße, kein Tel.; Zur Quelle (Sa. und So. geschl.), August-Zierfuß-Str. 10, Tel. 2502.

Cafés: Grottencafé (Di. und Mi. geschl.), im Jugendklubhaus, Am Schlachtberg 3, Tel. 2628; Münze (Sa. und So. geschl.), Kräme 22, kein Tel.; Piccolo (Mi. und Do. geschl.), Heimstättenweg 16, kein Tel.; Rendezvous (Mo. und Di. geschl.), Erfurter Str. 20, Tel. 2916; Schloßcafé (Mo. und Di. geschl.), Schloß, Tel. 2630; Sennhütte (geschl. während der Schulferien), Napptal – Ferienlager Cottana, Tel. 2173.

Bad Lauchstädt

Goldener Stern, Markt 11, Tel. 275; Kurpark, Tel. 353.

Bad Salzungen

Drei Eichen, Tel. 2732; Gastronom, Gaststättenkomplex an den Beeten, Tel. 2037 und 2038; Gaststättenkomplex Thüringer Wald, Tel. 6422 und 6423.

Bad Schandau

Am Stadtpark, Otto-Buchwitz-Str. 7, Tel. 2327; Dampfschiff, Markt 1, Tel. 2449; Elbterrasse, Markt 11, Tel. 2397; Falkes Gasthaus, Elbufer 25, Tel. 2027; Flößerstube, Kirnitzschtal, Ostrauer Mühle, Tel. 2797; Friebels Gasthaus, Elbufer 75, Tel. 2381; Grenzeck, Schmilka, Nr. 23, 2029; Helvetia, Schmilka, Nr. 11, Tel. 2096; Lindenhof, Otto-Buchwitz-Str. 12, Tel. 2324; Ostrauer Scheibe, Alter Schulweg 7, Tel. 2420; Schlachteschüssel, Königsteiner Str. 2, Tel. 2105; Schöne Höhe, Rudi-Hempel-Str. 17, Tel. 2759; Schrammelsteinbaude, Zahnsgrund 5, Tel. 2029; Sigl's Gaststätten, August-Bebel-Str. 17, Tel. 2365; Speisehaus Zur Krone, Markt 9, Tel. 2461; Waldhäus'l, Kirnitzschtal 89, Tel. 2366; Witwe-Bolte-Stube, August-Bebel-Str. 1, Tel. 2391; Zum Bären, Zaukenstr. 10, Tel. 2073; Zur Mühle, Schmilka, Nr. 2, Tel. 2001.

Cafés: Bergcafé, Erwin-Hartsch-Ring 21, Tel. 2581; Elbcafé, Schmilka, Nr. 31, Tel. 2398; Fürnberg, Markt 7, Tel. 2449; Milchbar, Karl-Marx-Str. 7, Tel. 2724; Stammler, Markstr. 2, Tel. 2536.

Bad Schmiedeberg

Am Töpferberg, Leipziger Str. 18, Tel. 425; Deutsches Haus, Leipziger Str. 30, Tel. 539; Freundschaft, Leipziger Str. 48, Tel. 314; Heideröschen, Hauptstr. 1, Tel. 406; Pilsener Bierstube, Leipziger Str. 55, Tel. 386; Schöne Aussicht, Dübener Straße, Tel. 442.
Café am Forsthaus, Dorfstr. 5, Tel. 524.

Ballenstedt

An den Lohden, Heinestr. 1, Tel. 8627; Schwarzer Bär, Rathausplatz 3, Tel. 8534; Weingaststätte Reblaus, Lindenallee 9, Tel. 8731; Weißes Roß, Poststr. 88, Tel. 8545; Zum Brauberg, Am Brauberg, Tel. 8723.
Cafés: Eisdiele und Café, Ernst-Thälmann-Platz 2, Tel. 8609; Terrassencafé, Otto-Kiep-Str. 9, Tel. 8633; Treffpunkt (Café), Breitscheidplatz 17, Tel. 480.

Café Asgard (u.a. Fondue), Strandpromenade, Tel. Heringsdorf 5 58; Forsthaus Langenberg (Wild- und Fischgerichte; auch Übernachtungsmöglichkeiten), Tel. Heringsdorf 91 01.

Am Hafen, Fischerstraße 21, Tel. 2691; Seeblick, Hafenstr. 9 / 12, Tel.
2860; Stadt Barth, Ernst-Thälmann-Str. 60, Tel. 2250; Sturmecke,
Dammstr. 9, Tel. 2270; Tannheim, Tel. 2603; Zum Franziskaner, Reifergang
67, Tel. 2910; Zur Börse, Rudolf-Breitscheid-Str. 2, Tel. 2371; Zur Burg
(auch Tanz), Platz der Freiheit 2, Tel. 2525.
Café: Zum Darß (auch Tanz), Ernst-Thälmann-Str. 42, Tel. 2008.
In Barth-Tannenheim: Ausflugsgaststätte Tannenheim (auch Caféterrasse), an der Straße nach Zingst, in landschaftlich reizvoller Lage, Tel.
2603.

Andena (Kellergaststätte, Restaurant, Gesellschaftszimmer), Erich-Weinert-Str. 31, Tel. 22037; Budyšin, Reichenstr. 7, Tel. 44320; Dom-Eck,
Breitengasse 2, Tel. 42410; Exquisit, Postplatz 4, Tel. 42539; Gastmahl
des Meeres (Fischspezialitäten), Steinstr. 19a, Tel. 44107; Kaniga (Kanin-
chenspezialitäten), Kurt-Pchalek-Str. 1, Tel. 47913; Lipa, Karl-Marx-Str. 5,
Tel. 42582; Lubin (auch Hotel), Wendischer Graben, Tel. 511114; Lusa-
tia, Boleslaw-Bierut-Str. 26, Tel. 42244; Radeberger Bierstuben,
Goschwitzstr. 3, Tel. 44429; Ratskeller, Innere Lauenstr. 1, Tel. 42474;
Stadt Bautzen (Großgaststätte mit Jablonecer Keller, Tanzbar, Festsaal,
Speiserestaurant), Steinstr. 15, Tel. 511114; Wanoga, Töpferstr. 30, Tel.
539239; Weißes Roß (auch Hotel), Äußere Lauenstr. 11, Tel. 42263; Zum
Echten, Lauengraben 11, Tel. 42345; Zum Gerber, Taschenberg 2, Tel.
43917.
Ausflugsgaststätten: Am Saurierpark, Kleinwelka, Tel. 3001; Goldene
Höhe Rabitz, Tel. 22735; Jägerhaus Wilthen, Tel. Kirschau 634; Mönchs-
walder Bergbaude, Tel. Kirschau 2949; Naturpark, Czornebohstraße, Tel.
43887; Schöne Aussicht Sora, Tel. Kirschau 6237; Spreetal Grubschütz,
Tel. 47657.
Cafés und Bars: Budyšin, Reichenstr. 7, Tel. 44320; Hochhaus-Café, Dr.-
Salvador-Allende-Str. 78, Tel. 22082; Rendezvous (Tanzbar, kleine
Speisebar u.a. sowie Café), Niederkainaer Str. 3, Tel. 23565; Sorbisches
Café, Postplatz 2, Tel. 47027; Tanzcafé Syrena (Nachtbar), Taucherstr. 15,
Tel. 43983; Zum Goldbroiler (Anschrift wie Ratskeller, zuvor).

Nähe Kurfürstendamm:
*Kempinski-Grill, Kurfürstendamm 27, Tel. 88434 0; Kräutergarten, im
Hotel Mondial, Kurfürstendamm 47, Tel. 884110; Grand Cru im Hotel Resi-
denz, Meinekestr. 9, Tel. 882891; Zlata Praha, Meinekestr. 4, Tel.
8819750; Am Fasanenplatz, Fasanenstr. 42, Tel. 8839723; Ernst-August,
Sybelstr. 16, Tel. 3245576; Heinz Holl, Damaschkestr. 26, Tel. 3231404;
Friesenhof, Uhlandstr. 185, Tel. 8836079; Hardtke, Meinekestr. 27 a, Tel.
8819827; Kurpfalz Weinstuben, Wilmersdorfer Str. 93, Tel. 8836664.
Cafés: Kranzler, Kurfürstendamm 18, Tel. 8826911; Leysieffer, Kurfürstendamm 218, Tel. 8827820.

Nähe Zoo / Gedächtniskirche:
*Zum Hugenotten im Hotel Inter-Continental, Budapester Str. 2, Tel.
26020; *Park-Restaurant im Steigenberger Hotel, Los-Angeles-Platz 1,
Tel. 21080; Harlekin im Grand Hotel Esplanade, Lützowufer 15, Tel.
261011; Berlin-Grill, Lützowplatz 17, Tel. 26050; Grillrestaurant (auch
Faßbierstübli) im Schweizerhof, Budapester Str. 21, Tel. 26960; La
Réserve im Palace, Budapester Straße (im Europa-Center), Tel. 254970;
Du Pont, Budapester Str. 1, Tel. 2618811; Bamberger Reiter, Regensbur-
ger Str. 7, Tel. 2442 82; Bacco, Marburger Str. 5, Tel. 2118687; Mövenpick
(u.a. auch Café des Artistes), Budapester Straße (im Europa-Center), Tel.
2627077.

Café: Möhring, Kurfürstendamm 234, Tel. 8823844.

Berlin, West
(Fortsetzung)

In Charlottenburg:
Apart, Heerstr. 80, Tel. 3000060; Au lac im Hotel Seehof, Lietzensee-Ufer 11, Tel. 320020; Schloßparkrestaurant, Heubnerweg 2 a, Tel. 3224061; Ponte Vecchio, Spielhagenstr. 3, Tel. 3421999; Alt-Luxemburg, Pestalozzistr. 70, Tel. 3238730; La Puce, Schillerstr. 20, Tel. 3125831; Funkturm-Restaurant, Messedamm 22, Tel. 30382996; Ugo, Sophie-Charlottenstr. 101, Tel. 3257110; Charlottenburger Ratskeller, Otto-Suhr-ALllee 102, Tel. 3425583; Trio, Klausenerplatz 14, Tel. 3217782.
In Dahlem:
Forsthaus Paulsborn, Am Grunewaldsee, Tel. 8138010; La Vernaccia, Breitenbachplatz 4, Tel. 8245788; Alter Krug, Königin-Luise-Str. 52, Tel. 8325089.
In Grunewald:
＊Grand Slam, Gottfried-von-Cramm-Weg 47, Tel. 26021272; Hemingway's, Hagenstr. 18, Tel. 8254571; Chalet Corniche, Königsallee 5 b, Tel. 8254571; Hardtke, Hubertusallee 48, Tel. 8925848.
In Kreuzberg:
Altes Zollhaus, Carl-Herz-Ufer 30, Tel. 6923300.
In Moabit:
Paris – Moskau (Gartenlokal), Alt Moabit 141, Tel. 3942081.
In Nikolassee:
An der Rehwiese, Matterhornstr. 101, Tel. 8032720.
In Steglitz:
Schloßpark im Hotel Steglitz International, Albrechtstr. 2, Tel. 790050. Café: Senst, Schloßstr. 96, Tel. 7916004.
In Tegel:
See-Baude im Hotel am Tegeler See, Wilkestr. 2, Tel. 43840.
In Tiergarten:
Café am Neuen See (Gartenlokal, Biergarten; Bootsverleih), Lichtenstein-allee, Tel. 2612300.
In Waidmannslust:
Rockendorfs Restaurant, Düsterhauptstr. 1, Tel. 4023099.
In Wittenau:
Hugenottenschänke im Hotel Rheinsberg am See, Finsterwalder Str. 64, Tel. 4021002.
In Zehlendorf:
Cristallo, Teltower Damm 52, Tel. 8156609.

Ost

Am Marstall, Marx-Engels-Forum 23, Tel. 2171 3200; Ermelerhaus, Märki-sches Ufer 10-12, Tel. 2794028; Friedrichshof (auch Diskothek), in Köpe-nick, Bölschestr. 56, Tel. 6455074; Gastmahl des Meeres (Fischspezialitä-ten), Spandauer Str. 4, Tel. 2123286; Gaststätten am Fernsehturm, Pano-ramastr. 1, Tel. 21040; Gaststätten im Palast der Republik, Marx-Engels-Platz, Tel. 2380; Lindencorso (Weinrestaurant), Unter den Linden 17, Tel. 2202461; Ratskeller (Weinrestaurant), Rathausstr. 14, Tel. 2155301; Restaurants Jade, Märkisches Restaurant sowie Rôti d'Or im Palasthotel, Karl-Liebknecht-Str. 5, Tel. 2412245; Silhouette sowie Forellenquintett im Grand Hotel, Friedrichstr. 158-164, Tel. 2092400.
In Berlin-Karow (O-1123): Haus Stilbruch, Bahnhofstr. 1, Tel. 3490066.
In Berlin-Prenzlauer Berg (O-1058): Aphrodite, Schönauser Allee 61, Tel. 4481707.
In Berlin-Weißensee: Chez Danny, Langhansstr. 55, Tel. 3650959.

Nationalitäten-restaurants

Haus Budapest, Karl-Marx-Allee 91, Tel. 4362189; La Habana (kubani-sche Spezialitäten), im Hotel Metropol, Friedrichstr. 150-153, Tel. 22040; Moskau (russ. Spezialitäten), Karl-Marx-Allee 34, Tel. 2700532; Prag (Biergaststätte; div. Nationalgerichte), Leipziger Str. 49, Tel. 2291727; Sofia, Leipziger Str. 46, Tel. 2291831; Warschau (auch Café), Karl-Marx-Allee 93, Tel. 4300814-426; Wolga, im Haus der Sowjetischen Kultur und Bildung, Friedrichstr. 176-178, Tel. 2217204.
In Berlin-Köpenick (O-1170): Fioretto (italien. Küche), Oberspreestr. 176, Tel. 6572605.

Alt-Cöllner Schankstuben, Friedrichsgracht 50, Tel. 2125972; Gerichts-laube (Bier- und Weinstube; Pizzeria; Billard), Poststr. 28, Tel.21713245; Mutter Hoppe (Kellergaststätte), Poststr. 30, Tel. 21713241; Nanteeck, im Palasthotel, Karl-Liebknecht-Str. 5, Tel. 2410; Weißbierstube, Marx-Engels-Forum 21, Tel. 21713240; Zillestube, im Hotel Stadt Berlin, Ale-xanderplatz, Tel. 2190; Zum Nußbaum (Biergaststätte), Am Nußbaum 3, Tel. 21713328; Zum Paddenwirt (Biergaststätte), Nikolaikirchplatz 6, Tel. 21713233; Zur alten Münze (Biergaststätte), Memhardstr. 3, Tel. 2125944; Zur letzten Instanz (Biergaststätte), Waisenstr. 14-16, Tel. 2125528; Zur Rippe (Biergaststätte), Poststr. 17, Tel. 21713235.

Berlin, Ost
Berlintypische
Gaststätten

Café Liebig (nahe S-Bahn-Station Grünau), Regattastr. 158, Tel. 6816869; Müggelseeperle, am Großen Müggelsee, Tel. 65210; Müggelturm, in den Müggelbergen, Tel. 6569797 und 6569812; Rübezahl, am Großen Müg-gelsee, Tel. 65210; Zenner, Alt-Treptow 14-17, Tel. 2727211 und 2727370.
Diverse gastronomische Einrichtungen befinden sich im Sport- und Erho-lungszentrum (SEZ; allgemeine Auskünfte am Informationsstand: Tel. 43283505; ferner: Tel. 432830 und 43283439), Leninallee 77, Ecke Dimi-troffstraße: Kristall, Kaskade, Foyertreff, Bowling 16, Zur Molle, Hallenbar und Wellentreff.

Berliner
Ausflugs-
gaststätten

Alter Markt Talstadt, Thälmannplatz 26 / 27, Tel. 2895; Buchenhof, Frie-densallee 11, Tel. 2053; Cubana, Ernst-Thälmann-Str. 4, Tel. 4228; Fort-schritt, Hallesche Straße, Tel. 3022; Goldene Kugel, Ernst-Thälmann-Str. 2, Tel. 2371; Haus der Freundschaft, Käthe-Kollwitz-Str. 12, Tel. 2816; Haus der Werktätigen, Schulstr. 17, Tel. 4582; Haus des Handwerks, Marx-Engels-Platz 34, Tel. 2545; Kreiskulturhaus, Tel. 2659; Lindenhof, Kleine Hallesche Straße, Tel. 5181; Paradies, Tel. 6008; Tiergarten-schenke, Tel. 2696.
Cafés und Bars: Café Wien, Breite Str. 1, Tel. 2159; Eiscafé Bärenburg, An der Röße 3, Tel. 4092; Eulenspiegel-Bar, Wilhelm-Pieck-Str. 20 b, Tel. 3275; Lindencafé (mit Bar), Wilhelm-Pieck-Boulevard 8, Tel. 2935; Picco-lo-Bar, Ernst-Thälmann-Str. 20, Tel. 3059; Theatercafé, Schloßstr. 8 a.

Bernburg

Binzer Fischermahl, Wilhelm-Pieck-Str. 1, Tel. 2669.
Kurhaus Binz (auch Café und Eisbar; Kaffeekonzert und Tanz), Strandpro-menade, Tel. 5131; IN (Restaurant, Rôtisserie, Bar), Rudolf-Breitscheidstr. 9; Bierkeller: Ligo.
Cafés: Möwe, Hauptstraße, Tel. 287; Dzintars (Café und Tanzbar).
Diskothek: Stilbruch (Auskunft: Klaus-Peter Sadewasser, Erich-Weinert-Str. 62, O-2337 Binz).
Nachtbar: Hafenbar, Hauptstr. 23, Tel. 2248.

Binz,
Ostseebad

Braunschweiger Hof, Tränkestr. 20, Tel. 2821; Forsthaus, Karl-Marx-Straße, Tel. 2654; Gaststätte am Markt, Tel. 2249; Harzer Hof, Karl-Marx-Str. 15, Tel. 2892; Haus der Freundschaft, Tel. 3439; Kurhotel, Mauerstr. 9, Tel. 2683; Restaurant am Rathaus, Markt, Tel. 2614; Tränketor, Tränkestr. 5, Tel. 2430.
Cafés: Eiscafé Scheller, Schleinitzstraße, Tel. 2882; Stadtcafé, Lange Str. 39, Tel. 3479; Zentralcafé, Löbbeckestr. 1 a, Tel. 2505.

Blankenburg

Pavillon (Café und Tanzbar), Mittelweg 14, Tel. Klütz 9288; Strandcafé, Mit-telweg 29, Tel. 9207; Zur Düne (Gaststätte, Milch- und Eisbar), Strandweg 15, Tel. 9258.

Boltenhagen,
Ostseebad

Borner Hof, Schulstr. 5, Tel. 226.

Born
(Darß)

Fontaneclub, Hauptstr. 69, Tel. 522071; Gastmahl des Meeres, Hauptstr. 42, Tel. 522749; Goldener Anker, Bäckerstr. 32, Tel. 522832; Goldener Stern (auch Hotel), Genthiner Str. 43, Tel. 27206; Jugendklubhaus, Steinstr. 42, Tel. 24330; Märkische Bierstube, Magdeburger Straße 12,

Brandenburg

Brandenburg
(Fortsetzung)

Tel. 2 39 49; Ratskeller, Markt 19, Tel. 2 40 51; Theaterklause, Grabenstr. 14, Tel. 52 22 41; Treffpunkt, Molkenmarkt 26, Tel. 52 23 09; Zum Bären (auch Hotel), Steinstr. 60, Tel. 2 41 79.
Stadtcafé, Hauptstr. 26 / 28.

Chemnitz

Bijou und Erzgebirgsstube im Hotel Chemnitzer Hof, Theaterplatz 4, Tel. 68 40; Csarda, Sachsenring 48, Tel. 7 10 09; Gockelbar, Herrmannstr. 10, Tel. 4 27 15; Kongreßrestaurants Berlin und Jalta (auch Nachtbar Irkutsk) im Hotel Kongreß, Karl-Marx-Allee, Tel. 68 30; Ratskeller (historische Gaststätte), Neumarkt 1, Tel. 6 16 05; Roter Turm (auch Café), Straße der Nationen 5, Tel. 6 29 49; Südblick, Bruno-Granz-Str. 26, Tel. 2 24 121; Wolgograd im Hotel Moskau, Straße der Nationen 56, Tel. 68 10; Zum Faß (Bierbar), Zwickauer Str. 12, Tel. 3 00 34.

Cafés: Café Brühl (Galerie am Brühl im Obergeschoß), Brühl 28-30, Tel. 4 40 67; Café oben, Ernst-Thälmann-Str. 2, Tel. 6 11 05; Schloßberg (Ausflugscafé), Schloßberg 16, Tel. 3 15 21.

Cottbus

Alte Welt (Mo. geschl.), Karl-Liebknecht-Str. 58 a, Tel. 3 37 09 (Garten); Gastmahl des Meeres (Sa. und So. geschl.), Marktstr. 7, Tel. 2 47 95; Goldener Stern, Lieberoser Str. 40, Tel. 2 56 03; Haus des Handwerks, Altmarkt 12, Tel. 2 37 15; Kavalierhaus Branitz (im Winter Mo. und Di. geschl.), Branitzer Park, Tel. 7 15 000; Lausitz (auch Hotel), Berliner Straße, Tel. 3 01 51; Lipa, Wendenstr. 2, Tel. 2 52 50; Molle (So. geschl.), Stadtpromenade 10, Tel. 2 21 11; Spreewehrmühle (Mo. und Di. geschl.) und Freiluftgaststätte Spreewehrmühle (geöffnet: Apr.–Okt.), Am Großen Spreewehr 3, Tel. 7 14 174; Targowischte (Weinstube; Fr. und So. geschl.), Altmarkt 22, Tel. 2 58 06; Tierparkgaststätte, Kiekebuscher Straße, Tel. 7 12 494; Zur Sonne (auch Hotel), Taubenstr. 9, Tel. 2 25 00.

Tanzlokale bzw. Diskotheken mit Restaurantbetrieb: Am Stadttor, Stadtpromenade 8, Tel. 2 39 05; Brunschwig (auch Café), Hallenser Straße, Tel. 2 41 45; Clou (Tanz-Nachtbar; So. geschl.), Oberkirchplatz 10, Tel. 2 36 56; Kleines Spreewehr, L.-Leichhardt-Allee, Tel. 7 14 013; Mentana, Otto-Grotewohl-Str. 16, Tel. 7 14 172; Podium und Podiumbar, Georg-Dix-Str. 12, Tel. 7 13 070; Postkutsche (So. und Mo. geschl.), Schloßkirchplatz 1, Tel. 2 21 01; Stadt Cottbus, Spremberger Str. 29 / 30, Tel. 2 26 50; Stadtkeller (mit Bowlingbahn), Stadtpromenade 17, Tel. 2 55 21; Zum Bergmann, Thierbacher Str. 15 / 16, Tel. 52 50 34 und 52 50 12; Zum Kraftwerker, Straße des Komsomol 5, Tel. 52 40 20.
Cafés: Am Altmarkt, Altmarkt 10, Tel. 3 10 36; Cubana, Stadtpromenade, Tel. 2 52 59; Lauterbach (Sa. und So. geschl.), Bahnhofstr. 63, Tel. 2 41 84; Meldekeller (unter dem Café Am Altmarkt, s. zuvor; im Sommer Sa. und So., im Winter So. geschl.), Am Altmarkt 10, Tel. 3 10 36; Mokka-Milch-Eisbar Kosmos, Stadtpromenade, Tel. 2 38 63; Tagescafé Saspow (Mo. und Di. geschl.), Saspow. Hauptstr. 54, Tel. 2 23 94.
Teestube (auch Speisegaststätte): Lipezk, Stadtpromenade, Tel. 2 52 59.

Dessau

Drushba-Gaststätte (Mi. und Do. geschl.), Paul-König-Platz, Tel. 20 65; Jägerklause (Wildspezialitäten; Mo. und Di. geschl.), Alte Leipziger Str. 76, Tel. 88 13 67; Ratskeller, Am Markt, Tel. 46 92 / 22 46; Restaurant am Museum, Wilhelm-Pieck-Str. 90, Tel. 53 83; Stadt Dessau (Hotel, Restaurant, Bar), Wilhelm-Pieck-Str. 35, Tel. 72 85; Waldbad Freundschaft, Am Schenkenbusch, Tel. 88 10 56; Waldschenke im Lehrpark (Mo. und Di. geschl.), Querallee 8, Tel. 27 37.
Cafés: Clubcafé im Jugendklub Am Kreuzberg (So. und Mo. geschl.), Heinz-Steyer-Ring 78, Tel. 88 20 23; Galerie-Café Schloß Georgium (Mo. und Di. geschl.), Puschkinallee 100, Tel. 38 74; Galeriecafé (auch Bar; So. geschl.), Schloßstraße (hinter dem Rathaus); Milchbar Africana (Sa. und So. geschl.), Wilhelm-Pieck-Str. 90, Tel. 53 81; Parkcafé (Mo. und Di. geschl.), Otto-Grotewohl-Str. 16, Tel. 41 63; Schloßcafé Mosigkau (Mo. und Di. geschl.), Knobelsdorffallee 2 / 3, Tel. 83 11 34.

Ostseeklause (auch Disco bzw. Tanzveranstaltungen), Dünenweg, Tel. 271.

Café Fischland.

Windmühle (histor. Restaurant), Tel. Wismar 2811.

Äberlausitzer Töpp'l, Straße der Befreiung, Tel. 55605; Am Zwinger (Gaststättenkomplex mit Radeberger Bierkeller, Schnellimbiß, Tanzcafé, Mokkastube, Espresso, Terrassencafé), Ernst-Thälmann-Str. 24, Tel. 4951281; Blockhaus, Neustädter Markt 19, Tel. 53630; Brauerei Mockritz, Gastrizer Str. 30, Tel. 477533; Buri-Buri im Hotel Bellevue (ferner u.a. Restaurants Elbterrasse und Palais sowie Café Pöppelmann und Bierclub Nr. 15), Köpckestr. 15, Tel. 56620, Canaletto, Tel. 5662737; Elbflorenz im Hotel Astoria, Ernst-Thälmann-Platz, Tel. 475171; Haus Altmarkt (Weinrest.), Ernst-Thälmann-Straße 19-21, Tel. 4951212; International (Gaststättenkomplex mit Restaurant Wroclaw, Tanzbar Mazurka, Gockelbar), Prager Str. 15, Tel. 4955134; Kügelgenhaus, Straße der Befreiung 11 / 13, Tel. 52791; Kurhaus Bühlau, Siegfried-Rödel-Platz 1, Tel. 36588; Le Gourmet, An der Frauenkirche 5, Tel. 4841798; Leningrad im Hotel Newa, Leningrader Straße, Tel. 4967112; Luisenhof, Bergbahnstr. 8, Tel. 36842; Maygarten – Straßenbahn Linie 6, Schaufußstr. 24, Tel. 30268; Meißner Weinkeller, Straße der Befreiung 1 b, Tel. 55814; Ostrava (tschech. Spezialitäten), Fetscherstr. 30, Tel. 4593131; Ratskeller (histor. Gaststätte), Dr.-Wilhelm-Külz-Ring 19, Tel. 4952581; Rebstock (Weinstube), Niederwaldstraße 10, Tel. 35035; Rossini, An der Frauenkirche 5, Tel. 4841741; Schillergarten (in Radeberg), Schillerstr. 37, Tel. 2571; Semperoper, Theaterplatz 2, Tel. 4842581; Szeged (ungar. Spezialitäten), Ernst-Thälmann-Str. 4-6, Tel. 4951371; Turmhaus Cotta, Grillparzerstr. 51, Tel. 86004; Weinrestaurant Bacchus, Clara-Zetkin-Str. 15; Zum Grünen Baum, An der Frauenkirche 5, Tel. 48410.
Cafés: Café am Bach, Braunsdorfer Str. 125, Tel. 820281; Café im Fernsehturm, Dresden-Wachwitz.

Eckartsburg (Mi. und Do. geschl.) in der Burgruine, Tel. 415; Hofstübel (So. und Mo. geschl.), Tel. 325; Ratskeller (Mo. und Di. geschl.), Tel. 243. Eiskaffee Hamann (Di. und Mi. geschl.), Tel. 255.

Broilerbar, Frauenberg 7, kein Tel.; Jägerrestaurant, Auf der Wartburg, Tel. 5111; Marktschänke, Markt 19, Tel. 3461; Schloßkeller (Fisch), Esplanade, Tel. 3885; Schorschls Tagesbar, Georgenstr. 19, Tel. 72739; Turmschänke, Wartburg-Allee 2, Tel. 5291; Zisterne, Jakobsplan 10, Tel. 6160; Zwinger, Bahnhofstraße, Tel. 5291.
Cafés: Brühheim, Friedrich-Engels-Str. 1, Tel. 3509; Corsocafé, Bahnhofstr. 7, kein Tel.; Eiscafé Schrön, Elsterweg 9, Tel. 6762; Stadtcafé, Karkstr. 33-35, Tel. 3054; Süße Ecke, Friedrich-Engels-Str. 39, Tel. 4751; Theatercafé, Leninplatz 4-7, Tel. 5351; Zentral, Johannisstr. 2.

Bärenschänke, Tiergarten, Tel. 2271; Kegelbahn, Goethestraße, Tel. 64360; Trompeterschlößchen, Ernst-Thälmann-Platz 11, Tel. 2213.
Café am Brühl, Brühl 2, Tel. 2492.

Aktivist, Karl-Marx-Straße, Tel. 43330; Aufbau, Bahnhofstr. 100, Tel. 2149; Bräustübl, Straße des Komsomol 61, Tel. 44115; Club am Anger, Pionierweg 3, Tel. 43542; Diehloer Höhe, Diehloer Straße, Tel. 46376; Friedensanker, Wilhelm-Pieck-Straße, Tel. 2213; Fürstenberger Hof, Wilhelm-Pieck-Straße, Tel. 2705; Halbzeit, Diehloer Straße, Tel. 46022; Husch, Leninallee 1 / 3, Tel. 46026; Kastanienhof, Fischerstraße, kein Tel.; Kosmos, Fröbelring, Tel. 61310; Mittelschleuse, Mittelschleuse, Tel. 43606; Schwarzer Adler, Buchwaldstr. 42, Tel. 2732; Stadt-Mitte, Wilhelm-Pieck-Straße, Tel. 2161; Unterm Schirm, Karl-Marx-Straße, Tel. 46296; Unterschleuse, An der Unterschleuse, Tel. 61265; Zur Sonne, Thälmannstraße, Tel. 43192.

Eisenhütten-stadt
(Fortsetzung)

Cafés: Konditorei, Straße der Republik, Tel. 4 62 08; Milchbar, Leninallee, Tel. 4 61 80; Theater-Café, Leninallee 27, Tel. 4 60 40.
Restaurants im Kreis Eisenhüttenstadt – Land: Bremsdorfer Mühle, Bremsdorf, Tel. Fünfeichen 2 32; Kupferhammer, Kupferhammer bei Mixdorf, Tel. Grünow 2 97.

Lutherstadt Eisleben

Goldenes Schiff, August-Bebel-Plan 6, Tel. 23 23; Kupferklause, Sangerhäuserstr. 42, Tel. 20 27; Mansfelder Hof, Halleschestr. 33, Tel. 24 03; Ratskeller, Markt 12, Tel. 23 41.
Cafés: Eiscafé, Sangerhäuserstr. 23, Tel. 2471; Milchbar, Andreaskirchplatz, kein Tel.; Zentra, August-Bebel-Plan 13, Tel. 29 16.

Erfurt

Alter Schwan (historische Gaststätte), Gotthardstr. 27, Tel. 2 91 16; Berolina, Berliner Platz, Tel. 7 22050; Caponniere, iga-Gelände, Tel. 2 64 95; Drushba, Anger 19 / 20, Tel. 2 13 16; div. Lokalitäten im Erfurter Hof, Am Bahnhofsvorplatz, Tel. 5 11 51; Gastmahl des Meeres, Bahnhofstr. 45, Tel. 2 23 84; Gildehaus, Fischmarkt 13-16, Tel. 2 32 73; Hohe Lilie (historische Gaststätte), Domplatz 31, Tel. 2 25 78; International, Neuwerkstr. 31 / 32, Tel. 2 25 61; Lowetsch, Walkmühlstr. 13, Tel. 2 40 47; Presseklub, Dalbersweg, Tel. 2 23 16; Stadt Berlin, Berliner Platz, Tel. 7 21002; Stadt Moskau, Moskauer Platz, Tel. 7 73118; Stadt Vilnius, Vilniuser Straße, Tel. 7 21102; Winzerkeller, Bahnhofstr. 5, Tel. 5 11 51; Zur alten Stadtmauer, Juri-Gagarin-Ring, Tel. 2 64 20.
Cafés: Györ, Anger 23, Tel. 2 65 16; Iris, Juri-Gagarin-Ring, Tel. 2 69 64; Kakteen- und Mocca-Bar, Bahnhofsplatz, Tel. 5 11 51; Parkcafé, Hopfenberg, Tel. 3 53 21; Ringcafé, Juri-Gagarin-Ring 97, Tel. 2 28 65.

Frankfurt (Oder)

Broilereck, Tunnelstr. 1, Tel. 2 79 91; Gastmahl des Meeres, Kleine Oderstraße, Tel. 3 27175; Grillbar im Hochhaus, Tel. 3 81543; Grillbar und Restaurant im Hotel Stadt Frankfrt, Karl-Marx-Str. 193, Tel. 38 90; Grünhof, August-Bebel-Str. 54, Tel. 2 71 84; Haus der Einheit, Gubener Str. 13 / 14, Tel. 2 26 11; Haus des Handwerks, Bahnhofstr. 13, Tel. 3 24573; Oderland, im Hochhaus, Tel. 3 81586; Polonia, Wilhelm-Pieck-Str. 296, Tel. 2 26 95; Ratskeller, im Rathaus, Tel. 3 27005; Stadtwappen, Ernst-Thälmann-Str. 32, Tel. 3 26305; Wintergarten am alten Wasserturm, Mühlenweg, Tel. 4 26 69; Witebsk, Karl-Marx-Str. 169, Tel. 3 25063.
Cafés: Brunnencafé, Zentraler Platz, Tel. 4 36 83; Café am Kleistpark, Tel. 2 36 64; Café Nord, Hansastr. 30, Tel. 6 30 22; Kaffeetasse, Karl-Marx-Str. 187, Tel. 3 24631; Parkcafé, Pablo-Neruda-Block 2 / 3, Tel. 2 23 69.

Freiberg

Bergglöckchen, Ulrich-Rülein-Straße 13, Tel. 33 70; Brauhof, Körnerstr. 2, Tel. 3 281; Erbisches Tor, Karl-Marx-Str. 16, Tel. 4 8096; Euchler, Berthelsdorfer Str. 7, Tel. 4 7755; Gastmahl des Meeres, Karl-Marx-Str. 3, Tel. 4 7108; Gastronom, Karl-Kegel-Straße, Tel. 60 35 / 6; Gold-Broiler, Obermarkt, Tel. 4 7588; Klosterschänke, Pfarrgasse 35, Tel. 30 29; Ofenblase, Stollengasse 5, Tel. 35 67; Peterstor, August-Bebel-Straße, Tel. 34 67; Ratskeller, Obermarkt 16, Tel. 33 22; Sächsischer Hof, Berthelsdorfer Str. 23, Tel. 30 82; Schloßkeller, Otto-Nuschke-Platz, Tel. 38 04; Schloßschänke, Prüferstr. 8, Tel. 22 06; Seilerberg, Thomas-Mann-Str. 18, Tel. 6 7595; Stadt Dresden, Dresdener Str. 4, Tel. 27 87.
Cafés: Am Dom, Untermarkt 26, Tel. 30 01; Hartmann, August-Bebel-Str. 1 a, 28 07; Mocca-Milch-Eisbar, Karl-Marx-Straße / Weingasse, Tel. 25 90; Stadt-Café, Körnerstr. 21, Tel. 24 12.

Friedrichroda

Klosterkeller im Schloß Reinhardsbrunn, Tel. 42 53.

Fürstenberg
(Havel)

Bahnhofsgaststätte, Bahnhof, Tel. 22 43; Goldene Kugel, Bahnhofstr. 14, Tel. 25 47; Linde, Thälmannstr. 51, Tel. 20 22; Parkgaststätte, Bahnhofstr. 5, Tel. 26 46; Schleuse, Zehdenickerstr. 1, Tel. 22 05; Sportlerheim, Stadtpark, Schwedtsee, Tel. 21 40; Templiner Hof, Puschkinallee 18, Tel. 20 39; Wintergarten, Berliner Str. 80, Tel. 26 15; Zur alten Bornmühle, Zehdenikerstr. 21, z.Z. kein Telefonanschluß.

Rats-Café, Thälmannstr. 53, Tel. 2201.

Bierhöhler (historisches Brauhaus) im Hotel Gera, Straße der Republik 30, Tel. 22991; Elstertal, Ganymed, Lotos u.a. im Hotel Gera, Straße der Republik 30, Tel. 22991; Gastmahl des Meeres (Fisch), Zschochernstr. 4, Tel. 23193; Gastronom, Straße der Republik, Tel. 26228; Gaststätte im Sport- und Freizeitzentrum, in Gera-Leumnitz, Naulitzer Str. 28, Tel. 23488; Haus des Handwerks, Puschkinplatz, Tel. 24041; Jagdhof (Mi. und Do. geschl.), Schloßallee, Tel. 23288; Quisisana, Neue Straße 2, Tel. 23510; Ratskeller, Markt, Tel. 26680; Sliven (u.a. bulgarische Speisen), Kornmarkt, Tel. 26522; Theaterrestaurant, Dimitroffallee, Tel. 26903; Thüringen Grill, Haus der Kultur, Straße des 7. Oktober, Tel. 619283; Wernesgrüner Bierstube, Kornmarkt, Tel. 23953.

Cafés: Café im Comma, Straße der Republik 47, Tel. 52180; Galerie-Café, Haus der Kultur, Straße des 7. Oktober, Tel. 619260; Rendezvous im Hotel Gera, Straße der Republik 30, Tel. 22991; Terrassencafé Osterstein, in Gera-Osterstein, Hainberg, Tel. 26592.
Nachtclub Rubin im Hotel Gera, Straße der Republik 30, Tel. 22991.

Thomas-Müntzer-Heim; Deutsches Haus; Schwarzer Adler.

Ausflugsgaststätte Quellental (Ausgangspunkt für eine Wanderung durch das Quellental).

Strandeck (Café und Bar), Wilhelm-Pieck-Straße.

Berggaststätte Landskrone, Görlitz-Biesnitz, Tel. 78015; Bürgerstübl, Neißstr. 27, Tel. 4722; Burghof, Promenadenstr. 96, Tel. 78098; Destille, Nikolaistr. 6, Tel. 5532; Deutsches Haus, Reichenbacher Str. 61, Tel. 78241; Gastmahl des Meeres, Struvestr. 2, Tel. 4629; Goldener Baum (historische Gaststätte), Untermarkt 4 / 5, Tel. 6268; Landskronbierstuben, Berliner Str. 50, Tel. 4914; Stadthalle, Straße der Freundschaft, Tel. 4460; Taverne, Platz der Befreiung, Tel. 4325; Touristenheim, Görlitz-Biesnitz, Promadenstr. 120, Tel. 78858.
Cafés: Gramont, Jakobstr. 40, Tel. 5480; Mokkana, Berliner Str. 29, Tel. 5850; Schwibbogen, Brüderstr. 17, Tel. 4198.

Alte Sternwarte, Kleiner Seeberg, Tel. 52605; Berggarten, In der Klinge, Galbergweg 16, Tel. 54475; Düppel, Seebergen, zu erreichen über Wechmar, Tel. 442; Feldschlößchen, Waltershäuser Straße, Tel. 54332; Freundschaft, Wilhelm-Pieck-Platz, Tel. 58514; Gastmahl des Meeres (ehem. Fischerstube), Schwabhäuser Str. 47, Tel. 52955; Gockel-Grill, Hauptmarkt 26, Tel. 53254; Orangerie (Gaststätte geschlossen; Café im Sommer geöffnet), Karl-Marx-Str.8, Tel. 53651; Parkpavilllon, Puschkinallee 3, Tel. 52144; Ratskeller (z.Z. geschl.), Hauptmarkt 3, Tel. 54057; Schloßgaststätte, Schloß Friedenstein, Tel. 52331; Tanne, Jüdenstraße, Tel. 52450; Thüringer Hof, Huttenstr. 8, Tel. 52548; Weinstube (z.Z. geschl.), Gartenstraße 28, Tel. 52932; Zur Wartburg (Bierbar), Waltershäuser Str. 43, Tel. 52066.
Cafés: Galetti, Blumenbachstraße, Tel. 53991; Kaffee-Stube am Buttermarkt, Tel. 53564; Konditorei und Café Busch, Jüdenstraße 26, Tel. 52082; Mocca-Bar, Hauptmarkt 38, Tel. 53805; Pinguin-Eisbar, Erfurter Straße 1, Tel. 52184; Scharfenberg, Hersdorfstraße 10, Tel. 53677; Stadt-Café (nur Eisdiele), Neumarkt 6, Tel. 52996; Suzette, Bebelstr. 8, Tel. 53755; Theater-Café im Kreiskulturhaus, Leninplatz 3, Tel. 53268 / 52130.

Goldene Kugel, Karl-Liebknecht-Str. 31, Tel. 316; Waldperle (auch Tanz), Clara-Zetkin-Str. 11, Tel. 623.
Cafés: Seestern (Eiscafé), Rosa-Luxemburg-Straße, Tel. 631; Stadtcafé in Graal, Fritz-Reuter-Str, 6, Tel. 413.

Greifswald

Am Theater,, Platz der Freiheit, Tel. 2660; Bauernstube, Ernst-Thälmann-Ring, Tel. 811064; Bierkeller, Röntgenstr. 3 a, Tel. 811029; Bierschenke, Vulkanstr. 24, Tel. 3288; Boddeneck, Ostrowskistr. 8, Tel. 812019; Greifswalder Hof, Straße der Freundschaft 5, Tel. 3292; Hafenklause, Roßmühlenstr. 10, Tel. 2652; Haus der DSF, Straße der Freundschaft 144, Tel. 2368; Haus des Handwerks, Bahnhofstr. 1, Tel. 2782; Klaus Störtebeker, Wieck, Tel. 3732; Klosterschenke, Eldena, Wolgaster Str. 27, Tel. 4903; Kulturhaus Otto Steinbrink, Loitzer Landstr. 36, Tel. 3501; Mensa-Restaurant am Wall, Schützenstraße, Tel. 5021; Mitropa, Bahnhof Greifswald, Bahnhofstr. 43, Tel. 2372; Nordstern, Tolstoistr. 12, Tel. 812001; Ostseeschenke, Straße des Friedens 5, Tel. 3729; Ratsweinkeller, Platz der Freundschaft, Tel. 3285; Rosengarten, Rudolf-Petershagen-Allee, Tel. 3503; Rubenow-Klub im Haus des Kulturbundes, Fischstr. 11, Tel. 3408; Semrau, Straße der Freundschaft 138, Tel. 2689; Sonne, Steinbecker Straße 1, Tel. 2221; Stadt Greifswald, Lomonossowallee, Tel. 812102; Stadt Leipzig, Otto-Grotewohl-Allee 98, Tel. 3519; Treffpunkt, Dr.-Wilhelm-Külz-Str. 83, Tel. 3176; Waldhaus Elisenhain, Hainstraße, Tel. 4971; Weinstube, Brünzower Wende 1, Tel. 811023; Zum Goldbroiler, Platz der Freundschaft, Tel. 2181; Zum goldenen Anker, Ostseeviertel, Rigaer Str. 1, Tel. 813930; Zum platten Butt (Fisch), Straße der Freundschaft 6, Tel. 2709; Zur Eiche (Bierrestaurant; Fondue u.a.), Gützkower Str. 1, Tel. 2210; Zur Hütte, Am Markt 2, Tel. 2155; Zur Post, Mühlenstr. 18, Tel. 2926; Zur Quelle, Brinkstr. 30, Tel. 3435.
Cafés: Café am Markt, Straße der Freundschaft 96, Tel. 3114; Eiscafé Nordlicht, Gützkowerstr. 5, Tel. 2636; Eiscafé Windrose, Karl-Liebknecht-Ring 1, Tel. 5241; Espresso, Baderstr. 3, Tel. 76242; Milchbar, Platz der Freundschaft, Tel. 3114; Museumscafé im Stadtmuseum, Theodor-Pyl-Straße; Theatercafé, Platz der Freiheit 1, Tel. 3268.
Disco: Trend Disco Boutique, Straße der Freundschaft 8, Tel. 2709.
Nachtbar: Grypsi-Bar, Straße der Freundschaft 22, Tel. 2963.
Ausflugsgaststätte in Lubmin (O-2205), am Greifswalder Bodden: Teufelsstein (auch Café), Hafenstr. 13, Tel. Wusterhusen 2214.

Greiz

Friedensbrücke, Ernst-Thälmann-Str. 1-3, Tel. 2221; Gaststätte am Goethepark, Ernst-Thälmann-Str. 13, Tel. 2367; Ratsstübl, Puschkinplatz, Tel. 3493.
Tanzbars: Schloßkeller (Mi. geschl.), Oberes Schloß, Tel. 3895; Trocadero, Am Goethepark, Tel. 2367.
Einkehrstätten an der Talsperre Pöhl: Adlersteinalm Jocketa, Tel. Jocketa 332; Alt Jocketa, Tel. Jocketa 254; Altensalz, Neuensalz-Altensalz, Tel. Plauen 273274; Posthaus, Neudörfel bei Jocketa, Tel. Jocketa 423; Rentzschmühle, Tel. Jocketa 203; Talsperrenblick Jocketa, Tel. Jocketa 286; Vogtländische Schweiz, Tel. Jocketa 239.
Gaststätten im Elstertal: Elsterperle, Wünschendorf, Wendenplatz, Tel. Amt Wünschendorf 8209; Hammermichelbaude (Mi. und Do. geschl.), Elstertal, Tel. Amt Berga 382; Märchenwaldbaude, Eingang zum Märchenwald, kein Telefon.

Grevesmühlen

Am Markt, Tel. 2713; Gesellschaftshaus, Platz der Jugend 1, Tel. 2340. Jugendklubs Grevesmühlen, Wismarsche Straße, Tel. 2102.
In Rüting (O-2421), an der Straße von Grevesmühlen nach Schwerin: Eiscafé Horn.

Grimmen

Treffpunkt (Gaststättenkomplex in zentraler Lage mit Restaurant, Café und Bar; Terrasse), Heinrich-Heine-Straße, Tel. 2470.

Groß Kreutz

Zur Post, Brandenburger Str. 21, Tel. 206.

Güstrow

Altdeutsche Bierstuben, Am Berge 11, Tel. 62617; Fischerklause, Lange Str. 9, Tel. 64438; Freundschaft, Wilhelm-Pieck-Str. 2, Tel. 63566; Haus des Handwerks, Straße der Befreiung 1, Tel. 62051; Kurhaus, Inselsee, Tel. 63006; Marktkrug, Markt 14, Tel. 6234–0; Schloßgaststätte, Franz-Parr-

Platz 1, Tel. 63030; Stadt Güstrow, Markt 2 / 3, Tel. 4841; Weinstuben,
Markt 27 / 28, Tel. 62612; Zum Jägerstübchen, Schloßstr. 1 / 2, Tel.
61813; Zum Kaland, Mühlenstraße 21, Tel. 63232; Zum Ratskeller, Markt
10, Tel. 64183.
Cafés: Konsum-Café, Domstr. 15, Tel. 62484; Milchbar, Straße des Friedens 15, Tel. 63608; Schloßcafé, Franz-Parr-Platz 1, Tel. 61096.
Tanz- und Nachtbar Borwin, im Hotel Stadt Güstrow, Markt 2 / 3, Tel. Tel.
4841.

Altstadtgarten, Osterwiecker Chaussee 1-5, Tel. 22155; Am Friedens-
stadion, Spiegelsbergenweg 18, Tel. 22033; Am Wassertor, Finckestraße,
Tel. 24614; Bierkeller, Spiegelstraße, Tel. 22018; Bullerberg, Am Bullerberg, Tel. 24278; Deutsches Haus, Magdeburger Chaussee 14, Tel.
24644; Domklause, Düsterngraben 12, Tel. 21587; Felsenkeller, Tel.
21758; Fischgaststätte, Magdeburger Straße, Tel. 24819; Griletta,
Richard-Wagner-Str. 25, Tel. 21853; Halberstädter See, Tel. 21055; Halte-
stelle, Quedlinburger Str. 77, Tel. 23254; Harzrestaurant, Harzstr. 7, Tel.
21781; Haus des Friedens, Thomas-Müntzer-Straße, Tel. 23020; Haus St.
Florian (auch Hotel), Gerberstr. 10, Tel. 21033; Jagdschloß, Spiegels-
berge, Tel. 22312; Klubhaus der Werktätigen, Spiegelstr. 21, Tel. 22018;
Postschenke, Schmiedestr. 1, Tel. 22472; Rolandeck, Hoher Weg, Tel.
24138; Sommerbad, G.-Rehse-Straße, Tel. 23123; Waldschenke, Spie-
gelsberge, Tel. 22212; Weißes Roß, Johann-Sebastian-Bach-Str. 26, Tel.
21176; Zum Auerhahn, Straße d. OdF 36-37, Tel. 22133.
Cafés: Café des Handwerks, H.-Duncker-Straße, Tel. 24253; Milchbar,
Spiegelstraße, Tel. 24127; Ratscafé, Otto-Grotewohl-Straße, Tel. 22295;
Stadtcafé, Breiter Weg 34, Tel. 21621.

Alchimistenklause, Reilstr. 47, Tel. 24272; Böllberger Gaststätte, Katowi-
cer Straße, Tel. 41046; Eissporthalle, Tel. 642035; Freyburger Weinstuben, Rathausstr. 7, Tel. 24993; Haus am Leipziger Turm, Waisenhausring
16, Tel. 23870; Havanna-Club, Waisenhausring 15, Tel. 26392; Inter-
mezzo, Rathausstr. 9, Tel. 29665; Krug zum grünen Kranze, Talstr. 37, Tel.
30049; Market Snack, Große Steinstraße 74, Tel. 29083; Moritzburg-
Weinkeller, Friedemann-Bach-Platz 5, Tel. 29339; Panorama, Große
Ulrichstr. 6-8, Tel. 23164; Pirouette, Gimritzer Damm, Tel. 642054; Rats-
gaststätte, Marktplatz 2, Tel. 24650; Roland, Marktplatz, Tel. 24191;
Schellenmoritz, An der Moritzkirche 1, Tel. 23713; Silberhöhe, Straße der
Neuerer 19, Tel. 702013; Tallinn, Rigaer Straße, Tel. 45345; Ufa (russ. Spe-
zialitäten), im Hotel Stadt Halle, Ernst-Thälmann-Platz 17, Tel. 38041.
Cafés: Alibi, Ernst-Thälmann-Platz, Tel. 21176; Café am Markt 2, Tel.
26110; Café für Dich, Große Ulrichstr. 52, Tel. 21123; Junior, Leipziger Str.
12, Tel. 28288; Milchbar Rendezvous, Steg 3, Tel. 23991.
Nachttanzbar: Palette, Große Nikolaistr. 9-11, Tel. 21753.

Berg's Gasthaus, Tel. 2770; Bistro St. Martin (Eichsfelder Spezialitäten),
Wilhelmstr. 22, kein Tel.; Eichsfelder Hof, Karl-Marx-Str. 56, Tel. 2675;
Forsthaus, Tel. 2764; Gaststätte im Kreiskulturhaus Dr. Theodor Neu-
bauer, Aegidienstr. 11, Tel. 3570; Goldener Löwe, Karl-Marx-Str. 75, Tel.
3444; Haus des Handwerks, Marktplatz 8, Tel. 3051; Herget's Pizzeria,
Schönbach, kein Tel.; Liethen-Treffpunkt, Bruno-Leuschner-Str. 70, Tel.
2523; Neun Brunnen, Flinsberger Straße, Tel. 2675; Norddeutscher Bund,
Friedrich-Engels-Str. 25, Tel. 2648; Schwarzer Adler, Wilhelm-Str. 2, Tel.
2250; Stadion, Am Leinberg 2, Tel. 2783; Thüringer Hof, Geisleder Tor 8,
Tel. 3661; Zum Brauhaus, Tel. 2922.
Cafés: Café-Bar Nr. 86, Wilhelmstr. 86, Tel. 2851; Eis-Mokka-Bar, Friedrich-Engels-Str. 1, Tel. 2982; Central Café, Karl Marx-Str. 37, Tel. 2660.

Palette (Speise- und Tanzlokal), Nr. 23, Tel. 734.
Cafés: Schwanen-Café und Milchbar, Unter den Kolonnaden, Tel. 737;
Kaffee und Kuchen (auch Wein) im Hotel Max-Planck-Haus, Prof.-Vogel-
Straße, Tel. 721.

Heringsdorf,
Seebad

Gerhard Opitz (Restaurant, Buffet, Café), Seestr. 6, Tel. 681; Restaurant, Café und Tanzbar im Hotel Stadt Berlin, Ernst-Thälmann-Str. 38, Tel. 413 / 648.
Diverse weitere Cafés.

Hohendorf
über Wolgast

Neue Heimat, Chausseestr. 33, Tel. Wolgast 3501.

Hohenkirchen
über Wismar

Möwe (Schnellimbiß und Fischspezialitäten; vorläufig nur Sa. und So. von 11.00–19.00 Uhr geöffnet), Wohlenberger Wiek (weitere Auskünfte: Wolf-Rüdiger Arlt, Postf. 31, O-2401 Hohenkirchen).

Holzhausen
über Arnstadt

Restaurant im Hotel Veste Wachsenburg, Tel. 5927 / 28.

Hoyerswerda

Kastanienhof, Karl-Marx-Str. 28, Tel. 26596; Kühnichter Heide, Liselotte-Hermann-Str. 90, Tel. 3102; Libelle, Ziolkowskistr. 35, Tel. 78070; Ratskeller, Platz der Roten Armee, Tel. 8595; Treff 8, Lipezker Platz 8, Tel. 79047; Zum Wassermann, Am Ehrenhain 4 / 5, Tel. 28018.

Ilmenau

Gastronom, Johann-Friedrich-Böttger-Straße, Tel. 8018; Lindenhof, Lindenstr. 11, Tel. 2790; Posthof, Straße des Friedens 4, Tel. 2862; Ratskeller, Markt 4, Tel. 2001; Sächsischer Hof (Selbstbedienung), Straße des Friedens 1, Tel. 2249; Waldschlößchen, Schleusinger Str. 15, Tel. 3227; Zum Löwen (auch Hotel), Lindenstraße, Tel. 2018; Zum Schwan, Markstr. 15, Tel. 4465.
Cafés: Espresso, Mühltor 8, Tel. 3650; Park-Kaffee, Naumannstr. 22, Tel. 2284; Schindler, Weimarer Str. 2, Tel. 3414; Stadtcafé, Straße des Friedens 11, Tel. 2233.

Jena

Forelle, Holzmarkt 14, Tel. 22160; Fuchsturm, Tel. 22417; Jenzighaus, Am Jenzig 99, Tel. 22774; Kiosk Planetarium, Saalbahnhofstr. 12, Tel. 24582; Kulturhaus Lobeda, Karl-Marx-Allee, Tel. 34074; Lodeburgklause, Tel. 32185; Ratszeise, Markt 1, Tel. 23911; Universitätshochhaus-Restaurant, Schillerstraße, Tel. 8228479.
Cafés: Kosmos, Carl-Zeiss-Platz 1, Tel. 24820; Orchidee, Zentraler Platz, Tel. 25302; Paradiescafé, Vor dem Neutor 5, Tel. 23800.

Kamenz

Goldene Sonne, Bautzner Str. 71, Tel. 6080; Goldner Stern, Platz der Befreiung 14, Tel. 5093; Haus der Nationalen Volksarmee, Macherstraße 5321; Hutberg (auch Hotel), Am Hutberg 25, Tel. 5016; Sachsentreue, Heinrich-Heine-Str. 2, Tel. 5358; Stadt Dresden, Weststr. 10, Tel. 5304; Thonberg, Bautzner Str. 288, Tel. 6131; Zum Echten, Bautzner Str. 51, Tel. 5643. – Café: Stadtcafé, Zwingerstr. 14, Tel. 6341.

Karlshagen

Kiefernhain, Hauptstr. 2, Tel. 250; Kosmos, Tel. 216; Waldcafé (auch Tanz), Strandstr. 1, Tel. 304.

Kirchdorf
(Insel Poel)

Poeler Grillstube, Birkenweg 18.

Klingenthal

Aschbergschenke (Di. und Mi. geschl.), Goethestr. 12, Tel. 2680; Centralhalle (Sa. und So. geschl.), Kirchstr. 86, Tel. 2787; Frank's Zwota (Mi. und Do. geschl.), Bergstraße, Tel. 3291; Friedenshöhe (Mo. und Di. geschl.), Zollstr. 70, Tel. 3241; Goldberg (Mo. und Di. geschl.), Falkenst.-Straße, Tel. 2855; Grüner Baum (Di. und Mi. geschl.), Leninstr. 101, Tel. 2014; Kosmos (Mo. geschl.), Kosmonautenring, Tel. 3088; Mittelberg (Mi. und Do. geschl.), Pestalozzistraße, Tel. 3577; Postwartehalle (Do. geschl.), Leninstraße, Tel. 2766; Spartenheim Jägerstraße (Mo. und Di. geschl.), kein Tel.; Sportlerheim (Mo. und Di. geschl.), L.-Jahn-Straße, Tel. 3058; Teller's (Mo. geschl.), Markneuk.-Straße, Tel. 2214; Tierpark (Di. und Mi. geschl.), Wilhelm-Pieck-Straße, Tel. 2397; Vogtlandkeller, Platz der Einheit, Tel. 2018; Waldgut (Mo. geschl.), Goethestraße, Tel. 2021; Walfisch Zwota (Mo. geschl.), Klingenthaler Straße, Tel. 2616; Zur Post (Mi. und Do. geschl.), Poststr. 3, Tel. 2109.

Cafés: Eiscafé 2000 (Do. und Fr. geschl.), Leninstr. 44, Tel. 2986; Espresso (Di. und Mi. geschl.), Leninstraße, Tel. 2614.

Klützer Mühle (in restaur. holländ. Windmühle auf mehreren Etagen Restaurant, Café, Bar) mit Biergarten und Kegelbahn im Anbau, Am Mühlenberg, Tel. 553.

Klütz

Zur Ostsee (auch Café); Café Am See (auch Eisdiele und Imbißverkauf; Terrasse), Am Strand, Tel. Koserow 305.
Bar: Kölpingshöh.

Kölpinsee

Amtshof, Pirnaer Str. 30, Tel. 511; Bauer Stern, Pirnaer Str. 15, Tel. 576; Bräustübel, Bielatalstr. 23, Tel. 332; Charlottenburg, Cunnersdorferstr. 22, Tel. 430; Elbstüb'l, Bahnhofstr. 3, Tel. 237; Festung Königstein, Tel. 420; Sachsenhof, Bielatalstr. 23, Tel. 332; Schrägers Gaststätte, Kirchgasse 1, Tel. 352.

Königstein
(Sächs. Schweiz)

Cafés: Café am Bahnhof, Tel. 750; Café Festung Königstein, Tel. 420.

Idyll am Wolgastsee.

Korswandt

Bahnhofsgaststätte, Bahnhofstr. 3, Tel. 215; Seeblick (Café, Milchbar, Fischerhütte); Vinetta; Zentral; Zum Streckelsberg, (Restaurant und Café), Meinholdstr. 23, Tel. 272.
Tanzbar: Waldschloß.

Koserow

Klubgaststätte Bertolt Brecht (So. und Mo. geschl.), Haus des Kulturbundes, Leninstr. 34 a, Tel. 2593; Ratskeller (Mi. und Do. geschl.), Markt 1-2, Tel. 2960; Stadt Köthen (auch Hotel), Friedrich-Ebert-Str. 22, Tel. 6106; Waldschenke am Tierpark, kein Tel.; Zur Schlachteplatte (Sa. und So. geschl.), Lindenstr. 1, Tel. 2498; Zur Weintraube (So. geschl.), Weintraubenstraße, Tel. 2570. Cafés: Am Markt, Marktplatz 5, Tel. 3153; Kosmos – Eisbar (Mo. und Di. geschl.), Weintraubenstraße, Tel. 3980; Troika (Mo. und Di. geschl.), Holzmarkt 8, Tel. 2300; ferner Konditorei und Café Rödel, Magdeburger Straße, und Schloßcafé im Schloß.

Köthen

Am Jörnberg, Tel. 2224; Nordischer Hof, Markt 3, Tel. 2304.
Milchbar-Café, Wilhelm-Pieck-Str. 8, Tel. 2218.

Krakow am See

Gepflegte Restaurants, Bars und Weinstuben in den Travelhotels Arendsee, Straße des Friedens 30, Ostseehotel, Strandstr. 46, Union, Straße des Friedens 8, alle Auskunft Tel. 691.

Kühlungsborn,
Ostseebad

Baltic (Café in der Meeresschwimmhalle; Nachttanzbar), Straße des Friedens 44, Tel. 7401.
Tagescafé: Strandperle, Strandstr. 30, Tel. 589.

s. Oberwiesenthal, Kurort (nachfolgend)

**Kurort
Oberwiesenthal**

s. Oybin, Kurort (nachfolgend)

Kurort Oybin

s. Rathen, Kurort (nachfolgend)

Kurort Rathen

s. Seiffen, Kurort (nachfolgend)

Kurort Seiffen

s. Stolberg, Kurort (nachfolgend)

Kurort Stolberg

Inselgaststätte, Unterseeinsel, Tel. 4142; Kreiskulturhaus Wilhelm-Pieck, Leninallee 8, Tel. 2362; Märkische Bierstube, Am Bahnhof, Tel. 2255; Waldfrieden, Seestr. 100, Tel. 4217.
Cafés: Eiscafé Pinguin, Johann-Sebastian-Bach-Str. 7, Tel. 2509; Zur Friedenseiche, Platz des Friedens 6, Tel. 2350.

Kyritz

In Auerbachs Keller, der wohl berühmtesten deutschen Gaststätte

Leipzig   *Arabeske (ferner Brühl, Milano und japan. Restaurant Sakura) im Hotel Merkur, Gerberstr. 15, Tel. 7990; *Auerbachs Keller (histor. Gaststätte), Grimmaische Str. 2-4, Tel. 209131; Barthels Hof, Markt 8, Tel. 200975; Bodega (Weinstube), Peterstr. 15, Messehof, Tel. 209490; Burgkeller, Naschmarkt 1 / 3, Tel. 295639; Csárda (ungar. Weinstube), Schulstr. 2, Tel. 281420; Falstaff, Georgiring 9, Tel. 286403; Fürstenhof im Hotel International, Tröndlinring 8, Tel. 71880; Galerie (sowie Restaurants Pelzklause und City; ferner Café Karat) im Hotel Astoria, Platz der Republik, Tel. 72220; Gastmahl des Meeres, Dr.-Kurt-Fischer-Str. 1, Tel. 291160; Journalistenclub, Neumarkt 26, Tel. 209560; Kaffeebaum (histor. Gaststätte), Kleine Fischergasse 4, Tel. 200452; Parkgaststätte Markkleeberg, agra-Gelände, Tel. 326147; Paulaner, Klostergasse 3, Tel. 209941; Pragers Biertunnel, Nürnberger Str. 1, Tel. 294789; Raphsodie im Hotel Am Ring, Karl-Marx-Platz, Tel. 79520; Ratskeller, Lotterstr. 1, Tel. 7913591; Sachsen-Bräu, Hainstr. 17 / 19, Tel. 281148; Spreewaldgaststätte, Fichtestr. 25, Tel. 311571; Stadtpfeiffer, Am Markt, Tel. 7132; Thüringer Hof (histor. Gaststätte), Burgstr. 19-23, Tel. 209884; Varadero (kuban. Spezialitäten), Barfüßergäßchen 8, Tel. 281686; Vignette im Hotel Stadt Leipzig, Richard-Wagner-Str. 1-5, Tel. 288814; Wildpark-Gaststätte, Koburger Straße, Tel. 311613; Zills Biertunnel und Weinstube, Barfüßergäßchen 9, Tel. 200446; Zum Löwen, Rudolf-Breitscheid-Straße, Tel. 72230.
Cafés: Concerto, Thomaskirchhof 13, Tel. 204343; Fregehaus, Katharinenstr. 11, Tel. 286593; Milch-Mocca-Eisbar, Wintergartenstraße (Hochhaus), Tel. 282581; Mokkabar, Leipzig-Information, Tel. 7959314; Panoramacafé, Universitätshochhaus, Tel. 7466; Windmühle, Riemannstr. 10, Tel. 315051.

Teehaus, Thomaskirchhof 11, Tel. 293768.

Nacht- und Tanzbars: Femina, Markt 17, Tel. 281526; Tivoli, Katharinenstr. 13, Tel. 200323.

Alter Krug, Bautzner Platz 3, Tel. 3380; Altlöbau, An der Seltenrain, Tel.   **Löbau**
3657; Bergquellklause, Poststr. 2, Tel. 3738; Hackerbräu, Karl-Marx-Platz
9, Tel. 3281; Keglerheim, Ahornallee 2, Tel. 3325; Stadt Görlitz, Görlitzer
Straße, Tel. 81855; Turmgaststätte, Löbauer Berg, Tel. 2590.
Tagescafé: Kleine Konditorei am Boulevard, Nikolaiplatz 6, Tel. 3424.

Alt Lobenstein, Platz der Jungen Pioniere, Tel. 2930; Haus Neuhammer, im   **Lobenstein**
Ortsteil Saaldorf, Tel. 2600; Jäger, Schloßgasse, Tel. 2985; Parkrestaurant, im Park, Tel. 2095; Saalestrand, im Ortsteil Saaldorf, Tel. 2855; Sport-
lergaststätte, Am Sportplatz, kein Tel.; Tiergarten, Karl-Marx-Straße, Tel.
2577.
Cafés: Eisbar, im Park, Tel. 2502; Eiscafé Roesicke, Mühlgasse 21, Tel.
2783; Marktcafé, Markt, Tel. 2979.

Am Hain, Bahnhofstraße, Tel. 3140; Goldener Löwe, Hauptstr. 14, Tel.   **Lübben**
2421; Haus Burglehn, Tel. 2414; Hirsewinkel, Gubener Str. 51, Tel. 7097;
Steinkirchener Hof, Cottbuser Str. 16, Tel. 2602.
Cafés: Kaffee-Schulze, Bergstr. 3 a, Tel. 3414; Strandcafé, Heinrich-Heine-Straße, Tel. 2664.

Fröhlicher Hecht, Lehde Dorfstr. 1, Tel. 2782; Goldener Ring, Hauptstr. 11,   **Lübbenau**
Tel. 2616; Spreewaldeck, Maxim-Gorki-Str. 31, Tel. 2821; Wotschofska,
Tel. 2401; Zum grünen Strand der Spree, Maxim-Gorki-Str. 77, Tel. 2423.

Mitropa-Speiserestaurant, Bahnhof, Tel. 2844; Ratskeller, Nummerstr. 1,   **Ludwigslust**
Tel. 3718; Rostocker Hof, Schweriner Str. 39, Tel. 2567; Schweizerhaus,
Schloßpark, Tel. 3521.
Lindenconditorei, Schloßstr. 12, Tel. 2017.

Bördegrill, Leiterstraße, Tel. 32710; Bötelstube, Alter Markt, Tel. 344409;   **Magdeburg**
Buttergasse (historischer Weinkeller), Alter Markt, Tel. 344748; Donezk,
Hegelstr. 42, Tel. 344250; Fischerufer – Gastmahl des Meeres, Jakobstr.
20, Tel. 35780; Moskwa im Hotel International (auch Café Wien, Juanita
Bar, Spezialitätenklause), Tel. 3840; Pliska (bulgarische Spezialitäten),
Karl-Marx-Str. 115, Tel. 51162; Postkutsche, Leiterstr. 6, Tel. 31912;
Ratskeller (histor. Restaurant), Alter Markt 5, Tel. 32102; Savarin, Breiter
Weg 226, Tel. 344710; Stadt Prag, Karl-Marx-Str. 20, Tel. 344672; Tee-
stube Aserbaidshan, Karl-Marx-Str. 20, Tel. 35935; Wildbrettstübel (Spe-
zialitätenrestaurant), Karl-Marx-Str. 113, Tel. 51906; Zentral (Restaurant,
Grillbar, Weinstube), Karl-Marx-Straße, Tel. 58301.
Cafés: Café am Brunnen, Leiterstraße, Tel. 35147; Café am Dom, Danz-
straße, Tel. 32580; Marietta-Bar, Karl-Marx-Straße, Tel. 355186.

Ausflugsgaststätten: Waldeslust (auch Biergarten), am Strand bzw. in   **Markgrafenheide**
Strandnähe; Forsthaus (auch Caféterrasse und Biergarten; Bootsverleih).

Am Bahnhof, Rudolf-Breitscheid-Str. 18, Tel. 2398; Bayerische Bierstube,   **Markneukirchen**
Straße des Friedens 23, Tel. 2550; Berghof, Bozener Weg 11, Tel. 2683;
Goldener Anker, Ernst-Thälmann-Platz 24, Tel. 2387; Heiterer Blick, Obe-
rer Berg 54, Tel. 2695; Sächsischer Hof, Adorfer Straße 17, Tel. 2240;
Schwimmbadgaststätte, Friedrich-Engels-Str. 1, Tel. 2884; Volkshaus,
August-Bebel-Str. 47, Tel. 3060; Zum Jockel, im Ortsteil Siebenbrunn, kein
Tel.; Zur Eiche, Egerstraße 46, Tel. 3191; Zur Post (auch Hotel), Am
Rathaus 1, Tel. 2016.
Cafés: Mönnig, Roter Markt 22, Tel. 3042; Seifert, Ernst-Thälmann-Platz 5,
Tel. 2388.

Schwanefeld, Schwanefelder Str. 22, Tel. 2415.   **Meerane**

Berggaststätte Helenenhöhe, Panoramaweg 12, Tel. 2432; Goldener   **Meiningen**
Pflug, Georgstr. 19, Tel. 2630; Marktschänke, Platz der Republik 11, Tel.
3002; Thomas-Müntzer-Keller, im Schloßrundbau, Tel. 2344; Wild- und

Meiningen
(Fortsetzung)

Geflügelgaststätte Schlundhaus (historische Gaststätte), Schlundgasse 4, Tel. 3402; Wohngebietsgaststätte Kalininring, Kalininring, Tel. 7531.
Cafés: Café am Eck, Rudolf-Breitscheid-Str. 12, Tel. 2727; Freundschaft, Georgstr. 1, Tel. 2635.

Meißen

Am Burgberg, Meisastr. 1, Tel. 3502; Bauernhäusel, Oberspaarer Str. 20, Tel. 3317; Burgkeller, Domplatz 11, Tel. 3037; Domkeller, Domplatz 9, Tel. 2034; Gambrinus, Wilhelm-Walkhoff-Platz, Tel. 2477; Goldener Löwe (auch Hotel, Rathenau-Platz 6, Tel. 3304; Hamburger Hof, Dresdner Straße 9, Tel. 2118; Meißner Hof, Lorenzgasse 7, Tel. 2497; Ratskeller, Markt 1, Tel. 2177; Sächsischer Hof (Weinrestaurant), Hahnemannplatz 17, Tel. 3028; Stadtparkhöhe, Stadtparkhöhe 2, Tel. 2925; Weinstube Vincenz Richter (hist. Gaststätte), An der Frauenkirche 12, Tel.3285; Winkelkrug, Schloßberg 13, Tel. 2528.
Cafés: Café der Porzellanmanufaktur, Leninstr. 9, Tel. 3770; Kaffeestube, Am Kleinmarkt, Tel. 3651; Konditorei Zieger, Rote Stufen 5, Tel. 3147; Zentralcafé, Willy-Anker-Str. 9-11, Tel. 2735.

Merseburg

Central, Dr.-Wilhelm-Külz-Str. 15, Tel. 213041; F 91, Weißenfelser Chaussee, Tel. 641367; Goldener Hahn, Gotthardstraße, Tel. 213593; Haus der Kultur, Oberaltenburg 2, Tel. 214186; Haus des Handwerks, Leninstraße, Tel. 211023; Lindeneck, Erzberger Str. 15, Tel. 210619; Ratskeller (historische Gaststätte), Burgstraße, Tel. 214037; Schiffsgaststätte Teichperle, Dr.-W.-Külz-Straße, Tel. 215016; Schloßgartensalon, Mühlberg 1, Tel. 213587; Sternburg-Klause, Georg-Schumann-Straße 6, Tel. 213754; Weinstube, Ritterstr. 22, Tel. 213580.
Cafés: Am Entenplan, Burgstr. 6, Tel. 215098; Stadt, Bahnhofstr. 17, Tel. 213613.

Moritzburg

Adams Gasthof (historische Gaststätte), Tel. 431; Waldschänke (historische Gaststätte), Tel. 489.
Schloßcafé, Tel. 482.

Mühlhausen,
Thomas-
Müntzer-Stadt

Ammerscher Bahnhof, Ammerstraße, Tel. 73132; Breitsülze, An der Breitsülze, Tel. 5521 (über Betrieb LGM); Fix-Bar, Kiliansgraben 15 a, Tel. 2552; Goldener Stern, Obermarkt 8, Tel. 3514; Hubertusklause, Wanfriederstr. 43, Tel. 4730; Parkhaus, Thomas-Müntzer-Park, Tel. 3240; Peterhof, Stadtwald, Tel. 2585; Schikore, Erfurter Str. 1, Tel. 2797; Schwanenteich, Naherholungszentrum, Terrasse: Tel. 4759, Café: Tel. 2941; Thuringia, Steinweg 5, Tel. 3274.
Cafés: Eiscafé Cristall (Selbstbedienung), Steinweg 22, Tel. 2857; Stadt-Café, Grasegasse 1, Tel. 2250; Waldcafé, Stadtwald 33, Tel. 4710.

Naumburg

Drei Schwanen, Jakobsstraße 28, Tel. 2365; Drushba, Markt, Tel. 3117; Goldener Hahn, Am Salztor, Tel. 3335; Ratskeller, Markt 1, Tel. 2968; Stadt Naumburg (z.Z. geschl.), Maxim-Gorki-Ring 3, Tel. 3154; Thüringer Bauernstube Lämmerschwänzchen, Lindenring 12, Tel. 3036.
Cafés: Eiscafé Kattler, Lindenring, kein Tel.; Stadtcafé, Markt 3, Tel. 2678.

Neubrandenburg

Am Neuen Tor, Neutorstraße, kein Tel.; Backstube, Ihlenfelder Straße, Tel. 4924; Broilerbar, Straße der DSF, Tel. 3109; Forstgaststätte Werderbruch, Kulturpark, Tel. 3795; Forsthaus, Am Stargarder Tor, Tel. 5141; Gastmahl des Meeres, Straße der Befreiung, Tel. 2464; Kosmos, Karl-Marx-Platz, Tel. 2717; Koszalin, Straße der DSF, Tel. 3155; Lindenberg, Tel. 2887; Sandkrug, Malzstraße, Tel. 6388; Spezialitätenbar, Behmenstraße, Tel. 6050; Stargarder Tor, Ernst-Thälmann-Str. 37, Tel. 2215; Treff, Dr.-Salvador-Allende-Straße, Tel. 72809; Weinstuben am Wall, 3. Ringstraße, Tel. 3766; Zum Burgholz, Burgholzstraße, Tel. 691412; Zum Kranich, Kranichstraße, Tel. 2363; Zur Klause, Turmstr. 28, Tel. 6005.
Cafés: Boulevardcafé, Turmstraße, Tel. 3590; Cafébar, Waagestraße, Tel. 5141; Café Elster, Kranichstraße, Tel. 2517; Fritz-Reuter-Café, Ernst-Thälmann-Str. 35, Tel. 3245; Moccabar, Turmhochhaus, Tel. 5275; Torcafé,

Friedländer Tor, Tel. 41 32; Wiener Café, Ernst-Thälmann-Straße, Tel. 23 07.

Puschkinhaus, Puschkinstr. 60, Tel. 32 66; Wohngebietsgaststätte, Artur-Becker-Straße, Tel. 53 89.
Café: Kleines Café, Karl-Marx-Str. 56, Tel. 38 08.

Bahnhofsgaststätte, Strelitz-Alt, Tel. 73 83; Franziskaner, Bauhof, Tel. 74 06; Gastmahl des Meeres, Strelitzer Straße, Tel. 5 70; Goldene Kugel, Am Markt 17, Tel. 35 05; Haegert, Zierker Str. 44, Tel. 23 05; Haus der Eisenbahner, Am Hafen (Helgoland), Tel. 58 53 76; Haus der Werktätigen, Kastanienallee 3, Tel. 31 65; Oase, Erich-Weinert-Str. 7 / 8, Tel. 38 57; Orangerie, An der Promenade, Tel. 25 16; Paradies, Zierker Str. 56, Tel. 30 51; Reuterstuben, Seestr. 8, Tel. 21 47; Schlachthofgaststätte, Thomas-Müntzer-Str. 13, Tel. 5 71 38; Sportlerheim, Sievertstr. 1, Tel. 73 05; Stendlitz-Eck, Jakubowski-Str. 50, Tel. 71 01; Südbahnhof, Am Südbahnhof, Tel. 47 70; Zentral, Markt 3, Tel. 39 05; Zur Klause, Strelitzer Str. 53, Tel. 25 70; Zur Quelle, W.-Stolte-Str. 95, Tel. 73 12; Zur Sonne, Markt 16, Tel. 36 25.
Cafés: Café am Markt, Markt 6, Tel. 5 71 42; Café Prälank, Prälank 1, Tel. 29 10.

Nienhäger Strand, Am Meer, Tel. 29 56.

Alte Mühle, Darrweg 5, Tel. 43 19; Finkenburg, Domstraße 23, Tel. 26 88; Gambrinus, Parkallee, Tel. 64 24; Gastmahl des Meeres, Arnoldstraße, Tel. 25 82; Handelshof (Hotel-Restaurant-Café), Albert-Kuntz-Platz, Tel. 51 21; Harzpforte, Petersdorf, Tel. 70 56; Harzrigi, Petersdorf, Tel. 31 38; Haus des Sports, Geseniusstr. 27, Tel. 46 65; Parkschloß, Parkallee 8, Tel. 28 53; Rolandstuben, August-Bebel-Platz, Tel. 36 93; Rosengarten, Dr.-Robert-Koch-Straße 1, Tel. 39 09; Sägemühle, Hermannsacker, Tel. 64 85; Stadtparkrestaurant, Wilhelm-Pieck-Straße, Tel. 38 35; Stadt-Terrasse, Rautenstraße, Tel. 25 03; Waldschlößchen, Gehege, Tel. 60 90; Zum Bierkrug, Am Alten Tor 8, Tel. 67 84; Zum Socken, Barfüßerstr. 23, Tel. 41 70.
Cafés: Altstadt, Kranichstr. 19, Tel. 34 82; Gehege, Gehege 8-10, Tel. 47 00; Milch-Mokka-Bar, Töpferstraße, Tel. 32 60; Stadt-Café, Karl-Marx-Straße, Tel. 30 36.

Kanzlersgrund, Tel. 3 67; Luisensitz, Dr.-Theodor-Neubauer-Str. 25, Tel. 2 68; Mitropa (Bahnhofsgaststätte), Tel. 3 43; Oberer Hof, Crawinkeler Str. 1, Tel. 5 33; Sportlerbaude, Schanze am Rennsteig, Tel. 2 78; Thüringen (und weitere Restaurants) im Hotel Panorama, Theo-Neubauer-Str. 29, Tel. 5 01; Waldgaststätte Forsthaus Sattelbach, Tel. 4 51.
Café: Eitner, Crawinkeler Str. 10, Tel. 3 46.

Altes Brauhaus (Mo. geschl.), Tel. 6 88; Am Zechengrund, kein Tel.; Bahnhofsgaststätte (Mi. und Do. geschl.), Tel. 3 95; Baier's Imbiß (Mo. und Di. geschl.), kein Tel.; Bierstube Alter Club (Do. und Fr. geschl.), kein Tel.; Fichtelberghaus (auch Café und Grillbar), Tel. 3 91; Forsthaus, Tel. 3 38; Grillstübl (Do. und Fr. geschl.), kein Tel.; Heimgaststätte Neues Haus (Do. und Fr. geschl.), Tel. 7 38; Imbiß (Sa. und So. geschl.), Annaberger Straße, kein Tel.; Ratskeller (Di. geschl.), Tel. 3 24; Restaurant Alter Club (Di. und Mi. geschl.), Tel. 7 15; Schanzenbaude (Mo. geschl.), Tel. 6 92; Schwebebahnkiosk (Mi. geschl.), Tel. 3 40; Zur Krone (Sa. und So. geschl.), Tel. 2 02.
Cafés: Caféstube im Ski- und Tourristikhotel Weißes Vorwerk (Mo. und Do. geschl.), Tel. 4 07; Central (Sa. geschl.), Tel. 4 04; Enderlein (So. und Mo. geschl.), Tel. 2 81; König (z.Z. geschl.), Tel. 2 18; Vienna, (Sa. und Mo. geschl.), Tel. 7 53.
Gaststätten außerhalb: Bärensteiner Berg (Di. geschl.), Tel. 3 34; Gute Quelle (Sa. und So. geschl.); Schneider – Tellerhäuser (Di. und Mi. geschl.), Tel. 5 85; Siebensäure (Mi. geschl.), Tel. 82 00; Vierenstraße (Di. geschl.), kein Tel.; Volkshaus Neudorf (Mo. geschl.). Café Neudorf (Mo. und jeden letzten Di. im Monat geschl.), Tel. 81 58.

Oranienburg Babette, im Ortsteil Sachsenhausen, Clara-Zetkin-Straße, kein Tel.; Centrum, im Ortsteil Sachsenhausen, Wilhelm-Pieck-Str. 14, Tel. 3529; Gesellschaftshaus (Bierkeller, Weinstube, Bar), Straße des Friedens 68, Tel.3604; Havelkrug, Emil-Polesky-Straße, Tel. 82051; Hubertus, Straße des Friedens 122, Tel. 3360; Melniker Hof (Hotel-Restaurant-Weinstube), Straße des Friedens 48, Tel. 5106; Sonnenburg, Robert-Koch-Str. 67, Tel. 3840; Zur Erholung, Leninallee 115, Tel. 82412.
Cafés: Eiscafé (auch Konditorei) am Lehnitzsee, Rüdesheimer Str. 21, Tel. 4152; Milchbar (auch Konditorei), Straße des Friedens 60, Tel. 3498.

Oybin, Kurort Burgkeller, Tel. 454; Casino, Tel. 308; Forsthaus Hain, Tel. 245; Fremdenhof Hain, Tel. 311; Klosterhof, Tel. 554; Oybintal, Tel. 221; Rodelbahn, Tel. 251; Töpferbaude, Tel. 310.
Tagescafé, Tel. 241.

Pasewalk Kiek in de Mark, Straße der Befreier 47, Tel. 3689; Kreiskulturhaus, Ringstr. 12, Tel. 3380; Mitte, Ernst-Thälmann-Str. 1, Tel. 2275; Rassegeflügel, Straße der Befreier 19, Tel. 3638; Stadt Pasewalk, Hausmannstr. 11, Tel. 2344.
Cafés: Eiscafé Holtz, Bahnhofstr. 7, Tel. 3503; Milchbar, Leninstraße 53 b, Tel. 3254.

Pirna Copitzer Eck, Paul-Harnisch-Straße, Tel. 3219; Gambrinus, Lange Straße, Tel. 64918; Klubhaus, Tel. 61304; Volkshaus, Tel. 3209; Schöne Höhe, Copitz, Tel. 3032.
Cafés: Kaffeestübel, Tel. 64924; Sonnenstein, Tel. 73073.

Plauen Gaststätten mit Mittagstisch:
(Vogtland) Am alten Postweg (Mo. geschl.; auch Tanz), Dr.-G.-Benjamin-Straße, Tel. 41044; Central (auch Hotel; So. geschl.), Tel. 22118; Comeniusberg (Mo. geschl.; auch Tanz), Comeniusstraße, Tel. 31306; Frankfurter Hof (auch Pension und Hotel), Friedensstr. 35,, Tel. 24536; Freundschaft (Mi. und Do. geschl.), Bahnhofstr. 20, Tel. 24793; Gockelbar (Sa. und So. geschl.), Klostermarkt 10, Tel. 26643; Hähnchengrill (Mo. und Di. geschl.), Engelstr. 22, Tel. 26965; Imbißstube Thoß (Geflügel; So. und Mo. geschl.), Möschwitzer Str. 29, Tel. 22194; Löwenstein (Mi. und Do. geschl.), Pausaer Str. 70, Tel. 23745; Mitropa Oberer Bahnhof, Oberer Bahnhof, Bahnhofsgebäude, Tel. 27141; Mitropa Unterer Bahnhof (Sa. und So. geschl.), Unterer Bahnhof, Bahnhofsgebäude, Tel. 32118; Ratskeller, Herrenstraße, Tel. 24902; Stadt As (Mo. geschl.; auch Tanz), Kurt-Mittag-Str. 2, Tel. 31438; Stadt Plauen (Mo. geschl.), Dr.-G.-Benjamin-Straße, Tel. 41012; Treffer (Mi. und Do. geschl.), Dr.-J.-Dieckmann-Str. 2, Tel. 20223.
Gaststätten ohne Mittagstisch:
Club der Intelligenz (So. und Mo. geschl.), Oberer Graben 13, Tel. 26660; Forstwarte (Di. und Mi. geschl.), Pausaer Str. 120, Tel. 22204; Franzens Bier- und Weinstuben (Mi. und Do. geschl.), Reißiger Str. 4, Tel. 26841; Haus der Gesellschaften (Mo. und Di. geschl.; auch Tanz), An der Hohle 14-16, Tel. 22910; Narva-Club (So. und Mo. geschl.; auch Tanz), Liebknechtstr. 88, Tel. 31240; Panorama (So. und Mo. geschl.), Huberstr. 2, Tel. 25702; Plamag-Gästehaus (So. und Mo. geschl.; auch Tanz), Rädelstr. 18, Tel. 23320; Spitzenstübchen (Mi. und Do. geschl.), Wilhelm-Pieck-Str. 23, Tel. 33661; Sternquelle (So. und Mo. geschl.; auch Tanz), H.-Wehrl-Str. 150, Tel. 22017.
Imbißstuben:
Altstadtklause (Sa. und So. geschl.), Wilhelm-Pieck-Str. 4, Tel. 26601; Am Nonnenturm (So. und Mo. geschl.), Melanchthonstraße, Tel. 24537; Imbiß- und Caféstube Süß, Reinsdorfer Str. 42, kein Tel.; Konsument-Warenhaus (So. geschl.), Otto-Grotewohl-Platz 5-6, Tel. 295220; Mitropa Westbahnhof (So. und Mo. geschl.), Westbahnhof, Bahnhofsgebäude, Tel. 31466; Schwimmhalle Hainstraße (So. und Mo. geschl.), Hainstraße, Tel. 22510; Willy's Imbißstube (So. und Mo. geschl.), Fr.-Heckert-Str. 13, Tel. 22440.
Cafés: Nord (Mo. und Di. geschl.), Pausaer Str. 60; Stadt Plauen (Sa. und

So. geschl.), Dr.-G.-Benjamin-Straße, Tel. 4 10 12; Terrassencafé (Mo. und Di. geschl.), Bahnhofstr. 59, Tel. 2 21 26; Zur Posthalterei (So. und Mo. geschl.), Bahnhofstr. 15, Tel. 2 41 88.
Eiscafés: Ebert (Di. und Mi. geschl.), Alte Reichenbacher Str. 22, Tel. 2 07 70; Gabi (Fr. und Sa. geschl.), Engelstr. 2, Tel. 2 04 21; Köppe (Mi. und Do. geschl.), Jößnitzer Str. 82, Tel. 2 39 85; Maria (Mi. und Do. geschl.), Langestr. 67, Tel. 2 49 25; Nordpol, Gottschaldstr. 2 a, Tel. 2 66 39.
Nachttanzbar: Casino (So. und Mo. geschl.), Gottschaldstraße 4, Tel. 2 44 93.
Ausflugsgaststätten:
Café Reißig (Mo. und Di. geschl.), Siedlerstr. 2 a, Tel. 2 02 30; Lochbauer (Mo. und Di. geschl.), Elsteruferweg, Tel. 2 32 64; Plauener Alm (Mo. und Di. geschl.), Zur Alm 7, Tel. 3 20 06; Reusaer Waldhaus (Mo. und Di. geschl.), Nach dem Reusaer Waldhaus, Tel. 2 74 239; Thiergarten (Di. und Mi. geschl.), Zum Burgteich 80, Tel. 3 34 75; Vogtlandschänke (Mo. und Di. geschl.), Tennera 20, Tel. 2 67 85; Waldesruh (Mo. und Di. geschl.), Nach der Waldesruh, Tel. 2 01 41; Waldfrieden (Di. und Mi. geschl.), Äußere Reichenbacher Str. 74, Tel. 2 06 44.

Alte Wache (1. u. 3. Montag im Monat geschl.), Bäckerstr. 6, Tel. 2 14 84; Altes Jagdschloß (Mi. und Do. geschl.), Jagdhausstraße, Tel. 62 13 44; Am Stadttor (3. Mo. im Monat geschl.; u.a. auch Café, 4. Mo. im Monat geschl.), Brandenburger Str. 1-3, Tel. 2 17 29; Asiatisches Restaurant (So. geschl.), Berliner Str. 133, Tel. 2 46 07; Auerochs, Schilfhof 26, Tel. 8 22 19; Bolgar (bulgar. Spezialitäten; Mo. geschl.), Brandenburger Str. 35 / 36, Tel. 2 25 05; Charlottenhof (auch Disko), Geschwister-Scholl-Straße, Tel. 9 28 77; Die Rebe (Weinlokal; So. und Mo. geschl.), Feuerbachstr. 1, Tel. 2 40 02; Drachenhaus, Maulbeerallee, Tel. 2 15 94; Froschkasten (So. und Mo. geschl.), Kiezstr. 4, Tel. 2 13 15; Gastmahl des Meeres, Brandenburger Str. 72, Tel. 2 18 54; Gemütliche Klause (Mi. und Do. geschl.), Berliner Str. 133, Tel. 2 46 07; Haus der Freundschaft (So. und Mo. geschl.), Straße der Jugend 52, Tel. 2 25 86; Havelgarten (Mo. und Di. geschl.), Auf dem Kiewitt 30, Tel. 9 23 16; Havellandgrill im Hotel Potsdam, Lange Brücke, Tel. 4 6 31; Historische Mühle, Park Sanssouci, Tel. 2 31 10; Kahn der fröhlichen Leute (Bierstube, kleines Restaurant, Bar), Drewitz, Tel. 62 20 42; Klosterkeller (großes Restaurant und Speisenbar Klosterklause tgl. geöffnet; Nachtbar Leanyka So. und Mo. geschl.; Gartenlokal Mi. geschl.), Friedrich-Ebert-Str. 94, Tel. 2 12 18; Klub der Künstler und Architekten Eduard Claudius (Mo. geschl.), Am Karl-Liebknecht-Forum 3, Tel. 2 15 06; Klubgaststätte im Kulturbundhaus Bernhard Kellermann (Sa. auch Tanz; So. und Mo. geschl.), Mangerstr. 34 / 36, Tel. 2 15 72; Kulturhaus Hans Marchwitza (z.Z. geschl.), Am Alten Markt, Tel. 2 38 28; Minsk (auch tgl. Disko), Am Brauhausberg, Tel. 2 36 36; Orion (Mo. geschl.), Johannes-Kepler-Platz, Tel. 62 30 67; Pegasus, Am Karl-Liebknecht-Forum 3, Tel. 2 15 06; Plantagenklause (Mi. und Do. geschl.), Rudolf-Breitscheid-Str. 85, Tel. 7 79 25; Seerose (jeden 1. Di. im Monat geschl.), Wilhelm-Külz-Str. 24, Tel. 2 34 90; Strandterrassen (Mo. und Di. geschl.), Park Babelsberg, Tel. 7 51 56; Templiner Eck (Di. und Mi. geschl.), Leipziger Str. 28, Tel. 2 10 93; Teufelsklause (Mo. und Di. geschl.), Waldstadt II, Werner-Wittig-Straße, Tel. 8 02 25; Theaterklause, Zimmerstr. 10, Tel. 2 23 64; Ufergaststätte (Sa. auch Tanz), Auf dem Kiewitt, Tel. 2 41 32; Weberschänke (So. geschl.), Karl-Liebknecht-Straße, Tel. 7 88 47; Weinkeller, Am Alten Markt, Tel. 2 31 35; Wohngebietsklub Zur Weide (Mo. und Di. geschl.), Erlenhof 57, Tel. 8 20 91; Zum Atlas (auch Geflügel in der Broilerbar), Heinrich-Rau-Allee 53, Tel. 2 52 46; Zum Kahleberg, Fritz-Perlitz-Straße, Tel. 8 22 87; Zum Keiler (Do. geschl.), Waldstadt I, Friedrich-Wolf-Straße, Tel. 8 21 91.

Cafés und Milchbars: Am Portal (Mo.–Fr. auch Disko), Wilhelm Külz-Straße, Tel. 2 12 03; Babette (Milchbar tgl. geöffnet; Cocktailbar So.–Di. geschl.), Brandenburger Str. 71, Tel. 2 6 48; Inselcafé auf der Freundschaftsinsel (Do.–Sa. geöffnet; auch Disko), Tel. 2 40 84; Milchbar, Heinrich-Rau-Allee 54, Tel. 2 12 66; Schloßcafé, Neues Palais (jeden 2. Mo. im

Potsdam
(Fortsetzung)

Monat geschl.), Tel. 92869; Stadtcafé, Brandenburger Str. 15, Tel. 23471; Tagesbar und Café Souterrain, Allee nach Sanssouci 4, Tel. 26260.

Ausflugsgaststätten (Auswahl):
In Beelitz: Zur Posthalterei (Sa. und So. geschl.), Poststr. 15, Tel. 2240. In Caputh: Eiskonditorei und Speisegaststätte Müller (Di. und Mi. geschl.), Bieruthstr. 49, Tel. 247; Fährhaus Caputh (Do. und Fr. geschl.), Straße der Einheit 88, Tel. 203; Goldener Anker (tgl. geöffnet; Bar So. und Mo. geschl.), Fr.-Ebert-Str. 18, Tel. 492.
In Ferch: Bootsklause (Mo. und Di. geschl.), Am Schwielowsee, Tel. 616; Birkenwäldchen (Sa. und So. geschl.), Neue Scheune 7, Tel. 417; Strandperle, Badestrand Ferch, Tel. 391; Willkommen (Mo. und Di. geschl.), Beelitzer Straße 3, Tel. 640.
In Groß Glienicke: Waldrestaurant Wendenstein (Mo. geschl.), Am Sacrower See, kein Telefon.
In Neu Fahrland: Parkrestaurant Neu Fahrland (Mo. und Di. geschl.), Neu Fahrland, Tel. 471.
In Stahnsdorf: Parkrestaurant Stahnsdorf (So. und Mo. geschl.), Potsdamer Allee 73, Tel. 6033; Waldschänke (Do. und Fr. geschl.), Straße der Jugend 21, Tel. 6033.
In Werder: Baumblüte (Mo. und Di. geschl.), Eisenbahnstr. 110, Tel. 2547; Friedrichshöhe (Mo. geschl.), Hoher Weg, Tel. 2888; Rauenstein (Mo. und Di. geschl.), Hoher Weg, Tel. 3052.

Prenzlau

Am Igelpfuhl, Robert-Schulz-Ring 37 b, Tel. 4352; Am Kap, Friedrich-Engels-Ufer, Tel. 2642; Am Uckersee, Friedrich-Engels-Ufer 15, Tel. 2754; Bauernschänke, Brüssower Str. 9, Tel. 2159; Bierbar Zum Schwan, Straße der Republik 30 a, Tel. 2500; Kleine Heide (Waldgaststätte), Kleine Heide 1, Tel. 2339; Krustastube, Langer Markt 5, Tel. 2876; Oase, Triftstraße 34, Tel. 2413; Pre-Back, Leninstraße 15, Tel. 2419; Schiffsgaststätte Roge auf FS "Uckerschwan", kein Tel.; Siedlungseck, Fr.-Wienholz-Str. 32, Tel. 4191; Stadtkrug, Puschkinstr. 12, Tel. 2263; Weinstube am Uckersee, Fischerstraße, kein Tel.; Zur Fischerstraße, Friedrich-Engels-Ufer 3, Tel. 2614.

Cafés: Eis-Café, Grabowstraße 4, Tel. 2130; Stadtcafé, Straße der Republik 10, Tel. 2089.

Prerow,
Ostseebad

Helgoland, Lange Str. 31, Tel. 266.
Milchbar, Waldstr. 50, Tel. 433.

Putbus

Rosencafé (Café und Bar), Lauterbacher Chaussee, Tel. 449.
Eiscafé Orangerie.

Quedlinburg

Am Münzenberg, Alte Topfstr. 11, Tel. 2861; Boxhornschanze, Boxhornschanzenweg, Tel. 52328; Broilerbar, August-Wolf-Str. 28, Tel. 2234; Brühlgaststätte, Platz des Friedens, Tel. 2765; Gildehaus zur Rose, Breite Str. 39, Tel. 2964; Magdeburger Hof, Magdeburger Str. 1, Tel. 3527; Mathildenbrunnen, Pölkenstr. 20, Tel. 2098; Moorhäuschen, Gernröderweg 1, Tel. 2208; Münzenberger Klause, Pölle 22, Tel. 2928; Ratskeller, Markt 1, Tel. 2761; Schloßkeller, Schloßberg 1, Tel. 2531; Schloßkrug (historische Gaststätte), Schloßberg 1, Tel. 2838; Volksbad, Lindenstr. 30, Tel. 3369; Wohngebietsgaststätte Süderstadt, Wilhelm-Pieck-Str. 1, Tel. 52051; Zum Schloß, Mühlenstr. 22, Tel. 3333.
Cafés: Boulevard-Café, Markt, Tel. 4031; Café am Finkenherd, Schloßberg 15, Tel. 3841; Café zum bunten Lamm, Schmale Str. 1 a, Tel. 2641; Konditorei und Café Vogel, Blasiistr. 4, Tel. 2470; Milchbar, Pölle, Tel. 3707; Tagescafé, Pölkenstr. 28, Tel. 3254; Tagescafé, Steinweg 2, Tel. 3691.

Querfurt

Goldener Stern (historische Gaststätte), Tränkstr. 1, Tel. 3268.
Cafés: Eiskaffee, Otto-Dietrich-Str. 25, Tel. 3102; Stadtcafé, Otto-Dietrich-Str. 30, Tel. 3252.

In Niederrathen: Amselgrundschlößchen, Tel. Stadt Wehlen 371; Elb-
schlößchen, Tel. Stadt Wehlen 303; Sonniges Eck, Tel. Stadt Wehlen 355.
Café: Margaretenhöhe, Tel. Stadt Wehlen 365.

Kosterschün (Weinstube in einer ehem. Scheune), Dünenstr. 4, Tel. 271;
Zur alten Schmiede, Leuchtturmstr. 21, Tel. 362.
Lesecafé (nur während der Saison) im Kurhaus, Dünenstraße, Tel. 219.

Brandenburger Hof, Mühlestr. 5, Tel. 2147; Goldener Anker, Karl-Marx-
Str. 25, Tel. 2017; Seepavillon, Seestraße, Tel. 2150.

Zum Fischland (Speiserestaurant und Bar), am Ortseingang, unmittelbar
an der F 105 gelegen.

Alte Münze, Am Ziegenmarkt 3, Tel. 22517; Alter Hafen, Strandstraße 24,
Tel. 34226; Alter Markt, Alter Markt 8, Tel. 22084; Alte Schänke (Fisch),
Rungestr. 17, Tel. 23161; Am Bussebart – Imbißzentrum, Am Bussebart,
Tel. 22987; Am Ulmenmarkt, Fiete-Schulze-Str. 74, Tel. 22486; Bierstube
Helms, Doberaner Str. 107, Tel. 25162; Bierstube Stauer, Wokrenter Str.
36, Tel. 29982; Blauer Turm, Schnickmannstr. 3, Tel. 34180; Bräustübl,
Kröpeliner Str. 18, Tel. 29261; Broilerstube, Doberaner Str. 20, Tel. 22080;
Fährhufe, Fährberg, kein Tel.; Fritz-Reuter-Stuben, Fritz-Reuter-Str. 17,
Tel. 25202; Fünfgiebelhaus (u.a. mit Bierbar, Mokkabar, Kellerbar), Univer-
sitätsplatz, Tel. 22660 und 22162; Gastmahl des Meeres (Fisch), August-
Bebel-Str. 112, Tel. 22301; Goldbroiler, Kröpeliner Str. 80, Tel. 34407;
Hallenschwimmbad, Kopernikusstr. 17, Tel. 34983; Hansa (Mecklenbur-
ger Küche), Fiete-Schulze-Str. 51, Tel. 22668; Haus der Freundschaft,
Doberaner Str. 21, Tel. 23951; Hier is'n Krog (Sa. auch Tanz), Stampfmül-
lerstr. 9, Tel. 29332; Jägerhütte, Barnstorfer Wald 2, Tel. 23457; Klause,
Strempelstr. 1, Tel. 23190; Klub des Kulturbundes, Hermannstr. 19, Tel.
34396; Kosmos, Südring, Tel. 41171; Kulturhaus der Neptunwelt, Werft-
straße, Tel. 34585; Lindeneck, Liskowstr. 14, Tel. 22082; Lindenhof (auch
Eisbar), Fährstr. 2, Tel. 34659; Malmö im Hotel Warnow, Hermann-Dunk-
ker-Platz 4, Tel. 37381; Mitropa, Hauptbahnhof Rostock, Tel. 23680; Neue
Münze, Klement-Gottwald-Str. 58, Tel. 23329; Nordland, Steinstr. 7, Tel.
23706; Onkel Toms Hütte, Amtsstr. 9, Tel. 25039; Ostseegaststätte
(neben Restaurant auch Tagescafé, Pizzeria und Bar), Lange Str. 9, Tel.
34220; Pizza-Buffet, Doberaner Platz, Tel. 22134; Platz der Jugend (auch
Weinstube), Barndorfer Wald, Tel. 34788; Ratsweinkeller, Neuer Markt, Tel.
23577; Reifer Eck, Hermannstr. 23, Tel. 27125; Restaurant im Haus der
Chemiearbeiter, Platz der Freundschaft, Tel. 42948; Rostocker Bierstuben, Lohgerberstr. 33, Tel. 23729; Schnells Bierstuben, Große Schar-
renstr. 2, Tel. 22676; Sport- und Kongreßhalle (u.a. auch Dachcafé, Bier-
stube mit Bowlingcenter und Hausbar), Südring, Tel. 400130; Stralsunder,
Wismarsche Str. 22, Tel. 34900; Tannenweg, Tannenweg 6, Tel. 26343;
Taun Vagel Grip, Neuer Markt, Tel. 23953; Trotzenburg, Tiergartenallee 1,
Tel. 34711; Weinkeller Zum alten Gewölbe, Kröpeliner Str. 76, Tel. 26633;
Zoologischer Garten, Zoologischer Garten, Tel. 37111-128; Zum Frosch,
Neue Werderstr. 42, Tel. 21169; Zum Goldenen Anker (Bierlokal),
Strandstr. 35, kein Tel.; Zum Greif, Budapester Str. 57, Tel. 25019; Zum
Kartoffelkeller (vegetar.), Friedrichstr. 38, kein Telefon; Zum Kugelfisch,
Kröpeliner Straße 78, Tel. 25001; Zum weißen Roß, Gertrudenstr. 3, Tel.
29956; Zur Börse, Margaretenplatz, Tel. 34769; Zur Gemütlichkeit, Faule
Straße 7, Tel. 22388; Zur Kogge, Wokrenterstraße 27, Tel. 34493; Zur
Möwe, Schröderstr. 35, Tel. 26405; Zur Wappenklause (jeden 3. Do. im
Monat: Dixieland-Musik), Doberaner Straße 15, Tel. 22173; Zur Quelle,
Fiete-Schulze-Str. 26, Tel. 22805; Zum Stauer (Bierlokal), Wokrenter
Straße, Tel. 29982.
Cafés in Rostock: Alte Münze, Am Ziegenmarkt, Tel. 22517; Am Barock-
saal, Kröpeliner Str. 27, Tel. 34933; Grafik-Café, Schnickschnackstraße;
Rostock, Kröpeliner Str. 71, Tel. 22331; Steintor-Café, Augustenstr. 1, Tel.
22292; Zum Rendezvous, Lagerstr. 37, kein Telefon.

Rostock
(Fortsetzung)

Bars in Rostock: Boulevard-Bar, Kröpeliner Str. 80 / 81, Tel. 22267; Hafenbar Trocadero, Wismarsche Str. 6, Tel. 22406; Newa-Bar im Hotel Warnow, Hermann-Duncker-Platz 4, Tel. 37381.

Lokale in Warnemünde:
Atlantik, Am Strom 107, Tel. 52207; Fischrestaurant, Am Strom 88, Tel. 52482; Fischerklause, Am Strom 123, Tel. 52516; Haupt's Weinstuben, Theodor-Körner-Straße 76, Tel. 54044; Kurhaus (mit Terrassenrestaurant, Seeterrasse, Bierkeller und div. Bars), Seestr. 18, Tel. 5031; Seemannskrug, im Hotel Neptun, Seestr. 19, Tel. 5371; Neptun-Spezialitätenrestaurants (Warnemünder Kajüte, Skandinavisches Gletscherrestaurant, Asiatisches Fächerrestaurant, Ungarische Czarda, Russisches Blockhaus, Kubanische Bodega), Schillerstr. 14, Tel. 5371; Teepott, Am Leuchtturm, Tel. 54020.
Café in Warnemünde: Am Strom, Warnemünde, Am Strom 61, Tel. 52947.
Bars in Warnemünde: Atlantik-Tanzbar, Am Strom 107 / 108, Tel. 52207; Nachtbar Kurhaus, Seestr. 18, Tel. 52682 und 52190.

Cafés in Evershagen: Am Scharren, Fridtjof-Nansen-Straße, Tel. 711075; Evershagen, Maxim-Gorki-Straße, Tel. 700232.

Gaststätte in Lichtenhagen:
Möweneck, Dr.-Karl-Bittel-Straße, Tel. 712130.

Lokale in Lütten Klein:
Riga, Turkuer Straße, Tel. 714166; Szczecin, Kopenhagener Straße 1, Tel. 713038.

Lokale in Schmarl: Störtebeker, auf dem Traditionsschiff in Schmarl, Tel. 716202.

Rübeland

Bahnhofsgaststätte, Blankenburger Str. 30, Tel. 9200; Bodetal, Blankenburger Str. 39, Tel. 9121; Grüne Eiche, An der Bode 4, Tel. 9229; Haus der Hafenarbeiter, Blankenburger Str. 32, Tel. 9106; Tannengrund, Blankenburger Str. 31, z.Z. wegen Umbau geschl.; 2 km vom Zentrum entfernt, Richtung Blankenburg: Café Krockstein, Kreuztal.
3 km vom Zentrum entfernt: Sportlerheim, Unterer Hahnenkopf, Tel. 6453.
4 km vom Zentrum entfernt: Ferienheim und Café Diabas, im Ortsteil Neuwerk, Steinweg 1, Tel. 9143.

Rudolstadt

Adler (historische Gaststätte bzw. Hotel), Markt 17, Tel. 22548.

Saalfeld

Alte Post, Blankenburger Straße 9, Tel. 3828; Bergfried (Mo. und Di. geschl.), Tiefer Weg, Tel. 5303; Gewerkschaftshaus, Markt 6, Tel. 2285; Goldener Anker (historische Gaststätte), Markt 26, Tel. 2654; Kulmberghaus (Ausflugslokal; z.Z. geschl.), Dorfkulm, Tel. 5156; Loch (historische Gaststätte, Mo. geschl.; Bar So. und Mo. geschl.), Blankenburger Str. 8, Tel. 2103; Meininger Hof, Alte Freiheit 1, Tel. 3138; Quellhaus Feengrotten (Fr. geschl.), Feengrottenweg 1, Tel. 2353; Stadt Sokolov (So. und Mo. geschl.), Wilhelm-Pieck-Straße, Tel. 41303.
Café: Marktcafé, Markt 4, Tel. 2909.

Salzwedel

Altmark, Wilhelm-Pieck-Straße 13, Tel. 3434; Bierstuben, Holzmarktstraße, Tel. 2294; Grüner Jäger, Nordbockhorn 39, Tel. 2566; Odeon, Neutorstraße 36-40, Tel. 3194; Stadt Salzwedel, Schillerstraße, Tel. 2080.
Cafés: Baumkuchen, Holzmarktstr. 4-6, Tel. 2107;
Nord, Vor dem Lüchower Tor 7, Tel. 3264.

Sangerhausen

Am kylischen Tor, Straße der DSF 42, Tel. 2458; Czarda, Naherholungszentrum Walkmühle (Mo. geschl.; Sa. Tanz), Tel. 2903; Freundschaft, Südwest, Tel. 5137; Grillstube (auch Rosengrill im Rosarium) und Abendcafé Ines, Paul-Beck-Str. 16, kein Tel.; Haus der Werktätigen (Sa. und So.

geschl.), Straße der DSF 50, Tel. 2268; Klosterkeller (So. und Mo. geschl.),
Ulrichstr. 13, Tel. 3207 Klubgaststätte Carl von Ossietzky (So. und Mo. geschl.), Straße der OdF 40, Tel. 3243; Kulturhaus Thomas Müntzer, Thomas-Müntzer-Platz 1, Tel. 2582; Kyffhäuser, Straße der OdF 15, Tel. 2494; Kyselhäuser Eck (So. und Mo. geschl.), Kyselhäuser Str. 44, Tel. 3001; Ratskeller mit Ratsklause (Sa. und So. geschl.), Markt 1, Tel. 2451; Sportler-Gaststätte (Di. und Mi. geschl.), Wilhelm-Koenen-Str. 57 a, Tel. 5853; Weidengarten (Di. und Mi. geschl.), Ernst-Thälmann-Str. 75, Tel. 2875; Zum Faß, Erfurter Straße, Tel. 5179; Zur scharfen Ecke (Sa. und So. geschl.), Straße der DSF 47, Tel. 3588.
Cafés: Am Hochhaus (Fr. und Sa. auch Disko; So. geschl.), Walther-Rathenau-Str. 37, Tel. 3133; Berlin (Mo. und Di. geschl.), Südwest, Tel. 5137; Freundschaft (mit Barbetrieb; So. geschl.), Südwest, Tel. 5137; Für Dich (Sa. und So. geschl.), Straße der DSF 28, Tel. 2609; Kolditz, Straße der OdF 44, Tel. 2397.
Eiscafés: Eisboutique Ingrid (Mo. geschl.), Riestedt, Tel. 7223; Hollmann (Sa. geschl.), Riestedter Str. 19, Tel. 3598; Nord (Mo. und Di. geschl.), Kyselhäuserstr. 4, Tel. 7190; Othal (Mo. und Di. geschl.), Ringstr. 6; Pinguin (Fr. und Sa. geschl.), Straße der DSF 42, Tel. 2257.
Disko und Konzerte im Jugendklubhaus in Allstedt, Unter den Linden, Tel. Allstedt 385.

Gastmahl des Meeres, Strandpromenade 2, Tel. 22360; Hafenhotel, Karl-Marx-Straße 26, Tel. 22287; Mitropa, Tel. 32010; Saßnitzer Hof, Bergstraße 7, Tel. 22631; Stubbenkammer, Tel. 22296; Waldhalle, Wissower Klinken, Tel. 22478.
Milchbar, Karl-Marx-Str. 8, Tel. 22298.

Anmerkung: Die nachfolgend erwähnten Telefonnummern sind über das Ortsnetz von Schleiz erreichbar!
Eremitage, Eremitagenweg 2, Oschitz, Tel. 2880; Glasmacher, Wilhelm-Pieck-Straße, Tel. 8552; Heinrichstädter Hof, Hofer Str. 10, Tel. 8546; Parkstübl, Pahlhornstraße, Tel. 3871; Steinhäuser, Saalburgerstr. 3, Oschitz, Tel. 8432; Waldhorn, Wüstendittersdorf, Tel. 8709; Wilhelmshöh, Oettersdorferstr. 20, Tel. 2622; Zur Rennbahn, Hoferstraße, kein Telefon.
Cafés: Café am Neumarkt 20, Tel. 8537; Eiscafé Neumarkt, kein Telefon.

Hessischer Hof, Lutherplatz, Tel. 3902; Pfalzkeller, am Schloß, Tel. 2811; Ratskeller, Markt, Tel. 2742; Stadt Schmalkalden, Hoffnung, Tel. 2749 und 3057; Teichhotel (Gaststätte, kein Hotel), Teichstraße, Tel. 2661; Zur Linde, Reiherstor, Tel. 2374.
Cafés: Liebaug, Weidebrunner Gasse, Tel. 2294; Stadtcafé, Steingasse, Tel. 3722.

Berggaststätten Gleesberg, Tel. 2453, und Keilsberg, Tel. 8085; Brücken- hof, Kobaltstraße, Tel. 8211; Erzgebirgischer Hof, Karlsbader Straße, Tel. 8134; Filzteichklause, am Filzteich, Tel. 2365; Freundschaft, Gottlieb-Heinrich-Dietz-Straße, Tel. 8305; Gambrinus, Hartensteiner Straße, Tel. 2654; Goldene Höhe, auf der Griesbacher Höhe, Tel. 8447; Goldene Sonne, Ernst-Schneller-Platz, Tel. 2287; Krone, Rosa-Luxemburg-Platz, Tel. 2229; Kulturhaus, Wolfgangmaßen, Nr. 60; Ratskeller, Ernst-Thälmann-Platz, Tel. 2484, sowie Ratskeller, Karlsbader Straße, Tel. 8218; Sportlerheim, Hartensteiner Straße, Tel. 8249; Zur Kutte, Teichstraße, Tel. 8316.
Café: Stadtcafé, Lößnitzer Gasse, Tel. 8944.

Herz As, Weidauer Str. 3, Tel. 3502; Kulturhaus Neuwelt, Talstr. 3, Tel.
2620; Ottenstein, Karlsbader Str. 5, Tel. 2401; Roter Löwe, Otto-Grotewohl-Str. 8, Tel. 2115; Zur Heimat, Eibenstocker Str. 9, Tel. 3847; Zur Morgenleithe, Hinterhenneberg, Tel. 3613.
Café: Faber, E.-Schneller-Str. 10, kein Tel.; Milchbar, Bahnhofstr. 14, Tel. 3733.

Schwedt
(Oder)

Am Stadtrand (Mo. und Di. geschl.), Tel. 3 11 58; Bierstube, Kummerower-
straße, Tel. 3 11 51; Centra, Bahnhofstraße, Tel. 2 20 92; Club Bertolt
Brecht, Rungestraße, Tel. 2 20 11; Dreiklang, Dr.-Th.-Neubauer-Straße,
Tel. 2 22 03; Heinersdorfer Krug (Di. und Mi. geschl.), Tel. 2 24 30; Heinrichslust, (Mo. und Di. geschl.), Tel. 5 10 30; Jägerhof, Vierradenerstr. 47, Tel.
2 22 176; Monplaisier, Park Monplaisier, Tel. 2 25 32; Neue Zeit, Ernst-Thälmann-Str. 114, Tel. 5 12 45; Nowopolozk, Friedrich-Engels-Straße, Tel.
3 10 36; Quelle, Ernst-Thälmann-Str. 6, Tel. 2 22 92; Stadt Plock (Fr. und Sa.
auch Tanz; Pizza-Buffet Di.–Sa.), Tel. 3 20 62; Stadt Schwedt, Kompaktbau
Lenin-Allee, Tel. 2 32 01.

Cafés: Café am Markt / Grilllbar, Ernst-Thälmann-Str. 53, Tel. 2 33 86; Eisbar, Schillerring, Block 723 b, Tel. 3 23 55; Moccabar, Schillerring, Tel.
3 23 50; Moccaperle (Mo. geschl.), Tel. 2 22 71; Sommercafé, Kummero-
werstraße, Tel. 3 11 51.

Schwerin

Altschweriner Schankstuben, Schlachtermarkt, Tel. 8 30 58; Casino, Pfaf-
fenstr. 3, Tel. 8 60 43; Gambrinus, Tallinner Straße, Tel. 37 50 20; Haus der
Kultur, Wilhelm-Pieck-Str. 8, Tel. 8 37 63; Jagdhaus Schelfwerder, Güstrower Str. 109, Tel. 8 63 251; Klubgaststätte Lankow, Dr.-Joseph-Herzfeld-
Str. 42, Tel. 4 20 83; Martins Bierstuben, E.-Thälmann-Str. 19, Tel. 8 31 74;
Panorama, Johannes-Brahms-Str. 65, Tel. 8 32 06; Seewarte, Pauldamm
21, Tel. 8 61 554; Tallinn, Puschkinstraße 19, Tel. 8 64 889; Uns Hüsing,
Bischofstr. 3, Tel. 8 64 655; Weinhaus Uhle, Schusterstr. 13-15, Tel.
8 64 455; Wernesgrüner Bierstuben, Lennéstr. 4, Tel. 8 12 363.

Cafés: Eiscafé Boulevard, Schloßstr. 30, Tel. 8 64 667; Hochhauscafé, Kali-
ninstr. 28, Tel. 3 21 133; Lesecafé, Wilhelm-Pieck-Str. 16, Tel. 8 64 431;
Prag, Puschkinstr. 64, Tel. 8 64 095; Schloßcafé, Lenestr. 1, Tel. 8 65 001;
Schweriner Kaffeestube, Buschstr. 7, Tel. 8 36 08; Theatercafé, Großer
Moor 36, Tel. 8 63 034; Turmcafé, Fernsehturm Zippendorf, Tel. 2 13 031.

Seiffen,
Kurort

Buntes Haus (auch Hotel), Ernst-Thälmann-Str. 94, Tel. 2 23; Dorfheimat,
Karl-Liebknecht-Str. 32, Tel. 3 61; Felsenkeller, E.-Thälmann-Str. 122, Tel.
3 33; Hutzenstuben Am Wildbach, Oberseiffenbacher Str. 26, Tel. 5 09; Kulturhaus, Ernst-Thälmann-Str. 156, Tel. 2 74; Museum, Ernst-Thälmann-Str.
73, Tel. 2 70;
Zur Glashütte, Glashüttenweg 10, Tel. 5 05.

Sellin
(Insel Rügen)

Bräustübl, Wilhelm-Pieck-Str. 23, Tel. 5 55; Waldfrieden, Wilhelm-Pieck-
Str. 40, Tel. 3 06.
Cafés: Frohsinn sowie Sellin; ferner Café Romantik und Moccabar Mee-
resgrund im *Cliff-Hotel (→ Hotels).

Sievershagen

Ziegenkrug, an der F 105.

Sömmerda

Mühlencafé, Adolf-Barth-Str. 26, Tel. 2 21 40.

Stendal

Fritz Heckert (Mi. Jugend-Disko; am Wochenende Tanz und jeden letzten
So. Kaffeekonzert ab 15.00 Uhr), Tel. 4 12 022; Gambrinus, Ernst-Schnel-
ler-Straße, Tel. 4 11 69; Klubgaststätte der Bau-, Montage- und Energie-
arbeiter Ludwig Turek, Straße der Oktoberrevolution 12, Tel. 4 11 031 / 4;
Kujawianka, Breite Straße 48, Tel. 2 12 7 40; Nordlicht (So. und Mo. geschl.),
Bernhard-Göring-Str. 56, Tel. 2 12 742; Ratskeller (am Wochenende auch
Kaffeekonzert mit Tanz sowie abends Tanz mit Showprogramm), Kornmarkt, Tel. 2 12 665; Seeterrasse (jeden 2. und 4. So. auch Kaffeekonzert
ab 15.00 Uhr), Am Stadtsee, Tel. 21 70 08; Wahrburger Krug, Ziolkowski-
straße, Tel. 4 11 304; Weidmanns-Heil (So. geschl.), Breite Straße 32, Tel.
2 13 342; Zur guten Stunde, Haferbreite 2, kein Tel.; Zur Pferdebahn (Fr.
und Sa. Tanz; So. geschl.), Bahnhofstr. 12, Tel. 2 12 391.
Cafés: Babett (Mo., Mi. und Sa. auch Tanz), Otto-Grotewohl-Allee, Tel.
2 16 083; Park-Café (Fr. und Sa. geschl.), Straße der Einheit 30.

Auerberg-Forsthaus, Am Auerberg, Post Breitenstein 4711, Tel. 477;
421; Rosis Zechentaler Stübchen, Zechental 1, über Tel. 573; Sachsenhof,
Markt 6, Tel. 320; Saigerturm, Markt 6, über Tel. 320; Waldfrieden, Rittergasse 77, Tel. 232; Weißes Roß, Rittergasse 5, Tel. 403; Zum Bürgergarten
(historische Gaststätte), Thyratal 1, Tel. 401; Zum Zoll, Thyratal 13, Tel.
292.
Café Sander, Neustadt 4, Tel. 441; Eisdiele Rudolphi, Niedergasse 3, Tel.
224.

Amtsbaderei, Badergasse 4, Tel. 6240; Bad-Gaststätte, Bahnhofstr. 14 a,
Tel. 5129; Garküche, Dresdner Str. 16, Tel. 6555; Goldener Löwe, Markt 4,
Tel. 6211; Schloßschänke, Schloßstr. 12, Tel. 6234; Sport-Casino, Pirnaer
Landstr. 3, Tel. 6503; Zur Linde, Dresdner Str. 38, Tel. 6481.
Konditorei: Gerhard Seidel, Dresdner Str. 2, Tel. 6283.

Bacchus zum Kurhof, Knieperwall, Tel. 2130; De olle Stralsunder, Apollo-
nienmark 2, Tel. 4187; Duett (auch Pizzastube und Galerie-Café), Alter
Markt 9, Tel. 2806; Edith's Bierstube, Platz der Solidarität 4, Tel. 4593;
Fiete Dettmann, Kedingshäger Str. 78, Tel. 71964; Gastmahl des Meeres
(Fischgrillbar), Ossenreyerstr. 49, Tel. 4155; Germania Grillbar, Tribsee
Damm 4 a, Tel. 4251; Grilletta, Oseureyerstr. 38 / 39, Tel. 4391; Grillka
(Geflügel), Apollonienmarkt 16, Tel. 4526; Grünthaler Krug, Sarnowstr. 8,
Tel. 8515; Haus der Freundschaft, Sarnowstraße, Tel. 2305; Keglerheim,
Frankendamm 40, Tel. 4381; Knieper Nord, Johannes-R.-Becher-Str. 3,
Tel. 71009; Kurhaus Devin (am Wochenende auch Tanz), Devin, Tel. 4235;
Machnitzkis Bauernstube, Neuer Markt, Tel. 2089; Mitropa Hauptbahnhof,
Tribseer Damm, Tel. 5846; Mitropa Rügendamm, Bahnhof Rügendamm,
Tel. 2511; Ratsbierkeller sowie Ratsweinkeller, Alter Markt, Tel. 2285;
Scheelehaus (historisches Giebelhaus), Fährstr. 23, Tel. 2987; Schröder,
Wasserstr. 37, Tel. 2200; Schuberts Gaststätte, Langenstr. 10, Tel. 4081;
Sparte Andershof, Straße der Befreiung 63, Tel. 3406; Stadtkoppel, Bar-
ther Str. 58, Tel. 2449; Stadt Stralsund (mit Restaurant Mecklenburg, Bier-
bar und Eiscafé Rügen), Maxim-Gorki-Straße, Tel. 71144; Störtebeker
Keller, Osseureyerstr. 49, Tel. 2758; Strelasund, L.-Feuchtwanger-Straße,
Tel. 71239; Sund-Eck, Frankenwall 1, Tel. 3635; Torschließerhaus, Heilgeiststr. 96, Tel. 3032; Ventspils, Ernst-Thälmann-Ufer, Tel. 2138; Wulfero-
nasche Wein- und Bierstuben, Heilgeiststr. 39, Tel. 2229; Zum alten Fuhr-
mann, Tetzlawstr. 38, Tel. 2566; Zum Anker (Bierlokal), Frankenwall 21, Tel.
3013; Zum Brauhaus, Christianstr. 1, Tel. 3831; Zum Siedler, Andershof
22, Tel. 2413; Zur Hansa (Hafenkneipe), Langenstr. 41, Tel. 4158; Zur
Keule, Heilgeiststr. 50, Tel. 4158; Zur Kogge, Tribseer Str. 26, Tel. 3846;
Zur Quelle, Große Parower Str. 12, Tel. 71689; Zur Schleusenbrücke, Tribseer Damm 50, Tel. 4359; Zur Schranke, Straße der Befreiung 123, Tel.
4275; Zur Siedlung (Selbstbedienung), Alte Richtenberger Str. 131, Tel.
2751.
Cafés: Am Hochhaus, Heinrich-Mann-Straße, Tel. 71064; Espresso,
Osseureyerstr. 43, Tel. 4082; Kaffee-Reuter-Eck, Frankendamm 43, Tel.
4115; Milchbar, Neuer Markt 13, Tel. 2175; Ratscafé, Alter Markt 16, Tel.
3607.
Bar und Tanzkabarett: Trocadero, Katharinenberg 13, Tel. 2470.
Jugendklub Goldener Löwe, Alter Markt 1.
Diskos P 16 und P 18.

Diana-Keller (Wild), Wilhelm-Pieck-Straße / Karl-Marx-Platz, Tel. 24186;
Espresso (Selbstbedienungsgaststätte), Straße 7. Oktober, Tel. 21518;
Feuchte Ecke, Drusselstr. 8, Tel. 21189; Gastmahl des Meeres, Steinweg
15, Tel. 23820; Haseltal, Schleusinger Str. 48, Tel. 23271; Henneberg, im
Hotel Stadt Suhl, Straße des 7. Oktober 25, Tel. 5681; Henneberger Haus,
Wilhelm-Pieck-Str. 118, Tel. 23159; *Hubertus, im Hotel Spitzberg, Tel.

Suhl
(Fortsetzung)

24313; Jägerstube, Suhl-Neundorf, An der Hasel 149, Tel. 20207; Japanrestaurant Waffenschmied, Gothaer Str. 8, Tel. 22203; Kaluga (auch Bräustüble, Pizzeria, Tanzcafé), Wilhelm-Pieck-Str. 5, Tel. 21102; Klubgaststätte J. R. Becher, Straße des 7. Oktober 20, Tel. 24097; Kultur- und Freizeitzentrum, Tel. 24411 und 24222; Kundenrestaurant im Centrum-Warenhaus, Tel. 5601; Lauterer Wirtshaus, Lauter 7, Tel. 23349; Mehrzweckgebäude, Julius-Fučik-Straße, Tel. 50191; Naturheilgarten, Prießnitzstraße, Tel. 23809; Ratskeller, Suhl-Heinrichs, Meininger Straße, Tel. 22709; Sojus, Haus der DSF, Straße 7. Oktober, Tel. 23187; Sportlerheim Feinmeß, Hainbergsweg, Tel. 5602; Suhl, im Hotel Spitzberg, Tel. 24313; Suhler Klause, Kirchberg 11, Tel. 20664; Tagestrinkbar Club 13, Steinweg 13, Tel. 23510; Volkshaus, Suhl-Heinrichs, Schießgrund, Tel. 22857; Wohngebietsgaststätte Am Sportplatz, Suhl-Möbendorf, kein Tel.; Wohngebietsgaststätte Johannes-Dieckmann-Straße (auch Bierstube und Milch-Eisbar), Tel. 24575; Wohngebietsgaststätte Linsenhof, Tel. 520284; Wohngebietsgaststätte Suhl-Nord (auch Bierstube), Tel. 40370; Wohngebietsgaststätte Zur Aue, Straße der DSF, Tel. 21101; Zum fröhlichen Mann, Am fröhlichen Mann, Tel. 40634; Zum goldenen Hirsch, An der Hasel 91, Tel. 22048; Zur Hopfenblüte, im Hotel Spitzberg, Tel. 24313.
Cafés: Café im Hochhaus (Restaurant und Tanzbar, Am Viadukt, Tel. 21102; Grüner Kranz, Mühltorstr. 14–16, Tel. 21042; Kaffeestube, Ilmenauer Str. 1, Tel. 23263; Mocca-Milch-Eisbar, Wilhelm-Pieck-Straße, Tel. 24327; Stadt Café, Steinweg, Tel. 23710; Terrassencafé im Centrum-Warenhaus, Tel. 5601.
Ausflugslokale:
Adlersberghütte, kein Tel.; Bergbaude Lange Bahn, Mäbendorf, kein Tel.; Domberg, Domberg, Tel. 21173; Ferienheim Schmücke, Gehlberg, Tel. 52661; Krinitzenstube, Domberg, Tel. 21897; Ringberghaus Suhl, Tel. 5230; Schützenklause, Schießsportanlage Friedberg, Tel. 21486; Stutenhaus, Tel. Schmiedefeld 409; Zur frischen Quelle (Speisegaststätte und Café), Altendambach, Tel. 23900.

Tangermünde

Am Neustätter Tor, Tel. 3726; Elbebrücke, Tel. 2329; Elbpark, Tel. 3698; Forsthaus, Tel. 2937; Freundschaft, Tel. 3691; Karpfenteich, kein Tel.; Schiffsgaststätte Störtebeker, Tel. 2398; Zuckerbörse, Tel. 3658; Zur Eisenbahn, Tel. 2395; Zur goldenen Sonne, kein Tel.; Zur guten Quelle, kein Tel.; Zur Palme, Tel. 2565; Zur Post, Tel. 2534.
Cafés: Boulevardcafé (Saison), Tel. 3839; Burgcafé, Tel. 2541; Café am Eulenturm, Tel. 3640; Eckhaus, Tel. 2822; Rathaus-Café, kein Tel.; Utescher, Tel. 2401.

Thale (Harz)

Forelle, Karl-Marx-Str. 84, Tel. 2757; Georgshöhe-Ausflugsgaststätte, Tel. 2738; Hexentanzplatz (Gaststättenkomplex), Tel. 2212; Roßtrappe (Gaststättenkomplex), Tel. 3011; Wilder Jäger, Ernst-Thälmann-Straße, Tel. 2417.
Cafe: Dambachhaus-Ausflugsgaststätte, Tel. 2276;

Torgau

Gaststätte am Hochhaus, Eilenburger Str. 28, Tel. 2806; Haus des Handwerks, Breite Str. 19, Tel. 2529; Kreiskulturhaus, Rosa-Luxemburg-Platz 19, Tel. 2023; Nord-West, im Neubaugebiet Nord-West, Tel. 3562; Ratskeller (historische Gaststätte), Markt, Tel. 3477.
Cafés: Café am Markt, Tel. 2523; Wien, Breite Straße, kein Telefon.

Trassenheide

Seeklause (auch Biergarten), Bahnhofstr. 89, Tel. Karlshagen 257; Waldhof, Forststr. 9, Tel. Karlshagen 924.

Überitz

Deutsches Haus (auch Tanz), Nebenstr. 1, Tel. 940; Fischerhütte (nur während der Sommersaison geöffnet), Am Strand, Tel. 355.
Ratscafé (z.Z. im Umbau), Hauptstr. 1, Tel. 930.

Waren (Müritz)

Am Bahnhof (auch Hotel), Straße der Freundschaft 19, Tel. 3619; Am Mühlenberg, Wossidlostraße 5, Tel. 2516; Burgwall, Neuer Markt 23, Tel. 2510;

Fritz Reuter (mecklenburgische Gerichte), Lange Straße 15, Tel. 3872; Goldene Kugel, Große Grüne Straße 15, Tel. 2341; Mitropa (Bahnhofsgaststätte), Lloydstr. 3, Tel. 2298; Müritzring, Am Kietz, Tel. 3801; Paulshöhe, G.-Mattei-Straße, Tel. 2586; Piccolo, Leninallee, Tel. 7485; Uns Eck, Leninallee, Tel. 7485; Weinbergkeller, Straße der Freundschaft 26, Tel. 2390.
Café: Müritz, Lange Straße, Tel. 2379; Milchbar, Lange Straße 9, Tel. 2458. Visionsbar Duett, im Capitol-Kino.

s. Rostock, zuvor

An der Strecke Grevesmühlen, in Richtung Wohlenberger Wiek: Frank's Weekend Diskotheken in der Gaststätte Zur guten Quelle, Auskunft (auch Taxibetrieb): Dieter Frank, Dorfstr. 25, O-2421 Warnow, Tel. Grevesmühlen 4447.

Elephantenkeller, Markt 19, Tel. 61471; Gastmahl des Meeres, Herderplatz 16, Tel. 4721 und 4521; Grabenschänke, Am Graben 8, Tel. 62107; Ratskeller, Stadthaus, Markt, Tel. 4142; Restaurant Stadt Weimar im Hotel Elephant, Markt 19, Tel. 61471; Scharfe Ecke, Eisfeld 2, Tel. 2430; Schloßgaststätte Belvedere, Schloß Belvedere, Tel. 2604; Schwanseebad (auch Bar, Herbststr. 2, Tel. 2874; Theater-Kasino, Theaterplatz 1, Tel. 3209; Waldgaststätte Fasanerie, Tel. 2191; Waldschlößchen, Jeanerstr. 56, Tel. 3708; Weimarhalle, Karl-Liebknecht-Str. 3, Tel. 2341; Weinstube Alt-Weimar, Prellerstr. 2, Tel. 2056; Wohngebietsgaststätte Am Dichterweg, Bodelschwingstraße, Tel. 2172; Zum Birkenhaus (Jugenddisko), Leibnizallee 27, Tel. 4556; Zum Fiaker, Oberweimar, verlängerte Bahnhofstr. Tel. 2848; Zum Siechenbräu, Ferdinand-Freiligrath-Str. 17, Tel. 3387; Zum weißen Schwan, Am Frauenplan, Tel. 61715.
Cafés: Esplanade, Schillerstr. 18, Tel. 2910; Goethe-Café, Wielandstr. 4, Tel. 3432; Hainfels, Belvederer Allee 65, Tel. 62062; Resi (z.Z. wegen Renovierung geschl.), Grüner Markt 4, Tel. 3702.

Bauernschänke, Alfred-Oelßner-Str. 5, Tel. 2873; Bootshaus, Beuditz-Vorstadt 23, Tel. 82731; Brückeneck, Niemöllerplatz 10-12, Tel. 3072; Deutsches Haus, Friedrich-Ebert-Str. 8, Tel. 82562; Feldschlößchen, Merseburger Str. 4, Tel. 3071; Haus der Werktätigen, Nikolaistr. 10, Tel. 2008; Kosmos, Alfred-Oelßner-Straße, Tel. 81120; Kugelberg, Otto-Schlag-Str. 39, Tel. 2892; Schusterjunge, Nikolaistr. 12, Tel. 2631; Schwarzes Roß, Friedrich-Engels-Str. 35, Tel. 2840; Stadt Weißenfels, Merseburger Str. 67, Tel. 3668; Theaterrestaurant, Merseburger Str. 14, Tel. 2812.
Cafés: Centra, Karl-Marx-Platz 12, Tel. 2906; Terrassencafé, Leißling-Weg, Tel. 82314.

Burgbreite, Platz des Friedens, Tel. 371537; Eselskrug, An der Malzmühle 1, Tel. 32788; Gothisches Haus (z.Z. geschl., vorauss. Wiedereröffnung im Okt. 1991), Markt 2; Hasseröder Hof, Amtsfeldstr. 32, Tel. 32506; Haus des Handwerks, Burgstr. 41, Tel. 33155; Mitropa (durchgehend geöffnet), Bahnhof, Tel. 32618; Ratskeller, Markt 1, Tel. 32704; Storchmühle (auch Café, Selbstbedienung; Tanz), Markt 1, Tel. 32001 und 32690; Vier Jahreszeiten (auch Tanz), Breite Str. 25, Tel. 32625; Wernigeröder Krug, Breite Str. 15, Tel. 34313 Zum Nico, Nicolaiplatz, Tel. 32392; Zur bunten Stadt, Breite Str. 49, Tel. 32149; Zur Neuen Quelle, Leninstraße, Tel. 32725; Zur Sonne, Johannisstr. 27, Tel. 32444.
Cafés: Diana, Leninstr. 88, Tel. 32521; Eis-Café John, Sandbrink 12, Tel. 32536; Eis-Café Noack, Albert Bartels-Str. 18, Tel. 34753; Heidecafé, Mittelstr. 5, Tel. 32179; Milchbar, Burgstraße, Tel. 34023; Neustadt, Breite Str. 91, Tel. 34760; Ratscafé, Marktstr. 3, Tel. 32374; Stadtgarten, Tel. 33095; Westerntor, Westernstr. 16, Tel. 34577; Wien, Breite Str. 4, Tel. 32409.

Zum Alten Krug, Bauernreihe, Tel. Prerow 251.

Wismar

Alter Schwede (histor. Gaststätte; Speiselokal, Grillbar, Café), Am Markt, Tel. 3552; Altwismartor, Philosophenweg 2, Tel. 3011; Bauernstübchen, Hinter dem Chor 15, Tel. 2318; Culinar (Sa. und So. geschl.), Lübsche Str. 59, Tel. 2519; Gastmahl des Meeres (Sa. und So. geschl.), Altböterstr. 6, Tel. 2134; Hanseat, Am Markt, Tel. Grillbar: 3432, Tel. Café: 2835; Haus des Sportes (Mo. und Di. geschl.), Ernst-Thälmann-Straße, Tel. 3019; Hochhaus (Mo. und Di. geschl.), R.-Breitscheid-Straße, Tel. 6661; Imbiß-gaststätte (Mo. und Di. geschl.), Neustadt 32, kein Tel.; Kagenmarkt, Talliner Straße, Tel. 2294; Klönstuw (Sa. und So. geschl.), Lübsche Straße 68, Tel. 2960; Konsumgaststätte (Mo. und Di. geschl.), Philipp-Müller-Straße, Tel. 3019; Kurpianka (So. und Mo. geschl.), Lübsche Straße 81 / 83, Tel. 3329; Mecklenburger Hof, Gerberstr. 16, Tel. 2706; MTW-Klubhaus (Mo. geschl.), Schweinsbrücke, Tel. 3604; Ostseerestaurant, Spiegelberg 64, Tel. 4890; Reuterhaus, Markt 19, z.Z. im Umbau; Seeblick (auch Broilerbar; Nachtbar Mo. u. Di. geschl.), E.-Scheel-Str. 27, Tel. 6831; Storchennest (Mo. und Di. geschl.), Am Mühlenteich, Tel. 3248; Teestube (Sa. und So. geschl.), Lübsche Str. 51, kein Tel.; Theatergaststätte, Kleinschmiedstr. 14, Tel. 3350; Tierpark, Köppernitztal, Tel. 4993; Tommy's Bier-Bar, Papenstraße; Treffpunkt, R.-Breitscheid-Straße 1, Tel. 6809; Ton Zägenkrog (Fischimbiß; Sa. u. So. geschl.), Ziegenmarkt 10, Tel. 2716; Wallgarten, Dahlmannstr. 38, Tel. 3394; Wein- und Bierstuben, Am Markt 9, Tel. 2983; Windmühle, Dorf Mecklenburg, Tel. 2811; Zum Goldbroiler (So. und Mo. geschl.), Frische Grube 26, Tel. 3223; Zum Weinberg (So. und Mo. geschl.), Lübsche Str. 31, Tel. 3550.

Cafés: Café am Markt, Am Markt 5, Tel. 3174; Eiscafé (Mo. und Di. geschl.), Lindengarten, Tel. 2447; Milchbar (So. geschl.), Karl-Liebknecht-Str. 18, Tel. 4888; Minks (Sa. und So. geschl.), Krämerstr. 19, Tel. 4622; Nord, Rudolf-Breitscheid-Straße, Tel. 6869.
Jugendklub Friedenshof II, Kapitänspromenade, Tel. 7570.

Lutherstadt Wittenberg

Friedrichstadt, Straße der Befreiung 102, Tel. 81126;
Goldener Adler, Markt 7, Tel. 2053 und 2054;
Haus des Handwerks, Collegienstr. 54 a, Tel. 2987;
Kosmos, Ernst-Thälmann-Straße, Tel. 81087;
Ratsschänke, Markt 14, Tel. 4351;
Schloßkeller, Schloß, Tel. 2327;
Weinkeller, Markt 7, Tel. 2053 und 2054;
Wittenberger Hof, Collegienstraße 56, Tel. 3594.
Eiscafé, Am Schloßplatz, Tel. 3526.
Tanzbar: Kultur- und Kommunikationszentrum Maxim Gorki, Lutherstr. 41 / 42, Tel. 3006.

Wolgast

Vierjahreszeiten, August-Dähn-Str. 14, Tel. 2612 und 2613; ferner Gaststätte Belvedere (im Volksmund: 'Der Turm' gen.) mit Terrassenlokal im Sommerhalbjahr.

Wörlitz

Drei Linden, Neue Reihe 149, Tel. 509; Goldene Weintraube, Thälmannstr. 15, Tel. 371; Parkgaststätte, Thälmannstr. 62, Tel. 322; Wörlitzer Hof, Markt 96, Tel. 581; Zum Stein, Thälmannstr. 228, Tel. 354.

Sommercafé, Nähe Gondelstation, kein Telefon.

Wustrow, Ostseebad

Fritz-Reuter-Schenke, Karl-Marx-Straße, Tel. 221.
Café Sonnenhof, Strandstr. 33, Tel. 265.

Zeitz

Bierstübl, Tel. 3373; Elsterblick, Grenzstr. 18, Tel. 3087; Goldener Stern, August-Bebel-Str. 17, Tel. 3585; Klubhaus der Eisenbahner, Dr.-Flörsheim-Str. 28, Tel. 3022; Ratskeller, Friedensplatz 1, Tel. 2307; Theater, Thälmannstr. 15, Tel. 2447.
Cafés: Stadtmitte, Kramerstr. 17, Tel. 2721; Zentral, Fischstr. 4, Tel. 50180.

Inselhof, Am Achterwasser, Tel. Zinnowitz 2649; Waldhaus Zempin (auch Tanz), Waldstr. 22, Tel. Zinnowitz 2096.

Zempin

Am Strom, Hafenstr. 7, Tel. 422; Gastmahl des Meeres, Strandstr. 10, Tel. 205; Heidelberger Faß, Störtebekerstr. 9, Tel. 242; Kurhaus (Restaurant und Nachtbar; nur im Sommerhalbjahr geöffnet), Am Strand, Tel. 291. Café und Weinstube Nordlicht, Fritz-Reuter-Straße.

Zingst,
Ostseebad

Heimgaststätte der Ferienhäuser Am Glienberg; Meiereihof, Ahlbecker Str. 30, Tel. 2744.
Cafés: Bi uns to Hus (auch Tee), Alte Strandstr. 14, Tel. 2422; Eisbär (geöffnet: von Mai bis Okt.), Alte Sanststr. 29, Tel. 2238.

Zinnowitz,
Ostseebad

Café-Restaurant Zinnwaldstübl, Tel. 5432;
Zum Waldstein, Kirchenlarnitzer Str. 8, Tel. 270.

Zinnwald-
Georgenfeld

Dreiländereck, Bautzner Str. 9, Tel. 3515; Dresdner Hof, Äußere Oybiner Str. 9, Tel. 3919; Expreß, Straße der DSF 45, Tel. 3021; Gewandhauskeller, Rathausplatz, Tel. 2164; Grenzquell, Rathausplatz 12, Tel. 2580; Klosterstübl, Johannisstr. 4, Tel. 3941; Neustadtküche, August-Bebel-Platz 34, Tel. 5828; Pizza-Buffet, Johannisstr. 1, Tel. 3651; Sachsenhof, Sachsenstraße, Tel. 68191; Stadtkrug, Platz der Jugend, Tel. 3602; Weinaupark, Weinaupark 3, Tel. 3179; Zum Broiler, Frauenstr. 11, Tel. 3809; Zur Mandau, Äußere Oybiner Str. 5, Tel. 5823.

Zittau

Cafés: Café am Bahnhof, Straße der Einheit 31, Tel. 3938; Am Rathaus, Rathausplatz, Tel. 2768; Freundschaft, Innere Weberstr. 6, Tel. 2620; Weber, Straße der DSF 27, Tel. 2605.

Lindengarten, Rudolf-Breitscheid-Str. 38, Tel. 2102; Meisterhaus, Ludwig-Würkert-Str. 18, Tel. 2884; Ratskeller, Leninplatz 2, Tel. 5309; Sportlerheim, In der Sandgrube, Tel. 2458; Stern, Alte Marienberger Str. 2, Tel. 2407; Zur Bleibe, Johannisstr. 49, Tel. 2664.
Stadtcafé, Gartenstr. 6, Tel. 2970.

Zschopau

Astoria, Poetenweg 6, Tel. 3570; Baikal, Marchlewskistr. 1, Tel. 781086; Burgschenke, Alter Steinweg 2, Tel. 2769; Freundschaft, Leninstr. 94, Tel. 781105; Historische Weinstube, Neuberinplatz, Tel. 41864; Kosmos, Scheffelstraße, Tel. 74251; Kulturhaus, Marienthaler Str. 120, 72026; Lindenhof, Marienthaler Str. 3, Tel. 73390; Neue Welt, Leipziger Str. 182, Tel. 2583; Park Eckersbach, Trillerplatz 1, Tel. 75572; Parkgaststätte, Bahnhofstr. 1, Tel. 3333; Ringgaststätte, Dr.-Friedrichs-Ring 21 A, Tel. 2596; Windberghaus, Werdauer Str. 152, Tel. 729566; Zur Waldschänke, Königswalder Str. 12, Tel. 73243.

Zwickau

Schaubergwerke

→ Museen, Schaubergwerke und Schauhöhlen

Schauhöhlen

→ Museen, Schaubergwerke und Schauhöhlen

Schlösser

→ Burgen, Schlösser, Parks und Gärten

Schmalspurbahnen

→ Eisenbahn, Schmalspurbahnen

Schwebebahnen

→ Eisenbahn, Spezialbahnen

Seilbahnen

→ Eisenbahn, Spezialbahnen

Sicherheit

Zu Ihrer Sicherheit am Steuer

Gurte

Gurten Sie sich immer richtig an und achten Sie darauf, daß Ihre Mitfahrer es – sowohl auf dem Vordersitz als auch auf den Rücksitzen – ebenfalls tun. Die Bänder sollen straff und nicht verdreht am Körper anliegen. Wer seinen Gurt nur lose umhängt, um in einer Kontrolle die Strafe zu sparen, gefährdet sich: Bei einem Unfall kann der Gurt dann sogar zusätzliche Verletzungen verursachen. Zusammen mit richtig eingestellten Kopfstützen am Autositz erfüllen Gurte optimal ihren Zweck. Die Oberkante der Kopfstützen muß in Augen- und Ohrenhöhe oder darüber liegen. Nur dann schützen sie die Halswirbelsäule.

Vorgeschriebenes Zubehör

Gesetzlich vorgeschriebenes Zubehör sind Verbandkasten (Vollständigkeit prüfen), Warndreieck, Nationalitätskennzeichen (D-Schild; auf Auslandsreisen), bei zugepacktem Heckfenster und für Caravan-Fahrer ein zweiter Außenspiegel.
Verhindern Sie durch sichere Unterbringung, daß Verbandkasten oder Warndreieck beim Bremsen als gefährliche Geschosse durch das Fahrzeuginnere fliegen.
Einzelne Reiseländer schreiben eventuell zusätzliches Zubehör vor; bitte erkundigen Sie sich danach.

Sinnvolle Ergänzungen

Dabeihaben sollten Sie außerdem: Abschleppseil, Reserveglühlampen, -sicherungen, -keilriemen, Werkzeug, Starthilfekabel, Wolldecke, Handschuhe, Taschenlampe.

Feuerlöscher

Feuerlöscher mit mindestens 2 kg Inhalt für kleinere Brände.
Übrigens bleibt bei Fahrzeugbränden meist genug Zeit zur Rettung von Insassen und Gepäck; bei Versuchen vergingen zwischen einem Brandbeginn am Vergaser und dem Übergreifen des Feuers auf den Innenraum fünf bis zehn Minuten. Größte Vorsicht jedoch bei Tankbeschädigungen und auslaufendem Benzin! Dann kann ein Brand blitzschnell das ganze Fahrzeug erfassen.

Kamera

Kamera mit Blitzlicht, um nach kleineren Unfällen Spuren zu sichern. Nicht die Beschädigungen der Fahrzeuge sind wichtig, sondern die Gesamtsituation am Unfallort (auf jeden Fall je ein Foto genau in Fahrtrichtung der Unfallbeteiligten aus größerem Abstand).

Verbundglas-Scheibe

Verbundglas-Frontscheibe als Zusatzausstattung ab Werk oder nach einem Glasbruch. Die zwei Glasschichten, die mittels einer zähen, elastischen Kunststoffolie verbunden sind, bekommen bei Steinschlag nur an der Aufschlagseite einen Bruch· man kann noch hindurchschauen, und die Splitter bleiben an der Folie hängen, so daß sie niemanden verletzen.

Reservekanister mit Kraftstoff (in Italien verboten). Energie sparen Sie übrigens, wenn Sie auf der Autobahn nur bis höchstens zwei Zentimeter vor der Vollgasstellung aufs Gaspedal drücken. Mit dem "Gasfuß" in Sparstellung sinkt die Reisegeschwindigkeit kaum, während sich der Kraftstoffverbrauch erheblich verringert.

Die Bremsflüssigkeit sollte spätestens alle zwei Jahre erneuert werden. Durch Kondenswasser, Staub und chemische Zersetzung verliert sie im Laufe der Zeit ihre Wirksamkeit.
Gerade vor Reisen empfiehlt sich eine gründliche Überholung des gesamten Bremssystems. Im Urlaub müssen die Bremsen besonders viel leisten, wenn das Auto voll beladen ist und die Reise über Bergstrecken führt.

Reifen brauchen mindestens 2 mm Profiltiefe, um griffig zu sein und den Wagen auch bei Nässe auf der Straße zu halten. Bei sportlich breiten Reifen sind wegen der längeren Wasserwege sogar 3 mm zu empfehlen, für Winterreifen wenigstens 4 mm.
Richtiger Luftdruck verbessert die Straßenlage des Wagens und hilft Kraftstoff sparen. Der Luftdruck wird am kalten Reifen reguliert, nicht am heißgefahrenen.

Laut Vorschrift müssen alle Reifen am Auto die gleiche Bauart aufweisen, also nur Gürtel- oder nur Diagonalreifen sein. Noch sicherer fahren Sie, wenn alle Reifen das gleiche Profil haben. Wer zwischen Sommer- und Winterreifen abwechselt, sollte die nicht benötigten Reifen auf den Felgen lagern. Das verlängert die Lebensdauer der Räder und spart beim Montieren Zeit und Geld.

Lampen und Scheinwerfer sollten Sie regelmäßig prüfen. Wenn die Beleuchtung in Ordnung ist, sehen Sie nicht nur besser, Sie werden auch besser gesehen.

Rückleuchten und Bremslichter kontrollieren Sie leicht selbst, wenn Sie an einer Ampel vor einem Bus oder Lieferwagen halten. Die große Frontfläche reflektiert wie ein Spiegel das Licht. In Ihrer Garage oder beim Parken vor einer Schaufensterscheibe erkennen Sie abends, ob Scheinwerfer und vordere Blinkleuchten einwandfrei funktionieren.

Bei Nachtfahrten und auf nassen Straßen alle 50 bis 100 km Scheinwerfer und Rückleuchten reinigen: Bereits eine hauchdünne Schmutzschicht auf den Scheinwerfergläsern vermindert die Lichtausbeute um die Hälfte. Bei stärkerer Verschmutzung können sogar bis zu 90 Prozent Licht verlorengehen.

Wenn die Lampen altern, nimmt ihre Leistungsfähigkeit deutlich ab, weil sich Wolfram von der Glühwendel im Glaskolben niederschlägt.
Dunkel gewordene und defekte Glühlampen sollten Sie paarweise austauschen, damit sie auf beiden Seiten gleich hell sind.

Übrigens fahren Brillenträger nachts sicherer mit spezialentspiegelten Gläsern. Von einer getönten Brille bei Dämmerung oder Dunkelheit muß abgeraten werden. Weil jede Glasscheibe einen Teil des hindurchfallenden Lichtes reflektiert, erreichen selbst durch eine klare Windschutzscheibe nur 90 Prozent des auf der Straße vorhandenen Lichtes die Augen des Autofahrers. Brillenträgern entsteht ein zusätzlicher Verlust von 10 Prozent. Durch getönte Scheiben und getönte Brillengläser gelangt nur noch etwa die Hälfte der auf der Straße vorhandenen Lichtmenge bis ans Auge; sicheres Fahren ist dann nicht mehr möglich.

Nebelbeleuchtung

Der beste Platz für Nebellampen ist auf der vorderen Stoßstange. Das ergibt eine besonders günstige Reichweite ohne Blendwirkung. Die Leuchten dürfen nur paarweise symmetrisch und auf gleicher Höhe montiert sein, aber nicht höher als das Abblendlicht. Wenn weder Nebel noch Regen oder Schneefall die Sicht erheblich beeinträchtigen, kann die Benutzung der Nebelscheinwerfer Strafe kosten. Bis zu zwei Nebelschlußleuchten dürfen am Heck des Wagens montiert sein, mindestens 10 cm vom Bremslicht entfernt und nicht höher als 100 cm über der Fahrbahn. Benutzen darf man die Nebelschlußleuchte(n) nur bei einer Sichtweite unter 50 m inner- und außerorts.

Nebelfahrten

Bei Nebelfahrten beachten Sie bitte: Rücksichtsvolles Abblenden gilt nicht nur für Fernscheinwerfer, sondern auch für Nebelschlußleuchten. Schalten Sie sie aus, wenn Sie in Ihrem Rückspiegel die Konturen eines nachfolgenden Fahrzeugs vollständig erkennen.

Rechnen Sie am Tag mit Nebel, wenn Ihnen Fahrzeuge mit eingeschalteter Beleuchtung entgegenkommen, und schalten Sie selbst Ihre Scheinwerfer ein.
Passen Sie Ihre Geschwindigkeit der geringen Sichtweite an.
Achten Sie auf ausreichenden Abstand zum vorausfahrenden Fahrzeug; überholen Sie nicht.
Betätigen Sie die Scheibenwischer; starker Nebel schlägt sich als Wasserfilm auf der Windschutzscheibe nieder.

Reise-Organisation

Vorbereitungen

Gute Organisation ist schon vor der Reise wichtig. Die Gewißheit, daß zu Hause alles in Ordnung ist und daß man nichts vergessen hat, trägt zur Gelassenheit am Steuer bei.
Ein erprobtes Hilfsmittel bei den Vorbereitungen sind Checklisten, auf denen Sie notieren, an was Sie noch denken müssen, und auf denen Sie abhaken, was Sie erledigt haben.
Klären Sie rechtzeitig, wer Ihre Blumen gießt, Haustiere versorgt und den Briefkasten vor verdächtigem Überquellen bewahrt. Hinterlassen Sie Wertsachen, Fotokopien Ihrer Papiere und Ihre Urlaubsanschrift bei einer Vertrauensperson oder Ihrer Bank.

Wichtige Unterlagen

Gültiger Personalausweis bzw. Reisepaß (ggf. mit Visa-Unterlagen)
Führerschein und Fahrzeugschein (ggf. mit internationalem Führerschein und internationaler Zulassung)
Grüne Versicherungskarte
Auto-Schutzbrief
Automobilclub-Ausweis
Reise-Versicherungen
Auslands-Krankenschein
Benzingutscheine
Fahrkarten, Schiffs- oder Flugtickets, Buchungsbestätigungen
Impfzeugnisse (auch für Tiere)
Fotokopien aller wichtigen Papiere (im Gepäck)
Reiseschecks, Kreditkarten, Geld
Straßenkarten
Reiseführer

Reiseapotheke

Ihre Reiseapotheke sollte neben den notwendigen Dingen gegen leichte Verletzungen und Unpäßlichkeiten auch einen Vorrat jener Medikamente enthalten, die Sie regelmäßig einnehmen. Beachten Sie bitte, daß Medikamente die Reaktionsfähigkeit und damit die Fahrtüchtigkeit beeinträchtigen können.
Ersatzbrille nicht vergessen!

Allianz Service

Alle Autofahrer, die Kunden der Allianz Autoversicherung sind, können ihre Fahrzeuge kostenlos im Allianz-Zentrum für Technik in Ismaning bei München nach Voranmeldung (mindestens sechs Wochen vorher, Telefon 089/9601276) überprüfen lassen. Der Test dauert knapp eineinhalb Stunden und betrifft Bremsen, Bremsflüssigkeit, Bodengruppe und Rahmen, Radaufhängung, Stoßdämpfer, Reifen, Scheinwerfer und Beleuchtung, Achseinstelldaten und Motor (Einstellung, Funktion, Leistung, Abgas).

Fahrzeug-Test

Jeder Allianz Fachmann hält für seine Kunden kostenlos bereit:
"Mit dem Auto ins Ausland" – Broschüre mit zahlreichen Tips, Adressen und Ratschlägen für den Schadenfall in 24 europäischen und außereuropäischen Ländern.
Service-Tasche für Ihr Auto – Parkscheibe sowie wichtige Unterlagen und Formulare für den Fahrzeugwechsel oder einen Schadenfall.

Hilfe vom Fachmann

Zentralruf der Autoversicherer

Wenden Sie sich an den Zentralruf der Autoversicherer, wenn Sie in Deutschland einen Unfall hatten, und wenn zwischen den Beteiligten die versicherungstechnischen Einzelheiten nicht an Ort und Stelle zu klären sind. Dann wird die Schadenregulierung über den Zentralruf eingeleitet.

Bei Unklarheiten

Alle Zentralrufstationen haben die einheitliche Telefonnummer 1 92 13, die Sie mit entsprechender Vorwahl anrufen können, und zwar in Aachen (0241), Berlin (030), Dortmund (0231), Essen (0201), Frankfurt (069), Hamburg (040), Hannover (0511), Köln (0221), Mannheim (0621), München (089), Nürnberg (0911), Saarbrücken (0681) und Stuttgart (0711).

Einheitliche Rufnummer

Sichere Reise!

Die Versicherungen, die zur üblichen 'Grundausstattung' gehören, bieten während einer Reise weitgehenden Schutz: Lebensversicherung, Unfallversicherung und Privat-Haftpflichtversicherung gelten in der ganzen Welt, die Rechtsschutzversicherung in Europa und in den außereuropäischen Mittelmeerstaaten.

Weitgehehnder Schutz durch Grund-Vorsorge

Gerade auf Reisen gibt es immer wieder ungewohnte Situationen. In der fremden Umgebung genügt eine Sekunde Unaufmerksamkeit, zum Beispiel beim Überqueren der Straße: Sie zwingen einen Wagen zum Ausweichen, und schon ist es passiert. Da brauchen Sie eine gute Rückendeckung; eine Haftpflichtversicherung zahlt nicht nur bei berechtigten Ansprüchen, sondern wehrt unberechtigte Forderungen ab.

Hapftpflicht-versicherung

Haben hingegen Sie Schadenersatzansprüche durchzusetzen, bezahlt die Rechtsschutzversicherung Ihren Anwalt. Sie kommt auch für die Verteidigungskosten in einem Strafverfahren auf.

Rechtsschutz-versicherung

Wenn sie bisher keine Unfallversicherung haben, wäre Ihr Urlaub ein guter Anlaß, eine solche abzuschließen. Sie gilt rund um die Uhr, im Beruf, im Haushalt, auf Reisen und in der Freizeit. Sie läßt sich in Leistungen und Beitrag der allgemeinen Einkommensentwicklung anpassen; bei einer besonderen Form erhalten Sie sogar alle Beiträge mit Gewinnbeteiligung zurück.

Unfallversicherung

Für den Fall, daß Sie vor Reiseantritt krank werden, oder daß andere gewichtige Gründe Sie von der Reise abhalten, ist eine Reise-Rücktrittskosten-Versicherung nützlich. Sie kommt für Schadenersatzforderungen von Reisebüros, Hotels und Fluggesellschaften auf.

Reise-Rücktrittskosten-Versicherung

Reisegepäck-versicherung

Folgen von Verlusten oder Schäden beim Gepäck mildert eine Reise-gepäckversicherung – die übrigens während des ganzen Jahres für alle Reisen und Ausflüge gilt.

Hausrat-versicherung

Während Ihrer Abwesenheit bewahrt Sie zwar die Hausratversicherung nicht vor Brand, Blitzschlag, Explosion, Einbruchdiebstahl, ausströmen-dem Leitungswasser, Sturm oder Hagel, wohl aber vor den finanziellen Folgen solcher Schäden. Wenn Ihre Wohnung allerdings länger als 60 Tage unbewohnt bleibt und auch nicht beaufsichtigt wird, müssen Sie das Ihrer Versicherung mitteilen.

Kraftfahrtversicherungen

Wer mit dem Auto reist, sollte rechtzeitig seine Kraftfahrtversicherungen überprüfen.

Haftpflicht-versicherung

Für jedes Auto ist eine Haftpflichtversicherung gesetzlich vorgeschrieben. Dies soll Sie davor bewahren, aus der eigenen Tasche für Schäden bezah-len zu müssen, die Sie einem anderen mit Ihrem Fahrzeug zufügen.
Wer schuldhaft einen Schaden verursacht, haftet in unbegrenzter Höhe. Auch mit seinem Einkommen und seinem Besitz, wenn die vereinbarte Ver-sicherungssumme nicht genügt. Die gesetzlich vorgeschriebenen Min-destsummen reichen nicht in jedem Fall aus. Die Allianz empfiehlt daher die unbegrenzte Haftpflichtversicherung. Bei Sach- und Vermögensschä-den haben Sie damit Versicherungsschutz in unbegrenzter Höhe; bei Per-sonenschäden zahlen wir bis zu 7,5 Millionen DM je Geschädigten.

Rechtsschutz-versicherung

Millionen von Straf- und Bußgeldverfahren jährlich beweisen, wie notwen-dig eine Verkehrs-Rechtsschutzversicherung ist. Damit können Sie ohne finanzielles Risiko dem Anwalt Ihrer Wahl die Verteidigung in einem Straf-verfahren übertragen. Die Rechtsschutzversicherung hilft Ihnen auch, wenn Sie nach einem Verkehrsunfall Ihre Ansprüche durchsetzen wollen, und wenn Sie Ärger bei Kauf, Verkauf oder Reparatur Ihres Autos haben.

Kasko-versicherung

Kasko ist der Versicherungsschutz für Ihr eigenes Auto.
Die Teilkaskoversicherung ermöglicht nach einem Diebstahl den Kauf eines gleichwertigen Wagens. – Auch der Diebstahl von Fahrzeugteilen und die Beschädigung des Fahrzeugs durch einen Dieb sind versichert. – Schäden durch Brand, Explosion, Sturm, Hagel, Blitzschlag und Über-schwemmung werden ebenso ersetzt wie Bruchschäden an der Vergla-sung, Kabelschäden durch Kurzschluß und Unfälle mit Haarwild.
Die Vollkaskoversicherung bietet den gleichen Schutz wie Teilkasko. Außerdem ersetzt sie Unfallschäden am eigenen Fahrzeug und Schäden durch böswillige Handlungen fremder Personen am eigenen Fahrzeug.

Insassen-Unfall-versicherung

Durch die Insassen-Unfallversicherung sind Sie selbst und Ihre Mitfahrer bei Unfällen versichert: während der Fahrt, beim Ein- und Aussteigen, beim Einladen und Ausladen. Vorsorge ist angebracht, denn ein Unfall kann nicht nur Sie, sondern auch das Leben und die Gesundheit Ihrer Mit-fahrer gefährden. Und nicht immer können Sie vom Schädiger Schaden-ersatz verlangen. Die Insassen-Unfallversicherung zahlt unabhängig von der Schuldfrage.

Allianz Auto-Schutzbrief

Zusätzlichen Schutz auf Autofahrten im In- und Ausland bietet der Allianz Auto-Schutzbrief mit einem ganzen Paket von Leistungen. Die Allianz ersetzt Kosten für Pannenhilfe, für Bergen und Abschleppen Ihres Fahr-zeugs, für Übernachtungen, Bahnfahrt oder Mietwagen, für Krankenrück-transport, Heimholen von Kindern und Fahrzeugrückholung, im Ausland auch für Ersatzteilversand, Fahrzeugrücktransport, Verzollung oder Ver-schrottung nach Totalschaden. Sie brauchen nicht Mitglied eines Automo-bilclubs zu sein, um einen Allianz Auto-Schutzbrief zu erwerben.

In diesen und allen anderen Versicherungsfragen berät Sie jeder Allianz Fachmann gern.

Rat vom Fachmann

Verkehrsunfall – Was tun?

Sie können am Steuer noch so vorsichtig sein – es kann trotzdem einmal etwas passieren. Auch wenn der Ärger groß ist: Bitte bewahren Sie Ruhe und bleiben Sie höflich. Behalten Sie einen klaren Kopf und treffen Sie nacheinander folgende Maßnahmen:

Sofortmaßnahmen

1. Sichern Sie die Unfallstelle ab. Das heißt: Warnblinkanlage einschalten, Warndreieck und – sofern vorhanden – Blinklampe in ausreichendem Abstand aufstellen.

Absichern

2. Kümmern Sie sich um Verletzte. Hinweise für Erste Hilfe finden Sie in der Broschüre "Sofortmaßnahmen am Unfallort" in Ihrer Autoapotheke. Sorgen Sie nötigenfalls für einen Krankenwagen.

Verletzte

3. Wenn es Verletzte gegeben hat, bei größeren Blechschäden, oder wenn Sie mit Ihrem Unfallgegner nicht einig werden, verständigen Sie bitte die Polizei.

Polizei

4. Notieren Sie Namen und Anschriften anderer Unfallbeteiligter, außerdem Kennzeichen und Fabrikat der anderen Fahrzeuge sowie Namen und Nummern der Haftpflichtversicherungen.

Notizen

Wichtig sind auch Zeit und Ort des Unfalles sowie die Anschrift der eingeschalteten Polizei-Dienststelle.

5. Sichern Sie Beweismittel: Schreiben Sie Namen und Adressen von – wenn es geht, unbeteiligten – Zeugen auf; machen Sie Skizzen von der Situation am Unfallort. Besser noch, Sie haben eine kleine Kamera im Handschuhfach, für mehrere Fotos aus verschiedenen Richtungen.

Beweismittel

6. Bitte verwenden Sie möglichst den (bei Ihrem Versicherungsfachmann erhältlichen) Europäischen Unfallbericht und lassen Sie ihn vom Unfallgegner gegenzeichnen.
Unterschreiben Sie kein Schuldanerkenntnis. Sie sind hierzu nicht verpflichtet, auch wenn Sie am Unfall allein schuld sind.

Europäischer Unfallbericht

Nach einem Unfall soll die Schadenbearbeitung möglichst reibungslos klappen. Beachten Sie deshalb diese Hinweise:

Schadenersatz

1. Melden Sie einen Schaden, den Sie selbst verursacht haben, bitte sofort Ihrem Versicherungsvertreter oder der im Versicherungsschein angegebenen Stelle. Bitten Sie Ihren Unfallgegner, sofort eine Schaden-Schnelldienst-Station Ihrer Versicherung aufzusuchen oder sich mit deren nächster Verwaltungsstelle in Verbindung zu setzen.
Wenn Sie selbst kaskoversichert sind, können auch Sie den Dienst der Schaden-Schnelldienst-Station in Anspruch nehmen.

Ansprüche an Sie

2. Machen Sie bitte Ihre eigenen Ersatzansprüche gegen den Schadenstifter und gegen seine Haftpflichtversicherung selbst geltend.
Fahren Sie möglichst bei der Schaden-Schnelldienst-Station der Versicherungsgesellschaft des Schädigers vor.

Eigene Ersatzansprüche

Verlangen Sie von der gegnerischen Versicherung, daß sie Ihrer Reparatur-Werkstatt eine Reparaturkosten-Übernahmeerklärung zuschickt. Mit dieser Erklärung verpflichtet sich die Versicherung, die Reparaturkosten unmittelbar an die Werkstatt zu bezahlen, und Sie brauchen den Rechnungsbetrag nicht auszulegen.

Ausländischer
Unfallgegner

3. Ist an einem Unfall in Deutschland ein Fahrzeug mit ausländischem Kennzeichen beteiligt, so beachten Sie bitte folgendes: Notieren Sie die Nummer der Internationalen Grünen Versicherungskarte oder der rosafarbenen Grenzpolice Ihres Unfallgegners. Prüfen Sie dabei, ob das Kennzeichen des ausländischen Fahrzeugs mit der Eintragung in Versicherungskarte oder Grenzpolice übereinstimmt. Schreiben Sie auch Namen und Anschrift der ausländischen Versicherungsgesellschaft auf, die die Grüne Karte ausgegeben hat. Ihre Schadensersatzansprüche melden Sie bitte unverzüglich an beim HUK-Verband, Glockengießerwall I/V, 2000 Hamburg 1, Telefon 040/32 10 70.

Rechtsanwalt

4. Benötigen Sie einen Rechtsanwalt, um Ihre Ansprüche auf Schadenersatz geltend zu machen, oder um sich in einem Strafverfahren verteidigen zu lassen? Ihre Rechtsschutzversicherung nennt Ihnen auf Wunsch einen Anwalt, dessen Bezahlung dann von der Versicherung geregelt wird.

Ersatzleistungen

5. Sie erhalten die Reparaturkosten, bestimmte Auslagen und ggf. Wertminderung ersetzt. Wenn Sie während der Reparaturzeit auf einen Leihwagen verzichten, können Sie Nutzungsausfall geltend machen.

Verkehrsopfer-
hilfe e.V.

Ist das Fahrzeug Ihres Unfallgegners bei einem Unfall in Deutschland nicht versichert, wenden Sie sich bitte mit Ihren Ansprüchen an die Verkehrsopferhilfe e. V. (Glockengießerwall I/V, 2000 Hamburg 1).

Allianz
Auto-Schutzbrief

6. Mit einem Auto-Schutzbrief der Allianz Gesellschaften sind Sie gegen eine Reihe von Kosten versichert, die Ihnen durch einen Unfall entstehen können, z. B. für Bergen und Abschleppen Ihres Fahrzeugs, für Übernachtungen, Bahnfahrt oder Mietwagen, für Krankenrücktransport, Heimholen von Kindern, Fahrzeugrückholung oder -rücktransport, ggf. für Verschrottung und Verzollung.

Allianz
AutoCard

7. Allianz Kunden erhalten mit ihrer Allianz AutoCard überall dort Rat und Hilfe, wo die Allianz vertreten ist. Überall in Deutschland gibt es Autowerkstätten, die Allianz Service-Partner sind; sie reparieren Vollkaskoschäden an Allianz versicherten Fahrzeugen ohne finanzielle Vorleistung und rechnen direkt mit der Versicherung ab. Wer einen Allianz Auto-Schutzbrief hat, erhält im Inland mit der AutoCard bargeldlos Pannenhilfe, Abschlepp- und Bergungsdienste bis zu den bedingungsgemäßen Höchstbeträgen.

Allianz
AutoRuf

Außerdem können sich Allianz Kunden außerhalb der üblichen Geschäftszeiten mit dem AutoRuf bundesweit telefonisch zum Ortstarif an die Allianz wenden:
werktags von 17 bis 7.30 Uhr sowie durchgehend an Sonn- und Feiertagen unter der Nummer 01 30/23 02.

Schnelle Meldung

Ihre schnelle Schadenmeldung beschleunigt die Regulierung.

Verkehrsvorschriften

Ungeachtet der Tatsache, daß das in diesem Reiseführer beschriebene Gebiet seit dem 3. Oktober 1990 in die Bundesrepublik Deutschland integriert ist, bestehen einige abweichende Verkehrsvorschriften, auf deren strikte Einhaltung zu achten ist.

Höchst
geschwindigkeiten

Alle Kfz innerhalb geschlossener Ortschaften	50 km/h
Alle Kfz außerhalb geschlossener Ortschaften	80 km/h
Pkw und Motorräder auf Autobahnen	100 km/h
Alle übrigen Kfz auf Autobahnen	80 km/h

Promillegrenze

Es besteht absolutes Alkoholverbot!

Rennsteig im Thüringer Wald   *Waltersdorf im Zittauer Gebirge*

Wintersport

Im südlichen Mittelgebirgsraum der Deutschen Demokratischen Republik, der sich im Winter einer relativen Schneesicherheit erfreut, eröffnen sich dem Touristen zahlreiche Wintersportmöglichkeiten:

Mittelgebirgsraum

Am Fuße des Fichtelberges liegt der Kurort Oberwiesenthal, der bedeutendste Höhenluftkurort und Wintersportplatz des Erzgebirges. Hier findet der Wintersportfreund alle Einrichtungen für den Skilauf (Pisten, Hütten), eine Rodelbahn und eine Eisbahn. Eine Seilschwebebahn führt zum Gipfel des Fichtelberges (1214 m ü.d.M.) mit Ausflugsgaststätte, Wetterwarte und Aussichtsturm.
Auf der Großen Fichtelbergschanze werden nationale und internationale Skiflugwettbewerbe ausgetragen.

Erzgebirge

Unweit von Oberwiesenthal erweist sich Johanngeorgenstadt als vielseitiges Erholungszentrum im Kammbereich des westlichen Erzgebirges, nahe der deutsch-tschechoslowakischen Grenze. Zahlreiche Abfahrten, Sprungschanzen, Langlaufloipen und Rodelbahnen bieten ein komplexes Betätigungsfeld.

Auch das auf dem Kamm des Osterzgebirges gelegene Zinnwald-Georgenfeld sowie Geising und Bärenstein werden gern zum Wintersport aufgesucht.

Im waldreichen oberen Vogtland liegt der Wintersportort Klingenthal am Fuße des Aschberges (935 m ü.d.M.), bekannt durch die dortige Sportschule sowie die Große Aschbergschanze.

Vogtland

Das bedeutendste Wintersportzentrum im Thüringer Wald ist Oberhof, wo alljährlich internationale Wettkämpfe ausgetragen werden. Zu den hier zur Verfügung stehenden Einrichtungen gehört neben Sprungschanzen, Bob- und Rennschlittenbahnen ein modernes Eisstadion.

Thüringer Wald

Weitere Wintersportmöglichkeiten bieten die Kurorte Brotterode und Steinbach-Hallenberg sowie Zella-Mehlis, Lauscha und Frauenwald (Rennsteig).

Zeit

Im Winter MEZ

Sommerzeit

In Deutschland gilt im Winterhalbjahr die Mitteleuropäische Zeit (MEZ). Seit 1980 herrscht während der Zeit von Ende März bzw. Anfang April bis Ende September die Sommerzeit (MEZ + 1 Std.). Nach Möglichkeit legt man den ersten und letzten Tag auf einen Sonntag.

Die exakten Termine werden rechtzeitig in der Tagespresse und im Funk bekanntgegeben.

Zoologische Gärten, Tierparks und Heimattiergärten

Übersichtskarte s. S. 734

1 Berlin

   Zoologischer Garten (Bezirk Tiergarten)
   Tierpark (Bezirk Friedrichsfelde)

5 Stadttierpark Dahme (Mark)

6 Tierpark Cottbus

7 Heimattiergarten Finsterwalde

8 Heimattierpark Senftenberg

9 Tierpark Weißwasser

10 Tiergarten Hoyerswerda

15 Heimattiergarten Riesa

16 Wildgehege Moritzburg

17 Tierpark Bischofswerda

18 Tierpark Görlitz

19 Zoologischer Garten Dresden

20 Bärenanlage Bad Schandau

21 Tierpark Zittau

25 Wildgehege Nordhausen

26 Tiergarten Worbis

27 Tiergarten Sondershausen

28 Heimattiergarten Bad Langensalza

29 Heimattiergarten Gotha

30 Thüringer Zoopark Erfurt

31 Heimattierpark und Fasanerie Arnstadt

35 Heimattiergarten Schwedt

36 Heimattiergarten Angermünde

37 Heimattierpark Eberswalde-Finow

38 Heimattiergarten Seelow

39 Heimattiergarten Fürstenwalde

40 Heimattiergarten Eisenhüttenstadt

45 Heimattiergarten Eisenberg

46 Tiergehege Bad Köstritz

47 Tierpark Gera

48 Tiergehege Greiz, Ortsteil Waldhaus

49 Heimattiergarten Königsee

50 Kleinsttierpark Saalfeld

51 Tiergehege Zeulenroda

55 Tiergarten Lutherstadt Wittenberg

56 Heimattiergarten Dessau

57 Heimattiergarten Köthen

58 Heimattiergarten Bernburg

59 Heimattiergarten Aschersleben

60 Tierpark Hexentanzplatz Thale

61 Tiergarten Walbeck

62 Tiergehege Petersberg

63 Tiergarten Polleben

64 Heimattiergarten Sangerhausen

Elefanten im Dresdener Zoologischen Garten

Zoos und Tiergärten

Kartenlegende
s. S. 732–735

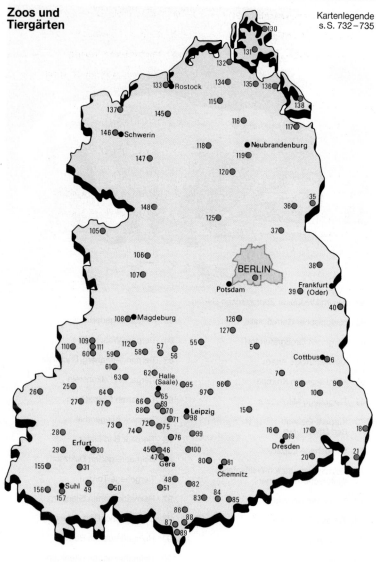

108 Zoologischer Garten Magdeburg

109 Heimattiergarten Halberstadt

110 Wildpark Christianental Wernigerode

111 Tiergehege Wusterhausen

112 Heimattiergarten Staßfurt

115 Tierpark Dargun

Register

Register

Register

Kartenverzeichnis

Verzeichnis der Karten, Pläne und graphischen Darstellungen im Reiseführer

Bildnachweis siehe Seite 748

Bildnachweis

Herkunftsnachweis der fotografischen Abbildungen

Baedeker-Archiv: S. 80; S. 163, rechts; S. 205; S. 260, oben; S. 262, links; S. 458, rechts; S. 464, links.
Volker Bartholdt (Leipzig): S. 157, links; S. 353, rechts; S. 650.
Baumgarten: S. 15, links; S. 211, 2 × (unten); S. 297; S. 418; S. 591, rechts; S. 688, oben.
K. G. Beyer (Weimar): S. 287.
Bohnacker: S. 249; S. 289; S. 296; S. 303; S. 335, unten; S. 435; S. 440; S. 532.
Hans-Joachim Boldt (Berlin): S. 91; S. 484.
Madeleine Cabos (Stuttgart): S. 178; S. 185; S. 187; S. 188, unten; S. 191; S. 195, 2 ×; S. 202; S. 211, oben rechts; S. 212; S. 214, 2 ×; S. 399, 2 ×; S. 403; S. 491; S. 492.
dpa (Hamburg): S. 194.
Walter Dreier (Halle/Saale): S. 353, links.
Rainer Eisenschmid (Stuttgart): S. 215; S. 217, oben; S. 257; S. 267, unten.
Heinz Fräßdorf (Dessau): S. 423; S. 499, rechts; S. 500; S. 582.
Frenzel (Chemnitz): S. 234.
Dieter Galinsky (Freiberg): S. 321.
Uwe Gerig (Königstein): S. 21, links; S. 339, links.
Ile Handy (Schmalkalden): S. 433, unten rechts.
Jochen Haupt (Berlin): S. 240.
Herzog-August-Bibliothek (Wolfenbüttel): S. 37.
Historia-Photo (Hamburg): S. 89, 3 ×; S. 115, 3 ×.
Gerhard Hoffmann (Berlin): S. 559, oben; S. 568.
Werner Hoffmann (Oelsnitz): S. 662, links.
Andreas Hohn (Nachrodt-Wiblingwerde): S. 513.
Frank Ihlow (Potsdam): S. 101; S. 378.
Internationales Congress-Centrum (Berlin): S. 186.
Jürgens (Ost + Europa Photo; Köln): S. 279; S. 315; S. 377, rechts; S. 433, oben; S. 451, links; S. 479; S. 575, S. 577; S. 621.
Angelika Kammer (Berlin): S. 611, rechts.
Rudolf Kampmann (Berlin): S. 163, links; S. 654, links.
Bernd Kappelmeyer (Berlin): S. 16/17; S. 188, oben.
Karpinski: S. 262, rechts.
Rainer Kitte (Görlitz): S. 175; S. 330; S. 333, rechts; S. 663, 2 ×.
Marion Klemp: S. 122.
Eberhard Klöppel (Berlin): S. 67; S. 319, rechts; S. 525; S. 538.
Klaus König (Berlin): S. 196; S. 199, oben; S. 207; S. 211, oben links; S. 228, links; S. 294, rechts; S. 304, 2 ×; S. 306; S. 319, links; S. 341; S. 377, links; S. 380; S. 410; S. 411; S. 414; S. 421; S. 424; S. 428; S. 433, unten links; S. 439; S. 449; S. 451, rechts; S. 465; S. 471; S. 489; S. 499, links; S. 514; S. 527, rechts; S. 529; S. 533; S. 540; S. 544; S. 546, rechts; S. 550; S.570, 2 ×; S. 589; S. 626; S. 633, rechts; S. 731, rechts.
Heinz Korff (Berlin): S. 395; S. 708.
Hans Krumbholz (Berlin): S. 363; S. 444; S. 452, rechts; S. 460; S. 493; S. 528; S. 546, links; S. 654, rechts.
Peter Kühn (Dessau): S. 8; S. 83; S. 244; S. 302; S. 520; S. 605; S. 606, 2 ×; S. 608; S. 629.
Herbert Lachmann (Leipzig): S. 452, links.
Bernd Lammel (Berlin): S. 161, links; S. 199, unten.
Dieter Latze (Berlin): S. 402.
Helmut Lindemann (Friedrichroda): S. 731, links.
Kai Ulrich Müller (Berlin): S. 213; S. 217, unten; S. 218; S. 225; S. 228, rechts; S. 229; S. 236; S. 293; S. 313, 3 ×; S. 331; S. 333, links.
Hartmut Musewald (Schwerin): S. 347; S. 461; S. 483; S. 516; S. 561.
Peter M. Nahm (Ostfildern): S. 436.
Bernhard Nathke (Leipzig-Oschatz): S. 472, links; S. 542; S. 625.
Paul Neubert (Berlin): S. 134; S. 224; S. 463; S. 522; S. 533; S. 640; S. 671, rechts; S. 686.
Michael Nitzschke (Leipzig): S. 159; S. 405, rechts; S. 519; S. 615; S. 656.
Helmut Opitz (Leipzig): S. 27, links; S. 133, rechts.
Udo Pellmann (Dresden): S. 22; S. 74; S. 166; S. 168; S. 177; S. 232; S. 233; S. 239; S. 254; S. 258; S. 269, 2 ×; S. 270; S. 273, oben; S. 311; S. 343; S. 344/345; S. 371; S. 379; S. 383; S. 384; S. 480; S. 481; S. 506, 2 × (oben rechts und unten); S. 531; S. 551; S. 555; S. 564/565; S. 598/599; S. 638; S. 659; S. 677.
Popp: S. 250/251.

Günter Reinhold (Bansin): S. 596.
Reisebüro der DDR (Berlin): S. 155; S. 472, rechts; S. 587.
Horst Riederer (Berlin-Eichwalde): S. 21, rechts; S. 464, rechts.
Klaus-Dieter Röding (Berlin): S. 15, rechts; S. 281; S. 324; S. 369; S. 458, links; S. 515; S. 541; S. 559, unten; S. 583; S. 610; S. 611, links; S. 675.
Klaus Rossa (Berlin): S. 209; S. 247; S. 405, links; S. 406.
Roger Rössling (Leipzig): S. 133, links; S. 326; S. 613; S. 618, links.
Gerhard Rothe (Augustusburg): S. 455, 2 ×; S. 509.
Wolfgang R. Rudolph (Dessau): S. 242, S. 390, links; S. 430/431; S. 527, links.
Wolfram Schmidt (Berlin): S. 273, 2 × (unten).
Sigrid Schütze-Rodemann (Halle/Saale): S. 63, links; S. 66, 2 ×; S. 72; S. 113, links; S. 161, rechts; S. 171; S. 221; S. 294, links; S. 335, oben; S. 349, 3 ×; S. 355, 2 ×; S. 356; S. 357; S. 390, rechts; S. 417; S. 442, rechts; S. 445, 2 ×; S. 453; S. 503; S. 536; S. 586; S. 591, links; S. 594; S. 617; S. 618, rechts; S. 633, links.
Siegert: S. 267, oben; S. 506, oben links.
Wolfgang Steffen (Sangerhausen): S. 63, rechts; S. 442, links.
Tourist-Verlag (Berlin/Leipzig): S. 603.
Ullstein Bilderdienst (Berlin): S. 55, 3 ×.
Vereinigte Altenburger und Stralsunder Spielkarten-Fabriken AG (Leinfelden-Echterdingen): S. 157, rechts.
Vetter: S. 152; S. 260, unten; S. 265; S. 275; S. 505; S. 573; S. 662, rechts; S. 688, unten; S. 733.
Norbert Vogel (Berlin): S. 475.
Reinhard Völker (Uftrungen): S. 517.
Herbert Wanke (Schwerin): S. 339, rechts; S. 365.
Walter Wawra (Potsdam): S. 494; S. 496.
Lothar Wendel (Leipzig): S. 508.
Bernd Wurlitzer (Berlin): S. 27, rechts; S. 113, rechts; S. 286; S. 619; S. 671, links.

Autorenverzeichnis siehe Seite 750

Autorenverzeichnis

Verzeichnis der ursprünglichen Textautoren in namensalphabetischer Reihenfolge

Martin Benad (Bautzen): Sorben.

Bruno Benthien (Greifswald): Naturräumliche Gliederung, Wirtschaft; Altmark, Bodetal, Darß, Dübener Heide, Eichsfeld, Elbtal, Elstertal, Erzgebirge, Fläming, Greifensteine, Harz, Havelland, Hiddensee, Holzland, Kyffhäusergebirge, Lausitz, Märkische Schweiz, Mecklenburger Seen, Mecklenburgische Schweiz, Müritz, Neustrelitzer Seengebiet, Ostseeküste, Plauer See, Rennsteig, Rhön, Rügen, Ruppiner Schweiz, Saaletal, Sächsische Schweiz, Scharmützelsee, Schwarzatal, Schweriner See, Selketal, Spreewald, Templiner Seen, Teupitzer Seen, Tharandter Wald, Thüringer Wald, Uckermark, Unstruttal, Usedom, Vogtland, Werbellinsee, Zittauer Gebirge.

Ingrid und Lothar Burghoff (Erfurt): Apolda, Arnstadt, Bad Blankenburg, Eckartsberga, Eisenach, Erfurt, Bad Frankenhausen, Gotha, Heiligenstadt, Hoyerswerda, Ilmenau, Jena, Lübbenau, Meiningen, Oberhof, Oberwiesenthal, Rudolstadt, Saalfeld, Bad Salzungen, Schmalkalden, Suhl.

Horst Büttner (Berlin): Kunstgeschichte.

Gudrun und Christian Dornburg (Schönerlinde): Anklam, Berlin, Brandenburg, Cottbus, Eberswalde-Finow, Eisenhüttenstadt, Frankfurt (Oder), Fürstenberg (Havel), Lübben, Meißen, Neuruppin, Oranienburg, Oybin, Potsdam, Rheinsberg, Schwedt, Stolpen, Zittau.

Hans Hartmann (Leipzig): Altenburg, Eisleben, Halle (Saale), Bad Lauchstädt, Leipzig, Merseburg, Naumburg, Querfurt, Torgau, Weißenfels.

Detlef Ignasiak (Jena): Literaturgeschichte.

Karl Jüngel (Lutherstadt Wittenberg): Flora und Fauna in den Auen der Mittelelbe.

Joachim Kolbig (Potsdam): Klima.

Christel Nehrig (Birkenwerder): Geschichte (anteilig).

Hans Prang (Berlin): Essen und Trinken.

Manfred Radloff (Berlin): Ballenstedt, Barth, Blankenburg, Bad Doberan, Greifswald, Greiz, Halberstadt, Klingenthal, Krakow am See, Kyritz, Lobenstein, Markneukirchen, Mühlhausen, Neubrandenburg, Neustrelitz, Nordhausen, Pasewalk, Plauen, Prenzlau, Quedlinburg, Rübeland, Salzwedel, Sangerhausen, Saßnitz, Schleiz, Bad Schmiedeberg, Schwerin, Stendal, Stolberg, Stralsund, Tangermünde, Thale (Harz), Weimar, Wernigerode, Wismar.

Ute Romberg (Berlin): Musikgeschichte, Musikleben.

Rainer Roßner (Berlin): Theaterleben.

Hans-Jürgen Rusch (Dessau): Bernburg, Dessau, Köthen, Wittenberg, Wörlitz.

Evelyn Schulz (Berlin; Bearbeitung): Altenberg, Annaberg-Buchholz, Augustusburg, Eisenberg, Freiberg, Gera, Chemnitz (Karl-Marx-Stadt), Königstein, Pirna, Rathen, Rostock, Bad Schandau, Schneeberg, Schwarzenberg, Seiffen, Waren, Zeitz, Zschopau.

Rolf Sprink (Leipzig): Bautzen, Dresden, Görlitz, Güstrow, Kamenz, Löbau, Ludwigslust, Magdeburg, Zwickau.